CHAMPION CLASSIQUES
Série « Moyen Âge »
créée par Emmanuèle Baumgartner et Laurence Harf-Lancner
sous la direction de Laurence Harf-Lancner

LE LIVRE DE
LA CITÉ DES DAMES

D1153647

Dans la collection *Champion Classiques*

Série « Moyen Âge »
Éditions bilingues

De la production littéraire du Moyen Âge français, le lecteur moderne ne connaît guère que quelques noms et quelques œuvres, la plupart justement célèbres. Le pari de cette collection est de leur donner une plus large diffusion en proposant des éditions remises à jour, assorties de traductions originales et de tout ce qui peut en faciliter la compréhension. Mais il a paru tout aussi important d'associer à ces valeurs établies des œuvres moins connues, souvent peu accessibles, capables cependant de susciter à leur tour le plaisir de la découverte.

DÉCOUVREZ TOUS LES TITRES DES COLLECTIONS

Série « Essais »
Série « Références et Dictionnaires »
Série « Littératures »
Série « Moyen Âge »

SUR NOTRE SITE

www.honorechampion.com

CHRISTINE DE PIZAN

LE LIVRE DE
LA CITÉ DES DAMES

Édition bilingue introduite et traduite par Anne PAUPERT

Édition et notes par Claire LE NINAN et Anne PAUPERT

CHAMPION CLASSIQUES
HONORÉ CHAMPION
PARIS – 2023

Anne Paupert est maîtresse de conférences émérite à l'Université Paris Cité et membre de l'équipe de recherche Cerilac. Ses travaux portent sur la parole des femmes dans la littérature du Moyen Âge, et plus récemment, sur l'œuvre de Christine de Pizan. Elle a publié notamment *Les Fileuses et le clerc. Une étude des Évangiles des Quenouilles* (Paris, Champion, 1993), une traduction des *Évangiles des Quenouilles* et de l'*Advision* de Christine de Pizan dans *Voix de femmes au Moyen Âge* (Paris, Robert Laffont, Bouquins, 2006) ainsi qu'un certain nombre d'articles sur ces sujets et de collaborations à des ouvrages collectifs, et co-dirigé plusieurs ouvrages.

Claire Le Ninan est membre du Centre d'Études du Moyen Âge de l'Université Sorbonne Nouvelle. Ses recherches portent principalement sur Christine de Pizan. Elle a publié *Le sage roi et la clergesse* (Paris, Champion, 2013) ainsi que plusieurs articles sur la littérature de la fin du Moyen Âge, notamment sur l'œuvre de Christine de Pizan. Elle a co-dirigé *Une femme et la guerre à la fin du Moyen Âge* (Paris, Champion, 2016) et *Genèses et filiations dans l'œuvre de Christine de Pizan* (Paris, Classiques Garnier, 2022).

Ouvrage publié avec le soutien du
Centre national du livre

Illustration de couverture :
Christine de Pizan, *Le Livre de la Cité des dames*, Paris,
Bibliothèque nationale de France, français 1778, fol. 3r (partie).

Trois Dames ont veillé sur notre *Livre de la Cité des dames* : Emmanuèle Baumgartner, qui est à l'initiative de ce travail ; Liliane Dulac, qui, dans sa grande générosité, nous a nourries de son érudition ; Laurence Harf-Lancner, dont la patience, le soutien sans faille et les relectures précises ont permis d'achever cette entreprise. Nous leur dédions ce livre.

Nous remercions toutes et tous les collègues et ami.e.s qui nous ont aidées d'une façon ou d'une autre, en particulier Andrea Valentini, Christine Reno, Gabriella Parussa, Didier Lechat, Jacqueline Cerquiglini-Toulet, Jean-Claude Mühlethaler, Sarah Delale, Emmanuelle Valette, Lazare Paupert, et toute la communauté des spécialistes de Christine de Pizan avec qui nous avons eu des échanges informels durant toutes ces années.

INTRODUCTION

Le *Livre de la Cité des dames* est un livre exceptionnel à plus d'un titre : écrit par une femme au tout début du XVe siècle, une écrivaine hors norme, pour d'autres femmes de son temps et de celui à venir, à qui elle s'adresse à la fin de l'œuvre[1], pour leur transmettre la mémoire des femmes du passé et leur faire ainsi un rempart contre des siècles de misogynie, c'est aussi un livre savamment écrit et composé, le point d'aboutissement de tout un pan de l'œuvre de Christine de Pizan, consacré à la défense et illustration du sexe féminin tout entier ; un livre qui s'inscrit dans un contexte historique et social bien éloigné du nôtre, mais qui continue cependant de parler aux femmes et aux hommes d'aujourd'hui, comme en témoignent les nombreux échos qu'il suscite encore, bien qu'il ne soit lu le plus souvent que dans des traductions modernes et qu'il demeure assez mal connu, sinon des spécialistes.

Il a en effet été peu édité jusqu'à tout récemment[2]. On a souvent considéré à tort qu'il s'agissait avant tout d'une compilation, et de

---

[1] « Or est du tout achevee et parfaite notre Cité, en laquelle a grant honneur vous toutes, celles qui aimez gloire, vertu et loz, povez estre hebergees, tant les passees dames comme les presentes et celles a avenir, car pour toute dame honnorable est faite et fondee. » (III, 19, « La fin du livre : parle Cristine aux dames »).

[2] La seule édition disponible était jusqu'à présent celle d'E. J. Richards, accompagnée d'une traduction en italien : *La Città delle Dame*, éd. E. J. Richards, trad. P. Caraffi, Milano, Luni editrice, 1998. Il existe également deux éditions dans des thèses non publiées : celle de Monika Lange, *Christine de Pisan : Livre de la Cité des Dames. Kritische Textedition auf Grund der sieben überlieferten « manuscrits originaux » des Textes,* Dissertation, Université de Hamburg, 1974 (non publiée et difficilement accessible ; nous avons pu la consulter grâce à Liliane Dulac qui nous en a communiqué une copie) ; et celle de Maureen

l'un des premiers «catalogues de femmes illustres» sur le modèle de celui de Boccace, dont on connaîtra plusieurs exemples dans les siècles suivants. Or ce livre est beaucoup plus que cela. Il est temps de lui rendre la place qui lui revient dans l'histoire des idées et dans les développements de la littérature en langue vulgaire, celle d'un texte important digne d'être lu et étudié pour lui-même.

La belle scène d'ouverture de la *Cité* a été souvent commentée[1]. Dans la première phrase, Christine de Pizan se représente au travail dans sa «celle», sa petite étude[2], telle qu'elle a aimé se faire représenter tant de fois dans des miniatures en tête de plusieurs de ses œuvres, où on la voit vêtue le plus souvent d'une longue robe bleue et d'une simple coiffe blanche en forme

---

Curnow, *The Livre de la Cité des Dames of Christine de Pisan: a critical edition*, Ph. D. dissertation, Vanderbilt University, Nashville, 1975. Le texte est connu d'un plus large public par des traductions en langue moderne: *La Cité des Dames*, trad. É. Hicks et T. Moreau, Paris, Stock, 1986, récemment rééditée (Paris, LGF, Le Livre de Poche, 2021); en anglais, nous avons consulté deux traductions, *The Book of the City of Ladies*, trad. E. J. Richards, New York, Persea Books, 1982; *The Book of the City of Ladies*, trad. R. Brown Grant, Londres/New York, Penguin books, 1999. À l'exception de l'édition de M. Curnow, qui a fait un travail remarquable (malheureusement non publié) et à laquelle nous devons beaucoup, et dans une moindre mesure de celle de M. Lange, elles ne comportent que peu de notes. Le texte a également été traduit dans d'autres langues européennes: outre l'italien (par Patrizia Caraffi, 1998, voir ci-dessus), en allemand, par Margarete Zimmermann (1986, plusieurs rééditions); en catalan, par Mercè Otero i Vidal (1990); en espagnol, par Marie-José Lemarchant (1995, plusieurs rééditions); en néerlandais, par Tine Ponfoort (1984); en suédois, par Jens Nordenhök (2012); en roumain, par Reghina Dascal (2015); en polonais, par Anna Loba (2023); nouvelle traduction en anglais par Ineke Hardy (2018).

[1] Voir en particulier J. Cerquiglini-Toulet, «Fondements et fondations de l'écriture chez Christine de Pizan: Scènes de lecture et scènes d'incarnation», dans *The City of Scholars: New Approaches of Christine de Pizan*, éd. M. Zimmermann et D. De Rentiis, Berlin, W. de Gruyter, 1994, p. 79-96.

[2] Le mot *celle* désigne la cellule au sens monastique du terme. Comme le rappelle J. Cerquiglini-Toulet, la femme qui écrit au Moyen Âge, «grande dame, religieuse ou veuve», est souvent d'une manière ou d'une autre passée par le couvent: «la "chambre à soi" de la femme qui écrit est majoritairement la cellule du couvent.» (*Femmes et littérature: Une histoire culturelle*, éd. M. Reid, Paris, Gallimard, 2020, t. I, p. 41). Ce n'est pas le cas de Christine, mais le choix de ce terme est révélateur. Elle emploie un peu plus loin le terme *estude*, tout comme dans le début du *Livre du chemin de longue estude*, où elle se représente également dans son *estude petite*, entourée de livres et cherchant une lecture susceptible de la distraire du chagrin de son veuvage (*Le Chemin de longue étude*, éd. et trad. A. Tarnowski, Paris, Librairie générale française, 2000, v. 171-177, p. 96).

de cornette à deux pointes[1] : «Selon ma manière de vivre et mon occupation habituelle, à savoir la pratique assidue de l'étude des textes, j'étais un jour assise dans ma petite chambre, entourée de nombreux volumes traitant de divers sujets». C'est là que vont lui apparaître peu après les trois Dames couronnées venues la tirer de la mélancolie où l'avait plongée la lecture d'une satire anti-matri- moniale bien connue à l'époque, le *Livre de Mathéolus*. La minia- ture placée en tête de la première partie du texte dans les plus beaux manuscrits de la *Cité des dames*, souvent reproduite, garde la trace de cette apparition saisissante qui n'est pas sans rappeler une Annonciation[2], et qui évoque aussi le début de la *Consolation de Philosophie* de Boèce où le narrateur affligé voit Philosophie apparaître devant lui.

Alors qu'elle était plongée dans de tristes réflexions et se lamentait, au point de regretter que Dieu l'ait fait naître dans un corps féminin, Christine est brusquement tirée de ses pensées par un rayon lumineux soudainement descendu «en son giron» et redressant la tête, elle voit devant elle trois dames couronnées, Raison, Droiture et Justice, qui vont lui expliquer ensuite qui elles sont et quelle est la raison de leur venue. C'est ce moment qu'illustre la première moitié de la miniature initiale, la seconde moitié montrant Christine au travail, sous la direction de Raison, en train de bâtir à l'aide d'une truelle le gros mur d'enceinte de la cité. Le livre s'élabore ensuite au fur et à mesure que se construit la cité, à travers le dialogue entre les dames et Christine, qui se met en scène sous ce nom et s'emploie, selon leurs indications, à creuser les fondations puis à ériger les murailles et les édifices

---

[1] Cette coiffe bien caractéristique, avec deux pointes de part et d'autre, se retrouve sur la plupart des miniatures représentant Christine de Pizan. Elle relève du type de la «cornette» selon le *Trésor de la langue française* (abrégé par la suite en *TLF*); on désigne sous le nom de «cornette» ce type de coiffe avec une ou deux pointes, de forme et de dimension variables; il s'agit plutôt d'une coiffe populaire, qui a fini par être liée à certains ordres religieux; cela pouvait aussi être une coiffe de veuve – peut-être est-ce le cas pour celle que porte Christine.

[2] Pour le rayon de lumière venu d'en haut, qui n'est pas mentionné dans le récit évangélique (Luc, 1, 26-38), on pense surtout aux nombreuses représentations iconographiques. Outre l'article cité plus haut, voir J. Cerquiglini-Toulet, *La Couleur de la mélancolie: La fréquentation des livres au XIVᵉ siècle, 1300-1415*, Paris, Hatier, 1993, p. 77; M. Quilligan, *The Allegory of female authority. Christine de Pizan's Cité des Dames*, Ithaca/London, Cornell University Press, 1991, p. 54.

avec les matériaux qu'elles lui fournissent, les « grosses pierres »
qui sont autant de dames du passé qui ont illustré les capacités des
femmes ; ensuite, un peu avant le milieu du livre (II, 12[1]), la
construction de la cité étant achevée, d'autres dames de valeur
seront convoquées pour en être les premières habitantes[2].

Dès le début, dame Raison annonce à Christine qu'elle s'apprête
à édifier, avec son aide, une *cité tres belle, sans pareille et de perpetuelle duree ou monde* (I, 4). Cette conscience affirmée de la valeur
de son œuvre est celle d'une auteure déjà reconnue en tant que telle,
et ce livre constitue un jalon remarquable dans un itinéraire exceptionnel, qu'elle retrace elle-même de façon détaillée dans une œuvre
composée à peu près à la même époque, *L'Advision Cristine*[3] (ou
Vision de Christine). Quant à l'annonce de sa durée, l'auteure ne
croyait sans doute pas si bien dire. C'est la première fois qu'elle
affirme de façon aussi nette, dans l'ouverture du livre tout comme
dans sa conclusion, où elle dédie sa Cité à toutes les dames, *tant les
passees dames comme les presentes et celles a avenir* (III, 19), son
souci et son désir de passer à la postérité[4]. Elle l'affirmera avec

---

[1] Pour plus de clarté, nous avons choisi d'indiquer en chiffres romains la
partie du livre, et en chiffres arabes le chapitre. C'est aussi la raison pour laquelle
la numérotation des chapitres, dans la traduction, sera indiquée en chiffres
arabes (et non pas en chiffres romains comme dans le texte original).

[2] Nous reviendrons plus loin sur la composition du livre, tout à fait originale
et soigneusement travaillée.

[3] *Le Livre de l'advision Cristine*, éd. L. Dulac et C. Reno, Paris, Champion,
2001 ; traduction par A. Paupert, *La Vision de Christine* de Christine de Pizan,
dans *Voix de femmes au Moyen âge : savoir, mystique, poésie, amour, sorcel-
lerie : XIIᵉ-XVᵉ siècle*, dir. D. Régnier-Bohler, Paris, Robert Laffont, 2006,
p. 407-542. La troisième partie de ce livre contient un long récit autobiographique adressé à la figure allégorique de Philosophie, sur le modèle de la *Consolation de Philosophie* de Boèce. Voir A. Paupert, « Christine et Boèce. De la
lecture à l'écriture, de la réécriture à l'écriture du moi », dans *Contexts and
Continuities : IVᵉ colloque international sur Christine de Pizan (Glasgow, juillet
2000)*, Glasgow, University of Glasgow Press, 2002, vol. III, p. 645-662. La
dimension autobiographique de l'œuvre de Christine de Pizan a été bien étudiée ;
voir notamment la première partie du volume *Au champ des escriptures, IIIᵉ
Colloque international sur Christine de Pizan*, dir. É. Hicks, D. Gonzalez et P.
Simon, Paris, Champion, 2000 (« Autoportraits », p. 5-90 ; en particulier, sur cet
aspect, les articles de K. Brownlee, A. Paupert et P. Romagnoli).

[4] Elle l'a déjà fait de façon plus ponctuelle dans *Le Livre du chemin de long
estude* en 1402, lorsque la Sibylle lui déclare « Que ton nom sera reluisant / aprés
toy par longue memoire » (*op. cit.*, v. 496-497, p. 116).

encore plus de force à la fin du *Livre des Trois Vertus*, composé juste
après le *Livre de la Cité des dames* et présenté comme sa suite :

> Et pour ce, moy, leur servante, [...] me pensay que ceste noble
> oeuvre multiplieroye par le monde en pluseurs copies, quel
> qu'en fust le coust : seroit presentee en divers lieux a roynes, a
> princepces et haultes dames, afin que plus fust honnouree et
> exaucee, si que elle en est digne, et que par elles peust estre
> semmee entre les autres femmes ; laquelle dicte pensee et desir
> mis a effect, si que ja est entrepris, sera ventillee, espandue et
> publiee en tous païs, – tout soit elle en langue françoise. Mais
> parce que la dicte langue plus est commune par l'univers monde
> que quelconques autre, ne demourra pas pour tant vague et non
> utile nostre dicte oeuvre, qui durera au siecle sanz decheement
> par diverses copies. Si la verront et orront maintes vaillans
> dames et femmes d'auctorité ou temps present et en cil a venir,
> qui prieront Dieu pour leur servante Cristine, desirans que de
> leurs temps fust sa vie au siecle, ou que veoir la peussent[1].

Or c'est ce livre, plus que tout autre, qui lui vaudra très tôt, avec
le *Livre des Trois Vertus*, d'être connue dans différentes cours
européennes[2] ; et qui lui vaut encore aujourd'hui un regain de
notoriété, porté par la vague des études féministes puis des études de
genre. Traduit dans plusieurs langues et étudié dans de nombreuses
universités à travers le monde, ce livre compte pour beaucoup dans
le succès actuel de Christine de Pizan et de son œuvre. Comme
l'écrivaient récemment à ce propos deux spécialistes renommées :

> Il existe, à n'en pas douter, un phénomène Christine de Pizan
> depuis le dernier quart du XXe siècle, en Occident : un auteur

---

[1] *Le Livre des Trois vertus*, éd. C. C. Willard, Paris, Champion, 1989, conclusion, p. 225. Voir aussi l'*Advision Cristine*, datée de 1405, où la figure d'Opinion, à
la fin de la IIe partie, évoque en des termes assez proches (si ce n'est que le lecteur
idéal est ici un prince) le succès de son œuvre dans le futur : « Et le temps a venir
plus en sera parlé qu'a ton vivant. [...] Maiz, après ta mort, venra le prince plain de
valeur et sagesce qui par la relacion de tes volumes desirera tes jours avoir esté de
son temps et par grant desir souhaidera t'avoir veue. » (*Advision*, II, 22, p. 89-90).

[2] Voir plus loin, la partie de cette introduction consacrée à la postérité de la
Cité des dames. Nous y reviendrons sur l'importance et l'influence de ces deux
œuvres dans les cours européennes dès la fin du XVe siècle et durant tout le
XVIe siècle, ainsi que sur le succès récent et qui ne cesse de s'accroître de la *Cité
des dames* et de son auteure.

longtemps considéré comme mineur, bien que jamais tout à fait oublié, a acquis en quelques années une place exceptionnelle dans les études littéraires et historiques, ce qui s'est traduit par une extraordinaire inflation bibliographique; mais aussi, bien au-delà, dans des manifestations très variées de la vie culturelle. Cette émergence de Christine et de son œuvre est évidemment due pour une bonne part à l'essor du mouvement féministe [...] Mais en réalité le phénomène est bien plus large, et il est complexe[1].

Différents facteurs se combinent en effet, comme l'étendue et la diversité de son œuvre et la personnalité remarquable de l'auteure; mais c'est aussi l'importance qu'occupe dans cette œuvre la défense des femmes. Or sur ce sujet, la *Cité des dames* représente un point d'aboutissement dans l'œuvre de Christine de Pizan, ainsi que la forme la plus achevée de sa réflexion. Mais avant d'y revenir de façon plus précise, il convient de replacer ce livre dans la vie et dans la carrière de son auteure.

LA *CITÉ DES DAMES* DANS LA VIE ET L'ŒUVRE DE CHRISTINE DE PIZAN

Au moment où Christine compose la *Cité* (entre 1405 et 1407), elle a donc déjà une certaine notoriété, surtout depuis que le puissant duc Philippe de Bourgogne lui a confié la tâche de rédiger la biographie de son frère le défunt roi Charles V; ce sera le *Livre des faits et bonnes mœurs du roi Charles V le Sage* (1404).

---

[1] L. Dulac et C. Reno, «Christine de Pizan, proche et lointaine», dans *Lire les textes médiévaux aujourd'hui: historicité, actualisation et hypertextualité*, dir. P. Victorin, Paris, Champion, 2011, p. 35-55 (citation p. 35). Sur la place de Christine de Pizan dans le «canon littéraire» et la promotion qu'elle a connue en France ces dernières années, voir A. Paupert, «La place des auteures médiévales dans le "canon littéraire" (Marie de France et Christine de Pizan)», *Littérature*, n° 196, *Le canon littéraire*, décembre 2019, p. 56-71. On retiendra notamment la mise au programme de son *Livre du duc des vrais amants* à l'agrégation de Lettres Modernes en 2017. On peut juger du récent succès, sinon de ses œuvres, du moins de son nom et de sa personnalité, auprès d'un public beaucoup plus large par le nombre de sites ou de blogs sur internet où figure le nom de Christine de Pizan.

«*SEULE EN [SES] FAIS OU ROYAUME DE FRANCE*[1] » :
UN DESTIN PEU COMMUN

Rappelons brièvement l'itinéraire exceptionnel de cette Italienne de naissance, née à Venise en 1365[2], arrivée à la cour de France à l'âge de quatre ans, avec son père, Tomasso di Benvenuto da Pizzano[3], natif de Bologne, nommé en France Thomas de Pizan, appelé à la cour de Charles V pour y exercer les fonctions de médecin et astrologue du roi. Dans le long récit autobiographique de la troisième partie de l'*Advision*, elle évoque d'abord la période heureuse de son enfance et de sa jeunesse, jusqu'aux premières années de son mariage. Elle a épousé en 1380, à l'âge de quinze ans, Étienne de Castel, de dix ans son aîné, « ung jeune escolier gradué [un jeune étudiant diplômé], bien né, et de nobles parens de Picardie, de qui les vertus passoient la richesce », bientôt promu secrétaire royal ; bien qu'il ait été choisi par le père de Christine, elle dit elle-même qu'elle n'aurait pu mieux choisir, et qu'elle a passé avec lui dix années très heureuses[4]. Deux passages de la *Cité des dames* évoquent cette période de sa vie. Il est question de sa jeunesse dans le chapitre II, 36, *Contre ceulx qui dient qu'il n'est pas bon que femmes aprengnent lettres* (« fassent des études ») lorsque Droiture, après avoir invoqué un exemple de la Rome antique, celui d'Hortense, fille de Quintus Hortensius, puis un exemple récent, celui de Novella l'Italienne, fille de Giovanni Andrea, rappelle celui du père de Christine, qui

---

[1] C'est ainsi que le poète Eustache Deschamps désigne Christine dans le refrain d'une ballade qu'il lui adresse en réponse à une épître en vers qu'elle lui avait envoyée, datée du 10 février 1403 (ancien style, donc 1404 ; Christine de Pizan, *Une epistre a Eustace Mourel, Œuvres poétiques*, éd. M. Roy, Paris, Firmin Didot, 1886-1896, t. II, 1891, p. 295 ; Eustache Deschamps, *Anthologie*, éd. et trad. C. Dauphant, Paris, UGE, 2014, ballade 168, p. 538-539).

[2] C. C. Willard indiquait vers 1364 (*Christine de Pizan: Her Life and Works*, New York, Persea Books, 1984, p. 16). Des éléments précis permettent d'établir la date de 1365, comme le rappelle F. Autrand (*Christine de Pizan*, Paris, Fayard, 2009, p. 14). Nous suivons ce dernier ouvrage pour les autres dates proposées (notamment pour le mariage de Christine).

[3] Petite ville des environs de Bologne - d'où la graphie utilisée aujourd'hui par les spécialistes de Christine de Pizan (au lieu de la graphie «Pisan»).

[4] Voir la note 3 p. 12. Le chapitre qui suit le début de la «complainte de Cristine a Philosophie» (III, 3) est intitulé «Dit Cristine de ses bonnes fortunes» (III, 4). Elle y évoque sa jeunesse heureuse et son mariage (*Advision*, p. 97-98).

prenait grand plaisir à voir sa fille montrer de l'inclination pour
les études, alors que sa mère, soucieuse de l'«usage commun»,
tenait à ce qu'elle apprenne les travaux féminins et l'art du filage,
l'empêchant ainsi de poursuivre et d'approfondir ses connaissances[1]. Un peu plus haut, au début d'un assez long développement consacré à des femmes qui ont porté un grand amour à leurs
maris (chapitres 13 à 24), Droiture lui rappelle la chance qu'elle a
eue d'en avoir un tel que le sien :

> Et quoy qu'il soit des mauvais maris, il en est de tres bons,
> vaillans et saiges, et que les femmes qui les encontrerent nasqui-
> rent de bonne heure, quant a la gloire du monde, de ce que Dieux
> les y adreça. Et ce pués tu bien savoir par toy meismes, qui tel
> l'avoies qu'a fin souhait ne seusses miex demander, et qui, a ton
> jugement, nul autre homme de toute bonté, paisibleté, loyauté et
> bonne amour ne le passoit, duquel les regrais de ce que mort le te
> toli jamais de ton cuer ne partiront. (II, 13)

La douleur éprouvée à la suite de son veuvage, brièvement
évoquée ici, est un thème récurrent depuis ses toutes premières
œuvres[2]. Alors qu'elle avait d'abord perdu son père (mort sans
doute en 1387), dont la situation à la cour s'était beaucoup dégradée
après la mort de Charles V en 1380, elle a ensuite perdu très subite-
ment son mari, victime d'une épidémie en 1390, et s'est retrouvée
veuve avec trois jeunes enfants (l'un d'entre eux, un garçon, a dû
mourir très jeune), aux prises avec de grosses difficultés financières
et judiciaires, son père et son mari n'ayant pas été très prévoyants.
Après quelques années très difficiles, elle se fait connaître par ses
premiers poèmes (composés à partir de 1394). Comme ils ont été
bien reçus, elle les rassemble en recueils (d'abord les *Cent Ballades*
en 1399, puis d'autres), puis compose des «dits» en vers, puis des
ouvrages d'une autre veine, avec un contenu plus savant, d'abord
en vers, puis en prose, à la fois par goût et pour subvenir aux

---

[1] Voir II, 36 et la note 1 p. 565.

[2] Un groupe important de ses premières ballades, et quelques rondeaux et
virelais, parfois désignés comme les «poèmes du veuvage», y sont consacrés. Il
en est question assez longuement et dans des termes très proches dans le début
du *Livre du chemin de longue étude* (v. 61-134) ainsi que dans la première partie
du *Livre de la Mutacion de Fortune* (éd. S. Solente, Paris, Picard, 1959-1966,
t. I, v. 1160 *sq.*, p. 46-50, «Ci dit comment elle perdi le patron de sa nef»). Voir
aussi l'*Advision*, III, 6.

besoins de sa famille. Elle les présente à de riches protecteurs, qui deviendront ses mécènes : Louis d'Orléans, frère du roi Charles VI, dont la femme est Valentine Visconti (une Italienne comme elle, qu'elle a sans doute connue et fréquentée) ; Philippe, duc de Bourgogne, puis Jean de Berry, frères du défunt roi Charles V ; la reine Isabelle (dite Isabeau[1]) de Bavière... Elle devient, comme on l'a parfois dit, le premier véritable «écrivain de métier» en France, et cet écrivain est une écrivaine. Elle connaît assez rapidement un certain succès, en France et auprès de princes étrangers, dont le duc de Milan, Jean Galéas Visconti, qui lui fait une offre très intéressante mais meurt peu de temps après, en 1402[2].

Tous ces événements, et beaucoup d'autres, nous sont connus par le récit détaillé qu'elle en fait dans l'*Advision*. Lorsqu'elle écrit ce livre en 1405, elle a déjà derrière elle une œuvre conséquente, qu'elle récapitule avec fierté :

> Adonc me pris a forgier choses jolies, a mon commencement plus legieres, et tout ainsi comme l'ouvrier qui de plus en plus en son euvre se soubtille comme plus il la frequente, ainsi tousjours estudiant diverses matieres, mon sens de plus en plus s'imbuoit de choses estranges, amandant mon stille en plus grant soubtilleté et plus haulte matiere, depuis l'an mil trois cent quatre vingt dix et neuf que je commençay jusques a cestui quatre cent et cinq ouquel je ne cesse, compillés en ce tendis XV volumes principaux sans les autres particuliers petis dictiez, lesquelz tout

---

[1] Ni Christine ni ses contemporains n'appellent la reine «Isabeau», qui est un surnom dépréciatif ; ils utilisent le prénom «Isabelle» pour la désigner. À la suite d'historiens comme Étienne Anheim, nous avons choisi de suivre l'usage de l'époque (voir É. Anheim, «La Chapelle d'Isabelle de Bavière (1370-1435), reine de France», dans *«La Dame de cœur»: Patronage et mécénat religieux des femmes de pouvoir dans l'Europe des XIVe-XVIIe siècles*, éd. M. Gaude-Ferragu et C. Vincent-Cassy, Rennes, Presses universitaires de Rennes, 2018, p. 37-49). Voir aussi R. C. Gibbons «Isabeau of Bavaria Queen of France (1385-1422): The Creation of an Historical Villainess», *Transactions of the Royal Historical Society*, ser. 6, vol. 6, 1996, p. 51-74).

[2] *Advision* III, 12, p. 113-114. En évoquant ses succès, elle les attribue en partie à sa qualité de femme : «comme ja m'eussent donné nom mes ditz volumes par les presens qui a mains princes d'estranges païs fais en furent, non mie de par moy envoiez mais par autres, comme de choses nouvelles venues de sentement de femme – si comme dit le proverbe, choses nouvelles plaisent (ne le dis pour nulle vantance, comme elle n'y affiere) –» [trad. «je ne le dis pas pour me vanter, car ce serait déplacé»].

ensemble contiennent environ LXXX quaiers de grant volume, comme l'experience en est manifeste[1].

Ces détails montrent l'attention qu'elle porte à la réalisation matérielle de ses textes. Elle n'est en effet pas seulement auteure, mais aussi éditrice de ses propres textes, copiste à l'occasion, et elle prend soin elle-même de faire fabriquer et enluminer les volumes qui contiennent ses œuvres, parfois isolées, mais assez vite aussi regroupées dans de très beaux volumes réalisés pour des grands personnages[2], faisant travailler plusieurs artisans dans ce que l'on a parfois appelé « l'atelier de Christine ». Ces aspects de son travail seront abordés plus loin.

Nous n'avons par ailleurs que peu d'indications sur la suite de sa vie. Elle mentionne dans l'*Advision* le séjour de son fils Jean de Castel en Angleterre auprès du duc de Salisbury, sans doute entre 1398 et 1402 ; elle réussit à le faire revenir en France après la disgâce, puis la mort du duc lors de l'accession au trône d'Henry IV. Entré au service du duc de Bourgogne, Jean de Castel deviendra ensuite notaire et secrétaire du roi Charles VII[3]. Elle évoque aussi dans l'*Advision* sa fille Marie, devenue religieuse à l'abbaye royale de Poissy, ce dont elle se réjouit – c'était ce que désirait sa fille, et c'était un destin enviable pour une jeune fille de sa condition[4].

La composition de la *Cité des dames* intervient dans la période la plus productive de sa carrière. C'est aussi une période particulièrement difficile, en pleine guerre de Cent Ans. La folie du roi Charles VI a laissé le champ libre aux ambitions des princes, qui s'affrontent. La France est au bord de la guerre civile : en 1407, l'assassinat de Louis d'Orléans, le premier protecteur de Christine,

---

[1] *Advision*, III, 10, p. 111.

[2] Voir J. Laidlaw, « Christine de Pizan - An Author's Progress », *The Modern Language Review*, t. LXXVIII, n° 3, 1983, p. 532-550 ; et du même, « Christine de Pizan : A Publisher's Progress », *The Modern Language Review*, t. LXXXII, n° 1, 1987, p. 35-75.

[3] Jean de Castel (ou Jean Castel) est parfois cité comme un clerc de renom. Son propre fils Jean (le petit-fils de Christine) deviendra lui aussi un clerc et écrivain renommé (moine bénédictin, historiographe officiel du roi Louis XI, mort en 1476).

[4] Elle n'aurait pas pu prétendre à un riche mariage et se trouvait à Poissy avec des jeunes filles de la plus haute noblesse, dont la propre fille du roi, la petite Marie de France, avec qui elle entra probablement au couvent en 1397 (F. Autrand, *op. cit.*, p. 91).

par les partisans de Jean sans Peur, duc de Bourgogne (qui a pris la succession de son père, le duc Philippe, lui aussi protecteur de Christine), déclenchera une véritable guerre entre Armagnacs et Bourguignons. Ce fait ne sera pas sans conséquences sur la carrière de Christine, soucieuse de s'assurer le soutien de mécènes dont elle a besoin[1], et désireuse d'intervenir dans les événements politiques de son temps en jouant un rôle de conseillère en faveur de la paix, notamment auprès de la reine Isabelle de Bavière, comme en témoignent plusieurs de ses œuvres[2]. Lors de l'entrée dans Paris en 1418 des Bourguignons, alliés des Anglais, Christine s'enfuit de la ville, comme beaucoup d'autres, pour échapper aux massacres. Elle trouve refuge dans une abbaye, qui est très proba- blement celle de Poissy, où se trouvait sa fille. Le *Ditié de Jeanne d'Arc*, sa dernière œuvre connue, composée en 1429 à la suite des premiers exploits de Jeanne d'Arc, s'ouvre en effet avec ces deux vers : « Je, Cristine, qui ai pleuré / XI ans en abbaye close[3] ». Elle dut y mourir peu de temps après, vers 1430[4].

Les principales œuvres de Christine de Pizan.
Datation de la *Cité des dames*

L'œuvre de Christine de Pizan est considérable[5]. Nous ne mentionnerons ici que les œuvres les plus connues ou celles qui sont à mettre en rapport avec la *Cité des dames*. Dans l'ordre

---

[1] Voir C. C. Willard, *Christine de Pizan, op. cit.*, chap. 8, « The Search for a Patron », p. 155-171.

[2] Voir F. Autrand, *op. cit.*, livre dont le sous-titre est « une femme en politique », notamment les IIe et IIIe parties (« Christine de Pizan, témoin de son temps », et « Un regard féminin sur le pouvoir »). Sur la dimension politique de l'œuvre de Christine de Pizan, voir en particulier *Politics, Gender and Genre. The Political Thought of Christine de Pizan*, éd. M. Brabant, Routledge, London/New York, 1992 ; *Healing the Body Politic : The Political Thought of Christine de Pizan*, éd. K. Green et C. J. Mews, Turnhout, Brepols, 2005 ; et C. Le Ninan, *Le Sage roi et la clergesse. L'écriture du politique dans l'œuvre de Christine de Pizan*, Paris, Champion, 2013.

[3] Le *Ditié de Jeanne d'Arc*, éd. A. J. Kennedy et K. Varty, Oxford, Society for the Study of Mediaeval Languages and Literature, 1977, v. 1-2.

[4] On n'a retrouvé à ce jour aucune trace certaine de la date ni du lieu de la mort de Christine de Pizan, ni du lieu de sa sépulture.

[5] Dans un travail pionnier, Suzanne Solente a répertorié 25 œuvres en vers, 16 œuvres en prose (S. Solente, « Christine de Pisan », dans *Histoire Littéraire de la France*, Paris, Imprimerie Nationale, 1969, t. XL).

chronologique, Christine a commencé par composer des poèmes à forme fixe, ballades, rondeaux et virelais, qu'elle rassemble assez vite en recueils (*Cent Ballades*, 1399). Plus tard elle reviendra une dernière fois à ces formes fixes avec les *Cent Ballades d'Amant et de Dame*[1] (entre 1405 et 1414). Parmi ses premières compositions viennent ensuite, entre 1400 et 1403, plusieurs «dits[2]», de longs poèmes en octosyllabes à rimes plates mettant en scène un «je», prenant parfois la forme d'un débat et portant sur divers sujets, le plus souvent en rapport avec l'amour (comme le *Le Débat de deux amants* et le *Livre des trois jugements*, vers 1400; le *Dit de Poissy*, daté d'avril 1400; le *Dit de la Rose*, daté du 14 février 1401 «ancien style», donc 1402; le *Dit de la Pastoure*, de mai 1403)[3].

Dans cette période des débuts, elle a aussi composé deux œuvres auxquelles elle fait précisément référence dans la *Cité*, selon un procédé d'auto-citation dont elle est coutumière, dans deux passages où Dame Droiture rappelle à Christine qu'elle y a déjà traité des sujets abordés dans la *Cité*: «et de ce as tu assez suffisamment parlé en ton *Epistre*» (II, 47); «car toy mesmes a assez suffisamment traittié la matiere tant contre cellui Ovide comme contre aultres, en ton *Epistre du dieu d'Amours*[4] et tes *Epistres contre le Roman de la Rose*» (II, 54). Il s'agit de l'*Epistre au dieu d'Amours*, composée en 1399 (une «lettre du dieu d'Amour» à des dames qui lui avaient adressé leurs plaintes, pour prendre leur défense contre les galants peu scrupuleux et contre

---

[1] Ce texte a été réédité récemment: Christine de Pizan, *Cent Ballades d'Amant et de Dame*, éd. et trad. J. Cerquiglini-Toulet, Paris, Gallimard, 2019.

[2] Selon la définition la plus générale du «dit» tel qu'il était pratiqué à cette époque (XIVᵉ siècle – début du XVᵉ siècle), une forme ou un genre aux contours assez mouvants et difficile à définir précisément, mais qui a été très bien étudié, notamment par J. Cerquiglini-Toulet. Voir par exemple J. Cerquiglini-Toulet, «Le Dit», dans *La Littérature française aux XIVᵉ et XVᵉ siècles*, dir. Daniel Poirion, *Grundriß der romanischen Literaturen des Mittelalters*, t. VIII/1, Heidelberg, Carl Winter Universitätsverlag, 1988, p. 86-94.

[3] Tous ces poèmes à formes fixes ainsi que les «dits» ont été édités dès la fin du XIXᵉ siècle par Maurice Roy (Christine de Pizan, *Œuvres Poétiques*, éd. M. Roy, Paris, Firmin Didot, 1886-1896, 3 t.).

[4] On notera que Christine (ou le copiste) emploie ici la préposition *de*, plus conforme à l'usage moderne, et non pas *a*, comme c'est habituellement le cas, ce qui peut prêter à confusion (c'est le cas aussi dans nos trois manuscrits). De même *contre*, plus explicite, a remplacé *sur* dans le titre suivant (ce qui n'a pas été fait dans les autres manuscrits).

les clercs misogynes), et du *Livre des epistres du debat sus le Rommant de la Rose* (ou *Le Débat sur le* Roman de la Rose, 1401-1402), dans lequel elle a rassemblé, pour les présenter à la reine Isabelle, différentes pièces du débat sous la forme de lettres échangées entre Christine et quelques clercs de renom, ses opposants, au sujet du *Roman de la Rose* de Jean de Meun.

Deux autres livres importants sont mentionnés par Dame Raison à la fin d'un chapitre consacré à Thomyris, reine des Amazones, car il traite de choses dont Christine a déjà parlé dans ces deux livres[1] : il s'agit de l'*Epistre Othea* (vers 1400), son premier texte de quelque envergure, une lettre fictive adressée par la déesse Othea à Hector de Troie[2], pour lui exposer, dans une forme qui associe vers et prose, «les fondements éthiques de la chevalerie et de la politique[3]»; et du *Livre de la mutacion de Fortune* (1400-1403), un vaste essai d'histoire universelle, avec un début célèbre en forme d'autobiographie allégorique où la narratrice raconte comment elle a dû être transformée en homme pour prendre le gouvernail du navire après le décès de son «capitaine[4]» (son mari). Dans ces deux textes en effet Christine évoque différents personnages empruntés à l'*Histoire ancienne*[5] et repris dans la *Cité* (comme cela sera signalé à plusieurs reprises dans les notes).

Parmi les œuvres dont la composition est antérieure à celle de la *Cité*, il faut citer deux «livres» déjà mentionnés : le *Livre du chemin de longue étude* (1402-1403), qui, comme l'*Advision* composée quelques années plus tard, prend la forme d'un songe allégorique dans lequel Christine, guidée par la Sibylle, se rend jusqu'au ciel où trône la déesse Raison, qui la charge d'un message pour les princes français; et le *Livre des faits et bonnes*

---

[1] «Belle fille et ma chiere amie, icelles choses je te ramentois pour ce que il affiert a la matiere dont je te parloie, non obstant que bien les saches et que toy meismes les aies recitees autre fois en ton *Livre de la Mutacion de Fortune* et mesmement en ton *Epistre de Othea*.» (I, 17).

[2] Il est proposé comme modèle au dauphin Louis de Guyenne, dédicataire de l'œuvre.

[3] Selon les termes de son éditrice, Gabriella Parussa (Christine de Pizan, *Epistre Othea*, éd. G. Parussa, Genève, Droz, 1999, quatrième de couverture).

[4] Christine de Pizan, *Le Livre de la mutacion de Fortune*, éd. S. Solente, Paris, Picard, 4 vol., 1959 (t. I-II), 1966 (t. III-IV).

[5] Voir plus loin la partie sur les sources.

moeurs du roi Charles V le Sage (1404). Un autre livre notable est le *Livre du duc des vrais amants* (entre 1403 et 1405), inscrit dans un contexte courtois, tout comme les premiers poèmes et les «dits», mais mettant en cause les dérives de la *fin'amor* d'une façon qui n'est pas sans rapport avec la défense des femmes que Christine poursuit dans d'autres œuvres[1].

En très peu de temps, autour de l'année 1405, elle compose ensuite trois œuvres majeures : le *Livre de l'advision Cristine*, le *Livre de la Cité des dames* et le *Livre des trois Vertus*. Le premier est précisément daté de 1405 ; la date est donnée dans le texte même, dans le passage cité plus haut où elle évoque avec fierté le travail accompli «depuis l'an mil trois cent quatre vingt dix et neuf que je commençay jusques a cestui quatre cent et cinq ouquel je ne cesse[2]». Le *Livre des trois Vertus*, parfois appelé dans des éditions anciennes «Trésor de la Cité des dames[3]», est présenté explicitement dans son ouverture comme la suite de la *Cité*[4], il a donc nécessairement été composé après. On a considéré le plus souvent, en suivant les arguments avancés par Mathilde Laigle en 1912[5], que la *Cité* et les *Trois Vertus* étaient antérieures à l'*Advision*, et les dates presque toujours retenues par les éditeurs et critiques modernes sont fin 1404-1405 pour la *Cité* et 1405 (juste après la *Cité*) pour les *Trois Vertus*. Pour le *terminus a quo*, la date proposée est plus précisément le 13 décembre 1404, date à laquelle la comtesse de Hainaut est devenue duchesse de Hollande ; elle est citée au chapitre 68 de la IIe partie de la Cité. Elle n'a pas été

---

[1] Christine de Pizan, *Le Livre du duc des vrais amants*, éd. et trad. D. Demartini et D. Lechat, Paris, Champion, 2013.

[2] *Advision*, III, 10, p. 111.

[3] C'est le titre qui lui est donné dans plusieurs éditions imprimées anciennes (fin du XVe et XVIe siècles), à commencer par celle d'Antoine Vérard en 1497.

[4] Les trois dames apparaissent de nouveau devant Christine et l'exhortent à reprendre son travail : «Aprés ce que j'oz ediffiee à l'ayde et par le commande-ment des troys Dames de Vertus, c'est assavoir Rayson, Droicture et Justice, *La Cité des Dames* par la fourme et maniere que ou contenu de ladicte cité est declairié, je, comme personne traveillie de si grant labour avoir accompli et mis sus, mes membres et mon corps lasséz pour cause du long et continuel excercite estant en oyseuse et querant repos, s'apparurent a moy de rechief, gaires ne tarderent, les susdictes troys glorieuses […]» (*Trois Vertus*, *op. cit.*, p. 7).

[5] M. Laigle, *Le Livre des Trois Vertus de Christine de Pisan et son milieu historique et littéraire*, Paris, Champion, 1912.

remise en cause. Ce n'est en revanche pas le cas pour le *terminus ad quem*. Une date plus précise est proposée par Mathilde Laigle et reprise ensuite par Suzanne Solente et beaucoup d'autres, celle de la mort d'Anne de Bourbon, citée dans le même chapitre, et qui serait survenue entre le 5 février et le 14 avril 1405[1]. Seules Maureen Curnow, s'appuyant sur un livre de Rose Rigaud[2], et Monika Lange, qui s'y réfère aussi, proposent de repousser le *terminus ad quem* jusqu'à la date de l'assassinat de Louis d'Orléans, le 23 novembre 1407. Cette dernière date se justifie par la mention de Valentine Visconti et de son mari Louis d'Orléans dans ce même chapitre de la *Cité* (II, 68), en des termes qui supposent que le duc soit encore en vie. M. Curnow, reprenant R. Rigaud, montre que M. Laigle fait une erreur sur la date de la mort d'Anne de Bourbon (encore en vie en 1406, morte sans doute en 1408). Un autre argument avancé par d'autres pour situer la composition de la *Cité* au plus tard en 1405 est la date de la composition des *Trois Vertus*, que son éditrice place en 1405[3]. Mais cette datation proposée par M. Laigle est tout aussi sujette à caution que la précédente. Alors que presque tous les éditeurs et critiques modernes, à l'exception de R. Rigaud, M. Lange et M. Curnow, reprennent ces dates (1405 pour les *Trois Vertus* et fin 1404-1405 pour la *Cité*, avec l'idée que l'*Advision* leur serait légèrement postérieure), deux études très récentes remettent également en cause le *terminus ad quem*[4].

---

[1] S. Solente, «Christine de Pizan», *Histoire Littéraire de la France*, *op. cit.*, p. 47 et note 2.

[2] R. Rigaud, *Les Idées féministes de Christine de Pizan*, Neuchâtel, Attinger frères, 1911 ; réimpr. Genève, Slatkine, 1973. Curnow, *Cité,* p. 1-13 (conclusion p. 13).

[3] C. C. Willard reprend la date proposée par M. Laigle. Les deux ouvrages furent composés vers 1405 (*Trois Vertus*, p. XI).

[4] Deux travaux très récents aboutissent à la même conclusion : S. Delale, *Diamant obscur : Interpréter les manuscrits de Christine de Pizan*, Paris, Droz, 2021 ; et surtout A. Valentini, qui reprend tous les éléments de façon très détaillée : *Des copistes entreprenants : Pour une approche complémentaire de la linguistique et de la philologie* (dossier d'Habilitation à diriger des recherches), Paris, Université Sorbonne Nouvelle, 2021 ; à paraître en 2023 sous le titre *La Cité des dames de Christine de Pizan entre philologie auctoriale et génétique textuelle*, Genève, Droz. Nous le remercions vivement d'avoir bien voulu nous transmettre la version écrite de ce livre encore inédit.

En résumé, il nous semble qu'on doit retenir une période de temps plus large pour la composition de la *Cité des dames*, suivie par celle des *Trois Vertus*, entre la fin de l'année 1404 (ou plutôt, vraisemblablement, le début 1405) et 1407 (avant l'assassinat du duc d'Orléans le 23 novembre 1407): on ne peut guère être plus précis. Quant à leur antériorité par rapport à l'*Advision*, elle demeure difficile à trancher. On peut penser que l'élaboration de la première version de la *Cité des dames* dut intervenir à peu près en même temps que la composition de l'*Advision*, ou juste après[1]. Dans le doute, nous avons conservé dans notre bibliographie l'ordre habituel dans la succession des œuvres de Christine de Pizan (*Cité – Trois Vertus – Advision*).

Ces textes seront suivis d'œuvres d'inspiration essentiellement politique et morale, telles que le *Livre du corps de policie* (1406-1407), la *Lamentacion sur les maux de la France* (1410), le *Livre de paix* (1412-1413), l'*Epistre de la prison de vie humaine* (1414-1418), dédiée à Marie de Berry et écrite pour consoler les dames des pertes subies pendant la guerre, notamment après la bataille d'Azincourt. Christine de Pizan a même composé un traité d'art militaire, *Le Livre des fais d'armes et de chevalerie* (1410), qui a connu un grand succès jusque dans les siècles suivants (sans que le nom de l'auteur soit toujours conservé). On lui doit aussi quelques œuvres d'inspiration religieuse (*Les Sept Psaumes allegorisés,* 1409; *Les Heures de contemplacion sur la Passion de Nostre Seigneur Jhesucrist*, vers 1420). Sa dernière œuvre connue est comme on l'a vu *Le Ditié de Jehanne d'Arc*, composé en 1429, sans doute peu avant sa mort.

Le Livre de la Cité des dames : un titre, une forme

Avant de nous attacher plus précisément à l'étude du texte, il convient de nous interroger sur la question du genre de ce texte – ainsi que de plusieurs des œuvres composées par Christine de Pizan à partir des années 1404-1405. Les œuvres des débuts,

---

[1] Selon A. Valentini, «Le *terminus ad quem* peut [...] être anticipé aux premiers mois de l'année 1407 au moins, car Christine de Pizan a sans doute eu besoin d'au moins quelques mois pour procéder à la révision de son texte, dont la *V2* ne peut pas être antérieure aux derniers mois de 1407. Pour ma part, je suis enclin à situer la composition de *V1* de la *CD* entre la deuxième moitié de 1405 et 1406». Sur les deux versions de la *Cité*, voir plus loin.

« œuvres poétiques » selon le terme choisi par leur premier éditeur moderne, se laissent classer assez facilement dans des catégories génériques bien identifiées : poèmes à formes fixes (ballades, rondeaux, virelais, ou même « lais ») ou « dits[1] ». D'autres se caractérisent par leur forme, clairement désignée dans le titre : ce sont les *epistres* fictives (de l'*Epistre au dieu d'Amours* à l'*Epistre Othea*, sans oublier le *Livre des epistres du debat sus le Rommant de la Rose*, où le mot « livre » désigne le recueil fait par l'auteure de ces « *epistres* », cette fois-ci non fictives mais données comme réellement échangées).

Pour ses œuvres ultérieures, elles sont souvent désignées par le nom de « Livre » voulu par l'auteure dans le titre. Elle entend par là désigner des œuvres de « plus grant soubtilleté et plus haulte matiere » que ses premières œuvres poétiques, ainsi qu'elle le déclare dans le passage de l'*Advision* cité plus haut[2]. Si les premières sont encore en vers – le *Livre de la mutacion de Fortune* (1400-1403), ou essentiellement en vers, avec des insertions de parties en prose, pour le *Livre du duc des vrais amants* (entre 1403 et 1405), qui peut être caractérisé formellement comme un « dit » avec des insertions de poèmes lyriques et de lettres en prose –, les suivantes, à partir de 1404 et du *Charles V*, seront en prose (ce « style prosal » dont elle dit alors qu'il constitue une nouveauté pour elle[3]). Il n'est pas facile de les définir selon des critères génériques. Dans les histoires de la littérature, on les range le plus souvent dans la catégorie des « ouvrages didactiques », qui n'est pas clairement définie et pas très satisfaisante[4], et qui a le défaut de

---

[1] Voir p. 20 et la note 2.

[2] *Advision*, III, 10, p. 111 : « ainsi tousjours estudiant diverses matieres, mon sens de plus en plus s'imbuoit de choses estranges, amendant mon stille en plus grant soubtilleté et plus haulte matiere, depuis l'an mil trois cent quatre vingt dix et neuf que je commençay jusques a cestui quatre cent et cinq ouquel je ne cesse ».

[3] Elle déclare dans l'épître dédicatoire : « emprens nouvelle compilacion menée en stille prosal et hors le commun ordre de mes autres choses passées » (*Charles V*, I, 1, t. I, p. 5).

[4] Comme le souligne en particulier S. Delale, *op. cit.* Notons que cette étiquette se justifie cependant d'un point de vue pragmatique et correspond bien en partie à l'intention de l'auteure : qu'entend faire Christine, sinon enseigner et édifier ses lecteurs et lectrices, comme le rappellent çà et là des déclarations d'intention dans ces œuvres ?

gommer les différences importantes qui les distinguent les unes
des autres et qui font leur originalité. On peut noter cependant
quelques points communs, à commencer par la présence du mot
«Livre» dans le titre. Plusieurs de ces livres présentent comme
caractéristique commune une division tripartite, comme le remar-
quait déjà Maureen Curnow et comme le rappelle Sarah Delale[1].
Les grandes œuvres de cette période où on la retrouve sont
d'abord le *Charles V*, puis l'*Advision*, la *Cité* et les *Trois Vertus*, et
un peu plus tard, le *Livre du corps de policie*, le *Livre des fais
d'armes* et le *Livre de paix*. En outre, la *Cité* partage avec quelques
autres œuvres le choix d'un cadre formel hérité du *Roman de la
Rose* et qui a connu un grand succès dans la littérature de la fin du
Moyen Âge, celui du «songe allégorique»: véritable songe suivi
d'un réveil dans le *Livre du chemin de longue étude* (qui par
ailleurs, malgré son titre, est formellement un très long «dit» en
vers) ou l'*Advision* (l'un des grands «livres» en prose presque
contemporain de la *Cité*), ou vision survenue dans un état apparent
de veille, dans la *Cité* ou les *Trois Vertus*. Dans tous les cas, les
figures allégoriques qui apparaissent à la narratrice et qui
encadrent tout le livre sont des figures féminines dotées d'une
grande autorité intellectuelle: dans le *Chemin de longue étude*,
c'est la sibylle de Cumes, qui a pris auprès de Christine la place de
Virgile auprès de Dante dans la *Divine Comédie* (qui est ici son
modèle); à la fin de leur parcours, elles parviennent au ciel où
trône Dame Raison[2], entourée d'autres vertus (Noblesse, Chevalerie, Richesse et Sagesse), qui chargera Christine de porter un
message aux princes de France; dans l'*Advision*, ce sont successivement une Dame couronnée qui est la France, Dame Opinion
(qui guide la narratrice sur le chemin de la connaissance) et Dame
Philosophie. On pourrait y ajouter la figure de la déesse Othea, qui
ne lui apparaît pas en songe mais à qui est attribuée l'*Epistre*
fictive qui porte son nom - une divinité au féminin sans doute

---

[1] Curnow, *Cité*, note sur l'Incipit, p. 1037. Voir aussi S. Delale, *Diamant
obscur, op. cit.*, p. 54-55. La réflexion sur la forme des œuvres occupe une partie
assez importante du livre (chapitre II, p. 139-170).

[2] C'est le «premier ciel» ou «ciel d'air», où Christine et la Sibylle sont
redescendues après être montées jusqu'au «V[e] ciel» pour observer le mouvement des astres (Christine n'est pas autorisée à monter plus haut); *op. cit.*,
p. 208, p. 222 *sq.* pour Dame Raison.

inventée par Christine à partir d'un mot grec désignant Dieu (*O-theos*[1]). Les trois Dames qui apparaissent dans la *Cité*, les trois « Vertus », Raison, Droiture et Justice, s'inscrivent directement dans cette lignée, cette généalogie au féminin qui jalonne l'œuvre de Christine, composée de figures tutélaires l'accompagnant dans son cheminement intellectuel. On pourrait y ajouter d'autres figures allégoriques importantes qui sont aussi des figures féminines, comme Nature dans la *Mutacion* (ou plus brièvement, dans l'*Advision*), figure maternelle par excellence, ou Fortune, également dans la *Mutacion*, une figure plus ambiguë dans ses interactions avec les humains (et avec la narratrice[2]).

Outre l'écriture en prose, on a déjà signalé le fait que dans les grandes œuvres de cette période, les préoccupations morales et politiques prennent le devant. C'est le cas dans la *Cité*, où domine l'élément politique au sens large, puisqu'il s'agit avant tout de prendre la défense des femmes, tandis que dans les *Trois Vertus* la perspective morale et sociale semble prédominante. Mais il serait vain de chercher une définition générique plus précise[3]. Chaque œuvre se présente au lecteur dans sa singularité, et le titre peut être un élément déterminant, sinon pour définir un « genre », du moins pour orienter en partie la lecture du texte.

Pour le *Livre de la Cité des dames*, chacun des trois mots du titre est à prendre en compte : d'abord le mot « Livre », qui renvoie, sinon à un genre, du moins à un type d'œuvre, une œuvre d'une certaine ampleur avec une portée politique et morale, comme on l'a

---

[1] *Othea*, introduction, p. 20-21 et note 37. L'*Epistre Othea*, bien qu'elle n'appartienne pas à la série des grands livres en prose et que sa forme soit différente, n'est pas sans points communs avec la *Cité*, où elle est mentionnée explicitement, comme on l'a rappelé.

[2] On pourrait citer aussi, dans une moindre mesure, la figure allégorique de Loyauté qui apparaît à la poétesse dans le *Dit de la Rose* pour l'exhorter à fonder un ordre chevaleresque pour la défense des femmes (l'« Ordre de la Rose »).

[3] M. Curnow n'en dit pas plus lorsqu'elle définit la *Cité des dames* comme « a bold didactic work in which Christine de Pisan argues that women are basically virtuous and are intellectually equal to men » (« une œuvre didactique audacieuse dans laquelle Christine de Pisan [sic] soutient que les femmes sont fondamentalement vertueuses et intellectuellement égales aux hommes ») ; chapitre II, « Definition of the work », p. 62 ; elle précise ensuite cette définition par une analyse détaillée de l'œuvre, en soulignant sa forme allégorique (« an allegorical dream vision », « une vision allégorique rêvée »).

vu[1]. L'expression «Cité des dames», on l'a souvent dit, fait écho à la «Cité de Dieu» de saint Augustin, comme l'auteure le souligne explicitement à la fin de son livre, avec la citation soulignée en rouge, une phrase bien identifiable se rapportant à la «Cité de Dieu», qu'elle donne en latin. Ce n'est pas sans audace que Christine, par la voix de Dame Justice, applique cette phrase à sa propre Cité qui vient d'être achevée, disant que «les saintes dames qui ont esté, qui sont et qui seront, elles pevent toutes estre comprises en ceste Cité des dames, de laquelle se peut dire : *"Gloriosa dicta sunt de te civitas Dei !"*» (III, 28). Il s'agit d'un verset d'un psaume (Ps 87,3), mais il est cité par saint Augustin à plusieurs reprises dans son livre, qui a pris ce titre[2]. Les lectrices et lecteurs un tant soit peu avertis ne pouvaient manquer de le reconnaître, même sans le nom de l'auteur; l'œuvre de saint Augustin faisait partie de la culture commune des lettrés de l'époque, d'autant qu'elle avait été traduite en moyen français par Raoul de Presles à la demande de Charles V en 1375 sous le titre français de *La Cité de Dieu*, un livre auquel Christine a certainement pu avoir accès[3]. Christine de Pizan n'a

---

[1] Il n'est donc pas souhaitable d'omettre ce mot «livre» dans le titre, comme le font souvent les éditions ou traductions modernes.Voir B. Ribémont, «De l'architecture à l'écriture : Christine de Pizan et la Cité des Dames», dans *La Ville : du réel à l'imaginaire,* éd. J.-M. Pastre, Mont-Saint-Aignan, Publications de l'Université de Rouen, 1991, p. 27-35, qui souligne bien l'importance des trois mots du titre (mais en donnant au mot «livre» une valeur différente).

[2] Voir la note 1 p. 803, presque à la fin de la *Cité* (III, 18).

[3] Curnow, *Cité*, note p. 1037. L'idée a été souvent reprise. Voir notamment B. Ribémont, article cité; M. Quilligan, *op. cit.*, p. 71 ; E. J. Richards, *City*, introduction, p. XXIX ; du même, «In Search of a Feminist Patrology : Christine de Pizan and *les Glorieux Dotteurs*», dans *Une femme de lettres au Moyen Âge*, éd. L. Dulac et B. Ribémont, Paris, Paradigme, 1995, p. 281-295 ; L. Walters, «La réécriture de saint Augustin par Christine de Pizan : de la *Cité de Dieu* à la *Cité des Dames*», dans *Au champ des escriptures, op. cit.*, p. 197-215. Nous n'irions pas jusqu'à dire que Christine de Pizan «réécrit» saint Augustin, mais la référence à son titre nous paraît indéniable, d'autant que saint Augustin est l'un des «glorieux dotteurs» mentionnés à plusieurs reprises dans la *Cité* et dans d'autres œuvres (voir plus loin, et voir l'article cité d'E. J. Richards). Que cette phrase ait été bien connue dans le milieu intellectuel fréquenté par Christine apparaît notamment dans le fait qu'elle est citée dans deux sermons de Gerson, certes un peu plus tardifs (1408 et 1413), comme l'indique Lori Walters dans un autre article («The Queen's Manuscript (London, British Library, Harley 4431) as a Monument to Peace», *Le Moyen Français*, vol. 75, 2014, *Christine de Pizan : 1re partie*, p. 85-117; p. 109-111).

certes pas l'ambition de rivaliser avec saint Augustin, mais cette association entre les deux cités souligne l'importance et la valeur de son entreprise ; elle peut être vue comme une manière d'insérer son œuvre dans une perspective chrétienne politique et philosophique plus large[1] ; on peut aussi y voir une forme de compensation symbolique, un désir de marquer la place des femmes dans une *Cité de Dieu* dont elles étaient presque entièrement absentes.

Quant au dernier mot du titre, il nous semble important de ne pas mettre de majuscule au mot « dames » ; il ne renvoie pas aux trois « Dames » allégoriques qui ont dirigé la construction de la cité, mais à toutes celles qui sont invitées à y entrer. Le mot *dame* (en moyen français), étendu aux femmes de diverses conditions, a des connotations plus positives que le mot *femme*, que celui-ci soit employé de façon neutre (comme il l'est souvent dans la *Cité des dames*) ou avec des connotations négatives (comme c'est le cas lorsqu'il est question de tous ceux qui ont parlé contre les femmes). Les destinataires de la *Cité*, qui étaient désignées à la fin de la deuxième partie par « toutes dames, damoiselles et generalment toutes femmes qui amastes, amez et amerez vertus et bonnes meurs » (II, 69, « Parle Cristine aux princesses et a toutes femmes »), deviennent dans l'adresse finale qui clôt le livre (III, 19, « Parle Cristine aux dames »), les dames honorables à qui la Cité achevée est destinée : « Or est du tout achevee et parfaite notre Cité, en laquelle a grant honneur vous toutes, celles qui aimez gloire, vertu et loz, povez estre hebergees, tant les passees dames comme les presentes et celles a avenir, car pour toute dame honnorable est faite et fondee[2]. »

---

[1] Selon E. J. Richards, « By juxtaposing the two cities Christine did not intend that her *City of Ladies* rival the *City of God*, but that her political vision be understood as participating in a Christian tradition of political philosophy. » (Richards, *City*, introduction, p. XXIX).

[2] L'apostrophe est ensuite reprise plusieurs fois : « mes tres chieres dames », « mes dames », « mes cheres dames », « mes dames » ; une distinction est faite ensuite entre les « dames qui [sont] mariés » – qu'elles aient de bons maris, des maris « moyens, entre bons et mauvais », ou des maris franchement mauvais –, les vierges, les « vesves femmes ». On retrouve plus loin le mot *femme*, qui englobe toutes les catégories sociales – « Et briefment, toutes femmes, soient grandes, moiennes ou petites » – mais dans la longue apostrophe de la fin, qui met en garde toutes les femmes contre les médisants et contre la « folle amour », c'est à nouveau le mot *dame* – « dames », « cheres dames », qui est répété.

CHRISTINE DE PIZAN ET LA DÉFENSE
DES FEMMES : DE L'*EPISTRE AU DIEU D'AMOURS*
À LA *CITÉ DES DAMES*[1]

Le *Livre de la Cité des dames* apparaît comme le point d'aboutissement du développement d'un thème important auquel Christine de Pizan s'est attachée depuis l'une de ses premières œuvres, l'*Epistre au dieu d'Amours* (1399), comme elle le rappelle à deux reprises dans la *Cité*, ainsi qu'on l'a vu. Il est mentionné dès le début par dame Raison (qui parle au nom des trois dames) comme le but principal de leur intervention ; elle vient exhorter Christine à s'engager pour la *deffence* des «dames et toutes vaillans femmes» contre «tant de divers assaillants» (tous ceux qui ont dit et disent du mal des femmes), et à soutenir leur «juste cause», malmenée par manque de «champion» et par «deffaulte de deffence[2]» :

> Si saches que pour fourclosre du monde la semblable esreur ou tu estoies encheute, et que les dames et toutes vaillans femmes puissent d'or en avant avoir retrait et closture de deffence contre tant de divers assaillans, lesquelles dictes dames ont par si lonc temps esté delaissies descloses comme champ sans haie, sans trouver champion aucun qui pour leur deffence comparust

---

[1] Nous reprenons ici en grande partie des éléments d'un article paru en 2013 dans un volume consacré à la «querelle des femmes» (A. Paupert, «Les débuts de la Querelle : de la fin du XIIIe siècle à Christine de Pizan», dans *Revisiter la Querelle des Femmes. Discours sur l'égalité / inégalité des sexes. De 1400 à 1600*, éd. A. Dubois-Nayt, N. Dufournaud et A. Paupert, Saint-Étienne, Presses de l'Université de Saint-Étienne, 2013, p. 23-37).

[2] Le mot *deffence* ne figure pas moins de trois fois en quelques lignes (et une fois le verbe *deffendre*), dans cette phrase à la syntaxe complexe où manque le verbe de la complétive, attendu après «saches que» (voir la note 1 p. 217). Raison combine ici une métaphore guerrière (la clôture de défense contre les assaillants, les attaques, la guerre perdue faute de «champion» pour les défendre), une image agricole (de façon ponctuelle : les dames «descloses», dépourvues de clôture, comme un champ sans haie), et une image judiciaire – le procès gagné «par contumace» même si la cause est juste, s'il est plaidé «sans partie» (le «champion» pouvant intervenir dans ces deux domaines ; si la pratique du duel judiciaire n'existait plus à la fin du Moyen Âge, le mot peut renvoyer métaphoriquement à un avocat). Martin Le Franc s'en souviendra lorsqu'il composera son *Champion des dames* (1441-1442) où il se livre à un long éloge de Christine (Martin Le Franc, *Le champion des dames*, éd. R. Deschaux, Paris, Champion, 1999 ; voir plus loin).

souffisantment, non obstant les nobles hommes qui par ordonnance de droit deffendre les deussent, qui par negligence et non
chaloir les ont laissies fouler, par quoy n'est merveille se leurs
envieux ennemis et l'oultrage des villains qui par divers dars les
ont assaillies, ont eu contre elles victoire de leur guerre par
deffaulte de deffence. Ou est la cité si fort que tost ne fust prise
se resistance n'y estoit trouvé, ne si juste cause que par contumasse ne feust gaangnee de cellui qui plaide sans partie? (I, 3).

Quatre œuvres de Christine de Pizan font de la défense des
femmes leur objet principal: outre l'*Epistre au dieu d'Amours*
(1399) déjà citée, ce sont les *Epistres du debat sur le Roman de la
Rose* (1402), le *Livre de la Cité des dames* et d'une autre manière,
on le verra, le *Livre des trois Vertus*. Par ailleurs, on peut noter que
cette préoccupation est présente tout au long de la carrière de
Christine, et plus particulièrement à cette époque (entre 1399 et
1405-1407). On peut citer par exemple *Les Enseignemens moraux*
ou «Les enseignemens que je Cristine donne a Jehan de Castel,
mon filz» (1400-1401): il s'agit d'une série de cent treize
quatrains d'octosyllabes sur divers sujets, consistant surtout en
conseils moraux, en fonction des différents *estats* (métiers,
professions) qui pourraient être choisis par le jeune garçon;
quelques quatrains sont consacrés à l'attitude à avoir envers les
femmes et aux calomnies dont elles sont victimes[1]. On peut
mentionner également un autre long poème assez proche de
L'Epistre au dieu d'Amours par sa forme et par son inspiration, *Le
Dit de la Rose* (février 1402), qui évoque une fête à l'hôtel
d'Orléans au cours de laquelle aurait été fondé l'Ordre de la Rose,
pour la défense de l'honneur des dames; ou encore, le *Livre du
duc des vrais aman*s (entre 1403 et 1405), déjà cité[2]. On pourrait

---

[1] Voir les quatrains XXXVIII: «Ne croy pas toutes les diffames/ Qu'aucuns
livres dient des femmes,/ Car il est mainte femme bonne./ L'experience le te
donne»; XLVII: «Ne soies deceveur de femmes,/ Honoure les, ne les diffames;
/ Souffise toy d'en amer une/ Et ne prent contens a nesune.»; LXXVII: «Se bien
veulx et chastement vivre,/ De la Rose ne lis le livre/ Ne Ovide de l'Art d'amer,/
Dont l'exemple fait a blasmer.» (*Œuvres poétiques*, éd. M. Roy, *op. cit.*, t. III,
p. 33-34 et p. 39).

[2] *Le Livre du duc des vrais amants, op. cit.*; on peut y voir une remise en cause
du jeu courtois de la séduction et de ses conséquences négatives pour les femmes
(voir la partie de l'introduction intitulée «La querelle contre Amour», p. 41-66).

trouver d'autres exemples ponctuels dans presque toutes les
œuvres de Christine de Pizan. Dans sa toute dernière œuvre, le
Dittié de Jeanne d'Arc, elle célèbre en la «*Pucelle*» celle qui a
illustré tout le *femenin sexe*: «une femme, simple bergiere,/ plus
preus qu'onc homs ne fut a Romme!», ajoutant un peu plus loin:
«Quel honneur au femenin sexe!/ Que Dieu l'ayme, il appert[1]».

　　L'Epistre au dieu d'Amours[2], datée du 1er mai 1399, s'inscrit
dans un contexte courtois tant par cette date (le 1er mai est la fête des
amants) que par la mise en scène, présentée de façon ludique. Il
s'agit cependant, comme l'écrivait avec raison Éric Hicks, et comme
l'avait déjà noté Maureen Curnow, du premier texte «féministe» de
Christine[3], le premier dans lequel elle prend explicitement et longuement la défense des femmes. Par l'intermédiaire du dieu d'Amour,
censé s'exprimer tout au long du poème (qui est présenté comme
une lettre écrite en réponse aux plaintes des dames), elle s'en prend
d'abord aux «faux amants», à ceux qui prétendent aimer les femmes
de *fin'amor* mais qui ne pensent qu'à les séduire et à les tromper.
Dans la suite (v. 259 *sq.*), elle en vient à la défense des dames contre
les clercs qui les diffament dans leurs écrits et une grande partie de
ce poème est une réponse aux écrits misogynes, qui semblent avoir
connu un regain de faveur à la fin du Moyen Âge[4]. Le dieu conclut

---

[1] Christine de Pizan, *Le Ditié de Jehanne d'Arc, op. cit.*, v. 198-199 et 265-66.

[2] *Œuvres poétiques*, éd. M. Roy, *op. cit.,* t. II, p. 1-27 (les citations sont
faites d'après cette édition). Signalons également une édition toute récente avec
une traduction en anglais (parue alors que notre travail était presque achevé):
Christine de Pizan, *The God of Love's Letter and the Tale of the Rose: a Bilingual Edition*, éd et trad. T. Fenster and C. Reno, New York/Toronto, Iter Press,
2021.

[3] Christine de Pizan, Jean Gerson, Jean de Montreuil, Gontier et Pierre Col,
Le Débat sur le Roman de la Rose [1977], éd., intro. et notes par É. Hicks,
Genève, Slatkine, 1996, introduction, p. XXXII: «*L'Epistre au Dieu d'amours* est
certes un texte "féministe" (dans l'optique très particulière d'une femme du
XVe siècle), mais ce texte n'a rien d'un document polémique». M. Curnow (*Cité*,
p. 207) notait déjà que dans tous ces textes (auxquels elle ajoute le *Dit de la Rose*),
«Christine de Pizan is a feminist» (hardie, mais pas «radicale», ajoute-t-elle).
Nous reviendrons plus loin sur la question du «féminisme» de Christine de Pizan.

[4] Les thèmes qui forment le cœur du débat dans ce qui deviendra la «querelle
des femmes» ne sont pas nouveaux et remontent à l'Antiquité; mais les attaques
contre les femmes ou les prises de position en faveur des femmes ont connu un
développement nouveau à partir de la fin du XIIIe siècle (voir plus haut, note 1
p. 30). Les textes rassemblés par Alcuin Blamires dans son anthologie, *Woman*

sa lettre en excommuniant, en chassant définitivement de sa cour et en condamnant les faux amants tout comme les médisants.

On y trouve déjà un bon nombre des arguments en faveur des femmes qui seront repris et développés dans la *Cité des dames*. D'abord, les hommes ont toutes les raisons d'aimer les femmes, qui sont tout à la fois leurs mères, leurs sœurs, leurs amies : « femme qui a tout homme est mere » (v. 169) ; ou comme le dieu d'Amour le dira plus loin : « c'est sa mere, c'est sa suer, c'est s'amie » (v. 733).

Après avoir évoqué le grand nombre de clercs qui ont accablé les femmes depuis Ovide, il réfute « l'argument d'autorité » :

> Et s'aucuns dit qu'on doit les livres croire
> Qui furent fais d'ommes de grant memoire
> Et de grant sens, qui mentir ne daignerent,
> Qui des femmes les malices proverent,
> Je leur respons que ceulz qui ce escriprent
> En leurs livres, je trouve qu'ilz ne quistrent
> En leur vie fors femmes decepvoir ;
> N'en pouoient yceulz assez avoir,
> Et tous les jours en voloient de nouvelles,
> Sanz loiauté tenir, nez aus plus belles (v. 309-318)

Dame Raison en fera tout autant dans la *Cité* (I, 9), reprenant et développant l'argument (et donnant même des détails sur la vie de débauche d'Ovide et de quelques autres). Christine leur reproche d'avoir avant tout cherché à séduire et tromper les femmes (l'*Art d'Amour* d'Ovide devrait plutôt être appelé « Art de grant decevance », de grande tromperie, écrit-elle au v. 377). Contre l'argument selon lequel les livres sont pleins de témoignages des défauts des femmes, elle répond « que les livres ne firent / Pas les femmes, ne les choses n'i mirent / Que l'en y list contre elles et leurs meurs / Mais se les femmes eussent les livres fait, / Je sçay de

---

Defamed and Woman Defended. An Anthology of Medieval Texts (éd. K. Pratt et C. W. Marx, Oxford, Clarendon Press, 1992), donnent une bonne idée des courants antiféministes et des quelques prises de position pro-féministes de l'Antiquité au Moyen Âge, jusqu'à Christine de Pizan. Voir aussi, du même, *The Case for Women in Medieval Culture*, Oxford, Clarendon Press, 1997. C'est dans ce contexte que s'inscrit la « défense des femmes » entreprise par Christine, dont l'œuvre, comme on l'a dit, représente un jalon important dans le développement de la « querelle ».

vray qu'autrement fust du fait[1] ». Après quoi suivent quelques exemples de femmes célèbres qui ont fait preuve de loyauté et ont été trahies par leurs amants (Médée et le *faulz Jason*, Didon et Eneas qui *faulsement [la] deçut*, Pénélope et *sa bonté / ou il n'ot que redire*): c'est déjà une sorte d'esquisse d'une partie de la *Cité des dames*. Si les dames se montrent parfois déloyales, c'est qu'elles ont été trahies par les hommes, et les livres sont pleins, également, de récits des tromperies masculines. Pour faire contre-poids à tous ces écrits malveillants, on peut se reporter à la Bible, où l'on ne trouvera rien contre les femmes, bien au contraire. Christine s'attarde notamment sur la Vierge Marie, qui sera couronnée reine de sa Cité des dames. Elle insiste ici sur l'honneur fait par Dieu à tout le sexe féminin[2] et sur l'idée que la femme a également été faite « à la ressemblance de Dieu » (v. 595).

Le dieu d'Amour dira fermement, vers la fin de son *epistre*, que les femmes sont les semblables des hommes: « Et pou avient qu'a homs soit anemie; / C'est *son droit par* qui a lui est semblable » (v. 734-735, nous soulignons). La phrase n'est pas anodine. Chris-tine, qui s'est constitué une culture philosophique grâce à ses lectures, comme elle le raconte dans l'*Advision*, réfute l'idée d'une différence d'essence entre hommes et femmes[3]. La femme est *son par*, elle est l'égale de l'homme.

---

[1] v. 409-411 et 417-418. À la même époque, la Femme de Bath dans les *Canterbury Tales* de Chaucer tient des propos très similaires (*Wife of Bath's Prologue*, v. 692-696; cité par M. Quilligan, *op. cit.*, p. 35; elle signale en note des liens possibles entre ces deux auteurs, en mentionnant le long séjour en Angleterre du fils de Christine auprès du comte de Salisbury).

[2] v. 581-82: « Grand honneur fist a femme Dieu le Pere / qui faire en voult son espouse et sa mere ».

[3] On le voit notamment quand elle réécrit le mythe de la formation des êtres humains par dame Nature dans l'*Advision*: alors que chez Jean de Meun, tout comme chez Alain de Lille (philosophe du XIIe siècle, auteur d'un *De Planctu Naturae)*, Nature est représentée à sa forge, assistée de son chapelain Genius, elle devient chez Christine une cuisinière qui utilise les mêmes matériaux et se sert de moules semblables pour former hommes et femmes. Elle place ensuite les moules dans la bouche d'un gigantesque personnage qui représente la matière brute, « Chaos », une figure masculine (*Advision*, I, 2 et 3, p. 13-14). Lorsqu'elle fabrique la petite figure correspondant à la narratrice, la différence sexuelle est marquée à la fin de ce processus par une intervention de Nature; elle apparaît donc comme « accidentelle », au sens aristotélicien du terme. Pour une mise au point très précise sur cette question, voir E. J. Richards, « In Search of a Feminist Patrology: Christine de Pizan and "les Glorieux Dotteurs" », *op. cit.*; et « Rejecting Essentialism and

Les femmes ont cependant des *inclinacions* (des tendances naturelles) et des *condicions* (des traits de caractère) qui leur sont propres[1]. Dans le passage qui précède, le dieu consacre un assez long développement (v. 643-718), amené par la question : «De quelz crimes les puet on accuser?» (v. 621), à l'idée, que, même s'il existe de mauvaises femmes qui vont à l'encontre de leur nature (elles sont dites *enormales*[2], v. 656, ou *se desnature[nt]*, v. 680), les femmes n'ont pas *les cuers enclins* à la cruauté, «Car nature de femme est debonnaire» (v. 668-670). On ne les voit que très peu commettre des crimes violents et elles craignent les guerres. En conclusion, elles sont moins que les hommes portées aux vices :

> Par ces raisons conclus et vueil prover
> Que grandement femmes a approver
> Font et louer, et leurs condicïons
> Recommander, qui inclinacïons
> N'ont aux vices qui humaine nature
> Vont domagiant et grevant creature. (v. 713-718)

Christine emploie ici des termes et des notions qu'elle reprendra dans la *Cité*. Les deux idées peuvent nous sembler contradictoires.

Gendered Writing : The Case of Christine de Pizan», dans *Gender and Text in the Later Middle Ages*, éd. J. Chance, Gainesville, University Press of Florida, 1992, p. 96-131 (en particulier, p. 101-109). Au début de la *Mutacion*, comme le souligne E. J. Richards, le fait d'attribuer à Fortune le changement de genre de la narratrice fait bien du genre une caractéristique «accidentelle» (*ibid.*, p. 108). Elle s'éloigne en cela de saint Thomas d'Aquin. Pour Aristote cependant, la différence de sexe n'est pas une différence d'essence. Voir aussi ce que déclare Droiture à Christine dans sa réponse à l'accusation selon laquelle les femmes seraient trompeuses et pleines de vices : «n'est mie doubte que les femmes sont aussi bien au nombre du puepple de Dieu et de creature humaine que sont les hommes, et non mie une autre espece ne dessemblable generacion par quoy elles doient estre fourcloses des enseignemens moraux.» (II, 54, p. 642-643 ; traduction proposée : «il ne fait aucun doute que les femmes font partie du peuple de Dieu et qu'elles sont des créatures humaines aussi bien que les hommes, qu'elles n'appartiennent pas à une autre espèce ou à une race différente qui justifierait qu'on leur interdise l'accès aux leçons morales»).

[1] On trouvera une étude riche et précise de ces termes, mis en rapport avec la théorie de la loi naturelle, dans l'introduction de la récente édition citée (*The God of Love's Letter and the* Tale of the Rose, *op. cit.*, p. 18-28).

[2] D'après le *Dictionnaire du moyen français (DMF)*, «hors de la norme, excessif, qui dépasse les limites (du raisonnable, du convenable, du juste, du supportable)». Il cite un passage très similaire dans le *Livre de Leesce* de Jean Le Fèvre, dont il sera question plus loin.

La pensée de Christine s'inscrit dans un contexte historique et culturel qui n'est plus le nôtre. La formule «nature de femme» n'est pas à comprendre ici dans le sens d'une essence intemporelle comme nous aurions tendance aujourd'hui à le faire, mais elle renvoie à des caractéristiques, des dispositions particulières (*condicions* et *inclinacions*) attribuées par Dieu le plus souvent aux femmes, comme il l'a fait pour certains saints (exemple de saint Nicolas, cité aux v. 706-708, et de plusieurs autres), pour le bénéfice de toute l'humanité[1].

Ce que l'on appelle communément le «*Débat sur le Roman de la Rose*» est un ensemble de lettres (ou de courts traités[2]) écrits entre 1401 et 1402 et échangés entre Christine de Pizan, bientôt soutenue par Jean Gerson, chancelier de l'université de Paris, tous deux critiquant vivement le *Roman de la Rose* (ou plutôt sa deuxième partie, œuvre de Jean de Meun, vers 1270), et de «notables clercs», hauts fonctionnaires royaux, les frères Col et Jean de Montreuil, qui le défendent. La partie essentielle du livre est le groupe de lettres intitulé *Les Epistres du Débat sus le Roman de la Rose*, lettres rassemblées par Christine, qui les a ensuite adressées à la reine Isabelle de Bavière le 1er février 1402. Elle les dédie aussi à Guillaume de Tignonville, prévôt de Paris, les présentant comme les pièces d'un «debat gracieux et non haineux, meu par oppinions contraires entre solennelles personnes: maistre Gontier Col, a present general conseillier du roi nostre sire, et maistre Jehan Johannés, prevost de Lisle et secretaire du dit seigneur[3].» Dans cet ensemble de lettres qui constituent le cœur du débat, et qui sont celles que Christine a choisi de rendre publiques, il n'est question que du *Roman de la Rose* et de Jean de Meun, à qui Christine adresse plusieurs reproches: la grossièreté des propos de Raison,

---

[1] L'idée est reprise et développée dans la *Cité*; voir I, 11 et la note 1 p. 267; et II, 54 (cité ci-dessus, note 3 p. 34-35).

[2] Le premier, celui de Jean de Meun, qui a été à l'origine de ce débat, est perdu. Voir la substantielle introduction d'Éric Hicks à son édition de toutes les pièces du *Débat sur le Roman de la Rose, op. cit.,* notamment le tableau chronologique p. LII-LIV. L'ensemble des lettres offertes par Christine à la Reine (sans les autres pièces du dossier rassemblées par É. Hicks) a fait l'objet d'une nouvelle édition par A. Valentini: Christine de Pizan, *Le Livre des epistres du debat sus le Rommant de la Rose*, éd. A. Valentini, Paris, Classiques Garnier, 2014. Les citations des lettres seront faites d'après cette édition.

[3] *Epistres du debat, ibid.*, p. 264 (Annexes, I bis).

l'immoralité de certains personnages mis en scène et des conseils qu'ils donnent – Raison, le Jaloux, la Vieille, Génius; elle lui reproche aussi les attaques contre les femmes menées par différents personnages allégoriques, mais cela ne constitue qu'une partie de son argumentation. Cependant, dans son épître de dédicace à la Reine, Christine met l'accent sur la défense de l'honneur féminin :

> Pour tant moy - simple et ignorant entre les femmes, vostre humble chamberiere soubz vostre obeissance, desireuse de vous servir, se tant valoye, en la confiance de vostre benigne humilité - sui meue a vous envoyer les presens epistres, es quieulx, ma tres redoubtee dame, s'il vous plaist moy tant honorer que ouyr les daignés, pourrés entendre la diligence, desir et voulenté ou ma petite puissance s'estent a soustenir par deffences veritables contre aucunes oppinions a honnesteté contraires, et aussi l'onneur et louenge des femmes, la quelle plusieurs clercs et autres se sont efforciez par leurs dictiez d'amenuisier, qui n'est chose loisible a souffrir ne soustenir[1].

Dans les lettres qui suivent, tout en formulant des critiques extrêmement précises, notamment sur la mauvaise foi du procédé consistant à faire parler des personnages qui ne sont pas censés représenter la voix de l'auteur (comme celui du Jaloux, quintes-sence de tous les Matheolus et autres maris violemment misogynes, ou celui de La Vieille, tout aussi caricaturale), elle reprend certains des arguments déjà développés dans son *Epistre au dieu d'Amours*, qu'elle cite (p. 161) et dans laquelle elle mentionnait le nom de Jean de Meun parmi les «deceveurs» des femmes (v. 389). D'autres éléments annoncent aussi la *Cité*: pour réfuter les déclarations du Jaloux contre les femmes mariées, elle invoque des contre-exemples qu'elle trouve dans la Bible ou parmi les grandes dames de son temps – des *exempla* que l'on retrouvera dans la *Cité des dames*[2]. Dans la lettre à Pierre Col, elle s'insurge

---

[1] *La premiere epistre, a la royne de France* (extrait de la lettre de dédicace à Isabelle de Bavière), *ibid.*, p. 150.

[2] *Ibid.*, p. 163 ; Christine nomme «Sarra, Rebecha, Esther, Judich et autres assez», dans la Bible ; et parmi les «dames de France», la reine Jeanne, la reine Blanche, la duchesse d'Orléans, la duchesse d'Anjou devenue reine de Sicile, «et autres assez» ; «et de mendre, vaillans et preudes femmes, comme ma dame de la Ferté, femme messire Pierre de Craon».

avec véhémence contre Ovide et contre tous ceux qui n'ont cherché qu'à «decevoir» les femmes (c'est-à-dire à les tromper):

> Ha! Livre mal nommé Art d'Amours! Car d'amours n'est il mie, mais art de faulse et malicieuse industrie de decepvoir femmes puet il bien estre appellez. C'est belle doctrine! Est ce dont tout gaignié que bien decevoir ces femmes? Qui sont femmes? qui sont elles? Sont ce serpens, loups, lyons, dragons, guyevres ou bestes ravissables, devourans et ennemies a nature humaine, qu'il couviengne faire art a les decevoir et prendre? Lisiés donc l'Art, apprenez donc a fere engins! Prenez les fort, decevez les, vituperez les! Assaillez ce chastel, gardez que nulle n'eschappe entre vous hommes, et que tout soit livré a honte! Et, par Dieu! si sont elles voz meres, voz suers, voz filles, voz femmes et voz amies; elles sont vous mesmes et vous mesmes elles. Or les decevez assez [...][1].

La «défense des femmes» est donc bien présente dans ce «débat», tout comme dans l'*Epistre au dieu d'Amours*. Elle prendra une tout autre ampleur dans la *Cité des dames*, se développant sous la forme d'un argumentaire très construit illustré de nombreux exemples, comme on va le voir. Mais qu'en est-il du *Livre des trois Vertus*? Présenté comme la suite de la *Cité*, il s'inscrit en effet directement dans la continuité de celle-ci, puisqu'il envisage les femmes de différentes conditions, auxquelles Christine s'adressait dans sa conclusion, quelque peu décevante pour les lectrices et lecteurs modernes, puisqu'après avoir construit tout son livre comme un monument exaltant les femmes du passé et toutes les capacités exceptionnelles dont elles ont fait preuve, et dont font encore preuve quelques femmes du présent, ses contemporaines, elle encourage toutes les femmes à «avoir bonnes meurs et estre vertueuses et humbles», en restant à leur place, quelle que soit leur condition[2]. Il en va de même dans les *Trois Vertus*. Dans ce livre qui apparaît comme un «ouvrage d'instruction destiné aux femmes» et qui semble à première vue peu audacieux en la matière, sans chercher à renverser l'ordre

---

[1] Réponse de Christine *A maistre Pierre Col, secretaire du roy nostre sire* (*ibid.*, p. 197).

[2] Nous y reviendrons dans la dernière partie de cette introduction, en abordant la question du féminisme de Christine de Pizan.

social existant (mais comment le pourrait-elle, au XVᵉ siècle et en cette période troublée et incertaine?), Christine invite les femmes de toutes les conditions à tirer le meilleur parti possible de leur position dans la société pour agir au mieux dans le sens de leur propre intérêt et de l'intérêt collectif – ce qui après tout, du point de vue de notre auteure, est aussi une manière de défendre les femmes tout en les protégeant contre les violences des hommes et d'une société patriarcale. Liliane Dulac a bien souligné le caractère novateur de ce *Livre des trois Vertus*, «l'audace d'un ouvrage d'instruction destiné aux femmes qui rompt nettement avec les traditions du genre, tel que le pratiquent les auteurs laïcs, et aussi, quoiqu'en toute orthodoxie, avec la position généralement adoptée par l'Église: car d'un côté comme de l'autre le rôle social des femmes, que Christine entend mettre en valeur, est généralement ignoré[1].»

Cependant, dans la plus grande partie de la *Cité des dames*, Christine de Pizan va beaucoup plus loin. Ce texte apparaît vraiment comme un texte fondateur dans ce que l'on appellera par la suite la «Querelle des femmes[2]», et il aura un retentissement considérable.

---

[1] *Le Livre des trois Vertus*, trad. L. Dulac dans *Voix de femmes au Moyen Âge, op. cit., p.* 543. Elle souligne la différence entre la *Cité des dames*, qui mettait l'accent sur les capacités des femmes à travers des exemples de femmes exceptionnelles, et ce nouvel ouvrage qui en prend la suite: «Il s'agit cette fois de représenter les formes concrètes que peut revêtir cette dignité revendiquée, et les moyens de l'atteindre dans les diverses situations qu'offre la vie contemporaine.» (*ibid.*, p. 545).

[2] Voir l'article cité (A. Paupert, «Les débuts de la Querelle»). Cette expression, introduite au tout début du XXᵉ siècle par deux spécialistes de la littérature du XVIᵉ siècle (Abel Lefranc et Émile Telle, à propos du *Tiers Livre* de Rabelais puis de l'oeuvre de Marguerite de Navarre), apparaît déjà au XVᵉ siècle sous la forme «la querelle des Dames» (mais au sens de «la cause des dames»), employée à plusieurs reprises par Martin Le Franc vers 1440 dans son *Champion des Dames* (*op. cit.*). Elle désigne les différents moments d'un débat sur la question de savoir si les femmes sont ou non inférieures aux hommes, qui se développe à travers un grand nombre de textes qui prennent position «pour» ou «contre» les femmes, tout particulièrement entre le XVᵉ et le XVIᵉ siècle (ou plus largement, jusqu'au XVIIIᵉ siècle). On peut considérer qu'elle commence véritablement avec Christine de Pizan, qui porte devant un public plus large et laïc un débat qui s'inscrivait jusque-là le plus souvent dans un cadre clérical ou dans une perspective satirique.

UNE AUTEURE AU TRAVAIL

UN MILIEU SOCIAL ET INTELLECTUEL : RÉSEAUX ET COMMUNAUTÉS

L'importance des passages autobiographiques dans l'œuvre de Christine de Pizan le montre, son écriture se nourrit des inter-actions qu'elle entretient avec le monde extérieur, de sa vie en somme. Dans la *Cité des dames*, comme dans d'autres textes, l'œuvre naît de l'appartenance de Christine à plusieurs réseaux. En premier lieu, une communauté intellectuelle née à travers les livres, par ses nombreuses lectures[1]. Une autre se constitue autour des cours que Christine fréquente et des grands personnages, hommes et femmes, qu'elle est amenée à côtoyer. Enfin, une dernière se construit grâce aux rapports avec les intellectuels de son époque. Apports essentiels pour l'écriture, ces communautés sont également des lieux de tension : un livre qui offusque[2], le souhait d'attirer l'attention d'un puissant ou encore le désir de s'inscrire dans le milieu littéraire parisien, tous ces éléments sont d'éventuels moteurs de la créativité.

Sur les miniatures où elle s'est fait représenter tout comme dans les textes où elle décrit son activité d'écrivaine, Christine est presque toujours entourée de livres. C'est le cas dans la première partie de la miniature placée en tête de la *Cité des dames* : Christine regarde les trois Dames qui viennent d'apparaître, et sur la table qui se trouve devant elle, à côté du livre ouvert (celui qu'elle est en train de lire), deux autres livres sont posés, prêts à être consultés. C'est le cas aussi dans d'autres miniatures, dont une où l'on voit Christine devant une « roue à livres », un dispositif qui permet de consulter plusieurs livres à la fois[3]. À une époque où,

---

[1] Voir J. Cerquiglini-Toulet, *La Couleur de la mélancolie, op. cit.*, p. 151-154.

[2] Comme « Matheolus », ou avant lui, *Le Roman de la Rose* de Jean de Meun.

[3] Il s'agit d'une sorte de meuble constitué d'une roue en bois posée à l'horizontale sur un socle, avec des supports où sont posés des livres ouverts. Ms Chantilly, Musée Condé 492, fol. 2ʳ (version numérisée : IRHT, *Initiale : Catalogue des manuscrits enluminés*, Paris, CNRS, 2014-2018 [en ligne] http://initiale.irht.cnrs.fr/decor/83791). Cette miniature a été souvent citée.

rappelons-le, les manuscrits étaient rares et chers, elle possédait elle-même des livres, comme elle l'indique au début de la *Cité*; sans doute certains lui venaient-ils de son père, dont peut-être ceux des auteurs italiens non encore diffusés ni traduits en France, comme Dante et Boccace[1]. Elle devait avoir accès à des bibliothèques princières, celles de ses riches mécènes, peut-être aussi à la «librairie» royale, comme l'écrit Suzanne Solente[2]. Le grand nombre de sources qui ont été identifiées pour ses œuvres savantes suppose qu'elle ait pu avoir accès à bon nombre de livres, y compris parfois dans des traductions effectuées très récemment, à l'instigation de Charles V, qui en commandita un très grand nombre, ou même plus tard, à l'époque où elle écrivait, comme nous le verrons plus loin.

Dans ses œuvres, elle fait souvent référence à ses lectures. Au début de la *Cité*, tout comme au début du *Chemin de longue étude*, c'est la lecture d'un livre («*Matheolus*» dans la *Cité*, dans le *Chemin* c'était *La Consolation de Philosophie* de Boèce) qui plonge l'auteure dans la réflexion, et qui déclenche ainsi l'écriture de l'œuvre. Elle prend d'ailleurs bien soin de préciser que ce livre ne fait pas partie de ceux qui lui appartiennent, mais qu'il lui a été prêté avec d'autres[3]. Dans la partie autobiographique de l'*Advision*, elle retrace son parcours d'autodidacte lorsqu'elle s'est «mise à l'étude» après la mort de son mari, commençant par les «histoires anciennes» pour aller jusqu'à son époque puis se mettant «aux deductions des sciences» selon ce qu'elle en a

---

[1] Voir C. C. Willard, «Christine de Pizan: the astrologer's daughter», dans *Mélanges Franco Simone, France et Italie dans la culture européenne*, Genève, Slatkine, 1980, p. 95-111 (sur la bibliothèque de son père, voir sa conclusion p. 109); et D. Lechat, *« Dire par fiction ». Métamorphoses du je chez Guillaume de Machaut, Jean Froissart et Christine de Pizan*, Paris, Champion, 2005, p. 391.

[2] *Mutacion*, I, introduction, p. XVII («Grâce à la protection des frères de Charles V et de ses bonnes relations avec Gilles Malet, garde de la librairie royale, Christine de Pizan a pu facilement avoir communication de manuscrits de l'*Histoire ancienne*»). Voir C. C. Willard, qui parle des bonnes relations de Christine avec Gilles Malet, très lié avec son père et avec la famille de son mari (*op. cit.*, p. 28-30); F. Autrand, *op. cit.*, p. 80 (voir aussi p. 339 *sq.* sur «les savantes lectures de Christine»).

[3] I, 1: « entre mains me vint d'aventure un livre estrange, non mie de mes volumes, qui avec autres livres m'avoit esté baillié si comme en garde».

compris dans le temps qu'elle a pu y consacrer, pour en arriver aux « livres des pouetes[1] » (elle entend par là les grands auteurs tels Boèce ou Dante, qui sont à la fois philosophes et poètes).

Malgré ce que suggèrent les représentations des miniatures et les fréquentes références à sa solitude (l'adjectif *seulette* est un leitmotiv bien connu dans l'œuvre de Christine de Pizan et n'apparaît pas seulement dans les « poèmes du veuvage »), le travail d'écriture de Christine s'inscrit dans un environnement social et intellectuel dont on perçoit des échos dans ses œuvres. Les milieux dans lesquels Christine a vécu et travaillé ne nous sont pas connus très précisément mais ce qu'elle en dit elle-même, notamment dans le *Charles V* et dans l'*Advision*, et des documents d'archives, comme les livres de compte des grands seigneurs à qui elle a présenté ses œuvres, permettent d'en avoir une idée. Les biographies de Charity Cannon Willard et de Françoise Autrand ont reconstitué de façon détaillée ce que l'on sait des cours seigneuriales et des milieux intellectuels qu'elle a pu fréquenter dès sa jeunesse, grâce à son père, qui était un proche conseiller de Charles V, puis grâce aux contacts qu'elle a développés plus tard, au fil de sa carrière[2]. Même du vivant de son père, il reste des incertitudes. Par exemple, la famille de Thomas de Pizan vivait-elle à la cour, ou dans un lieu tout proche[3]? Quoi qu'il en soit, au moment où elle compose sa *Cité des dames*, la fille de Thomas de Pizan, veuve d'Étienne de Castel, est en contact avec le monde des cours royales ou princières, ne serait-ce que par ses mécènes, et garde des liens avec les milieux intellectuels, grâce aux anciens collègues et aux connaissances de son père et de son mari. À ses débuts poétiques,

---

[1] *Advision*, III, 10 : « Dit Cristine comment elle se mist a l'estude » ; III, 11 : « Le plaisir que Cristine prenoit a l'estude » (p. 109-111 ; citation p. 110).

[2] Voir les premiers chapitres du livre de C. C. Willard, *op. cit.* (1984) ; et F. Autrand, *op. cit.* (2009 ; chapitre V, « A travers l'élite parisienne », où elle distingue « le cercle des élégants » et « le cercle des lettrés parisiens » ; chapitre VIII, « Christine et les princes »).

[3] Grâce aux libéralités du roi Charles V, le père de Christine avait acquis entre autres une propriété dans Paris, la tour Barbeau, non loin de l'Hôtel Saint-Pol, où résidait souvent le roi ; peut-être y vivaient-ils, ou peut-être Thomas de Pizan était-il installé dans une des dépendances de la résidence royale (C. C. Willard, *op. cit.*, p. 23). Après son mariage et une fois devenue veuve, Christine de Pizan continua-t-elle d'habiter la maison de la Tour Barbeau ou un bâtiment proche ? On l'ignore.

elle a sans doute fréquenté la cour de Louis d'Orléans et de Valentine Visconti, comme le laisse entendre le «Dit de la Rose» (même si le banquet évoqué est peut-être une invention[1]). Par la suite elle se tournera vers le duc Philippe de Bourgogne, puis vers le duc Jean de Berry, grand collectionneur d'objets d'art et de livres, à qui elle présentera plusieurs de ses œuvres; on peut supposer qu'elle a pu avoir accès à sa bibliothèque (sa *librairie*[2]).

Le «débat sur le *Roman de la Rose*» est l'occasion d'échanges avec un groupe d'intellectuels, celui des premiers humanistes parisiens, dont les adversaires de Christine dans ce débat, les frères Col et Jean de Montreuil, sont des figures marquantes. Certains sont d'anciens collègues de son mari à la Chancellerie royale. Elle est soutenue par Jean Gerson, chancelier de l'Université de Paris, une autre grande figure d'intellectuel parisien. Les propos échangés sont parfois virulents. Les termes d'adresse peuvent laisser croire à des rapports relativement équilibrés: dans sa deuxième lettre, Pierre Col emploie le tutoiement réservé, dit-il, aux amis, surtout quand ils sont lettrés[3]. Mais tout comme Pierre Col, son frère, même s'il s'adresse à elle avec des formules élogieuses («a prudent, honoree et sçavent damoiselle Cristine», lettre [II] p. 152; «A femme de hault entendement, damoiselle Cristine», lettre [IV] p. 169), il lui parle d'une façon très condescendante et l'exhorte «charitablement» à se repentir de ses erreurs. Christine lui répond en le tutoyant également[4], mais son discours est parfois véhément. Le ton de ces échanges est faussement

---

[1] L'Ordre de la Rose (fictif) n'est pas sans analogie avec l'Ordre de l'Écu vert à la dame blanche, créé par Boucicaut et quelques autres chevaliers-poètes de l'entourage de Louis d'Orléans, qui s'engageaient à défendre l'honneur des dames, et que Christine mentionne plusieurs fois dans ses plus anciens poèmes. On peut évoquer aussi la Cour amoureuse (dite «de Charles VI») fondée en 1401, une institution caractéristique de l'atmosphère courtoise et littéraire des cours princières dans ces années où Christine faisait ses débuts littéraires (voir C. Bozzolo et H. Loyau, *La Cour amoureuse dite de Charles VI*, Paris, Le Léopard d'Or, I, 1982; II-III, 1992). Plus tard elle prendra ses distances avec l'idéal courtois qu'ils tentaient de faire revivre.

[2] Sur les relations de Christine avec le duc de Berry, à qui elle offre plusieurs de ses œuvres entre 1403 et 1414, voir F. Autrand, *op. cit.*, p. 258.

[3] *Epistres du debat, op. cit.*, [IV], p. 171.

[4] Voir la signature de ces deux lettres: IV et V: «Le tien Gontier Col», «La tienne Cristine de Pizan», p. 170-173.

amical. Christine est vraiment « une laïque au pays des clercs » ; qui plus est, elle est une femme, et elle reste en marge de la communauté des intellectuels de son temps[1], même si elle est bien considérée par certains, comme Gerson : dans son épître *Talia de me*[2], il parle de cette femme remarquable, mais son éloge consiste à dire qu'elle est « *virilis illa femina* [...] *illa virago* » (« cette femme aux qualités viriles ») ; la formule se veut élogieuse, mais le chancelier loue Christine d'avoir un cœur d'homme.

Son dialogue poétique avec Eustache Deschamps, à qui elle envoie une épître en vers le 10 février 1404, l'*Epistre a Eustace Mourel*, et qui lui répond par une ballade dont le refrain est « Seule en tes fais au royaume de France[3] », dans une tonalité toute différente, fait cependant apparaître aussi une forme de décalage. Eustache Deschamps est alors un poète reconnu, qu'elle a pu rencontrer à la cour de Louis d'Orléans. Christine le considère comme un *maistre* (v. 6), se présente comme sa *disciple* (v. 210) et s'adresse à lui avec une grande humilité, mais elle le nomme néanmoins *chier maistre et amis* au début de son *epistre* (v. 6), *chier frere et amy* vers la fin (v. 163). Elle fait montre de son talent en écrivant son épître dans une langue savante, avec des rimes équivoquées, et se justifie d'employer le tutoiement en s'adressant à lui comme le font les clercs entre eux, avec une formule souvent citée (elle parle du *stille clergial* qu'elle a appris d'eux) :

> Te suppliant que a desplaisance
> Ne te tourt se adés plaisance
> Ay qu'em singulier nom je parle
> A toy, car je l'ay apris par le
> Stille clergial de quoy ceulx usent
> Qui en science leurs temps usent[4]

---

[1] Voir J. Blanchard, « Christine de Pizan : une laïque au pays des clercs », dans *Et c'est la fin pourquoi sommes ensemble. Mélanges Jean Dufournet*, éd. J-C. Aubailly, E. Baumgartner, F. Dubost, L. Dulac et M. Faure, Paris, Champion, 1993, t. I, p. 215-226 ; *id.*, « Christine de Pizan : tradition, expérience et traduction », *Romania*, t. 111, 1990, p. 200-235.

[2] *Le débat* (éd. É. Hicks), *op. cit.*, p. 162.

[3] Voir p. 15 et note 1.

[4] *Une epistre a Eustace Mourel, Œuvres poétiques*, t. II, *op. cit.*, v. 17-22, p. 296.

Elle s'incrit ainsi dans une communauté, celle des gens de lettres, des savants, et s'adresse au poète presque comme à un égal. Le poète lui répond par une ballade où il la couvre d'éloges : « Muse eloquent entre les IX, Christine, / Nompareille que je saiche au jour d'ui » (v. 1-2), et la nomme également *douce suer* (v. 31), affirmant son désir d'être son serf pour apprendre en sa compagnie et la comparant à Boèce[1]. Mais le refrain, qui se veut élogieux et souligne la singularité de Christine, l'isole aussi, la maintenant à part, comme elle le fait elle-même puisqu'elle se présente à la fin de son épître comme *seullette* en son étude (« Escript seullette en m'estude », v. 205).

Dans le monde de la cour comme dans celui des lettres, même si ses talents et son intelligence étaient appréciés et loués, Christine de Pizan occupait donc une position quelque peu marginale. Mais dans son œuvre elle joue elle-même de cette distance. De diverses manières, elle reste « l'étrangère[2] », « mais cette position marginale lui ouvre des voies inédites et intéressantes[3] ».

Il est une autre communauté à laquelle elle se rattache : c'est celle des gens de métier, tous ceux et celles auxquels elle fait appel pour réaliser les manuscrits contenant ses œuvres, dont elle supervise elle-même la fabrication.

Un écrin pour une Cité : le travail sur les manuscrits

Seule *en sa celle* : c'est ainsi, on l'a dit, que Christine se décrit au tout début de la *Cité des dames* ; c'est aussi l'image véhiculée par les miniatures de plusieurs manuscrits dont elle a contrôlé la réalisation. Christine a forgé son statut d'écrivaine, de *clergesse* consacrée à l'étude et à l'écriture, en partie sur cette représentation. Et quand bien même apparaissent des instruments propres au travail du scribe[4], indiquant que Christine a certainement copié elle-même un certain nombre de ses textes, l'image montre la copiste seule et studieuse. Cependant le programme iconogra-

---

[1] Eustache Deschamps, *Anthologie, op. cit.*, ballade 168, p. 538-540.

[2] J. Cerquiglini-Toulet, « L'étrangère », *Revue des Langues Romanes*, 92, 1988, p. 239-251.

[3] J. Blanchard, « Tradition, expérience et traduction », *op. cit.*, p. 231.

[4] I. Villela-Petit, *L'Atelier de Christine de Pizan*, Paris, BnF Éditions, 2020, p. 51.

phique de la *Cité des dames* dans les quatre manuscrits originaux les plus tardifs (ceux que nous avons utilisés pour cette édition), constitué de trois images disposées à l'ouverture de chacune des parties, ne montre pas la création ni l'écriture comme un acte solitaire. Bien au contraire, la *Cité* est le seul texte de Christine dont les images en font une activité collégiale : dans la première, Raison porte les blocs de pierre alors que Christine manie la truelle, mais surtout, dans la seconde, un petit personnage en haut d'un échafaudage actionne une grue et travaille à élever les bâtiments de la Cité toujours plus haut vers le ciel.

Cet ouvrier, seule présence masculine des trois images[1], ajoute de la vie et du pittoresque dans un décor qui, en son absence, pourrait apparaître comme vide et froid. Mais ne peut-on pas voir en lui une représentation des artistes et artisans qui contribuent à fabriquer l'écrin du texte, à savoir les manuscrits de la *Cité* auxquels l'écrivaine apporte un soin particulier ? De ce chantier, Christine est la maîtresse d'œuvre[2], l'architecte qui connaît la finalité des choses et qu'elle valorise dans le *Charles V*, attribuant ce rôle au roi parfait. Sous ses ordres, une petite équipe : le copiste, le peintre et l'ornemaniste. D'après les auteurs de l'*Album Christine*[3], à part le manuscrit Harley qui serait autographe, tous les exemplaires de la *Cité des dames* ont été copiés par le même scribe qu'ils désignent par la lettre P[4] et qui

---

[1] Comme le rappelle A. Valentini, les personnages masculins se sont ensuite multipliés dans certaines éditions plus tardives de la *Cité* (en même temps qu'était atténuée la portée féministe du texte de Christine) : A. Valentini, « La tradition manuscrite du *Livre de la Cité des dames* de Christine de Pizan : sur la genèse et l'évolution d'un texte majeur du XVᵉ siècle », *Romania*, t. 137, n° 547-548, 3-4, 2019, p. 423-426 et note 85.

[2] I. Villela-Petit, *op. cit.*, p. 82 : « Christine faisait manifestement fonction de libraire, distribuant les tâches aux différents intervenants, puis rassemblant le travail, car c'est bien elle qui est récompensée pour ses livres, même copiés par d'autres. »

[3] G. Ouy et C. Reno, « Identification des autographes de Christine de Pizan », *Scriptorium*, n° 34, 1980, p. 221-238. G. Ouy, C. Reno, I. Villela-Petit, avec la collaboration d'O. Delsaux et T. Van Hemelryck, *Album Christine de Pizan,* Turnhout, Brepols, 2012, p. 518.

[4] I. Villela-Petit émet l'hypothèse que P pourrait être Jean de Castel, le fils de Christine de Pizan, qui aurait ainsi fait l'apprentissage de son métier de secrétaire royal en copiant les œuvres de sa mère (*L'Atelier, op. cit.,* p. 81-82). Séduisante et plausible, cette hypothèse nécessite d'être étayée par d'autres éléments.

fait partie des trois copistes ayant copié l'ensemble des œuvres de Christine. Le programme iconographique a été établi par le Maître de la Cité des dames, artiste qui a contribué à bien d'autres manuscrits du début du XVe siècle[1]. Et, pour certains manuscrits, la décoration a été assurée par les ornemanistes « à la vigne d'or », associé parfois à d'autres artistes, ceux de l'atelier « aux échancrures » et l'ornemaniste « à la résille[2] ».

À ce titre, nous pouvons parler d'un « atelier de Christine de Pizan » qui ne prenait sans doute pas la forme d'un lieu matériel, dont il ne reste aucune trace historique dans les archives, mais d'un groupe d'artisans, toujours les mêmes, à qui l'écrivaine passait commande et avec qui elle collaborait en vue de donner à ses livres l'aspect souhaité ; une communauté d'intention visant à fabriquer un beau manuscrit qui servira à promouvoir un texte et le nom de son auteure ; une communauté qui s'échangeait sans doute savoirs et compétences, dont les membres faisaient le lien entre les livres de Christine et ceux émanant des autres commandes pour lesquelles ils étaient sollicités, inscrivant ainsi les œuvres de l'écrivaine parmi ceux des grands auteurs du passé ou de l'époque. Cette communauté reflétait le milieu culturel et artistique de l'époque, et Christine y avait sa place[3].

De ce groupe, constitué différemment en fonction des manuscrits, mais assez homogène en ce qui concerne ceux de la *Cité des dames*, Christine occupait sans conteste la tête, car si le fait qu'elle ait copié elle-même un nombre important de ses manuscrits est parfois objet de débat, il est indéniable qu'elle a supervisé la copie de ses textes et qu'elle les a inlassablement corrigés. Des corrections de sa main figurent en marge des manuscrits ou sur

---

[1] Voir M. Meiss, *French Painting in the Time of Jean de Berry: The Late 14th Century and the Patronage of the Duke*, Londres/New York, Phaidon, 1967-1968, 2 vol., vol. I. Pour une présentation du travail de cet artiste, voir *Album Christine de Pizan*, p. 154-158.

[2] I. Villela-Petit décrit précisément les œuvres des ornemanistes qui travaillent pour Christine dans l'*Album Christine de Pizan*, p. 39-88. La mystérieuse Anastaise, dont Christine loue le travail dans la *Cité* et dont elle décrit l'activité en termes assez précis (I, 41), faisait partie de ces « enlumineurs ornemanistes » (voir la note 2 p. 395.).

[3] Outre le livre cité d'I. Villela-Petit, voir C. C. Willard, *op. cit.*, p. 30-31 (sur les ateliers parisiens et les artisans participant à la fabrication des livres, et sur les liens de Christine avec ce milieu).

grattage, de sorte que les livres sortis de son atelier ont la valeur de manuscrits originaux[1]. La *Cité des dames* a particulièrement bénéficié des soins apportés par son auteure à ses œuvres.

UNE MÉTHODE DE TRAVAIL :
COMPILATION, RÉÉCRITURE ET CRÉATION

Entourée de ses livres, auxquels elle emprunte nombre d'idées et d'exemples, Christine effectue, pour écrire la *Cité*, tout un travail de compilation, comme elle l'a déjà fait fait auparavant dans deux autres grands « livres », la *Mutacion* et le *Charles V*, et comme elle le fera encore dans d'autres ouvrages politiques et didactiques[2]. Mais elle réécrit de façon plus ou moins importante ces matériaux empruntés à ses sources, et surtout elle les organise et les insère dans une construction d'ensemble qui lui est propre, et qui est une véritable création[3].

La compilation était un mode de composition habituel à l'époque dans les œuvres savantes, et n'était en rien considérée comme une faiblesse. Christine elle-même s'en justifie dans un passage du *Charles V* où elle répond à ceux qui lui reprocheraient de ne faire que « recopier à la lettre ce que d'autres auteurs ont écrit », et explique que les éléments empruntés par l'écrivain sont comme les pierres utilisées par le maçon ou l'architecte, ou les matériaux utilisés par les brodeurs :

> Ilz pourroient dire : « Ceste femme-cy ne dit mie de soy ce que elle explique en son livre, ains fait son traittié par procés de ce

---

[1] Pour des exemples de cette pratique, voir I. Villela-Petit, *ibid.*, p. 27-38.

[2] On peut citer le *Livre du corps de policie* (1406-1407), le *Livre des fais d'armes et de chevalerie* (1410), le *Livre de paix* (1412-1413).

[3] La *Cité des dames* n'est en rien une simple réécriture de ses sources, notamment du *De Mulieribus Claris* de Boccace, comme on l'a trop souvent dit. Si Christine lui emprunte beaucoup, c'est pour réinsérer ces éléments dans une œuvre nouvelle, tout en les complétant par d'autres sources. Sur ces notions de compilation et de réécriture, et sur la façon de travailler de Christine, voir en particulier J. Blanchard, « Compilation et légitimation au XVᵉ siècle », *Poétique*, n° 74, 1988, p. 139-157 ; du même, « Christine de Pizan : tradition, expérience et traduction », *op. cit.* ; G. Parussa, introduction à *Othea*, p. 24-25 ; L. Dulac et C. Reno, introduction à l'*Advision*, p. XXV-XXVI ; et surtout, pour la *Cité*, D. Lechat, *« Dire par fiction », op. cit. p.* 395 *sq.* Christine souligne elle-même, au début de la *Cité*, la *nouveleté* de l'entreprise que les trois Dames lui confient (I, 7).

que autres auteurs on[t] dit a la lettre » ; de laquel chose a ceulz je puis responde que tout ainsi comme l'ovrier de architecture ou maçonnage n'a mie fait les pierres et les estoffes dont il batist et eddiffie le chastel ou maison, qu'il tent a perfaire et ou il labeure, non obstant assemble les matieres ensemble, chascune ou elle doit servir, selon la fin de l'entencion ou il tent ; aussi les brodeurs, qui font diverses divises, selon la soubtivité de leur ymaginacion, sanz faulte ne firent mie les soyes, l'or, ne les matieres, et ainsi d'aultres ouvrages, tout ainsi vrayement n'ay je mie fait toutes les matieres de quoy le traittié de ma compilacion est composé ; il me souffist seulement que les sache appliquer a propos, si que bien puissent servir a la fin de l'ymaginacion a laquelle je tends a perfaire[1].

Jacqueline Cerquiglini-Toulet, qui cite et commente ce passage, dit fort justement que « l'emprunt devient une technique de composition » et parle à ce propos d'une « théorie de la composition créatrice[2] ». Christine utilise ici la métaphore architecturale pour figurer le travail de l'écrivain, qui se fait architecte et ouvrier-maçon de l'œuvre qu'il compose à partir de matériaux divers, empruntés à ses lectures[3]. Elle la reprendra dans la *Cité des dames*, figurée dans la miniature initiale par Christine maniant la truelle, tel un maçon, pour assembler les grosses pierres que lui fournit Raison, devenue maîtresse d'œuvre - le personnage de Raison est aussi une figure de l'auteure, dédoublée entre ces deux instances. Quant aux « pierres », elles sont ici des personnages de femmes remarquables, des exemples empruntés pour la plupart à ses sources livresques.

---

[1] *Le Livre des fais et bonnes meurs du sage roi Charles V*, éd. S. Solente, Paris, Champion, 1936 ; Genève, Slatkine Reprints, 1977, t. I, p. 190-91.

[2] J. Cerquiglini-Toulet, *La Couleur de la mélancolie, op. cit.*, p. 67-69. Elle la distingue de celle de l'imitation chez Pétrarque, qui relève d'une autre esthétique. Voir aussi J. Blanchard, « Tradition, expérience et traduction », *op. cit.*, p. 225-226, qui commente ce passage et le développement de la métaphore architecturale dans la *Cité des dames*.

[3] Elle réutilisera la même métaphore dans le premier prologue du *Livre des fais d'armes et de chevalerie*, où elle a également beaucoup recours à la compilation, pour renvoyer à ses œuvres passées (elle dit avoir déjà, avec ses « autres escriptures passees », « basti plusieurs forz ediffices ») et à l'œuvre présente, en l'adaptant à son sujet (elle va maintenant « se chargier d'ediffier ung chastel ou fortresce ») ; éd. L. Dugaz, Paris, Classiques Garnier, 2021, p. 166.

Pour ce qui est de l'organisation d'ensemble du livre, elle est
entièrement originale, ainsi que les chapitres du début (chapitres 1
à 14). Comme nous le montrerons plus loin, l'idée de cette organisation a sans doute été suggérée à Christine par le *Livre de Leesce*
de Jean Le Fèvre. Au début de la *Cité des dames*, elle ne réécrit
pas Boccace. Le premier exemple emprunté au livre de Boccace
apparaît ponctuellement, et de façon partielle, au chapitre 12
(c'est celui de «l'impératrice Nicole», dont elle ne dit pas que
c'est le même personnage que celle que la Bible appelle la reine
de Saba, dont il est question au chapitre II, 4). Elle cite ensuite des
reines de France, en se tournant vers une autre source (les
Grandes Chroniques). C'est au chapitre 15 que Raison invite
Christine à poser la première grosse pierre pour la fondation de la
Cité, Sémiramis. Elle sera suivie par les Amazones (ch. 16 à 19),
dont il a déjà été question de façon générale (le Royaume d'Amazonie) dans le discours de Raison au chapitre 4. Outre une partie
du chapitre 15 (sur Sémiramis), c'est surtout à partir du chapitre
20 qu'elle s'inspire vraiment des *Cleres et nobles femmes*, la
traduction française anonyme du *De Mulieribus Claris* de
Boccace. Les chapitres 15 à 19 sont dérivés pour l'essentiel de
l'*Histoire ancienne jusqu'à César*, comme l'avait bien vu
Maureen Curnow, mais nous nous sommes aperçues qu'ils reprennent surtout les éléments que Christine avait déjà développés dans
la *Mutacion de Fortune*, réécrits sous une autre forme, du vers à la
prose, en condensant certains points et en mettant davantage en
avant ceux qui concernent les personnages féminins[1]. On peut
imaginer soit que Christine a sous les yeux son œuvre précédente,
soit qu'elle réutilise des notes qu'elle aurait prises pour écrire la
Mutacion, en lisant les «livres d'histoire», comme l'avait très
bien dit Suzanne Solente dans l'introduction de son édition de la

---

[1] Didier Lechat en avait déjà eu l'intuition, comme il le signale dans une
note en bas de page («*Dire par fiction*», *op. cit.,* note 139, p. 429). Les chapitres
de la *Cité* qui reprennent des personnages et des éléments déjà présents dans la
Mutacion sont: I, 14 (portrait d'Alexandre); I, 15 (Sémiramis; Nemrod et
Shinéar); I, 16 à 19 (les Amazones et Thomyris); I, 24 (Camille); I, 32 (Médée
et Circé); I, 34 (Minerve); I, 35 (Cérès); I, 36 (Isis); I, 46 (Didon); I, 48
(Lavine); II 1 (les sibylles); II, 5 (Cassandre); II, 17 (Argie); II, 28 (le songe
d'Andromaque); II, 30 (la mort d'Alexandre); II, 31 (Judith); II, 32 (Esther); II,
33 (les Sabines); II, 44 (Lucrèce); II, 55 (Didon, 2); II, 56 (Médée, 2).

Mutacion[1], livre écrit à un moment où apparemment Christine ne connaissait pas - ou en tous cas, n'utilisait pas encore - l'œuvre de Boccace, qui n'est pas citée par elle avant la *Cité*, ni mentionnée par les éditeurs des œuvres antérieures.

Le travail de réécriture de Christine peut être observé dans le détail pour chacun des «exemples[2]» qu'elle a retenus. Dans les notes qui accompagnent la traduction, on trouvera, à chaque fois que cela a été possible, les sources utilisées et les grandes lignes des transformations apportées par Christine. Nous n'en donnerons ici que deux illustrations, l'une portant sur un ensemble de chapitres, ceux qui concernent les Amazones, et l'autre, sur un «exemple» particulier, celui de Lucrèce.

Comme on l'a dit, les chapitres qui traitent des Amazones (I, 16 à 19) ne doivent rien aux brefs chapitres séparés que Boccace consacre à quelques figures d'Amazones, sans les regouper[3]; d'où la très grande différence, pour ces chapitres, entre le texte de

---

[1] «L'auteur dut, de bonne heure, se mettre à réunir des matériaux pour son grand ouvrage; peut-être même, quand elle faisait les lectures historiques, qu'elle mentionne dans l'*Avision*, Christine prenait-elle déjà des notes et copiait-elle maint passage curieux, pour s'en servir plus tard.» (*Mutacion*, introduction, p. IX). Olivier Delsaux développe également cette idée, mais de façon très négative, parlant d'un «discours de compilation de la *Cité des Dames*» (sic), d'un texte qui «avance par à-coups au gré des références et des textes cités, donnant l'impression que l'auteur écrivait directement à partir des notes recueillies sur des bouts de feuille ou des fiches classées par thème ou bien à partir d'un manuscrit-source, matrice de son texte», comme une copie du *De Mulieribus Claris* sur laquelle elle aurait ajouté toutes sortes de notes; d'où, selon lui, un grand manque de cohérence malgré des regroupements thématiques (O. Delsaux, *Manuscrits et pratiques autographes chez les écrivains français de la fin du Moyen Âge. L'exemple de Christine de Pizan*, Genève, Droz, 2013, p. 86-87). Cette vision de la méthode de travail de Christine de Pizan, dans la lignée de ce qu'écrivait Alfred Jeanroy en 1922, nous semble tout à fait contestable, comme nous espérons l'avoir montré. Christine procède plutôt selon une démarche inverse, construisant sa Cité autour d'un argumentaire dont elle illustre les différents points en empruntant ses «exemples» à diverses sources.

[2] Nous retiendrons ici la définition donnée par Jacques Le Goff pour la période médiévale: «L'*exemplum*, venu de l'Antiquité gréco-latine, est une anecdote de caractère historique présentée comme argument dans un discours de persuasion.» (*L'imaginaire médiéval*, Paris, Gallimard, 1985; chapitre intitulé: «Le temps de l'exemplum», p. 99-102; citation p. 99).

[3] Boccace, *Des cleres et nobles femmes (Ms. Bibl. Nat. 12420)*, éd. J. Baroin et J. Hafen, Besançon, Université de Besançon, t. I, 1993, XIII, XX, XXXII, p. 42-45, p. 66-67, p. 101-103.

Christine et celui des *Cleres femmes*. Christine y reprend ce qu'elle avait déjà dit dans la *Mutacion*, en se fondant principalement sur l'*Histoire ancienne*. Elle condense et réécrit les chapitres qu'elle leur avait consacrés dans la VIe partie de sa *Mutacion*[1]. Il est intéressant de noter aussi qu'elle réorganise sa matière en prolongeant une observation qu'elle avait faite dans la *Mutacion* : alors qu'il a été question beaucoup plus haut, au chapitre 7 de la Ve partie, de la victoire de Thomyris contre Cyrus[2], dans une partie du livre consacrée à l'histoire de l'ancien royaume de Perse, selon l'ordre qui est suivi dans l'*Histoire ancienne*, Christine revient sur le personnage de Thomyris dans la partie consacrée beaucoup plus loin aux Amazones (t. III, p. 12-13), et explique dans une assez longue intervention (v. 13673-13704), destinée à ne pas induire en erreur les lecteurs («si qu'errer ne face / Les lisans, qui porroient dire / Qu'en mon dit aroit a redire», v. 13674-13676) que bien qu'elle ait parlé bien avant de Thomyris, celle-ci n'a pas vécu avant le début du royaume d'Amazonie qu'elle vient d'évoquer, mais prend sa place dans la succession des reines des Amazones; ce sont les nécessités de l'écriture d'une histoire universelle qui amènent à bousculer quelque peu la chronologie dans un ouvrage tel que celui-ci, où on ne peut raconter toutes les histoires à la fois (celle de Cyrus a précédé celle des Amazones). Or dans la *Cité des dames*, où la narration est centrée sur les personnages féminins, Thamaris / Thomyris retrouve sa place dans la chronologie du royaume des Amazones au chapitre 17, entre les premières reines des Amazones[3] et l'attaque d'Hercule et de Thésée (chapitre 18). Toute cette partie, annoncée déjà dans le chapitre 4, où il est question de la puissance du royaume des Amazones parmi les autres grands empires de l'Antiquité, a une grande cohérence;

---

[1] *Mutacion*, VI, 1-2, v. 13457-13884, t. III, p. 5-19; VI, 30-33, v. 17561-17886, t. III, p. 141-152 (histoire de Penthésilée); auxquels il faut ajouter le chapitre consacré à Thomyris: V, 7, v. 9535-95802, t. II, p. 201-209 .

[2] «Ci dit comment Cirus fu ja occis par Thamaris, royne d'Amasonie» (t. II, p. 201).

[3] Notons que chez Boccace elle est désignée comme une reine des Scythes (*Cleres femmes*, XLIX, p. 161 : «de Thamire, royne des Scyches»), ce qui n'est pas le cas dans l'*Histoire ancienne* 1, source de la *Mutacion* (où elle est désignée aussi comme «la roine Thamaris d'Amazone»; éd. A. Rochebouet, p. 92).

l'auteure y a rassemblé tout ce qu'elle sait de l'histoire de ce royaume, et termine par une conclusion:

> Et ainsi, comme tu peus ouir, commença et se maintint le royaume des femmes en grande puissance qui dura par l'espasse de plus de VIII C ans, si comme tu peus toy meismes veoir par le devis des histoires le nombre du temps qui pot courir, depuis leur commencement jusques aprés la conqueste du grant Alixandre qui conquist le monde, ouquel temps il appert qu'encores duroit le rengne et seigneurie des Amazones. (I, 19, fin)

Elle lui donne une grande importance (comme ne le fait aucun des auteurs qui l'ont précédée), car c'est une pièce maîtresse de sa démonstration dans ce début de la *Cité*, où il s'agit de prouver que les femmes sont capables de gouverner, d'exercer le pouvoir et de combattre. Le royaume des Amazones est une référence majeure pour Christine, qui ira jusqu'à faire dire à Dame Droiture, plus loin dans la *Cité* (II, 12), que la cité qu'elles sont en train de construire est «un nouvel royaume de Femmenie», encore plus digne de louange car il n'a pas les mêmes limites imposées par les nécessités de la reproduction:

> ores est un nouvel royaume de Femmenie encommencié, mais trop plus est digne que cellui de jadis; car ne convendra aux dames ychy hebergiees aller hors de leur terre pour concepvoir ne enfanter nouvelles heritieres pour maintenir leur possession par divers aages de ligne en ligne, car assez souffira pour tousjours mais de celles que ores y commettrons.

Sans entrer dans les détails, on peut signaler quelques caractéristiques générales de la réécriture opérée par Christine à partir de l'*Histoire ancienne*, ou même de la *Mutacion*. Ainsi, elle édulcore et atténue les éléments les plus violents: au début du chapitre 16, il n'est pas question du meurtre des hommes restants, les femmes les chassent après l'élection des deux reines, alors que dans l'*Histoire ancienne* tout comme chez Boccace, elles les tuent[1]. Les Amazones s'unissent avec des hommes de peuples voisins pour avoir des enfants, mais les garçons ne sont pas tués (comme chez Boccace et dans l'*Histoire ancienne*), ils sont envoyés à leurs

---

[1] Dans la *Mutacion*, il est simplement dit qu'elles tuent tous les enfants mâles qui leur restent pour qu'il n'y ait plus aucun homme parmi elles (v. 13557-61, VI, 1, t. III p. 8).

pères pour que ceux-ci les élèvent. Le chapitre consacré à Penthé-silée a été particulièrement travaillé, et nous y reviendrons plus loin[1]. Comme on le verra, il ne doit rien à celui de Boccace, dont il est très différent.

Pour l'exemple de Lucrèce (II, 44), la source principale de Christine est Boccace, même si elle connaissait sans doute d'autres versions de cette histoire très connue au Moyen Âge[2]. Elle a divisé en deux l'histoire de Lucrèce telle qu'elle figure dans le chapitre XLVIII des *Cleres femmes*[3], commençant par le viol, dans ce chapitre 44, pour parler plus loin de ses vertus au chapitre 64. Le titre même du chapitre de Christine («Contre ceulx qui dient que femmes veullent estre efforciés, donne exemple de plusieurs, et premierement de Lucrece»), ainsi que sa place dans une longue partie consacrée à la chasteté des femmes (des chapitres 37 à 46, avec pas moins de 13 exemples), comme l'indiquent notamment les titres des chapitres 37 et 42 («Dit Cristine a Droiture et responce contre ceulx qui dient que il soit pou de femmes chastes», 37; «Contre ceulx qui dient que a paines sont belles femmes chastes», 42), donne à cet exemple une tout autre portée que celle qu'il a dans le livre de Boccace, où l'exemple de Lucrèce s'insère simplement dans une série qui suit globalement un ordre chronologique, et non dans un argumentaire raisonné, comme c'est le cas dans la *Cité*. Le bref dialogue entre Christine et Droiture qui sert d'introduction à ce chapitre 44 le souligne nettement: l'histoire de Lucrèce est le premier exemple invoqué comme preuve de l'idée directrice du chapitre («l'ont demoustré plusieurs d'elles par vrai example»)[4].

---

[1] Il nous fournira un exemple intéressant du travail d'écriture de Christine de Pizan (VI, «l'art du récit»).

[2] Voir la note 1 p. 581.

[3] *Op.cit.*, t. I, p. 158-161.

[4] «Si m'anuie et me grieve de ce que hommes dient tant que femmes vuellent efforcier et que il ne leur desplait mie, quoy qu'elles escondisent de bouche, estre par hommes efforciees. Mes trop fort me seroit a croire que agreable leur feust si grant villenie.»
Responce: «N'en doubtes pas, amie chiere, que ce n'est mie plaisir aux dames chastes et de belle vie estre efforciés ains leur est douleur sur toutes autres, et que ce soit vrai l'ont demoustré plusieurs d'elles par vrai example, si comme Lucrece, la tres noble Rommaine, souveraine en chasteté entre toutes les femmes rommaines».

Pour le contenu de ce chapitre, Christine suit d'assez près le texte des *Cleres femmes* (ainsi, la déclaration que fait Lucrèce au moment de se tuer reprend mot pour mot le texte des *Cleres femmes*, sauf une variante à la fin), tout en l'abrégeant, comme le souligne la formule *a brief dire*, répétée deux fois : elle supprime les détails inutiles pour s'en tenir aux faits (non sans une petite confusion entre les Tarquin, comme cela est signalé dans une note). En revanche, elle ajoute quelques détails repris de la *Mutacion* (où l'histoire de Lucrèce est moins développée que dans la *Cité*) pour évoquer les conséquences de son acte pour les Romains[1].

Mais surtout elle transforme notablement la conclusion, qui diffère d'ailleurs de celle de l'original latin : le traducteur anonyme des *Cleres femmes* a ajouté au texte de Boccace, qui se termine avec une phrase fidèlement reprise dans la traduction, un rappel de la condamnation du suicide par la *loy crestienne* et de la critique que fait à ce titre saint Augustin de Lucrèce[2]. Christine s'est bien gardée de reprendre cette considération négative, et elle choisit d'écarter cette référence à saint Augustin ; elle la remplace par une conclusion bien différente, la mention d'une loi condamnant à mort les violeurs, qui ne figure dans aucune de ses sources, et dont elle fait le plus grand éloge (« laquelle loy est convenable, juste et sainte »)[3]. Christine de Pizan ne peut pas ignorer ce qu'a dit de Lucrèce saint Augustin, qu'elle cite par ailleurs dans la *Cité*

---

[1] Boccace et la traduction anonyme utilisent une formule générale : « mais la franchise et liberté rommaine aucunement s'en est ensue » (*Cleres femmes*, t. I, p. 161) ; « mais c'est la liberté de Rome qui s'ensuivit » (*De mulieribus claris*, p. 87). Christine précise : « pour celle cause fu toute Romme esmeue et chacierent le roy hors et le filz eussent occis, se trouvé feust. Ne oncques puis n'ot roy a Romme. » Voir *Mutacion*, VII, 5, t. III, p. 191.

[2] Le texte de Boccace se termine avec la phrase citée ci-dessus, adaptée assez fidèlement dans les *Cleres femmes*, mais le traducteur ajoute : « Selon nostre loy crestienne elle fist grant folie, si est dapnee, et pour ce la reprent saint Augustin en son livre de *La Cité de Dieu* » (*ibid.*, p. 161). Simon de Hesdin en a fait de même dans sa traduction de Valère Maxime (voir chapitre II, 44, note 1, p. 581).

[3] Comme l'a signalé Bernard Ribémont, certains coutumiers médiévaux inscrivaient le viol (désigné par « de fame esforcier » dans le célèbre coutumier de Philippe de Beaumanoir, les *Coutumes du Beauvaisis* ; ou « rat », rapt, dans d'autres coutumiers) dans la liste des crimes passibles de la peine de mort, dans certaines conditions (B. Ribémont, « Christine de Pizan, la justice et le droit », *Le Moyen Âge*, tome CXVIII, n° 1, 2012, p. 129-168, p. 164-165).

en termes extrêmement élogieux et qui est une de ses grandes références intellectuelles et spirituelles[1]. Or ce qu'il écrit à propos de Lucrèce, dans le passage de la *Cité de Dieu* où il aborde «la question des chrétiennes outragées», est pour le moins ambigu. Après avoir développé l'idée que le viol ne saurait entraîner de faute pour la victime s'il n'y a pas eu de volupté charnelle, il évoque «le cas parallèle de la païenne Lucrèce», qu'il condamne en tant que meurtrière d'elle-même, mais il ajoute ensuite:

> peut-être n'est-elle pas là [parmi les suicidés dans les enfers] parce qu'elle s'est tuée non pas innocente, mais consciente d'avoir mal agi? Supposons en effet une chose qu'elle seule pouvait savoir: bien que le jeune homme l'ait assaillie avec violence, n'a-t-elle pas consenti, séduite elle aussi par son propre plaisir et, pour s'en punir, a-t-elle regretté sa faute au point de vouloir l'expier par la mort?

Que ce soit vrai ou non, il conclut, comme le rappelle l'auteur des *Cleres femmes*, qu'elle a commis un crime d'homicide en se suicidant (ce que n'ont pas fait les femmes chrétiennes violées au cours de leur captivité)[2]. Peut-être Christine a-t-elle en tête les propos ambigus du «glorieux docteur de l'Eglise» (*Cité*, I, 10) lorsqu'elle se plaint au début de ce chapitre des nombreux hommes qui disent que cela ne déplaît pas aux femmes d'être violées[3]. Et par la conclusion très forte qu'elle a ajoutée à la fin de ce chapitre, elle affirme sa position sur ce sujet, qui nous semble aujourd'hui encore d'une étonnante modernité.

On voit bien par ces deux exemples très différents à quel point Christine réécrit ses sources et fait avec les éléments qu'elle leur emprunte, si importants que soient ces emprunts, une œuvre nouvelle.

---

[1] Voir plus loin dans cette introduction, la fin de la partie sur les sources.

[2] Saint Augustin, *La Cité de Dieu*, livres I-V, dans *Œuvres de Saint Augustin*, 33, cinquième série, éd. B. Dombart et A. Kalb, trad. G. Combès, intro. et notes G. Bardy, Paris, Desclée de Brouwer, 1959, I, XIX, p. 254-257.

[3] C'est l'hypothèse développée par Lori Walters, «La réécriture de Saint Augustin», *op. cit.*, p. 211-214.

UNE CITÉ FORT MAÇONNEE ET BIEN EDIFFIEE
(I, 3): LA CONSTRUCTION DE LA CITÉ DES DAMES

Après les doutes où l'avait plongée la lecture de Matheolus, Christine, exhortée par dame Raison, se met à la tâche qui consiste à creuser pour faire les fondations de la Cité. Il s'agit d'abord, comme l'explique Raison, de déblayer le terrain en creusant, pour pouvoir ensuite poser les grosses pierres des fondations des murs (I, 14). Bien que Christine ne mentionne au début de la *Cité des dames* que le petit livre de Matheolus, elle connaissait certainement aussi le *Livre de Leesce* qui se trouve dans plusieurs manuscrits à la suite de la traduction du premier par Jean Le Fèvre[1]. On peut penser qu'elle s'en inspire: en utilisant le mode dialogal qui lui est cher dans nombre de ses œuvres, et qui lui permet, ici comme ailleurs, de renforcer la légitimité de son discours[2], Christine passe en revue les arguments misogynes de Matheolus et d'autres auteurs, qu'elle présente sous forme de questions, reprenant à son compte les doutes que les femmes elles-mêmes peuvent éprouver à la lecture de tous les auteurs anciens qui ont parlé de l'infériorité supposée des femmes, et c'est Raison qui se charge de les réfuter, comme l'avait fait Jean Le Fèvre en suivant l'ordre du livre de Matheolus[3].

---

[1] Jean Le Fèvre, *Les Lamentations de Matheolus* et *Le Livre de Leesce*, éd. A.-G. Van Hamel, Paris, E. Bouillon, 1892-1905, 2 t., p. viii *sq.*

[2] Voir G. Parussa, «Stratégies de légitimation du discours autorial: dialogie, dialogisme et polyphonie chez Christine de Pizan», *Le Moyen Français*, n° 76, 2014, p. 43-65.

[3] En un sens, le livre de Christine se présente dans un premier temps comme un nouveau «Rebours de Matheolus», selon l'un des titres donnés au *Livre de Leesce* dans une version imprimée du XVIe siècle. On ne peut pas aller jusqu'à dire, comme on l'a parfois fait, que Christine prête sa voix aux propos antiféministes. Elle les rapporte à Raison pour que celle-ci puisse l'aider à les réfuter. Voir A. Paupert, «L'autorité au féminin: les femmes de pouvoir dans la *Cité des Dames*», *Le Moyen Français*, n° 78-79, 2016, p. 167-185, que nous reprenons en partie ici. Jean Le Fèvre, pour sa part, se contente de suivre le texte de Matheolus pour le réfuter point par point - non sans l'avoir longuement résumé, ce qui ne manque pas de poser problème, comme le souligne Helen Solterer dans *The Master and Minerva. Disputing women in French Medieval Culture*, Berkeley - Los Angeles - London, University of California Press, 1995, ch. 5 («Defamation and the *Livre de Leesce*: The Problem of a Sycophantic Response»), p. 131-150. Voir aussi R. Blumenfeld-Kosinski, «Jean Le Fèvre's *Livre de Leesce*: Praise or Blame of Women?», *Speculum*, vol. 69, n° 3, 1994, p. 705-725.

Peut-être s'en est-elle aussi inspirée pour l'organisation générale des exemples dans la *Cité*. En effet, vers la fin du *Livre de Leesce*, l'auteur, rapportant toujours les propos de Leesce, au terme d'un long discours, énumère des femmes qui se sont illustrées par leur *prouesce*[1]. Dans cet assez long passage, on peut reconnaître l'embryon de l'organisation choisie par Christine ; la liste des exemples n'est pas complète mais l'ordre est assez similaire, puisque l'on trouve successivement Sémiramis, Penthésilée, Thomyris, d'autres Amazones, et Camille ; et que l'auteur aborde aussitôt après (comme le fera Christine dans la *Cité*) le rôle des femmes dans le développement des *ars* et des *sciences* (Carmentis, les Muses, Médée, Sappho, Pallas - Minerve, Sebille, Cassandre). Mais Christine a considérablement amplifié cette liste, en développant les exemples à partir d'autres sources, et en ajoutant d'autres exemples, en particulier ceux de ses contemporaines. Elle a aussi modifié la perspective. Pour les premiers noms cités, il n'est pas question dans le texte de Jean Le Fèvre de *gouvernement*, mais de *prouesse*. Christine a conservé cet aspect des héroïnes guerrières – pour Sémiramis, pour les Amazones, pour Camille – mais elle insiste sur leur capacité à exercer le pouvoir. Il ne s'agit pas seulement ici d'une « défense des femmes », mais aussi d'une apologie du pouvoir au féminin, un pouvoir exercé en complémentarité avec celui des hommes.

Les deux premières parties de la *Cité des dames* (qui constituent la majeure partie de l'ouvrage, la troisième et dernière étant beaucoup plus brève) sont structurées par un argumentaire pour la défense des femmes, et c'est ce qui fournit la trame du livre. Celui-ci n'est pas seulement un catalogue de femmes illustres à la manière de Boccace. Les « exemples », qui sont d'abord présentés comme autant de pierres destinées à la construction des fondations (I, 14, « les grosses et fortes pieres des fondemens des murs de la Cité des dames »), puis des édifices (II, 1), et qui sont ensuite des femmes appelées à peupler ce « nouvel royaume de Femmenie » (II, 12), ne sont pas disposés dans un ordre essentiellement chronologique,

---

[1] Jean Le Fèvre, *op. cit.*, t. II, p. 112-115, v. 3523-3679 : « De nos dames dirons la gloire, / Les fais, les biens et les vaillances / Des femelles et leurs puissances, / Qui sont dignes de reveler, / Et ne les doit on pas celer. / Certes, a parler de prouesce, / Propose ma dame Leesce / Que les femelles sont plus preuses, / Plus vaillans et plus vertueuses / Que les masles ne furent oncques. / Cest article prouverons doncques / Par Semiramis la roïne » (v. 3523-3534).

comme dans le *De Claris Mulieribus* de Boccace[1]. Ils sont appelés à illustrer les différents arguments invoqués par Dame Raison (dans la première partie) puis par Dame Droiture (qui préside à la seconde partie) en réponse aux questions de Christine, pour réfuter les arguments des misogynes[2]. L'analyse du texte présentée plus loin s'efforcera de faire ressortir les étapes de cet argumentaire.

Dans la troisième partie du livre, Christine a choisi de faire figurer des saintes, que Boccace avait écartées de ses «*Cleres femmes*», comme il s'en explique dans sa préface, d'abord pour éviter de les mêler aux païennes[3], ensuite parce que leurs mérites ont déjà été bien reconnus dans les ouvrages qui leur sont consacrés (les récits hagiographiques, les «vies de saintes»), ce qui n'est pas le cas des autres femmes. Elle se tourne alors vers d'autres sources, comme elle l'indique très clairement pour la principale d'entre elles (le *Miroir Historial*). C'est Dame Justice qui accueille dans la Cité la Vierge Marie accompagnée de tout un cortège de saintes, qui viennent couronner l'œuvre. Même si l'argumentaire de la défense des femmes n'apparaît plus explicitement dans cette partie consacrée à des exemples[4] (les saintes, vierges et martyres pour la plupart) qui peuvent nous sembler plus conformes aux modèles idéologiques

---

[1] Selon Jean-Yves Boriaud, Boccace aurait plutôt regroupé ses exemples en suivant globalement les sources qu'il envisage successivement (ce qui correspond en partie à un ordre chronologique des personnages choisis): après Ève, la première femme, on aurait les grandes déesses, puis des héroïnes d'Ovide, puis des héroïnes du cycle homérique, du cycle virgilien, de Pline, de Tite-Live et de Valère Maxime (ces deux derniers étant les «deux piliers»); de Tacite, de l'*Histoire Auguste*; «plus quelques vies composites», et tout à la fin, quelques exemples modernes (Boccace, *De Mulieribus Claris / Des femmes illustres*, éd. et trad. V. Zaccaria, trad., introduction et notes J-Y. Boriaud, Paris, Les Belles Lettres, 2013; introduction p. XVII).

[2] Didier Lechat l'avait déjà bien observé («*Dire par fiction*», *op. cit.*, p. 413 *sq.*). Pour la composition, il étudie notamment la structuration interne d'une série de dix-sept chapitres consacrés au mariage dans la IIe partie, II, 13-29.

[3] «Il m'est cependant apparu souhaitable, sauf dans le cas de la mère première [Ève], d'éviter de mêler ces femmes, presque toutes païennes, à celles de l'histoire sainte, juives et chrétiennes. Elles vont mal ensemble et ne paraissent pas marcher du même pas.» (Boccace, *De Mulieribus Claris / Des femmes illustres*, *op. cit.*, p. 5).

[4] On remarquera que la forme dialoguée n'est plus présente qu'au début et à la fin de cette partie. Justice garde la parole tout au long, avec une exception notable : l'intervention de Christine auteure (et non plus Christine, l'interlocutrice des dames) après la vie de sainte Christine, qu'elle invoque comme sa sainte patronne (III, 10, fin du chapitre), avant que Justice ne reprenne tout aussitôt la parole pour introduire d'autres saintes.

dominants et plus conventionnels, comme l'ont bien montré quelques critiques[1], ils s'inscrivent dans le projet d'ensemble du livre par la façon subtile dont Christine a réécrit ces vies de saintes en mettant en avant leurs paroles et la force exceptionnelle dont elles ont fait preuve par leur corps même (pour les martyres) et par leur esprit - leur caractère, leur personnalité, leur résistance morale. Contrairement à ce que l'on pourrait penser si l'on en reste à une lecture superficielle, le fait de terminer par des saintes n'est pas à lire nécessairement comme une concession faite à la religion et à l'ordre établi, mais plutôt comme une utilisation nouvelle d'un matériau traditionnel au service d'une célébration des vertus propres aux femmes. Dans cette partie comme dans les deux précédentes, même si le principe d'organisation est moins clair que dans les parties structurées par la succession des arguments invoqués en faveur des femmes contre les accusations des misogynes, les exemples tendent à s'organiser en séquences[2].

Pour le *Livre de la cité des dames*, comme pour d'autres livres composés à la même époque ou un peu plus tard, l'auteure a donc choisi une composition tripartite, organisée autour de la triade que forment les trois «dames couronnées» apparues à Christine au début du livre: Raison, Droiture et Justice. Cette triade a été souvent commentée. En ce qui concerne Raison, on s'accorde à y voir une reprise de la figure qui apparaît entre autres dans le *Roman de la Rose*, dont Christine a si vivement critiqué la façon dont Jean de Meun l'a présentée. La Raison de Christine redresse celle de Jean de Meun, quelque peu dévoyée selon elle; tout comme ses sœurs, elle est «chose célestielle» et fille de Dieu, et elle prend soin

---

[1] R. Blumenfeld-Kosinski, «'Femme de corps et femme par sens': Christine de Pizan's Saintly Women», *Romanic Review*, vol. 87, n° 2, 1996, p. 157-175; M. Quilligan, *The Allegory of female authority, op. cit.*, notamment son chapitre 4, au titre emblématique: «Rewriting the Body: The Politics of Marytrdom» (p. 189-245); voir aussi, sur sainte Christine, K. Brownlee, «Martyrdom and the Female Voice: Saint Christine in the *Cité des Dames*», dans *Images of Sainthood in Medieval Europe*, éd. R. Blumenfeld-Kosinski et T. Szell, Ithaca/Londres, Cornell University Press, 1991, p. 115-135.

[2] M. Quilligan, *op. cit.*, p. 227. Nous les avons indiquées par des titres dans l'analyse du texte: après les saintes femmes les plus proches du Christ, on trouve successivement un groupe de vierges martyres (le plus important), des mères (femmes qui virent martyriser leurs propres enfants), deux saintes travesties, puis d'autres saintes femmes.

de préciser que son office est «de radrecier les hommes et les femmes quant ilz sont desvoiés et de les remettre en droitte voie», et de «leur enseigne[r] la maniere de suivre ce qui est a faire et comment fuiront ce qui est a laissier» (I, 3). Le miroir qu'elle tient permet à chacun de voir clairement ses «propres taches et deffaulx» et de prendre une juste mesure des choses. Justice est aussi une figure allégorique bien connue. Elle est parfois associée à Raison. La figure de Droiture est plus inattendue. Comme on le verra, elle semble bien provenir du *Songe du Viel Pelerin* de Philippe de Mézières, où Christine a peut-être trouvé aussi l'idée du miroir de Raison, voire même celle de la triade des Vertus personni-fiées[1]. Par ailleurs, la structure en trois parties, avec une progression qui culmine avec l'arrivée de la Vierge Marie et des saintes, conduites par Justice, n'est pas sans rappeler celle de la *Divine Comédie*[2]. D'autres critiques soulignent que la figure de Droiture doit être rapprochée de la notion d'*aequitas*, terme traduit par «équité» ou par «droiture», que l'on trouve chez des légistes ou dans des traités politiques, parfois associé à *justitia*[3].

Lorsqu'on lit attentivement la présentation des trois Dames, et que l'on considère la composition d'ensemble de l'ouvrage, on ne peut manquer de remarquer qu'une hiérarchie est établie entre ces trois figures, et surtout, entre les deux dernières (car Raison reste la première locutrice et organisatrice de l'œuvre à venir). Justice est présentée dès le début (I, 3), avec sa «chiere si fiere», et encore au début de la IIIe partie («dame Justice a sa haulte maniere»), comme supérieure aux deux autres, bien qu'elles soient étroitement liées. Elle souligne clairement, à la fin du

---

[1] Voir plus loin, dans la partie sur les sources. On a parfois dit que Christine de Pizan a pu s'inspirer de Dante pour créer ce personnage, mais le rapprochement paraît moins convaincant: on trouve le mot *drittura* dans la *Divine Comédie*, et surtout, l'une des chansons de l'exil met en scène trois femmes, *Drittura, Larghezza* et *Temperanza* (A. Slerca, «Dante, Boccace et le *Livre de la Cité des Dames* de Christine de Pizan», dans *Une femme de lettres au Moyen Âge, op. cit.*, p. 221-230).

[2] M. Quilligan, *op. cit.*, p. 22; A. Slerca, *ibid.*

[3] Voir B. Ribémont, «Christine de Pizan, la justice et le droit», *op. cit.* On le trouve notamment dans le *Policraticus* de Jean de Salisbury, traduit par Denis Foulechat. Sur les sens précis du mot et de la notion de droiture chez Christine de Pizan, voir L. Dulac et E. J. Richards, «Les nuances de "droiture" chez Christine de Pizan», dans *La question du sens au Moyen Âge. Hommage au professeur Armand Strubel*, éd. D. Boutet et C. Nicolas, Paris, Champion, 2017, p. 677-693.

discours par lequel elle se présente, une progression dans leurs actions qui annonce celle du livre :

> a brief dire, je sui especiale entre les vertus, car toutes se refletent en moy ; et entre nous iii dames que tu vois cy, sommes comme une meisme chose, et ne pourions l'une sans l'autre ; et ce que la premiere dispose, la iie ordenne et met a oeuvre, et puis moy, la iiie, paracheve la chose et la termine. (I, 6)

Telle qu'elle se présente dans le passage qui précède, la Justice dont il est question, avec son « vessel de fin or [...] fait en guise d'une reonde mesure », donné par Dieu son père, et qui « sert de mesurer a un chascun sa livree de tel mesure comme il doit avoir », est clairement la justice divine, la justice dans son essence. Elle se distingue de la justice des hommes, qui se réclame d'elle mais est toujours imparfaite, voire parfois tout à fait fausse. Droiture, avec la règle qui lui sert d'emblème, est aussi une forme de justice, elle qui « depart le droit du tort et demonstre la difference d'entre bien et mal » (I, 5). Mais ce qui apparaît clairement, dans cette présentation des deux vertus, et plus encore dans l'agencement des deux parties du livre auxquelles elles sont associées, c'est que Justice, dans sa pleine réalisation, a une dimension spirituelle, tandis que Droiture est une vertu morale[1].

On voit donc se dessiner une progression entre les trois parties du livre, à travers les trois figures qui dominent chacune de ces parties[2]. Si le domaine de Raison semble devoir être plutôt celui des arguments « rationnels », elle ne s'en tient cependant pas au domaine intellectuel :

---

[1] La dimension spirituelle est déjà mentionnée au cours de la IIe partie, et Christine souligne explicitement la progression générale des *biens temporeulx* aux *espiritueulx* lorsqu'elle fait dire à Dame Droiture : « il n'est homme qui sommer peust les grans biens qui par femmes sont avenus, et chaucun jour aviennent. Ja le t'ay prouvé par les nobles dames qui les sciences et ars donnerent au monde. Mais se il ne te souffit ce que dit t'ay des biens temporeulx qui par elles sont venus, je te diray des espiritueulx » (II, 30). Voir aussi II, 35, où Droiture cite les cas de femmes qui ont assisté les saints et les martyrs.

[2] Cet aspect a été beaucoup étudié, avec diverses manières de caractériser ces trois parties. Outre le livre de M. Quilligan (*op. cit.*), voir par exemple R. Brown-Grant, *Christine de Pizan and the Moral Defence of Women, op. cit.* ; les articles déjà cités de B. Ribémont et A. Slerca (notes 1 et 3 p. 61), et J. Kellogg, « *Le Livre de la cité des dames* : reconfiguring knowledge and reimagining gendered space », dans *Christine de Pizan, a Casebook*, éd. B. K. Altmann et D. L. McGrady, New York/London, Routledge, 2003, p. 129-146. Voir surtout D. Lechat, « *Dire par ficcion* », *op. cit.*, p. 413 *sq.*

après le début où elle déblaie les objections des misogynes par une argumentation très construite, les exemples qu'elle propose sont d'abord ceux des femmes de pouvoir, mettant en avant leur capacité à gouverner et à établir des lois; elle aborde ensuite les femmes de savoir, les *inventerresses* et autres *clergeces*. Dans la IIᵉ partie, les exemples avancés par Droiture sont remarquables par leurs vertus, dans différents sens du terme; le mot (*vertu, vertueuse*) est récurrent dans toute cette deuxième partie, comme dans ce titre caractéristique: «Dit Droiture que plusieurs femmes sont amees pour leurs vertus plus que autres pour leur jolivetez» (II, 64). Les héroïnes des histoires plus longues, empruntées pour la plupart au *Décaméron*, sur lesquelles s'achève la IIᵉ partie (ch. 50-52) sont aussi des modèles de vertu. Et cette notion est très fortement présente dans les deux derniers chapitres qui servent de conclusion: les grandes dames de son temps, jugées dignes d'entrer dans la Cité des dames, sont très vertueuses, et Christine s'adresse directement, pour finir, non seulement aux «Tres redoubtees et excellens princesses honorees de France et de tout pays», mais aussi à «toutes dames, damoiselles et generalment toutes femmes qui amastes, amez et amerez vertus et bonnes meurs, tant celles qui sont trespassees comme les presentes et celles advenir» (II, 69)[1]. Dans la partie présidée par Justice, comme on l'a vu, c'est la dimension spirituelle qui domine, mais s'y ajoutent aussi la force physique et les vertus morales.

Cette progression est figurée, comme on l'a rappelé, par la métaphore architecturale qui se déploie tout au long du livre: après l'action de Raison dans la Iᵉʳᵉ partie, qui creuse la terre pour permettre les fondations, puis établit les «grosses et fortes pieres des fondemens des murs» ainsi que les pierres qui servent à construire les murs de la Cité, Droiture s'occupe de construire les édifices (*ediffier et maisonner*, II, 1), puis d'y amener les premières habitantes (II, 12). C'est à Justice qu'il reviendra de «(parfaire) les haulx combles des tours» et de choisir les nobles dames dignes d'habiter dans les «grans palais et [...] haulx dongions» (selon le titre de cette troisième partie), sous la *seigneurie* de la Vierge Marie logée dans le plus haut palais et promue reine de la Cité des dames, comme elle l'est de tout le sexe féminin (III, 1).

---

[1] Notons que la notion de vertu (au sens moral) est récurrente aussi dans les portraits des dames de la Iᵉʳᵉ partie, s'ajoutant à leurs autres qualités.

LES «GROSSES PIERRES[1]»:
LES SOURCES DE LA *CITÉ*

Les sources utilisées par Christine sont bien connues: les éditeurs de ses textes les ont identifiées. Suzanne Solente[2], Maureen Curnow[3], Angus J. Kennedy, Gabriella Parussa, pour ne citer qu'eux, ont donné dans leurs notes des indications précieuses permettant de reconstituer l'ensemble des œuvres connues de Christine et qui pourraient former sa «bibliothèque», non pas un lieu matériel dont on n'aurait aucune trace, mais un espace intellectuel formé des textes auxquels elle a pu avoir accès. Car avant de manier la truelle, comme le personnage de Christine le fait sur la miniature double qui ouvre la *Cité des dames*, et d'assembler les morceaux de textes en une composition nouvelle, il faut s'affranchir d'une lourde tâche préliminaire: lire, prélever, ajuster, et surtout réécrire en partie ou totalement ces fragments pour les insérer dans un nouveau contexte.

Christine était avide de connaissances et de lectures. Dans toutes ses œuvres didactiques, il y a des auteurs et des textes qu'elle met volontiers en avant, pour s'en revendiquer; d'autres, qui peuvent

---

[1] Au début de la *Cité*, Raison emploie cette image, «les grosses et fortes pieres des fondemens des murs de la *Cité des dames*», pour désigner les exemples de femmes remarquables qui vont constituer les murs de la cité. Mais nous avons vu que Christine l'avait également employée, dans le passage du *Charles V* cité plus haut, pour désigner les matériaux empruntés à d'autres auteurs qui servent à construire le livre. C'est dans ce sens que nous la reprenons ici.

[2] Son travail pionnier, notamment sur les sources de la *Mutacion de Fortune*, a servi de base à tous les travaux qui ont suivi.

[3] Nous redisons ici tout ce que nous devons au remarquable travail fait par M. Curnow dans son édition de 1975 sur les sources de la *Cité des dames*. Outre ses notes, voir «chapter III. Study of Sources» (Curnow, *Cité, op. cit.*, p. 124-198). Nous avons systématiquement vérifié et complété, parfois modifié ses indications, en prenant appui sur de nouvelles éditions et des sources manuscrites plus aisément accessibles aujourd'hui, ainsi que sur de nouveaux travaux critiques. Pour l'essentiel, nous retenons les mêmes sources principales ou secondaires (à l'exception du *De casibus virorum illustrium* de Boccace, qui ne nous semble pas pertinent, les quelques exemples cités par M. Curnow venant plutôt du *Miroir Historial*). Nous avons ajouté les *Faits et dits mémorables* de Valère Maxime, et parmi les sources utilisées de façon ponctuelle, *La Légende dorée* de Jacques de Voragine (mentionnée, mais écartée par M. Curnow), *L'Histoire romaine* de Tite-Live, *Les Antiquités judaïques* de Flavius Josèphe.

être des sources importantes, restent dans l'ombre, peut-être parce qu'elles sont bien connues du public, car elles appartiennent à la culture générale du lecteur médiéval, ou bien parce que Christine n'a pas besoin de leur autorité pour le passage qu'elle réécrit. Citer une source au début du XVe siècle, c'est moins faire preuve d'honnêteté intellectuelle, comme ce serait le cas aujourd'hui, que s'inscrire dans une tradition, convoquer un panthéon d'ancêtres littéraires dont on se revendique et qui donnent à l'œuvre force et légitimité.

De même, Christine aime citer ses œuvres antérieures, et elle le fait à plusieurs reprises dans la *Cité des dames*. Parmi ces œuvres figure la *Mutacion de Fortune* (I, 17), somme historique qui montre comment Fortune gouverne le monde. Pour la rédiger, Christine a dû se plonger dans les grandes compilations historiques de son temps et ces recherches sont reprises directement dans la *Cité des dames*, ce qui peut expliquer en partie le fait que l'écrivaine a composé trois de ses grands traités autour 1405. Comme on l'a vu, pour plusieurs chapitres de la *Cité des dames*, elle reprend des matériaux, parfois même des formulations déjà utilisés dans la *Mutacion*.

Nous n'envisagerons ici que les œuvres dont Christine s'est directement servie, en commençant par les sources principales, et en terminant par celles qu'elle n'a utilisées que de façon ponctuelle.

La numérisation des manuscrits par les grandes bibliothèques, en particulier par la BnF, facilite l'accès à des textes non publiés et, dans le cas où existent des éditions modernes, permet de connaître l'état du texte au début du XVe siècle. Afin de permettre au lecteur intéressé une consultation rapide de ces ouvrages, nous avons choisi comme manuscrits de référence des exemplaires numérisés et disponibles en ligne. Tous émanent des «librairies» des grands princes collectionneurs.

Pour rédiger la *Cité des dames*, Christine s'est plongée dans des traductions très récentes, ce qui dénote une connaissance pointue de l'actualité littéraire de son temps et un accès à ces textes. C'est le cas pour la traduction anonyme des *Cleres femmes* de Boccace, réalisée très peu de temps avant la *Cité des dames*, pour la suite de la traduction des *Faits et dits mémorables* de Valère Maxime et, peut-être, de façon ponctuelle, pour celle des *Antiquités judaïques*. Certaines de ces traductions ont été commandées par Jean de Berry, qui poursuivait ainsi le programme de mise à disposition de textes en langue vulgaire entrepris par son frère Charles V[1]. Christine de Pizan a peut-être eu accès à sa «librairie», comme elle a pu fréquenter les bibliothèques d'autres princes. Mais la rapidité avec laquelle elle a assimilé des textes récemment disponibles en langue vulgaire montre qu'elle les a consultés dès leur remise à leur commanditaire, ou bien dans l'atelier du copiste ou de l'illustrateur chargés de les réaliser. Ces hypothèses nécessiteraient d'être vérifiées par des spécialistes des bibliothèques princières et de la fabrication des manuscrits à Paris dans les années 1400. Quoi qu'il en soit, il est indéniable que, comme on l'a dit, Christine de Pizan fait partie intégrante du cercle des intellectuels de son époque et du cercle des artisans du livre ; elle est à croisée de la production littéraire et de la fabrication du manuscrit comme objet. Cette double perspective vient enrichir la composition de la *Cité des dames* et contribue à en faire un texte animé par une dynamique alliant réécriture de textes connus et apports de traductions nouvelles.

Matheolus et le *Livre de Leesce* de Jean Le Fèvre

Comme nous l'avons déjà signalé, bien que Christine ne mentionne que «Matheolus» ou «Matheole» à l'ouverture de la *Cité* (I, 1) et qu'elle ne cite jamais Jean Le Fèvre de Ressons et son *Livre de Leesce*, elle a lu ce livre et le connaît bien[2]. Maureen Curnow a montré qu'il constitue une source importante de la *Cité*[3]. Jean Le Fèvre a traduit vers 1370 un *Liber Lamentationum Matheoluli* composé à l'extrême fin du XIIIe siècle (entre 1295 et 1301) par un certain Mathieu de Boulogne, dit «Mathieu le Bigame» parce qu'il avait épousé une veuve. C'est surtout cette traduction française versifiée qui l'a fait connaître, et sa notoriété a

---

[1] Sur l'importance de ces traductions et leur incidence sur l'évolution de la langue, voir S. Lusignan, *Parler vulgairement. Les intellectuels et la langue française aux XIIIe et XIVe siècles*, Montréal, Presses de l'Université de Montréal - Paris, Vrin, 1986 ; en particulier le chapitre IV, «Le mouvement des traductions au XIVe siècle et la définition du français comme langue savante», p. 129-171. Il indique bien comment l'œuvre de Christine de Pizan s'inscrit dans ce contexte.

[2] Rappelons qu'on le trouve dans plusieurs manuscrits à la suite de la traduction par Jean Le Fèvre du livre latin de «maistre Mahieu», ou *Livre de Matheolus*, connu sous le nom de *Lamentations de Matheolus*.

[3] L'éditrice américaine le place en premier, avant Boccace, dans sa partie sur «les sources» (M. Curnow, *Cité*, *op. cit.* p. 127-138) et elle y fait fréquemment des références précises dans ses notes.

été renforcée par la mention qu'en fait Christine dans la *Cité des dames*[1]. Ce petit livre est un virulent pamphlet anti-matrimonial. Peu après (vers 1374), Jean Le Fèvre l'a fait suivre d'une réfutation qu'il appelle «*Livre de Leesce*», car il l'a écrit pour s'excuser auprès des dames d'avoir tant médit des femmes et du mariage en traduisant le précédent, et pour montrer «par argumens de sens contraire» (v. 34) qu'il faut louer et aimer les femmes. Il reprend une à une la plupart des idées de Matheolus pour les contredire, en faisant parler «dame Leesce», liée à la joie amoureuse. Le livre s'achève avec un long monologue de dame Leesce à la louange des dames. C'est elle qui énumère les noms des femmes célèbres pour leur prouesse ou qui se sont illustrées dans les sciences et les arts[2], liste qui a peut-être donné à Christine l'idée des grandes lignes de l'organisation de sa *Cité*. Elle poursuit en célébrant les vertus morales des femmes, comme le fait dame Droiture dans la deuxième partie de la *Cité*. Elle avait aussi auparavant énuméré un bon nombre de saintes, dont on retrouve certaines dans la IIIe partie de la *Cité,* suivies par quelques noms d'autres femmes «preuses, bonnes et vertueuses[3]».

Comme on l'a dit plus haut, Christine s'est sans doute inspirée du *Livre de Leesce* pour toute la partie du début de la *Cité*, où dame Raison réfute les arguments des misogynes, ainsi que pour ces listes de femmes célèbres, saintes, guerrières ou savantes. Celles-ci ont pu lui fournir un canevas, mais elle a ensuite complété et développé considérablement les exemples simplement cités ou à peine esquissés par Jean Le Fèvre, en utilisant des matériaux empruntés à d'autres sources. Dans l'argumentaire du début, on peut repérer plusieurs réminiscences du *Livre de Leesce*. On en trouvera le détail dans les notes. On peut prendre pour exemple l'histoire de la création d'Ève à partir de la côte d'Adam, dont le point de départ est le récit de la Genèse (2, 7-8). Selon le texte de la *Cité* :

> Quant vint a sa sainte voulenté de fourmer Adam du limon de la terre ou champ de Damas et il l'ot fait, il le mena en paradis terrestre, qui estoit et est la plus digne place de ce bas monde. La endormi Adam, et de l'une de ses costes, en signifience que elle devoit estre coste

---

[1] Jean Le Fèvre, *Les Lamentations de Matheolus* et *Le Livre de Leesce*, *op. cit.*, introduction, p. CLVII-CLIX.

[2] V. 3523-3679, t 2, p. 112-117.

[3] V. 2810-2898, t. 2, p. 89-91.

lui [var. B et D : coste lui come compaingne] et non mie a ses piez
comme serve, et aussi que il l'amast comme sa propre char, fourma
le corps de la femme [...] Mais encore a parler de la creacion du
corps, la femme fu doncques faite du souverain ouvrier ; et en quel
place fu elle faite ? En paradis terrestre. De quel chose fut ce ? De
vil matiere ? Non, mais de la tres plus noble qui oncques eust esté
creé : c'estoit le corps de l'omme, de quoy Dieux la fist.

Dans le *Livre de Leesce* (les similarités sont soulignées au
moyen des italiques) :

> *Je di, tant plus doit estre amée*
> *La chose quant elle est plus noble.*
> Ainsi comme azur et sinoble
> Valent mieulx que charbon ne croie,
> Il n'est vivant qui ce ne croie
> *Que femme doit avoir le los*
> *Pour ce que fu faite de l'os*
> *Et l'omme fu fait de la terre.*
> Pour ce Mahieu en ce point erre ;
> *L'os est plus noble et si vault mieulx ;*
> *Et pour ce l'en voult faire Dieux*
> *Dedans le paradis terrestre.*
> [...]
> Et s'aucun quiert pourquoy fu faite
> La femme et de la coste extraite,
> La cause en est toute delivre
> De *Sentences* ou second livre[1] :
> *Faite fu du costé de l'omme*
> Tant pour son adjutoire comme
> Pour amour et dilection,
> Si que par bonne affection
> *Tenist a l'omme compaignie,*
> Et aussi pour avoir lignie.
> Et ne fu pas faite du chief,
> Pour seignourir ; *et de rechief,*
> *Dieu ne la voult pas asservir*
> *Ne faire des piés, pour servir,*
> *Mais du moyen*, par la maniere
> Que dame ne chamberiere

---

[1] Le *Livre des Sentences* de Pierre Lombard (théologien du XIIe siècle mort
en 1160 ; son *Livre des Sentences*, très célèbre, était l'un des textes les plus
utilisés dans les études de théologie).

> Avecques l'omme ne feüst,
> Et qu'ele seïst et geüst
> Delés luy, pour son plaisir faire,
> *Comme sa compaigne et sa paire* ;
> Et sueffre qu'avec l'omme gise,
> Pour ce qu'en son costé fu prise.

Certes ces arguments du débat sur la création de la femme dans le cadre de ce que l'on a appelé «la Querelle des femmes» se trouvent dans bien d'autres textes «pour» ou «contre» les femmes[1], mais les formulations de Christine nous semblent ici assez proches de celles du *Livre de Leesce*, sous une forme plus condensée. Cependant Christine donne une tout autre portée à ces arguments et à ces exemples, en les intégrant dans une œuvre structurée à l'écriture beaucoup plus maîtrisée. À la différence de Jean Le Fèvre, elle ne donne la parole à ses adversaires que pour résumer brièvement leurs arguments, et développe bien davantage l'argumentaire de la défense des femmes.

Nous avons utilisé l'édition d'A-G. Van Hamel: Jean Le Fèvre, *Les lamentations de Matheolus* et *Le Livre de Leesce*, Paris, E. Bouillon, 1892-1905, 2 t.

Boccace, *Des cleres et nobles femmes*

L'œuvre dans laquelle Christine a puisé le plus de matière pour composer la *Cité des dames* est la traduction du *De mulieribus claris* de Boccace, terminée le 12 septembre 1401, d'après le manuscrit BnF, fr. 12420 acheté par Philippe le Hardi en 1403. Elle a utilisé de façon plus ou moins importante soixante-et-onze des cent quatre[2] *exempla* de Boccace, pour une grande partie des récits des parties I et II, et elle cite l'écrivain toscan à plusieurs reprises[3].

---

[1] Voir notre note 1, p. 249, chapitre I, 9. Voir aussi A. Blamires, *The Case for Women*, *op. cit.*, chap. 4 («Eve and the Privileges of Women»), p. 98-103.

[2] Selon J-Y. Boriaud (*op. cit.*, p. XVIII: «106 vies (en réalité 104, deux étant "dédoublées")»).

[3] Elle le cite nommément un grand nombre de fois: I, 28 (3 mentions); I, 29 (3 mentions); I, 30 (3 mentions); I, 34; I, 37; I, 39; I, 41; II, 2; II, 14; II, 15; II, 16; II, 17 (3 mentions); II, 19; II, 36; II, 43; II, 52 (*Livre des Cent Nouvelles*, ou *Décaméron*); II, 59 (*idem*); II, 60 (*idem*; une autre mention à la fin pour une autre histoire); II, 63.

Il est possible, comme on l'a parfois dit, que Christine ait eu aussi accès à l'original latin (pour le *Décaméron*, non encore traduit en français à la date de la composition de la *Cité*, elle lit l'original italien). Mais les similitudes avec le texte français en de nombreux passages indiquent que c'est bien sur celui-ci qu'elle se fonde.

Jadis attribuée par erreur à Laurent de Premierfait, cette traduction est actuellement considérée comme anonyme. Est-ce dans la bibliothèque du duc de Bourgogne, pour qui elle a composé le *Charles V* en 1404, ou bien dans celle du duc de Berry, qui en a reçu un exemplaire (BnF, fr. 598) la même année que Philippe le Hardi, que Christine a eu accès à ce texte ? Ou bien plus tôt, dans un atelier, alors que les manuscrits étaient en train d'être réalisés ? Gabriella Parussa signale, dans l'introduction à son édition de *l'Epistre Othea*, que Christine connaissait déjà le texte en 1401[1]. On sait que le Maître des Cleres femmes, peintre enlumineur qui a réalisé les illustrations du manuscrit du duc de Berry, a collaboré régulièrement avec le Maître de la Cité des dames autour des années 1405. Ces artistes ont pu être les intermédiaires entre Christine et le texte. Une seule chose est sûre, l'écrivaine a pu prendre le temps de le lire avec soin et, sans doute, en recopier des passages entiers, tant la similitude entre les deux textes est grande, au mot près par endroits. Les *Cleres femmes* semblent bien être à la fois une source d'inspiration et une réserve d'exemples pour la *Cité*. Mais Christine de Pizan s'en détache également, consciente que si l'œuvre de Boccace restitue aux femmes du passé leur noblesse, elle porte aussi à bien des moments des traces de la misogynie en cours chez les hommes de lettres, de sorte que la *Cité des dames* semble être écrite pour prendre le contre-pied de ce texte nouvellement diffusé en langue française[2]. Non seulement elle s'éloigne de l'organisation proposée par l'écrivain italien, mais elle réécrit profondément les récits qu'elle emprunte[3]. En premier lieu, elle développe certains points

---

[1] *Epistre Othea, op. cit.*, p. 64-65.

[2] Comme l'écrit D. Lechat, Christine a l'«ambition consciente d'écrire sous l'autorité de Boccace, mais aussi d'écrire *contre* Boccace» (*op. cit.*, p. 398).

[3] De nombreuses études ont été consacrées à la réécriture du *De mulieribus claris* de Boccace par Christine de Pizan, depuis l'article d'A. Jeanroy, «Boccace et Christine de Pizan. Le *De claris mulieribus*, principale source du *Livre de la cité des dames*», *Romania*, XLVIII, 1922, p. 93-105 (il juge sévèrement le livre de Christine, dont il dit qu'«elle se mit à piller sans scrupule le traité de Boccace»,

de l'histoire en s'inspirant d'autres sources, soit pour ajouter des détails, soit pour donner plus d'importance aux actions de l'héroïne. C'est le cas, entre autres, pour le chapitre sur Sappho (I, 30). Après une phrase d'introduction qui rattache le portrait de la poétesse au propos général et au chapitre précédent (« N'ot pas moins de science que Probe la sage Sapho »), Christine reprend les grandes lignes du chapitre 46 des *Cleres femmes*, en éliminant le commentaire sur la lignée de Sappho. Les deux textes sont si proches que Christine cite explicitement tout un passage de Boccace, qu'elle commente ensuite en restant fidèle aux termes utilisés par le traducteur de l'écrivain italien :

> Laquelle, par son estude, a plusieurs choses tresfortes a entendre et a savoir, mesmement a hommes de grant estude et de grant engin, elle parvint sans moult grant paine. Et jusques au jour d'uy, selon le tesmoing des anciens, encore durent ses dittiez moult noblement fais et composez, qui sont lumiere et exemplaire a ceulx qui sont venus aprez de parfaitement ditter et dire. (*Cleres femmes*, 46, t. I, p 156).

---

p. 94, tout en lui reconnaissant quelque mérite, et en faisant bien le point sur ce que Christine doit à Boccace). Outre les éditions citées (notamment, M. Curnow, *Cité*, p. 138-154), de nombreux articles ou chapitres de livres y ont été consacrés. R. Brown-Grant en cite un certain nombre (*Christine de Pizan and the Moral Defence of Women. Reading beyond gender*, Cambridge, Cambridge University Press, 1999, p. 130, note 10). Nous nous en tiendrons ici à quelques articles significatifs : L. Dulac, « Un mythe didactique chez Christine de Pizan : Sémiramis ou la veuve héroïque (Du *De mulieribus claris* de Boccace à *La Cité des Dames*) », dans *Mélanges de philologie romane offerts à Charles Camproux*, Montpellier, C. E. O., 1978, t. I, p. 315-343 ; P. A. Phillippy, « Establishing authority : Boccacio's *De Claris Mulieribus* and Christine de Pizan's *Cité des Dames* », *Romanic Review*, n° 77, 1986, p. 167-193 ; A. Slerca, « Dante, Boccace et le *Livre de la Cité des Dames* de Christine de Pizan », dans *Une femme de lettres au Moyen Âge, op. cit.*, p. 221-230 ; G. Angeli, « Encore sur Boccace et Christine de Pizan : remarques sur le *De mulieribus claris* et le *Livre de la cité des Dames* (« Plourer, parler, filer mist Dieu en femme », I, 10) », *Le Moyen Français*, n° 50, 2002), p. 115-125 ; A. Paupert, « L'autorité au féminin : les femmes de pouvoir dans la *Cité des Dames* », *Le Moyen Français*, n° 78-79, 2016, p. 167-185 ; K. Brownlee, « Christine Transforms Boccaccio : Gendered Authorship in the *De mulieribus claris* and the *Cité des dames* », dans *Reconsidering Boccaccio : Medieval Contexts and Global Intertexts*, éd. O. Holmes et D. Stewart, Toronto, University of Toronto Press, 2018, p. 246-259. Voir aussi le livre de Glenda McLeod, *Virtue and Venom. Catalogs of Women from Antiquity to the Renaissance*, Ann Arbor, The University of Michigan Press, 1991. Nos notes associées à la traduction détaillent le traitement réservé à chacun des récits repris au texte de Boccace.

> Par ces choses que Bocace dist d'elle doit estre entendu la
> parfondeur de son entendement, et les livres qu'elle fist de si
> parfaite science que les sentences en sont fortes a savoir et
> entendre meismes aux hommes de grant engin et estude, selon le
> tesmoing des Anciens ; et jusques au jour d'ui durent encores ses
> escrips et dictiés, moult notablement fais et composez, qui sont
> lumiere et exemple a ceulx qui sont venus aprés de parfaitement
> dicter et faire. (*Cité des dames*, I, 30, p. 352)

Quelques lignes plus loin, elle reprend le terme *saphice* pour
désigner la strophe inventée par la poétesse grecque, mais elle
supprime la mention de son amour pour un adolescent qui conclut
le chapitre dans les *Cleres femmes*. Cette histoire d'amour n'est
en effet pas très glorieuse pour Sappho, son chant n'étant pas
parvenu à séduire le jeune homme. À l'inverse, puisant dans les
Faits et dits mémorables, Christine ajoute un élément qui grandit
son héroïne : Platon serait mort avec un livre de Sappho à son
chevet. Cette précision repose sur une erreur de lecture de Nicolas
de Gonesse qui confond *Sapho* et *Sophron*[1], mais Christine ne
manque pas s'emparer de ce détail qui témoigne de la grande
renommée de la poétesse.

Cette volonté de valoriser le personnage féminin conduit le plus
souvent Christine à réduire fortement le récit de Boccace, en
choisissant de se limiter exclusivement aux faits qui servent son
propos. L'écrivaine supprime aussi systématiquement les commentaires moraux de Boccace, parfois dépréciatifs, sur le personnage
ou les mœurs féminines. Contrairement à son modèle, Christine ne
juge pas l'héroïne : elle inclut l'*exemplum* dans une argumentation,
oriente le récit en fonction des besoins de sa démonstration et laisse
le lecteur construire son propre avis. Dans ses emprunts aux *Cleres
femmes*, Christine trouve le juste équilibre entre hommage à l'écrivain italien et contestation de sa vision des femmes.

---

[1] On lit en effet dans la traduction de Nicolas de Gonesse : « Platons morans de
l'aage de.IIII^{XX}. et un an eust dessoubz son chief les menestrés Sapho. » (G. Pastore,
*Nicolas de Gonesse e la traduzione francese di Valerio Massimo : edizione e
commentario*, (thèse de doctorat), Turin, Paris, Università degli Studi di Torino,
Paris 3 Sorbonne Nouvelle, 2012, VIII, ext. 3, p. 135). Le texte latin de Valère
Maxime indique qu'à sa mort Platon avait à son chevet les mimes de Sophron
(« *Sub capite Sophronis mimos* »). Valère Maxime, *Faits et dits mémorables*, éd.
P. Constant, Paris, Garnier Frères, 1935, cité par A. Kennedy dans son édition du
Livre du corps de policie, Paris, Champion, « Études christiniennes », 1998, p. 168.

Nos notes font référence à l'édition de Jeanne Baroin et Josiane Hafen, Boccace, *Des cleres et nobles femmes (Ms. Bibl. Nat. 12420)*, Université de Besançon, 1993-1995, 2 vol.

Nous nous sommes également référées à la version originale en latin, accompagnée d'une traduction en français moderne : Boccace, *De Mulieribus Claris / Des femmes illustres*, éd. Vittorio Zaccaria, trad. Jean-Yves Boriaud, Paris, Les Belles Lettres, 2013.

Boccace, *Le Décaméron*

Christine de Pizan a également inséré dans la deuxième partie de la *Cité des dames* trois récits adaptés du *Décaméron* de Boccace, utilisés ici comme des exemples développés de vertus exception-nelles : la constance et la force de caractère[1], déjà illustrées par les exemples précédents, pour la femme de Bernabo le Génois (II, 52) ; la fidélité en amour poussée jusqu'à la mort pour Gismonde, fille du prince de Salerne (II, 59) et pour Elisabeth (*Lisabeth*, II, 60). Le premier fait suite à deux autres récits du même genre empruntés à d'autres sources et illustrant la même vertu : l'histoire de Grisélidis (II, 50) et celle de Florence de Rome[2] (II, 51). Boccace et son *Livre des Cent Nouvelles* sont mentionnés explicitement au début de chacun de ces trois récits. Ils reprennent respectivement les nouvelles II, 9 (neuvième nouvelle de la deuxième journée), IV, 1 et IV, 5 du *Décaméron*[3]. Après les deux derniers récits, à la fin du chapitre 60, Christine mentionne une autre histoire racontée par Boccace : «D'une autre raconte Bocace, a qui son mari fist mengier le cuer de son ami, qui oncques puis ne menga.» Elle fait ici allusion à un autre récit du *Décaméron* (IV, 9), qui raconte la légende du cœur mangé associée au troubadour Guillem de

---

[1] Voir le titre du chapitre 47, qui ouvre cette séquence («Preuve contre ce que l'en dit de l'inconstance des femmes») et la dernière phrase de II, 49, qui sert d'introduction à cette série d'exemples : «pour contredire par exemples aux dis d'iceulx qui si fraisles les appellent, te dirai d'aucunes femmes tres fortes desquelles les histoires sont belles a ouir et de bon exemple.»

[2] Voir plus loin pour Grisélidis (dont la source directe n'est pas la centième et dernière nouvelle du *Décaméron*, mais la version qu'en donne Philippe de Mézières d'après Pétrarque) et pour Florence de Rome, dont la source est proba-blement l'un des *Miracles de Notre Dame* de Gautier de Coinci.

[3] Giovanni Boccaccio, *Decameron*, éd. A. Quondam, M. Fiorilla et G. Alfano, Milano, BUR Classici, 2013, p. 457-477 ; p. 699-714 ; p. 747-752.

Cabestaing[1]. Mais Christine ne la reprend pas, elle se contente de la mentionner avec d'autres «histoires de femmes en telle folle amour surprises qui trop ont amé de grant amour sans varier.»

Il est important de noter que Christine se fonde directement sur le texte italien du *Décaméron*, dont il n'existait pas encore de traduction en français, la première, celle de Laurent de Premier-fait, ayant été réalisée entre 1411 et 1414 et dédiée à Jean de Berry[2]. Elle fait connaître pour la première fois en français un texte majeur de la culture italienne, participant ainsi à ce que l'on caractérise souvent comme un courant pré-humaniste. Elle le réécrit, mais elle le suit aussi de près pour ce qui est du lexique et de la «sémantique narrative»[3], faisant ainsi véritablement œuvre de traductrice. Par ailleurs, comme le soulignait déjà Carla Bozzolo, Christine ne se contente pas de reprendre tels quels les récits du *Décaméron*, mais elle opère des modifications très signi-ficatives pour pouvoir les intégrer aux exemples de sa *Cité*. Ils ont fait l'objet d'un important travail d'écriture.

Nous nous sommes référées à une édition italienne moderne, Giovanni Boccaccio, *Decameron,* éd. A. Quondam, M. Fiorilla et G. Alfano, Milano, BUR Classici, 2013.

Nous avons aussi consulté la traduction de Jean Bourciez, Paris, Garnier, 1979.

L'Histoire ancienne jusqu'à César

Christine connaissait bien les deux rédactions de cette compi-lation historique. La première, aussi appelée *Estoire Rogier*, est attribuée à Wauchier de Denain et date du début du XIIIe siècle.

---

[1] Voir la note 1, p. 677 (fin de II, 60).

[2] Voir C. Bozzolo, «Il *Decameron* come fonte del *Livre de la Cité des Dames* di Christine de Pisan», dans *Miscellanea di Studi e ricerche sul Quattro-cento francese,* éd. F. Simone, Torino, Giappichelli, 1966, p. 3-24, qui montre que Christine a travaillé directement à partir du texte italien, bien diffusé en France à partir de la fin du XIIIe s.

[3] G. Bianciotto, «Langue conditionnée de traduction et modèles stylis-tiques au XVe siècle», dans *Sémantique lexicale et sémantique grammaticale en moyen français,* éd. M. Wilmet, Actes du colloque organisé par le Centre d'Études Linguistiques et Littéraires de la Vrije Universiteit Brussel (28-29 septembre 1978), Bruxelles, p. 51-78. Il fait une étude linguistique très précise de l'histoire de la femme de Bernabo (II, 52) comparée à l'original de Boccace.

La deuxième remonte au second quart du XIVe siècle. Christine s'est déjà servie des deux versions dans l'*Epistre Othea*, la *Mutacion de Fortune* et, dans une moindre mesure, dans l'*Advision Cristine*. Dans la *Cité des dames*, elle y puise essentiellement des épisodes de la guerre de Troie et de l'histoire des Hébreux (Judith et Esther). Pour les personnages et événements rattachés à la guerre de Troie, la source est la deuxième rédaction de l'*Histoire ancienne*, qui a intégré un *Roman de Troie en prose* connu sous le nom de *Prose 5*. De façon générale, Christine condense des récits plus développés dans le texte d'origine, les réorganise et les réécrit.

Pour certains personnages, l'*Histoire ancienne* devient la source principale, plutôt que les *Cleres femmes*, utilisées seulement pour des détails. Ainsi, une des deux premières rédactions, ou les deux parfois, ont inspiré les chapitres consacrés à Sémiramis (I, 15), aux Amazones (I, 16), à Thomyris (I, 17), à Ménalippe et Hippolyte (I, 18), à Penthésilée (I, 19), à Camille (I, 24), à Didon (I, 46 et II, 55), à Andromaque (II, 28), à Judith (II, 31), à Esther (II, 32), aux Sabines (II, 33), à Lucrèce (II, 44), aux Sicambres (II, 46) et à Médée (I, 32 et II, 56). Mais comme nous l'avons vu plus haut, l'*Histoire ancienne* est également la source de la *Mutacion de Fortune* et Christine puise directement dans son texte antérieur.

Le chapitre concernant Judith (II, 31) fournit un exemple de ce processus de réécriture en trois temps. La première rédaction de l'*Histoire ancienne* consacre trois chapitres à l'histoire de Judith et d'Holopherne. La *Mutacion* propose une version versifiée du récit très fidèle à sa source dans son déroulement et dans les mots utilisés. Le tout début du récit en témoigne :

> En celle cité avoit adonc une dame moult belle de corps et de viaire, qui IIII ans avait esté sans baron, vesve, et si estoit par droit nom Judith appellee. Ceste estoit chaste dame et bonne et de la lignee Ruben le filz Jacob […].
> (*Histoire ancienne*, manuscrit BnF, fr. 246, fol. 82^r)

> En la cité, ot une dame
> Vesve moult belle et preude femme ;
> Judich la dame fu nommee,
> Sage ert et de grant renommee ;
> De la lignee Ruban fu
> Le filz Jacob […]
> (*Mutacion de Fortune*, V, 10, t. II, v. 10149-10154, p. 221)

Pour la *Cité des dames*, Christine choisit d'abréger le récit pour se concentrer sur les étapes essentielles, celles qui mettent en valeur la piété et le courage de la dame, au détriment des passages qui insistent sur ses efforts pour séduire Holopherne (soin apporté à sa tenue, discours qui lui promet la victoire sur les Hébreux). Le plan d'ensemble reste fidèle à la source première, l'*Histoire ancienne*, mais certains détails montrent que Christine s'est d'abord appuyée sur sa propre réécriture de l'histoire. Ainsi, dans l'*Histoire ancienne*, Judith est prise par les gardiens du camp assyrien sur la route pour être menée à leur commandant :

> Mais tantost comme elle fu de la montaigne descendue, l'aperçurrent les eschauguetes de l'ost, qui le prindrent et la menerent tout droit au duc Olofernes [...] (*op. cit.*, fol. 82ʳ)

Dans la *Mutacion*, les soldats contemplent sa beauté à la lumière de la lune et leur admiration les décide à présenter Judith et sa servante au maître du camp :

> Si ont forment regardé l'une,
> A la lumiere de la lune ;
> De sa beauté moult s'esmerveillent
> Lors ceulx qui, pour l'ost garder, veillent.
> Devant Olophernés menee, qui dit qu'onques femme nee
> N'ot veue d'autelle beauté.
> L'ont [...] (*op. cit.*, v. 10181-10187, p. 222)

La *Cité* donne une version du même épisode calquée sur celle de la *Mutacion* :

> Et quant ceulx qui faisoient le gait de l'ost apperceurent a la lumiere de la lune sa grant beauté, il l'amenerent tantost a Olophernes, qui a grant joie la rechut pour ce que elle estoit belle (II, 31).

Le même procédé peut être observé dans le chapitre qui narre les amours de Médée et de Jason (II, 56). La source initiale est la deuxième rédaction de l'*Histoire ancienne*, référence qui est donnée par Christine elle-même lorsqu'elle parle de Médée pour la première fois au chapitre 32 de la première partie, le terme *istoires*[1]

---

[1] Voir I, 32, p. 356 : « Medee, de laquelle assez d'istoires font mencion ».

désignant surtout les ouvrages historiques qu'elle a consultés et dont font partie les deux premières versions de l'*Histoire ancienne*. La *Mutacion de Fortune* garde l'essentiel des neuf chapitres que l'*Histoire ancienne* consacre aux aventures de Médée et Jason[1] ; la *Cité* se contente des grandes lignes du récit.

Christine part donc d'une même lecture des deux rédactions de la compilation historique pour composer la *Mutacion* et la *Cité*. De façon générale, elle garde la structure des récits, et reprend parfois des formulations à son œuvre antérieure.

Œuvre courante dans les bibliothèques des princes, l'*Histoire ancienne* se trouvait dans celle de Jean de Berry sous la forme de manuscrits très richement décorés. Parmi les quatre exemplaires présents dans sa bibliothèque, figurait le manuscrit BnF, fr. 246 qui contient la première version. Rien ne garantit que Christine y ait effectivement eu accès mais le programme iconographique accorde une place importante aux femmes (Sémiramis, Thomyris, Didon, Judith), ce qui aurait pu intéresser et charmer l'auteure de la *Cité des dames*. La « librairie » du duc contenait aussi le manuscrit BnF, fr. 301 présentant la deuxième rédaction. Tous deux apparaissent dans l'inventaire de 1413. À la suite de Suzanne Solente qui les a consultés pour ses notes de la *Mutacion de Fortune* et de Gabriella Parussa qui s'y réfère dans son édition de l'*Epistre Othea*, nous nous sommes appuyées sur ces deux manuscrits. Le premier de ces manuscrits date de 1364, le second a été réalisé vers 1400[2].

Il existe des éditions modernes partielles de ces deux versions de l'*Histoire ancienne*. Nous y renvoyons également de façon ponctuelle dans les notes, pour les quelques chapitres qui y figurent :
– pour la première rédaction (HA 1, attribuée à Wauchier de Denain, notre ms. Bnf, fr. 246) :
  • *Histoire ancienne jusqu'à César (Estoires Rogier)*, éd. Marijke de Visser - van Terwisga, t. I : Textes, Orléans, Paradigme, 1995 (Assyrie, Thèbes, le Minotaure, Les Amazones, Hercule).
  • *L'Histoire ancienne jusqu'à César ou Histoires pour Roger, châtelain de Lille. L'histoire de la Perse, de Cyrus à Assuérus*, éd.

---

[1] Voir la note de S. Solente, *Mutacion*, t. III, p. 275 et notre note, p. XXX.

[2] Voir l'introduction de l'*Epistre Othea*, p. 40-41.

Anne Rochebouet, *Alexander redivivus*, 8, Turnhout, Brepols, 2015[1].

– pour la deuxième rédaction (HA 2, notre ms. BnF fr. 301):
  • *L'Histoire ancienne jusqu'à César: deuxième rédaction*, éd. Y. Otaka, intro. et biblio. C. Croizy-Naquet, Orléans, Paradigme, 2016.
  • Pour le *Roman de Troie en prose (Prose 5)*, le plus souvent inclus dans des manuscrits de cette deuxième rédaction, nous nous sommes reportées à la récente édition d'Anne Rochebouet, *Le Roman de Troie en prose: Prose 5*, Paris, Classiques Garnier, «Textes littéraires du Moyen Âge», 2021.

Vincent de Beauvais, *Le Miroir historial*

Le *Speculum historiale* de Vincent de Beauvais[2] a fait l'objet d'une traduction en français par Jean de Vignay dans les années 1320. Au chapitre 9 de la troisième partie, Christine invite ses lecteurs à le consulter pour connaître d'autres histoires de saintes. Elle en tire en effet l'ensemble des récits de cette partie de la *Cité*, matière qu'elle combine parfois avec des détails tirés de la *Légende dorée*. Cette source qui n'était que très secondaire dans la *Mutacion* d'après Suzanne Solente[3] prend donc bien plus d'importance dans la *Cité des dames*, notamment comme source hagiographique. Elle est utilisée pour les chapitres sur la mère de saint Augustin (I, 10), les sibylles (II, 1 et 2), la reine de Saba (II, 4), Cassandre (II, 5), Claude (II, 47) et Néron (II, 48) ainsi que tous les chapitres du livre III, sauf le premier. Le récit du martyre de Fauste (III, 7), par exemple, témoigne de la fidélité de Christine à sa source qu'elle résume. Les principales étapes de l'histoire de la sainte sont conservées: la condamnation par l'empereur Maximien à être sciée, sans succès, les conversions rendues possibles grâce à Fauste, l'épreuve finale de la marmite, la montée aux cieux. Les

---

[1] La partie de l'*Histoire ancienne* consacrée à l'histoire d'Alexandre, comme l'a bien montré S. Solente, n'a pas été utilisée par Christine, dont la source est le *Roman d'Alexandre en prose* pour les brèves mentions d'Alexandre dans la *Cité* (I, 14 et II, 29, avec des détails qui ne figurent pas dans l'*Histoire ancienne*.; voir plus loin). Elle a été éditée en 2012 dans la même collection par Catherine Gaullier-Bougassas.

[2] Il s'agit de la quatrième partie d'une célèbre encyclopédie de la deuxième moitié du XIIIᵉ siècle.

[3] *Mutacion*, p. XXXI.

paroles de la sainte aux nouveaux chrétiens qui l'ont rejointe dans l'eau bouillante sont reprises avec exactitude :

> Et celle s'escrioit : «vez cy que je sui el milieu si comme vingne portant fruit, comme Nostre Seigneur [dit] "La ou II ou III sont assembles el milieu de moi, je sui illec el milieu d'eulz"» (*Miroir historial*, manuscrit BnF fr. 313, fol. 261ʳ)

> et elle disoit : «Je sui ou milieu si comme la vigne portant fruit, si comme Notre Seigneur dit : "La ou plusieurs sont assemblez en mon nom, je sui ou milieu d'eulx."» (*Cité des dames*, III, 7).

En revanche, Christine évite soigneusement de parler du personnage masculin que la sainte convertit en premier et qui l'accompagne dans son martyre, saint Evilasius (*Evilace*). Elle suit là une tendance générale dans son appropriation du *Miroir historial* : à plusieurs reprises, lorsque la légende réécrite concerne aussi un saint, l'écrivaine le gomme pour centrer son récit uniquement sur la sainte qu'elle veut louer.

L'exemple le plus significatif des transformations apportées par Christine à son modèle est celui du chapitre consacré à sainte Christine, qui est le plus long et le plus élaboré (III, 10). On en trouvera le détail dans nos notes[1].

Nous nous sommes appuyées sur les manuscrits BnF, fr. 312, 313, 314, correspondant aux volumes 1, 2 et 4 d'une série exécutée pour Louis d'Orléans et dont le volume 3 a été perdu dès la fin du XVᵉ siècle. Pour la partie manquante, nous avons consulté le manuscrit BnF, NAF 15943 ayant appartenu à la bibliothèque royale, puis à la «librairie» du duc de Berry qui en avait fait don à Jean de Montaigu, avant de le récupérer à sa mort en 1409. Cette série est également incomplète.

Valère Maxime, *Les Faits et dits mémorables*

La traduction des *Facta et dicta memorabilia* de Valère Maxime s'est faite en deux temps. Les livres de I à VII jusqu'au chapitre 4 ont été traduits par Simon de Hesdin pour Charles V à partir de 1375. Jean de Berry a commandé la suite jusqu'au

---

[1] Voir les ouvrages cités plus haut, note 1, p. 60. Pour le chapitre 10, sainte Christine, voir l'article cité de K. Brownlee, «Martyrdom and the Female Voice».

dernier livre, le livre IX, à Nicolas de Gonesse qui a achevé son travail en 1401. Dès 1402, un manuscrit de la totalité de l'œuvre est remis au duc de Berry. L'accès à une traduction entière en français est donc tout récent lorsque Christine commence la rédaction de la *Cité des dames*, et c'est une œuvre qu'elle a déjà abondamment utilisée dans le *Charles V*, composé un an plus tôt. Elle y puisera également une grande partie de la matière du *Livre du corps de policie*.

La traduction par Nicolas de Gonesse est contemporaine de celle des *Cleres femmes* ; dans sa glose, le traducteur cite ce texte à plusieurs reprises, ce qui voudrait dire que la traduction de l'œuvre de Boccace est antérieure à 1401, ou que Nicolas de Gonesse y a eu accès lors de son élaboration ; ou peut-être se réfère-t-il directement au texte latin. C'est le cas par exemple pour Hortense :

> De ceste femme yci fait Bocace un chapitre en son livre des *Nobles femmes* ouquel il dit, entre les autres choses a la loenge de ceste femme cy, que ainsy que taciturnité de femmes est a loer comme tres noble aournement de femme ainsy locacité et habundance de langage, quant il est neccessité, n'est mie a reprouver. (*Faits et dits* éd. Pastore, VIII, 3, p. 109).

Puisant à l'un et l'autre de ces textes, Christine de Pizan inscrit la *Cité des dames* dans cette circularité qui fait passer les récits d'une traduction à l'autre, d'une forme d'édification morale à une autre, tout en promouvant une nouvelle lecture grâce à leur emploi pour la défense des femmes.

Les *Faits et dits* sont utilisés dans vingt-sept *exempla*, dont beaucoup sont communs avec les *Cleres femmes*, qui constitue le plus souvent la source principale de l'histoire. Ce nombre important des récits similaires s'explique par le fait que Boccace puise dans le texte de Valère Maxime pour composer le *De Mulieribus claris*[1]. Quand le récit n'en est pas directement tiré, la traduction de Valère Maxime est une source sous-jacente et secondaire, qui se mêle aux *Cleres femmes* ou au *Miroir historial*. Ainsi, pour

---

[1] Valère Maxime est l'une des sources principales de Boccace, comme le souligne J-Y. Boriaud dans l'introduction de son édition (*De Mulieribus Claris / Des femmes illustres, op. cit.,* introduction, p. XVII).

l'exemple de Claudia (II, 63), Christine cite explicitement Valère Maxime alors que son récit est sans doute plutôt tiré des *Cleres femmes*, mais la similitude des versions de ces deux textes ne permet pas de déterminer quelle a été la véritable source de Christine. Les deux, très certainement, l'œuvre de Valère constituant un fonds commun d'*exempla* et les *Cleres femmes* fournissant un texte dont l'écrivaine reprend souvent la structure et les termes.

Un des exemples les plus remarquables de cette circularité entre les textes est la liste des sibylles (II, 1) : elle est présente à quelques détails près dans l'*Ovide moralisé*, le *Miroir historial* et les *Faits et dits*, toutes ces œuvres s'inspirant d'un passage de la *Cité de Dieu* de saint Augustin. Quelle est la source exacte de Christine ? Sa version est très proche de celle des *Faits et dits* mais elle connaissait les autres, et le fait de reprendre ce passage qui circule de texte en texte inscrit la *Cité des dames* dans une tradition littéraire tout en la plaçant sous la protection de la sagesse des sibylles. Les propos tenus dans l'œuvre bénéficient alors d'une double autorité, celle des livres et celle des prophétesses.

Enfin certains détails sont directement tirés des *Faits et dits*. C'est le cas de la confusion entre Sappho et Sophron lors de la mort de Platon (I, 30), ou encore du rêve prémonitoire de la femme de César (II, 28). Ce dernier épisode est déjà présent dans les *Faits des Romains* mais sans mention de la tentative de la dame d'empêcher la mort de son mari. Christine s'inspire davantage du récit qu'en font les *Faits et dits* (I, 7, 2) qui insiste sur la volonté de Calpurnia de s'opposer au destin de César. Christine y voit une preuve de la sagesse des femmes alors que pour Simon de Hesdin, César a eu raison de ne pas croire sa femme, car son intervention aurait pu l'empêcher de « [muer] son estat de bon en meilleur, car il ala de cest vie mortele en la vie pardurable et celestiene[1] ». Le fait que Christine ne mentionne pas le nom de la dame pourrait montrer qu'elle cite les *Faits et dits* de mémoire ou d'après des notes incomplètes, ce qui expliquerait qu'elle ne reprenne jamais textuellement cette œuvre, pourtant source du *Charles V* mais pour des récits concernant des personnages masculins.

---

[1] Éd. M. C. Enriello, Turin, *Pluteus*, éd. A. Vitale-Brovarone [en ligne], p. 201.

Nos notes font référence, pour les livres I, II, III, V, aux éditions entreprises sous la direction d'Alessandro Vitale-Brovarone et disponibles en ligne : livre I, trad. Simon de Hesdin, éd. Maria Cristina Enriello ; livre II, trad. Simon de Hesdin, éd. Chiara Di Nunzio ; livre III, trad. Simon de Hesdin, Alessandro Vitale-Brovarone ; livre V, trad. Simon de Hesdin, Piero Andrea Martina, Turin, *Pluteus*, éd. Alessandro Vitale-Brovarone [en ligne]

Pour les livres IV, VI, et VII jusqu'au chapitre 4, nous avons consulté le manuscrit BnF, fr. 282 (BnF, fr. 282, Paris, BnF, Gallica, 2011 [en ligne]), présent dans la « librairie » du duc de Berry dès le 1er janvier 1402[1].

Pour les livres traduits par Nicolas de Gonesse, nous avons eu accès à la thèse de Graziella Pastore, malheureusement non publiée à ce jour : Pastore, Graziella, *Nicolas de Gonesse e la traduzione francese di Valerio Massimo : edizione e commentario* (thèse de doctorat), Turin, Paris, Università degli Studi di Torino, Paris 3 Sorbonne Nouvelle, 2012[2].

Les Grandes Chroniques de France

À plusieurs reprises, Christine loue des personnages de l'histoire contemporaine ou très récente (I, 13 et II, 68). Elle fait alors appel à ses propres souvenirs et à sa connaissance de la cour. Dans le *Charles V*, elle dit aussi qu'elle a mené une véritable enquête auprès des proches du roi défunt pour mener à bien son entreprise biographique. Certains éléments de la *Cité des dames* proviennent sans doute de ces témoignages. Mais lorsqu'elle raconte des faits plus anciens, Christine utilise un texte qu'elle connaît bien pour l'avoir déjà utilisé dans le *Charles V* et dans l'*Advision Cristine*, et dans une moindre mesure dans la *Mutacion de Fortune* : les *Grandes Chroniques de France*. Ce texte, qui raconte l'histoire du royaume de France depuis ses origines troyennes, aurait été commandé par Louis IX au moine Primat de Saint-Denis vers 1250 et sa rédaction s'est poursuivie jusqu'à 1460. Ces chroniques étaient très appréciées des princes, en particulier de Jean de Berry.

---

[1] Le manuscrit est illustré par le Maître de Virgile, artiste qui a beaucoup travaillé pour Jean de Berry, en particulier avec le Maître de la Cité des dames.

[2] Nous remercions vivement Didier Lechat de nous avoir signalé ces éditions et de nous avoir guidées dans la découverte des *Faits et dits*.

Christine en tire les histoires de Frédégonde (I, 13 et II, 23), de Lilie (I, 22), de Basine (II, 5) - pour laquelle elle renvoie aux *Chroniques*[1] -, d'Antonia (I, 6, II, 29), de Clotilde (II, 35), des Lombardes (II, 46) et de Blanche de Castille (II, 65).

Nous faisons référence à l'édition de Jules Viard, Paris, Société de l'histoire de France, 1920-1953, 10 tomes.

Jacques de Voragine, *La Légende dorée*

Ayant connu un immense succès depuis sa composition à la fin du XIIIe siècle, la *Legenda aurea* de Jacques de Voragine a fait l'objet de sept traductions en français au Moyen Âge, la plus diffusée étant celle de Jean de Vignay. Christine connaissait sans aucun doute ce texte, mais elle s'appuie davantage sur le *Miroir historial* pour ses récits de vies de saintes, l'ensemble de ces récits s'y trouvant, alors que certains sont absents de la traduction de la *Légende dorée* par Jean de Vignay. Elle se sert de la *Légende dorée* comme source secondaire. Ainsi, la version qu'elle donne de l'histoire de sainte Catherine (III, 3) suit celle du *Miroir historial* mais le nom du père de la sainte, Costus, se rapproche davantage du nom que lui donne la *Légende dorée*, « Costi », plutôt que de « Costidien » dans le *Miroir historial*. Dans le cas de Justine (III, 8), Christine reprend à la *Légende dorée* la mise en valeur des exploits de la sainte, alors que la version du *Miroir historial* insiste sur la conversion de Cyprien. Encore une fois, l'écrivaine choisit minutieusement les éléments à sa disposition dans les sources selon les besoins de son argumentation.

Nos notes font référence à l'édition par Brenda Dunn-Lardeau de la traduction de Jean de Vignay, révisée par Jean Batallier (Paris, Garnier, 1997). Nous avons choisi d'indiquer systématiquement le passage correspondant dans l'édition moderne d'Alain Bureau (Paris, Gallimard, « Bibliothèque de la Pléiade », 2004), pour les lectrices et lecteurs qui souhaiteraient se reporter à la version moderne de la *Légende dorée*, bien que les versions soient souvent très différentes de celles qu'a pu connaître Christine.

---

[1] Il nous semble qu'il s'agit là d'un renvoi précis à ce texte, d'où notre choix de la majuscule et des italiques.

Ovide moralisé

Au début du chapitre consacré à Thisbé (II, 57), Christine cite Ovide et « son livre de *Methamorphoseos* ». Mais comme beaucoup d'auteurs de son temps, elle s'inspire plutôt de l'*Ovide moralisé*, cette adaptation versifiée et glosée des *Métamorphoses* d'Ovide datant du début du XIVᵉ siècle, qui connut un très grand succès. Christine la connaissait bien, et l'avait déjà utilisée pour l'*Epistre Othea* et pour la *Mutacion de Fortune*, comme l'ont montré Gabriella Parussa et Suzanne Solente. Christine s'en inspire de façon ponctuelle pour plusieurs personnages et épisodes mythologiques de la *Cité* : Circé et la métamorphose des compagnons de Diomède (I, 32) ; sans doute l'histoire de l'enlèvement aux Enfers de la fille de Cérès (I, 35) ; Arachné (I, 39) ; les sibylles (II, 1) ; Argie (I, 17) ; Didon (II, 55 ; toute la fin de l'histoire ne suit pas la version de Boccace, mais bien plutôt celle de l'*Ovide Moralisé*) ; Thisbé (II, 57) ; Héro (II, 58). Sauf pour ces deux dernières, où l'*Ovide moralisé* est la source principale, ce texte vient en appui d'une source plus importante, principalement les *Cleres femmes*, plus rarement l'*Histoire ancienne*. On trouvera le détail des éléments provenant de l'*Ovide moralisé* dans les notes accompagnant les chapitres cités.

Nous avons utilisé l'édition de référence pour ce texte : *Ovide moralisé, poème du commencement du XIVᵉ siècle publié d'après tous les manuscrits connus*, éd. Cornelis de Boer, Michael Georg de Boer et Jeannette Th. M. Van'T Sant, Amsterdam, J. Müller, 1915-1938, 5 t.

Une nouvelle édition est en cours de publication à la Société des anciens textes français, *Ovide moralisé : livre I*, éd. G. Baker, M. Besseyre, M. Cavagna *et al.*, Paris, SATF, 2018, 2 vol.

Tite-Live, *Histoire romaine*

La traduction de l'*Ab Urbe condita libri* de Tite-Live a été effectuée par Pierre Bersuire pour Jean le Bon au milieu du XIVᵉ siècle. Le succès de cette œuvre et le fait qu'elle était présente dans les bibliothèques princières laissent penser que Christine la connaissait. Si l'*Histoire romaine* n'est pas une source majeure de la *Cité des dames*, la ressemblance des versions de l'histoire des Sabines (II, 33) tend à montrer que Christine s'en inspire pour ce chapitre, comme elle l'a déjà fait dans la *Mutacion de Fortune*. C'est le cas dans une moindre mesure pour les passages sur Veturia (II, 34), sur la reine des Galates (II, 45), et peut-être pour celui sur Lucrèce (II, 44).

Nous avons consulté le manuscrit de la Bibliothèque interuniversitaire Sainte-Geneviève, Ms. 777 (BnF, Gallica, 2011 [en ligne]), un manuscrit ayant appartenu à Charles V et à Charles VI.

La Bible

Christine de Pizan connaissait très bien la Bible. On trouve dans le texte de la *Cité* de nombreuses références aux textes bibliques de l'Ancien ou du Nouveau Testament, parfois faites de mémoire, parfois prenant la forme de citations plus précises. On peut se demander quelle version de la Bible Christine a pu avoir sous les yeux, sans qu'on puisse répondre très précisément[1]. Par ailleurs, il est souvent difficile de dire quand elle s'inspire directement de la Bible ou d'autres sources qu'elle a utilisées. En-dehors du chapitre I, 44 où elle cite précisément un assez long passage bien connu du livre des *Proverbes*, comme l'indique le titre du chapitre («L'*Epistre Salemon* ou *Livre des Proverbes*»), les renvois à la Bible sont souvent des références plus brèves à des épisodes et à des personnages bien connus. Elle se réfère explicitement à la Bible lorsqu'elle évoque les personnages de Sarah et de Rébecca (II, 38 et II, 39), en des termes un peu vagues pour la première, pour laquelle elle semble citer de mémoire («De la chasteté et bonté de Sara parle la Bible environ le XXᵉ chapitre du premier livre»), et avec la référence précise dans le second cas («est escript d'elle ou XXIVᵉ chapitre du premier livre de la Bible»). Mais pour deux autres grandes figures de femmes de

---

[1] M. Curnow mentionne la *Bible historiale* de Guiart Desmoulins de l'extrême fin du XIIIᵉ siècle, possédée par plusieurs familles nobles et qui se trouvait aussi dans la Bibliothèque royale (*Cité*, p. 197-198). Il en existe un remaniement du XIVᵉ siècle, très diffusé, et dont un exemplaire figurait dans la bibliothèque de Jean de Berry. Il s'agit d'une traduction de passages significatifs de la Vulgate latine, accompagnés de gloses. Mais rien n'indique que ce soit le texte utilisé par Christine, qui a pu aussi trouver nombre de ses exemples dans d'autres ouvrages.

l'Ancien Testament, Judith et Esther, dont l'histoire est racontée plus longuement (II, 31 et 32), sa source principale est l'*Histoire ancienne*, même si elle connaissait certainement aussi les récits bibliques.

Pour les quelques citations de l'Ancien Testament, on peut parfois s'interroger. Ainsi, tout à la fin du livre (III, 19), lorsque Christine cite les paroles de l'ange de Dieu à Esdras, ce passage ne se trouve pas dans la Bible, comme on pourrait le penser (on ne trouve rien de tel ni dans le livre d'Esdras ni dans le livre de Néhémie, qui lui fait suite); nous en avons identifié la source probable comme étant le *Miroir Historial*[1]. Quant à la citation mise en valeur dans l'avant-dernier chapitre («*Gloriosa dicta sunt de te civitas Dei*», III, 18), Christine cite-t-elle directement ce verset bien connu du psaume 87 (86 dans la Vulgate), ou le fait-elle d'après la *Cité de Dieu* de saint Augustin?

Nous avons identifié dans nos notes de nombreuses références implicites ou explicites à l'Ancien Testament ou aux Évangiles.

Autres sources utilisées de façon ponctuelle

La *Cité des dames* se nourrit aussi des autres lectures de Christine de Pizan. On trouvera dans les notes accompagnant la traduction des références très ponctuelles à quelques autres sources énumérées ci-dessous.

Les Faits des Romains

Très connue également à l'époque, cette compilation historique du début du XIIIe siècle portant sur le règne de César, à partir des œuvres de Suétone, Lucain, Salluste et César, est citée une fois par Christine comme la source de l'histoire de Busa. Or ce personnage n'apparaît pas dans ce texte. En revanche, Christine s'en inspire sans doute pour son récit de la mort de Pompée (II, 28 et note).

Ce texte est contenu à la suite de l'*Histoire ancienne* dans le manuscrit BnF, fr. 246 ayant appartenu au duc de Berry, que nous avons consulté.

---

[1] Voir la note 1, p. 805.

Flavius Josèphe, *Les Antiquités judaïques*

L'œuvre de l'historien juif Flavius Josèphe a été traduite jusqu'au livre XIV sans doute pour Charles V, puis la suite de la traduction, suivie de celle de la *Guerre des Juifs*, a été commandée par Jean de Berry. Ce texte a servi de source au *Miroir historial* et sans doute aussi à Boccace, mais de petits détails montrent que Christine en a eu connaissance. Sa version de l'histoire de Sarah (I, 38) se rapproche de celle de ce texte. Elle y trouve des compléments qui ne figurent pas dans ses sources principales. Dans le chapitre sur Mariamne une formulation proche de celle de ce texte laisse penser que Christine pourrait l'avoir lu, en plus des *Cleres femmes*. Le passage concernant Mariamne étant situé au livre XV, Christine a peut-être consulté la suite de la traduction faite pour Jean de Berry aux environs de 1410, un peu plus tard que la date de composition de la *Cité des dames*. Plusieurs hypothèses pourraient expliquer cette connaissance du texte au moment de la composition de la *Cité* : la date effective de la traduction pourrait être un peu antérieure à 1410 ou alors Christine a eu accès au texte alors que le manuscrit était en cours de fabrication.

Le manuscrit que nous avons choisi comme référence (BnF, fr. 6446) a en effet été illustré pour le duc de Berry par le Maître de la Cité des dames qui a pu jouer un rôle d'intermédiaire entre Christine et ce texte.

Pétrarque, *De remediis utriusque Fortunae* (1366)

Christine mentionne une fois le nom de Pétrarque (II, 7) et lui attribue une citation qui n'a pu être identifiée précisément, mais qui paraphrase une idée que l'on trouve dans le *De remediis*. Selon Maureen Curnow, elle a sans doute utilisé la traduction en français faite par Jean Daudin pour Charles V en 1378 (*Des remèdes de l'une et l'autre fortune prospère et adverse*). C'est l'unique référence à Pétrarque que l'on trouve dans toute l'œuvre de Christine de Pizan. Elle a pu entendre parler de cet auteur et de son œuvre par son père, qui a dû le connaître durant son séjour à Venise[1]. Par ailleurs ce texte semble avoir connu un certain succès

---

[1] Curnow, *Cité*, p. 22 et note p. 1082.

dans les cercles pré-humanistes fréquentés par Christine; il est notamment tenu en haute estime à la fois par Jean de Montreuil et par Gerson, respectivement opposant et partisan de Christine dans le débat sur le *Roman de la Rose*[1].

Philippe de Mézières, « De la merveilleuse patience et bonté de Griseldis, marquise de Saluce » (extrait du *Miroir des dames mariées*[2])

Comme cela a été établi depuis longtemps, la source directe de l'histoire de Grisélidis (II, 50) n'est pas la centième nouvelle (X, 10) du *Décaméron* de Boccace, mais la traduction faite par Philippe de Mézières d'un récit latin de Pétrarque, qui avait lui-même réécrit la nouvelle de Boccace dans la dernière de ses lettres[3]. Comme Pétrarque, Philippe de Mézières met en avant le caractère exemplaire de l'héroïne (sa « tres merveilleuse constance et pacience »). Comme elle l'a fait pour les nouvelles de Boccace, Christine réécrit et modifie sa source, qu'elle abrège sensiblement.

Philippe de Mézières, *Le Songe du Viel Pelerin* (achevé en 1389)

Christine de Pizan connaissait-elle ce livre, au moins en partie? Elle connaissait en tous cas son auteur, comme l'indiquent toutes les biographies, qui rappellent la vente qu'elle avait faite à Philippe de Mézières en 1392, durant la période de ses difficultés financières, d'une propriété lui appartenant[4]. Ancien conseiller de Charles V, lié notamment à Bureau de la Rivière, à qui le livre est

---

[1] L. Walters, « "Translating" Petrarch: *Cité des Dames* I.7.1, Jean Daudin, and Vernacular Authority », *Christine de Pizan 2000. Studies on Christine de Pizan in honour of Angus Kennedy*, éd. J. Campbell et N. Margolis, Amsterdam-Atlanta, Rodopi, 2000, p. 283-297.

[2] *L'histoire de Griselda. Une femme exemplaire dans les littératures européennes*, dir. J.-L. Narbonne et H. Lamarque, t. I: Prose et poésie, Toulouse, Presses Universitaires du Mirail, 2000, p. 141-175 (éd., introduction et notes R. Esclapez).

[3] Le premier à l'avoir mentionné est E. Golenistcheff-Koutouzoff, *L'histoire de Griselda en France aux XIVᵉ et XVᵉ siècles* [1933], Genève, Slatkine, 1975, p. 126-130. Voir aussi *L'histoire de Griselda*, cité dans la note précédente.

[4] Voir notamment C. C. Willard, *op. cit.*, p. 23 et p. 40 (pour ses liens avec le père de Christine et Christine elle-même, voir aussi p. 19, p. 103 et *passim*); et F. Autrand, *op. cit.*, p. 56. Détail également rappelé par J. Blanchard dans l'introduction à son édition du texte, p. LXXIV.

sans doute dédié, et que Christine de Pizan connaissait bien car il avait été proche de son père, il appartenait au même milieu que lui, et elle a dû le rencontrer[1].

Nous ne savons pas de quelle façon elle a pu prendre connaissance du *Songe du Viel Pelerin*, dont le manuscrit, édité par Joël Blanchard, a peut-être été remis à Charles VI ou à Bureau de la Rivière[2]. Elle semble bien s'en être inspirée pour le personnage de Droiture, comme l'avait déjà indiqué Charity C. Willard[3]. Dans le *Songe*, Droiture est la *premiere chambriere* de *Verité la royne*, l'une des figures principales du livre. Malgré son rang subalterne, Droiture y occupe une place assez importante : elle est mentionnée de nombreuses fois et prend très longuement la parole pour dénoncer les travers (les *contraires*) des grands seigneurs du royaume de Gaule, qu'elle note dans son *role* (son registre en forme de rouleau). Tout comme celle de Christine, qui a dû y trouver cette idée, elle est munie d'une règle :

> « de sa nature et de la nostre, dit la royne, elle est droicte comme une ligne, ne jamais par dons, promesses ou manaces elle ne fourligne ». Finee la parole de Verité la royne, soudainement se leva en pies Droicture, sa premiere chambriere, belle de corps, droicte et alignye, vestue toute de blanc, naturele coulour, et bien pignye. Et en sa main destre tenoit une regle d'or a iiii quarrés bien trenchans, de laquelle regle aultrefois se dira, et en l'autre main tenoit un grant role, rempli des contraires sudis[4].

Peut-être Christine s'est-elle aussi inspirée en partie du texte de Philippe de Mézières pour imaginer ses trois Vertus présentées comme des reines. Il y en a plusieurs dans le *Songe du Viel Pelerin*, très chargé en personnifications allégoriques principalement féminines représentant les vertus qui vont aider le pélerin, « Ardant Desir », à discerner les qualités et les défauts à travers les royaumes de la terre. On trouve dans ce livre un grand nombre de

---

[1] Il passa la fin de sa vie retiré au couvent des Célestins, où il mourut en 1405. Il entend dans ce livre donner des conseils politiques au jeune roi Charles VI pour la réforme du royaume.

[2] *Ibid.* p. XV.

[3] C. C. Willard, *Christine de Pizan, op. cit.*, p. 137 et p. 177 (où elle le dit de façon plus affirmative).

[4] *Songe du Viel Pelerin, op. cit.*, p. 628-629. Le discours de Droiture s'étend des p. 628 à 719.

« dames », reines ou « chambrières » des reines. Dans le prologue sont mentionnées notamment trois reines (Vérité, Paix et Justice), amenées par Providence Divine ; or au début de la *Cité*, Raison précise que c'est la Providence de Dieu qui les a *establies* pour veiller au bon comportement des *gens de ce bas monde*[1]. Raison ne figure pas dans le *Songe*, et l'on sait que Christine s'inspire d'autres modèles (notamment le *Roman de la Rose*). Mais elle porte en sa main droite un miroir, attribut inhabituel, qui lui permet de « demonstrer clerement et faire veoir en conscience et de fait a un chascun et chascune ses propres taches et deffaulx » (I, 3). Or dans le *Songe* c'est Vérité qui est munie de plusieurs miroirs qui ont la même fonction[2]. Quant à Justice, elle figure aussi dans le *Songe*, mais à la différence de celle de Christine, qui tient en sa main une mesure d'or fin de forme ronde, elle est munie d'une verge de fer et d'une épée tranchante[3]. Il est possible que Christine se soit souvenue de ces figures, ainsi que d'autres, en élaborant son propre dispositif allégorique.

Édition utilisée : Philippe de Mézières, *Songe du Viel Pelerin*, éd. Joël Blanchard, avec la collaboration d'Antoine Calvet et Didier Kahn, Genève, Droz, 2015, 2 vol.

Gautier de Coinci, *Les Miracles de Notre Dame*

Christine cite les *Miracles de Notre Dame* au début de l'histoire de Florence de Rome (II, 51)[4], dont la source principale est

---

[1] Cité I, 3 : « Chiere fille, saches que la Providence de Dieu, qui riens ne laisse vague ne vuit, nous a establies, quoy que nous soions choses celestielles, estre et frequenter entre les gens de ce bas monde affin de mettre en ordre et tenir en equité les establisemens fais par nous meismes selon le voloir de Dieu en divers offices, duquel Dieu toutes III sommes filles et de lui nees. Si est mon office de radrecier les hommes et les femmes quant ilz sont desvoiés et de les remettre en droitte voie ».

[2] *Songe du Viel Pelerin*, p. 778 (mais il y en a plusieurs, et ils sont assez disgracieusement attachés à ses *mamelles* ou à d'autres endroits près de son cœur ; on appréciera la sobriété de Christine…). Pour l'image du miroir, C. C. Willard suggère une autre source d'inspiration possible, le *Speculum historiale* de Vincent de Beauvais, mais sans lien avec la figure de Raison (*Christine de Pizan, op. cit.*, p. 137).

[3] *Songe du Viel Pelerin*, p. 769.

[4] « si que il est escript d'elle es *Miracles de Notre Dame* » (II, 51). Voir la note 1, p. 617.

en effet l'un de ces miracles, *De l'empeeris qui garda sa chasteté contre mout de temptation*[1]. C'est l'un des plus longs des *Miracles*, presque un petit roman (il comporte 3980 vers), dont Christine retient l'essentiel dans ce chapitre, s'inspirant d'une autre source pour indiquer le nom de l'héroïne, qui n'est pas nommée dans le texte de Gautier de Coinci.

Le Roman d'Alexandre en prose

Suzanne Solente a montré que pour certains passages de la *Mutacion*, dont quelques éléments ont été repris dans la *Cité*, Christine s'inspire de ce roman, plutôt que de la partie de l'*Histoire ancienne* 1 consacrée à Alexandre[2]. Dans la *Cité*, ce sont les détails sur la physionomie d'Alexandre (I, 14) et l'anecdote concernant la sage intervention de sa femme, fille de Darius, au moment de sa mort (II, 29).

Édition utilisée : *Der altfranzösische Prosa-Alexanderroman* [1920]*, éd. A. Hilka, Genève, Slatkine Reprint, 1974.

Outre ces sources avérées, le texte de la *Cité* est nourri de références à d'autres textes et d'autres auteurs, ceux qui font partie de la culture de Christine et qu'elle considère comme des autorités, qu'il s'agisse de grands auteurs de l'Antiquité et d'époques plus récentes ou de Pères de l'Église[3]. Dès le début du texte (I, 2), dame Raison énumère les « tres plus grands philosophes qui aient esté » et qui ont pu parfois se tromper (notamment, pour ce qu'ils ont dit des femmes). Elle mentionne Aristote (« tout soit il dit le Prince des philosophes »), Platon et d'autres, « saint Augustin et autres docteurs de l'Eglise » (qui ont parfois

---

[1] Gautier de Coinci, *Miracles de Notre Dame,* éd. F. Koenig, Genève, Droz, 1966, t. III, p. 303-459 ; éd. bilingue G. Gros et F. Laurent, Paris, Champion, à paraître.

[2] *Mutacion*, t. I, p. XCII-XCVII.

[3] Voir E. J. Richards, « In Search of a Feminist Patrology : Christine de Pizan and *les Glorieux Dotteurs* », dans *Une femme de Lettres au Moyen Age*, *op. cit.*, p. 281-295 ; et les articles de K. Brownlee sur la « généalogie intellectuelle » de Christine de Pizan.

contredit Aristote), et comme contre-exemples, Matheolus et le *Roman de la Rose* (celui de Jean de Meun). On peut ajouter à cette liste saint Thomas d'Aquin, Dante, Ovide, Jean de Salisbury[1]... Ils sont parfois cités nommément, mais pas toujours.

Il nous faut faire ici une place à part à saint Augustin et à sa *Cité de Dieu*. Christine lui emprunte très certainement l'idée de son titre, comme on l'a rappelé plus haut, et elle le mentionne à trois reprises au début de la *Cité*[2]. Il ne nous semble pas que l'on puisse pour autant considérer l'œuvre de saint Augustin comme une «source» de la *Cité des dames* (si ce n'est pour son titre). Il s'agit bien plutôt d'une référence prestigieuse, citée avec beaucoup de révérence dans le chapitre I, 10, à propos des larmes de sa mère qui furent cause de sa conversion : «saint Augustin, le glorieux docteur de l'Eglise» ; «ce saint luminaire ou front de sainte Eglise qui toute l'esclaire et enlumine, c'est assavoir Monseigneur saint Augustin». Il est aussi une référence majeure pour les intellectuels contemporains de Christine. Il est nommément cité dans certaines des sources qu'elle utilise[3]. Et il reste pour elle une référence très importante, au même titre que saint Thomas d'Aquin.

Christine de Pizan s'inspire donc de textes importants de son temps, bien connus de son public aristocratique et lettré, ou traduits tout récemment. Il y a là une volonté d'intéresser les princes en reprenant des passages d'œuvres qu'ils appréciaient

---

[1] On sait qu'elle avait lu le *Policratique*, traduction du *Policraticus* de Jean de Salisbury par Denis Foulechat pour Charles V. Elle s'en souvient peut-être dans tel ou tel passage de la *Cité* (voir note 1 p. 479 et note 1 p. 503).

[2] Christine ne mentionne directement saint Augustin qu'au début de la *Cité*, dans les passages cités (I, 2, I, 10). Dans d'autres passages, elle s'en souvient sans doute, sans le mentionner : Lucrèce (II, 44 ; voir plus haut p. 56) ; la citation de la fin (verset d'un psaume, mais aussi référence au titre de l'œuvre de saint Augustin, voir note 1 p. 803).

[3] Ainsi, pour le passage sur les larmes de sa mère, la référence vient peut-être, plutôt que des *Confessions*, du *Speculum historiale* de Vincent de Beauvais (voir note 1 p. 259, I, 10). Dans le chapitre sur Lucrèce, saint Augustin n'est pas cité par Christine, mais il l'est par certaines de ses sources (II, 44, note 1, p. 581 : *Cleres femmes* - la traduction, mais pas le texte original de Boccace ; Simon de Hesdin traduisant Valère Maxime). On notera qu'il s'agit dans ces deux derniers cas d'ajouts à leurs sources par les traducteurs contemporains de Christine, qui elle-même a choisi de l'omettre (voir plus haut notre analyse de cet exemple).

(Le *Miroir historial* et l'*Histoire ancienne* étaient des «best-sellers» à l'époque), mais en leur fournissant une nouvelle version qui sert la cause des femmes. C'est une façon pour Christine d'assurer une meilleure réception de son œuvre et de son discours. Ce faisant, elle participe à la diffusion d'une culture, celle qui est promue par les Valois grâce aux traductions de Charles V et à la poursuite de ce programme par Jean de Berry. Fine connaisseuse de textes considérés alors comme des «classiques», toujours à l'affût de traductions nouvelles, Christine de Pizan est également une précurseure : elle fait découvrir le *Décaméron* de Boccace et anticipe ainsi la traduction de Laurent de Premierfait. En cela, elle ne se borne pas à tirer parti de la culture préhumaniste qui est en train de se constituer, elle y contribue pleinement, en faisant connaître aux princes français la littérature de sa Toscane d'origine. Hommage à la culture de son pays natal, cette ouverture vers les grands auteurs italiens est aussi une façon d'introduire de la nouveauté dans la *Cité*, tout en s'inscrivant dans une continuité littéraire, et de placer Boccace parmi les plus grands, digne d'être cité comme Valère Maxime ou Ovide.

CHRISTINE «AU CHAMP DES ESCRIPTURES» : LE TRAVAIL D'ÉCRITURE

Le style de Christine de Pizan, ou le goût du *bel stille*

Contrairement à ce qui a parfois été dit, Christine ne fait pas seulement œuvre de compilatrice, à partir des sources que nous venons de mentionner. Comme on l'a dit, ce sont les matériaux à partir desquels elle élabore une œuvre nouvelle, en se livrant à un important travail d'écriture. Par ailleurs, des traits qui peuvent nous apparaître comme des lourdeurs ou des maladresses de style relèvent bien souvent des habitudes d'écriture de l'époque, dans les ouvrages savants notamment. De plus, l'auteure s'efforce à une certaine élégance, ce qu'elle appelle le *bel stille* qu'elle admire chez ses grands modèles, à la fois poètes et philosophes (de Boèce à

Dante), et qu'elle a elle-même évoqué dans l'*Advision*, lorsqu'elle récapitule les étapes de sa formation d'autodidacte :

> Puis me pris aux livres des pouetes, et comme de plus en plus alast croissant le bien de ma congnoissance, adonc fus je aise quant j'os trové le stille a moy naturel, me delictant en leur soubtilles couvertures et belles matieres muciees soubz fictions delictables et morales, et le bel stille de leurs mettres et proses deduites par belle et polie rethorique aournee de soubtil langage et proverbes estranges […][1].

Elle écrit aussi un peu plus loin, cette fois à propos de ses propres œuvres : « ainsi tousjours estudiant diverses matieres, mon sens de plus en plus s'imbuoit de choses estranges, amendant mon stille en plus grant soubtilleté et plus haulte matiere[2] ».

D'où le recours à l'écriture allégorique (les *soubtilles couvertures et belles matieres muciees soubz fictions delictables et morales*), mais d'une façon beaucoup plus modérée que chez certains de ses prédécesseurs ou contemporains[3] ; et le travail sur la phrase, qu'on ne peut apprécier pleinement sans rappeler son admiration pour une *belle et polie rethorique aournee de soubtil langage et proverbes estranges*. C'est ainsi que deux caractéristiques jugées plutôt comme des défauts par les modernes (le recours à l'allégorie et les longues phrases à la syntaxe complexe)[4] pouvaient apparaître à Christine de Pizan et aux lectrices et lecteurs de son temps comme des qualités recherchées. Nous n'irons pas jusqu'à dire qu'elle égale Boèce ou Dante (elle-même n'y prétendait pas), ni que sa prose est totalement exempte de

---

[1] *Advision*, III, 10, p. 110.

[2] *Ibid.*, p. 111.

[3] Si l'on compare la *Cité* avec le *Songe du Viel Pelerin* de Philippe de Mézières, dont Christine s'est sans doute inspirée ponctuellement, on ne peut qu'être frappé par le contraste avec ce texte où apparaissent un très grand nombre de personnifications, et qu'A. Strubel caractérise comme « un texte complexe, surchargé et assez indigeste, écrit dans une prose savante et hérissée » ; « Grant senefiance a » : *Allégorie et littérature au Moyen Âge*, Paris, Champion, 2002, p. 261-267 (« L'allégorie énigmatique de Philippe de Mézières » ; citation p. 261).

[4] Voir par exemple G. Zink, « La phrase de Christine de Pizan dans le *Livre du corps de policie* », dans *Une femme de Lettres au Moyen Âge, op. cit.*, p. 383-395 ; M. Curnow, *Cité*, introduction, p. 253 *sq*.

lourdeurs ou de maladresses occasionnelles[1], mais il nous faut la juger selon les critères de son époque et la comparaison avec d'autres auteurs savants, ses prédécesseurs immédiats ou ses contemporains, est éclairante. Il y a dans la *Cité des dames* un véritable travail d'écriture, qui prend différentes formes dans les différentes parties du texte. Nous nous efforcerons d'en dégager quelques traits, et d'en esquisser l'analyse. Ainsi, dans tout le début et dans les premiers chapitres argumentatifs, c'est le goût de la rhétorique et de la démonstration qui domine ; dans la suite, dans les exemples, en particulier dans les plus développés, c'est un tout autre style qui est mis en œuvre, relevant plutôt de l'art du récit.

L'ÉCRITURE ALLÉGORIQUE

Comme on l'a rappelé, en choisissant le cadre formel d'une vision peuplée de personnages allégoriques, celui du « songe allégorique[2] », Christine s'inscrit dans un courant très familier au public de son temps, une mode issue du *Roman de la Rose* dont on connaît le grand succès dans les deux derniers siècles du Moyen Âge. Ainsi que l'écrit Armand Strubel, « que Christine de Pizan, comme tant d'autres écrivains autour de 1400, choisisse l'expression allégorique, semble aller de soi, surtout lorsqu'il s'agit d'œuvres à dominante morale et didactique[3] ». C'est à la fois « un gage de sérieux et de profondeur[4] » et un choix stylistique qui la rapproche des grands modèles évoqués dans l'*Advision*. L'allégorie est présente dans la *Cité* à deux niveaux, qui correspondent aux deux aspects principaux de l'écriture allégorique médiévale :

---

[1] Voir par exemple la longue phrase en I, 3 et la note 1, p. 217.

[2] Rappelons-le, l'apparition des trois dames se présente ici plutôt comme une vision dans un état apparent de veille (à la différence de ce qui se produit dans le *Chemin de longue étude* ou dans l'*Advision*, ou même dans le *Dit de la Rose*, il n'est fait mention ni d'un endormissement au début de l'œuvre, ni d'un réveil à la fin, comme c'est le cas dans le *Roman de la Rose*).

[3] A. Strubel, « Le style allégorique de Christine », dans *Une femme de Lettres au Moyen Âge, op. cit.*, p. 357-372 ; citation p. 357. Voir aussi A. Strubel, « Grant senefiance a » : *Allégorie et littérature au Moyen Âge, op. cit.*, p. 278-283 (« L'allégorie au féminin : Christine de Pizan ») ; et pour la postérité du *Roman de la Rose*, P.-Y. Badel, *Le Roman de la Rose au XIV*e *siècle : étude de la réception de l'œuvre*, Genève, Droz, 1980.

[4] A. Strubel, « Grant senefiance a », *op. cit.*, p. 282.

une «métaphore continuée», dans la lignée des définitions antiques, et des personnifications, procédé très employé au Moyen Âge à la suite du *Roman de la Rose*[1]. Il s'agit d'une part de la métaphore architecturale, qui court à travers tout le texte, et d'autre part, des trois dames, personnifications de trois vertus, que sont Raison, Droiture et Justice. Ces deux aspects ont déjà été abordés[2], mais nous reprendrons ici brièvement ce qui concerne l'écriture.

L'utilisation que fait Christine de Pizan du procédé allégorique dans la *Cité des dames* reste relativement limitée, celui-ci ne fournissant guère plus qu'un cadre général. Cependant, la métaphore architecturale est exposée et développée assez longuement au début du texte par dame Raison et par ses deux compagnes (I, 3-6); puis c'est la mise en œuvre par Raison et par Christine, qui commence par creuser la terre avec *la pioche de (son) entendement*, rebaptisée ensuite *pioche d'inquisision* (d'interrogation), puisqu'elle procède en posant des questions auxquelles dame Raison répond, l'aidant ainsi à transporter des hottées de terre qui doivent être dégagées (I, 8 et 9); le titre du chapitre 9 explicite l'image: «Cy dit comment Cristine fouissoit en terre, qui est a entendre les questions que elle faisoit a Raison et comment Raison lui respondoit». Une autre image est brièvement utilisée pour désigner les matériaux indignes d'entrer dans la construction de la Cité (les auteurs qui ont médit des femmes): celle des «ordes pierres broçonneuses (difformes) et noires» qu'il lui faut rejeter, «car ja ne seront mises ou bel edifice de ta cité» (I, 8). À la fin d'une assez longue partie argumentative (I, 8 à 14), Raison conclut en reprenant l'image de la terre creusée en un grand et large fossé pour que puissent être établies les fondations,

---

[1] «Le principe directeur de l'écriture allégorique médiévale est la combinaison de la métaphore et de la personnification, avec une importance variable des deux figures selon les textes [...] un autre trait fondamental est la coexistence de principes liés à la description / énumération («allégorie statique») et de pratiques narratives («allégorie dynamique» - les limites de ces formulations sont très approximatives)». A. Strubel, «Grant senefiance a», *op. cit.*, p. 42-43. On trouvera des définitions complètes et précises de l'allégorie dans l'Antiquité et au Moyen Âge dans le premier chapitre de ce livre («Rhétorique de l'allégorie», p. 19-52).

[2] Voir plus haut, «La construction de la Cité des dames».

en commençant par la première grosse pierre, qui sera Sémiramis (qui fait l'objet du chapitre suivant) :

> Belle fille et chiere amie, or t'ai preparé grant et large fossé, et tout descombré de la terre que j'ay portee hors a grans hotees sur mes espaules. Et des or est temps que tu assiees ens les grosses et fortes pieres des fondemens des murs de la Cité des dames. Si prens la truielle de ta plume et t'aprestes de fort maçonner et ouvrer par grant deligence, car voici une grande pierre et large que je vueil qui soit la premiere assise ou fondement de ta cité. (I, 14, fin)

L'image de la construction est rappelée encore à la fin du chapitre 15 (« Si nous convient d'ores en avant asseoir pierres a quantité pour avancier nostre edifice »), et à la fin du chapitre 26, au moment d'aborder une nouvelle étape : « Mes des or sont achevez les fondemens de nostre cité. Or nous convient lever sus la haulte muraille tout a l'environ » (après les fondations, le moment est venu d'« élever la haute muraille d'enceinte »). Dans la suite, elle ne sera reprise qu'à certains moments-clés : à la fin de la première partie, puis au début et à la fin de chacune des deux autres parties (II, 1 ; II, 58 et 59 ; III, 1 et 18), pour rappeler le rôle des deux autres personnifications dans la construction de l'ensemble ; ainsi que dans le chapitre II, 12, lorsque Droiture doit amener les premières habitantes dans la cité désormais pourvue de maisons, comme le fera aussi Justice pour les dernières habitantes, les saintes et la Vierge. Dans la conclusion où Christine s'adresse à toutes les dames (III, 19), l'image de la cité réapparaît une dernière fois, mais avec une représentation plus abstraite (les pierres ont été remplacées par une *matiere* [...] *toute de vertu, voire si reluisanz que toutes vous y povez mirer*).

Armand Strubel souligne à juste titre que Christine ne s'est pas préoccupée de développer de façon plus détaillée la métaphore de la cité dans ses différents éléments constituants, comme elle l'a fait par exemple pour le palais de Fortune dans la *Mutacion*, ou comme le font d'autres œuvres allégoriques, sur le modèle du *Roman de la Rose*[1]. Mais ce qui importe ici n'est pas tant la cité en tant que telle, avec ses différents bâtiments, que les étapes de sa construction, qui sont développées, et mises en parallèle avec le

---

[1] « Si l'on peut y suivre les étapes de cette fondation, depuis les murs d'enceinte jusqu'au toit des maisons, à aucun moment l'ensemble ou le détail des bâtiments n'est glosé par des équivalences allégoriques » (*op. cit.*, p. 368).

travail de composition et d'écriture du texte, comme on le voit dans les passages cités (le travail de réflexion préliminaire, qui consiste à se débarrasser des arguments des misogynes avec la *pioche de (son) entendement*, et la construction du livre, avec la *truielle de (sa) plume*). Les images de châteaux ou de forteresses, de bâtiments, d'édifices susceptibles d'être décomposés en différentes parties (comme dans les «arts de mémoire»), sont très fréquentes dans les textes allégoriques médiévaux[1]. Celle de la construction de la cité, en parallèle avec l'écriture du livre, telle qu'elle est mise en œuvre ici, est plus originale. S'y ajoute l'image des matériaux qui la constituent, les «exemples» des femmes de pouvoir et de savoir, qui sont autant de pierres pour construire les murs de la cité, puis d'autres femmes remarquables par leurs capacités et leurs vertus, qui en deviennent les premières habitantes[2] (II, 12).

Pour ce qui est des personnifications, on ne saurait adhérer au jugement d'Armand Strubel affirmant, dans son article de 1995, que «le répertoire métaphorique est indigent», et que «l'auteur ne cherche pas à renouveler les images consacrées[3]». Il nous semble important de souligner, au contraire, la façon dont Christine de Pizan, à partir d'éléments empruntés à des sources diverses, construit une configuration allégorique tout à fait originale[4]. L'idée de la figure de Raison vient certes du *Roman de la Rose*, mais

---

[1] Voir par exemple A. Strubel, «Grant senefiance a», *op. cit.* (pour les bâtiments, p. 128-130 et passim; nombreuses occurrences pour les châteaux).

[2] Sur ce sujet, voir P. Caraffi, «Il Libro e la Città: metafore architettoniche e costruzione di una genealogia femminile», dans *Christine de Pizan. Una città per sé*, éd. P. Caraffi, Rome, Carocci, 2003, p. 19-31; et B. Ribémont, «De l'architecture à l'écriture», *op. cit.*

[3] *Op. cit.*, p. 365. Il est beaucoup moins négatif dans le chapitre consacré à Christine de Pizan dans son livre de 2002, où il souligne entre autres choses «la couleur originale de son imaginaire» (il ouvre ainsi ce chapitre: «Ce n'est pas la nouveauté de ses pratiques allégoriques qui justifie une place à part pour Christine de Pizan, bien qu'elle ait composé quelques-unes des œuvres les plus authentiquement allégoriques du XVe siècle. Elle mérite une attention particulière à cause de son inspiration fortement ancrée dans la situation de la femme écrivain, et de la couleur originale de son imaginaire»; *op. cit.*, p. 278).

[4] Sur la réflexion menée par Christine sur l'écriture allégorique ainsi que sur sa mise en œuvre originale dans l'*Advision*, voir A. Paupert, «*Soubz figure de methaphore*: théorie et pratique de l'allégorie chez Christine de Pizan», dans *« Ce est li fruis selonc la letre » : Mélanges offerts à Charles Méla*, éd. O. Collet, Y. Foehr-Janssens, S. Messerli, Paris, Champion, 2002, p. 511-526.

comme on l'a rappelé plus haut, la Raison de la *Cité des dames* est bien différente de celle de Guillaume de Lorris et de Jean de Meun. Lorsqu'elle apparaît pour la première fois dans la partie attribuée à Guillaume de Lorris, elle est présentée comme une dame couronnée descendant de sa tour; elle n'est pas vraiment décrite, sinon par ses yeux brillants et le fait qu'elle correspond à un juste milieu à différents égards. Elle représente, de façon attendue, la «voix de la raison» contre la folie de l'amour. Dans la partie attribuée à Jean de Meun, elle prendra une plus grande place et une dimension philosophique[1]. Dans la *Cité des dames*, elle tient un miroir et expose clairement sa fonction, comme on l'a rappelé plus haut. Il en va de même pour ses deux sœurs, dont la représentation et la fonction sont redéfinies par Christine par rapport à ses sources. Certes, dans la suite du texte, les personnifications ne seront pas développées et individualisées comme elles le sont dans le *Roman de la Rose* ou dans d'autres œuvres. Elles seront avant tout présentes par leurs voix, représentant chacune une voix d'autorité face à celle de la narratrice dans les dialogues qui font progresser le texte. Ici, «l'allégorie permet la transposition, non de la vie intérieure, mais des étapes de la pensée et de l'argumentation: mettre des discours dans la bouche de Justice, Raison et Droiture, c'est tenir des propos justes, droits et raisonnables[2]». Cependant l'auteure s'est attachée, dans le début de la *Cité* (les chapitres 3 à 6), à les représenter et à les définir l'une par rapport à l'autre d'une façon sensiblement différente de ce qu'elle trouvait dans ses sources ou dans la tradition, créant ainsi, comme on l'a montré, une configuration nouvelle et chargée de sens. Leur aspect physique ne permet guère de les différencier: toutes les trois sont «dames couronnees de tres souveraine reverence, desquelles la resplandeur de leurs cleres faces enluminoit moy meismes et toute la place» (I, 2), d'une grande beauté et d'une allure impressionnante, et «si fort s'entre-resembloient les III dames que a paines congneust on l'une de l'autre» (I, 3), si ce n'est que la dernière, Justice, se signale par

---

[1] On ne peut résumer en quelques mots l'importance et le rôle de Raison dans le *Roman de la Rose*. Nous renvoyons sur ce point à l'édition et aux notes d'A. Strubel: Guillaume de Lorris et Jean de Meun, *Le Roman de la Rose*, éd. A. Strubel, Paris, LGF, 1992. Voir notamment la première apparition de Raison, v. 2970 *sq.*, p. 186 et la note de la p. 187.

[2] A. Strubel, «Le style allégorique de Christine», *op. cit.*, *p.* 364.

son air farouche et sa *haulte maniere* (son allure altière)[1], indiquant une forme de supériorité qui sera confirmée dans l'exposé de leurs fonctions. Mais l'image allégorique se développe à un autre niveau; l'auteure a pris le soin de les doter de «sceptres» qui font figure d'emblèmes, qui sont assez inhabituels, et dont chacune glose assez longuement la signification pour expliquer sa fonction: le *resplendissant mirouer* de Raison, qui permet à chacun, comme on l'a rappelé, de voir clairement ses défauts et de prendre la juste mesure des choses; une *ligne resplendissant* qui est «la rigle droite qui depart le droit du tort et demo(n)stre la difference d'ent(re) bien et mal» dans la main de Droiture[2]; et enfin, dans la main de Justice, un attribut peu habituel[3], une *reonde mesure* d'or fin, semblable dans sa forme à une mesure à grains, qui «sert de mesurer a un chascun sa livree de tel mesure comme il doit avoir» (I, 6).

Christine utilise donc l'écriture allégorique d'une manière originale et intéressante dans la *Cité des dames*. Tant avec la triade

---

[1] «excepté que la derraine, tout ne feust elle de maindre auctorité que les autres, elle avoit la chiere si fiere que qui es yeux le regardast, si hardi ne feust qui n'eust grant paour de mesprendre, car adez sembloit qu'elle menaçast les malfaiteurs» (I, 3). Sa *haulte maniere* est mentionnée au tout début de la troisième partie (III, 1).

[2] On a vu que l'idée vient très probablement du *Songe du Viel Pelerin* de Philippe de Mézières; mais la règle tenue par Droiture dans ce livre est différente: c'est *une regle d'or a iiii quarrés bien trenchans* qui lui permettra de mesurer avec exactitude les *besans* (dérivés de la parabole des talents rappelée au début de l'œuvre), ou les *œuvres* des habitants des différents royaumes de la terre, explorés par le pélerin en compagnie des figures allégoriques qui personnifient les vertus.

[3] Voir R. Jacob, *Images de la justice: essai sur l'iconographie judiciaire du Moyen Âge à l'âge classique*, Paris, Le Léopard d'or, 1994, notamment son dernier chapitre, «La dame à la balance» (p. 219-243). Au Moyen Âge, «la figure est stéréotypée. Son attribut le plus constant est la balance»; à partir du milieu du XIIIe s. s'y ajoute le glaive; plus tard s'y adjoindront le bandeau (au début du XVIe siècle, sous l'influence de la Nef des Fous de Sébastien Brant), et le miroir. A propos du glaive, il précise que «l'homme du Moyen Âge a hésité à en faire l'attribut ordinaire de la Justice, parce que celle-ci lui paraît portée du côté de la mesure, donc de la balance, plus que de la force» (p. 225). Cependant, dans le *Songe du Viel Pelerin*, Justice – «appelee en figure Bone Aventure» –, est munie d'une verge de fer et d'une épée trenchante (*op. cit.*, p. 769); c'est Vérité qui est munie d'une balance, outre les miroirs déjà mentionnés (p. 778). Dans l'*Epistre Othea*, parlant de la vertu de justice, Christine cite Aristote: «Justice est une mesure que Dieu a establie sur terre pour limiter les choses» (*Othea*, p. 208).

des personnifications qu'avec la métaphore de la construction de la Cité, ces éléments figuratifs permettent de définir et de souligner la structure de l'ensemble du livre, ainsi que nous l'avons montré. Cet effet est renforcé par le programme iconographique des manuscrits les plus aboutis (les manuscrits utilisés pour la présente édition), puisqu'on y voit, dans la succession des trois miniatures placées en tête de chacune des trois parties, l'apparition des trois dames, puis le rôle joué par chacune d'elles dans ces différentes parties où elles mènent le jeu tour à tour ; on y voit aussi et surtout l'élaboration et le développement de la Cité, depuis la pose des premières pierres jusqu'à l'achèvement des combles, ainsi que les cortèges des dames qui y sont reçues pour en être les habitantes, dans des images réalisées par ce Maître de la Cité des dames dont l'art est justement admiré par les spécialistes. La beauté de ces images et leur précision, fondées sur le texte où se déploie cet imaginaire, contribue fortement à l'impression laissée sur les lecteurs et lectrices et à la compréhension qu'elles peuvent avoir de l'œuvre.

L'ÉCRITURE ARGUMENTATIVE : LE MODÈLE RHÉTORIQUE DE LA *DISPUTATIO* ET LE DISCOURS ARGUMENTATIF

Comme nous l'avons déjà signalé, dans toute la partie argumentative qui occupe entièrement les premiers chapitres de la *Cité*, après le début qui pose le cadre «autobiographique» (chapitre 1) et allégorique (chapitres 2 à 7), à partir du moment où Raison entraîne Christine au «champ des escriptures» pour commencer à creuser la terre et à la déblayer pour pouvoir établir les fondations de la Cité (ch. 8 à 14), Christine de Pizan s'inspire de Jean Le Fèvre qui, dans son *Livre de Leesce*, reprend et réfute un à un les arguments de Matheolus. Mais elle a choisi de le faire sous une forme dialogale, créant ainsi la fiction d'un débat où «Christine» présente sous forme de questions assez brèves les arguments des misogynes, qui sont ensuite longuement réfutés par Raison[1]. Le dispositif énonciatif est habile : Christine, feignant la naïveté, prend en charge dans son propre discours les propos des misogynes «pour faire naître le débat et pour montrer clairement au lecteur/auditeur les défauts et les

---

[1] Elle donne plus de force aux arguments de Raison en résumant les propos des misogynes, qui prennent une grande place dans le *Livre de Leesce*, comme l'ont souligné H. Solterer et R. Blumenfeld-Kosinski (voir la note 3, p. 57).

faiblesses de ce discours autre et donner plus de force à l'opinion qu'elle défend grâce à la voix de l'autorité[1] ».

Cette structuration par questions et réponses (réponses qui seront ensuite illustrées par de nombreux exemples venant en appui à l'argumentation) ne concerne pas seulement les premiers chapitres mais elle se poursuit à travers une grande partie du livre (les deux premières parties). Elle nous semble bien inspirée du cadre scolastique de la *disputatio*, très en vogue dans les universités médiévales et souvent employé dans les traités savants[2], par exemple dans la *Somme théologique* de saint Thomas d'Aquin, l'une des références obligées dans les milieux intellectuels que fréquentait Christine. Les *quaestiones* sont suivies de réponses (introduites par *respondeo*) où se développe l'analyse qui aboutira à la conclusion. Le texte est ponctué, dans ses deux premières parties, par des formules de ce genre qui introduisent les interventions de Raison ou de Droiture (souvent sous la forme la plus simple : *Responce*). Le titre du chapitre 9, cité plus haut, illustre bien ce schéma prédominant dans une bonne partie du texte : « les questions que elle faisoit a Raison et comment Raison lui respondoit ». Ce cadre rhétorique n'est pas propre seulement au discours ou au style judiciaire, comme on l'a parfois dit[3], mais se retrouve

---

[1] G. Parussa, « Stratégies de légitimation du discours auctorial », *op. cit.* Elle intitule ainsi la partie où elle analyse ce procédé énonciatif tel qu'il est mis en œuvre dans la *Cité des dames* : « Créer le débat : polyphonie et vérité » (p. 55-56 ; citation p. 56).

[2] Voir par exemple le remarquable article « Scolastique » par J.-L. Solène dans *Dictionnaire du Moyen Âge*, dir. C. Gauvard, A. De Libera, M. Zink, p. 1299-1310 (sur la *disputatio*, p. 1303 *sq.*).

[3] M. Curnow, « *La Pioche d'Inquisicion* : legal-judicial content and style in Christine de Pizan's *Livre de la cité des Dames* », dans *Reinterpreting Christine de Pizan,* éd. E. J. Richards, Athens, University of Georgia Press, 1992, p. 157-172. Elle a raison de souligner la présence importante des thèmes et du vocabulaire, du style juridiques dans la *Cité des Dames*. Mais le cadre général (qu'elle décrit comme étant celui d'une défense dans un cadre légal : accusation, réponse et illustration, puis conclusion, p. 161-162) ne nous semble pas spécifiquement « legal-judicial » (juridique et judiciaire). Le mot même d'*inquisicion*, mis en exergue dans son titre, n'a pas toujours une valeur juridique ; comme on le voit dans l'article du *DMF*, il a d'abord et très couramment le sens plus général d'« interrogation », que nous avons choisi dans notre traduction. Voir aussi, à propos d'une œuvre très différente, H. Biu, « "Et la gist la maistrie". De *l'arbre des batailles* au *livre des faits d'armes et de chevalerie* », dans *Une femme et la guerre à la fin du Moyen Âge, Le* Livre des faits d'armes et de chevalerie *de*

plus largement dans de nombreuses œuvres savantes, scientifiques, philosophiques ou théologiques.

On peut noter cependant la présence importante d'un réseau métaphorique qui traverse tout le texte : la défense des femmes entreprise par Christine en réponse aux attaques des misogynes, qui est le point de départ du livre, est présentée de façon insistante, du début à la fin de la *Cité*, avec l'emploi fréquent de termes juridiques, comme la défense d'une «juste cause». Le long passage où Raison justifie la venue des trois Dames et leur entreprise en invoquant le besoin de défendre les dames, vaincues *par deffaulte de deffense*, et dont la juste cause a été perdue *par contumace*, les assaillants ayant plaidé *sans partie* (fin de I, 3), a été commenté plus haut[1]. Raison conclut : «or est temps que leur juste cause soit mise hors des mains de pharaon». Dans la suite, ce vocabulaire juridique réapparaît à plusieurs reprises; ainsi, lorsque Christine déclare à Droiture : «Dame, pour ce que j'entens et voy magnifestement le grant droit des femmes contre ce de quoy tant sont accusees, me fait mieulx congnoistre que oncques mais le grant tort de leurs accuseurs.» (II, 7) ; ou qu'elle rappelle un peu plus loin, à propos des écrits misogynes : «Certes, amie, si que toy meismes as autrefois dit a ce propos, qui maine procés sans partie bien aise plaide. Et te promet que les livres qui ce dient, les femmes ne les firent mie» (II, 13) ; ou encore, à propos de la mauvaise foi des hommes qui prétendent avoir le droit de «pécher» qu'ils refusent aux femmes : «Car il n'est tenu en loy ne trouvee en nulle escripture que il leur loise a pecher ne que aux femmes, ne que vice leur soit plus excusable [...] Et ainsi a tous propos veulent avoir les hommes le droit pour eulx et les deux bous de la couroie» (II, 47). Hortense la Romaine, dont l'exemple est cité au chapitre II, 36 (pour lutter contre l'idée selon laquelle il n'est pas bon que les femmes fassent des études), s'est illustrée pour avoir été à Rome l'avocate de la cause des femmes :

> ceste Ortence prist a soustenir la cause des femmes et a demener ce que homme n'osoit entreprendre – c'estoit de certaines charges que on vouloit imposer sur elles et sur leurs aournemens

Christine de Pizan, dir. D. Demartini, C. Le Ninan, A. Paupert et M. Szkilnik, Paris, Champion, 2016, p. 149-163.

[1] Voir p. 30, «Christine de Pizan et la défense des femmes», et la note 2.

> ou temps de la neccessité de Romme. Et de ceste femme tant
> estoit belle la eloquence que non pas moins voulentiers que son
> pere estoit ouye et gaigna sa cause.

On peut y voir, par une sorte de mise en abyme, un écho à l'entreprise de l'auteure de la *Cité des dames*.

Dans les passages argumentatifs, on remarque également un
recours fréquent à de longues phrases à la structuration complexe.
Sans doute Christine de Pizan a-t-elle pu être influencée par sa
connaissance du style de la chancellerie (son mari, Étienne de
Castel, était notaire et secrétaire royal, comme le seront aussi son
fils et son petit-fils, ainsi que le rappelle Maureen Curnow[1]). Mais
son goût pour ces phrases longues et complexes est à replacer
«dans un contexte plus large, celui des textes argumentatifs ou
explicatifs du XVe siècle[2]». Il s'agit d'un choix stylistique qui
vise à inscrire le texte dans un registre savant, tout au moins lors
des interventions des entités allégoriques dotées d'autorité. Ce
style contraste avec celui des interventions de «Christine» dans le
texte, beaucoup plus brèves et dans une langue qui se veut plus
proche de la langue parlée, marquée par une certaine vivacité,
comme on peut s'en apercevoir en parcourant par exemple le
chapitre 9, ponctué par des interpellations en forme de questions
ou de commentaires: «Dame, bien dites, mais»; «un autre petit
livre en latin vi, dame»; «Dame, bien m'en souvient»; «Dame,
non, se ne le me dites»; «Dame, il me souvient que».

Un autre trait révélateur du choix d'un «style didactique» est
le type de formule souvent employé dans les titres des chapitres.
On peut penser au schéma syntaxique repéré par Tania Van
Hemelryck dans le *Livre de paix*, adv. *cy* + verbe de déclaration

---

[1] M. Curnow, «*La Pioche d'Inquisicion*», *op. cit.*, p. 160. Des critiques ont
parfois parlé du «style clergial» (expression employée par Christine elle-même,
comme on l'a vu, dans un autre contexte), ou du «style curial» pour certaines
parties de l'œuvre de Christine de Pizan. Ces termes ne nous semblent pas très
pertinents pour la *Cité des dames*.

[2] G. Parussa, *Othea*, introduction, p. 167. Voir aussi H. Biu, qui note que par
rapport aux phrases courtes et peu complexes d'Honoré Bovet, son modèle,
«Christine de Pizan use de phrases plus longues que compliquent subordonnées
imbriquées et incidentes [...] la réécriture de Christine sert un style personnel
qu'il faut du reste envisager en regard d'un style plus général, celui du discours
argumentatif et explicatif du XVe siècle» (*op. cit.*, p. 156).

(dit, parle etc.) + adv. comment, qu'elle rapproche de la tradition des *Ci nous dit* (d'après le nom donné à un ouvrage du XIVe siècle très répandu au temps de Christine, et qui est pour l'essentiel « un recueil d'exemples moraux[1] »). Une différence notable est la présence fréquente, dans les premiers titres de chapitres de la *Cité des dames*, du nom de l'auteure : *Cy dit Cristine comment*. Dans la suite, la formule la plus fréquente est *Cy dit de* (suivie du nom de l'héroïne de l'« exemple »), ou parfois simplement *De* + nom ou sujet, avec des variations[2].

Le travail sur le style se manifeste d'une manière différente dans les récits plus ou moins longs qui constituent l'essentiel du texte à partir du chapitre 15 de la première partie, les « exemples » invoqués pour prouver les différents points de l'argumentation.

UNE POÉTIQUE DE L'EXEMPLE[3]

Les nombreuses anecdotes ou portraits de femmes qui figurent dans la *Cité*[4] sont présentés pour la plupart, en tous cas dans les deux premières parties de la *Cité*, qui sont de loin les plus

---

[1] T. Van Hemelryck, « Christine de Pizan et la paix : la rhétorique et les mots pour le dire », dans *Au champ des escriptures, op. cit.*, p. 663-689.

[2] *Encore de* ; *Encore de ce meismes* ; *De Cristine a dame Droiture contre ceulx qui dient* (II, 25) ; *Dit Cristine a Droiture et responce* ; *Contre ceulx qui dient* (II, 42) ; *Cy dit Droiture…* Dans les rubriques, la formule est remplacée par l'adverbe *Item* (fréquemment employé aussi dans les ouvrages savants).

[3] L'expression est empruntée à Liliane Dulac, « Quelques éléments d'une poétique de l'exemple dans le *Corps de policie* », dans *Christine de Pizan 2000 : Studies on Christine de Pizan in honor of Angus Kennedy*, éd. J. Campbell et N. Margolis, Amsterdam, Rodopi, 2000, p. 91-317. Nous ne signalons ici que quelques éléments généraux. Pour une analyse plus détaillée, voir A. Paupert, « *Te donrai preuve par exemples* : statut et fonction des exemples dans la *Cité des Dames* de Christine de Pizan », dans *L'exemple historique. Norme et pédagogie de l'exemplarité du Moyen Âge au XVIe siècle*, éd. D. Duport et D. Lechat, *Elseneur*, n° 31, 2016, p. 27-42. Sur l'utilisation des *exempla* dans la rhétorique et les discours juridiques, de Quintilien aux écrivains médiévaux, voir A. Blamires, *The Case for Women, op. cit.*, p. 65-69.

[4] Il est difficile d'en faire le compte précis car dans certains chapitres, on trouve des listes de femmes simplement nommées (voir par exemple les « princesses et reines de France », I, 13 ; les héroïnes d'histoires d'amour fictionnelles, II, 58 ; quelques femmes célèbres de la mythologie, II, 61 ; des contemporaines remarquables par leur générosité, II, 68). En-dehors de ces cas, nous avons compté environ 105 « portraits » plus ou moins développés, parfois très brefs.

développées, comme des «exemples» qui sont autant de preuves pour soutenir les différents points d'une argumentation très construite pour contrer les arguments des misogynes et affirmer les capacités des femmes dans différents domaines. Ils correspondent bien à la définition que Jacques Le Goff donne de l'*exemplum* médiéval, que nous avons rappelée plus haut: «une anecdote de caractère historique présentée comme argument dans un discours de persuasion[1].» Le mot *exemple* est employé de façon récurrente, soulignant les différentes étapes du raisonnement. Dame Raison l'emploie d'abord à la fin de la partie introductive (I, 11), après avoir répondu à la question de savoir pourquoi les femmes ne sont pas admises à plaider, et pour annoncer les exemples qui vont suivre (ch. 12 et 13), destinés à prouver l'aptitude des femmes à gouverner:

> Et de rechief, qui vouldroit proposer qu'elles n'eussent scens naturel en fait de policies et de gouvernement, je te donrai exemple de plusieurs grans maistresces qui ont esté les temps passez; et meismement t'en ramentevrai aucunes de ton temps, affin que tu mieux congnoisses ma verité

Une formule du même genre annonce le début de la première série de portraits (les premières «grosses pierres», à partir de Sémiramis au chapitre 15), à la fin du chapitre 14 où Raison énonce les qualités illustrées par les «femmes fortes», conquérantes et guerrières, celles en qui Dieu

> a demoustré grant courage, force et hardement de toutes fortes choses emprendre et achever, semblablement que firent les grans hommes solempnez conquereurs et chevalereux dont si grant mencion est faite es escriptures, si que je te ramenterai cy après en exemples.

L'exemple fait figure de preuve, comme l'affirme Raison un peu plus loin, au début d'une nouvelle partie consacrée aux facultés intellectuelles des femmes, jugées inférieures par leurs détracteurs, en réponse à une question de Christine: «Et pour le te exposer plus applain, te donray preuve par exemples» (I, 27). Raison conclut la première partie en rappelant les deux types de

---

[1] J. Le Goff, *L'imaginaire médiéval, op. cit.*, p. 99.

preuves (le raisonnement et l'exemple) qu'elle a apportées de l'excellence des femmes et du fait que Dieu ne les réprouve pas:

> Que veulx tu que plus t'en die? Fille chiere, il me semble que assez ay produit des preuves a mon entencion, c'est assavoir de te demonstrer par vive raison et exemple que Dieux n'a point eu, ne a en reprobacion le sexe femmenin. (I, 48)

Le mot *exemple* est employé à de nombreuses reprises dans les deux parties avec ce même sens, dans diverses expressions (*donner exemple*, souvent; mais aussi, prouver ou démontrer *par exemple*)[1].

Les récits plus longuement développés des chapitres 50 à 52 (les histoires de Grisélidis, de Florence la Romaine et de la femme de Bernabo le Génois), plus proches de la nouvelle, sont désignés de la même manière, bien que le mot *exemple*, deux fois employé, prenne dans le second cas une valeur différente:

> et pour contredire par exemples aux dis d'iceulx qui si fraisles les appellent, te dirai d'aucunes femmes tres fortes desquelles les histoires sont belles a ouir et de bon exemple. (II, 49)

Le *bon exemple* est ici un modèle à suivre, selon un autre sens très courant, au Moyen Âge comme à l'époque moderne, de «modèle de comportement»; le mot est peu employé dans ce sens dans la majeure partie de la *Cité*, et pas toujours dans un sens positif (un peu plus loin, Droiture soulignera le fait que les exemples de femmes victimes de la passion amoureuse qu'elle vient de citer ne doivent surtout pas servir de modèles aux lectrices de la *Cité*)[2].

Christine utilise de façon précise et concertée les exemples empruntés à ses sources. Ils sont convoqués et retravaillés pour être insérés de diverses manières dans l'argumentation qui structure les deux premières parties de la *Cité*. Ils sont de longueur très variable. Certains se réduisent presque exclusivement au récit d'une action remarquable, comme l'histoire de Clélie (I, 26), une

---

[1] On trouve ainsi, successivement: *donner exemple* (I, 33; I, 46; II, 19, titre; II, 37, titre); *dire exemples* (II, 11; II, 27); *trouv(er) exemples* (II, 19); *apercevoir par exemple* (I, 41); *ii exemples pour toute preuve* (II, 33); *demonstré par vray exemple* (II, 44); *prouver par exemple* (II, 54).

[2] «Mais ces piteux exemples, et assez d'autres, que dire te pourroie, ne doivent mie estre cause d'esmouvoir les couraiges des femmes de eulx fichier en celle mer tres perilleuse et dampnable de fole amour» (II, 60).

jeune vierge romaine qui permet à toutes ses compagnes
d'échapper à la captivité, ou celle de la jeune femme anonyme qui
sauve la vie de sa mère emprisonnée en la nourrissant de son lait
(II, 11). Mais la plupart d'entre eux, tout en étant centrés sur
l'argument (la qualité féminine) à «prouver», se présentent
comme de brefs récits biographiques de longueur variable, de
quelques lignes à quelques pages. Quelques-uns, dans la
deuxième partie, prennent la forme de véritables nouvelles, un
genre en plein essor à la fin du Moyen Âge, déjà bien défini en
Italie (avec le *Décaméron*, auquel Christine emprunte trois récits)
et qui commence à s'implanter en France - Christine y contribue
ici à sa manière. L'exemplum et la nouvelle, deux formes de récits
brefs, ne sont d'ailleurs pas sans points communs[1]. Brefs ou
longs, ces récits font aussi l'objet d'un véritable travail d'écriture.

L'ART DU RÉCIT

L'auteure de la *Cité des dames* ne cherche pas seulement à
exposer des idées, son but n'est pas uniquement didactique et
démonstratif. L'écrivaine prend aussi un plaisir manifeste à raconter
des histoires, en particulier dans les récits plus longs, qui sont aussi
les plus travaillés. Mais l'art du récit, ce peut être aussi - c'est
souvent - l'art de «faire bref». Christine sait faire usage des deux
procédés complémentaires que sont, selon les traités de rhétorique
médiévaux, l'*abbreviatio* et l'*amplificatio*. En réécrivant ses
sources, soucieuse de s'en tenir à l'essentiel en éliminant tout ce qui
lui apparaît comme des scories, pour mieux faire ressortir les traits
qu'elle cherche à mettre en valeur, et les exprimer par des formules
frappantes, elle pratique le plus souvent «un travail de sélection et
d'abrègement», ainsi que de stylisation[2]. Mais il lui arrive aussi,

---

[1] C. Cazalé-Bérard, «L'exemplum et la nouvelle», dans *Les* exempla
médiévaux: nouvelles perspectives, dir. J. Berlioz et M.A. Polo de Beaulieu,
Paris, Champion, 1998, p. 29-42. Voir aussi P. Zumthor, «La brièveté comme
forme», dans *La Nouvelle: formation, codification et rayonnement d'un genre
médiéval (Actes du colloque international de Montréal, 14-16 octobre 1982)*, éd.
G. Di Stefano et P. Stewart, Montréal, Plato Academic Press, 1983, p. 3-8.

[2] Comme l'écrit Didier Lechat, «les principes qui guident Christine sont,
avant tout, ceux de l'abrègement et de la stylisation» ; il parle un peu plus loin
d'un «travail de sélection et d'abrègement» (D. Lechat, *«Dire par fiction»*,
op. cit., p. 419-420, p. 424).

parfois, d'amplifier : par exemple, pour émouvoir, lorsqu'elle dépeint la douleur de Penthésilée devant la dépouille d'Hector. Pour illustrer quelques aspects de ce travail d'écriture, nous examinerons la façon dont Christine réécrit l'histoire de Penthésilée, en comparant sa version avec celle de Boccace, qui est très différente, faisant ainsi mieux apparaître les qualités littéraires du texte de Christine. Nous terminerons par quelques remarques sur les récits plus longs de la IIe partie, les « nouvelles » empruntées au *Décaméron*.

Penthésilée, la plus célèbre des reines des Amazones, est déjà très importante dans la deuxième rédaction de l'*Histoire ancienne*, qui a intégré au XIVe siècle une version du *Roman de Troie* en prose[1]. Dès le roman en vers de Benoît de Sainte-Maure au XIIe siècle, avec quelques autres personnages célèbres de la légende de Troie, Penthésilée était devenue un personnage romanesque[2]. Le récit assez long de la *Cité* reprend des éléments de celui de la *Mutacion*, inspiré de l'*Histoire ancienne* 2 (et donc du *Roman en prose, Prose 5*[3]). Mais il le modifie sensiblement. Notons aussi qu'il est très différent du bref récit de Boccace et de sa traduction[4]. Celui-ci se fonde sur d'autres sources et donne une autre version de l'histoire. Mais la comparaison est éclairante. Boccace ne dit que très peu de choses de cette reine des Amazones (« Toutevoies je n'ay point leu de quelz parens elle ait été engendree et descendue »), dont il loue les grandes qualités, y compris sa grande intelligence. Il raconte comment Penthésilée s'engage dans le combat alors qu'Hector est encore en vie, pour le séduire, parce qu'elle est tombée amoureuse de lui sans l'avoir jamais vu et « pour couvoitise d'avoir et de recevoir de lui noble ligniee ». Il ne fait que mentionner l'existence d'une autre version, où comme dans le texte de Christine, elle n'arrive à Troie qu'après la mort du

---

[1] *Le Roman de Troie en prose : Prose 5, op. cit.*, histoire de Penthésilée, p. 575-595.

[2] Benoît de Sainte-Maure, *Le Roman de Troie*, éd. E. Baumgartner et F. Vielliard, Paris, LGF, 1998, v. 23357-24378, p. 542-571.

[3] Le texte de Christine peut aussi être rapproché du *Roman de Troie* de Benoît de Sainte-Maure ; mais il convient de rappeler que celui-ci est la source du roman en prose, notamment de la version *Prose 5*, insérée dans la deuxième rédaction de l'*Histoire ancienne*. Il n'est pas impossible que Christine l'ait eu aussi à sa disposition et lui ait emprunté quelques détails.

[4] *Cleres femmes*, XXXII, t. I, p. 101-103.

héros. Boccace souligne surtout les qualités exceptionnelles de guerrière de l'Amazone, et après avoir rapporté en un paragraphe assez court ses exploits et sa mort (suite à une blessure mortelle, sans aucun détail), il termine par une conclusion où il dit que cette femme et ses semblables ont changé de nature grâce à l'«usaige et coustume» (l'usage des armes et les mœurs guerrières) qui ont fait d'elles des hommes bien plus valeureux que certains hommes devenus semblables à des femmes et à des lièvres par suite de l'abus des plaisirs[1].

Christine reprend manifestement le texte de la *Mutacion*, dont on retrouve certaines formulations. Mais elle résume à l'extrême les exploits guerriers de Penthésilée, là où la *Mutacion*, tout comme l'*Histoire ancienne* (ou le *Roman de Troie* en prose) développaient le récit de plusieurs batailles successives[2], pour en venir tout de suite à sa mort, et le texte de la *Cité* souligne explicitement cet abrègement: «Toutevoies, pour abregier le conte, quoy que ses fais fussent merveilleux, au derrain, quant tant y ot fait d'armes par plusieurs journees avec sa route, la tres preux Panthasellee [...]».

En revanche, Christine développe davantage l'aspect sentimental et dramatique de l'histoire, s'inspirant de la réélaboration romanesque du personnage dans le *Roman de Troie*. Elle ajoute quelques traits romanesques qu'on ne trouve pas dans ses modèles: ainsi, après avoir évoqué le départ de Penthésilée pour Troie en des termes très proches de ceux que l'on trouve dans la *Mutacion* ou dans le roman en prose[3], elle ajoute cette phrase:

---

[1] On peut voir là un trait de satire contre les mœurs de certains de ses contemporains, comme il y en a plusieurs dans le livre de Boccace; et comme souvent aussi, l'idée que les femmes de valeur sont celles qui ont su dépasser leur condition féminine pour devenir semblables à des hommes.

[2] Le titre du dernier chapitre de la *Mutacion* qui lui est consacré souligne l'accent mis sur les prouesses guerrières de l'héroïne: «Ci dit les vassellages de la preux Panthasellee et comment elle fu occise» (VI, XXXIII, t. III, p. 149).

[3] *Mutacion*, VI, v. 17585-17592, t. III, p. 142: «Plus qu'autre riens le desira / A veoir, pour ce s'atira / De venir à Troie au secours. / Si n'estoit pas li chemins cours, / Ains estoit loings, au bout du monde. / Celle, qui n'ot per ne seconde / De vailantise, a Troye vint; / Journees i mit plus de .XX.» *Cité*, I, 19: «et sur toutes riens le desira a veoir. Et pour cellui desir acomplir, si parti de son regne a grant conroi et a moult noble compaignie de dames et de pucelles de grant prouece et moult richement armees, et prist son chemin vers Troie dont la voie n'estoit pas petite, mais tres lontaine.» (la «mout noble compaignie» figure dans le roman en prose).

«Mais riens ne semble lonc ne grevable a cuer qui bien aime quant grant desir le porte». La déploration de Penthésilée devant le tombeau d'Hector est une amplification originale par rapport à ses sources ainsi qu'à la *Mutacion*. L'exclamation du début, «Fleur et excellence de la chevalerie du monde», reprend l'épitaphe inscrite sur le tombeau d'Hector dans la *Mutacion*[1]. La tonalité pathétique et le style de ce monologue rappellent ceux d'autres déplorations au moment de la mort d'Hector dans le *Roman de Troie*[2], et l'on peut penser que Christine s'en est vraisemblablement inspirée. Enfin, au moment d'évoquer la mort de Penthésilée frappée par Pyrrhus, alors qu'elle l'avait fait de façon très rapide dans la *Mutacion*, Christine accentue ici l'effet dramatique de la scène en ajoutant ou en déplaçant des détails qu'elle trouve dans ses sources[3].

Pour ce qui est des nouvelles empruntées par Christine au *Décaméron*, les transformations apportées à son modèle ont été bien étudiées[4]. D'une façon générale, en adaptant la nouvelle à l'idée qu'elle veut illustrer par l'exemple, elle met en valeur l'héroïne beaucoup plus que ne le fait Boccace par divers

---

[1] *Mutacion* VI, v. 16642, t. III, p. 110.

[2] Ainsi, dans le roman en vers de Benoît de Sainte-Maure (*op. cit.*, p. 544), la déploration de Penthésilée devant le tombeau d'Hector est plus brève et débouche tout de suite sur l'appel à la vengeance ; mais plus haut, au moment de la mort d'Hector, figurent plusieurs déplorations de tonalité pathétique prononcées par différents personnages (les dames de la cité, Pâris, Hécube surtout ; *op. cit.*, p. 388-398). On les trouve également dans le roman en prose, *Prose V*, p. 443-447, dans la partie intitulée par l'éditrice moderne «Lamentations sur la mort d'Hector».

[3] Voir la note 1, p. 315 à la fin du chapitre I, 19.

[4] Outre l'article important de Carla Bozzolo cité plus haut, qui contient aussi la première édition des trois récits, voir K. Brownlee, «Il *Decameron* di Boccaccio e la *Cité des Dames* di Christine de Pizan : modelli e contro-modelli», *Studi sul Boccaccio*, vol. 20, 1991-92, p. 233-251 ; P. Caraffi, «Silence des femmes et cruauté des hommes : Christine de Pizan et Boccaccio», dans *Contexts and Continuities*, *op. cit.*, vol. I, p. 175-186 ; J.-C. Mühlethaler, «Problèmes de réécriture : amour et mort de la princesse de Salerne dans le *Décameron* (IV, 1) et dans la *Cité des dames* (II, 59)», dans *Une femme de Lettres au Moyen Âge*, *op. cit.*, p. 209-220 ; et du même, «Du *Decameron* à la *Cité des dames* de Christine de Pizan : modèle hagiographique et réécriture au féminin», dans *La circulation des nouvelles au Moyen Âge*, Alessandria, Edizioni dell'Orso, 2005, p. 253-274 (porte plus particulièrement sur l'histoire de la femme de Bernabo).

procédés, à commencer par le titre. Ainsi, pour la première (l'histoire de la femme de Bernabo, II, 52), c'est le mari qui se trouvait au centre du récit de Boccace[1]. Dans celui de la *Cité*, c'est la protagoniste féminine qui devient la figure centrale. Mais curieusement, son prénom réel (Zinevra chez Boccace) n'est pas donné, alors que son pseudonyme masculin est conservé (Sicurano devenu Sagurat). Peut-être est-ce en raison des connotations trop marquées attachées au nom de Guenièvre (la reine adultère de la légende arthurienne, liée à la passion amoureuse, la *fole amour* contre laquelle Christine met en garde les femmes après la seconde série d'exemples, à la fin du chapitre 60)[2]. Elle abrège souvent et élimine des éléments inutiles à son propos, ou étrangers à la tonalité de son récit, tels que les commentaires grivois d'Ambroise au début, simplement qualifié d'*outrageux* par Christine ; ou les détails des tortures infligées au coupable par le sultan à la fin du récit, résumées d'un mot : « que le soubdan fist mourir a grant douleur ». De la même façon, elle élimine les détails macabres de la fin de l'histoire de Lisabeth-Elisabeth (II, 60)[3].

Pour l'histoire de « Gismonde, fille du prince de Salerne » (II, 59), Christine met en valeur l'héroïne dès le titre de son chapitre, alors que chez Boccace c'est le prince Tancrède qui est au centre de la nouvelle ; seul son nom figure dans le titre, alors que « le nom de Ghismonda apparaîtra - signalé de façon incidente dans une relative - seulement au moment où se déclenche le drame[4] ». Elle simplifie quelque peu l'intrigue, éliminant les détails romanesques du message secret et de la grotte où se retrouvent les amants. Elle élague le long discours de l'héroïne de Boccace à son père pour justifier son amour, mais dans sa brièveté il n'en est que plus réussi et émouvant. Il en va de même des propos qu'elle adresse au cœur de son amant, très rhétoriques chez Boccace ; la concision du texte

---

[1] Par ailleurs, comme le note K. Brownlee (*ibid.*), chez Boccace, la narratrice de cette journée, Filomena, présentait cette histoire comme illustrant la vérité du proverbe selon lequel « le trompeur tombe finalement sous la coupe de sa victime », comme elle le dit au début et à la fin de son récit ; et aussi, comme une mise en garde adressée à son public contre les trompeurs. La portée exemplaire que Christine choisit de donner à son récit est tout à fait différente.

[2] K. Brownlee, *ibid.*, p. 239-240.

[3] Voir C. Bozzolo, *op. cit.*, et notre note xxx à la fin de ce chapitre.

[4] J.-C. Mühlethaler, « Problèmes de réécriture », *op. cit.*, p. 210.

de Christine leur donne plus de force. Celle-ci a modifié la fin du récit : alors que la nouvelle de Boccace se termine sur l'ensevelissement des deux amants dans le même tombeau, au milieu des larmes générales, Christine, qui fera dénoncer par Droiture, un peu plus loin, les dangers de la passion amoureuse, refuse cette consécration de la « mort par amour » pour lui substituer l'image du père coupable, qui meurt de douleur devant le tableau saisissant de sa fille morte en tenant la coupe contenant le cœur de son amant.

Les versions de Christine de Pizan ne souffrent pas de la comparaison avec les nouvelles du *Décaméron* qu'elle a réécrites à sa manière. Elle leur donne une tout autre portée, les élague et les transforme. Ses « récits exemplaires » n'ont sans doute pas la richesse et la complexité des nouvelles de Boccace, insérées dans un contexte (la société des devisants mise en scène dans le *Décaméron*) où elles prêtent à des interprétations différentes, alors que Christine oriente la lecture dans le sens où Droiture invite explicitement à les interpréter[1]. Plus concis, ils n'en sont pas moins écrits avec beaucoup d'art et de maîtrise. Pour ce qui est du style, en habile traductrice, elle transpose élégamment en français la langue de Boccace, contribuant ainsi à enrichir la prose narrative française[2]. Elle se livre à un travail d'écriture particulièrement soigné dans ces longs récits qui constituent, avec ceux qui les accompagnent dans cette partie du livre (les histoires de Grisélidis et de Florence de Rome), les chapitres les plus longs et les plus élaborés de la *Cité des dames*, et qu'on peut lire et apprécier comme de véritables nouvelles, parmi les premières du genre en langue française.

---

[1] Dans son article de 1995, « Problèmes de réécriture », J.-C. Mühlethaler jugeait un peu sévèrement, à propos de l'histoire de Gismonde, qu'« en réduisant la nouvelle à un *exemplum*, suggérant même à son auditrice la manière dont il faut le lire, Droiture ne lui (nous) laisse aucune marge de liberté » (*op. cit.*, p. 217). Dans son article de 2005 (« Du *Décaméron* à la *Cité des Dames* »), il récuse l'idée d'une opposition trop facile entre la « modernité » de Boccace et une écriture de Christine de Pizan qui serait davantage du côté du Moyen Âge : « Même si le *Decameron* est devenu une référence obligée pour le récit bref postérieur, sa modernité est moins radicale, l'opposition avec la démarche de Christine de Pizan moins tranchée qu'on n'a bien voulu le dire. La comparaison entre les deux récits suggère plutôt que l'histoire de la nouvelle ne suit pas (une) courbe linéaire » (*op. cit.*, p. 268).

[2] Voir l'article de G. Bianciotto cité plus haut, « Langue conditionnée de traduction et modèles stylistiques au XVe siècle ».

LIRE LA *CITÉ DES DAMES*,
DU XVᵉ AU XXIᵉ SIÈCLE

UNE BRÈVE HISTOIRE DE LA RÉCEPTION DE LA *CITÉ DES DAMES*

Le *Livre de la Cité des dames* a été largement diffusé sous forme manuscrite durant tout le XVᵉ siècle, si l'on en croit le nombre des manuscrits conservés, dits «manuscrits tardifs», réalisés après les manuscrits originaux (ceux qui ont été faits du vivant de Christine et sous sa supervision, qui sont au nombre de huit)[1]. On n'en compte pas moins de vingt, datant tous du XVᵉ siècle[2]. L'existence de deux traductions dès la fin du XVᵉ siècle ou au début du XVIᵉ siècle, en flamand et en anglais, témoignent également de la notoriété et de la diffusion de la *Cité des dames*. La première fut réalisée à Bruges en 1475 et commanditée par un notable d'une famille de marchands, Jan de Baenst[3]. Pour la seconde, attribuée à un certain Bryan (ou Brian) Anslay, elle ne nous est connue que dans une version imprimée par Henry Pepwell en 1521 pour George Grey, Earl of Kent, et conservée dans cinq copies et un fragment[4]. Au XVIᵉ siècle, le livre semble avoir été encore bien connu, bien qu'il n'ait pas été imprimé, à la différence de sa suite, le *Livre des trois Vertus*, dont on connaît trois

---

[1] Voir plus loin la présentation des manuscrits.

[2] Voir A. Valentini, «La tradition manuscrite du *Livre de la Cité des dames* de Christine de Pizan», *op. cit.*; du même, *Des copistes entreprenants, op. cit.*

[3] Comme le souligne Glenda McLeod, cela semble indiquer que le lectorat de la *Cité des dames* n'était pas exclusivement aristocratique: *The Reception of Christine de Pizan from the Fifteenth through the Nineteenth Century. Visitors to the City,* éd. G. K. McLeod, Lewiston, Queenston, Lampeter, The Edwin Mellen Press, 1991, introduction, p. iv.

[4] Maureen Curnow a consacré tout un chapitre à ces deux traductions (Curnow, *Cité*, introduction, ch. VII, p. 300-345). Pour la traduction anglaise, elle a été éditée récemment par Hope Johnston, avec en regard le texte d'une version française, d'après un manuscrit tardif, Lo, identifié par M. Curnow comme sa source probable: Christine de Pizan, *The Boke of the Cyte of Ladyes, Translated by Brian Anslay,* éd. H. Johnston, Tempe, Arizona Center for Medieval and Renaissance Studies, 2014. Voir à ce sujet A. Valentini, «La tradition manuscrite du *Livre de la Cité des Dames*», *op. cit.*, p. 398 (selon lui Lo, un manuscrit tardif, est un témoin de la première version de la *Cité*, celle qu'il appelle la *VI*).

éditions anciennes, imprimées à la fin du XVᵉ et au début du XVIᵉ siècle[1]. Seule la traduction anglaise de la *Cité* a été imprimée. Même si le titre n'est pas toujours cité, des documents d'archives montrent que la *Cité des dames* et le *Livre des trois Vertus* figurent en bonne place dans un certain nombre de bibliothèques de femmes aux XVᵉ et XVIᵉ siècles, qu'il s'agisse de femmes de la haute noblesse, comme Charlotte de Savoie, épouse de Louis XI, ou de leur fille Anne de France, ou de dames d'un rang plus modeste, comme une certaine Marguerite de Bécourt, dame de Santes, qui lègue son *Livre de la Cité des dames* à une de ses deux commères[2]. On sait qu'un grand nombre de dames de la haute noblesse européenne à la Renaissance possédaient des copies de manuscrits de Christine de Pizan. Il s'agit le plus souvent du *Livre des trois Vertus,* mais dès la fin du XVᵉ siècle il a souvent été associé au *Livre de la Cité des dames* (ce qui n'était jamais le cas dans les manuscrits les plus anciens)[3]. Parmi les plus importantes, on peut citer, outre Charlotte de Savoie et Anne de France, déjà mentionnées, Marguerite d'Autriche, sa nièce Marie de Hongrie, Diane de Poitiers, Louise de Savoie et sa fille Marguerite de Navarre, Anne de Bretagne, la reine Leonora du Portugal[4]. S'il n'est pas toujours possible de prouver quelles femmes connaissaient précisément la *Cité des dames*, on peut repérer des signes d'influence probable ou des échos[5]. Un exemple particulièrement intéressant est l'existence

---

[1] Par Antoine Vérard (1497), Michel le Noir (1503), et Jean André et Denis Janot (1536); d'après Suzanne Solente, «Deux chapitres de l'influence littéraire de Christine de Pisan», *Bibliothèque de l'école des chartes*, 1933, t. 94, p. 27-45 (p. 29).

[2] D'après J. Cerquiglini-Toulet, dans *Femmes et littérature, op. cit.*, p. 156-157 (elle renvoie à Geneviève Hasenohr, «L'essor des bibliothèques privées aux XVᵉ et XVIᵉ siècles», et pour le testament, à une étude de Bernard Schnerb).

[3] Rappelons aussi que les éditions anciennes du *Livre des trois Vertus,* comme on le fera aussi bien souvent par la suite, le désignent sous le nom de *Trésor de la Cité des dames* (d'où des confusions possibles dans les inventaires ou les notes bibliographiques).

[4] *The Reception of Christine de Pizan, op. cit.*, introduction; voir aussi dans ce même volume le chapitre 5, C. C. Willard, «Anne de France, Reader of Christine de Pizan», qui mentionne uniquement les *Trois Vertus* (p. 59-70).

[5] C'est ce que fait par exemple, dans un article récent, Aubrée David-Chapy, «La "Cour des Dames" d'Anne de France et de Louise de Savoie: un espace de pouvoir à la rencontre de l'éthique et du politique», dans *Femmes à la Cour de*

dans plusieurs cours européennes de séries de tapisseries inspirées par des personnages de la *Cité des dames*, attestée par de nombreux documents même si les tapisseries sont aujourd'hui perdues, auxquelles la chercheuse américaine Susan Groag Bell a consacré plusieurs articles et un livre au titre évocateur, *The Lost Tapestries of the City of Ladies : Christine de Pizan's Renaissance Legacy* [1].

Plusieurs auteurs de la fin du Moyen Âge et de la Renaissance citent Christine de Pizan de manière admirative, et parfois aussi sa *Cité des dames*. Le premier en date, et celui qui lui doit le plus, est Martin Le Franc, prévôt de Lausanne, dans son *Champion des dames*, vers 1440. Il écrit une quarantaine d'années après Christine de Pizan et fait d'elle un vibrant éloge :

> Aux estrangiers pouons la feste
> Faire de la vaillant Cristine,
> Dont la vertu est manifeste
> En lettre et en langue latine ;
> Et ne debvons pas soubs courtine
> Mettre ses euvres et ses dis,
> Affin que, se mort encourtine
> Le corps, son nom dure toudis [2].

S'il ne cite pas le titre de la *Cité des dames*, il s'en inspire manifestement beaucoup. Le titre même, ainsi que le sujet de son livre, y font indirectement référence : Franc Vouloir, le « champion des dames », entreprend de défendre « la querelle des dames », c'est-à-dire leur cause (l'expression est employée à plusieurs reprises), en s'opposant aux troupes de Malebouche, qui a attaqué le château d'Amour occupé par les dames. Christine elle-même n'appelle-t-elle pas de ses vœux, dès le début de la *Cité*, un tel

---

France. *Statuts et fonctions*, dir. K. Wilson-Chevalier et C. Zum Kolk, Villeneuve-d'Ascq, Presses universitaires du Septentrion, 2018, p. 49-66. Elle fait une comparaison entre les importantes cours féminines de ces deux princesses et la *Cité des dames* de Christine de Pizan (citée dans la traduction de T. Moreau et E. Hicks), sans évoquer une influence précise, et évoque le « royaume de Fémynie » [sic] qu'est la *Cité* (sans mentionner la référence aux Amazones).

[1] S. G. Bell, *The Lost Tapestries of the City of Ladies : Christine de Pizan's Renaissance Legacy,* Berkeley, Los Angeles, London, University of California Press, 2004.

[2] Martin Le Franc, *Le Champion des Dames*, éd. R. Deschaux, Paris, Champion, 1999, 5 vol. ; vol. 4, p. 178. Sur l'auteur, voir A. Piaget, *Martin Le Franc, prévôt de Lausanne*, Lausanne, Payot, 1888 (réimpression : Caen, Paradigme, 1993).

«champion», lorsque dame Raison se désole de ce que les dames, attaquées de toutes parts, aient «par si lonc temps esté delaissies descloses comme champ sans haie, sans trouver champion aucun qui pour leur deffence comparust souffisantment» (I, 3)? Un bon nombre des arguments qu'emploie Franc Vouloir contre Malebouche et ses lieutenants (Vilain-Penser, Trop-Cuidier, Lourd-Entendement et Faulx-Semblant), porte-paroles des idées misogynes de Matheolus, de Jean de Meun et de quelques autres, reprennent ceux de la *Cité des dames*[1]. Il en va de même des exemples invoqués pour défendre les dames. Martin Le Franc s'est aussi inspiré de Boccace, notamment pour des exemples qu'on ne trouve pas dans la *Cité*. Mais comme l'a montré Maureen Curnow, il en est d'autres pour lesquels il s'est probablement inspiré de la *Cité*; c'est une certitude pour ce qui concerne Novella[2].

Une femme anonyme, auteure d'un livre intitulé *Les Enseignemens que une dame laisse a ses deulx filz, en forme de testament*, daté de la fin du XVᵉ siècle, le conclut en faisant l'éloge de «Cristine de Pisay [qui] a si bien et si honnestment parlé, faisant dictiers et livres a l'enseignement des nobles femmes et aultres». Suzanne Solente y voit l'influence de plusieurs œuvres de Christine de Pizan, dont la *Cité*[3]. Dans le même article, elle évoque un ouvrage d'un certain Pierre de Lesnauderie[4], *La Louenge de Mariage et recueil des hystoires des bonnes, vertueuses et illustres femmes*, imprimé à Paris en 1523. Il emprunte ses nombreux exemples de femmes illustres à diverses sources, dont le *De Cleres dames* [sic] de Boccace, qu'il cite, mais il mentionne aussi trois fois Christine de Pizan, et même, par deux fois, sa *Cité des dames*, qu'il a utilisée:

> Maintenant me vient en memoire dame Chrestienne de Pise, laquelle fust tres experte en l'art de rethorique, et composa plusieurs beaulx doctrinaulx et volumes, et entre les aultres elle composa la Cité des dames, en laquelle cité elle ramentoit et

[1] M. Curnow en détaille quelques-uns dans le passage qu'elle consacre à Martin Le Franc; Curnow, *Cité*, p. 271-276.

[2] *Ibid.*, p. 275.

[3] S. Solente, «Deux chapitres de l'influence littéraire de Christine de Pisan», *Bibliothèque de l'école des chartes*, t. 94, 1933, p. 27-45 (pour ce premier exemple, elle donne des détails précis p. 30-33).

[4] 1450-1522, docteur en droit et recteur de l'université de Caen, auteur de plusieurs autres ouvrages, dont une farce et des ouvrages savants en latin.

ramaine à memoire moult de dames vertueuses et bien regnom-
mées, lequel livre est tres beau et bon à veoir et estudier pour les
dames, attendu qu'il est composé par une femme[1].

On y voit un témoignage rare et intéressant sur ce que pouvait être
la réception de la *Cité* au début du XVIe siècle.

Parmi les auteurs du XVIe siècle qui citent Christine de Pizan
et l'admirent, on peut mentionner Jean Marot, le grand rhétori-
queur[2], et son fils le poète Clément Marot, dans le rondeau «à
Jeanne Gaillarde»:

> D'avoir le prix en science et doctrine
> Bien merita de Pisan la Cristine
> Durant ses jours; mais ta Plume dorée
> D'elle seroit a present adorée
> S'elle vivoit par volonté divine[3].

Jean Bouchet la place dans le *Tabernacle des illustres dames* de
son *Temple de bonne renommée* et cite «les epistres, rondeaux et
ballades en langue françoyse de Christine» dans son *Jugement
poetic de l'honneur femenin* (1538)[4].

Le nom de Christine de Pizan et celui de sa *Cité* sont parfois
mentionnés dans des œuvres se rattachant de près ou de loin à la
«querelle des femmes[5]». C'est le cas, par exemple, dans un
*Monologue fort joyeulx auquel sont introduitz deux Advocats et
ung Juge, devant lequel est plaidoyé le bien et le mal des Dames*,
résumé ainsi par Arthur Piaget:

[1] S. Solente, *ibid.*, p. 42. Il y revient plus loin en des termes très proches, au
moment de citer de mémoire un exemple de la *Cité* (*ibid.*, p. 43).

[2] Dans «La Vray disant advocate des dames et princesses», il mentionne
son nom après ceux de *Debbora la saige* et de *Thamar la paintresse* (Timarète),
et avant celui de Didon, toutes les trois figurant dans la *Cité* (II, 4; I, 41; I, 46);
Curnow, *Cité*, p. 276.

[3] Clément Marot, *L'Adolescence Clémentine*, Rondeau XIX, «A ma dame
Jehanne Gaillarde de Lyon, femme de bon sçavoir» [avant 1527] dans *Œuvres
poétiques*, éd. G. Defaux, Paris, Bordas, 1990, t. I, p. 143.

[4] Cité par S. Solente, «Deux chapitres de l'influence littéraire de Christine
de Pisan», *op. cit.*; d'après Raymond Thomassy, *Essai sur les écrits politiques
de Christine de Pisan*, Paris, Debécourt, 1838.

[5] Voir plus haut, p. 39.

> Mal-Embouché [l'avocat de la partie adverse] met en avant le
> Roman de la Rose, le Grant Matheolus, et le Blason de
> Guillaume Alexis, et Gentil-Couraige produit le Triomphe des
> Dames de Juan Rodriguez de la Camara, la Cité des Dames de
> Christine de Pisan et enfin «pour euvre sumptueuse» le
> Champion de Martin Le Franc. Ce que voyant, le Juge donne
> gain de cause à Gentil-Couraige, avocat des femmes[1].

Ou encore, dans un traité d'un certain Jean de Marconville, *De la
bonté et mauvaistié des femmes* imprimé en 1564 et plusieurs fois
réimprimé ensuite, qui fait l'éloge de «demoyselle Christine de
Pise Italienne, laquelle tient le premier lieu entre toutes les
sçavantes femmes qui aient jamais esté, ou qui aient escrit, soit
devant elle ou de son temps[2]».

L'influence et la place de la *Cité des dames* dans la tradition
des «listes» ou «catalogues» de femmes illustres qui se
développe beaucoup à partir de la fin du XVᵉ siècle n'est pas
facile à déterminer. Elle est quelque peu éclipsée par la notoriété
du *De mulieribus claris* de Boccace, dont la traduction, *Les Cleres
femmes*, a été très diffusée. Le *Livre de la Cité des dames* est
rarement cité en tant que tel, mais on peut penser qu'un certain
nombre d'auteurs l'utilisent aussi[3].

Après le XVIᵉ siècle, si elle semble beaucoup moins connue,
Christine de Pizan n'est pas complètement oubliée pour autant,
comme le souligne Earl Jeffrey Richards, qui a répertorié pas
moins de 55 références à Christine de Pizan et à son œuvre entre
1545 et 1795, chez différents auteurs et dans des ouvrages bibliographiques (comme ceux de La Croix du Maine et Du Verdier) ou
des dictionnaires historiques (comme ceux de Pierre Bayle ou de

---

[1] A. Piaget, *Martin Le Franc, op. cit.*, p. 156. D'après Curnow, *Cité*, p. 279.

[2] Cité par E. J. Richards, «The Medieval "femme auteur" as a Provocation
to Literary History: Eighteenth-Century Readers of Christine de Pizan», dans
The Reception of Christine de Pizan, op. cit., chap. 8, p. 101-126 (citation
p. 108).

[3] En l'absence de citation explicite, il n'est pas facile de distinguer ce qu'un
auteur doit à Christine ou à Boccace pour tel ou tel portrait de femme, que l'on
peut trouver chez ces deux auteurs ou dans leurs sources communes. Des études
restent à faire à ce propos sur ce vaste corpus encore peu exploré. Voir G.
McLeod, *Virtue and Venom. Catalogs of Women from Antiquity to the Renaissance*, Ann Arbor, The University of Michigan Press, 1991.

Moreri)[1]. Ce ne sont parfois que des mentions assez ponctuelles, comme chez Voltaire, qui l'appelle Catherine et cite sa biographie de Charles V dans son *Essai sur les mœurs* paru en 1769. C'est souvent la personne de l'auteure qui retient l'attention. Dans un article intitulé «Anecdotes sur Christine de Pizan, ses romans et ses principaux ouvrages», paru en 1779 dans la *Bibliothèque universelle des romans*, l'abbé Coupé donne un portrait romancé de l'auteure et crée de toutes pièces, à partir de quelques poèmes et de réinterprétations de brefs passages de l'*Advision*, une histoire d'amour entre Christine de Pizan et le comte de Salisbury, histoire qui sera souvent reprise par la suite[2]. Mais d'autres auteurs, et non des moindres, retiennent aussi *Christine de Pise* parmi les femmes connues pour leur grand savoir, tel Furetière, qui bien qu'il ne cite pas le livre, semble avoir lu la *Cité des dames* lorsqu'il développe des arguments en faveur des femmes[3], et louent certaines de ses œuvres. Il est vrai que l'absence d'éditions imprimées pour la plupart de ses œuvres, dont la *Cité des dames*, en rend la lecture difficile. La *Cité* trouve encore cependant des admirateurs et des lecteurs, comme Horace Walpole en Angleterre. Il se fait envoyer une copie d'une miniature de la *Cité* par Madame du Deffand en 1780 (qui l'a fait copier d'un des manuscrits de la Librairie Royale); il s'intéresse à l'histoire d'amour prétendue entre Christine de Pizan et le comte de Salisbury (en 1787, dans une note ajoutée en postscript à son *Catalogue of the Royal and Noble Authors of England,* 1758), mais aussi il loue une de ses correspondantes en la disant digne d'entrer dans la Cité des dames (1er janvier 1787, lettre à Hannah More), avant de lui prêter une copie de la *Cité*, ainsi qu'une autre du *Charles V*[4].

La redécouverte de Christine a véritablement commencé dès le milieu du XVIIIe siècle, et s'est poursuivie au XIXe siècle. Louise-Félicité de Keralio, dans son monumental ouvrage *Collection des meilleurs ouvrages composés par des femmes, dédiée aux*

---

[1] E. J. Richards, «The Medieval "femme auteur" as a Provocation to Literary History», *op. cit.*, p. 101-126. Voir aussi les appendices, où sont répertoriées toutes les références à Christine de Pizan qu'il a pu repérer entre 1545 et 1795.

[2] *Ibid.* p. 107. Voir aussi S. Delale, *Diamant obscur, op. cit.*, p. 613 *sq.*

[3] E. J. Richards, *op. cit.*, p. 113.

[4] Curnow, *Cité*, p. 287-288.

femmes françoises (paru en 1787 en 14 volumes), consacre un grand nombre de pages à l'œuvre de Christine de Pizan, dont une longue analyse de la *Cité des dames*[1] (t. III). Mais bien des années avant, comme le souligne Claire Le Ninan, « deux savants avaient déjà sorti de l'oubli le nom de Christine de Pizan » et rédigé de courtes notices sur sa vie et sur deux de ses manuscrits ; et par ailleurs, dès 1720, le public pouvait avoir accès aux manuscrits conservés dans la Bibliothèque Royale ou dans des collections privées. Il est impossible de déterminer qui étaient les lectrices et lecteurs de la *Cité des dames*, mais on découvrira peut-être des traces non encore identifiées de son influence sur d'autres textes[2].

Dans la première moitié du XIXᵉ siècle paraît le premier essai critique important sur l'œuvre de Christine de Pizan par Raymond Thomassy, *Essai sur les écrits politiques de Christine de Pisan*[3]. Vers la fin du siècle on voit les premières éditions modernes de quelques-unes de ses œuvres : *Le Chemin de Long Estude de Dame Christine de Pisan* par Robert Püschel[4], et l'édition en trois volumes de ses *Œuvres Poétiques* par Maurice Roy, encore indispensable aujourd'hui[5]. Ce travail d'édition des textes se poursuivra au XXᵉ siècle, notamment pour les textes en prose, et il est loin d'être achevé, complété par des traductions en différentes langues modernes.

Christine de Pizan semble assez bien connue et elle est parfois citée au cours du XIXᵉ siècle, mais c'est surtout la figure et la vie

---

[1] Voir Curnow, *Cité* p. 286 ; C. Le Brun-Gouanvic, « Mademoiselle de Keralio, commentatrice de Christine de Pizan au XVIIIᵉ siècle, ou la rencontre de deux femmes savantes », *Christine de Pizan : Une femme de science, une femme de lettres, op. cit.*, p. 325-341 ; S. Delale, *Diamant obscur*, p. 615-618.

[2] C. Le Ninan, « Marie-Anne Robert : une héritière de Christine de Pizan ? À la recherche d'une autorité au féminin », dans *« De ligne en ligne » : Genèses et Filiations, op. cit.*, p. 157-166, citation p. 157. Il s'agit de Jean Boivin de Ville-neuve, « Vie de Christine de Pisan et de Thomas de Pisan son père » (1717), et de l'abbé Sallier, *Notice de deux ouvrages manuscrits de Christine de Pisan* (1741). Tous deux étaient gardes de la Bibliothèque Royale. Claire Le Ninan se pose la question d'une influence possible de la *Cité* sur un roman de Marie-Anne Robert, *Voyages de Milord Céton dans les sept planètes ou le nouveau mentor* (1765-66).

[3] Paris, Debécourt, 1838.

[4] Berlin, Damköhler, 1887 ; réimpression Genève, Slatkine, 1974.

[5] Christine de Pisan, *Œuvres Poétiques*, éd. M. Roy, *op. cit.* On y trouve tous les poèmes et les dits en vers, ainsi que le *Livre du duc des vrais amants*.

de la femme auteur qui retiennent l'attention, en particulier dans des ouvrages éducatifs destinés aux jeunes filles : « bâtisseuse de la cité des dames, Christine de Pizan est elle-même entrée au répertoire des vies de femmes illustres[1] ». On connaît par ailleurs le jugement très négatif de Gustave Lanson, souvent cité[2]. Il a au moins le mérite de retenir Christine dans son *Histoire de la littérature française* (1894), ce que ne feront pas les historiens de la littérature au début du XXe siècle, tel le célèbre manuel de Lagarde et Michard plusieurs fois réédité jusqu'à tout récemment. On oublie souvent de dire que Lanson ajoute deux phrases condescendantes mais élogieuses sur quelques passages de son œuvre et même sur son style[3]. Mais il n'est guère question de la *Cité des dames* dans les histoires littéraires du XIXe ou même du XXe siècle[4].

Au XXe siècle, favorisé par l'essor des mouvements féministes et des études sur les femmes et le genre, l'intérêt pour l'œuvre et la personne de Christine est relancé très fortement. Il n'a cessé depuis de s'accroître. L'idée d'une Christine de Pizan féministe apparaît dès 1911 avec le livre de Rose Rigaud, *Les*

---

[1] S. Delale, *op. cit.*, p. 647 ; comme elle le précise en note, « au XIXe siècle, plusieurs ouvrages éducatifs destinés à la jeunesse (en particulier aux jeunes filles de la bourgeoisie, genre éditorial alors en pleine expansion) ont intégré des vies de Christine de Pizan », et elle en cite plusieurs exemples.

[2] « Ne nous arrêtons pas à l'excellente Christine de Pizan, bonne fille, bonne épouse, bonne mère, du reste un des plus authentiques bas bleus qu'il y ait dans notre littérature, la première de cette insupportable lignée de femmes auteurs, à qui nul ouvrage sur aucun sujet ne coûte, et qui, pendant toute la vie que Dieu leur prête, n'ont affaire que de multiplier les preuves de leur infatigable facilité, égale à leur universelle médiocrité » G. Lanson, *Histoire de la littérature française*, Paris, Hachette, 1920 (réédition), chapitre II, « Le quinzième siècle - 1420-1515 », p. 166-168.

[3] « Il faut l'estimer, étant Italienne, d'avoir eu le cœur français, et d'avoir rendu un dévouement sincère et désintéressé aux rois et au pays dont longtemps les bienfaits l'avaient nourrie ; le cas n'est pas si fréquent. Elle y a gagné du reste d'avoir écrit dans de beaux élans d'affection émue cinq ou six strophes ou pages qui méritent de vivre [une note en bas de page fait référence à son *Dittié de Jeanne d'Arc* et à son *Livre de la Vision*]. Cette Italienne qui sait le latin a quelque souci de la phrase, et quelque sentiment des beaux développements largement étoffés. » (*ibid.*)

[4] Voir A. Paupert, « La place des auteures médiévales dans le "canon littéraire" (Marie de France et Christine de Pizan) », *Littérature*, n° 196, *Le canon littéraire*, 2019, p. 56-71.

Idées féministes de Christine de Pisan[1], une idée contestée presque au même moment par Mathilde Laigle dans un livre sur les *Trois Vertus* dont un chapitre est intitulé «Le prétendu féminisme de Christine de Pisan[2]». C'est surtout à Simone de Beauvoir que Christine de Pizan doit sans doute en bonne partie son succès moderne, aux États-Unis en particulier. Dès 1949, celle-ci évoque brièvement, dans *Le Deuxième Sexe*, sa carrière exceptionnelle et son action pour la défense des femmes : «Pour la première fois on vit une femme prendre la plume pour défendre son sexe», écrit-elle en mentionnant l'*Épître au dieu d'amour*. Elle cite ensuite un bref passage de la *Cité des dames* : «Elle réclame surtout qu'il soit permis aux femmes de s'instruire : "Si la coustume était de mettre les petites filles à l'école et que communément [texte original : *suivantment,* «successivement»] on leur fît apprendre les sciences comme on fait aux fils, elles apprendraient aussi parfaitement et entendraient les subtilités de toutes les arz et sciences comme ils font[3]."».

Dans les années 70 elle est parfois prise pour modèle par des féministes. En France, on peut citer comme exemple le pseudonyme choisi par une féministe, Annie de Pisan, co-auteure avec Anne Tristan d'*Histoire du MLF*[4]. Aux États-Unis, Christine de Pizan a sa place à la table imaginaire et monumentale des femmes remarquables créée entre 1974 et 1979 par l'artiste féministe américaine Judy Chicago sous le titre *The Dinner Party*[5]. L'installation comporte une table triangulaire dont chaque côté mesure

---

[1] R. Rigaud, *Les Idées féministes de Christine de Pisan*, thèse, Université de Neuchâtel, 1911 ; réimpression Genève, Slatkine, 1973.

[2] M. Laigle, *Le Livre des Trois Vertus de Christine de Pizan et son milieu historique et littéraire*, Paris, Champion, 1912 (titre du chapitre IV). Comme on le verra plus loin, le débat sur cette question s'est poursuivi.

[3] S. de Beauvoir, *Le Deuxième sexe*, I, Paris, Gallimard, 1949, renouvelé en 1976, p. 177. Elle cite ici le texte original, avec une orthographe en partie modernisée ; la source n'est pas identifiée ; il s'agit d'un passage du *Livre de la Cité des dames* (I, 27).

[4] Paris, Calmann-Lévy, 1977, préface de Simone de Beauvoir.

[5] D'abord itinérante, l'œuvre se trouve depuis 2007 au Brooklyn Museum à New York. Voir J. Nephew, «Christine and Judy Chicago's *The Dinner Party*», dans *Desireuse de plus avant enquerre. Actes du 6e colloque international sur Christine de Pizan*, éd. L. Dulac, A. Paupert, C. Reno et B. Ribémont, Paris, Champion, 2008, p. 397-407.

plus de 14 mètres (48 feet). La place de chacune des femmes qui a été retenue par l'artiste comporte un grand set de table brodé, décoré de façon très élaborée en relation avec ce qu'elle a accompli[1], une assiette et un gobelet. Il y en a 13 de chaque côté, les côtés correspondant à trois époques différentes, donc 39 en tout. Sur le sol, appelé «the Heritage floor», des tuiles de porcelaine célèbrent les noms de 999 autres femmes remarquables. Il est intéressant de noter non seulement que Christine de Pisan [sic] a une place à son nom, mais aussi que la conception générale de l'œuvre n'est pas sans points communs avec celle de la *Cité des dames*.

À partir des années 80, l'idée d'une Christine de Pizan «féministe» revient assez souvent. On trouve plusieurs fois dans divers travaux l'expression «une féministe avant la lettre». Cette idée suscite un débat vers la fin des années 80 et le début des années 90, à la suite d'un article d'une critique américaine, Sheila Delany, qui s'insurge contre le fait que des féministes modernes puissent se référer à Christine de Pizan comme à un modèle[2]. Ses arguments ont été contestés par plusieurs spécialistes[3]. En 2011, Liliane Dulac et Christine Reno résument en quelques phrases le débat et leur conclusion est sans appel:

> Une critique américaine connue, Sheila Delany, après avoir loué l'insistance de Christine à prôner l'éducation des femmes, s'est avisée qu'elle était en réalité tout à fait indigne que les féministes modernes les plus progressistes se réclament d'elle: indigne parce qu'elle s'était montrée résolument conservatrice, voire réactionnaire, attachée qu'elle était à l'ordre social et institutionnel existant, respectueuse des puissants et hostile au populaire; indigne, pour s'être montrée excessivement prude dans sa

---

[1] Différents matériaux et techniques sont utilisés. De plus sur un bon nombre d'assiettes figurent des représentations de fleurs ou de papillons évoquant une vulve, ce qui a parfois fait scandale.

[2] S. Delany, «Mothers to Think Back Through: Who are they? The ambiguous example of Christine de Pizan», *Medieval Texts and Contemporay Readers*, éd. L.A. Finke et M.B. Schichtman, Ithaca/New York, Cornell Univ. Press, 1987, p. 88-103.

[3] Voir notamment C. Reno, «Christine de Pizan: "At best a Contradictory Figure"?», dans *Politics, Gender and Genre. The Political Thought of Christine de Pizan, op. cit.*, p. 171-191.

condamnation des obscénités langagières du *Roman de la Rose*; indigne enfin parce qu'elle n'avait pas su s'intéresser aux femmes indépendantes de son temps. Ces accusations étaient faciles à réfuter, non seulement à cause de multiples anachronismes, mais parce qu'elles étaient fondées sur une connaissance très incomplète et partiale des œuvres, comme il arrive fréquemment dans de tels cas d'actualisation forcée[1].

Une lecture féministe du *Livre de la Cité des dames* est loin d'être la seule possible aujourd'hui. Dans ce que l'on appelle «les études christiniennes», qu'il s'agisse de la *Cité des dames* ou d'autres aspects de l'œuvre de Christine de Pizan, bien d'autres voies d'interprétation sont explorées par les chercheurs, comme on l'a vu pour la *Cité*, notamment en ce qui concerne les recherches sur les manuscrits, la réécriture de ses sources et le travail d'écriture, la dimension politique de l'œuvre, sa dimension religieuse, des perspectives peu développées jusque-là. La bibliographie sur Christine de Pizan et son œuvre a progressé de façon spectaculaire ces dernières décennies. Liliane Dulac et Christine Reno le soulignaient déjà en 2011[2]. Pour ce qui est de la réception auprès d'un plus large public ou dans ce qu'il est convenu d'appeler la «culture populaire», un grand nombre d'œuvres contemporaines la mettent en scène de diverses manières[3]. Mais c'est le plus souvent la personnalité de l'auteure qui est retenue et mise en avant.

MODERNITÉ DU *LIVRE DE LA CITÉ DES DAMES*. CHRISTINE DE PIZAN, UNE FÉMINISTE AVANT LA LETTRE?

Modernité: le terme est trop souvent galvaudé, mais nous l'employons à dessein pour souligner tout ce qui, dans ce livre vieux de six siècles, peut encore nous toucher et nous intéresser aujourd'hui. Certes, l'œuvre de Christine de Pizan nous est à la fois

---

[1] «Christine de Pizan, proche et lointaine», *op. cit.*, p. 43.

[2] *Ibid.* Voir la phrase citée au début de cette introduction.

[3] Dans son livre récent, Sarah Delale en répertorie un certain nombre, dès l'introduction (*Diamant Obscur, op. cit.*, p. 15-19 et notes); voir aussi le chapitre X, «Ceux qu'on entend», p. 607-651 (sur la réception de l'œuvre et surtout du personnage de Christine de Pizan et ses différentes modalités, jusqu'à l'époque contemporaine).

«proche et lointaine»[1]. Elle nous est étrangère par bien des aspects : la langue, le style d'écriture (notamment l'utilisation de l'allégorie), le contexte historique et social, une autre vision du monde.

Certaines de ses idées nous semblent encore tout à fait d'actualité et indéniablement féministes. D'autres nous déconcertent ou nous déçoivent - ainsi, la conclusion du *Livre de la Cité des dames* où, après avoir construit un magnifique monument imaginaire à la gloire du sexe féminin, elle exhorte ses contemporaines à être humbles et patientes, même si elles ont le malheur d'avoir de mauvais maris, et à pratiquer la vertu. C'est l'exemple le plus remarquable de ce «conservatisme» qui a pu susciter des critiques et qui peut susciter encore aujourd'hui des réserves, mais il témoigne aussi de la préoccupation principale de Christine, qui est de défendre et de protéger au mieux les femmes[2]. Cette conclusion constitue une sorte de transition avec le *Livre des trois Vertus*, qui va suivre. Ce traité dédié à Marguerite de Bourgogne, alors âgée de douze ans, femme du dauphin Louis de Guyenne, est consacré à l'éducation des femmes de toutes conditions, même si la plus grande partie concerne les princesses et grandes dames. L'auteure leur donne des conseils pour exercer au mieux leur rôle, à la place qui leur a été assignée dans l'ordre social existant. Cette perspective peut sembler aujourd'hui très conservatrice. Mais comme on l'a rappelé plus haut, Liliane Dulac souligne le fait que si on compare ce livre avec les autres traités d'éducation destinés aux femmes écrits à l'époque par des hommes, on ne peut qu'être frappé par des différences radicales, et par l'audace de Christine de Pizan[3].

---

[1] Selon la jolie formule de L. Dulac et C. Reno dans le titre de l'article plusieurs fois cité ; ou comme l'écrivaient très justement Éric Hicks et Thérèse Moreau, «Exemple de modernisme et d'archaïsme, l'œuvre de Christine de Pizan nous enseigne à ne pas mesurer les idées de nos devancières à l'aune de nos seules préoccupations» (Hicks-Moreau, *Cité*, introduction, p. 22). Thérèse Moreau revient sur ce thème dans un article plus récent : «Promenade en féminie : Christine de Pizan, un imaginaire au féminin», *Nouvelles Questions Féministes*, vol. 22, n° 2, 2003, p. 14-27.

[2] Comme le faisait observer Rose Rigaud en 1911, «elle a recommandé l'obéissance comme une nécessité d'ordre pratique à laquelle, pour l'heure, il n'était pas possible de se soustraire.» (*op. cit.*, p. 132).

[3] Voir le passage cité plus haut (p. 39) : « l'audace d'un ouvrage d'instruction destiné aux femmes qui rompt nettement avec les traditions du genre» (*Le Livre des trois Vertus*, trad. L. Dulac, *op. cit.*, p. 543).

Certes, celle-ci n'envisage nullement une révolution sociale ni même une égalité de droits des femmes, égalité qui n'existait pas non plus pour la grande majorité des hommes n'appartenant pas aux classes supérieures de la société, faut-il le rappeler ? Comment l'aurait-elle pu, au XVe siècle, et qui plus est, alors que la France était en proie à la guerre, et bientôt à la guerre civile ? Elle insiste néanmoins beaucoup plus que les auteurs masculins sur le rôle social des femmes, un rôle qui peut même être politique pour celles qui se trouvent dans des positions de responsabilité. On a vu aussi comment, dans le chapitre où Christine «demande à Raison pourquoi les femmes ne peuvent siéger dans les tribunaux» (I, 11), celle-ci lui répond en justifiant le fait que Dieu ait voulu assigner des *offices*, des fonctions et des rôles différents aux femmes et aux hommes[1], selon une conception de l'ordre social qui s'étend à toute la société et qui est partagée par tous les théoriciens médiévaux, dont Christine elle-même dans son *Livre du corps de policie* (1406-1407)[2]. Comme le rappelle Rosalind Brown-Grant, «la cohésion sociale au Moyen Âge était théorisée non pas en termes d'égalité mais en termes de complémentarité et de réciprocité, chaque "état" [ou condition sociale] étant par sa nature ou par la providence divine adapté à jouer son rôle particulier», comme l'illustre bien l'image même du corps politique[3]. Elle cite ce passage du *Livre du corps de policie* :

> Car tout ainsi comme le corps humain n'est mie entier [...] quant il lui fault aucun de ses membres, semblablement ne peut le corps de policie estre parfait [...] se tous les estas dont nous traictons ne sont en bonne conjonction et union ensemble, si qu'ilz puissent secourir et aidier l'un a l'autre, chascun excercitant l'office de quoy il doit servir, lesquelz divers offices ne sont a tout considerer establis et ne doivent servir ne mes pour la conservacion de tout ensemble[4].

---

[1] Voir la note 1, p. 267.

[2] *Op. cit.* Il s'agit à la fois d'un traité politique sur l'organisation de la société et d'un «Miroir du Prince» (modèle de comportement) dédié au jeune dauphin Louis de Guyenne (mort à 18 ans), mari de Marguerite de Bourgogne à qui est dédié le *Livre des trois Vertus*, qu'on peut caractériser comme un «Miroir des princesses» (les deux ouvrages, composés à peu près à la même époque, sont à mettre en parallèle).

[3] Chapitre intitulé «Christine de Pizan as a Defender of Women» dans *Christine de Pizan, a Casebook, op. cit.*, 2003, p. 81-100, p. 92 (nous traduisons).

[4] *Op. cit.*, p. 91, l. 16-23.

On retrouve les mêmes formulations que dans le passage correspondant de la *Cité des dames* (I, 11).

On ne trouvera donc dans la *Cité des dames* ou dans les *Trois Vertus* aucune dimension de révolte, aucune volonté de renverser ou même de transformer en profondeur l'ordre établi, mais un désir de donner aux femmes la possibilité de prendre toute la place qui leur revient dans la société de son temps et d'affirmer leur capacité à remplir des rôles jugés traditionnellement masculins.

Cependant il nous paraît tout à fait légitime de voir en Christine de Pizan une « féministe avant la lettre », ou, selon l'heureuse formule d'Andrea Valentini, une « féministe de la vague zéro[1] ». Oui, Christine de Pizan est féministe, aussi féministe qu'on pouvait l'être dans une société chrétienne du début du XVe siècle. Sa vision de la société n'est pas du tout la nôtre, et pour cause. Elle n'en a pas moins, en son temps, poussé très loin la réflexion sur la place des femmes dans l'histoire et dans la société, et renversé des préjugés vieux de plusieurs siècles. Certains passages de la *Cité* font écho de façon très forte à des préoccupations contemporaines[2] : lorsque Christine s'indigne « contre ceux qui disent que les femmes veulent être violées » (II, 44) et déclare juste et légitime une loi romaine condamnant à mort un homme coupable de viol[3] ; lorsqu'elle dénonce avec vigueur les violences faites à de nombreuses femmes par leurs maris[4] (II, 13 et II, 23 - « Ce sont des choses que l'on voit

---

[1] *Le Livre des epistres du debat sus le Rommant de la Rose, op. cit.*, introduction, p. 135-136. Idée reprise et développée dans *Des copistes entreprenants, op. cit.* Voir aussi une communication sur ce sujet faite par Anne Paupert et Andrea Valentini au Festival International des Écrits de Femmes (FIEF) le 8 octobre 2016, « Christine de Pizan était-elle féministe ? », *YouTube*, 2016 [en ligne].

[2] Anne Paupert en a fait l'expérience auprès de ses étudiantes et étudiants de master, qu'elle remercie pour les discussions très stimulantes qu'ils ont eues lors de séminaires sur Christine de Pizan et sur la *Cité des dames*, à Berlin en 2012, à Paris en 2013 et en 2022. Ils et elles étaient fort surpris de trouver des déclarations aussi fortes dans un texte écrit par une femme à une époque si éloignée, et très intéressés par les nombreuses comparaisons qu'ils ou elles ont pu faire avec des œuvres modernes.

[3] Sur ce passage et sur la question du viol au Moyen Âge, voir plus haut p. 55-56.

[4] Elle le fait déjà dans un assez long passage de la *Mutacion de Fortune* (*op. cit.*, v 5353-5370), où elle rapporte l'exemple d'un homme de bonne réputation qui frappa très violemment une femme sur un pont de Paris parce qu'elle refusait ses avances, sans que personne ne réagisse.

tous les jours, mais tout le monde n'y prête pas attention»); lorsqu'elle attaque les lettrés misogynes (I, 38)[1]; lorsqu'elle condamne ce que nous appellerions aujourd'hui le «double discours», quand les hommes excusent leurs propres faiblesses mais critiquent la faiblesse des femmes, même lorsqu'ils en sont eux-mêmes la cause (II, 47). On peut rappeler aussi ses vibrants plaidoyers pour l'accès des femmes à l'éducation, pour réhabiliter l'intelligence et les capacités des femmes.

On peut voir la Cité des dames comme une construction métaphorique qui a un contenu philosophique et politique. Il s'agit de prendre la défense des femmes contre leurs détracteurs, et d'affirmer les capacités des femmes, notamment dans le domaine politique. Mais on peut y entrevoir aussi le rêve d'une communauté féminine idéale, qui engloberait toutes les femmes «vertueuses» (non pas au sens étroit du terme, mais dans un sens large[2]) de tous les temps, avec l'idée d'entraîner ses contemporaines, mais aussi celles qui viendraient après, à s'engager elles aussi dans la vie de la cité, chacune selon sa place dans la société et selon ses capacités. Cette dimension communautaire, présente également dans le *Livre des trois Vertus*, nous semble particulièrement importante dans ce que Christine de Pizan a voulu désigner, par la bouche de dame Droiture, comme «un nouveau royaume de Féminie». Elle crée ainsi, dans une œuvre beaucoup plus ambitieuse que les simples «catalogues de femmes illustres» (à commencer par celui de Boccace), un «lieu de mémoire» pour toutes les femmes, selon la belle formule de Margarete Zimmermann:

> Ainsi, l'espace imaginaire de la *Cité des dames* permet aux femmes de dialoguer avec l'ensemble des femmes de toutes les époques de l'histoire et constitue une sorte d'archive, un vaste

---

[1] «Qu'ils se taisent donc, qu'ils se taisent, dorénavant, les clercs qui médisent des femmes, ceux qui en ont dit et qui en disent encore du mal dans leurs livres et dans leurs poèmes, ainsi que tous leurs complices et alliés! Qu'ils baissent les yeux de honte de tout ce qu'ils ont osé dire, en considérant la vérité, qui est contraire à leurs affirmations!». Elle rappelle ensuite l'exemple de Carmenta, qui a inventé l'alphabet latin.

[2] Selon le *DMF*, force de caractère, maîtrise de soi, énergie, courage; «qualité humaine, en particulier morale, portée à un haut degré; mérite»; ce n'est qu'à la fin que figure le sens restreint devenu le plus courant aujourd'hui: «vertu morale en tant que savoir de la bonne conduite morale».

lieu de mémoire où sont enregistrés et conservés les faits des
« grandes dames exemplaires[1] ».

Elle a aussi une dimension utopique[2], non pas au sens habituel du
terme depuis Thomas More - on ne saurait y voir la représentation
d'une société idéale avec son propre fonctionnement et son propre
gouvernement, et nulle part il n'est fait mention de la façon dont
vivraient les dames invitées à peupler la Cité - mais dans un autre
sens du mot, en donnant à voir une « conception idéaliste des
rapports entre l'homme et la société, qui s'oppose à la réalité
présente et travaille à sa modification[3] », figurée sous la forme de
l'espace idéal qu'est la cité imaginaire créée par Christine[4].

Les raisons ne manquent pas d'apprécier aujourd'hui encore le
Livre de la Cité des dames. En son temps, Christine de Pizan a déjà
eu l'audace de remettre en cause les représentations dominantes, y
compris lorsqu'elles étaient portées par les plus grands savants et
intellectuels de l'antiquité jusqu'à son époque. Elle reste donc à
juste titre un exemple pour les féministes d'aujourd'hui. Pour
toutes et tous, elle est remarquable par son courage et son indépen-
dance d'esprit. On peut lire ce livre pour son intérêt historique et
culturel, comme un témoin important de l'histoire de notre civilisation et de celles qui ont précédé, telles qu'elles étaient vues au
Moyen Âge et perçues par un autre regard, indéniablement féminin
- pour son époque tout comme pour la nôtre, elle déplace les

---

[1] M. Zimmermann, « Utopie et lieu de la mémoire féminine : *La Cité des Dames* », dans *Au champ des escriptures, op. cit.*, p. 561-578. Citation p. 571. Elle ajoute un peu plus loin : « Christine construit, avec sa cité « livresque », un immense lieu de mémoire, une manière d'archives de la culture féminine qui, jusqu'à nos jours, ne cesse d'influer sur les domaines de l'histoire, de la littéra- ture, de la philosophie, de la théologie, etc. Autrement dit : ce vaste lieu de mémoire que représente la Cité des Dames est la réponse de Christine face à la "mémoire perdue" de la culture gynécocentrique. » (p. 574-575).

[2] M. Zimmermann, *ibid.* Charity Cannon Willard emploie déjà cette expres- sion dans son livre (*Christine de Pizan : Her Life and Works, op. cit.* ; c'est le titre de son chapitre 7, « A feminine utopia »).

[3] C'est l'une des définitions proposées dans le *TLF*.

[4] M. Zimmermann fait appel à la notion de *Wunschraum* développée par Alfred Doren, un « espace idéal » qui permet « d'élargir l'emploi du terme d'utopie au Moyen Âge où existent des formes diverses de pensée utopique et d'imaginations spatiales traduisant des représentations qui transcendent la réalité » (*op. cit.*, p. 565).

perspectives. C'est enfin une œuvre littéraire du plus grand intérêt, si l'on considère le travail d'écriture : de la compilation à la réécriture, de la réécriture à une véritable recréation originale, dans une langue particulièrement riche et novatrice à bien des égards[1].

ANALYSE DU TEXTE
L'ARGUMENTAIRE DE LA *CITÉ DES DAMES*
ET LES EXEMPLES

L'argumentaire est présenté sous forme de plan, en indiquant pour les sous-parties les numéros des chapitres correspondants. Pour faire mieux apparaître la composition de la *Cité* et la façon dont les différents exemples sont rattachés aux étapes de l'argumentation, nous avons mis ceux-ci en italique.

Ière partie : RAISON
- Chapitres 1 à 7 : **introduction** (1 : Christine dans son étude, lecture de Mathéole, tristes pensées ; 2 : l'apparition des trois dames ; le discours de Raison, 2 à 4 ; de Droiture, 5 ; de Justice, 6 ; réponse de Christine, 7).

---

[1] Pour ce qui est du vocabulaire de Christine de Pizan, plusieurs commentateurs ont signalé sa richesse, et le goût de l'auteure pour les mots appartenant à différents registres linguistiques, tant savants que populaires (S. Delale, *op. cit.*, p. 577-587 ; F. Baider, «Christine de Pizan, femme de lettres, femme de mots», dans *Christine de Pizan. Une femme de science, une femme de lettres, op. cit.*, p. 271-288, qui la qualifie de «créatrice lexicale la plus prolixe du XVe siècle», p. 283 ; voir aussi R. Brown-Grant, «Christine de Pizan : A Feminist Linguist *Avant la Lettre ?*», dans *Christine de Pizan 2000, op. cit.*, p. 65-76). Cette richesse est remarquable dans la *Cité*. Pour n'en donner que quelques exemples, on y trouve des mots appartenant au vocabulaire philosophique, comme *intellectuel* (I, 9 : qui est doué d'intellect, d'intelligence ; mot encore rare à l'époque, selon le *DMF*, qui cite cet exemple avec un autre de Gerson), *chose publique* (I, 27) ; théologique : *signe*, employé dans un sens très précis et distingué de *miracle* (III, 6 et note) ; technique, qu'il s'agisse des termes relatifs au travail des textiles (I, 39) ou de l'art des ornemanistes et de l'enluminure (I, 41). Ce travail de précision du vocabulaire se poursuit d'une version à l'autre, comme on l'observera un peu plus loin pour les modifications apportées par le manuscrit P par rapport aux versions antérieures. On trouve aussi des hapax ou des mots rares, comme *braies* (au sens d'éléments de fortifications, I, 4) ; *aferans* (I, 9) ; *domistique* (I, 38) ; *fengias* (II, 3) ; *baronnesses* (II, 68) ; *passionable* (III, 10) ; *argus* (III, 15).

1. «Au champ des Lettres»: «Creuser la terre pour faire les fondations» (ch. 8 à 14)

Questions de Christine / réponses de Raison (titre de 9: «Comment Christine creusait la terre, c'est-à-dire les questions qu'elle posait à Raison et comment celle-ci lui répondait»). Pourquoi toutes ces médisances contre les femmes?

- 8: des causes diverses, selon les auteurs (bonnes intentions pour certains: préserver les hommes de la luxure - mauvaise méthode, dit Raison; pour d'autres, «vieillard(s) concupiscent(s) et mal-honnête(s)» comme Matheolus; jalousie; médisants de nature).
- 9: cas d'Ovide, de Cecco d'Ascoli, du *Secret des femmes*; que penser de l'argument du corps féminin imparfait? Réponse: la création d'Ève. Caton: «si ce monde était sans femmes, nous vivrions avec les dieux»; réponse: importance des femmes dans le salut des hommes (Ève et Marie).
- 10: Raison réfute d'autres opinions misogynes: la femme est une rose avec des épines; les femmes sont gourmandes par nature; les femmes vont à l'église bien parées pour séduire les hommes; les femmes sont faibles d'esprit comme les enfants; commentaire du proverbe «Parler, pleurer et filer, c'est ce que Dieu donna aux femmes»: Raison réhabilite les larmes des femmes (exemple d'Augustin); puis la parole des femmes (exemples tirés des Évangiles: l'annonce de la résurrection à Madeleine, du Christ et de la Cananéenne, de la Samaritaine, d'une autre femme qui parla au Christ); Raison fait en une phrase l'éloge du filage.
- 11: pourquoi «les femmes ne peuvent pas plaider devant les tribunaux, ni instruire des procès, ni rendre des jugements». Longue réponse de Raison: cela se justifie du point de vue de l'organisation sociale; mais par ailleurs, elles ont tout comme les hommes la capacité d'apprendre le droit; elle conclut: «si l'on voulait affirmer qu'elles n'ont pas de dispositions naturelles en matière de politique et de gouvernement, je te donnerai l'exemple de beaucoup de **grandes femmes qui ont exercé le pouvoir** dans le passé».
  - 12: exemple de l'«*impératrice Nicole*» (autre nom de la Reine de Saba)
  - 13: exemples de *la reine Frédégonde* et de quelques autres «princesses et reines de France», des veuves qui ont

gouverné : *la reine Blanche*, mère de saint Louis ; et plusieurs contemporaines de Christine, qu'elle énumère et dont elle loue les actions. Il en existe beaucoup d'autres, de toutes conditions. Si leurs maris leur faisaient confiance, ce serait tout à leur avantage. Raison conclut en revenant à la question posée au ch. 11 : si les femmes habituellement ne participent pas à la justice, cela leur épargne des souffrances.

– 14 : échange entre Christine et Raison, à propos de la faiblesse du corps des femmes ; Raison : un défaut physique peut être contrebalancé par une plus grande force morale (exemples de la laideur d'Aristote, d'Alexandre). Les femmes sont d'autant moins portées au mal. Elles sont cependant capables d'autant de courage, de force et de hardiesse que les hommes, comme Raison va le prouver par des exemples.

La terre a été déblayée, un grand fossé a été creusé, il est temps de poser les pierres.

2. « Les grandes et belles pierres des soubassements » : femmes de pouvoir et guerrières (ch. 15 à 26)

- 15 : la première pierre : *Sémiramis*
- 16 à 19 : *les Amazones* (17 : *Thomyris,* reine des Amazones ; 18 : Hercule et Thésée abattus par *Ménalippe et Hippolyte* ; 19 : la reine *Penthésilée* ; conclusion sur le royaume des Amazones)
- 20 : *Zénobie*, reine de Palmyre
- 21 : la noble reine *Artémise* (femme de Mausole, reine de Carie - Rhodes)
- 22 : *Lilie*, mère du chevalier Théodoric
- 23 : *la reine Frédégonde (2)*
- 24 : *Camille*
- 25 : *Bérénice, reine de Cappadoce*
- 26 : « l'intrépide *Clélie* »

3. Les « femmes de profonde science »

– 27 : après ces exemples de femmes fortes, nouvelle question de Christine : qu'en est-il des capacités intellectuelles des femmes ? Exemples de **femmes célèbres pour leur intelligence, ch. 28 à 32.**

- 28 : *Cornificia*
- 29 : *Probe la Romaine*
- 30 : *Sappho*
- 31 : la vierge *Manthoa*
- 32 : *Médée* et *Circé*
– 33 : question - réponse : **des femmes créatrices de nouvelles sciences, ch. 33 à 38.**
  - 33 : *Carmenta* (ou *Nicostrate*)
  - 34 : *Minerve*
  - 35 : « la reine *Cérès* »
  - 36 : *Isis*
– 37-38 : tout ce que les femmes ont apporté au monde (retour sur les exemples précédents)
  Autres « inventerresses » : 39 à 42.
  - 39 : *Arachné* (travail de la laine, tapisserie, lin)
  - 40 : *Pamphile* (travail de la soie)
  - 41 : les femmes peintres : *Timarète, Irène, Marcia la Romaine* ; une contemporaine de Christine : *Anastaise*
  - 42 : *Sempronie*
– 43 : Nouvelle question : **l'esprit féminin doué de discernement et de jugement** ? Ch. 44 : longue citation du *Livre des Proverbes*, l'éloge de la « femme forte ».
  Exemples : ch. 45 à 48.
  - 45 : *Gaia Cecilia*
  - 46 : *Didon*, 1 (« le jugement et la sagesse de la reine Didon »)
  - 47 : *Ops*, reine de Crète
  - 48 : *Lavinie*, fille du roi Latinus.

IIème partie : DROITURE

1. « Construire les édifices »
Femmes douées de l'esprit de prophétie (ch. 2 à 6) : les Sibylles et autres prophétesses.
- 1 : *les 10 sibylles*
- 2 : *la sibylle Érythrée*
- 3 : *la sibylle Amalthée*
- 4 : « *plusieurs autres prophétesses* »
- 5 : *Nicostrate, Cassandre* et *la reine Basine*

- 6: *l'impératrice Antonie*
- 7, question : pourquoi les parents se réjouissent-ils plus de la naissance d'un garçon ? Réponse, et exemples de **femmes remarquables par leur amour pour leurs parents** (8 à 11).
  - 8 : *Dripetrua*
  - 9 : *Hypsipyle*
  - 10 : *la vierge Claudine*
  - 11 : *une femme qui allaita sa mère dans sa prison*

2. La construction est achevée, il faut maintenant **peupler ce «nouveau royaume de Féminie»** (12)
- 13, question : qu'en est-il des attaques contre le mariage ? Réponse : les femmes n'ont pas écrit les livres.

Exemples de **femmes remarquables par leur amour et leur loyauté envers leur époux (14 à 18)**
  - 14 : *la reine Hypsicratea*, épouse de Mithridate
  - 15 : *l'impératrice Triaria*
  - 16 : *la reine Artémise, 2*
  - 17 : *Argie*, fille du roi Adraste
  - 18 : *Agrippine*, femme de Germanicus
- 19 : imprécation de Christine contre Mathéole. **Nouveaux exemples d'épouses exemplaires (19 à 24)**
  - 19 : *Julie*, fille de Jules César et épouse de Pompée
  - 20 : *Tertia Aemilia*
  - 21 : *Xanthippe, femme de Socrate*
  - 22 : *Pompeia Paulina, femme de Sénèque*
  - 23 : *Sulpicia*
  - 24 : *Les filles des Minyens* qui sauvèrent leurs époux de la mort
- 25 : question de Christine, **contre ceux qui disent que les femmes ne savent pas garder un secret**; exemple de *Porcia, fille de Caton.* Autres exemples :
  - 26 : *Curia*
  - 27 : *une femme anonyme* du temps de Néron
- 28 : question de Christine : idée que **l'homme qui suit les avis de sa femme est méprisable**; quelques exemples du contraire :
  - 28 : Porcia, femme de Brutus (rappel); l'épouse de Jules César; *Cornélie* (5e épouse de Pompée); *Andromaque*, femme d'Hector.

- • 29 : *Antonina*, femme de Bélisaire ; *la femme d'Alexandre*, fille de Darius.
- – 30 : **les grands biens que les femmes ont faits dans le monde** ; exemples bibliques : la Vierge Marie, la femme qui sauva Moïse.

Exemples de **femmes qui mirent fin à des guerres** destructrices :

- • 31 : *Judith*
- • 32 : *Esther*
- • 33 : *les Sabines*
- • 34 : *Veturia, noble Romaine*
- – 35 : *la reine de France Clotilde* : «**bienfaits apportés par les femmes dans le domaine spirituel**» ; exemples de femmes ayant assisté les saints et martyrs.
- – 36 : **contre ceux qui disent qu'il n'est pas bon que les femmes fassent des études** - exemples d'*Hortense* (Romaine, fille de l'orateur Hortensius), de *Novella* (fille de Giovanni Andrea, légiste de Bologne), de *Christine* elle-même.
- – 37 : **contre l'idée selon laquelle il y a peu de femmes chastes.** Exemple de *Suzanne*.

Autres exemples de chasteté et de bonté :

- • 38 : *Sarah*
- • 39 : *Rébecca*
- • 40 : *Ruth*
- • 41 : *Pénélope*
- • 42 : *Mariamne*, épouse du roi des Juifs Hérode Antipater
- • 43 : *Antonia*, femme de Drusus Tibère
- – 44 : **contre l'idée que les femmes aiment être violées.** Exemple de *Lucrèce*. Autres exemples :
- • 45 : *la reine de Galatie*
- • 46 : la grecque *Hippo* ; *les femmes sicambres* ; *Virginie*, noble Romaine ; *les filles d'un seigneur de Lombardie*.
- – 47 : **contre l'idée de l'inconstance des femmes** ; réfutation, **exemples de grands hommes inconstants et mauvais** ; exemples d'empereurs romains : *Claude*, Tibère.
- • 48 : *Néron*
- • 49 : *Galba* ; *Othon* et *Vitellius* ; papes et hommes d'Église. Il y a eu aussi des femmes perverses (Athalie, Jézabel, Brunehaut), mais pas autant que certains hommes (Judas ;

les Juifs qui tuèrent le Christ et des prophètes; Julien l'Apostat; Denys de Sicile)
- **Quelques femmes très fortes, histoires exemplaires**:
  - 50: *Grisélidis* ou la force de caractère
  - 51: *Florence de Rome*
  - 52: *la femme de Bernabo le Génois*
- 53, question: pourquoi les dames de valeur n'ont-elles pas réfuté les livres des médisants? Réponse de Droiture.
- 54: **contre l'idée qu'il y a très peu de femmes fidèles en amour**; réponse de Droiture, contre Ovide et d'autres auteurs. Exemples de femmes fidèles dans leur amour jusqu'à la mort:
  - 55: *Didon, 2*
  - 56: *Médée, 2*
  - 57: *Thisbé* (et Pyrame)
  - 58: *Héro* (et Léandre)
  - 59: *Gismonde, fille du prince de Salerne*
  - 60: histoire d'*Élisabeth*; mention de quelques autres héroïnes de fiction (histoire du «cœur mangé» chez Boccace et dans l'histoire de la dame de Fayel et du châtelain de Couci; la châtelaine de Vergi; Iseut et Tristan; Déjanire et Hercule...); mise en garde contre «la mer très périlleuse et condamnable de la passion».
- 61: pour finir, autres **femmes «très célèbres en raison d'événements fortuits et singuliers** plus que pour leurs grandes vertus»; *Junon, Europe, Jocaste, Méduse, Hélène, Polyxène.*
- 62: **contre le reproche de coquetterie**.
  - 63: *Claudia la Romaine* (une femme coquette, mais chaste)
  Exemples de **femmes aimées pour leurs vertus plus que pour leurs charmes**:
  - 64: *Lucrèce, 2*
  - 65: *Blanche de Castille*, mère de Saint Louis
- ch. 66: **contre le reproche d'avarice**, exemples de femmes remarquables par leur grande générosité: exemples connus de Christine, dames romaines; autres exemples:
  - 67: *Busa* (ou Pauline); *Marguerite, dame de La Rivière* (contemporaine de Christine)
- 68: **princesses et dames de France** qui mériteraient d'entrer dans la Cité: Isabelle de Bavière, Jeanne de Berry, Valentine

Visconti, duchesse d'Orléans, Marguerite de Bourgogne, Marie de Clermont, etc... (contemporaines de Christine).
– 69 : fin de cette partie, adresse à toutes les femmes.

IIIème partie : JUSTICE

Pour parachever la Cité : la Vierge Marie et les saintes.
– 1 : Justice amène la Reine des Cieux, qu'elle salue et invite à demeurer dans la Cité ; réponse de la Vierge, qui accepte.
Justice présente les différentes saintes qu'elle fait entrer avec la Vierge dans la Cité :
• 2 : *les saintes femmes* et *Marie-Madeleine*.
Des vierges martyres :
• 3 : *sainte Catherine*
• 4 : *sainte Marguerite*
• 5 : *sainte Luce*
• 6 : *la bienheureuse vierge Martine*
• 7 : *sainte Lucie* et autres vierges : *sainte Benoîte, sainte Fauste*.
• 8 : *sainte Justine* et autres vierges : *Eulalie, sainte Macre, sainte Foy, Marcienne, sainte Euphémie*.
• 9 : *Théodosie, sainte Barbe* et *sainte Dorothée* (et d'autres encore)
• 10 : *sainte Christine*
– 11 : des mères - plusieurs femmes qui virent le martyre de leurs propres enfants : *Félicité, Julitte, Blandine*.
Deux saintes travesties (mais pas martyres ; une autre forme de refus de la norme) :
• 12 : *sainte Marine*
• 13 : *la bienheureuse Euphrosine*
D'autres saintes femmes :
• 14 : *sainte Anastasie*
• 15 : *la bienheureuse Théodote*
• 16 : *sainte Nathalie*
• 17 : *sainte Affre*, prostituée qui se convertit
– 18 : des femmes qui aidèrent les apôtres ou d'autres saints ; exemple de *Drusiane* ; quelques autres noms (Suzanne, Maximile, Éphigénie, une amie de saint Paul) ; *Hélène, reine d'Adiabène, Plautille, Basilice*.
– 19 : **conclusion, Christine s'adresse à toutes les dames**.

CHOIX DU MANUSCRIT

Le choix du manuscrit de base et des manuscrits de contrôle

Parmi les manuscrits existants, les spécialistes s'accordent aujourd'hui sur l'existence de huit manuscrits originaux, c'est-à-dire recopiés du vivant de l'auteure et sous sa supervision. La liste ci-dessous les présente dans l'ordre chronologique[1] :

1. Paris, BnF, français 24293
2. Paris, Bibl. de l'Arsenal, 2686
3. Paris, BnF, français 1179
4. Bruxelles, KBR, 9393
5. Paris, BnF, français 607, dit « manuscrit du Duc »
6. Le fragment de Leyde, Universiteitsbibliotheek, LtK 1819 (un seul feuillet rogné)
7. Londres, Harley 4431, dit « manuscrit de la Reine »
8. Paris, BnF, français 1178

Selon l'analyse de Monika Lange, reprise et développée ensuite par Andrea Valentini, le texte aurait connu deux versions, *V1* et *V2*[2]. Outre des changements linguistiques étudiés en détail par ce dernier et visant à obtenir une langue à la fois plus soutenue

---

[1] Nous reproduisons ici la liste établie par C. Reno, « Les manuscrits originaux de la *Cité des Dames* de Christine de Pizan », *L'écrit et le manuscrit à la fin du Moyen Âge*, dir. T. Van Hemelryck et C. Van Hoorebeeck, Turnhout, Brepols, 2005, « Texte, Codex et Contexte » I, p. 267-276, et *Album Christine de Pizan*, p. 517. Elle est reprise sans changements par A. Valentini, qui les désigne par des sigles (absents dans l'article de C. Reno et dans l'*Album*, déjà utilisés par certains éditeurs, à l'exception de M. Curnow qui a utilisé un autre système qui lui est propre) ; voir A. Valentini, « La tradition manuscrite du *Livre de la Cité des dames* », *op. cit.*, p. 394-445 ; et *Des copistes entreprenants, op. cit.*

M. Lange avait déjà identifié les 7 ms. originaux, moins le fragment, en donnant un ordre de composition un peu différent. Elle a édité le ms. Harley, avec les variantes du ms. de l'Arsenal. M. Curnow a édité le ms. du Duc, avec un choix de variantes d'après les ms. Harley et le ms. de Bruxelles. E. J. Richards a édité le ms. Harley, avec des corrections occasionnelles et un choix de variantes des ms. de l'Arsenal, du Duc et de notre ms. BnF 1178.

[2] Cette hypothèse de M. Lange a été reprise notamment par C. Reno, et plus récemment et de façon plus développée, par A. Valentini. Voir *l'Album Christine de Pizan*, p. 552 ; A. Valentini, *Des copistes entreprenants*, p. 10-11. Selon lui la *V2* daterait sans doute de 1406-1407.

et plus archaïsante[1], le remaniement consiste à changer de place certains chapitres : celui sur Artémise devient le vingt-et-unième de la partie I alors qu'il occupait la vingt-cinquième place dans la première version ; celui sur Camille, le vingt-troisième de cette même partie devient le vingt-quatrième. Christine ajoute également certains chapitres : Antonia devient l'héroïne d'un deuxième *exemplum* (II, 43) ; le chapitre sur les femmes loyales (II, 53) est doublé par le chapitre 54. Plusieurs chapitres de la partie II se trouvent alors numérotés différemment, et c'est donc dans cette partie que se trouvent les changements les plus notables. Enfin, l'œuvre se conclut par une courte recommandation des lectrices à Dieu qui n'existe pas dans la *V1*. En résumé, la *V2* donne un texte plus long et dont l'organisation change suffisamment pour que l'on puisse observer que Christine a cherché à l'améliorer.

Il existe cinq manuscrits originaux de cette version ainsi remaniée. Monika Lange ainsi que Christine Reno ont montré que le manuscrit BnF, fr. 1179 est le premier témoin de la *V2*, ce que confirme Andrea Valentini dans un article important[2]. Les quatre autres manuscrits proposent un texte très homogène. Il s'agit du manuscrit de la Bibliothèque Royale de Bruxelles KBR, 9393 (désigné ensuite par la lettre B), du manuscrit Paris, BnF, fr. 607 (ou manuscrit du Duc, D), du « Manuscrit de la Reine », comme on appelle le recueil richement orné présenté par Christine à Isabelle de Bavière en 1414, soit le manuscrit Londres, BL, Harley 4431 (R), et pour finir, du manuscrit Paris, BnF, fr. 1178 (P). Ils sont décrits avec minutie par les auteurs de l'*Album Christine de Pizan*[3] ; nous renvoyons le lecteur curieux des détails matériels à cette étude précieuse. En quelques mots, cependant : ils ont en commun d'être en parchemin et de proposer les trois mêmes miniatures dont quelques détails permettent de les différencier. Dans B, D et R, la première image court sur les deux colonnes qui composent la page et elle occupe un peu moins de la moitié de la page. Les deux autres sont réduites à une colonne seulement. P se différencie sur ce point.

---

[1] *Ibid.*, p. 37-82.

[2] M. Lange, *op. cit.* p. LX-LXV ; *Album Christine de Pizan*, p. 517-525 : A. Valentini, « La tradition manuscrite », *op. cit.*

[3] *Album Christine de Pizan*, p. 286-292, p. 333-343, p. 551-564.

- B ne contient que la *Cité des dames*. Il a appartenu au duc de Bourgogne, Jean sans Peur et il est resté dans la bibliothèque de ses descendants. Il mesure 363 mm sur 264 mm.
- D faisait initialement partie d'un recueil connu sous le nom de «Manuscrit du Duc» dont il constitue le cinquième volume. Très certainement conçu pour Louis d'Orléans, il a été acheté par Jean de Berry après l'assassinat du duc par Jean sans Peur. Il est légèrement plus petit que B (345 x 259 mm).
- R est également un recueil prestigieux, offert à la reine de France; la *Cité* est contenue dans le volume 2. C'est le plus grand de nos quatre manuscrits (366 x 280 mm).
- P est un manuscrit monotexte dont on ignore le premier possesseur. Selon les auteurs de l'*Album Christine*, il est conservé dans la Bibliothèque Royale à partir de la fin du XVIe siècle. Il est plus petit que les autres (301,5 x 214, 5 mm) et toutes ses images occupent les deux colonnes, sur un peu plus de la moitié de la page, de sorte que Christine et ses artistes semblent avoir accordé plus de place à l'iconographie dans ce manuscrit. Le texte a été corrigé par la main P et par Christine elle-même. Il est orné par des bordures à vignetures et une lettrine colorée en bleu (fol. 3^r et 135^r) ou rouge (fol. 64^v) et ornée à vignetures sur fond or au début de chaque partie, et par une lettre dorée champie[1] de deux ou trois lignes au début de chaque chapitre. Les pieds-de-mouche sont finement tracés à l'encre brune et rehaussés à la feuille d'or sur un fond alternativement bleu ou rose, le centre étant de la couleur inverse. Tous ces éléments, qui relèvent de la mise en livre, ajoutés à la décoration très riche (lettrines, vignetures et enluminures), indiquent le soin particulier pris par l'auteure à la réalisation du manuscrit, faite sous sa supervision[2].

Notre choix d'utiliser P comme manuscrit de base de notre édition repose sur deux critères. D'une part, il est inédit: Maureen Curnow a édité D, Monika Lange et Earl Jeffrey Richards ont tous deux opté pour R. Mais surtout, nous nous sommes appuyées sur le classement chronologique des manuscrits proposés par M. Lange.

---

[1] Une initiale «champie» est une lettre ornée, le plus souvent dorée, sur un fond de couleur (le champ) et décorée en son centre de végétaux ou de motifs filiformes, comme c'est le cas dans P.

[2] S. Delale, *op. cit.*, p. 232.

Selon elle, le plus ancien des quatre manuscrits qui nous intéressent est B, suivi de près par D, puis viennent R et P, avec une incertitude sur l'ordre des deux derniers. Pour sa part, Christine Reno est arrivée à la conclusion que P serait le manuscrit le plus récent[1]. L'étude récente d'Andrea Valentini, dont nous n'avions pas connaissance au début de notre travail, confirme très nettement cette chronologie, et valide notre choix d'éditer P avec les variantes significatives de B, D et R[2]. Les manuscrits B et D dateraient de 1408, R a été daté par James Laidlaw de 1413-1414, P serait contemporain de R mais il lui serait très légèrement postérieur.

Nous avons donc choisi d'éditer le manuscrit le plus récent de la deuxième version, qui représente le dernier état du texte élaboré sous la supervision de l'auteure[3]. Nous indiquons en note les variantes significatives des trois autres manuscrits, B, D et R[4]. Une édition génétique complète devrait également prendre en compte le manuscrit BnF, fr. 1179 que nous laissons de côté en ce qu'il peut être considéré comme une version intermédiaire entre la *V1* et la *V2*[5]. Nous suivons sur ce point les conclusions d'Andrea Valentini qui considère qu'une édition prenant en compte ce manuscrit devrait contenir un apparat génétique[6] et donc une étude très poussée des étapes d'écriture du texte. Ce travail est à faire et ne peut être réalisé que par une équipe de spécialistes de la langue et des manuscrits. Notre édition répond à un objectif plus modeste, mettre à disposition du lecteur le texte de la *Cité des dames* et

---

[1] G. Ouy et C. Reno, « Identification des autographes de Christine de Pizan » ; C. Reno, « Les manuscrits originaux », *op. cit.* ; et *Album Christine de Pizan*, p. 524-525.

[2] *Des copistes entreprenants*, p. 13-14.

[3] Voir la conclusion de J. Laidlaw à son article « An author's progress », après qu'il a expliqué la façon dont Christine travaille et corrige sans cesse les manuscrits de ses œuvres : « It is essential that critical editions of the works of Christine de Pizan be based on the latest version known to have been copied under her supervision. » (*op. cit.*, p. 550).

[4] C'est aussi ce que recommande A. Valentini, « La tradition manuscrite », *op. cit.*, p. 429.

[5] C'est une des hypothèses d'A. Valentini dans son article, *ibid.*, p. 413 et 426. Le fait que le manuscrit ne contient qu'une miniature, réalisée par le Maître de la Cité des dames, pourrait confirmer l'antériorité de ce manuscrit, le programme iconographique n'étant peut-être pas abouti au moment de sa réalisation.

[6] *Ibid.*, p. 429.

donner un court aperçu de l'évolution du texte de la *V2*. Tout à fait conscientes qu'une étude linguistique approfondie de ces variantes serait à réaliser, nous avons uniquement sélectionné les changements syntaxiques et lexicaux qui touchent le sens de la phrase. Il est difficile de savoir quand ces changements sont le fait du copiste, mais sachant que Christine de Pizan relisait ses manuscrits et n'hésitait pas à gratter les passages erronés et à les corriger, nous pouvons lui en attribuer la responsabilité.

LE MANUSCRIT P

Nos relevés ont confirmé les remarques de M. Lange, C. Reno et A. Valentini. Deux groupes se distinguent : d'un côté, B et D ; de l'autre R et P[1]. Une autre tendance se dessine qui isole le manuscrit B par rapport aux trois autres, ce qui prouverait la légère antériorité de B par rapport à D : entre autres exemples, en I, 5, B est le seul à proposer « J'empeche la puissance et rigueur » à la place de « J'empeche la puissance et la vigueur » ; en I, 11, « force d'armes » devient « puissance d'armes » ; dans le titre de I, 30, Sapho « la tres noble femme » est dans les autres manuscrits « la tres soubtille femme » ; en II, 28, c'est tout un morceau de phrase qui manque dans B : « Et pour ce qu'en ce propos sommes entrez, te dirai de plusieurs a qui semblablement en est mal avenu pour non les croire ». Des corrections ont visiblement été apportées par Christine entre B et D et elles ont été maintenues dans les autres manuscrits. Si l'hypothèse d'une quasi-contemporanéité n'est pas infirmée par ce relevé, l'écrivaine semble cependant avoir pris le temps de relire avec attention le manuscrit qu'elle destinait au duc de Bourgogne pour améliorer son texte à l'aide de termes et d'expressions plus précises, dans la copie de l'exemplaire destiné à Louis d'Orléans. Cette version ainsi établie aurait servi de modèle par la suite.

Néanmoins, il ne faut pas en conclure que le « manuscrit du Duc » offre un texte plus parfait : des variantes propres à D se rencontrent, groupées à des endroits précis, visiblement liées à un

---

[1] Voir par exemple, I, 9 : « elle devoit estre coste lui » dans R et P, « elle devoit estre coste lui comme compaigne » dans B et D ; I, 43 : « revertissent en malice » dans R et P, « revertissent en mal » dans B et D ; ou encore dans le titre de II, 33 : « Des dames de Sabine qui mistrent paix entre leurs amis » dans R et P et « Des dames de Sabines » dans B et D.

manque d'attention du scribe, peut-être tenu de finir rapidement
sa tâche. Ainsi, dans I, ces erreurs se concentrent dans les
chapitres 33-38 et 43-46 : « la cité et usaige » au lieu de « la
science et usage » ainsi que « comme bestes a vivre » plutôt que
« comme bestes a vivre de glans » dans I, 35 ou un saut du même
au même dans I, 37, « de eulx congnoistre a nature humaine »
alors que les autres manuscrits donnent « de eulx, et par responces
que ilz donnent les uns aux autres, eulx entrecongnoistre ». Le
livre III comporte aussi un certain nombre de leçons propres à D,
mais hormis dans le cas du chapitre XIII (« donnee de Dieu » au
lieu de « donnee de Dieu par oroison » et « il ne congnut le pere »
plutôt que « il ne congneut, mais la fille bien recongneut le pere »),
ces variantes ne constituent pas des erreurs de copie mais des
choix grammaticaux différents (présence ou absence de pronom
personnel sujet devant le verbe principalement).

De même, la table des rubriques de la partie II présente un
décalage de chapitre dans D : le numéro 42 est omis, ce qui induit le
saut d'un chapitre dans la numérotation. Mais le fait que cette erreur
n'ait pas été corrigée n'est pas forcément un signe de négligence
lors de la relecture du manuscrit de la part de Christine. La table des
rubriques de B contient soixante-huit chapitres, celle de D, R et P,
soixante-neuf. Il semble bien que ce décalage offre une place pour
un chapitre supplémentaire, pas encore inséré dans D mais bien
présent dans R et P : le chapitre 53 « Item demande Cristine a
Droiture se c'est voir ce que plusieurs hommes dient, que si pou soit
de femmes loiales en la vie amoureuse ; et la responce de Droiture ».
À la suite de ce chapitre, les tables des rubriques de D, R et P
suivent le même ordre, alors que B propose un ordre différent pour
les chapitres concernant l'attrait des hommes pour les *jolivetez* des
femmes, Claudine et Junon (chapitres 60, 61 et 62). Dans les trois
autres manuscrits, l'ordre est Junon, l'attrait des hommes et
Claudine (chapitres 61, 62 et 63). Ces changements sont le signe
d'une évolution de l'organisation du texte qui confirme l'antériorité
de B et donne à D le statut d'une étape intermédiaire vers un état
définitif du plan de la partie II, celui des manuscrits R et P. La proximité de ces deux derniers manuscrits est également confirmée par
la table des rubriques de la partie III : elle est fautive dans ces deux
manuscrits, deux chapitres, le 11 et le 12 étant omis alors qu'ils sont
présents dans le texte. Est-ce que cette erreur vient du fait que les

manuscrits B et D, qui auraient pu servir de modèles pour la copie d'un des deux, ont une table des rubriques sans numérotation des chapitres ? Toujours est-il que R et P contiennent la même erreur, ce qui peut signifier qu'ils ont été copiés à peu près à la même période, ou du moins que l'un a servi de modèle à l'autre[1].

L'examen des textes témoigne également de l'originalité des variantes de P par rapport aux trois autres manuscrits, bien plus nombreuses que celles qui singularisent R[2]. En modifiant certains termes ou formulations, Christine semble poursuivre deux objectifs, employer un vocabulaire plus précis et obtenir une expression plus ramassée, moins ornée.

Les modifications lexicales ne concernent que quelques termes. L'emploi du mot *fantasme* au chapitre 2 du livre I témoigne particulièrement bien de la recherche de précision de Christine, de manuscrit en manuscrit. La forme *fantosme* est utilisée dans B et D. Elle est remplacée par *fantaisie* dans R, qui désigne toujours une apparition fantastique mais insiste aussi sur l'action de l'imagination. P propose *fantasme*, qui est une forme de *fantosme* mais qui associe peut-être davantage l'idée d'apparition surnaturelle à celle d'illusion des sens. Plus proche de sa forme étymologique, plus rare selon le *DMF* et d'un emploi plus tardif si on se fie au relevé des occurrences de cet outil de référence, ce mot contribue à introduire dans le texte un lexique plus savant et plus moderne. C'est le cas également de l'emploi du mot *cartuler* en I, 19, au lieu de *calculer* dans les autres manuscrits, mot rare (une seule attestation dans le *DMF*, qui renvoie au dictionnaire de Godefroy, avec le sens d'« inscrire au

---

[1] Voir annexe. *Album Christine de Pizan*, p. 519-521 et 526-529. L'*Album Christine* voit ces différences comme des erreurs témoignant de la répartition des tâches dans l'atelier. Andrea Valentini les interprète comme le signe d'une évolution du texte (*Des copistes entreprenants*, p. 142-143). Pour lui, B et D portent les traces de l'organisation de la *V1*, ce qui montrerait que les copies se faisaient à partir de manuscrits de la *V1* dont les tables des rubriques seraient différentes ou que Christine a modifié la table des rubriques de D en cours de copie. Nous penchons pour cette seconde hypothèse.

[2] À noter la modification du titre de I, 18 dans R qui insiste sur la valeur des guerrières amazones vaincues par Hercule et Thésée, ajout intéressant dans un manuscrit destiné à une femme : « Comment le fort Hercules et Theseus son compaignion vindrent de Grece a grant navire sur les Amazones. Et comment les II pucelles Manalippe et Ypolite les abatirent chevaulx et tout en un mont, *et comment a la fin les II chevaliers orent victoire sur les II pucelles, nonobstant la grant force dont elles estoient* » (nous soulignons).

cartulaire »), plus technique, qui, dans le contexte, induit le calcul et l'acte de consigner précisément le temps historique. *Droit* remplace deux fois *loi* dans le chapitre 36 de la partie II. Dans ce chapitre consacré à la capacité des femmes à suivre des études, le fait que la science dans laquelle excellait Novella soit plus exactement nommée renforce la démonstration de Christine.

Au chapitre 9 de la première partie qui traite de la création de l'être humain et de la valeur de l'âme des femmes, cette même recherche d'exactitude, cette fois sur le plan théologique, se double d'une volonté d'éviter une répétition : le mot *corps* employé trois fois à la suite est gardé dans l'expression *corps materiel*, mais *corps humain* est par la suite remplacé par *char humaine*[1], qui s'oppose plus matériellement à *ame* qui suit ; et *en corps femenin comme ou masculin* est supprimé au profit de l'expression globale *en femme comme en homme*.

Dans l'ensemble de son texte, Christine vise une expression plus ramassée et pour cela, elle supprime des adverbes, réduit les groupes d'adjectifs ou coupe des propositions. Ainsi, au chapitre sur Grisélidis (II, 50), « mais de rechef voult le marquis » devient « Volt le marchis » ; « je te restitue ton meuble et voycy ta robe dont je me despoulle et si je te restitue l'anel » se transforme en « je te restitue l'anel », ce qui pourrait être interprété comme un saut du même au même mais qui nous semble plutôt correspondre à un choix d'éviter une répétition et de synthétiser le propos ; en II, 57, « que il meismes s'occist » est remplacé par « que il s'occist ». Ailleurs, le nom du personnage n'est pas répété pour se limiter à une désignation suffisamment claire pour éviter toute équivoque : « sa sage et bonne femme Cornille » devient « sa sage et bonne femme » (II, 28) ; « Lorsque le dit Alexandre senti » est réduit en « Lorsque le roi senti ».

Ces évolutions du texte et le fait qu'elles sont propres à notre manuscrit tendent à confirmer l'hypothèse selon laquelle P est le dernier manuscrit de la *Cité des dames* copié par l'atelier de Christine. Cet assèchement du style, au détriment parfois de la dramatisation du récit, comme c'est le cas dans l'exemple tiré de

---

[1] Sur la différence entre *corps* et *char* dans la littérature didactique, voir K. Ueltschi, « La chair et le corps : de la morale à la science », dans *Le Corps et ses énigmes au Moyen Âge*, dir. B. Ribémont, Caen, Paradigme, 1993, p. 221-232.

l'histoire de Grisélidis où la réécriture rend le discours de l'héroïne moins poignant, est caractéristique de l'évolution du style de l'écrivaine dans ses dernières œuvres. Le *Livre de paix*, par exemple, ne cherche plus à séduire les princes ; il vise avant tout l'efficacité du propos face à une situation politique catastrophique. De même, l'*Epistre de la prison de vie humaine* et les *Heures de contemplacion de la Passion Nostre-Dame* recherchent l'élévation spirituelle du lecteur par la justesse du mot et la concision de l'expression. Ces remarques, qui mériteraient d'être complétées par une étude linguistique complète des variantes de la *V2*, confirment la datation proposée par Gabriella Parussa et Andrea Valentini de 1413-1416, avec une préférence pour les deux dernières années de cette période en ce qui nous concerne[1].

Est-ce par un désir personnel de faire évoluer son style que Christine de Pizan a ainsi modifié son texte par petites touches ? Ou bien est-ce pour convenir à un destinataire plus instruit, qui goûterait une certaine âpreté stylistique plutôt qu'il ne serait séduit par les ornements que sont la multiplication des adjectifs et des propositions ? En l'absence de documents d'archives qui expliqueraient comment le manuscrit s'est retrouvé dans la bibliothèque du roi de France deux siècles après sa fabrication, sans marque permettant une identification, l'identité du premier propriétaire restera sans doute une énigme et toute tentative de la résoudre une simple hypothèse. Un élément de réponse pourrait cependant venir des illustrations.

Comme nous l'avons vu, le programme iconographique est identique pour les manuscrits de la version 2, c'est-à-dire pour ceux qui ont été illustrés par le Maître de la Cité des dames et son atelier (B, D, R, P). Pourtant, P se distingue de la série par sa troisième image. Dans tous les manuscrits, Christine est très reconnaissable parmi les femmes regroupées derrière Justice pour accueillir la Vierge et les saintes : comme on l'a dit, sa cornette blanche et sa robe bleue l'identifient dans de nombreux manuscrits sortant de son atelier, et pour qui ne les connaîtrait pas, c'est ainsi qu'elle apparaît dans les images qui ouvrent les parties I et II de la

---

[1] G. Parussa et A. Valentini, « Comment travaillait Christine de Pizan ? Les variantes d'auteure en l'absence de brouillons », *Studi francesci*, n° 195 (LXV/III), 2021, p. 466-489.

Cité; la récurrence de ce costume permet de la repérer aisément. La dernière image de P comporte bien un personnage féminin en bleu dans la foule des femmes, mais avec une coiffe noire qui ne correspond en rien à la cornette blanche attribuée ailleurs à Christine. De plus, le personnage qui se tient à la place de Christine dans les miniatures des autres manuscrits, à l'angle de la porte, à droite de Justice, est habillé en vert. Le peintre semble s'être trompé en réintroduisant la femme en vert qui s'interpose entre Christine et Justice dans B et D; figure qui disparaît dans R, la porte de la muraille étant représentée de trois quarts, ce qui la rend plus étroite de sorte que si Christine se distingue clairement, les autres dames sont moins visibles. Dans P, le peintre semble tout simplement avoir oublié de représenter Christine! Or si cette explication est la plus simple, elle signifierait que l'artiste ignorait tout du texte et de la cohérence du programme iconographique élaboré par Christine elle-même et par le Maître de la Cité des Dames dans l'atelier de qui il travaillait.

Néanmoins, il reste difficile d'imaginer que l'écrivaine ait accepté de ne pas figurer sur cette image de l'entrée triomphale de la Vierge dans la Cité, point d'orgue du texte. Dès lors qui est Christine? Cette femme en vert qui prend sa place? La femme en gris à gauche de Justice, qui porte aussi la cornette, et ouvre la main vers l'allégorie, en signe d'émerveillement et de respect devant l'arrivée de Marie et des saintes? Ou encore est-elle la petite tête coiffée d'une cornette, tout au fond, qui surpasse les autres et qui semble admirer, elle aussi, les figures divines, éblouie par le spectacle et peut-être satisfaite de l'aboutissement de son œuvre?

Toutes ces hypothèses le montrent: dans cette dernière image du dernier manuscrit de la *Cité* qu'elle a supervisé, Christine disparaît dans la foule. Si elle l'a souhaité, nous pouvons y voir un signe de modestie, le désir de ne plus être mise en évidence en tant qu'écrivaine mais de se fondre dans la masse des chrétiennes rendant hommage à la Reine du Ciel. La composition de l'image donne à la Vierge une place plus centrale que dans les autres manuscrits: plus large et moins haute, la miniature accorde plus d'espace au groupe des saintes. Dans B et D, un effet de perspective mettait en avant l'assemblée céleste par rapport aux femmes terrestres qui peuplent la cité, établissant ainsi une hiérarchie entre les deux groupes, et plaçant la Vierge sur le devant de la scène. Dans P, la mise en valeur de Marie passe par une plus grande proximité des deux assemblées qui permet de situer la Vierge juste à l'angle de la muraille constituant la ligne de force principale de la composition. Cet effet déjà présent dans R est ici renforcé par le format de l'image. Les tons rosés des murs, qui sont gris dans d'autres versions, donnent plus de douceur à l'ensemble de la miniature et permettent au bleu de Marie de trancher, sans que le contraste soit trop violent. La Vierge devient ainsi l'élément le plus important de l'image, de sorte qu'elle capte l'attention du spectateur dont l'œil n'est plus attiré par le person-nage de Christine, valorisé, dans les autres versions, par son vêtement de couleur identique à celui de Marie et par sa récur-rence dans le manuscrit. Avec la disparition du phénomène d'écho entre les deux personnages, la Vierge devient le point central et unique de l'image.

Cette valorisation de la Vierge correspond parfaitement à la tendance des dernières œuvres religieuses de Christine de Pizan : l'*Epistre de la prison de vie humaine* et les *Heures de contemplacion de la Passion Nostre-Dame*, ce qui confirmerait que le manuscrit P aurait été réalisé peu après 1414. Dès lors, on peut se demander si le ou la destinataire de ce très beau manus-crit ne serait pas une personne particulièrement vouée à la dévotion de la Vierge ; pourquoi pas une communauté religieuse de femmes, à laquelle le groupe de femmes amassées derrière Justice ferait écho ? On sait que Christine de Pizan était proche du Prieuré royal Saint-Louis de Poissy, qui abritait deux Marie[1] : sa fille et l'abbesse Marie de Valois, fille de Charles VI et d'Isa-belle de Bavière. C'est sans doute là que Christine a trouvé refuge après 1418. La communauté religieuse aurait pu être destinataire de ce beau cadeau, ou bien Marie de Valois, comme sa mère a été gratifiée très peu de temps auparavant par le

---

[1] Les premières lignes du *Livre de paix* montrent que Christine accordait une grande importance au prénom, en relation avec le saint qui lui correspond : elle y loue Louis de Guyenne d'avoir su réconcilier Jean de Berry et Jean sans Peur la veille de la saint Jean-Baptiste (*The Book of Peace by Christine de Pizan*, éd. et trad. K. Green, C. J. Mews et J. Pinder, University Park : the Pennsylvania State University Press, 2008, p. 203-204). Dans la *Cité des dames*, la prière adressée à sainte Christine (III, 10) en témoigne également.

«Manuscrit de la Reine». L'importance donnée à la figure de Marie pourrait aussi inviter à penser que Christine ait voulu offrir cet exemplaire de la *Cité des dames* à Marie de Berry pour qui elle composera l'*Epistre de la prison de vie humaine* en 1416-1418, et dont elle cherche peut-être le mécénat quelques temps auparavant. On sait que Marie était amatrice de livres et qu'elle a hérité d'une partie de la bibliothèque de son père à sa mort en 1416[1].

Les preuves matérielles manquent pour confirmer l'une ou l'autre de ces hypothèses. Il demeure que Christine a particulièrement soigné ce manuscrit et qu'il témoigne de son désir de parfaire continuellement son œuvre, que ce soit en faisant évoluer son texte ou bien en confiant l'illustration à un peintre qui savait être fidèle à un programme iconographique tout en le renouvelant.

PRINCIPES D'ÉDITION ET PRÉSENTATION DES VARIANTES[2]

Nous avons choisi de suivre au plus près le texte du manuscrit P, en ne le modifiant qu'en cas de nécessité : en cas de faute manifeste du scribe, et en nous reportant aux trois autres manuscrits retenus selon les critères précisés plus haut, B, D et R (donnés dans l'ordre chronologique). Dans les cas d'erreur du scribe, nous supprimons les lettres supplémentaires ou les répétitions de mots. Nous n'indiquons pas les mots ou expressions barrés, ni les lettres exponctuées, afin de ne pas trop alourdir les notes en bas de page. Les lettres ou mots manquants ont été restitués entre crochets, avec dans le second cas une note indiquant la

---

[1] Voir C. Beaune et É. Lequain, «Marie de Berry et les livres», *Livres et lectures de femmes en Europe entre Moyen Âge et Renaissance*, dir. A.-M. Legaré, Turnhout, Brepols, 2007, p. 49-65.

[2] Pour l'édition du texte, nous nous référons principalement à Pascale Bourgain et Françoise Vielliard, *Conseils pour l'édition des textes médiévaux*, Paris, Comité des travaux historiques et scientifiques, fascicule I, *Conseils généraux*, 2001 ; fascicule III, *Textes littéraires*, 2002. Voir aussi Yvan G. Lepage, *Guide de l'édition de textes en ancien français*, Paris, Champion, 2001.

forme donnée dans le manuscrit. Lorsque nous corrigeons le texte
de P, nous le signalons en note, et indiquons le ou les manuscrits
utilisés (nous donnons d'abord la forme telle qu'on la trouve dans
P, puis l'indication «corr. d'après»). Les numéros des folios du
manuscrit sont indiqués entre crochets.

Nous avons mis en caractères gras les initiales ornées, avec
une indication en note, ainsi que tous les éléments rubriqués
dans le manuscrit : les numéros des chapitres et les titres, de
même que la citation latine de la fin, soulignée en rouge
(chapitre III, 18), comme on le voit parfois dans d'autres textes
de Christine[1]. On trouve des initiales ornées en tête de chaque
chapitre, ainsi qu'à deux reprises pour segmenter le long
chapitre II, 50 (sur Grisélidis), où elles correspondent à des
étapes importantes du récit.

Nous avons reproduit les pieds-de-mouche, indiqués par le
sigle suivant : ¶. Ils visent tantôt à souligner les différents
éléments d'une énumération, comme dans les tables des rubriques
qui précèdent chaque partie, où ils sont employés systématiquement et suivis de l'adverbe *item*, ou parfois à l'intérieur d'un
chapitre[2] ; tantôt à organiser le discours et à le découper à l'intérieur d'un chapitre, sauf en quelques rares cas où ils se situent à
l'intérieur d'une phrase et où leur présence ne se justifie pas[3].
Nous avons suivi ces indications pour le découpage du texte en
paragraphes, mais nous avons ajouté d'autres paragraphes lorsque
cela nous paraissait faciliter la lecture du texte, en nous conformant à l'usage moderne.

Nous avons fait le choix de résoudre les abréviations sans
indiquer entre parenthèses les parties de mots abrégées restituées,
et en nous conformant aux graphies attestées dans d'autres parties
du texte[4].

---

[1] S. Delale, *op. cit.*, p. 281 *sq.*

[2] Par exemple, I, 34 ; II, 46 ; III, 8 ; et surtout, III, 18.

[3] Par exemple, I, 33 ; II, 18 ; II, 27.

[4] Voir *Conseils pour l'édition*, *op. cit.*, fasc. I p. 31 *sq.* et fasc. III, p. 70.
C'est le cas notamment pour l'abréviation du nom de Christine, presque toujours
abrégé sous la forme «Xpine» surmontée d'un long tilde abréviatif, comme dans
de nombreux manuscrits de la *Cité* ou d'autres textes, que selon l'usage habituel
nous développons en «Cristine» (forme attestée par ailleurs dans ses œuvres).

Pour la ponctuation, tout en tenant compte des quelques signes de ponctuation visibles dans le manuscrit[1] et de la présence de majuscules indiquant des pauses fortes (points), nous avons inséré les signes de ponctuation qui nous semblaient nécessaires pour délimiter les unités syntaxiques et faciliter la compréhension du texte, selon l'usage moderne. Nous avons conservé les chiffres romains encadrés de points pour la numérotation des chapitres ; par souci de lisibilité, nous les avons notés en majuscules et nous avons remplacé *iiii* par *IV*.

Nous avons différencié systématiquement *i* et *j*, de même que *u* et *v*. Les pratiques varient selon les manuscrits : B fait bien la différence entre *i* et *j* ; dans D, on trouve des graphies *ie*, mais aussi, fréquemment, *je, jadis*, etc... ; P et R ne distinguent pas systématiquement *i* et *j*. On trouve dans P de fréquentes graphies *ie* pour le pronom personnel sujet (P1), nous le notons toujours *je*. Pour *v* et *u*, la différenciation est faite uniquement dans le cas d'un *V* initial, mais nous l'avons faite partout. Signalons toutefois le cas particulier de la graphie *pouoir*, que nous avons conservée telle quelle (et non pas *povoir*), en nous fondant sur un article d'Omer Jodogne cité et suivi notamment par Christiane Marchello-Nizia[2].

Pour la séparation des mots dans des locutions où ils se trouvent soudés dans la langue moderne, nous avons respecté l'usage du scribe, qui est constant, comme l'ont fait les éditrices d'autres textes de Christine[3]. Nous notons donc : *lonc temps* ; *au jour d'ui* ; *non obstant* ; *de rechief.* Nous avons toujours détaché *tres* de l'adjectif ou de l'adverbe qui le suit, ce que le scribe de P ne fait pas systématiquement.

L'accent aigu sur la lettre *e* pour noter le son [ẹ] est utilisé seulement lorsque la voyelle tonique est en finale absolue ou suivie d'un *s* dans les polysyllabes, ainsi que dans certains monosyllabes pour les distinguer d'éventuels homographes (mais on note *mes*, mais, et

---

[1] On distingue des traits obliques peu marqués qui peuvent correspondre à des virgules ou parfois à des points dans l'usage moderne, ainsi que quelques points. Voir C. Marchello-Nizia, *Histoire de la langue française aux XIVe et XVe siècles*, Paris, Bordas, 1979, p. 93-94.

[2] C. Marchello-Nizia, *ibid.*, p. 222 ; O. Jodogne, « *Povoir* ou *pouoir* ? Le cas phonétique de l'ancien verbe *pouoir* », dans *Travaux de linguistique et de littérature*, IV, 1, Strasbourg, 1966, p. 257-266.

[3] G. Parussa, *Othea*, p. 188 ; L. Dulac et C. Reno, *Advision*, p. LI.

tres, très). Pour les participes passés au féminin en -*ee* on ne met pas d'accent. On notera l'absence d'accent également dans quelques cas de participes passés féminins en -*ie* (dits «picards»): *resveillie* (I, 2); *delaissies, laissies* (I, 3; I, 28); *acompaignie* (III, 9). Nous avons distingué *coste*, préposition (*coste* qqn, «à côté de qqn», plusieurs exemples signalés dans le glossaire), et *costé*, lorsqu'il s'agit du substantif (côté), dans la locution *au costé de* qqn (I, 14) ou comme complément (*d'un costé*, II, 19; II, 33; *au costé*, III, 10).

Pour les trémas, qu'il est recommandé d'utiliser avec parcimonie[1], nous ne les avons utilisés que pour distinguer les homographes, ainsi pour *veü, creü, leü,* etc.; ou pour marquer les hiatus: *païs, oïr, païens, hebraïques, envaïr, esjoïr, empereïs*[2], etc. En revanche nous écrivons sans tréma: *beneurees, seure, meu, feust, eust, feussent, congneu, apperceurent, parcreue, meismes, feist, meist,* etc.[3].

Présentation et choix des variantes

Nous avons délibérément opté pour la présentation la plus simple possible, en recherchant avant tout la lisibilité et la commodité d'utilisation. Les variantes sont indiquées en note en bas de page sous le texte. Nous n'avons retenu que les variantes significatives, à l'exclusion des variantes simplement graphiques ou ne comportant que des changements minimes. Nous donnons le plus souvent les formes trouvées dans les trois autres manuscrits, dans l'ordre chronologique de leur composition (B, D, R).

---

[1] *Conseils pour l'édition, op. cit.,* fasc. I, p. 51.

[2] Dans ce cas le tréma nous semble s'imposer pour indiquer un hiatus (à prononcer empe-re-is) puisque la forme la plus courante, que l'on trouve par ailleurs dans les trois autres manuscrits, est *empereris*, en 4 syllabes. A. Valentini, qui commente cette forme *empereis* propre à notre manuscrit P, a fait le choix de ne pas mettre de tréma: «On lit *empereis* pour *empereris* uniquement dans P3, mais la forme est probablement voulue, car les dernières lettres ont été écrites sur grattage, semble-t-il, des lettres *ri*. S'agit-il d'une décision morpho-lexicale prise par Christine de Pizan lors de la relecture de la dernière copie de présentation arrivée jusqu'à nous? [...] Cette question mérite certainement d'être approfondie». (A. Valentini, «La tradition manuscrite», *op. cit.,* Annexe 3, «Édition d'un chapitre de la *Cité des dames* (II, 29)», p. 444, note 10).

[3] C. Marchello-Nizia note que pour toutes ces formes la réduction des hiatus est effective au milieu du XVe siècle (selon Gaston Zink, elle se fait au XIVe siècle dans les passés simples et les imparfaits du subjonctif).

Les variantes indiquées systématiquement entre nos quatre manuscrits permettront aux lecteurs intéressés de se faire une idée plus précise de l'évolution de la tradition manuscrite de la *Cité* à travers les derniers manuscrits réalisés sous la direction de Christine de Pizan.

NOTE SUR LA TRADUCTION

Nous nous sommes efforcées de rester le plus près possible du texte original, tout en allégeant à l'occasion la syntaxe et en coupant les longues phrases, caractéristiques de la langue savante du XVe siècle, par des signes de ponctuation, conformément à l'usage moderne. Notre souci a été constamment de trouver un équilibre entre deux préoccupations qui peuvent parfois s'opposer : faciliter la lecture et la compréhension du texte pour un lecteur/une lectrice moderne, mais sans trop dénaturer le style de Christine de Pizan[1], qui choisit délibérément d'écrire une langue très riche, parfois savante (on l'a signalé plus d'une fois pour le vocabulaire), et dans les passages argumentatifs, de s'inspirer du style des clercs, d'où une syntaxe complexe, parfois latinisante, avec à l'occasion des tournures et des expressions recherchées, et des effets rhétoriques (redoublements binaires ou balancements ternaires, par exemple). Nous nous sommes efforcées d'en rendre compte, tout en effaçant ce qui pourrait apparaître comme des lourdeurs, mais qui n'étaient probablement pas perçues comme telles en moyen français, si l'on en juge par la comparaison avec des textes savants de la même époque. Ainsi, nous avons supprimé un certain nombre de répétitions, qui apparaîtraient comme des maladresses en français moderne, et qui correspondent à un trait de style apprécié en ancien et en moyen français (le goût pour les doublets synonymiques[2]). Nous les avons cependant gardées lorsqu'elles correspondent à une

---

[1] Voir plus haut, dans cette introduction, le passage sur « Le style de Christine de Pizan, ou le goût du *bel stille* ».

[2] A. Valentini note que la *V2* « se caractérise par une nette tendance à la réduplication synonymique », et il ajoute un peu plus loin : "cela est certainement le fruit d'une recherche stylistique (« La tradition manuscrite », *op. cit.*, p. 445, note 16 et note 27).

recherche d'expressivité ou lorsque les deux mots ne sont pas totalement synonymes et indiquent des nuances de sens différentes.

Nous disposons déjà en français d'une belle traduction, due à Éric Hicks et à Thérèse Moreau. Parue dès 1986 et récemment rééditée (2021), elle a permis au public francophone de découvrir ce texte. Il est très bien traduit, mais dans une langue modernisée, avec parfois des écarts par rapport au texte original, et des allègements, pour le rendre plus accessible à un large public contemporain. Nous nous en sommes parfois inspirées, mais le plus souvent, nous suivons le texte de plus près, d'une part parce que notre objectif est différent - notre traduction est faite d'abord pour être lue en regard du texte original, pour en faciliter la compréhension - et d'autre part, parce que nous avons souhaité nous conformer autant que faire se peut au style voulu par l'auteure, et en donner un équivalent en français moderne.

Nos prédécesseur.es se sont permis parfois certaines audaces de vocabulaire qui nous semblent trahir quelque peu l'original et relever de la surinterprétation : ainsi, le néologisme «consœurerie», là où le texte donne *congregacion* (III, 1); ou le mot «matrimoine» pour traduire *heritage* (III, 19), alors que le français moderne «héritage» convient très bien[1]. Pour le premier cas, nous nous permettons de donner à la suite la phrase originale et les deux traductions, car ce bref passage montre bien les choix très différents qui ont été faits :

- texte : «Mais c'est bonne [var. bien] raison que ceste tres haulte, excellent et souveraine princesse soit supliee par l'assemblee de toutes femmes que de son humilité lui plaise abiter ça embas entre elle en leur cité et **congregacion** sanz l'avoir en desdaing ne despris pour le regart de sa haultece envers leurs petitece.»
- traduction É. Hicks-T. Moreau : «Il est juste, toutefois, que cette assemblée de femmes supplie la très haute princesse de daigner s'abaisser à venir habiter parmi elles ici-bas, dans leur

---

[1] Passage traduit : *et mes cheres dames, si ne veuillés mie user de ce nouvel heritaige si comme font les arogans...* ; traduction É. Hicks et Th. Moreau : «Mes chères amies, ne faites pas mauvais usage de ce nouveau matrimoine» ; notre traduction, en gardant les mots de Christine qui passent très bien en français moderne : «Mes chères dames, ne faites pas un mauvais usage de ce nouvel héritage».

Cité et **consoeurerie**, sans mépris pour leur petitesse au regard de sa grandeur. »

— notre traduction : «Et il est bien juste que cette assemblée de toutes les femmes supplie la très haute, excellente et souveraine princesse de bien vouloir, avec l'humilité qui est la sienne, s'abaisser à demeurer ici-bas parmi elles, dans leur Cité et dans leur **communauté**, sans mépris ni dédain envers leur petitesse en comparaison de sa grandeur».

Nous avons également consulté les deux traductions en langue anglaise. De façon intéressante, elles représentent des choix totalement différents, presque opposés, celle d'Earl Jeffrey Richards (1982) étant très proche du texte (parfois presque littérale), tandis que celle de Rosalind Brown-Grant (1999) modernise fortement le texte. Tous deux s'en expliquent très bien dans leurs introductions respectives. R. Brown-Grant dit avoir recherché avant tout la lisibilité pour un public moderne, et avoir effacé en conséquence tous les traits de style propres à la prose savante de l'époque[1]. E. J. Richards exprime des préoccupations proches des nôtres, puisqu'il prend en compte les choix stylistiques de Christine[2], mais nos choix divergent en ce qu'une traduction trop littérale ne nous semble pas permettre d'élucider totalement les difficultés du texte pour le lecteur ou la lectrice contemporains, et qu'elle perd en fluidité. Il ajoute de façon très pertinente que sa propre érudition, affichée par Christine dans son livre, est «une représentation emblématique de la capacité des femmes à accéder à l'érudition[3]», et revient un peu plus loin sur les choix stylis-

---

[1] R. Brown-Grant, trad., *The Book of the City of Ladies*, *op. cit.*, «Translator's note», p. xxxviii-xxxix. Nous nous accordons avec son choix de moderniser la syntaxe en changeant l'ordre des mots et en coupant davantage les phrases, de même qu'avec la réduction des «doublets synonymiques», mais dans une moindre mesure, et sans moderniser la langue au point d'effacer les caractéristiques du style choisi par Christine. Il y a là un équilibre difficile à trouver, et laissé à la discrétion de chaque traducteur/trice.

[2] «Christine chose Latin prose as her model, and the complicated periodic syntax she preferred was a hallmark of stylistic refinement»; Richards, *City*, introduction, p. xxv.

[3] «Christine's task in *The Book of the City of Ladies* is to transform her own erudition into an emblem for women's potential for erudition» (*ibid.*, p. xxxii).

tiques qui en découlent, et qui font de son œuvre une «défense et illustration» à la fois de la langue vernaculaire et de la féminité[1].

Signalons enfin un trait récurrent : comme c'est généralement le cas dans les œuvres médiévales en langue vernaculaire, depuis les romans antiques du XIIe siècle, lorsqu'il est question de personnages ayant occupé des fonctions politiques ou militaires dans l'Antiquité, leurs titres et fonctions sont transposés en termes médiévaux, sans souci du risque d'anachronisme (dont les auteurs étaient sans doute conscients, mais ils se préoccupaient avant tout de trouver des termes équivalents dans la société médiévale). Nous les avons parfois remplacés par des termes plus usuels et plus compréhensibles en français moderne : ainsi, nous avons remplacé «le prince Pompee» (titre du chapitre II, 19) par le Grand Pompée (désignation habituelle du personnage, que l'on trouve aussi un peu plus haut dans le texte de Christine, II, 8 ; ou un peu plus bas, dans le même chapitre II, 19, «Pompee le grant conquereur») ; «Pompee, prince de l'ost des Rommains» (II, 14) devient «le général en chef de l'armée romaine». Pour le mot *chevalier*, d'emploi très fréquent, nous l'avons souvent conservé, mais nous l'avons parfois remplacé par «guerrier» ou «noble guerrier» lorsque l'anachronisme nous paraissait gênant. Pour certains termes médiévaux plus spécifiques, nous avons parfois dû interpréter. Ainsi pour le mot *prevost*, nous proposons trois traductions différentes selon le contexte, comme nous l'expliquons dans les notes : prêteur, dans l'histoire de Néron (II, 48 et note) ; gouverneur ou juge dans d'autres cas (III, 3 et note).

D'une façon générale, nous avons indiqué en note les constructions ou termes qui nous ont posé des difficultés et la façon dont nous avons résolu celles-ci dans la traduction.

Anne Paupert,
avec la collaboration de Claire Le Ninan
(réseaux et communautés, manuscrits, sources)

---

[1] «Christine's diction has long attracted considerable attention because of its cultivated leamedness : her neologisms of learned words, her preference for archaic Old French words, her use of leamed. *i.e.* Latinate, spelling to make words resemble their respective Latin etyma. Moreover, her often criticized use of complicated periodic syntax, in imitation of Latin, corresponds to her striving for the "defense and illustration" of the vernacular in tandem with her "defense and illustration" of feminity» (*ibid.* p. xlv).

ÉLÉMENTS DE BIBLIOGRAPHIE

TEXTES

MANUSCRITS, ÉDITIONS ET TRADUCTIONS
DU *LIVRE DE LA CITÉ DES DAMES*

(nous ne mentionnons ici que notre manuscrit de base et les trois autres manuscrits utilisés pour notre édition ; pour les éditions et traductions, nous nous limitons à celles qui ont été consultées et utilisées).

Manuscrit de base

CHRISTINE DE PIZAN, *La Cité des Dames*, Paris, BnF, fr. 1178, Paris, BnF, Gallica, 2011 [en ligne] https://gallica.bnf.fr/ark:/12148/btv1b8448971t (consulté le 07/05/2021) (manuscrit P).

Manuscrits de contrôle

CHRISTINE DE PIZAN, *Cité des Dames*, Paris, BnF, fr. 607, Paris, BnF, Gallica, 2009 [en ligne] https://gallica.bnf.fr/ark:/12148/btv1b6000102v (consulté le 07/05/2021) (manuscrit D).

– *Le Livre de la Cité des Dames*, Bruxelles, KBR, 9393, Bruxelles, KBR [en ligne] https://uurl.kbr.be/1713683 (consulté le 07/05/2021) (manuscrit B).

– *Le Livre de la Cité des Dames*, Londres, British Library, Harley MS 4431, *Christine de Pizan : The Making of the Queen's Manuscript (London, British Library, Harley MS 4431)*, Édimbourg, Edinburgh University Library, 2015 [en ligne] http://www.pizan.lib.ed.ac.uk (consulté le 07/05/2021) (manuscrit R).

Traductions anciennes

De Stede der Vrauwen, London, British Library, Add. 20, 698, 1475.

BRYAN ANSLAY, *Boke of the Cyte of Ladyes*, London, Henry Pepwell, 1521.

– Christine de Pizan, *The Boke of the Cyte of Ladyes, Translated by Brian Anslay*, éd. Hope Johnston, Tempe, Arizona Center for Medieval and Renaissance Studies, 2014 (*Medieval and Renaissance Texts and Studies*, 457).

ÉDITIONS MODERNES

CHRISTINE DE PIZAN, *Christine de Pisan: Livre de la Cité des Dames. Kritische Textedition auf Grund der sieben überlieferten « manuscrits originaux » des Textes*, éd. Monika Lange, (thèse de doctorat), Hambourg, Université de Hambourg, 1974.

– *The Livre de la Cité des Dames of Christine de Pisan: a Critical Edition*, éd. Maureen C. Curnow, (Ph. D. Dissertation), Nashville, Vanderbilt University, 1975, 2 t.

– *La Città delle Dame*, éd. Earl Jeffrey Richards, trad. Patrizia Caraffi, Milano, Luni editrice, 1998; Rome, Carocci, 2003.

TRADUCTIONS MODERNES

La Cité des Dames, trad. Éric Hicks et Thérèse Moreau, Paris, Stock, «Moyen Âge», 1986; Paris, LGF, Le Livre de Poche, «Classiques», 2021.

The Book of the City of Ladies, trad. Earl Jeffrey Richards, New York, Persea Books, 1982.

The Book of the City of Ladies, trad., intro. et notes Rosalind Brown Grant, Londres/New York, Penguin books, «Penguin classics», 1999.

Das Buch von der Stadt der Frauen, trad. Margarete Zimmermann, Berlin, Orlanda-Frauenverlag, 1986.

AUTRES ŒUVRES DE CHRISTINE DE PIZAN

Nous n'avons mentionné ici que les œuvres directement citées dans l'introduction et dans les notes, avec les éditions et traductions disponibles, dans l'ordre chronologique de leur composition.

CHRISTINE DE PIZAN, *Œuvres poétiques de Christine de Pisan*, éd. Maurice Roy, Paris, Firmin Didot, 1886-1896, 3 t.

- *Epistre au Dieu d'Amours*, dans *Œuvres poétiques de Christine de Pisan*, éd. Maurice Roy, Paris, Firmin Didot, 1891, t. II, p. 1-27.
- *The* God of Love's Letter *and the* Tale of the Rose*: a Bilingual Edition*, éd. et trad. Thelma Fenster and Christine Reno, New York/Toronto, Iter Press, «The Other Voice in Early Modern Europe: the Toronto Series», 79, 2021.

CHRISTINE DE PIZAN, JEAN DE MONTREUIL, GONTIER ET PIERRE COL, *Le Débat sur le* Roman de la Rose [1977], éd., intro. et notes par Éric Hicks, Genève, Slatkine, 1996.

- *Le Débat sur le «Roman de la Rose»*, trad. Virginie Greene, Paris, Champion, «Traductions des Classiques français du Moyen Âge», 2006.
- *Debating the Roman de la Rose. A Critical Anthology*, éd. Christine McWebb, intro. et trad. Earl Jeffrey Richards, New York, Routledge, 2007.

CHRISTINE DE PIZAN, *Le Livre des epistres du debat sus le Rommant de la Rose*, éd. Andrea Valentini, Paris, Classiques Garnier, «Textes littéraires du Moyen Âge», 2014.

- *Epistre Othea*, éd. Gabriella Parussa, Genève, Droz, 1999.
- *Le Chemin de longue étude*, éd. et trad. Andrea Tarnowski, Paris, Librairie générale française, «Le livre de poche, Lettres gothiques», 2000.
- *Le Livre de la mutacion de Fortune*, éd. Suzanne Solente, Paris, Picard, «Société des anciens textes français», 4 vol., 1959 (t. I-II), 1966 (t. III-IV).
- *Le Livre des fais et bonnes meurs du sage roy Charles V* [1936], éd. Suzanne Solente, Genève, Slatkine, 1977.
- *Le Livre des faits et bonnes mœurs du roi Charles V le Sage*, trad. Éric Hicks et Thérèse Moreau, Paris, Stock, «Moyen Âge», 1997.
- *Livre des faits et bonnes mœurs du sage roi Charles V*, présentation, notes et index Joël Blanchard, trad. Joël Blanchard et Michel Quereuil, Paris, Pocket, «Agora», 2013.
- *Le Livre de l'advision Cristine*, éd. Liliane Dulac et Christine Reno, Paris, Champion, «Bibliothèque christinienne», 2001.
- *La Vision de Christine*, trad. Anne Paupert, dans *Voix de femmes au Moyen Âge*, éd. Danielle Régnier-Bohler, Paris, Robert Laffont, «Bouquins», 2006, p. 407-542.

- *Le Livre des trois Vertus*, éd. Charity Cannon Willard, Paris, Champion, «Bibliothèque du XVᵉ siècle», 1989.
- *Le Livre des trois Vertus*, trad. Liliane Dulac dans *Voix de femmes au Moyen Âge, op. cit.*, p. 543-698.
- «Christine de Pizan's *Epistre à la reine* (1405)», éd. Angus J. Kennedy, *Revue des langues romanes*, t. XCII, 1988, p. 253-264.
- *Le Livre du duc des vrais amants*, éd. et trad. Dominique Demartini et Didier Lechat, Paris, Champion, «Champion Classiques», 2013.
- *Cent Ballades d'Amant et de Dame*, présentation, éd. et trad. Jacqueline Cerquiglini-Toulet, Paris, Gallimard, «Poésie», 2019.
- *Le Livre du corps de policie*, éd. Angus J. Kennedy, Paris, Honoré Champion, «Études christiniennes», 1998.
- *The Book of the Body Politic*, éd. et trad. Angus J. Kennedy, New York/Toronto, Iter Press, «The Other Voice in Early Modern Europe: The Toronto Series», 86, 2021.
- «*Lamentacion sur les maux de la France*», éd. Angus J. Kennedy, *Mélanges de langue et littérature du Moyen Âge et de la Renaissance offerts à Charles Foulon*, Rennes, Institut de Français, Université de Haute-Bretagne, 1980, p. 177-185.
- *Christine Antygrafe: Authorship and Self in the Prose Works of Christine de Pisan, with an Edition of B.N. Ms. 603 «Le Livre des Fais d'Armes et de Chevallerie»*, éd. Christine M. Laennec, (Ph. D. Dissertation), New Haven, Yale University, 1988
- CHRISTINE DE PIZAN, *Le Livre des fais d'armes et de chevalerie*, éd. Lucien Dugaz, Paris, Classiques Garnier, 2021.
- *Le Livre de la paix*, éd. Charity Cannon Willard, s'Gravenhage, Mouton, 1958.
- *The Book of Peace by Christine de Pizan*, éd. et trad. de Karen Green, Constant J. Mews et Janice Pinder, University Park, Pennsylvania, The Pennsylvania State University Press, 2008.
- CHRISTINE DE PIZAN, *Christine de Pizan's Epistre de la prison de vie humaine*, éd. Angus J. Kennedy, Glasgow, University of Glasgow, 1984.
- *The Epistle of the Prison of Human Life, with an Epistle to the Queen of France, and Lament on the Evils of the Civil War*, éd et trad. Josette A. Wisman, New York, Garland, 1984.
- *Les Heures de contemplacion sur la Passion de Nostre Seigneur Jhesucrist*, éd. Liliane Dulac et René Stuip, avec la

collaboration de Earl Jeffrey Richards, Paris, Champion, «Études christiniennes», 2017.

- *Le Dittié de Jehanne d'Arc*, éd. Angus J. Kennedy et Kenneth Varty, Oxford, Society for the Study of Mediaeval Languages and Literature, «Medium Aevum Monographs. New Series», 1977.

Autres textes

Der Altfranzösische Prosa-Alexanderroman [1920], éd. Alfons Hilka, Genève, Slatkine Reprints, 1974.

ARISTOTE, *Histoire des animaux*, éd. Pierre Louis, Paris, Les Belles Lettres, 1968, 3 t.

AUGUSTIN (saint), *La Cité de Dieu (Livres I-IX)*, trad. Raoul de Presle, Paris, BnF, fr. 173, Paris, BnF, Gallica, 2011 [en ligne] https://gallica.bnf.fr/ark:/12148/btv1b8452192n (consulté le 09/05/2021).

- *La Cité de Dieu. Livre I-V* [1959], éd. Bernhard Dombart et Alfons Kalb, trad. Gustave Combès, dans *Œuvres de saint Augustin*, Paris, Institut d'études augustiniennes, «Bibliothèque augustinienne», 2014.

- *La Cité de Dieu*, trad. Gustave Combès, revue et corrigée par Goulven Madec, Paris, Institut d'Études Augustiniennes, «Nouvelle Bibliothèque Augustinienne», 1993-1995, 3 vol.

BEAUVOIR, Simone de, *Le Deuxième sexe*, Paris, Gallimard, 1949.

BENOÎT DE SAINTE-MAURE, *Le Roman de Troie*, éd. Emmanuèle Baumgartner et Françoise Vielliard, Paris, LGF, «Le Livre de Poche, Lettres Gothiques», 1998.

BOCCACE, *Des cleres et nobles femmes (Ms. Bibl. Nat. 12420)*, éd. Jeanne Baroin et Josiane Hafen, Besançon, Université de Besançon, 1993-1995, 2 vol.

- *De Mulieribus Claris / Des femmes illustres*, éd. Vittorio Zaccaria, trad., introduction et notes Jean-Yves Boriaud, Paris, Les Belles Lettres, 2013.

- *Decameron*, éd. Amedeo Quondam, Maurizio Fiorilla et Giancarlo Alfano, Milano, BUR Classici, 2013.

- *Le Décaméron*, trad. Jean Bourciez, Paris, Garnier, «Classiques Garnier», 1979.

CECCO D'ASCOLI, *L'Acerba*, éd. Achille Crespi, Milan, La Vita felice, 2011.

La Châtelaine de Vergy, éd. et trad. Jean Dufournet et Liliane Dulac, Paris, Gallimard, «Folio», 1994.

DANTE, *La Divine Comédie*, éd. et trad. Jacqueline Risset, Paris, Flammarion, 1985.

Des Grantz Geanz. An anglo-norman poem, éd. Georgine Elizabeth Brereton, Oxford, B. Blackwelle, 1937.

EUSTACHE DESCHAMPS, *Œuvres complètes*, éd. Marquis de Queux de Saint-Hilaire et Gaston Raynaud, Paris, Firmin-Didot, «SATF», 1878-1903, 11 vol.

– *Anthologie*, éd. et trad. C. Dauphant, Paris, LGF, «Le Livre de Poche. Lettres gothiques», 2014.

FLAVIUS JOSÈPHE, *Antiquités judaïques*, Paris, BnF, fr. 247, Paris, BnF, Gallica, 2011 [en ligne] https://gallica.bnf.fr/ark:/12148/btv1b8451605w (consulté le 09/05/2021).

Florence de Rome, chanson d'aventure du premier quart du XIIIe siècle, éd. Axel Wallensköld, Paris, Firmin-Didot, «SATF», 1907-1909, 2 vol.

FROISSART, Jean, *Chroniques*, éd. Peter F. Ainsworth, Genève, Droz, 2007, t. I.

GAUTIER DE COINCY, *Miracles de Notre Dame*, éd. Frédéric Koenig, Genève, Droz, 1966.

Grandes Chroniques de France, éd. Jules Viard, Paris, Société de l'histoire de France, 1920-1953, 10 t.

GRÉGOIRE DE TOURS, *Histoire des Francs* [1995], trad. Robert Latouche, Paris, Les Belles Lettres, 2005.

GUILLAUME DE LORRIS et JEAN DE MEUN, *Le Roman de la Rose*, éd. Armand Strubel, Paris, LGF, «Le Livre de Poche. Lettres Gothiques», 1992.

[WAUCHIER DE DENAIN], *L'Histoire ancienne jusqu'à César, Faits des Romains* (première rédaction), Paris, BnF, fr. 246, Paris, BnF, Gallica, 2012 [en ligne] https://gallica.bnf.fr/ark:/12148/btv1b8449715t (consulté le 09/05/2021).

– *L'Histoire ancienne jusqu'à César* (deuxième rédaction), Paris, BnF, fr. 301, Paris, BnF, Gallica, 2018 [en ligne] https://gallica.bnf.fr/ark:/12148/btv1b100225070 (consulté le 09/05/2021).

– *Histoire ancienne jusqu'à César (Estoires Rogier)*, éd. Marijke de Visser - van Terwisga, Orléans, Paradigme, 1995, t. I.

– *L'Histoire ancienne jusqu'à César (deuxième rédaction)*, éd. Yorio Otaka, intro. et biblio. Catherine Croizy-Naquet, Orléans, Paradigme, «Medievalia», 1999.

L'Histoire de Griselda : Une femme exemplaire dans les littératures européennes, dir. Jean-Luc Nardone et Henri Lamarque, Toulouse, Presses Universitaires du Mirail, 2000.

JACQUES DE VORAGINE, *Légende dorée*, trad. Jean de Vignay, révisée par Jean Batallier, éd. Brenda Dunn-Lardeau, Paris, Garnier, 1997.

– *La Légende dorée*, dir. Alain Boureau, Paris, Gallimard, «Bibliothèque de la Pléiade», 2004.

JAKEMÉS, *Le Roman du Châtelain de Coucy et de la Dame de Fayel*. éd. et trad. Catherine Gaullier-Bougassas, Paris, Champion, «Champion Classiques. Moyen Âge», 2009.

JEAN LE FÈVRE, *Les Lamentations de Matheolus et Le Livre de Leesce de Jehan Le Fèvre*, éd. Anton Gerard Van Hamel, Paris, E. Bouillon, 1892-1905, 2 t.

JEAN DE SALISBURY, *Policratique*, trad. Denis Foulechat, Paris, BnF, fr. 24287, Paris, BnF, Gallica, 2012 [en ligne] https://gallica. bnf.fr/ark:/12148/btv1b8449687z (consulté le 09/05/2021).

MAROT, Clément, *L'Adolescence Clémentine*, dans *Œuvres poétiques*, éd. Gérard Defaux, Paris, Bordas, 1990, t. I.

MARTIN LE FRANC, *Le Champion des dames*, éd. Robert Deschaux, Paris, Champion, 1999, 5 t.

Le Mesnagier de Paris, éd. Georgina E. Brereton et Janet M. Ferrier, trad. Karin Ueltschi, Paris, LGF, «Le Livre de Poche. Lettres Gothiques», 1994.

MUSEE, *Héro et Léandre*, éd. et trad. Pierre Orsini, Paris, Les Belles Lettres, 1968.

OVIDE, *Héroïdes*, éd. Henry Bornecque, trad. Marcel Prévost, Paris, Les Belles Lettres, 1928.

Ovide moralisé, poème du commencement du XIVᵉ siècle publié d'après tous les manuscrits connus, éd. Cornelis de Boer, Michael Georg de Boer et Jeannette Th. M. Van'T Sant, Amsterdam, J. Müller, 1915-1938, 5 t.

PLINE L'ANCIEN, *Histoire naturelle*, éd. et trad. Stéphane Schmitt, Paris, Gallimard, «Bibliothèque de la Pléiade», 2013.

Le Roman d'Eneas, éd. et trad. Aimé Petit, Paris, LGF, «Le Livre de Poche. Lettres Gothiques», 1997.

Le Roman de Troie en prose : prose 5, éd. Anne Rochebouet, Paris, Classique Garnier, «Textes littéraires du Moyen Âge», 2021.

SOCIÉTÉ DES BOLLANDISTES, *Acta Sanctorum februarii*, Bruxelles, 1658, BnF, Gallica, 2011, t. 2 [en ligne] https://gallica.bnf.fr/ark:/12148/bpt6k60287 (consulté le 24/02/2023).

STACE, *Thébaïde*, éd. et trad. Roger Lesueur, Paris, Les Belles Lettres, 1990, 1991 et 1994, 3 t.

TACITE, *Annales*, éd. et trad. Pierre Wuilleumier, Paris, Les Belles Lettres, 1990, t. IV.

– *Œuvres complètes*, trad. Pierre Grimal, Paris, Gallimard, «La Pléiade», 1990.

THIBAUT DE CHAMPAGNE, *Chansons*, éd. et trad. Christopher Callahan, Marie-Geneviève Grossel et Daniel E. O'Sullivan, Paris, Champion, «Champion classiques», 2018.

THOMAS D'AQUIN (saint), *Somme théologique*, éd. Albert Raulin, trad. Aimon-Marie Roguet, Paris, Cerf, 1984, 4 t.

TITE-LIVE, *Histoire romaine*, trad Pierre Bersuire, Paris, Bibliothèque interuniversitaire Sainte-Geneviève, Paris, Ms 777, Bnf, Gallica, 2011 [en ligne] https://gallica.bnf.fr/ark:/12148/btv1b6001280q (consulté le 09/05/2021).

VALÈRE MAXIME, *Facta et dicta memorabilia*, trad. Simon de Hesdin et Nicolas de Gonesse, Paris, BnF, fr. 282, Paris, BnF, Gallica, 2011 [en ligne] https://gallica.bnf.fr/ark:/12148/btv1b8451116z (consulté le 09/05/2021).

– *Factorum et dictorum memorabilium*; livre I, trad. Simon de Hesdin, éd. Maria Cristina Enriello; livre II, trad. Simon de Hesdin, éd. Chiara Di Nunzio; livre III, trad. Simon de Hesdin, Alessandro Vitale-Brovarone; livre V, trad. Simon de Hesdin, Piero Andrea Martina, Turin, *Pluteus*, éd. Alessandro Vitale-Brovarone [en ligne] http://www.pluteus.it/?page_id=12 (consulté le 09/05/2021).

PASTORE, Graziella, *Nicolas de Gonesse e la traduzione francese di Valerio Massimo : edizione e commentario* (thèse de doctorat), Turin, Paris, Università degli Studi di Torino, Paris 3 - Sorbonne Nouvelle, 2012.

Les vies des Troubadours, éd. et trad. Margarita Egan, Paris, UGE, «10/18. Bibliothèque médiévale», 1985.

VINCENT DE BEAUVAIS, *Miroir historial*, trad. Jean de Vignay, Paris, BnF, fr. 312, 313, 314, vol. 1 (livres I-VIII), vol. 2

(livres IX-XVI), vol. 3 (livres XXV-XXXII), Paris, BnF, Gallica, 2011 [en ligne] https://gallica.bnf.fr/ark:/12148/btv 1b8452197q (consulté le 09/05/2021).

- *Miroir historial*, trad. Jean de Vignay, Paris, BnF, fr. 313, vol. 2 (livres IX-XVI), Paris, BnF, Gallica, 2011 [en ligne], https://gallica.bnf.fr/ark:/12148/btv1b84557843 (consulté le 09/05/2021).
- *Miroir historial*, trad. Jean de Vignay, Paris, BnF, fr. 314, vol. 3 (livres XXV-XXXII), Paris, BnF, Gallica, 2011 [en ligne], https://gallica.bnf.fr/ark:/12148/btv1b8451115j (consulté le 09/05/2021).
- *Miroir historial*, trad. Jean de Vignay, Paris, BnF NAF 15943, vol. V (livres XVII-XX), BnF, Gallica, 2011 [en ligne] https://gallica.bnf.fr/ark:/12148/btv1b8449689s (consulté le 09/05/2021).
- *Le Miroir historial*, trad. Jean de Vignay, éd. Mattia Cavagna, Paris, SATF, 2017, t. I.

VIRGILE, *L'Énéide*, trad. M. Rat, Paris, Garnier Frères, 1965.

Woman Defamed and Woman Defended. An Anthology of Medieval Texts, éd. Alcuin Blamires, avec Karen Pratt et C. W. Marx, Oxford, Clarendon Press, 1992

ÉTUDES

SUR CHRISTINE DE PIZAN ET SON ŒUVRE

Bibliographies

KENNEDY, Angus J., *Christine de Pizan : a Bibliographical Guide*, London, Grant & Cutler, 1984.

- *Christine de Pizan : a Bibliographical Guide. Supplement I*, London, Grant & Cutler, 1994.
- *Christine de Pizan : a Bibliographical Guide. Supplement II*, Woodbridge, Tamesis, 2004.

Ouvrages collectifs (classés par ordre de parution; liste non exhaustive)

Revue des Langues Romanes, t. XCII, n° 2, 1988, «Christine de Pizan. Études recueillies par Liliane Dulac et Jean Dufournet».

The Reception of Christine de Pizan, from the fifteenth to the nineteenth centuries : Visitors to the City, éd. Glenda McLeod, Lewiston, Edwin Mellen Press, 1991.

Reinterpreting Christine de Pizan, éd. Earl Jeffrey Richards, Athens/London, University of Georgia Press, 1992.

Politics, Gender and Genre: The Political Thought of Christine de Pizan, éd. Margaret Brabant, Londres/New York, Routledge, 1992.

The City of Scholars. New approaches to Christine de Pizan, éd. Margarete Zimmermann et Dina De Rentiis, Berlin/New York, W. de Gruyer, 1994.

Une femme de Lettres au Moyen Âge. Études autour de Christine de Pizan, éd. Liliane Dulac et Bernard Ribémont, Orléans, Paradigme, «Medievalia», 1995.

Christine de Pizan and the Categories of Difference, éd. Marilynn Desmond, Minneapolis, University of Minnesota Press, 1998.

Sur le chemin de longue étude: Actes du colloque d'Orléans, juillet 1995, éd. Bernard Ribémont, Paris, Champion, «Études christiniennes», 1998.

Au champ des escriptures, IIIᵉ Colloque international sur Christine de Pizan, dir. Éric Hicks, Diego Gonzalez et Philippe Simon, Paris, Champion, «Études christiniennes», 2000.

Christine de Pizan 2000: Studies on Christine de Pizan in honor of Angus Kennedy, éd. John Campbell et Nadia Margolis, Amsterdam, Rodopi, 2000.

Contexts and Continuities: Proceedings of the IVᵗʰ International Colloquim on Christine de Pizan (Glasgow 21-27 July 2000), éd. Angus J. Kennedy, Rosalind Brown-Grant, James C. Laidlaw et Catherine M. Müller, Glasgow, University of Glasgow, 2002, 3 vol.

Christine de Pizan, a Casebook, éd. Barbara K. Altmann et Deborah L. McGrady, New York/London, Routledge, 2003.

Christine de Pizan, una città per sé, éd. Patrizia Caraffi, Roma, Carocci editore, 2003.

Christine de Pizan: Une femme de sciences, une femme de lettres, éd. Juliette Dor et Marie-Élisabeth Henneau avec la collaboration de Bernard Ribémont, Paris, Champion, «Études christiniennes», 2008.

«Desireuse de plus avant enquerre». Actes du 6ᵉ colloque International Christine de Pizan, éd. Liliane Dulac, Anne Paupert, Christine Reno et Bernard Ribémont, Paris, Champion, «Études christiniennes», 2008.

Christine de Pizan et son époque : Actes du colloque international des 9, 10 et 11 décembre 2011 à Amiens, éd. Danielle Buschinger, Liliane Dulac, Claire Le Ninan et Christine Reno, Amiens, Presses du « Centre d'études médiévales », « Médiévales », 2012.

Healing the Body Politic : The Political Thought of Christine de Pizan, éd. Karen Green et Constant J. Mews, Turnhout, Brepols, 2005.

Christine de Pizan. La Scrittrice e la città / L'Écrivaine et la ville / The Woman Writer and the City, Actes du VIIe colloque international Christine de Pizan, éd. Patrizia Caraffi, Firenze, Alinea Editrice, « Carrefours », 2013.

« Ton nom sera reluisant aprés toy par longue mémoire ». Études sur Christine de Pizan, éd. Anna Loba, Poznan, Wydawnictwo Naukowe IAM, 2017.

Christine de Pizan : 1re partie, Le Moyen Français, vol. 75, 2014.

Christine de Pizan : 2e partie, Le Moyen Français, vol. 78-79, 2016.

« De ligne en ligne » : Genèses et Filiations dans l'œuvre de Christine de Pizan, éd. Dominique Demartini et Claire Le Ninan, Paris, Classiques Garnier, 2021.

Livres et articles

ADAMS, Tracy, « Isabeau de Bavière dans l'œuvre de Christine de Pizan : une réévaluation du personnage », dans *Christine de Pizan. Une femme de sciences, une femme de lettres, op. cit.*, p. 133-146.

– « Christine de Pizan, Isabeau of Bavaria, and Female Regency », *French Historical Studies*, vol. 32, n° 1, 2009, p. 1-32.

AUTRAND, Françoise, *Christine de Pizan*, Paris, Fayard, 2009.

BLANCHARD, Joël, « Compilation et légitimation au XVe siècle », *Poétique*, n° 74, 1988, p. 139-157.

– « Christine de Pizan : tradition, expérience et traduction », *Romania*, t. 111, n° 441-442, 1990, p. 200-235.

– « Christine de Pizan : une laïque au pays des clercs », dans *Et c'est la fin pour quoy sommes ensemble. Hommage à Jean Dufournet*, éd. Jean-Claude Aubailly, Emmanuèle Baumgartner, Francis Dubost, Liliane Dulac et Marcel Faure, Paris, Champion, 1993, t. I, p. 215-226.

BAIDER, Fabienne, «Christine de Pizan. Femme de lettres, femme de mots», dans *Christine de Pizan. Une femme de science, une femme de lettres, op. cit.,* p. 271 -288.

BLUMENFELD-KOSINSKI, Renate, «Christine de Pizan and the misogynistic tradition», *Romanic Review,* vol. 81, n° 3, 1990, p. 279-292.

BROWN-GRANT, Rosalind, *Christine de Pizan and the Moral Defence of Women. Reading beyond gender,* Cambridge, Cambridge University Press, 1999.

– «Christine de Pizan: A Feminist Linguist *Avant la Lettre*?», dans *Christine de Pizan 2000, op. cit.,* p. 65-76.

– «Christine de Pizan as a Defender of Women», dans *Christine de Pizan. A Casebook, op. cit.,* p. 81-100.

BROWNLEE, Kevin, «Christine Transforms Boccaccio: Gendered Authorship in the *De mulieribus claris* and the *Cité des dames*», dans *Reconsidering Boccaccio: Medieval Contexts and Global Intertexts,* éd. Olivia Holmes et Dana E. Stewart, Toronto, University of Toronto Press, 2018, p. 246-259.

CERQUIGLINI-TOULET, Jacqueline, «L'étrangère», *Revue des Langues Romanes,* n° 92, 1988, p. 239-251.

– «Le goût de l'étude: saveur et savoir chez Christine de Pizan», dans *Au champ des escriptures, op. cit.,* p. 597-608.

– «Le Moyen Âge 1150-1450», dans *Femmes et littérature: Une histoire culturelle,* éd. Martine Reid, Paris, Gallimard, 2020, t. I, p. 23-217 (chapitre IV, *Écrire: Christine de Pizan (1365-vers 1430),* p. 110-141)

DELALE, Sarah, *Diamant obscur: Interpréter les manuscrits de Christine de Pizan,* Genève, Droz, «Publications romanes et françaises», 2021.

DULAC, Liliane, «La figure de l'écrivain dans quelques traités en prose de Christine de Pizan», dans *Figures de l'écrivain au Moyen Âge,* éd. Danielle Buschinger, Göppingen, Kümmerle, 1991, p. 113-123.

– «État présent des travaux consacrés à Christine de Pizan», *Perspectives médiévales,* n° jubilaire, mars 2005, p. 167-190.

DULAC, Liliane et RENO, Christine, «Christine de Pizan, proche et lointaine», dans *Lire les textes médiévaux aujourd'hui: historicité, actualisation et hypertextualité,* dir. Patricia Victorin, Paris, Champion, 2011, p. 35-55.

KRUEGER, Roberta, «Christine's Anxious Lessons. Gender, Morality and Social Order from the *Enseignemens* to the *Avision*», dans *Christine de Pizan and the Categories of Difference, op. cit.*, p. 16-40.

LAIDLAW, James C., «Christine de Pizan: An Author's Progress», *The Modern Language Review*, t. LXXVIII, n° 3, 1983, p. 532-550.

– «Christine de Pizan: A Publisher's Progress», *The Modern Language Review*, t. LXXXII, n° 1, 1987, p. 35-75.

LAIGLE, Mathilde, *Le* Livre des Trois Vertus *de Christine de Pisan et son milieu historique et littéraire*, Paris, Champion, «Bibliothèque du XVᵉ siècle», 1912.

LANSON, Gustave, *Histoire de la littérature française*, Paris, Hachette, 1920.

LECHAT, Didier, *«Dire par fiction»: Métamorphoses du* je *chez Guillaume de Machaut, Jean Froissart et Christine de Pizan*, Paris, Champion, «Études christiniennes», 2005.

LE BRUN-GOUANVIC, Claire, «Mademoiselle de Keralio, commentatrice de Christine de Pizan au XVIIIᵉ siècle, ou la rencontre de deux femmes savantes», *Christine de Pizan: Une femme de science, une femme de lettres, op. cit.*, p. 325-341.

LE NINAN, Claire, *Le Sage Roi et la clergesse. L'Écriture du politique dans l'œuvre de Christine de Pizan*, Paris, Champion, «Études christiniennes», 2013.

– «La veuve et le tyran: l'*exemplum* de Judith dans l'œuvre de Christine de Pizan», dans *Christine de Pizan: La scrittrice e la città, op. cit., p.* 75-82.

– «La main tendue de Pallas. De l'*Epistre Othea* au *Livre des fais d'armes et de chevallerie,* la représentation du pacte didactique dans quelques œuvres de Christine de Pizan», *Le Moyen français*, n° 78-79, 2016, p. 125-137.

– «Marie-Anne Robert: une héritière de Christine de Pizan? À la recherche d'une autorité au féminin», dans *«De ligne en ligne»: Genèses et Filiations, op. cit.*, p. 157-166.

MARGOLIS, Nadia, *An Introduction to Christine de Pizan*, Gainesville, University Press of Florida, «New Perspectives on Medieval Literature: Authors and Traditions», 2011.

MOREAU, Thérèse, «Promenade en féminie: Christine de Pizan, un imaginaire au féminin», *Nouvelles Questions Féministes*,

vol. 22, n° 2, 2003, p. 14-27; dans *Cairn* [en ligne]
https://www.cairn.info/revue-nouvelles-questions-feministes-
2003-2-page-14.htm (consulté le 30/08/2022).

PARUSSA, Gabriella, «Stratégies de légitimation du discours
auctorial: dialogie, dialogisme et polyphonie chez Christine
de Pizan», *Le Moyen Français*, n° 75, 2014, p. 43-65.

PAUPERT, Anne, «Christine et Boèce. De la lecture à l'écriture, de
la réécriture à l'écriture du moi», dans *Contexts and Continuities*, *op. cit.*, vol. III, p. 645-662.

–   «Les débuts de la Querelle: de la fin du XIIIᵉ siècle à Christine
de Pizan», dans *Revisiter la Querelle des Femmes. Discours
sur l'égalité / inégalité des sexes. De 1400 à 1600*, éd. Armel
Dubois-Nayt, Nicole Dufournaud et Anne Paupert, Saint-
Étienne, Presses de l'Université de Saint-Étienne, 2013, p. 23-
37.

–   «La place des auteures médiévales dans le "canon littéraire"
(Marie de France et Christine de Pizan)», *Littérature*, n° 196,
2019, p. 56-71.

–   «Fille de son père et fille de sa mère: Christine de Pizan à la
croisée des genres», dans *«De ligne en ligne»: Genèses et
Filiations dans l'œuvre de Christine de Pizan*, *op. cit.*, p. 43-
64.

PAUPERT, Anne et VALENTINI, Andrea, «Christine de Pizan était-
elle féministe?», *YouTube*, 2016 [en ligne]
https://www.youtube.com/watch?v=255E7NWGa_U
(consulté le 28/08/2022).

RICHARDS, Earl Jeffrey, «The Medieval "femme auteur" as a
Provocation to Literary History: Eighteenth-Century Readers
of Christine de Pizan», dans *The Reception of Christine de
Pizan*, *op. cit.*, p. 101-126.

–   «Rejecting Essentialism and Gendered Writing: The Case of
Christine de Pizan», dans *Gender and Text in the Later
Middle Ages*, éd. Jane Chance, Gainesville, University Press
of Florida, 1992, p. 96-131.

–   «In Search of a Feminist Patrology: Christine de Pizan and
"les Glorieux Dotteurs"», dans *Une femme de Lettres au
Moyen Âge, op. cit.,* p. 281-293.

–   «Justice in the *Summa* of St. Thomas Aquinas, in Late
Medieval Marian Devotionnal Writings and in the Works of

Christine de Pizan», dans *Christine de Pizan : une femme de science, une femme de lettres, op. cit.*, p. 95-114.

RIGAUD, Rose, *Les Idées féministes de Christine de Pisan*, Neuchâtel, Attinger frères, 1911; réimpr. Genève, Slatkine, 1973.

SOLENTE, Suzanne, «Deux chapitres de l'influence littéraire de Christine de Pisan», *Bibliothèque de l'école des chartes*, 1933, t. 94, p. 27-45; dans *Persée* [en ligne] https://www.persee.fr/doc/bec_0373-6237_1933_num_94_1_449001 (consulté le 29/08/2022).

– «Christine de Pisan», dans *Histoire Littéraire de la France*, Paris, Imprimerie Nationale, 1969, t. XL.

TARNOWSKI, Andrea «Pallas Athena, la science et la chevalerie», dans *Sur le chemin de longue étude, op. cit.*, p. 149-158.

THOMASSY, Raymond, *Essai sur les écrits politiques de Christine de Pisan*, Paris, Debécourt, 1838.

VILLELA-PETIT, Inès, «À la recherche d'Anastaise», *Cahiers de recherches médiévales*, n° 16, 2008, p. 301-316.

– *L'Atelier de Christine de Pizan*, Paris, BnF éditions, Conférences Léopold Delisle, 2020.

WILLARD, Charity Cannon, *Christine de Pizan : Her Life and Works*, New York, Persea Books, 1984.

– «Christine de Pizan : the astrologer's daughter», dans *Mélanges Franco Simone, France et Italie dans la culture européenne*, Genève, Slatkine, 1980, p. 95-111.

– «Anne de France, Reader of Christine de Pizan», dans *The Reception of Christine de Pizan, op. cit.*, p. 59-70.

ZIMMERMANN, Margarete, «Utopie et lieu de la mémoire féminine : La Cité des Dames», dans *Au champ des escriptures, op. cit.*, p. 561-578.

– «L'œuvre de Christine de Pizan à la croisée des cultures», dans «*Desireuse de plus avant enquerre*», *op. cit.*, p. 427-439.

– *Christine de Pizan*, Reinbek bei Hamburg, Rowohlt Taschenbuch Verlag, 2002.

SUR LE *LIVRE DE LA CITÉ DES DAMES*

ANGELI, Giovanna, «Encore sur Boccace et Christine de Pizan : remarques sur le *De mulieribus claris* et le *Livre de la cité des Dames* («Plourer, parler, filer mist Dieu en femme» I, 10), *Le Moyen Français*, vol. L, 2002, p. 115-125.

BIANCIOTTO, Gabriel, «Langue conditionnée de traduction et modèles stylistiques au XVe siècle», dans *Sémantique lexicale et sémantique grammaticale en moyen français : Actes du colloque organisé par le Centre d'Études Linguistiques et Littéraires de la Vrije Universiteit Brussel (28-29 septembre 1978)*, éd. Marc Wilmet, Bruxelles, Université libre de Bruxelles, 1980, p. 51-78.

BLUMENFELD-KOSINSKI, Renate, «"Femme de corps et femme par sens": Christine de Pizan's Saintly Women», *Romanic Review*, vol. 87, n° 2, 1996, p. 157-175.

BOZZOLO, Carla, «Il *Decameron* come fonte del *Livre de la Cité des Dames* di Christine de Pisan», dans *Miscellanea di Studi e ricerche sul Quattrocento francese*, éd. Franco Simone, Torino, Giappichelli, 1966, p. 3-24.

BROWN-GRANT, Rosalind, *Christine de Pizan and the Moral Defence of Women, op. cit.* (chapitre sur le *Livre de la Cité des Dames*, p. 128-174).

BROWNLEE, Kevin, «Martyrdom and the Female Voice: Saint Christine in the *Cité des Dames*», dans *Images of Sainthood in Medieval Europe*, éd. Renate Blumenfeld-Kosinski et Timea Szell, Ithaca/Londres, Cornell University Press, 1991, p. 115-135.

– «Il *Decameron* di Boccaccio e la *Cité des Dames* di Christine de Pizan: modelli e contro-modelli», *Studi sul Boccaccio*, vol. 20, 1991-1992, p. 233-251.

– «Widowhood, Sexuality, and Gender in Christine de Pizan», *Romanic Review*, vol. 86, n° 2, 1995, p. 339-353.

– «Christine Transforms Boccaccio: Gendered Authorship in the *De mulieribus claris* and the *Cité des dames*», dans *Reconsidering Boccaccio: Medieval Contexts and Global Intertexts*, éd. O. Holmes et D. Stewart, Toronto, University of Toronto Press, 2018, p. 246-259.

CARAFFI, Patrizia, «Silence des femmes et cruauté des hommes: Christine de Pizan et Boccaccio», dans *Contexts and Continuities, op. cit.*, vol. I, p. 175-186.

– «Il Libro e la Città: metafore architettoniche e costruzione di una genealogia femminile», dans *Christine de Pizan. Una città per sé, op. cit.*, p. 19-31.

CERQUIGLINI-TOULET, Jacqueline, «Fondements et fondations de l'écriture chez Christine de Pizan. Scènes de lecture et scènes d'incarnation», dans *The City of Scholars, op. cit.*, p. 79-96.

- «La ville chez Christine de Pizan: de vertus, de pierres et de mots», dans *Le verbe, l'image et les représentations de la société urbaine au Moyen Âge*, éd. Marc Boone, Élodie Lecuppre-Desjardin et Jean-Pierre Sosson, Anvers/Apeldoorn, Garant, 2002, p. 17-27.

CROPP, Glynnis M., «Les personnages féminins tirés de l'histoire de la France dans le *Livre de la Cité des Dames*», dans *Une femme de Lettres au Moyen Âge, op. cit.*, p. 195-208.

DELANY, Sheila, «Mothers to Think Back Through: Who are they? The ambiguous example of Christine de Pizan», *Medieval Texts and Contemporay Readers*, éd. L.A. Finke et M.B. Schichtman, Ithaca/New York, Cornell Univ. Press, 1987, p. 88-103.

DEMARTINI, Dominique, «L'exemple de l'Amazone dans la *Cité des Dames*», *Le Moyen Français*, vol. 78-79, 2016, p. 51-63.

- «*La Cité des dames* de Christine de Pizan, quand la littérature se rend à l'histoire. "Bastir et faire orendroit au monde nouvelle Cité"», dans *Le Texte médiéval dans le processus de communication*, éd. Ludmilla Evdokimova et Alain Marchandisse, Paris, Classiques Garnier, «Rencontres. Série Civilisation médiévale», 2019, p. 207-221.

DULAC, Liliane, «Un mythe didactique chez Christine de Pizan: Sémiramis ou la veuve héroïque (du *De Mulieribus Claris* de Boccace à la *Cité des Dames*)», dans *Mélanges de philologie romane offerts à Charles Camproux*, Montpellier, C.E.O., 1978, t. 2, p. 315- 343.

GROAG-BELL, Susan, *The Lost Tapestries of the «City of Ladies». Christine de Pizan's Renaissance Legacy*, Berkeley, Los Angeles/London, University of California Press, 2004.

JEANROY, Alfred, «Boccace et Christine de Pizan. Le *De claris mulieribus*, principale source du *Livre de la cité des dames*», *Romania*, n° 48, 1922, p. 93-105.

KELLOGG, Judith L., «*Le Livre de la cité des dames*: reconfiguring knowledge and reimagining gendred space», dans *Christine de Pizan, a Casebook, op. cit.*, p. 129-146.

LUCKEN, Christopher, «Thisbé dans la *Cité des Dames*», *Cahiers de Recherches Médiévales et Humanistes*, n° 20, 2010, p. 303-320.

- «Christine de Pizan et sa mère ou l'appel du réel», dans *«De ligne en ligne»: Genèses et Filiations dans l'œuvre de Christine de Pizan, op. cit.*, p. 81-99.

MÜHLETHALER, Jean-Claude, « Problèmes de réécriture : amour et mort de la princesse de Salerne dans le *Decameron* (IV, 1) et dans la *Cité des dames* (II, 59) », dans *Une femme de Lettres au Moyen Âge, op. cit.*, 1995, p. 209-220.

– « Du *Decameron* à *La Cité des Dames* de Christine de Pizan : modèle hagiographique et réécriture au féminin », dans *La circulation des nouvelles au Moyen Âge,* éd. Luciano Rossi, Anne B. Darmstätter, Ute Limacher-Riebold et Sara Alloatti Boller, Alessandria, Edizioni dell'Orso, 2005, p. 253-274.

NEPHEW, Julia, « Christine and Judy Chicago's *The Dinner Party* », dans *Desireuse de plus avant enquerre, op. cit.*, p. 397-407.

PAUPERT, Anne, « Un corps problématique : la présence du corps féminin dans les œuvres didactiques de Christine de Pizan (La *Cité des Dames* et l'*Advision*) », dans *Sens, Rhétorique et Musique. Études réunies en hommage à Jacqueline Cerquiglini-Toulet,* par Sophie Albert, Mireille Demaules, Estelle Doudet, Sylvie Lefèvre, Christopher Lucken et Agathe Sultan, Paris, Champion, 2015, p. 891-905.

– « *Te donrai preuve par exemples* : statut et fonction des exemples historiques dans la *Cité des Dames* de Christine de Pizan », *Elseneur,* n° 31, 2016, p. 27-42.

– « L'autorité au féminin : les femmes de pouvoir dans la *Cité des Dames* », *Le Moyen Français,* n° 78-79, 2016, p. 167-185.

QUILLIGAN, Maureen, *The Allegory of female authority. Christine de Pizan's Cité des Dames,* Ithaca/London, Cornell University Press, 1991.

RIBÉMONT, Bernard, « De l'architecture à l'écriture : Christine de Pizan et la Cité des Dames », dans *La Ville : du réel à l'imaginaire,* Rouen, Publications de l'Université de Rouen, n° 162, 1991, p. 27-35.

– « Christine de Pizan, la justice et le droit », *Le Moyen Âge,* t. CXVIII, 2012/1, p. 129-168.

RICHARDS, Earl Jeffrey, « Where are the men in Christine de Pizan's City of Ladies ? Architectural and allegorical structures in Christine de Pizan's *Livre de la Cité des Dames* », dans *Translatio studii. Essays by his students in honor of Karl D. Uitti,* éd. Renate Blumenfeld-Kosinski, Kevin Brownlee, Mary B. Speer et Lori J. Walters, Amsterdam, Rodopi, 2000, p. 221-243.

Reno, Christine, «Christine de Pizan: "At best a Contradictory Figure"?», dans *Politics, Gender and Genre, op. cit.*, p. 171-191.

Slerca, Anna, «Dante, Boccace et le *Livre de la Cité des Dames* de Christine de Pizan», dans *Une femme de lettres au Moyen Âge, op. cit.*, p. 221-230

Valentini, Andrea, «Un médiéviste peut-il être (post)féministe? Pour une lecture située de la tradition manuscrite de la *Cité des Dames*», dans *Lire les textes médiévaux aujourd'hui: historicité, actualisation et hypertextualité, op. cit.*, p. 57-68.

— «Le *Livre de la cité des dames* et le *Des cleres et nobles femmes*: investigations manuscrites», dans *Boccaccio e la Francia*, dir. Philippe Guérin et Anne Robin, Florence, Cesati, «Quaderni della Rassegna», n° 130, 2017, p. 153-165.

Villela-Petit, Inès, «À la recherche d'Anastaise», *Cahiers de recherches médiévales*, n° 16, 2008, p. 301-316.

Walters, Lori J., «"Translating" Petrarch: *Cité des Dames* I.7.1, Jean Daudin, and Vernacular Authority», *Christine de Pizan 2000, op. cit.*, p. 283-297.

— «La réécriture de saint Augustin par Christine de Pizan: de la *Cité de Dieu* à la *Cité des Dames*», dans *Au champ des escriptures, op. cit.*, p. 197-215

Zimmermann, Margarete, «Utopie et lieu de la mémoire féminine: *La Cité des Dames*», dans *Au champ des escriptures, op. cit.*, p. 561-578.

Sur les manuscrits

Delsaux, Olivier, *Manuscrits et pratiques autographes chez les écrivains français de la fin du Moyen Âge. L'exemple de Christine de Pizan*, Genève, Droz, 2013.

Laidlaw, James C., «The Date of the Queen's MS (London, British Library, Harley MS 4431)», *Christine de Pizan: The Making of the Queen's Manuscript (London, British Library, Harley MS 4431)*, Édimbourg, Edinburgh University Library, 2015 [en ligne] http://www.pizan.lib.ed.ac.uk/harley4431date.pdf (consulté le 07/05/2021).

Meiss, Millard, *French Painting in the Time of Jean de Berry: The Late 14th Century and the Patronage of the Duke*, Londres/New York, Phaidon, 1967-1968, 2 vol.

OUY, Gilbert et RENO, Christine, «Identification des autographes de Christine de Pizan», *Scriptorium*, n° 34, 1980, p. 221-238.

OUY, Gilbert et RENO, Christine, VILLELA-PETIT, Inès, avec la collaboration de Olivier Delsaux et Tania Van Hemelryck, *Album Christine de Pizan,* Turnhout, Brepols, 2012.

PARUSSA, Gabriella et VALENTINI, Andrea, «Comment travaillait Christine de Pizan? Les variantes d'auteure en l'absence de brouillons», *Studi francesci*, t. 195, n° 3, 2021, p. 466-489.

RENO, Christine, «Les manuscrits originaux de la Cité des dames de Christine de Pizan», dans *L'Écrit et le manuscrit à la fin du Moyen Âge*, éd. Tania Van Hemelryck et Céline Van Hoore-beeck, avec la collaboration d'Olivier Delsaux et de Marie Jennequin, Turnhout, Brepols, 2006, p. 267-276.

VALENTINI, Andrea, «La tradition manuscrite du *Livre de la Cité des dames* de Christine de Pizan: sur la genèse et l'évolution d'un texte majeur du XVe siècle», *Romania*, t. 137, n° 547-548, 3-4, 2019, p. 394-445.

– *Des copistes entreprenants: Pour une approche complémen-taire de la linguistique et de la philologie* (dossier d'Habilita-tion à diriger des recherches), Paris, Université Sorbonne Nouvelle, 2021.

– *La* Cité des dames *de Christine de Pizan entre philologie auctoriale et génétique textuelle*, Genève, Droz, «Publica-tions romanes et françaises», à paraître en 2023.

WALTERS, Lori J., «The Queen's Manuscript (London, British Li-brary, Harley 4431) as a Monument to Peace», *Le Moyen Fran-çais*, vol. 75, *Christine de Pizan: 1ère partie*, 2014, p. 85-117.

ÉTUDES DIVERSES

ANHEIM, Étienne, «La Chapelle d'Isabelle de Bavière (1370-1435), reine de France», dans *«La Dame de cœur»: Patro-nage et mécénat religieux des femmes de pouvoir dans l'Europe des XIVe-XVIIe siècles*, éd. Murielle Gaude-Ferragu et Cécile Vincent-Cassy, Rennes, Presses universitaires de Rennes, 2018, p. 37-49.

AUTRAND, Françoise, *Charles VI: La folie du roi*, Paris, Fayard, 1986.

BADEL, Pierre-Yves, *Le Roman de la Rose au XIVe siècle: étude de la réception de l'œuvre*, Genève, Droz, «Publications romanes et française», 1980.

BLAMIRES, Alcuin, *The Case for Women in Medieval Culture*, Oxford, Clarendon Press, 1997.

BEAUNE, Colette, «La mauvaise reine des origines. Frédégonde aux XIVe et XVe siècles», *Mélanges de l'École Française de Rome: Italie et Méditerranée*, vol. 113, n° 1, 2001.

BEAUNE, Colette et LEQUAIN, Élodie, «Marie de Berry et les livres», *Livres et lectures de femmes en Europe entre Moyen Âge et Renaissance*, dir. A.-M. Legaré, Turnhout, Brepols, 2007, p. 49-65.

BLUMENFELD-KOSINKI, Renate, «Jean Le Fèvre's *Livre de Leesce*: Praise or Blame of Women?», *Speculum*, vol. 69, n° 3, 1994, p. 705-725.

Reading Myth: Classical Mythology and Its Interpretations in Medieval French Literature, Stanford, Stanford University Press, 1997.

BOZZOLO, Carla et LOYAU, Hélène, *La Cour amoureuse dite de Charles VI*, Paris, Le Léopard d'Or, 1982 et1992, 3 t.

CERQUIGLINI-TOULET, Jacqueline, «Le Dit», dans *La Littérature française aux XIVe et XVe siècles*, dir. Daniel Poirion, *Grundriß der romanischen Literaturen des Mittelalters*, t. VIII/1, Heidelberg, Carl Winter Universitätsverlag, 1988, p. 86-94.

– *La Couleur de la mélancolie: La fréquentation des livres au XIVe siècle, 1300-1415*, Paris, Hatier, 1993.

CLÉMENT, Michèle, «Proba Falconia», *Dictionnaire des femmes de l'ancienne France,* SIEFAR, 2018 [en ligne] http://siefar.org/dictionnaire/fr/Proba_Falconia (consulté le 14/10/2022).

DAVID-CHAPY, Aubrée, «La "Cour des Dames" d'Anne de France et de Louise de Savoie: un espace de pouvoir à la rencontre de l'éthique et du politique», dans *Femmes à la Cour de France. Statuts et fonctions*, dir. K. Wilson-Chevalier et C. Zum Kolk, Villeneuve-d'Ascq, Presses universitaires du Septentrion, 2018, p. 49-66.

DELHAYE, Philippe, «Le dossier anti-matrimonial de l'*Adversus Jovinianum* et son influence sur quelques écrits latins du XIIe siècle», *Mediaeval Studies*, vol. 13, 1951, p. 65-86.

DEMATS, Paule, *Fabula. Trois études de mythographie antique et médiévale*, Genève, Droz, 1973.

GIBBONS, Rachel C., «Isabeau of Bavaria Queen of France (1385-1422): The Creation of an Historical Villainesse»,

Transactions of the Royal Historical Society, ser. 6, vol. 6, 1996, p. 51-74.

GOLENISTCHEFF-KOUTOUZOFF, Elie, *L'Histoire de Griselda en France aux XIVᵉ et XVᵉ siècles* [1933], Genève, Slatkine, 1975.

GREEN, Monica, «'Traittié tout de mençonges': The *Secrés des dames*, '*Trotula*', and attitudes towards women's medicine in fourteenth- and early fifteenth-century France», dans *Christine de Pizan and the Categories of Difference, op. cit.*, p. 146-178.

JAMES-RAOUL, Danièle, «Les Amazones au Moyen Âge», dans *En quêtes d'utopies*, éd. Claude Thomasset et Danièle James-Raoul, Paris, Presses de l'Université Paris-Sorbonne, 2005.

LANGLOIS, Ernest «La traduction de Boèce par Jean de Meun», *Romania*, t. 42, n° 167, 1913, p. 331-369.

LECHAT, Didier, «Héro et Léandre dans l'*Ovide Moralisé*», *Cahiers de Recherches Médiévales et Humanistes*, n° 9, 2002, p. 25-37.

– «La place du *sentement* dans l'expérience lyrique aux XIVᵉ et XVᵉ siècles», *Perspectives médiévales*, supplément au n° 28, 2002, p. 193-207.

LE GOFF, Jacques, *L'Imaginaire médiéval*, Paris, Gallimard, 1985.

LIBERA, Alain de, *La Philosophie médiévale* [1993], Paris, PUF, «Quadrige», 2004.

LOBA, Anna, *Le Réconfort des dames mariées. Mariage dans les écrits didactiques adressés aux femmes à la fin du Moyen Âge*, Poznan, Uniwersytet im. Adama Mickiewicza, 2013.

LUSIGNAN, Serge, *Parler vulgairement. Les intellectuels et la langue française aux XIIIᵉ et XIVᵉ siècles*, Montréal, Presses de l'Université de Montréal - Paris, Vrin, 1986.

MALENFANT, Marie-Claude, *Argumentaire de l'une et l'autre espèce de femmes. Le statut de l'exemplum dans les discours littéraires sur la femme (1500-1550)*, Québec, Les Presses de l'Université Laval, 2004.

MAYOR, Adrienne *The Amazons. Lives and Legends of Warrior Women across the Ancient World*, Princeton, Oxford, Princeton University Press, 2014; *Les Amazones. Quand les femmes étaient les égales des hommes (VIIIᵉ siècle avant J-C – Iᵉʳ siècle après J-C)*, trad. Philippe Pignarre, Paris, La Découverte, 2017.

McLeod, Glenda, *Virtue and Venom. Catalogs of Women from Antiquity to the Renaissance*, Ann Arbor, The University of Michigan Press, 1991.

Muller-Dufeu, Marion, *Créer du vivant: sculpteurs et artistes dans l'antiquité grecque*, Villeneuve d'Ascq, Presses Universitaires du Septentrion, 2011.

Ornato, Monique, *Répertoire prosopographique de personnages apparentés à la couronne de France aux XIVe et XVe siècles*, Paris, Publications de la Sorbonne, 2001.

Perez-Simon, Maud, « Alexandre le Grand, métamorphoses d'un portrait », dans *Moyen Âge, Livres & Patrimoines. Liber Amicorum Danielle Quéruel*, dir. Marie Colombo Timelli, Mireille Lacassagne et Jean-Louis Hauquette, Paris, Épure, 2012, p. 185-208.

Petit, Aimé « Le traitement courtois du thème des Amazones d'après trois romans antiques : *Énéas, Troie* et *Alexandre* », *Le Moyen Âge,* t. 89, n° 1, 1983, p. 63-84.

Piaget, Arthur, *Martin Le Franc, prévôt de Lausanne*, Lausanne, Payot, 1888 ; réimpression : Caen, Paradigme, « Medievalia », 1993.

Ratti, Stéphane, « Le viol de Chiomara : sur la signification de Tite-Live 38, 24 », *Dialogues d'histoire ancienne*, vol. 22, n° 1, 1996, p. 95-131.

Rochebouet, Anne, « De la Terre Sainte au Val de Loire : diffusion et remaniement de l'*Histoire ancienne jusqu'à César* au XVe siècle », *Romania*, vol. 134, n° 533-534, 1-2, 2016, p. 169-203.

Sartre, Agnès, et Sartre, Maurice, *Zénobie, de Palmyre à Rome*, Paris, Perrin, 2014.

Séguy, Mireille, *Les Romans du Graal ou le signe imaginé*, Paris, Champion, 2001.

Solterer, Helen, *The Master and Minerva. Disputing Women in French Medieval Culture*, Berkeley/Los Angeles/Londres, University of California Press, 1995.

Suard, François, *Alexandre le Grand*, Paris, Larousse, 2001.

Tristan, Anne et Pisan, Annie de, *Histoire du M. L. F.*, Paris, Calmann-Lévy, 1977.

Ueltschi, Karin, « La chair et le corps : de la morale à la science », dans *Le Corps et ses énigmes au Moyen Âge,* Actes du colloque d'Orléans 15-16 mai 1992, dir. Bernard Ribémont, Caen, Paradigme, 1993.

VERCRUYSSE, Jean-Marc, «Qui sont donc les géants du livre de la Genèse (Gn 6, 1-4)? L'interprétation des Pères de l'Église», dans *Les Géants entre mythe et littérature,* dir. Marianne Closson et Myriam White-Le Goff, Arras, Artois Presses Université, 2007 [en ligne] http://books.openedition.org/apu/12916 (consulté le 05/10/2022), p. 25-35.

OUVRAGES ET SITES DE RÉFÉRENCE

Nous n'avons pas noté ici les dictionnaires utilisés pour la langue (cités à la fin du glossaire).

Christine de Pizan Digital Scriptorium / Scriptorium numérique de Christine de Pizan, Johns Hopkins University Sheridan Libraries, University of Waterloo's Margot project et Bibliothèque Nationale de France (BnF), 2021 [en ligne] https://dlmm.library.jhu.edu/fr/ christine-de-pizan-digital-scriptorium (consulté le 16/05/2021).

Christine de Pizan. The Making of the Queen's manuscript (London, British Library, Harley MS 4431), éd. James Laidlaw, Justin Clegg, Marie-Thérèse Gousset *et alii,* Édimbourg, Edinburgh University Library, The British Library, 2015 [en ligne] http://www.pizan.lib.ed.ac.uk (consulté le 16/05/2021).

CURTIUS, Ernst Robert, *La Littérature européenne et le Moyen Âge latin* [1956], Paris, Pocket, «Agora», 1991.

Dictionnaire des Lettres Françaises: le Moyen Âge, éd. Geneviève Hasenohr, et Michel Zink, Paris, 1992.

Dictionnaire du Moyen Âge, éd. Claude Gauvard, Alain de Libera et Michel Zink, Paris, PUF, 2002.

Dictionnaire de Théologie Catholique, éd. Alfred Vacant et Eugène Mangenot, Paris, Letouzey et Ané, 1909-1972.

Dictionnaire des femmes de l'ancienne France, SIEFAR, 2018 [en ligne] http://siefar.org/dictionnaire/fr (consulté le 09/05/2021).

DU FRESNE DU CANGE, Charles et *alii, Glossarium mediae et infimae latinitatis,* Niort, L. Favre, 1883-1887.

GRIMAL, Pierre, *Dictionnaire de la mythologie grecque et romaine,* Paris, PUF, 1969.

MARCHELLO-NIZIA, Christiane, *Histoire de la langue française aux XIVᵉ et XVᵉ siècles*, Paris, Bordas, «Études», 1979, p. 339-340.

THOMPSON, Stith, *Motif-index of folk-literature, a classification of narrative elements in folk-tales, ballads, myths, fables, mediaeval romances, exempla, fabliaux, jest-books and local legends*, Helsinki, Academia scientiarum fennica, 1932-1936, 6 vol.

UGLOW, Jennifer, *The Macmillan Dictionary of Women's Biography, Second Edition*, Londres/Basingstoke, The Macmillan Press LTD, 1989.

LISTE DES ABRÉVIATIONS UTILISÉES
DANS LES NOTES

ÉDITIONS DE LA *CITÉ DES DAMES*

Curnow, *Cité*: *The Livre de la Cité des Dames of Christine de Pisan: a critical edition*, éd. Maureen Curnow (Ph.D. dissertation), Nashville, Vanderbilt University, 1975, 2 t.

Hicks-Moreau, *Cité*: *La Cité des Dames*, trad. Éric Hicks et Thérèse Moreau, Paris, Stock, «Moyen Age», 1986.

Richards, *City*: *The Book of the City of Ladies*, trad. Earl Jeffrey Richards, New York, Persea Books, 1982.

Richards-Caraffi, *Città*: *La Città delle Dame*, éd. Earl Jeffrey Richards, trad. Patrizia Caraffi, Milano, Luni editrice, 1998.

AUTRES ŒUVRES DE CHRISTINE DE PIZAN

Othea: *Epistre Othea*, éd. Gabriella Parussa, Genève, Droz, 1999.

Mutacion: *Le Livre de la mutacion de Fortune*, éd. Suzanne Solente, Paris, Picard, 1959-1966, 4 t.

Charles V: *Le Livre des fais et bonnes meurs du sage roy Charles V* [1936], éd. Suzanne Solente, Genève, Slatkine, 1977.

Advision: *Le Livre de l'advision Cristine*, éd. Liliane Dulac et Christine Reno, Paris, Champion, 2001.

SOURCES ET AUTRES TEXTES

Cleres femmes: Boccace, *Des cleres et nobles femmes* (*Ms. Bibl. Nat. 12420*), éd. Jeanne Baroin et Josiane Hafen, Besançon, Université de Besançon, 1993-1995, 2 vol.

De mulieribus claris: Boccace, *De mulieribus claris / Des femmes illustres*, éd. et trad. Vittorio Zaccaria et Jean-Yves Boriaud, Paris, Les Belles Lettres, 2013.

Faits et dits I, II, III, IV, V, VI, VII, VIII, IX : désigne les livres des traductions de Simon de Hesdin (I-VII, 1-4) et Nicolas de Gonesse (VII, 5 – IX), selon le manuscrit et les éditions suivants :
- livre I, trad. Simon de Hesdin, éd. Maria Cristina Enriello ; livre II, trad. Simon de Hesdin, éd. Chiara Di Nunzio ; livre III, trad. Simon de Hesdin, Alessandro Vitale-Brovarone ; livre V, trad. Simon de Hesdin, Piero Andrea Martina, Turin, *Pluteus*, éd. Alessandro Vitale-Brovarone [en ligne]
- livres IV, VI, VII 1-4 : *Facta et dicta memorabilia*, trad. Simon de Hesdin et Nicolas de Gonesse, Paris, BnF, fr. 282, Paris, BnF, Gallica, 2011 [en ligne].
- livres VII 5-IX : Pastore, Graziella, *Nicolas de Gonesse e la traduzione francese di Valerio Massimo : edizione e commentario* (thèse de doctorat), Turin, Paris, Università degli Studi di Torino, Paris 3 Sorbonne Nouvelle, 2012.

Grandes Chroniques : *Grandes Chroniques de France*, éd. Jules Viard, Paris, Société de l'histoire de France, 1920-1953, 10 t.

Histoire ancienne 1 et 2 : désigne les deux rédactions de ce texte utilisées par Christine de Pizan :
L'Histoire ancienne jusqu'à César, Faits des Romains (première rédaction), Paris, BnF, fr. 246, Paris, BnF, Gallica, 2012 [en ligne].
- *L'Histoire ancienne jusqu'à César* (deuxième rédaction), Paris, BnF, fr. 301, Paris, BnF, Gallica, 2018 [en ligne].

Leesce : Jean Le Fèvre, *Les Lamentations de Matheolus et Le Livre de Leesce de Jehan Le Fèvre*, éd. Anton Gerard Van Hamel, Paris, E. Bouillon, 1892-1905, 2 t.

Lég. dor. : édition moderne de la *Légende dorée* : Jacques de Voragine, *La Légende dorée*, dir. Alain Boureau, Paris, Gallimard, « Bibliothèque de la Pléiade », 2004.

Trad. J. de Vignay : traduction de la *Légende dorée* par Jean de Vignay : Jacques de Voragine, *Légende dorée*, trad. Jean de Vignay, révisée par Jean Batallier, éd. Brenda Dunn-Lardeau, Paris, Garnier, 1997.

Miroir historial vol. I, vol. II, vol. IV : désigne les trois volumes répartis en trois manuscrits restant du texte complet possédé par Louis d'Orléans :

Vincent de Beauvais, *Miroir historial*, trad. Jean de Vignay, Paris, BnF, fr. 312, 313, 314, vol. 1 (livres I-VIII), vol. 2 (livres IX-XVI), vol. 3 (livres XXV-XXXII), Paris, BnF, Gallica, 2011 [en ligne].

Ovide moralisé: *Ovide moralisé, poème du commencement du XIVe siècle publié d'après tous les manuscrits connus*, éd. Cornelis de Boer, Michael Georg de Boer et Jeannette Th. M. Van'T Sant, Amsterdam, J. Müller, 1915-1938, 5 t.

Prose 5: *Le Roman de Troie en prose: Prose 5*, éd. Anne Rochebouet, Paris, Classiques Garnier, «Textes littéraires du Moyen Âge», 2021.

LE LIVRE DE LA CITÉ DES DAMES

TEXTE ET TRADUCTION

TEXTE

[2ʳ] Cy¹ commence la table des rebriches du *Livre de la Cité des dames* lequel dit livre est parti en trois parties².
La premiere parle comment et par qui la muraille et la cloison d'entour la cité fu faicte.

¶Item la IIᵉ partie parle comment et par qui la cité fu au par dedens maisonnee edifiee et peuplee.

¶Item la IIIᵉ parle comment et par qui les haulx combles des tours furent parfais et quelles nobles dames furent establies pour demourer es grans palais et es haulx donjons.

¶Cy commencent les chapitres de la premiere partie.
¶Le premier chapitre parle pour quoi³ et par quel mouvement le dit livre fu fait **.I**.

¶Item dit Cristine comment trois dames lui apparurent et comment celle qui aloit devant l'araisonna premiere et la reconforta d'un desplaisir qu'elle avoit **.II**.

¶Item dit Cristine comment la dame qui l'ot araissonnee lui devisa quelle estoit sa proprieté et de quoy elle servoit, et lui anonça comment elle edefieroit une cité a l'aide d'elles III dames **.III**.

¶Item dit encore comment la dame devise a Cristine de la cité qui lui estoit commise a faire, et que elle estoit establie a lui aidier a bastir la muraille et la cloisture d'environ, et puis li dit son nom **.IV**.

¶Item dit Cristine comment la IIᵉ dame lui dist son nom et de quoy elle servoit, et comment elle lui aideroit a maçonner et maisonner⁴ la cité des dames **.V**.

¶Item dit Cristine comment la IIIᵉ dame lui dist qui elle estoit et de quoy elle servoit, et comment elle lui aideroit a

---

¹ C *orné sur 2 lignes.*

² *B, D, R :* trois parties principales

³ qui, *corr. d'après B, D, R, et le titre du chapitre.*

⁴ *Titre du chapitre :* maisonner *seul*

TRADUCTION

Ici commence la table des rubriques du *Livre de la Cité des dames*, livre qui est divisé en trois parties.
La première partie dit comment et par qui furent construits la muraille et les remparts de la cité.
La deuxième partie dit comment et par qui furent construits les demeures et les édifices à l'intérieur de la Cité des dames, et comment ils furent peuplés.
La troisième partie dit comment et par qui les hauts faîtes des tours furent achevés et quelles nobles dames furent choisies pour demeurer dans les grands palais et les hautes tours.

Ici commencent les chapitres de la première partie.
1. Le premier chapitre raconte pourquoi ce livre fut écrit et quel en fut le point de départ
2. Christine dit ici comment trois dames lui apparurent, et comment celle qui était devant s'adressa à elle en premier et la réconforta dans sa peine
3. Christine dit ici comment la dame qui s'était adressée à elle lui expliqua ses propriétés et sa fonction, et lui annonça qu'elle construirait une cité avec leur aide à toutes trois
4. Elle raconte ensuite comment la dame parle à Christine de la cité qu'elle était chargée de construire, et lui dit qu'elle-même avait pour tâche de l'aider à construire la muraille et les remparts ; puis elle lui dit son nom
5. Christine dit comment la deuxième dame lui dit son nom et sa fonction, et l'aide qu'elle lui apporterait pour bâtir et construire la Cité des dames
6. Christine dit comment la troisième dame lui dit qui elle était, quelle était sa fonction, et comment elle l'aiderait à construire les hauts faîtes des tours de sa cité, et la peuplerait de nobles dames

faire les haulx combles des tours de sa cité et la peupleroit de nobles dames[1] .**VI.**

20 ¶Item dit Cristine comment elle parla aux III [2ᵛ] dames .**VII.**

¶Item dit Cristine comment par le commandement et aide de Raison elle commença a fouir la terre pour faire les fondemens .**VIII.**

25 ¶Item comment Cristine fouissoit en terre, qui est a entendre les questions qu'elle faisoit a Raison et comment Raison lui respondoit .**IX.**

¶Item encores de ce meismes altercacions et responces .**X.**

¶Item demande Cristine a Raison pour quoy ce est que

30 femmes ne sieent en siege de plaidoirie, et responces .**XI.**

¶Item dit de l'empereïs Nicole, et aprés d'aucunes roines et princeces de France .**XII.**

¶Item d'une roine de France qui fu nommee Fredegonde .**XIII.**

35 ¶Item encores altercacions et arguemens de Cristine a Raison .**XIV.**

¶Item dit de la roine Semiramis .**XV.**

¶Item des Amasones .**XVI.**

¶Item de la roine de Maizonie nommee Thamaris .**XVII.**

40 ¶Item comment le fort Hercules et Theseus son compaignon alerent de Grece[2] a grant ost et grant navire fuir [sur les] Amaizonnes. Et comment les deux pucelles Manalippe et Ypolite les abatirent, chevaulx et tout en un mont .**XVIII.**

45 ¶Item de la royne Panthasellee, comment elle ala[3] au secours de Troie .**XIX.**

¶Item de Cenobie, roine des Palmurenes .**XX.**

¶Item de la noble roine Arthemise .**XXI.**

¶Item de Lilie, mere du vaillant chevalier Tierris .**XXII.**

50 ¶Item parle encore de la royne Fredegonde .**XXIII.**

---

[1] *Titre du chapitre*: des tours et des palais (*pas* de sa cité); lui amenroit la royne acompaigniee de haultes dames

[2] *Titre du chapitre*: vindrent de Grece

[3] *Titre du chapitre*: et comment elle ala

¶Item de la verge Camile .**XXIV**.

¶Item de la roine Veronice de Capadoce .**XXV**.

¶Item de la hardiece de Cleolis .**XXVI**.

55   ¶Item demande Cristine a Raison se Dieux volt oncques anoblir aucun[1] entendement de femme de la haultece des sciences, et responce de Raison .**XXVII**.

[3ʳ] ¶Item commence a parler d'aucunes dames qui furent enluminees de grant science, et premierement, de la noble pucelle Corniffie .**XXVIII**.

60   ¶Item de Probe la Rommaine .**XXIX**.

¶Item dit de Sapho, la tres soubtille femme, pouete et philosophe .**XXX**.

¶Item de la pucelle Ma[n]thoa .**XXXI**.

¶Item de Medee et d'une autre royne nommee Circés[2] 65   .**XXXII**.

¶Item demande Cristine a Raison se il fu oncques femme qui de soy trouvast aucune science et elle lui respont de Nicostrate qui trouva le latin[3] .**XXXIII**.

¶Item dit de Minerve qui trouva mainte sciences et la 70   maniere de faire armeures de fer et d'acier[4] .**XXXIV**.

¶Item de la roine Cerés qui trouva la maniere de labourer les terres et maintes autres ars .**XXXV**.

¶Item de Ysis qui trouva l'art de faire les courtillages et planter plantes .**XXXVI**.

75   ¶Item du grant bien qui est venu au siecle par icelles dames **XXXVII**.

¶Item encores de ce maismes .**XXXVIII**.

¶Item de la pucelle Arenie qui trouva l'art de taindre les laines et de faire les draps ouvrez que on dit de haulte lice 80   et aussi trouva l'art de cuillir le lin, de le filer et faire toilles[5] .**XXXIX**.

---

[1]   *Titre du chapitre*: nul entendement

[2]   Cerés; *corr. d'après le titre du chapitre et le texte.*

[3]   *Titre du chapitre*: Demande Cristine a Raison se il fu oncques femme qui de soy trouvast aucune science non par avant sceue

[4]   qui trouva mainte sciences et faire armeures; *corr. d'après le titre du chapitre; même erreur dans R.*

[5]   *Titre du chapitre*: l'art de cultiver le lin et faire toilles

24. De la vierge Camille

25. De Bérénice, reine de Cappadoce

26. De la hardiesse de Clélie

27. Christine demande à Raison si Dieu a jamais voulu ennoblir une intelligence féminine en lui permettant l'accès aux plus hautes sciences. Réponse de Raison

28. Où l'on commence à parler de certaines dames qui eurent toutes les lumières de la science, et d'abord de la jeune et noble Cornificia

29. De Probe la Romaine

30. Où l'on parle de Sappho, femme très subtile, poète et philosophe

31. De la vierge Mantô

32. De Médée et d'une autre reine nommée Circé

33. Christine demande à Raison s'il arriva jamais qu'une femme découvre par elle-même une science et elle lui répond en parlant de Nicostrate, qui inventa le latin

34. Où l'on parle de Minerve, qui inventa mainte science, ainsi que la technique pour fabriquer des armures de fer et d'acier

35. De la reine Cérès, qui inventa l'art de labourer la terre ainsi que bien d'autres techniques

36. D'Isis, qui inventa l'art du jardinage et des plantations

37. Des grands biens que ces dames ont apportés au monde

38. Encore sur le même sujet

39. De la jeune Arachné, qui inventa les techniques permettant de teindre la laine et d'exécuter les tapisseries de haute lice, ainsi que l'art de cueillir le lin, de le filer et d'en faire des tissus

---

1 *Titre du chapitre* : en plusieurs couleurs *omis*

2 *Titre du chapitre* : Cy dit de Thamar qui fu souveraine maistresse en l'art de painterie, et d'une autre semblablement qui fu nommee Yrane, et de Marcia la Romaine

40. Où l'on parle de Pamphile, qui inventa l'art de recueillir la soie produite par les vers, de la teindre de plusieurs couleurs et de fabriquer des étoffes de soie

41. De Timarète, qui fut une maîtresse subtile dans l'art de la peinture, et d'une autre qui le fut également, nommée Irène

42. De Sempronie la Romaine

43. Christine demande à Raison si l'esprit féminin est naturellement doué de discernement, et la réponse de Raison

44. *L'Épître de Salomon* dans le *Livre des Proverbes*

45. De Gaia Cecilia

46. Du discernement de la reine Didon

47. D'Ops, reine de Crète

48. De Lavine, fille du roi Latinus

Ici s'achève la table des rubriques de la première partie de ce livre.

[3ʳ]

Cy commence le *Livre de la Cité des dames*, duquel le premier chapitre parle pourquoy et par quel mouvement le dit livre fu fait .I.

1   Seslon[1] la maniere que j'ai plus en usaige[2] et a quoy est disposé le exercice de ma vie, c'est assavoir en la frequentacion d'estude de lettres, un jour comme je feusse seant en ma celle, avironnee de plusieurs volumes de diverses
5   matieres, mon entendement a cele heure auques travaillé de requillir la pesenteur des sentences de divers aucteurs par moy longue piece estudiés, dreçai mon visaige ensus du livre, deliberant pour celle foiz laissier en paix choses soubtilles, et m'esbatre a regarder aucune joieuseté des dis
10   des poetes ; et [3ᵛ] comme adont en celle entente je cerchace

---

[1] S *orné sur 4 lignes.*

[2] *B, D, R* : que j'ay en usage

1. Ici commence le *Livre de la Cité des dames*, dont le premier chapitre raconte pourquoi il fut écrit et quel en fut le point de départ

Selon ma manière de vivre et mon occupation habituelle, à savoir la pratique assidue de l'étude des textes, j'étais un jour assise dans ma petite chambre[1], entourée de nombreux volumes traitant de divers sujets. À un moment, l'esprit un peu fatigué de recueillir les pensées ardues de divers auteurs que j'avais passé longtemps à étudier, je levai les yeux de mon livre, décidant pour une fois de laisser de côté les idées subtiles, et de me divertir en regardant quelque joyeuse composition poétique. Dans cette intention, je cherchais autour de moi quelque petit livre, quand me

---

[1] Le texte donne *celle*, «cellule» au sens monastique du terme (voir introduction, p. 20). Nous l'évitons en raison des connotations différentes qu'il aurait pour un lecteur moderne.

entour moy d'aucun petit livret, entre mains me vint
d'aventure un livre estrange, non mie de mes volumes, qui
avec autres livres m'avoit esté baillié si comme en garde ;
adonc ouvert cellui, je vi en l'intitulacion que il se clamoit
15   Matheolus. Lors en sousriant, pour ce que oncques mais ne
l'avoie veü, et maintefois ouy dire avoie qu'entre les
autres livres, celui parloit bien a reverence[1] des femmes,
me pensai que en maniere de soulas le visiteroie ; mes
regardé ne l'oz moult lonc espace quant je fus appellee de
20   la bonne mere qui me porta pour prendre la refection du
soupper dont l'eure estoit ja venue, par quoy, proposant le
veoir lendemain, le laissai a celle heure.

       Le matin ensuivant, rassise en mon estude, si que j'ay
de coustume, n'oubliai pas a mettre a effect le vouloir qui
25   m'estoit venu de visiter icellui livre de Matheole ; adont
pris a lire et proceday[2] un peu avant, mes comme la
matiere ne me semblast mie moult plaisant a gens qui ne se
delitent en mesdit, ne aussi de nul proufit a aucun ediffice
de vertu et de meurs, veü encores les paroles et matieres
30   deshonnestes de quoy il touche, visitant un pou ça et la, et
veue la fin, le laissai pour entendre a plus haulte estude et
de plus grant utilité. Mais la veue d'icellui dit livre, tout
soit il de nulle octhorité, ot engendré en moy nouvelle
pensee qui fist naistre en mon couraige grant admiracion,
35   pensant quelle peut estre la cause ne dont ce peut venir que
tant de divers hommes, clers et autres, ont esté et sont si
enclins de dire de bouche et en leurs traictiez et escrips
tant de deableries et de vituperes de femmes et de leurs
condicions [4ᵣ], et non mie seulement un ou deux, ne
40   cestui Matheolus, qui entre les livres n'a aucune reputa-
cion et qui traicte en maniere de trufferie, mes generaument aucques en tous traictiés, philosophes, poetes, tous

---

[1] *D, R* : parloit a la reverence
[2] procede ; *corr. d'après R.*

tomba par hasard entre les mains un livre qui ne m'appartenait pas, mais qui m'avait été pour ainsi dire confié en dépôt avec d'autres. L'ayant ouvert, je vis à son titre qu'il s'appelait *Le Livre de Matheolus*[1]. Alors, souriant parce que je ne l'avais encore jamais lu et que j'avais entendu dire de nombreuses fois que plus que tout autre, il parlait avec grand respect des femmes, je pensai que j'allais le parcourir pour m'amuser. Mais je ne l'avais pas regardé longtemps quand la bonne mère qui me porta m'appela pour le repas, l'heure du souper étant déjà venue[2]. Je le laissai donc pour le moment, me proposant de le reprendre le lendemain.

Le matin suivant, de nouveau assise dans mon étude comme à l'habitude, je n'oubliai pas de mettre à exécution mon projet de parcourir ce livre de Mathéole[3]. Je commençai donc et j'avançai un peu dans ma lecture, mais comme le sujet ne me semblait pas très agréable pour ceux qui ne prennent pas plaisir aux médisances, ni d'aucun profit pour l'édification morale ou la vertu, vu encore l'indécence des propos et des sujets qu'il traite, je le parcourus de çà de là et en lus la fin, puis le laissai pour m'intéresser à d'autres études plus élevées et plus utiles. Mais la lecture de ce livre, quoiqu'il ne fasse aucunement autorité, avait engendré en moi de nouvelles réflexions qui firent naître en mon cœur un grand étonnement. Je me demandais quelle pouvait être la cause ou la raison pour laquelle tant d'hommes divers, clercs ou autres, ont été et sont encore si enclins à dire tant de choses abominables et injurieuses sur les femmes et leurs mœurs, en paroles ou dans leurs traités et leurs écrits; et il ne s'agit pas seulement d'un ou deux, comme ce Mathéolus, qui n'a aucune réputation parmi les écrivains et qui traite le sujet sur le ton de la farce, mais plus généralement, presque dans tous les ouvrages, tous les philosophes, poètes,

---

[1] Il s'agit des *Lamentations de Matheolus*, une violente diatribe satirique contre le mariage et les femmes - ce qui laisse penser que la remarque de Christine dans la phrase suivante est ironique -, composée en latin à la fin du XIIIe siècle par un clerc «bigame» (parce qu'il s'était marié avec une veuve). Ce texte a été traduit en français à la fin du XIVe siècle par Jean Le Fèvre de Ressons, auteur du *Livre de Leesce* dont Christine s'inspire (voir introduction, p. 57, p. 66 *sq.*).

[2] La figure de la mère qui vient interrompre le songe ou l'activité intellectuelle de Christine apparaît déjà à la fin du *Chemin de long estude* (Christine de Pizan, *Le Chemin de longue étude*, *op. cit.*, v. 6393-6398, p. 466-467). Voir la note 1, p. 565.

[3] Pour les graphies de ce nom nous suivons les choix du texte.

orateurs desquelz les noms dire seroit[1] longue chose,
semble que tous parlent par une meisme bouche et tous
45   accordent une semblable conclusion, determinant les
meurs femenins enclins et plains de tous les vices.

Ces choses pensant a par moy tres parfondement, je pris
a examiner moy meismes et mes meurs comme femme
naturelle, et semblablement discutoie des autres femmes
50   que j'ay hantees, tant princeces, grandes dames, moiennes
et petites a grant foison, qui de leur grace m'ont dit de leurs
privetés et estroictes pensees, savoir mon a jugier[2] en
conscience et sans faveur se ce peut estre vray ce que tant
de noctables hommes et uns et autres en tesmoignent; mais
55   non obstant que pour chose que je y peusse congnoistre,
tant longuement que je y sceusse viser et espluchier, je ne
perceusse ne congneusse telz jugemens estre vrais encontre
les naturelz meurs et condicions femenines. J'arguoie fort
contre les femmes, disant que trop forte chose seroit[3] que
60   tant de si renommés hommes, si solempnez clers de tant
hault et grant entendement, si clerveans en toutes choses
comme il semble que ceulx feussent, en eussent parlé
meçonjeusement et en tant de lieux que a paine trouvoie
volume moral, qui qu'en soit l'aucteur, que avant que je
65   l'aie tout leü, que je n'y voie aucuns chapitres ou certaines
clauses au blasme d'elles. Ceste seule raison, brief [4ᵛ] et
court, me faisoit conclure que quoy que mon entendement
pour sa simplece et ignorence ne sceust congnoistre les
grans deffaultes de moy meismes et semblablement des
70   autres femmes, que vraiement toutevoies convenoit il que
ainsi fust; et ainsi m'en rapportoie plus au jugement d'aultrui que a ce que moy meismes en sentoie et savoie. En
ceste pensee fus tant et si longuement fort fichee que il
sembloit que je feusse si comme personne en [l]etargie, et
75   me venoient au devant moult grant foison de aucteurs a ce
propos que je ramentevoie en moy meismes l'un aprés
l'autre comme se feust une fontaine ressourdant; et en

---

[1] *R* : soit

[2] adjugier ; *corr. d'après B, D, R.*

[3] *B, D, R* : que trop fort soit

orateurs dont il serait bien long de dire les noms, semblent parler d'une même voix et s'entendre sur une même conclusion, à savoir que les femmes sont portées au vice et pleines de tous les défauts.

Réfléchissant très profondément à tout cela, je commençai à m'examiner moi-même et à observer ma conduite, moi qui suis née femme, et je m'interrogeais de la même façon sur les autres femmes que j'ai fréquentées en grand nombre, tant princesses et grandes dames que femmes de moyenne ou de modeste condition, qui ont bien voulu me faire part de leurs pensées intimes et de leurs sentiments privés, afin de juger en conscience et sans parti pris si ce qu'en témoignent tant d'hommes remarquables, les uns comme les autres, pouvait être vrai. Mais j'eus beau passer autant de temps que possible à examiner attentivement toutes ces choses, pour autant que je puisse les connaître, je ne pus apercevoir ni trouver rien de vrai dans ces jugements contre la nature des femmes et leurs mœurs. Et pourtant j'avais des arguments de poids contre les femmes, me disant qu'il serait trop fort que tant d'hommes si renommés, tant de célèbres savants à l'intelligence si haute et si profonde, si clairvoyants en toute chose comme ils semblent l'avoir été, aient pu dire des mensonges à leur sujet, et cela en tant d'endroits qu'à peine pouvais-je trouver un ouvrage moral, quel qu'en fût l'auteur, où je ne visse avant d'en avoir achevé la lecture quelque chapitre ou passage blâmant les femmes. Bref, cette seule raison me faisait conclure que, bien que mon esprit, dans sa naïveté et son ignorance, n'ait pas su reconnaître les grands défauts qui sont les miens et ceux de toutes les autres femmes, il fallait pourtant bien qu'il en fût ainsi. De sorte que je m'en rapportais davantage au jugement d'autrui qu'à ce que je pouvais moi-même sentir et savoir.

Je restai plongée si longuement et si intensément dans ces pensées qu'on aurait pu me croire tombée en léthargie. Un très grand nombre d'auteurs se présentaient à mon esprit et je me les remémorais l'un après l'autre, comme si c'était un flot sans cesse

conclusion de tout je determinoie que ville chose fist Dieux
quant il fourma femme, en m'esmerveillant comment si
80   digne ouvrier daigna[1] oncques faire tant abominable
ouvraige qui est vessel, au dit d'iceulx, si comme le retrait
et heberge de tous maulx et de tous vices. Adont moi estant
en ceste pensee, me sourdi une grant desplaisance et
tristece de couraige, en desprisant moi meismes, et tout le
85   sexe femenin, si comme se ce feust monstre en nature; et
disoie telz paroles en mes regrais:

    ¶« Ha[2]! Comment peut cesi estre? Car se je ne erre en la
foy, je ne doi mie doubter que ton infinie sapience et tres
parfaite bonté ait riens fait que tout ne soit bon. Ne fourmas-
90   tu toy maismes tres singulierement femme, et des lors lui
donnas toutes telles inclinacions qu'il te plaisoit qu'elle
eust? Et comment pourroit-ce estre que tu y eusses en riens
failli? Et toutevoies voy ci tant de si grandes accusacions,
voire toutes jugees, de[5ʳ]terminees et conclutes contre
95   elles; je ne sçay entendre ceste repunence; et s'il est ainsi,
beau sire Diex, que ce soit vrai que ou sexe femenin tant
d'abominacions habondent, si que tesmoignent maint - et tu
dis toy maismes que le tesmoignage de plusieurs fait a
croire, par quoy je ne doy doubter que ce ne soit vrai – halas,
100   Dieux, pour quoy ne me feis-tu[3] naistre ou monde en
masculin sexe, a celle fin que mes inclinacions feussent
toutes a te mieulx servir et que je ne erraise en riens et feusse
de si grant parfeccion comme homme masle se dist estre?
Mais puisque ainsi est que ta debonnereté ne se est de tant
105   estendue vers moy, espargnes doncques ma negligence en
ton service, beau Sire Dieux, et ne te desplaise, car le
servant qui moins reçoit des guerredons de son seigneur
moins est obligiez a son service. »

    Telz paroles et plus assez tres longuement en triste
110   pensee disoie a Dieu en ma lamentacion si comme celle
qui par ma folour me tenoie tres mal contempte de ce
qu'en corps femenin m'ot Dieux fait estre au monde.

---

[1] daine; *corr. d'après B, D, R.*

[2] *B*: Ha Dieux!

[3] fais; *corr. d'après B et R.*

rejaillissant d'une source. Et pour conclure, je décidai que Dieu avait fait une chose bien vile en créant la femme, m'étonnant de ce qu'un aussi digne ouvrier eût jamais daigné faire une œuvre aussi abominable, qui est, au dire de ceux-là, le récipient, pour ainsi dire le refuge et l'abri, de tous maux et de tous vices. En y pensant, je fus envahie par le dégoût et la tristesse, me méprisant moi-même ainsi que tout le sexe féminin, comme si c'était un monstre enfanté par la nature. Et voici ce que je disais en me lamentant :

« Ah ! Comment cela est-il possible ? Car à moins de tomber dans l'erreur, je ne puis douter dans ma foi que ton infinie sagesse et ta très parfaite bonté aient rien fait qui ne soit entièrement bon. N'as-tu pas toi-même créé la femme de façon toute particulière et dès lors ne lui as-tu pas donné tous les penchants qu'il te plaisait qu'elle eût ? Et comment pourrait-il se faire que tu eusses commis quelque erreur ? Et pourtant, voici tant de grandes accusations, voire de jugements, d'arrêts et de condamnations contre elle ! Je ne puis comprendre une telle contradiction. Et s'il est vrai, Seigneur Dieu, que l'on trouve en abondance tant d'abominations dans le sexe féminin, comme beaucoup l'attestent – et tu dis toi-même que le témoignage de plusieurs fait foi, ce qui fait que je ne puis douter que ce soit vrai – hélas ! Mon Dieu ! Pourquoi ne pas m'avoir fait naître de sexe masculin, pour que tous mes penchants me poussent à mieux te servir, que je ne me trompe en rien et que j'aie cette grande perfection que les mâles prétendent avoir[1] ? Mais puisqu'il en est ainsi et que ta bonté envers moi ne s'est pas étendue jusque-là, sois donc indulgent devant ma faiblesse dans ton service, Seigneur Dieu, et qu'il ne te déplaise pas, car le serviteur qui reçoit le moins de son seigneur est le moins obligé en son service. »

Voilà les paroles que j'adressais à Dieu, avec beaucoup d'autres, dans une longue lamentation, plongée dans de tristes pensées, car dans ma folie je me considérais comme très malheureuse que Dieu m'eût fait naître dans un corps féminin.

---

[1] Au début du *Livre de la mutacion de Fortune*, Christine raconte comment elle a été transformée en homme à la mort de son mari, point de départ de la création littéraire (*Mutacion*, I, 12, v. 1334-1360, t. 1, p. 51-52). Ici le regret d'être une femme disparaît rapidement grâce à la défense des femmes prononcée par les trois apparitions.

Cy dit Cristine comment III dames lui apparurent et comment celle qui estoit devant l'araisonna premiere et la reconforta d'un desplaisir que elle avoit .II.

1 En[1] celle dolente pensee ainsi comme j'estoie, la teste baissiee comme personne honteuse, les yeulx plains de larmes, tenant ma main soubz ma joe, acoudee sur le pommel de ma chaiere, soubdainement sur mon geron vi

5 descendre un ray de lumiere si comme se le souleil feust, et je, qui en lieu obscur estoie ouquel, a celle heure, souleil raier ne peust, tressailli adoncques si comme se je feusse resveillie de somme; et dreçant la teste pour regarder [5ᵛ] dont tel lueur venoit, vi devant moy tout en estant trois

10 dames couronnees de tres souveraine reverence, desquelles la resplandeur de leurs cleres faces enluminoit moy meismes et toute la place. Lors se je fus esmerveillie nul nel me demant, considerant sur moy l'uis clos; et elles la venues, doubtant que ce ne feust aucune fantasme[2] pour

15 me tempter, fis en mon front le signe de la crois, remplie de tres grant paour.

¶Adont celle qui premiere des trois estoit en sousrient me prist ainsi a araisonner: «Chiere fille, ne t'espoentes, car nous ne sommes mie cy venues pour ton contraire, ne

20 faire aucun destourbier[3], ains pour toy conseillier[4] comme piteuses de ta turbacion, et regitter hors de l'ignorence qui tant avugle ta maismes congnoissance que tu deboutes de toy ce que tu sez de certaine science, et adjoustes foy a ce que tu ne scez ne vois ne congnois autrement fors par

---

[1] E *orné sur 3 lignes.*
[2] *B, D*: fantosme; *R*: fantasie
[3] *B, D, R*: encombrier
[4] *B, D, R*: consoler

2. Christine dit ici comment trois dames lui apparurent, et comment celle qui était devant s'adressa à elle en premier et la réconforta dans sa peine

Tandis que j'étais en proie à ces douloureuses pensées, la tête baissée de honte, les yeux pleins de larmes, la joue reposant sur la main, appuyée sur l'accoudoir de mon fauteuil[1], je vis soudain descendre sur mon giron un rayon de lumière semblable à un rayon de soleil, ce qui me fit sursauter, car je me trouvais dans une pièce obscure où le soleil ne pouvait pas pénétrer à cette heure[2]. Alors, comme si je m'éveillais de mon sommeil, redressant la tête pour voir d'où venait cette lumière, je vis se dresser devant moi trois dames couronnées, d'une souveraine majesté ; le vif éclat de leurs brillants visages illuminait ma personne, ainsi que toute la pièce. Qu'on ne me demande pas si je fus stupéfaite, sachant que la porte était fermée derrière moi ; en les voyant surgir[3], craignant que ce ne fût quelque apparition fantastique venue pour me tenter, remplie d'une très grande frayeur, je fis sur mon front le signe de la croix[4].

Alors la première des trois, en souriant, s'adressa ainsi à moi : « Ma chère fille, n'aie crainte, car nous ne sommes pas venues ici pour te faire du tort ou te causer aucun ennui, mais pour te conseiller[5], prises de pitié devant ton trouble, et te faire sortir de l'ignorance qui t'aveugle même dans ce que tu connais, au point que tu rejettes ce que tu sais de science sûre et que tu prêtes foi à des choses que tu ne sais, ne connais ni ne vois qu'à travers un grand

---

[1] Christine se décrit dans la posture topique de la mélancolie.

[2] Sur cette scène qui évoque l'Annonciation et le début de la *Consolation de Philosophie* de Boèce, voir introduction p. 10-11.

[3] La ponctuation et la traduction que nous proposons supposent de voir dans la proposition *et elles la venues* une construction participiale, sur le modèle du latin (littéralement, « et elles une fois venues là »). Elle appartient à la catégorie des « constructions dites absolues » dont parle C. Marchello-Nizia (*Histoire de la langue française aux XIVe et XVe siècles*, Paris, Bordas, 1979, p. 339-340), fréquentes, selon elle, dans la prose du XVe siècle et jouissant d'une grande vogue au XVIe siècle, placées le plus souvent en tête de phrase, comme c'est le cas ici.

[4] Cet effroi à la vue des apparitions rappelle celui des disciples auxquels apparaît le Christ ressuscité (Luc, 24, 36). Christine éprouve la même crainte à la vue de Philosophie dans l'*Advision Cristine* (*Advision*, p. 93).

[5] Dans notre manuscrit, *consoler* a été remplacé par *conseillier*, ce qui marque un changement d'attitude et une prise de distance par rapport au modèle boécien de la *Consolation* (voir note ci-dessus).

25   pluralité d'oppinions estranges. Tu ressembles le fol dont
        la truffe parle, qui en dormant au molin fu revestu de la
        robe d'une femme, et au resvillier, pour ce qu'il le
        moquoient et lui tesmongnoient[1] que femme estoit, crut
        mieulx leurs faulx dis que la certaineté de son estre.
30   Comment, belle fille, qu'est ton scens devenu? As-tu donc
        oublié que le fin or s'espreuve en la fournaise, qui ne se
        change ne meut de sa vertu, ains plus affine de tant plus est
        martellé et demené en diverses façons? Ne sces tu que les
        tres meilleurs choses sont les plus desbatues et les plus
35   arguees? Se tu veulx adviser mesmement aux plus haultes
        choses qui sont les [6ʳ] Ydees, c'est assavoir les choses
        celestielles, regardes se les tres plus grands philosophes
        qui aient esté, que tu argues contre ton meisme sexe, en ont
        point determiné faulx et au contraire du vrai, et se ilz
40   repunent l'un l'autre et reprennent, si comme tu meismes
        l'as veü ou livre de *Methaphisique*, la ou Aristote redargue
        et reprent leurs oppinions, et recite semblablement de
        Platon et d'autres; et notte de rechief se saint Augustin et
        autres docteurs de l'Eglise ont point repris meismement
45   Aristote en aucunes pars, tout soit il dit le Prince des philo-
        sophes, et en qui philosophie naturelle et morale fu souve-
        rainement. Et il semble que tu cuides que toutes les paroles
        des philosophes soient articles de foy et qu'ilz ne puissent
        errer. Et des pouetes dont tu parles, ne scez tu pas bien que
50   il ont parlé en plusieurs choses en maniere de fable? Et se
        veulent aucune foiz entendre au contraire de ce que leurs
        dis demonstrent, et les peut on prendre par la rigle de
        gramaire[2] qui se nomme *antifrasis*, qui s'entent, si comme
        tu sces, si comme on diroit "tel est mauvais", c'est a dire
55   que il est bon, aussi a l'opposite? Si te conseille que tu

_____

[1]   *B, D, R*: pour ce que ceulx qui le moquoyent lui tesmoignoient
[2]   *R*: par une figure de gramaire

nombre d'opinions exprimées par d'autres. Tu ressembles au fou dont parle la farce, qui fut revêtu des habits d'une femme tandis qu'il dormait au moulin, et qui à son réveil, comme des gens se moquaient de lui en affirmant qu'il était une femme, crut mieux leurs mensonges que le témoignage certain de sa propre expérience. Comment, chère fille, qu'est devenue ton intelligence? As-tu donc oublié que l'or fin s'éprouve dans le feu, où il ne s'altère en rien et ne perd rien de ses propriétés, et que plus il est martelé et étiré de diverses façons, plus il s'affine? Ne sais-tu pas que les choses les plus excellentes sont aussi les plus discutées et les plus débattues? Considère même les choses les plus élevées qui soient, les Idées, c'est-à-dire les choses de nature céleste[1]. Regarde si les plus grands philosophes qui ont existé, ceux-là même que tu invoques contre ton propre sexe, n'en ont point parfois jugé à tort et contrairement à la vérité, combattant les uns contre les autres et se critiquant, comme tu l'as toi-même lu dans le livre de la *Métaphysique*[2], où Aristote réfute et critique leurs opinions et rapporte celles de Platon et de quelques autres. Note également si saint Augustin et les autres docteurs de l'Église n'ont point repris Aristote lui-même sur certains points, bien qu'on le nomme le Prince des philosophes, souverain maître dans le domaine de la philosophie naturelle et de la philosophie morale. Or tu sembles penser que tous les propos des philosophes sont des articles de foi et qu'ils ne peuvent jamais se tromper. Quant aux poètes dont tu parles, ne sais-tu pas bien qu'ils ont parlé de plusieurs choses sous une forme figurée, et qu'il faut parfois comprendre le contraire de ce qu'ils semblent dire? Il faut alors appliquer la règle de grammaire qui s'appelle "antiphrase", qui consiste, comme tu le sais, à dire par exemple "un tel est mauvais", ce qui veut dire qu'il est bon, et inversement. Je te conseille donc

---

[1] Dans la philosophie médiévale influencée par Platon, selon l'interprétation de saint Augustin, les Idées sont identifiées à l'essence divine. Les débats sur leur nature se développent à partir du XIIIe siècle, notamment sous l'influence de l'aristotélisme (article «Idées», *Dictionnaire du Moyen Âge*, éd. C. Gauvard, A. de Libera et M. Zink, Paris, PUF, 2002, p. 701-703). La phrase suivante de Raison fait état des divergences d'opinions à ce sujet.

[2] Christine a sans doute connaissance de la *Métaphysique* d'Aristote par le *Commentaire sur la Métaphysique d'Aristote* de Thomas d'Aquin comme l'ont montré C. Reno et L. Dulac dans leur édition de l'*Advision* (p. XXXII-XXXIII). Il s'agit d'un commentaire en latin très utilisé dans les écoles médiévales.

faces ton proufit de leurs dis, et que tu l'entendes ainsi,
quel que fust leur entente, es lieux ou il blasment les
femmes; et par aventure, icellui homme qui se nomme
Matheolus en son livre l'entendi ainsi; car maintes choses
60   y a lesquelles, qui a la lettre tenir les vouldroit, ce seroit
pure heresie; et la vituperacion que dit, non mie seulement
lui, mais d'autres, et mesmement le *Roman* [6ᵛ] *de la Rose*
ou plus grant foy est adjoustee pour cause de l'octorité de
l'aucteur, de l'ordre de mariage, qui est saint estat digne et
65   de Dieu ordené: c'est chose clere, prouvee par l'experience, que le contraire est vrai du mal qu'il proposent et
dient estre en icellui estat, a la grant charge et coulpe des
femmes. Car ou fu oncques trouvé le mari qui tel maistrise
souffrit avoir en sa femme que elle eust loi de tant lui dire
70   de villenies et d'injures que ceulx mettent que femmes
dient? Je croy que quoy que tu en aies veü en escript, que
onque nul de tes yeulx n'en veis; si sont mençonges trop
mal coulourees. Si te di en concluant, chiere amie, que
simplece t'a meue a la present oppinion. Or te reviens a
75   toy meismes, reprens ton scens et plus ne te troubles pour
telz farfelues. Car saches que tout mal dit si generaument
des femmes empire les diseurs, non pas elles meismes.»

**Cy dit Cristine comment la dame qui l'ot araisonnee
lui devisa quelle estoit sa proprieté et de quoy elle
servoit, et lui anonça comment elle edifieroit une cité a
l'aide d'elles trois dames .III.**

1   Ces[1] paroles me dit la dame renommee, a la presence
de laquelle je ne sçay lequel de mes sens fu plus entrepris,
ou mon ouye en escoutant ses dignes paroles, ou ma veue
en regardant sa tres grant beauté, son atour, son reverent
5   port et sa tres honnouree contenance, et semblablement
des autres, si que ne savoie laquelle regarder, car si fort
s'entre-resembloient les III dames que a paines congneust
on l'une de l'autre, excepté que la derraine, tout ne feust
elle de maindre auctorité que les autres, elle avoit la chiere
10   si fiere que qui es yeux le regardast, si hardi ne [7ʳ] feust

---

¹ C *orné sur 2 lignes.*

d'utiliser leurs écrits à ton avantage et de les comprendre ainsi, quelle qu'ait été leur intention, dans les passages où ils blâment les femmes. D'ailleurs il se pourrait bien que celui qui se donne le nom de Mathéolus ait eu cette intention dans son livre, car il y a bon nombre de choses qui seraient pure hérésie si on voulait les prendre à la lettre. Il en va de même pour la diatribe contre le mariage à laquelle se livrent, non seulement celui-ci, mais bien d'autres, et même le *Roman de la Rose*[1], auquel on accorde davantage de crédit à cause de l'autorité de son auteur - cet état de mariage qui est pourtant saint, digne et voulu par Dieu : il est clair, et l'expérience le prouve, que c'est le contraire qui est vrai, de tous les maux qu'ils disent inhérents à cet état de mariage, soutenant que c'est par la faute des femmes. Car où a-t-on jamais vu un mari qui supporterait que sa femme le domine au point de lui dire autant de méchancetés et d'injures qu'ils font dire aux femmes ? Je crois que quoi que tu aies pu lire à ce sujet, jamais tu ne l'as vu de tes yeux : ce sont des mensonges grossiers. Je te dis pour conclure, ma chère amie, que c'est ta naïveté qui t'a amenée à ta présente opinion. Reviens donc à toi, reprends tes esprits et ne te laisse plus troubler par de telles inepties. Car sache-le bien : tout le mal que l'on dit des femmes de façon si répandue fait du tort à ceux qui le disent, et non aux femmes elles-mêmes. »

3. Christine dit ici comment la dame qui s'était adressée à elle lui expliqua ses propriétés et sa fonction, et lui annonça qu'elle construirait une cité avec leur aide à toutes trois

Tels furent les propos que me tint cette dame renommée. Je ne sais lequel de mes sens était le plus saisi en sa présence : mon ouïe, en écoutant ses nobles paroles, ou ma vue, en regardant sa très grande beauté, ses atours, son comportement qui inspirait le respect, et sa noble attitude. Il en était de même pour les autres, de sorte que je ne savais laquelle regarder, d'autant qu'elles se ressemblaient tant qu'à peine aurait-on pu les distinguer l'une de l'autre, si ce n'est que la dernière, qui n'avait pas moins de pouvoir que les autres, avait un air si farouche que quiconque l'eût regardée dans les yeux, si hardi fût-il, aurait eu grand peur de

---

[1] Voir, dans la partie du *Roman de la Rose* attribuée à Jean de Meun, le discours du Jaloux, v. 8459-9364 (*op. cit.*, p. 508-558).

qui n'eust grant paour de mesprendre, car adez sembloit
qu'elle menaçast les malfaiteurs. Si estoie devant elles en
estant, levee pour leur reverence, les regardant sans mot
dire comme personne si entreprise que mot ne peut[1]
15   sonner; et moult grant amiracion en mon cuer avoie,
pensant qui pouoient icelles estre, et moult voulentiers, se
j'osase, enquerisse leurs noms et de leur estre, et quelle
estoit la signifiance des septres differenciés que chascune
d'elles en sa main destre tenoit, qui tous estoient de moult
20   grant richece, et pour quoy furent la venues. Mais comme
je me reputaisse non digne d'araisonner en telz demandes
si haultes dames comme elles m'apparoient, n'osase nullement, ains continuant adés sur elle mon regart, demie
espouentee et demie asseuree par les paroles que ouies
25   avoie qui m'orent getté hors de ma premiere pensee. Mais
la tres sage dame qui m'ot araisonnee, qui congnut en
esperit ma pensee comme celle qui voit en toutes choses,
respondi a ma cogitacion, disant ainsi:

¶«Chiere fille, saches[2] que la Providence de Dieu, qui
30   riens ne laisse vague ne vuit, nous a establies, quoy que
nous soions choses celestielles, estre et frequenter entre les
gens de ce bas monde affin de mettre en ordre et tenir en
equité les establisemens fais par nous meismes selon le
voloir de Dieu en divers offices, duquel Dieu toutes III
35   sommes filles et de lui nees. Si est mon office de radrecier
les hommes et les femmes quant ilz sont desvoiés et de les
remettre en droitte voie. Et quant ilz errent, se ilz ont entendement qu'ilz me sachent veoir, je viens a eulx coiement
[7ᵛ] en esperit et les presche et sermonne, en demonstrant
40   leur erreur et en quoy il faillent, et leur assigne les causes, et
puis je leur enseigne la maniere de suivre ce qui est a faire et
comment fuiront ce qui est a laissier. Et pour ce que je sers
de demonstrer clerement et faire veoir en conscience et de
fait a un chascun et chascune ses propres taches et deffaulx,
45   me vois tu tenir en lieu de ceptre cestui resplendisant
miroer que je porte en ma main destre. Si saches de voir

---

[1] *B, D, R*: ne scet

[2] sachiez; *corr. d'après D et R.*

commettre une faute, car elle avait toujours l'air de menacer ceux qui agissaient mal. Je me tenais debout devant elles, car je m'étais levée par respect pour elles, et je les regardais sans mot dire, comme une personne si saisie qu'elle ne peut prononcer une parole. Et mon cœur était rempli d'étonnement : je me demandais qui pouvaient être ces dames, et si je l'avais osé, je leur aurais volontiers demandé leur nom et leur identité, la signification des sceptres différents que chacune d'elle tenait en sa main droite, et qui étaient tous trois d'une très grande richesse, ainsi que la raison de leur venue. Mais comme je m'estimais indigne d'adresser la parole à d'aussi nobles dames, à ce qu'il me semblait, et de leur poser de telles questions, je n'osai nullement le faire, mais je continuai à les regarder fixement, à demi épouvantée et à demi rassurée par les paroles que j'avais entendues et qui m'avaient arrachée à mes préoccupations. Mais la très sage dame qui s'était adressée à moi et qui connaissait mes pensées, puisqu'elle peut voir en toutes choses, répondit ainsi à mes réflexions intérieures :

« Ma chère fille, sache que la Divine Providence, qui ne laisse rien au hasard, nous a chargées, bien que nous soyons de nature céleste, de nous établir ici et de fréquenter les gens de ce bas monde afin de mettre en place et de maintenir équitablement les règles que nous avons nous-mêmes établies dans nos diverses fonctions, selon la volonté de Dieu, qui nous a donné naissance et dont nous sommes toutes trois les filles. Pour moi, ma fonction est de redresser les hommes et les femmes quand ils se fourvoient et de les remettre dans le droit chemin ; et quand ils se trompent, s'ils ont une intelligence capable de me voir, je me présente silencieusement à leur esprit ; je les exhorte et les sermonne, en leur démontrant leurs erreurs et leurs fautes et en leur en indiquant les causes. Ensuite je leur enseigne comment suivre la bonne voie et éviter les choses à ne pas faire. Et puisque mon rôle est de montrer clairement à chacun et chacune ses propres caractéristiques et ses défauts et de les leur faire voir en pleine conscience, tu me vois tenir en guise de sceptre ce miroir resplendissant que je tiens dans

qu'il n'est quelconques personne qui s'i mire, quel que la
creature soit, qui clerement ne se congnoisse. O! Tant est de
grant dignité mon mirouer, sans cause n'est il pas avironné
50   de riches pieres precieuses si que tu le vois. Car par lui les
essances, qualitez, porporcions et mesures de toutes choses
sont congneues, ne sans lui riens ne peut estre bien fait. Et
pour ce que tu desires semblablement savoir quelz sont les
offices de mes autres seurs que tu vois cy, affin que le
55   tesmoignage de nous te soit plus certain, chascune en sa
personne respondera de son nom et de sa proprieté. Mais le
mouvement de nostre venue te sera orendroit par moi
declairié. Je te notefie que comme nous ne facions riens
sans bonne cause, n'est mie en vain nostre apparicion cy
60   endroit. Car quoy que nous ne soions pas communes en
plusieurs lieux et que nostre congnoissance ne viengne a
toutes gens, neantmoins toy, pour la grant amour que tu as a
l'inquisicion de choses vraies par lonc et continuel estude,
par quoy tu te rens icy solitaire et soustraite du monde, tu as
65   deservi et desers estre de nous comme [8ʳ] chiere amie
visitee et consolee en ta perturbacion et tristece, et que tu
soies faite clerveant es choses qui contaminent et troublent
ton couraige en obscureté de pensee.

        ¶Autre cause de nostre venue y a, plus grant et plus
70   especialle, que tu saras par nostre relacion. Si saches que
pour fourclosre du monde la semblable esreur ou tu estoies
encheute, et que les dames et toutes vaillans femmes
puissent d'or en avant avoir aucun retrait et closture de
deffence contre tant de divers assaillans, lesquelles dictes
75   dames ont par si lonc temps esté delaissies descloses
comme champ sans haie, sans trouver champion aucun qui
pour leur deffence comparust souffisantment, non obstant
les nobles hommes qui par ordonnance de droit deffendre
les deussent, qui par negligence et non chaloir les ont
80   laissies[1] fouler, par quoy n'est merveille se leurs envieux
ennemis et l'oultrage des villains[2] qui par divers dars les
ont assaillies ont eu contre elles victoire de leur guerre par

----

[1]   *B, D, R*: souffertes

[2]   vaillans; *corr. d'après B, D, R.*

ma main droite. Et sache bien, en vérité, que quiconque s'y
regarde, quelle que soit sa nature, se connaîtra en toute clarté. Oh !
Telle est la grandeur et la valeur de mon miroir que ce n'est pas
sans raison qu'il est tout entouré de pierres précieuses, ainsi que
tu le vois ! Car il permet de connaître les essences, les attributs, les
proportions et les mesures de toutes choses, et sans lui rien ne
peut être bien fait. Et puisque tu désires savoir également quelles
sont les fonctions de mes autres sœurs que tu vois ici, afin que tu
en aies un témoignage plus assuré, chacune répondra en personne
de son nom et de son identité.

Mais il me faut t'expliquer maintenant ce qui a motivé notre
venue. Je te fais savoir que, comme nous ne faisons rien sans
bonne raison, notre apparition en ce lieu n'est pas vaine. Nous ne
fréquentons pas beaucoup d'endroits, et nous ne nous faisons pas
connaître à tout le monde ; mais toi, à cause du grand amour que tu
as pour la recherche de la vérité, te livrant longuement et assidûment à l'étude, ce pourquoi tu te rends ici, solitaire et coupée du
monde, tu as mérité et tu mérites que nous te rendions visite
comme à une amie chère et que nous venions te réconforter dans
ton trouble et ta tristesse, en t'aidant à voir plus clair dans toutes
ces choses qui perturbent et troublent ton cœur, tout en obscurcis-
sant ta pensée.

Il y a une autre raison à notre venue, plus importante et plus
particulière, et nous allons te la faire connaître. Sache que c'est
pour chasser du monde cette même erreur dans laquelle tu étais
tombée, et pour que les dames et toutes les femmes de valeur
puissent dorénavant avoir un refuge fortifié pour les protéger de
tant de divers assaillants. Les femmes en question ont été pendant
si longtemps abandonnées sans protection, comme un champ sans
haie, sans trouver aucun champion pour prendre leur défense de
façon efficace – et pourtant tous les hommes nobles auraient dû
les défendre, selon les règles du droit, mais par leur négligence et
leur indifférence, ils ont souffert qu'elles soient foulées aux
pieds ; il n'est donc pas étonnant que leurs envieux ennemis et les
affronts des rustres qui les ont attaquées de tant de flèches aient
remporté la victoire dans la guerre qu'ils leur livraient, faute de

deffaulte de deffence. Ou est la cité si fort que tost ne fust
prise se resistance n'y estoit trouvé, ne si injuste[1] cause
85 que par contumasse ne feust gaangnee de cellui qui plaide
sans partie? Et les simples debonnaires dames, a
l'exemple de pacience que Dieux commande, ont souffert[2]
les grans ingures qui, tant par bouche de plusieurs comme
par mains escrips, leur ont esté faites a tort et a pechié,
90 eulx rapportant a Dieu de leur bon droit. Mais or est temps
que leur juste cause soit mise hors des mains de Pharaon.
Et pour ce, entre nous trois dames que tu vois cy meues par
pitié, te sommes venues anoncier un [8ᵛ] certain edifice
fait en maniere de la closture d'une cité fort maçonnee et
95 bien ediffiee qui a toy a faire[3] est predestinee et establie
par notre aide et conseil, en laquelle n'abitera fors toutes
damez de renommee et femmes digne de loz, car a celles
ou toute vertu[4] ne serra trouvee, les murs de nostre cité
seront forcloz.»
20

**Cy dit encore comment la dame devise a Cristine de la
cité qui lui estoit commise a faire, et qu'elle estoit
commise a lui aidier a bastir la muraille et la closture
d'environ, et puis lui dist son nom .IV[5].**

1   «Ainsi[6], belle fille, t'est donné la prerogative entre les
femmes de faire et bastir la Cité des dames, por laquelle
fonder et parfaire tu prenderas et puiseras en nous trois
eaue vive comme en fontaines cleres, et te liv[r]erons
5   assez matiere plus forte et plus durable que nul marbre

---

[1] juste; *corr. d'après B, D, R*

[2] *B, D, R*: ont souffert amiablement

[3] affaire; *corr. d'après D et R.*

[4] *B, D, R*: celles ou vertu

[5] *V. L'erreur se poursuit pour le chapitre suivant, et est rectifiée au VIᵉ.*

[6] A *orné sur 2 lignes.*

défense[1]. Où est la cité si forte qu'elle ne soit rapidement prise si l'on n'y rencontre aucune résistance? Ou la cause si injuste qu'elle ne soit gagnée par contumace, si le plaideur ne trouve pas en face de lui de partie adverse? Et les dames, dans leur bonté et leur naïveté, suivant le précepte divin, ont souffert avec patience les grands outrages que beaucoup leur ont faits, verbalement et par écrit - ce qui est injustice et péché -, s'en remettant à Dieu pour rétablir leur bon droit. Mais il est temps maintenant d'ôter cette juste cause des mains de Pharaon[2]. C'est pourquoi tu nous vois ici toutes trois, poussées par la pitié. Nous sommes venues t'annoncer la construction d'une cité fortifiée, solidement bâtie et bien construite; c'est toi qui as été prédestinée pour la réaliser et l'établir, avec notre aide et notre conseil; seules y habiteront les dames renommées et les femmes dignes de louange, car les murs de notre cité resteront fermés à celles qui ne seraient pas dotées de toutes les vertus.»

4. Comment la dame parle ensuite à Christine de la cité qu'elle était chargée de construire, et lui dit qu'elle-même avait pour tâche de l'aider à construire la muraille et les remparts; puis elle lui dit son nom

«Ainsi, ma chère fille, c'est à toi entre toutes les femmes qu'est donné le privilège de réaliser et de bâtir la Cité des dames. Pour la fonder et l'achever, tu puiseras l'eau vive en nous trois, comme en des sources claires, et nous te livrerons en quantité un matériau plus fort et plus durable que nul marbre scellé de ciment

---

[1] La longue phrase que nous avons coupée en deux dans la traduction, en ajoutant un verbe principal («c'est pour…»), est un exemple de phrase à la structure complexe, avec un enchaînement de subordonnées: une infinitive, *pour fourclosre*, suivie d'une consécutive, puis une succession de subordonnées relatives; et là où on attendrait le verbe de la complétive initiale annoncé par *que* (*saches que*), on a une nouvelle subordonnée relative à valeur consécutive introduite par *par quoy* (*n'est merveille*), qui conclut tout ce qui précède. La syntaxe est incorrecte pour nous, mais ce type de rupture de construction est assez fréquent en moyen français (voir par exemple G. Parussa dans son introduction à *Othea*, p. 178-179; C. Marchello-Nizia, *op. cit.* p. 342). Nous avons aussi supprimé la reprise du sujet (*les dames et toutes vaillans femmes*) par un relatif qui relance la phrase, *lesquelles dictes dames*, type de construction courant en ancien et moyen français, qui n'est plus utilisé en français moderne. Les longues phrases complexes sont caractéristiques du style didactique des œuvres en prose de Christine de Pizan, et en particulier, dans la *Cité*, dans les longs discours tenus par les figures allégoriques.

[2] Allusion à la délivrance du peuple élu par Moïse dans le livre de l'Exode.

saellé a ciment ne pourroit estre ; si sera ta cité tres belle,
sans pareille et de perpetuelle duree ou monde.

¶N'as-tu pas oy[1] que le roy Tros fonda la grant cité de
Troies par l'aide d'Apolo, de Minerve et de Neptunus que
10   les gens de lors reputoient dieux, et aussi comment
Cadmus fonda Thebes la cité par l'amonnestement des
dieux ? Et toutevoies icelles citez par espace de temps
dechaïrent et sont tournees si comme en ruine. Mais je te
prophetise comme vraie sebille que ja ceste cité que tu a
15   nostre aide fonderas ne serra anichilee ne decherra, ains
durera en prosperité a tousjours mais, maugré tous ses
envieux ennemis. Quoy qu'elle soit par mains assaulx
combatue, elle ne serra point prise ne vaincue.

¶Jadis fu commencié le royaume d'Amaizonnie par
20   l'ordonnance et em[9ʳ]prise de plusieurs dames de hault

---

[1] *B, D, R* : leü

ne pourrait être. Ainsi ta cité sera d'une beauté sans pareille et durera éternellement en ce monde.

N'as-tu pas entendu dire que le roi Tros fonda la grande cité de Troie grâce à l'aide d'Apollon, de Minerve et de Neptune[1], que les gens de cette époque prenaient pour des dieux[2], et aussi, comment Cadmus fonda la cité de Thèbes par l'exhortation des dieux[3]? Toutefois, avec le temps, ces cités s'effondrèrent et sont maintenant en ruines. Mais je te fais cette prophétie, comme une vraie sibylle[4]: jamais cette cité que tu fonderas avec notre aide ne sera anéantie; elle sera au contraire à jamais prospère, malgré tous ses envieux ennemis. On lui livrera maints assauts, mais elle ne sera pas prise ni vaincue.

Jadis le royaume d'Amazonie[5] fut fondé grâce à l'initiative de nombreuses dames de grand courage qui dédaignèrent la servitude,

---

[1] Christine raconte l'histoire de la fondation de Troie dans la *Mutacion* (VI, 3, v. 14076-14094, t. III, p. 25-26).

[2] Christine reprend, après Boccace et bien d'autres, la thèse évhémériste selon laquelle les dieux n'auraient été que de simples humains exceptionnels divinisés après leur mort. Nommée d'après Évhémère (auteur du IIIe s. av. J-C.), reprise par les apologistes chrétiens qui y ajoutent l'intervention des poètes, créateurs des fables mythologiques, elle a cours durant tout le Moyen Âge. Saint Augustin la résume dans sa *Cité de Dieu*: «Tout cela s'explique de la façon la plus vraisemblable en admettant que les dieux ont été des hommes que les païens par adulation ont voulu diviniser, établissant pour chacun d'eux des cérémonies et des solennités adaptées à son caractère, à ses mœurs, à ses actes, à sa destinée. Ce culte, s'insinuant peu à peu dans l'âme d'hommes, semblables aux démons et avides de divertissements, s'est répandu partout, accrédité par les mensonges des poètes et les séductions des esprits trompeurs.» (Saint Augustin, *La Cité de Dieu*, trad. G. Combès et G. Madec, Paris, Institut d'Études Augustiniennes, 1993, vol. I, livre VI, XVIII, p. 419). Voir P. Demats, *Fabula. Trois études de mythographie antique et médiévale*, Genève, Droz, 1973, p. 11. Voir plus loin les chapitres consacrés aux déesses: Minerve (I, 34), Cérès (I, 35) et Isis (I, 36) où l'idée est reprise par Christine de façon plus développée, en suivant d'assez près le texte de Boccace.

[3] Christine évoque Cadmus dans *Othea*, Glose XXVIII (p. 241) et la *Mutacion* (V, 20, v. 12081, t. II, p. 285).

[4] Certaines sibylles, prophétesses antiques, ont été reconnues comme telles par le christianisme parce qu'elles auraient annoncé l'arrivée du Christ. Dans le *Chemin de long estude*, la sibylle de Cumes guide Christine dans son voyage terrestre puis céleste. Les sibylles sont largement évoquées au début du livre II de la *Cité des dames*.

[5] L'histoire des Amazones occupe plusieurs chapitres de la partie VI de la *Mutacion* (voir la note 70). Elle sera développée plus loin, dès le début de la *Cité*, chapitres 16 à 19.

couraige, qui servitude desprisierent, si comme les
histoires tesmongnent[1], et lonc temps aprés par elles le
maintindrent, soubz la seignourie de plusieurs roynes,
moult nobles dames que elles meismes eslisoient, qui bien
25   et bel les gouvernerent, et par grant vigueur maintindrent
la seignourie. Et neantmoins, tout feussent icelles de grant
force et puissance, et que ou temps de leur dominacion
grant partie de tout Orient conquisdrent, et toutes les terres
voisines espouenterent; et meismement les redoubterent
30   ceulx du païs de Grece, qui adonc estoit la fleur des
contrees du monde; mais non pourtant a chief de temps
failli la puissance d'icelui royaume par tel maniere que, si
qu'il est de toutes mondaines seignouries, il n'en est
demouré ou temps d'ore fors seulement le nom.

35   Mais trop plus fort edifice serra par toy basti en ceste
cité que tu as a faire, pour laquelle commencier sui
commise par la deliberacion d'entre nous trois dames
ensemble a te livrer mortier durable et sans corrupcion, a
faire les fors fondemens et les groz murs tout a l'environ
40   lever, haulx, larges, et a grosses tours et fors chasteaux
fossoiés, bastides et braies, tout ainsi qu'il appartient a cité
de fort et durable deffence. Et par nostre devise tu les
asseras en parfont pour plus durer, et puis les murs sus tant
haulz esleveras que ilz ne craindront tout le monde.

45   Fille, si t'ai ores dit les causes de nostre venue, et affin
que plus adjoustes foi en mes dis, te vueil orendroit mon
nom aprendre par le son duquel seulement [9ᵛ] pourras
apprendre et sçavoir que tu as en moy, se ensuivre veulx
mes ordonnances, admenistraresse en ton oeuvre faire
50   telle que errer ne pourras. Je sui nommee dame Raison : or
advise doncques se tu es en bon conduit! Si ne t'en dis
plus a ceste fois. »

---

[1] *B, D, R :* t'ont tesmoigné. *Dans P, on trouve un* tout *barré avant
le verbe.*

comme en témoignent les récits historiques[1]. Elles le maintinrent longtemps après sous le règne de plusieurs reines, de très nobles dames qu'elles élisaient elles-mêmes, qui les gouvernèrent très bien et surent maintenir le royaume avec une très grande vigueur. Néanmoins, malgré toute leur force et leur puissance, et bien qu'au temps de leur domination elles aient conquis une grande partie de l'Orient, épouvanté toutes les terres avoisinantes, et aient même été redoutées par les habitants de la Grèce, qui était alors la fleur des pays du monde, au fil du temps, la puissance de ce royaume finit par disparaître, comme il en va de tous les empires en ce monde, de sorte qu'il n'en demeure plus aujourd'hui que le nom.

Mais tu bâtiras un édifice beaucoup plus fort avec cette cité que tu dois réaliser; pour la commencer, c'est moi qui ai été chargée, d'un commun accord entre nous trois, de te fournir un mortier durable et incorruptible, pour construire les fondations et élever les gros murs d'enceinte, hauts et larges, avec de grosses tours, des fortifications entourées de fossés, des bastides et des ouvrages de défense, ainsi qu'il convient à une place forte bien défendue. Selon notre dessein, tu établiras les fondations en profondeur, pour qu'elles soient plus durables, et sur elles tu élèveras ensuite des murs si hauts qu'ils ne craindront personne au monde.

Ma fille, je t'ai donc dit les causes de notre venue, et pour que tu accordes plus de foi à mes propos, je veux maintenant t'apprendre mon nom. Rien qu'à l'entendre, tu sauras que tu as en moi, si tu veux bien suivre mes indications, pour t'aider à accomplir ton œuvre, une maîtresse d'ouvrage telle que tu ne pourras pas te tromper. Je suis nommée dame Raison: juge donc si tu es bien guidée! Je ne t'en dirai pas plus pour cette fois.»

---

[1] Christine fait référence à plusieurs reprises à des *histoires* (voir aussi I, 13, 19, 20, 24, 36, II, 3, 5, 41, 49, 61, 67). Ce terme peut désigner des ouvrages considérés à l'époque comme historiques, des compilations telles que l'*Histoire ancienne jusqu'à César* (parfois désignée comme *Estoires Rogier*), les *Faits des Romains*, les *Grandes Chroniques de France* ou le *Miroir historial*. Nous traduisons alors ce mot par «récits historiques».

Cy dit Cristine[1] comment la IIe dame lui dist son nom et de quoy elle servoit et comment elle li aideroit a maisonner la Cité des dames .V.

Quant[2] la dame dessus dite ot sa parolle achevee, ains que loisir eusse de respondre, la seconde dame commença en tel maniere : « Je suis appellee Droiture, qui ou ciel plus qu'en terre ai ma demeure, mais comme rai et resplandeur de Dieu et messagiere de sa bonté, je frequente entre les justes personnes et leur admonneste tout bien a faire[3], rendre a chascun ce qui est sien selon leur pouoir, dire et soustenir verité, porter le droit des povres et des ignocens, ne grever aultrui par exurpacion, soustenir la renommee des accusez sans cause. Je suis escu et deffence des serfs de Dieu. J'empeche la puissance et vigeur[4] des mauvais. Je fais donner loier aux travaillans et meriter les bienfaicteurs. Dieu magnifeste par moy a ses amis ses secrez. Je suis leur avocate ou ciel. Ceste ligne resplandisant, qu'en lieu de ceptre tenir me vois en ma main destre, c'est la rigle droite qui depart le droit du tort et demonstre la difference d'entre bien et mal ; qui la suit ne se fourvoie ; c'est le baston de paix qui reconsilie les bons et ou ilz s'apuient, qui bat et fiert les mauvais. Que t'en diroie ? Par ceste ligne sont toutes choses limi[10ʳ]tees, car infinies sont les dignitez d'elle. Si sache que elle te servira, et bien besoing en as a l'edifice mesurer de la cité qui a faire t'est commise, et bien besoing en auras pour laquelle dite cité maisonner au par dedens, faire les haulx temples, les palais compasser, les maisons et toutes les mensions, les rues[5] et les places et toutes choses convenables l'aidier a peupler. Je suis venue en ton aide, si sera tel mon office ; or ne t'esmaies pour la grant largece et lonc circuite de la closture et de la muraile[6], car a l'aide de Dieu et de nous,

---

[1] *R* : Ci dit comment
[2] Q *orné sur 2 lignes.*
[3] affaire ; *corr. d'après B, D, R.*
[4] *B* : rigueur
[5] *B* : terres
[6] *B* : la closture de la muraille

5. Christine dit comment la deuxième dame lui dit son nom et sa fonction, et l'aide qu'elle lui apporterait pour bâtir la Cité des dames

Dès que la dame dont il vient d'être question eut achevé son discours, avant que je n'aie eu le loisir de répondre, la seconde dame commença à parler ainsi : « Je suis appelée Droiture. J'ai ma demeure au ciel plus que sur la terre, mais comme rayon de la lumière de Dieu et messagère de sa bonté, je fréquente les justes et les exhorte à faire le bien, à rendre autant qu'ils le peuvent à chacun ce qui lui appartient, à dire et à défendre la vérité, à soutenir le droit des pauvres et des innocents, à ne pas nuire à autrui en usurpant son bien, à défendre la réputation de ceux qui sont injustement accusés. Je suis le bouclier et la protection des serviteurs de Dieu. Je fais obstacle à la puissance et à la force des malfaisants. Je fais accorder un salaire à ceux qui se donnent de la peine, et une récompense à ceux qui font le bien. C'est par moi que Dieu manifeste ses secrets à ceux qui l'aiment. Je suis leur avocate dans le ciel. Ce trait resplendissant que tu me vois tenir en ma main droite en guise de sceptre est la droite règle qui permet de séparer le juste de l'injuste et de montrer la différence entre le bien et le mal ; celui qui la suit ne peut s'égarer. C'est le bâton de paix qui permet aux bons de s'accorder et qui leur sert d'appui, mais qui bat et frappe les mauvais. Que pourrais-je te dire de plus ? C'est cette règle qui trace les limites de toutes choses, car ses mérites sont infinis. Sache qu'elle te sera utile : tu en as bien besoin pour prendre les mesures nécessaires à la construction de la cité que tu as pour charge de réaliser, et tu en auras bien besoin ensuite pour bâtir les édifices à l'intérieur de ladite cité, pour ériger les grands temples, construire harmonieusement les palais, les maisons et toutes les habitations, les rues et les places, et toutes les choses nécessaires pour la rendre habitable. Je suis venue pour t'aider, et tel sera mon office. Ne t'inquiète donc pas des dimensions considérables de la muraille d'enceinte, car avec l'aide de Dieu et la nôtre, tu la

30   bien et bel la peupleras, et edefieras[1], sans riens vague y
        delaissier, de belles et fortes mansions et heberges.»

        **Cy dit Cristine[2] comment la IIIe dame lui dist qui elle
        estoit, et de quoy elle servoit, et comment elle lui aideroit
        a fere les haulx combles des tours et des palais, et lui
        amenroit[3] la royne acompaigniee de haultes dames .VI.**

1   Aprés[4] parla la tierce dame qui dit ainsi: «Cristine
        amie, je sui Justice, la tres singuliere fille de Dieu, et mon
        essance procede de sa personne purement. Ma demeure si
        est ou ciel, en terre et en enfer: ou ciel, pour la gloire des
5   sains et des ames beneurees; en terre, pour departir et
        donner sa porcion a un chascun du bien ou du mal qu'il a
        deservi; en enfer, pour la pugnision des mauvais. Je ne
        flechis nulle part, car je n'ai ami ne ennemi ne escalour-
        geant voulenté. Pitié ne me convaint ne cruaulté ne me
10   meut. Mon office seulement est de jugier, departir et faire
        la paie selons la droite deserte d'un chascun. Je soustiens
        toutes choses en estat ne sans moy riens ne seroit
        es[10ᵛ]table. Je suis en Dieu et Dieu est en moy, et sommes
        comme une meisme chose. Qui me suit ne peut faillir, et
15   ma v[o]ie est seure. J'ensengne a tout homme et femme de
        sain entendement qui me veult croire de chastier,
        congnoistre et reprendre premierement soy meismes, faire
        a aultrui ce que il vauldroit que on lui feist; departir les
        choses sans faveur, dire verité, fuir et hair mençonge,
20   debouter toutes choses vicieuses. Cestui vessel de fin or
        que tu me vois tenir en ma main destre, fait en guise d'une
        reonde mesure, Dieu mon pere le me donna, et sert de
        mesurer a un chascun sa livree de tel mesure comme il doit
        avoir. Il est signé a la fleur de lis de la Trinité, et a toutes
25   porcions il se rent juste, ne nul de ma mesure ne se peut
        plaindre. Mes les hommes de terre ont autres mesures que
        ilz dient dependre et venir de la mienne, mais faulcement;

        ---
        [1] *B*: la peupleras, sans riens vague
        [2] *R*: Ci dit comment
        [3] ameroit; *corr. d'après B, D, R.*
        [4] A *orné sur 2 lignes.*

peupleras bel et bien, et tu édifieras de belles et solides maisons et demeures, sans y laisser aucun espace vide.»

6. Christine dit comment la troisième dame lui dit qui elle était, quelle était sa fonction, et comment elle l'aiderait à construire les hauts faîtes des tours et des palais, et lui amène-rait la reine accompagnée de très nobles dames

La troisième dame prit ensuite la parole en ces termes: «Christine, chère amie, je suis Justice, la fille très unique de Dieu, et mon essence procède directement de sa personne. Je réside au ciel, sur terre et en enfer: au ciel, pour la gloire des saints et des âmes des bienheureux; sur terre, pour distribuer à chacun la part de bien ou de mal qu'il a méritée; en enfer, pour la punition des mauvais. Jamais je ne fléchis, car je n'ai ni ami ni ennemi, et ma volonté n'est pas changeante. Je ne me laisse pas vaincre par la pitié ni émouvoir par la cruauté. Ma charge est uniquement de juger, de distribuer et d'accorder à chacun une juste rétribution selon son mérite. Je maintiens toute chose dans une situation stable, et sans moi rien ne pourrait durer. Je suis en Dieu et Dieu est en moi, car nous sommes pour ainsi dire la même chose. Qui me suit ne peut faillir, et ma voie est sûre. À tout homme et à toute femme au jugement sain et qui veut bien me croire, j'apprends à se corriger, à se connaître et à s'amender d'abord lui-même, et faire à autrui ce qu'il voudrait qu'on lui fît; à distribuer les biens sans favoritisme, à dire la vérité, à fuir et haïr le mensonge, à repousser tout ce qui est vicieux. Ce récipient d'or fin que tu me vois tenir en ma main droite, qui ressemble à une mesure de forme ronde, c'est Dieu mon père qui me l'a donné, et il me sert à mesurer à chacun sa ration, selon ce qui lui est dû. Il porte la marque de la fleur de lis de la Trinité et s'ajuste à toute portion, de sorte que nul ne peut se plaindre de ce que je lui mesure. Toutefois les hommes de cette terre ont d'autres mesures qu'ils prétendent établies d'après la mienne, mais c'est à tort; bien souvent ils

maintefois soubz umbre de moy ilz mesurent, ne tousjours
n'est mie leur mesure juste, ains est trop large as aucuns et
30   trop estroi[te]s aux aultres.

Assez te porroie tenir lonc compte des proprietez de
mon office, mais a brief dire, je sui especiale entre les
vertus, car toutes se refletent[1] en moy; et entre nous III
dames que tu vois cy, sommes comme une meisme chose,
35   et ne pourions l'une sans l'autre; et ce que la premiere
dispose, la IIe ordenne et met a oeuvre, et puis moy, la IIIe,
parchieve la chose et la termine. Si suis par le vouloir de
nous trois establie a ton aide pour parfaire et achever ta
Cité, et serra mon office de faire les haulx combles des
40   tours et des souveraines mencions et herber[11ʳ]ges qui
tous seront fais de fin or reluisant. Et la te peupleray de
dignes dames avec la haulte roine que je t'i amenrai, et a
icelle sera l'onneur et la prerogative entre les autres
femmes comme les plus excellentes; et ainsi te rendrai ta
45   cité, par ton meisme aide, parfaite, fortifié et close de fors
portes que je irai querre ou ciel, et les clés entre tes mains
liv[r]erai.»

Cy dit Cristine comment elle parla aux III dames .VII.

1   Les[2] paroles dessus dites finees, que je oz de toutes les
III dames escoutees par grant entente, et qui de moy orent
fourtraite entierement la desplaisance que ains leur venue
eue avoie, soubdainement me gettai a leurs piez, non mie
5   seulement a genoulx, mais toute estendue pour leur grant
excellence, baisant la terre d'environ leurs piez, les
aourant comme deesses de gloire. Commençai a elles ainsi
mon orison:

«O dames de souveraine dignité, lueur des cieulx et
10   enluminement de la terre, fontaines de paradis et la joie
des beneurez, dont est venue a vostre haultece telle
humilité que daignié avez descendre de voz pontificaux
sieges et resplendisans trosnes pour venir au tabernacle

---

[1]   *B, D, R* : reffierent
[2]   *L orné sur 2 lignes.*

mesurent en se réclamant de moi, mais leur mesure n'est pas toujours juste, car elle est trop abondante pour certains et trop restreinte pour d'autres.

Je pourrais te parler très longuement des caractéristiques de ma charge, mais pour faire bref, j'ai une place spéciale parmi les vertus, car toutes se réfléchissent en moi. Et nous, ces trois dames que tu vois ici, nous formons comme une même personne et ne pourrions pas exister l'une sans l'autre; ce que la première prépare, la seconde l'organise et le met en œuvre, et moi, la troisième, je le parachève et le mène à son terme. Ainsi donc, par notre volonté à toutes trois, je suis chargée de t'aider à parfaire et à achever ta cité, et ma tâche sera de construire les hauts faîtes des tours et des royales demeures et résidences, qui toutes seront faites d'or fin et brillant. Et pour la peupler, je ferai venir de dignes dames pour accompagner la grande reine que je t'amè-nerai; celle-ci aura l'honneur et la préséance sur toutes les autres femmes, même les plus excellentes. C'est ainsi qu'avec ton aide, je rendrai ta cité achevée, fortifiée et fermée par de solides portes que j'irai chercher au ciel, et j'en remettrai les clés entre tes mains.»

7. Christine dit comment elle répondit aux trois dames

Une fois que furent terminés ces discours des trois dames, que j'avais écoutés avec la plus grande attention, et qui avaient entiè-rement dissipé le déplaisir que j'avais éprouvé avant leur arrivée, je me jetai vivement à leurs pieds, non pas seulement à genoux, mais étendue de tout mon long, en hommage à leur excellence, baisant la terre auprès de leurs pieds, les adorant comme des déesses de gloire. Je leur adressai cette prière[1], en commençant ainsi:

«O dames de souveraine dignité, clarté des cieux et illumina-tion de la terre, sources du paradis et joie des bienheureux, d'où vient que votre grandeur s'est abaissée jusqu'à daigner descendre de vos sièges pontificaux et de vos trônes resplendissants pour

---

[1] Nous traduisons ainsi le mot *orison*, dont le sens premier est «discours», en raison de la coloration nettement religieuse de ce passage qui évoque, par de nombreux aspects, l'Annonciation, en particulier les paroles finales de Christine acceptant sa mission (cf. Luc 1, 38).

troublé et obscur de la simple et ignorent estudiente, qui
15   porra rendre graces souffisantes a tel benefice, que ja avez
par la pluie et rousee de vostre doulce parolle sur moy
descendue perrie et atrempee la secherece de mon entendement, si qu'il se sent dés maintenant prest de germer et
getter hors plantes nouvelles, disposees de porter fruit de
20   proufitable vertu et delictable saveur? Comment sera fait a
moy [11ᵛ] tel grace que je receverai don selon vostre
parole de bastir et faire orendroit au monde nouvelle cité?
Je ne sui mie saint Thomas l'apostre qui au roy d'Inde par
grace divine fist ou ciel un riche palais, ne mon foible
25   scens ne scet ne congnoist l'art ne les mesures, ne estudié
n'en a la science ne la pratique de maçonner; et se ces
choses par posibilité de science estoient ores en mon
entendement, ou seroit prise forte souffisance a mon feble
corps femenin pour mettre a oeuvre si grant chose? Mes
30   toutevoies, mes tres redoubtees dames, combien que
l'amiracion de ceste nouveleté me soit estrange, sçay je
bien que riens n'est imposible quant a Dieu, et ne doi
doubter que quelconques choses qui soient par le conseil et
aide de vous trois entreprises ne soient bien et bel termi-
35   nees. Si loue Dieu de toute ma puissance, et vous, mes

venir jusqu'à l'humble tente[1] sombre et obscure d'une simple
écolière ignorante? Celle-ci pourra-t-elle rendre grâce comme il
convient d'un si grand bienfait? Déjà, la pluie et la rosée de vos
douces paroles descendues sur moi ont pénétré mon entendement
desséché et l'ont tout détrempé, de sorte qu'il se sent dès maintenant prêt à faire germer et pousser des plantes nouvelles, qui porte-
ront des fruits aux vertus bénéfiques et à la saveur délectable.
Comment me sera-t-il accordé une telle grâce que je reçoive, selon
vos paroles, le don de bâtir et de faire naître maintenant en ce
monde une nouvelle cité? Je ne suis pas saint Thomas l'apôtre, qui
fit au ciel, par la grâce de Dieu, un somptueux palais pour le roi des
Indes[2]; mon faible esprit ne connaît ni la technique ni les mesures,
et je n'ai pas étudié la science ni la pratique de la maçonnerie; et
même s'il m'était possible de les apprendre, où trouverais-je suffisamment de force dans mon faible corps féminin pour mettre en
œuvre une si grande tâche? Toutefois, mes très révérées dames,
bien que cette étonnante nouveauté soit pour moi très déroutante,
je sais bien que rien n'est impossible à Dieu, et je ne dois pas
douter que toute entreprise, quelle qu'elle soit, conduite avec votre
conseil et votre aide à toutes trois, ne puisse bel et bien être menée
à son terme. Je rends donc gloire à Dieu de toutes mes forces, et à

---

[1] Christine emploie le mot *tabernacle*, image biblique (une simple tente, par
opposition aux «sièges pontificaux» et «trônes resplendissants» des déesses). Le
mot est employé assez couramment en moyen français, le plus souvent dans un
contexte biblique, notamment dans les Mystères. Le *DMF* propose pour cet
exemple le sens de «demeure», attesté par ailleurs. Nous avons préféré garder
l'image. Il peut s'agir d'une réminiscence de l'apparition des trois envoyés de Dieu
à Abraham, assis devant l'entrée de sa tente au lieu-dit le Chêne de Mambré, lieu
d'une autre annonciation (celle de la naissance d'Isaac) (Gen. 18). Le «tabernacle
troublé et obscur» devient ici l'image de l'esprit de Christine «simple étudiante
ignorante», non encore éclairée par les lumières de Raison et de ses compagnes.

[2] L'apôtre aurait évangélisé l'Inde. D'après la *Légende dorée*, Thomas
ressuscite le frère du roi d'Inde. Le ressuscité rapporte au monarque qu'il a vu,
au ciel, un magnifique palais qui lui est destiné, mais les anges lui ont dit que le
roi n'est pas digne de ce palais parce qu'il a l'intention de condamner l'apôtre à
mort. Le souverain, désireux de se racheter et d'obtenir le palais céleste, gracie
Thomas et lui demande pardon, mais l'apôtre lui explique que ce palais ne peut
s'acheter qu'au prix de sa foi Pour les lectrices et lecteurs qui souhaiteraient se
reporter à la version moderne de la *Légende dorée* (voir l'introduction), nous
indiquons la référence dans l'édition dirigée par A. Boureau, *op. cit.*, abrégée en
Lég. dor.; nous mentionnons d'abord la référence à la traduction de Jean de
Vignay. Pour saint Thomas, trad. J. de Vignay, p. 136-137; *Lég. dor.*, p. 44-46.

dames, qui tant honoree m'avez que establie sui a si noble
commission, laquelle reçoy par tres grant leesce. Et voicy
vostre chamberie preste d'obeir : or commandez et je
obeirai, et soit fait de moy selon voz paroles. »

**Cy dit Cristine comment par le commandement et aide
de Raison elle comença a fouir la terre pour faire les
fondemens .VIII.**

Adont[1] respondi dame Raison[2] : « Or sus, fille, sans
plus atendre, alons ou champ des escriptures. La sera
fondee la Cité des dames en païs plain et fertille[3], la ou
tous fruis et doulces rivieres sont trouvees, et ou la terre
abonde de toutes bonnes choses. Prens la pioche de ton
entendement et fouis fort et fais grant fosse tout partout ou
tu ver[12ʳ]ras les traces de ma ligne, et je t'aiderai a porter
hors la terre a mes propres espaulles ».

¶Adont pour obeir a son commandement me dreçay
appertement, me sentant par la vertu d'elles moult plus
forte et plus legiere que devant n'estoie. Si ala devant et
moy aprés, et nous venues ou dit camp, pris a fossoier et
fouir selon son signe, atout la pioche d'inquisision, et fut
mon premier ouvraige fait ainsi :

¶« Dame, bien me souvient que cy devant m'avez dit,
applicquant au propos de ce que plusieurs hommes ont tant
blasmees et blasment generaument les condicions des
femmes, que l'or plus est en la fournaise, plus s'afine, qui
est a entendre que plus sont blasmees a tort, plus croist le
merite de leur gloire. Mais je vous pri, dites moy pour
quoy ce est et dont vient la cause que tant de divers acteurs
ont parlé contre elles en leurs livres, puisque je scens de

---

[1] A *orné sur 3 lignes*.
[2] *B, D, R* : respondi dame Raison et dist
[3] plain de fertille ; *corr. d'après B, D, R*.

vous, mes dames, qui m'avez fait un si grand honneur en me confiant une si noble mission, que je reçois avec une très grande joie. Voici votre servante prête à obéir : commandez donc, et j'obéirai ; et qu'il soit fait de moi selon vos paroles.»

8. Christine dit comment, sur le commandement de Raison et avec son aide, elle commença à creuser la terre pour faire les fondations

Alors dame Raison répondit : «Debout, ma fille ! Sans plus attendre, allons au Champ des Lettres[1]. C'est là, en ce pays riche et fertile, que sera fondée la Cité des dames, là où l'on trouve tous les fruits et les douces rivières, et où la terre porte en abondance toutes les bonnes choses. Prends la pioche de ton intelligence et creuse fort. Partout où tu verras les traces de ma règle, fais un large fossé, et je t'aiderai à transporter la terre sur mes propres épaules.»

Alors, pour obéir à son ordre, je me levai promptement, car je me sentais, grâce à leur puissance, beaucoup plus forte et plus légère que je ne l'étais auparavant. Ainsi, elle marchant devant et moi derrière, nous parvînmes audit champ, et je commençai à creuser le fossé selon ses indications, avec la pioche de l'interrogation. Et voici ce que fut mon premier travail :

«Dame, je me souviens bien que vous m'avez dit un peu plus tôt, à propos du fait que de nombreux hommes ont tant blâmé et blâment encore, de façon générale, les mœurs des femmes, que plus l'or demeure dans la fournaise, plus il s'affine, ce qui voudrait dire que plus elles sont blâmées à tort, plus s'accroît le mérite de leur gloire. Mais dites-moi, je vous en prie, pourquoi tant d'auteurs ont parlé contre elles en leurs livres, et quelle en est la cause, car je sens déjà, grâce à vous, que c'est à tort ; est-ce

---

[1] Le «champ des escriptures» désigne les lettres comme matériau de base de l'écriture, les signes qui permettent au texte d'exister, mais aussi l'ensemble des textes dans lesquels Christine, compilatrice, puise pour composer son œuvre. L'expression est reprise en 1413 dans le *Livre de paix* (*The Book of Peace*, *op. cit.*, I, 2, p. 207). Sur cette expression d'origine patristique, voir L. Dulac, «De l'arbre au jardin, de la pastorale à la politique : quelques transpositions métaphoriques et allégoriques chez Christine de Pizan», dans *Desireuse de plus avant enquerre, op. cit.*, p. 191-208.

vous desja que c'est a tort, ou se Nature les y encline, ou se
par haine le font, et dont sourt celle chose».

25   Lors celle respont ainsi: «Fille, pour te donner voie
d'entrer plus en parfont, je porterai hors ceste premiere
hotee. Saches que ce ne vient mie de Nature, ains est tout
au contraire, car il n'est ou monde nul si grant ne si fort
liam comme est cellui de la grant amour que nature par
30   voulenté de Dieu met entre homme et femme; mais
diverses et differenciees sont les causes qui ont meu et
meuvent plusieurs hommes a blasmer les femmes, et
meismement les aucteurs en leurs livres, ainsi que tu l'as
trouvé. Car les aucuns [12ᵛ] l'ont fait en bonne entencion,
35   c'est assavoir pour retraire les fourvoiés hommes de la
frequentacion d'aucunes femmes vicieuses et dissolues
dont ilz peuent estre asotelz ou pour les garder que ilz ne
s'en assotent, et affin que tout homme fuie vie lubre et
luxurieuse. Ilz ont blasmé generaument toutes femmes
40   pour leur quidier faire de toutes abominacion.»

«Dame, dis je adoncques, pardonnés moy se je rons
icy vostre parolle. Doncques ont ilz bien fait, puisque
bonne entencion les y a meus? Car l'entencion, dist on,
juge l'omme.»

45   «C'est mal pris, belle fille, dist elle, car ingnorence
grasse ne fait mie a excuser. Se on te occioit en bonne
entente et par fol quidier, seroit ce doncques bien fait?
Mais ont en ce faisant, qui qu'ilz soient, usé de mauvais
droit. Car faire grief et prejudice a une partie pour cuidier
50   secourir a une autre n'est pas equité, et de blasmer[1] tous les
meurs femenins au contraire de verité, si que je te
monsterai par l'experience. Poson que ilz l'aient fait en
entente de retraire les fols de folie; est ausi que se je
blasmoie le feu, qui est tellement tres bon et tres necces-
55   saire, pour tant se aucuns s'i bruslent; et aussi l'eaue, pour
ce se on s'i noie; et semblable[me]nt se pourroit dire de
toutes bonnes choses de quoy on peut et bien et mal user.
Toutevoies ne les doit on pas blasmer pour ce se les folz en

----

[1] et *omis*; *corr. d'après B, D, R.*

parce que Nature[1] les y pousse, ou est-ce par haine? D'où cela vient-il?»

Elle me répondit ainsi: «Ma fille, pour te permettre de creuser plus en profondeur, je vais dégager et transporter cette première hottée. Sache que cela ne vient pas de Nature, bien au contraire, car il n'existe au monde aucun lien aussi grand ni aussi fort que celui du grand amour qu'elle établit, par la volonté de Dieu, entre l'homme et la femme. Mais ce sont des causes diverses et variées qui ont poussé et poussent encore de nombreux hommes à blâmer les femmes, en particulier les auteurs dont tu as lu les livres. Certains l'ont fait avec de bonnes intentions: c'était pour ramener dans le droit chemin les hommes qui s'étaient fourvoyés en fréquentant des femmes vicieuses et dissolues dont ils s'étaient entichés, ou pour les empêcher de s'enticher de telles femmes, et pour que tout homme fuie une vie de luxure et de débauche. Ils ont blâmé toutes les femmes en général en pensant les leur rendre toutes abominables.

- Dame, dis-je alors, pardonnez-moi de vous interrompre. Ont-ils donc bien fait, puisqu'ils ont été poussés par de bonnes intentions? Car c'est sur l'intention, dit-on, que l'on juge l'homme.

- C'est une erreur, ma chère fille, dit-elle, car l'ignorance crasse n'excuse rien. Si l'on te tuait avec de bonnes intentions et des pensées stupides, est-ce que l'on agirait bien? En agissant ainsi, quels qu'ils soient, ils ont agi contrairement au droit. Car causer du tort et porter préjudice à une partie en croyant secourir une autre n'est pas équitable, et blâmer les mœurs de toutes les femmes est contraire à la vérité, comme je te le montrerai par l'expérience. Admettons qu'ils l'aient fait dans l'intention de détourner les fous de leur folie; c'est comme si je blâmais le feu, qui est un élément très bon et nécessaire, sous prétexte que certains s'y brûlent, ou l'eau, parce que l'on s'y noie. On pourrait en dire autant de toutes les bonnes choses que l'on peut bien ou mal utiliser. On ne doit pas les blâmer pour autant, sous prétexte que les fous en usent mal. Tu as toi-même évoqué plus d'une fois

---

[1] Nature est une figure traditionnelle de la littérature allégorique. Voir E. R. Curtius, *La Littérature européenne et le Moyen Âge latin* [1956], Paris, PUF, 1991, chap. «La déesse nature», p. 187-217. Parmi les sources de Christine, on peut songer notamment à Alain de Lille (dans son *De Planctu Naturae*, fin du XIIe s.) et au *Roman de la Rose* (où Nature apparaît assez longuement vers la fin de la partie attribuée à Jean de Meun).

abusent. Et ces poins as tu toy mesmes assez touchié en tes
60   dictiés[1]. Mais yceulx qui ainsi ont parlé abondamment, quel
que feust leur entente, ilz ont pris leur propos [13ʳ] sur le large
pour seulement venir a leur entente, tout ainsi comme fait
cellui qui se fait taillier longue et large robe a maismes la
grant piece de drap qui riens ne lui couste et que nul ne lui
65   contredit, si prent et s'atribue l'autrui droit a son usaige. Mais
si comme tu as autre fois assez bien dit, se iceulx eussent quis
les voies et les manieres de retraire les hommes de folie et de
les garder que ilz ne s'i enlassassent par blasmer la vie et les
meurs de celles, lesquelles se demoustrent vicieuses et disso-
70   lues, comme il ne soit chose en ce monde qui plus face a fuir,
a droite verité dire, que fait la mauvaise femme dissolue et
perverse, si comme monstre en nature, qui est chose contre-
faite et hors de sa propre condicion naturelle, qui doit estre
simple, coie et honneste, je consens bien que souverainement
75   aroient ediffié bon et bel ouvraige. Mais de blasmer toutes,
ou tant en a de si tres excellentes, je te promés que ce ne vint
oncques de moy, et que en ce tres grandement faillirent, et
faillent tous ceulx qui les ensuivent. Si giettes hors ces[2] ordes
pierres broçonneuses et noires de ton ouvraige, car ja ne
80   seront mises ou bel edifice de ta cité.

¶Autres hommes ont blasmees femmes pour autres
causes, car as aucuns est venu par leurs propres vices, et
les autres y ont esté meus par le deffault de leur maismes
corps, les autres par pure envie, aucuns autres par delecta-
85   cion que de leur propre condicion ont de mesdire; autres,
pour monstrer que ilz ont assez veü d'escriptures, se
fondent sur ce que ilz ont trou[13ᵛ]vé en livres et dient
après les autres et aleguent les aucteurs.

¶Ceux a qui il est venu de leurs propres vices sont
90   hommes qui ont usé leur jeunece en vie dissolue et abondé
en plusieurs amours de diverses femmes, qui sont rusez
par maint cas qui leur sont avenu et ja sont enveillis en
leurs pechés sans repentance, et ont regrait a leurs folies
passees et vie dissolue que en leur temps ont menee. Mais

---

[1] *B, D, R*: assez bien touchié autre part en tes dictiez
[2] ses; *corr. d'après B, R.*

ces questions dans tes écrits[1]. Ceux qui ont ainsi parlé tout au long, quelle que fût leur intention, ont étendu leur propos d'une manière générale pour en venir seulement au point qu'ils visaient, tout comme celui qui se fait tailler un vêtement long et large dans une grande pièce de drap parce qu'elle ne lui coûte rien et que personne ne s'y oppose, s'attribuant ainsi pour son usage personnel ce à quoi d'autres auraient eu droit. Mais comme tu l'as très bien dit ailleurs, si ces auteurs avaient cherché la manière de soustraire les hommes à leur folie et de les empêcher de s'y laisser prendre au piège, en attaquant la vie et les mœurs de celles qui se révèlent vicieuses et dissolues, alors, j'admets qu'ils auraient fait une œuvre belle et bonne au plus haut degré ; car il n'est à vrai dire rien qui soit plus à fuir en ce monde qu'une femme mauvaise et perverse à la vie dissolue, qui est pour ainsi dire un monstre de nature, une contrefaçon, car la condition naturelle de la femme est d'être simple, tranquille et honnête. Mais de les blâmer toutes, alors qu'il y en a tant d'excellentes, je te certifie que cela ne vint jamais de moi, et qu'ils commirent en cela une très grande faute, ainsi que le font tous ceux qui les suivent. Rejette donc de ton ouvrage ces sales pierres difformes et noires, car jamais elles ne seront utilisées dans la construction de ta belle cité.

D'autres hommes ont blâmé les femmes pour d'autres raisons : pour certains, c'est à cause de leurs propres vices ; d'autres y ont été poussés par les défaillances de leur propre corps ; d'autres, par pure jalousie ; certains autres l'ont fait pour le plaisir de médire, car telle est leur nature ; d'autres, pour montrer qu'ils ont beaucoup lu, se fondent sur ce qu'ils ont trouvé dans les livres et ne font que répéter ce que les autres ont dit, en alléguant leurs autorités.

Ceux qui sont poussés par leurs propres vices sont des hommes qui ont gaspillé leur jeunesse en menant une vie dissolue et en se livrant à l'amour à de nombreuses reprises avec différentes femmes. Le grand nombre de leurs aventures les a rendus habiles à tromper ; ils ont vieilli dans le péché sans jamais se repentir, et ils regrettent leurs folies passées et la vie dissolue qu'ils ont menée en

---

[1] Voir l'*Epistre au dieu d'Amour*, notamment les v. 341 *sq.* (*Œuvres poétiques, op. cit.*, t. II, p. 12). Voir aussi *Le Livre des epistres du debat sur le Rommant de la Rose*, éd. A. Valentini, *op. cit.*, épitre [III] (« Épitre de Christine de Pizan à Jean de Montreuil »), p. 162.

95   Nature est refroidie en eulx, qui ne seuffre a la volenté du
       couraige mettre a effect ce que l'apetit sans puissance
       vouldroit. Si ont dueil quant ilz voient que la vie que ilz
       souloient appeller bon temps est faillie pour eulx, et que
       les jennes qui sont ores comme ilz souloient estre ont le
100   temps, ce leur semble. Si ne scevent comment evaporer[1] et
       mettre hors leur tristece, fors que par blasmer les femmes,
       par les quidier faire aux autres desplaire. Et voit on
       communement telz vieillars parler lubrement et deshon-
       nestement, ainsi comme tu le peus veoir proprement de
105   Matheolus, quy confesse lui meismes que il estoit vieillart
       plain de voulenté et non puissance. Si peux par lui bien
       esprouver vrai ce que je te di, et croy fermement que
       semblablement est il de mains autres.

       ¶Mes ces vieillars ainsi corrompus, qui sont comme la
110   meselerie qui garir ne peut, ne sont mie des bons preude-
       sommes anciens que je parfais en vertu et sagece; car tous
       les vieils ne sont pas de telle corrompue voulenté, et
       dommage [14r] seroit, en laquelle bouche des bons, selon
       le coraige, sont toutes paroles de bon exemple, honnestes
115   et discrettes. Et iceulx heent tout mesfait et mesdit, et ne
       blasment ne diffament hommes ne femmes. Les vices
       heent et les blasment en general, sans nullui encoulper[2] ne
       chargier, conseillent fouir le mal et suivre les vertus, et aler
       droite voie. Ceulx qui ont esté meus[3] par le deffault de leur
120   propre corps sont aucuns impotens et difformez de leurs
       membres, qui ont l'entendement agu et malicieux. Et le
       dueil de leur impotence n'ont sceu autrement vengier que
       par blasmer celles de qui joie vient a plusieurs; et ainsi ont
       cuidié destourner le plaisir a aultrui, lequel ilz ne peuent en
125   leur personne user.

       ¶Ceulx qui par envie les ont blasmees sont aucuns
       meschans hommes qui ont veü et apperceu plusieurs
       femmes de plus grant entendement et plus nobles de meurs
       que ilz ne sont. Si en ont eu dueil et desdaing. Et pour ce

---

   [1] D, R : en apporter
   [2] encurper ; corr. d'après B, D, R.
   [3] meux ; corr. d'après la forme usuelle dans le manuscrit.

leur temps. Mais Nature, qui s'est refroidie en eux, ne leur permet pas d'accomplir les désirs de leur appétit impuissant. Cela leur fait mal de voir que le genre de vie qu'ils appelaient le bon temps est révolu pour eux, et que ce bon temps appartient aux jeunes qui sont maintenant comme ils étaient eux-mêmes autrefois, à ce qu'il leur semble. Ils ne trouvent d'autre moyen de dissiper et de chasser leur tristesse que de blâmer les femmes, croyant ainsi en dégoûter les autres. C'est ainsi que l'on voit souvent ces vieillards s'exprimer de façon lubrique et malhonnête, comme tu peux le remarquer précisément pour Mathéolus, qui reconnaît lui-même qu'il est un vieillard concupiscent et impuissant[1]. Par cet exemple, tu peux constater la vérité de mes dires, et je suis bien persuadée qu'il en va de même pour beaucoup d'autres.

Mais ces vieillards atteints de cette forme de corruption qui ressemble à la lèpre, car elle est incurable, ne font pas partie de ces hommes de bien chez qui, grâce à moi, les vertus et la sagesse atteignent avec l'âge leur plein accomplissement. Tous les hommes âgés ne sont pas aussi dépravés; ce serait une grande perte, car ceux qui sont bons, conformément à leurs dispositions, ne tiennent que des propos honnêtes et avisés, donnant le bon exemple. Ceux-ci haïssent les mauvaises actions et les mauvaises paroles et se gardent bien de diffamer ou de blâmer homme ni femme. Ils haïssent les vices et les condamnent en général; sans charger ni inculper personne en particulier, ils conseillent de fuir le mal, de suivre la vertu, et de rester dans le droit chemin. Ceux qui ont été poussés par les défaillances de leur propre corps sont certains individus impuissants, aux membres difformes et à l'esprit aigri et méchant. Ils n'ont su trouver d'autre moyen de se venger de la douleur que leur cause leur impuissance que de blâmer celles qui apportent la joie à beaucoup d'autres. Ils pensent ainsi priver les autres du plaisir qu'ils ne peuvent prendre eux-mêmes.

Ceux qui ont blâmé les femmes par jalousie sont des hommes mauvais qui ont connu ou rencontré de nombreuses femmes plus intelligentes qu'eux et de plus noble conduite, ce qui leur a causé de la peine et de la rancœur. C'est pourquoi leur grande jalousie

---

[1] Voir *Les Lamentacions de Matheolus* (*Leesce*, t. I, I, v. 291, p. 8): «Mon actif en passif mua».

130   leur grant envie les a meus a blasmer toutes femmes,
       quident reprismer et appeticier la gloire et los d'elles, tout
       ainsi que a faict je ne sçai quel homme en un sien dictié
       que il clame et intitule *De philosophie*, ouquel moult il se
       travaille de prouver comment il n'appertient que
135   quelconques femmes soient par hommes moult honnou-
       rees, et dit que ceulx qui si grant compte en font parvertis-
       sent le nom de son livre, c'est assavoir que de philosophie
       font philospholie[1]. Mes je te promet et affie [14ᵛ] que lui
       meismes par la deducion plaine de mençonges du procés
140   que il tient fait du contenu de son livre une droite philoso-
       pholie.
           ¶Ceux qui par nature sont mesdisans, n'est merveille
       quant ilz blasment chascun, se ilz mesdient des femmes. Et
       toutevoies te promés je qu'a homme qui volentiers mesdit
145   de femme vient de tres grant vilté de couraige, car il fait
       contre raison et contre nature : contre raison, en tant que il
       est tres ingrat et mal congnoissant des grans biens que
       femme lui a fais, si grans que il ne pourroit rendre, et par
       tant de fois et continuelment a neccessité que elle lui face ;
150   contre nature, en ce que il n'est beste mue quelconques ne
       oisel qui naturelment n'aime chierement son per, c'est la
       femelle. Si est bien chose desnaturee quant homme raison-
       nable fait au contraire.
           Et si comme il n'est si digne ouvraige, tant soit fait de
155   bon maistre, que aucuns n'aient volu et veulent contre-
       faire, sont maint qui se veulent mesler de dicter, et leur
       semble que ilz ne peuent mesprendre, puisque autres ont
       dit en livres ce qu'ilz veulent dire, et comme ce, medire ;
       j'en sçai. Aucuns d'iceulx se veulent entremettre de parler

---

[1] *D, R* : phisopholie

les a poussés à blâmer toutes les femmes, pensant ainsi étouffer et
amoindrir leur renommée et leur réputation, comme le fait je ne
sais qui dans un traité qu'il prétend intituler *De la philosophie*,
dans lequel il se donne beaucoup de mal pour prouver qu'il n'est
pas approprié que des hommes tiennent en haute estime des
femmes, quelles qu'elles soient; il dit que ceux qui en font si
grand cas pervertissent le nom même de son livre, à savoir, qu'ils
font de la philosophie une "philospholie[1]". Mais je te promets et
te certifie que c'est lui qui fait du contenu de son livre une
véritable "philospholie" par la façon dont il conduit son réquisi-
toire, qui est un tissu de mensonges.

Pour ceux qui sont médisants de nature, il ne faut pas
s'étonner s'ils médisent des femmes, puisqu'ils blâment tout le
monde. Et cependant je t'assure qu'un homme qui se plaît à dire
du mal des femmes a le cœur bien vil, car il agit contre la raison et
contre la nature : contre la raison, car il se montre très ingrat en ne
reconnaissant pas les grands bienfaits que la femme lui a apportés
et lui apporte si souvent et sans cesse, car ils lui sont nécessaires -
des bienfaits si grands qu'il ne pourrait les rendre; contre la
nature, car il n'est bête ni oiseau qui par nature n'aime intensément son compagnon, c'est-à-dire la femelle. C'est donc bien une
chose contre nature si un homme doué de raison fait le contraire.

Et de même qu'il n'est d'ouvrage de valeur, fût-il fait par un
bon maître, que d'aucuns n'aient cherché ou ne cherchent à contre-
faire, beaucoup veulent se mêler d'écrire, et il leur semble qu'ils ne
peuvent pas se tromper, puisque d'autres ont écrit dans des livres
ce qu'ils veulent eux-mêmes dire, comme dans ce cas pour la
diffamation; j'en connais. Certains se mettent à écrire des vers

---

[1] Le «traité» composé par «je ne sais qui» auquel Christine fait ici allusion
n'a pas été identifié jusqu'à présent. Est-ce une référence à la source mentionnée
par Mathéolus (*Leesce*, II, t. II, p. 158), le livre d'un «philosophe» («Le philosophe en l'escripture / Le tesmoingne assés clerement / en son livre...», v. 4120
sq.) qui dit que la femme est «droit monstre» et que Nature rougit de son erreur
lorsqu'une femme est engendrée? Ou n'est-ce pas un trait ironique de la part de
Christine, renvoyant de façon générale aux ouvrages attribués à des «philosophes» qui mentionnent l'infériorité naturelle des femmes? On peut songer à
Placides et Timeo, également intitulé «Li secrés as philosophes», dont une
partie a trait à la gynécologie, ou au *Secrés des dames* (ou *des femmes*, voir plus
loin, note 1, p. 245). Nous n'avons trouvé nulle part ailleurs le terme «philoso-
pholie».

160   en faisant dictiés de eaue sans sel, telz comme quelz, ou
        balades sans sentement parlant des meurs des femmes, ou
        des princes, ou d'autre gent, et eulx meismes ne se scevent
        pas congnoistre ne corrigier leurs chetis meurs et inclina-
        cions. Mais les simples gens qui sont ignorens comme
165   eulx dient que c'est le miex fait du monde.»

**Cy dit comment Cristine fouissoit en terre, qui est a
entendre les questions que elle faisoit a Raison et
comment Raison lui respondoit .IX.**

1   [15ʳ] «**Or**¹ t'ai preparé et ordoné grant ouvrage, si
        penses a continuer de fouir en terre selon la pourtraiture de
        mon signe». Et adont moy, pour obeyr a son commande-
        ment, frapai sus atout mon pic en tel maniere:
5   ¶«Dame, dont vint a Ovide, qui est reputé entre les
        poetes² - quoyque plusieurs tiennent³, et moy meismes
        m'y consens, toutevoies sobz vostre correcion, que trop
        plus fait a loer Virgile - que il tant blasma femmes en
        plusieurs de ses dittiés, si comme ou livre que il fist que il
10   appelle *De l'art d'amours*, et aussi en cellui que il nomma
        Le Remède d'amours, et en autres de ses volumes?»

        Responce: «Ovide fu homme soubtil en l'art et
        science de poisie, et moult ot grant et vif entendement en

---

¹ O *orné sur 2 lignes.*

² *B, D, R*: entre les poetes le plus souverain

³ tiennent *omis; corr. d'après B et D.*

insipides[1], jetés tels quels sur le papier, ou des ballades composées sans émotion véritable[2], parlant des mœurs des femmes, ou des princes, ou d'autres, alors qu'eux-mêmes sont incapables de reconnaître ni de corriger leurs propres faiblesses de mœurs et d'inclination. Mais les gens peu instruits, aussi ignorants qu'eux-mêmes, disent qu'ils sont les mieux faits du monde.»

9. Comment Christine creusait la terre, c'est-à-dire les questions qu'elle posait à Raison et comment celle-ci lui répondait

«C'est une grande entreprise que j'ai préparée et organisée pour toi; applique-toi donc à creuser la terre en suivant le trait que j'ai tracé.» Alors, pour obéir à son commandement, je me mis à frapper ainsi avec ma pioche:

«Dame, comment se fait-il qu'Ovide, qui est réputé parmi les poètes - bien que beaucoup pensent, et c'est aussi mon avis, sauf correction de votre part, que Virgile mérite plus de louanges[3] -, a tant dit de mal des femmes dans plusieurs de ses œuvres, comme dans le livre qu'il appelle *L'Art d'aimer,* ou bien dans celui qu'il nomme *Les Remèdes à l'amour*, ou dans d'autres encore[4]?»

Elle me répondit[5]: «Ovide était habile dans l'art et la science de la poésie, et sa très grande et vive intelligence apparaît dans

---

[1] Littéralement, «faits avec de l'eau sans sel».

[2] Sur la traduction de *sentement*, voir l'article de D. Lechat, «La place du *sentement* dans l'expérience lyrique aux XIVe et XVe siècles», *Perspectives médiévales*, supplément au n° 28, 2002, p. 193-207.

[3] La question de la supériorité de Virgile sur Ovide était très débattue à l'époque de Christine (voir E. J. Richards, «Rejecting Essentialism and Gendered Writing», *op. cit.*, p. 96-131, p. 116-117).

[4] Sur la réception d'Ovide au Moyen Âge et l'utilisation de ses textes par Jean de Meun, voir P.-Y. Badel, *Le Roman de la Rose au XIVe siècle, op. cit.*, p. 144-161.

[5] Christine introduit la réponse de dame Raison, à plusieurs reprises dans ce chapitre et dans le suivant (I, 9 et I, 10, 5 et 4 occurrences) puis de nombreuses fois par la suite, par la simple mention: *responce*. Elle imite ici le style des traités savants et le cadre scholastique de la *disputatio*, où les *quaestiones* (les questions) sont suivies de réponses introduites par *respondeo* (je réponds) (voir l'introduction p. xxx). Nous avons choisi de traduire par «Elle me répondit» pour éviter ce qui serait perçu comme des lourdeurs en français moderne, tout en conservant, par la répétition, la mise en évidence de la structuration rhétorique de la discussion.

ce a quoy il s'occuppa. Toutevoie son corps laissa couler
15 en toute vanité et delit de char, non mie en une seule
amour, mes abandonné a toutes femmes, se il peust, ne il
n'y garda mesure ne loyauté, ne tenoit a nulle; et tant
comme il pot en sa jennesce, henta celle vie, de laquelle
chose en la parfin en ot le guerredon et la paie qui a tel cas
20 affiert, c'est assavoir diffame et perte de biens et de
membres, car pour sa grant lubr[i]eté, tant de fait en lui
meismes comme de parole en conseillant aux autres mener
semblable vie que il menoit, il en fu mené en excil.

¶Item, que comme il avenist aprés que par faveur
25 d'aucuns jennes poissans Rommains, ses aferans[1], il feust
rappellé de l'exil, et ne se garda mie aprés d'encheoir ou
meffait dont la coulpe l'avoit ja aucunement pugnis, fu par
ses demerites chastrés et diffourmés de ses membres. Si
est a propos que cy dessus te [15ᵛ] disoie, car quant il vit
30 que plus ne pouvroit mener la vie ou tant se souloit
delicter, adont prist fort a blasmer les femmes par ses
soubtilles raisons, et par ce s'efforça de les faire aux autres
desplaire.

- Dame, bien dites, mais je vi un livre d'un autre
35 aucteur ytalien, je croy, du païs ou des Marches de
Touscane, qui s'apelle Ceco d'Ascoli, qui en un chapitre
en dit abominacions merveilleuses plus que nul autre, et
telles que ilz ne font a reciter de personne qui ait entendement.»

40 Responce: «Se Ceco d'Ascoli dit mal de toutes
femmes, fille, ne t'en esmerveille, car toutes les abominoit
et avoit en haine et desplaisance, et semblablement par son
horrible mauvaistié les vouloit faire desplaire et haïr a tous
hommes. Si en ot son loier selon son merite, car par la

---

[1] D, R: aderans

toutes ses œuvres. Toutefois il abandonna totalement son corps aux vains plaisirs de la chair, non pas seulement pour une maîtresse, mais en se livrant à toutes les femmes, autant que possible, sans mesure et sans loyauté, et sans tenir à aucune. Il mena cette vie aussi longtemps qu'il le put dans sa jeunesse, et il reçut à la fin la récompense et le salaire que l'on mérite en pareil cas : perte de réputation, de biens et de membres. À cause de sa grande lubricité, tant dans ses propres actions que dans ses paroles, pour avoir conseillé aux autres de mener la même vie que lui, il fut condamné à l'exil.

Et comme par la suite il avait été rappelé d'exil grâce à la faveur de quelques puissants jeunes Romains, ses partisans, et qu'il ne put s'empêcher de retomber dans les fautes pour lesquelles il avait déjà été puni, il fut châtré et mutilé à cause de son inconduite[1]. Cela se rapporte à ce que je te disais plus haut, car quand il vit qu'il ne pourrait plus mener la vie à laquelle il prenait tant de plaisir, alors il se mit à dire grand mal des femmes avec des arguments très habiles, en s'efforçant ainsi d'en dégoûter les autres. »

- Dame, voilà qui est bien parlé ; mais j'ai lu un livre d'un autre auteur italien, originaire, je crois, du pays de Toscane ou des Marches, du nom de Cecco d'Ascoli[2] ; dans l'un des chapitres, il dit au sujet des femmes d'incroyables horreurs, comme nul autre ne l'a fait, des choses telles qu'aucune personne sensée ne voudrait les répéter.

Elle me répondit : « Si Cecco d'Ascoli dit du mal de toutes les femmes, ma fille, ne t'en étonne pas, car il les avait toutes en abomination et éprouvait pour elles de la haine et du dégoût, que dans son horrible méchanceté il voulait faire partager à tous les hommes. Il en obtint le salaire qu'il méritait, car en punition

---

[1] La légende de la castration d'Ovide en punition de l'immoralité de ses écrits se trouve dans *Leesce* de Jean Le Fèvre (t. II, v. 2710-2716, p. 85-86).

[2] Auteur d'une œuvre encyclopédique, *L'Acerba*, écrite en italien et qui s'oppose à la conception thomiste du monde exposée par Dante. Cecco d'Ascoli a enseigné à Bologne, comme le père de Christine, ce qui explique peut-être que Christine connaisse ce livre. Le livre IV de l'*Acerba* contient une critique des femmes (Cecco d'Ascoli, *L'Acerba*, éd. A. Crespi, Milan, La Vita felice, 2011, p. 319-394).

45   deserte de son criminel vice fu ars en feu deshonneste-
       ment.

       ¶- Un autre petit livre en latin vi, Dame, qui se nomme
       Du secret des femmes, qui dit de la composicion de leurs
       corps naturel moult de grans deffaulx.»

50   Responce : «Tu pués congnoistre par toi meismes, sans
       nul autre preuve, que celui livre fu fait a volenté et fainte-
       ment coulouré, car se tu l'as veü, te peut estre chose
       manifeste que il est traictié tout de mençonges. Et quoy
       que aucuns dient que ce fist Aristote, il n'est mie a croire
55   que tel philosophe se fust chargié de si faites bourdes ; car
       par ce que les femmes peuent clerement par espreuve
       savoir que aucunes choses que il touche ne sont mie
       vraies, ains pures bourdes, peuent elles conclure que les
       autres particularitez dont il traitte sont droittes mençonges.
60   Mais ne te souvient il que il dit a son [16ʳ] commencement
       que ne sçay quel pappe excommenia tout homme que le
       liroit a femme, ou a lire lui bailleroit ?

       - Dame, bien m'en souvient.

       - Scez tu la malicieuse cause pour quoy celle bourde fu
65   donnee a croire aux hommes bestiaux et nices au commen-
       cement de ce livre ?

de son vice criminel il eut une fin ignominieuse et périt par le feu. »

  - Dame, j'ai lu un autre petit livre en latin appelé *Du secret des femmes*[1] qui dit que la constitution de leur corps comporte par nature de très grands défauts.

Elle me répondit : « Tu peux savoir par toi-même, sans avoir besoin d'autre preuve, que ce livre a été écrit de façon tout à fait fantaisiste ; si tu l'as lu, il te paraîtra évident que c'est un tissu de mensonges. Bien que certains soutiennent qu'il a été écrit par Aristote, on ne peut croire qu'un tel philosophe ait pris à son compte de telles bêtises. Les femmes peuvent clairement savoir par leur propre expérience que certaines des choses dont il parle ne sont pas vraies, mais sont de pures sottises ; elles peuvent donc en conclure que les autres particularités dont il traite sont autant de mensonges. Mais ne te souviens-tu pas qu'il dit au début du livre que je ne sais quel pape avait excommunié tout homme qui le lirait à une femme, ou qui le lui donnerait à lire ?

  - Dame, je m'en souviens bien.

  - Sais-tu pour quelle vicieuse raison cette bêtise fut donnée à croire aux hommes grossiers et stupides, au commencement de ce livre ?

---

[1] Il s'agit du *De Secretis Mulierum*, traité de gynécologie pseudo-scientifique composé au XIIIᵉ siècle, généralement attribué à la fin du Moyen Âge à Albert Le Grand (car il est constitué en grande partie d'extraits de son *De animalibus*). Raison réfute dans sa réponse l'idée qu'il pourrait être d'Aristote, comme le disaient certains. On en connaît deux adaptations françaises du XVᵉ siècle, sous le titre de *Secrez des dames* («Cy commance le livre des secrez des dames, lequel est deffendu a reveler sur peine d'escomeniment»), conservé dans huit manuscrits, ou de *Secret des Femmes* (au moins trois manuscrits ; F. Féry-Hue, «Secrets des dames et "Secrets des femmes"» dans *Dictionnaire des Lettres Françaises : le Moyen Âge*, éd. G. Hasenohr, et M. Zink, Paris, 1992, p. 1370-1371). Selon Monica Green, Christine a probablement utilisé la plus ancienne de ces deux adaptations (composée plus tôt qu'on ne le pensait), dans laquelle on trouve la mention de cette interdiction papale, plutôt que le texte latin (auquel renvoie M. Curnow, *Cité*, t. II, vol. 2, note 27, p. 1048), d'où elle est absente. (M. Green, «'Traittié tout de mençonges': The *Secrés des dames*, '*Trotula*', and attitudes towards women's medicine in fourteenth- and early fifteenth-century France», dans *Christine de Pizan and the Categories of Difference,* éd. M. Desmond, Minneapolis, University of Minnesota Press, 1998, p. 146-178 ; note 27, p. 152-153).

- Dame, non, se ne le me dites.

- Ce fu affin que les femmes n'eussent congnoissance
de ce livre et de ce qu'il contient, car bien savoit celui qui
70   le fist que se elles le lisoient ou ooient lire, que bien
saroient que bourdes sont, si le contrediroient et s'en
moqueroient. Si vault l'aucteur qui le fist abegiauner et
frauder les hommes qui le liroient par celle voie.

- Dame, il me souvient que entre les choses que il dit,
75   quant il a assez parlé de l'impotence et foiblece qui est
cause de fourmer le corps femenin ou ventre de la mère,
que Nature est aussi comme toute honteuse quant elle voit
que elle a fourme tel corps, si comme chose imparfaite.

- Ha! La tres grant folie! Avisez, doulce amie, l'avu-
80   glement hors de toute raison qui meut a ce dire. Et
comment Nature, qui est chamberiere de Dieu, est elle
doncques plus grant maistresse que son maistre dont li
vient telle octorité, Dieu tout puissant, qui ou voult de sa
pensee avoit tres oncques la fourme d'omme et de
85   femme? Quant vint a sa sainte voulenté de fourmer Adam
du limon de la terre ou champ de Damas et il l'ot fait, il le
mena en paradis terrestre, qui estoit et est la plus digne
place de ce bas monde. La endormi Adam, et de l'une de
ses costes, en signifience que elle devoit estre coste lui[1] et
90   non mie a ses piez comme serve, et aussi que il l'amast

---

[1] *B, D* : coste lui come compaigne

- Non, Dame, si vous ne me le dites pas.

- Ce fut pour que les femmes ne puissent prendre connais-sance de ce livre et de son contenu, car celui qui l'écrivit savait bien que si elles le lisaient ou l'entendaient lire, elles sauraient bien que ce sont des sottises, et qu'elles le contrediraient et s'en moqueraient. L'auteur voulut ainsi, par cette ruse, tromper et abuser les hommes qui le liraient.

- Dame, je me souviens qu'entre autres choses, après avoir parlé de l'impuissance et de la faiblesse qui sont causes de la formation d'un corps féminin dans le ventre de la mère, il dit que Nature est toute honteuse quand elle voit qu'elle a formé un tel corps, comme si elle avait fait une chose imparfaite.

- Ha! Quelle très grande sottise! Avise un peu, chère amie, l'aveuglement dépourvu de toute raison qui pousse à dire une chose pareille. Comment donc? Nature, qui est la servante de Dieu[1], serait-elle donc plus grande maîtresse que ne l'est son maître, Dieu tout-puissant, dont elle tient son autorité? Et celui-ci n'avait-il pas dès l'origine en sa pensée et en sa volonté la forme de l'homme et de la femme? Quand ce fut sa sainte volonté de former Adam du limon de la terre dans le champ de Damas[2] et qu'il l'eut fait, il le conduisit dans le paradis terrestre, qui était et qui demeure l'endroit le plus digne en ce bas monde. Là il endormit Adam, et il forma le corps de la femme de l'une de ses côtes, signifiant par là qu'elle devait être à côté de lui et non pas à ses pieds comme une servante, et qu'il devait l'aimer comme sa

---

[1] Littéralement, la «chambrière» (fonction qui n'a plus d'équivalent dans la langue moderne, sinon par ce mot de «servante»). Jean de Meun fait égale-ment de Nature la «chamberiere» de Dieu (*Roman de la Rose*, v. 16785-16786, p. 970).

[2] Gen. 2, 7-8. Pour «le champ de Damas», Christine emprunte cette préci-sion, qui ne figure pas dans le texte biblique, à Boccace (le «champ qui aprés fu nommé Damascene», *Cleres femmes*, 1, t. I, p. 16, «de Eve premiere femme»; dans l'original latin, *ex agro, cui postea Damascenus nomen inditum est*, *De Mulieribus claris*, p. 6). On ne la trouve ni dans la *Somme Théologique* de Thomas d'Aquin (question 91, qui traite de la création de l'homme), ni dans *Leesce*, où il est dit qu'Adam a été fait «du limon de la terre dure, / Ou val d'Hebron, enmi les champs» (v. 1221-1222, t. II, p. 38), mais elle est dans le *Miroir historial*, source de Boccace et de Christine (*Le Miroir historial*, trad. Jean de Vignay, éd. M. Cavagna, Paris, SATF, 2017, t. I (livres I-IV), p. 250: *champ damassien* ou *damascien*).

comme [16ᵛ] sa propre char, fourma le corps de la femme.
Si n'ot pas honte le Souverain Ouvrier de faire et fourmer
corps femenin, et Nature s'en hontoieroit? Ha! La somme
des folies de ce dire! Voire, et comment fut-elle fourmee?

95   Je ne sçai se tu le nottes, elle fu formee a l'imaige de Dieu.
O! Comment ose bouche mesdire de vessel qui porte si
noble emprainte? Mais aucuns sont si folz qu'ilz quident,
quant ilz oient parler que Dieux fist homme a son ymage,
que ce soit a dire du corps materiel. Mais non est, car

100   Dieux n'avoit pas encore pris char humaine[1], ains est a
entendre de l'ame, qui est esperit intellectuel, et qui durera
sans fin a la semblance de la deité, laquelle ame Dieu crea
et mist aussi bonne, aussi noble et toute pareille en femme
comme en homme[2].

105   Mais encore a parler de la creacion du corps, la femme
fu doncques faite du Souverain Ouvrier; et en quel place
fu elle faite? En paradis terrestre. De quel chose fut ce?
De vil matiere? Non, mais de la tres plus noble qui
oncques eust esté creé: c'estoit le corps de l'omme, de

110   quoy Dieux la fist.

¶- Dame, selons ce que j'entens de vous, femme est
moult noble chose. Mais toutevoies dit Tulles que homme

---

[1] *B, D, R* : corps humain

[2] *B, D, R* : en corps femenin comme ou masculin

propre chair[1]. Le Souverain Ouvrier n'eut donc pas honte de créer et de former le corps féminin, et Nature en aurait honte ? Ah ! Quel comble de bêtise que de dire une chose pareille ! Et encore, comment fut-elle formée ? Je ne sais si tu le remarques, elle fut formée à l'image de Dieu. Oh ! Comment quelqu'un peut-il dire du mal d'un corps marqué d'une si noble empreinte ? Certains sont assez stupides, quand ils entendent dire que Dieu fit l'homme à son image, pour croire qu'il s'agit du corps matériel. Mais ce n'est pas le cas, car Dieu ne s'était pas encore incarné dans un corps humain ; il faut l'entendre plutôt de l'âme, qui est une substance immatérielle douée d'intelligence et qui durera éternellement, à l'image de Dieu ; cette âme, Dieu la créa aussi bonne et aussi noble et tout à fait semblable lorsqu'il la plaça dans un corps de femme ou dans un corps d'homme.

Mais pour revenir à la création du corps, la femme fut donc faite par le Souverain Ouvrier. Et en quel lieu fut-elle faite ? Dans le paradis terrestre. Et de quoi ? Était-ce d'une vile matière ? Non, mais de la plus noble qui ait jamais été créée : c'était le corps de l'homme, dont Dieu se servit pour la faire.

- Dame, selon ce que je vous entends dire, la femme est une très noble créature. Cependant Cicéron dit qu'un homme ne doit

---

[1] L'argument de la création d'Ève à partir d'une côte d'Adam (Gen. 2, 21-24) est l'un des cinq arguments bibliques traditionnellement invoqués tantôt par les détracteurs, tantôt par les défenseurs des femmes, dans un débat qui s'est développé à partir du XIIIᵉ siècle avant de s'intégrer dans ce qui deviendra ensuite la «querelle des femmes», dont l'œuvre de Christine peut être considérée comme le premier jalon (voir l'introduction, p. XXX ; A. Paupert, «Les débuts de la Querelle», *op. cit.*, p. 23-37). La création d'Ève est considérée par les détracteurs des femmes comme le signe de la dépendance de la femme par rapport à l'homme. Les défenseurs des femmes soulignent la supériorité du lieu (le paradis terrestre, Adam ayant été formé en-dehors du paradis - voir la note précédente) et de la matière (Ève faite d'une matière plus noble qu'Adam, formé du limon de la terre). L'interprétation «égalitaire» que développe ici Christine lui vient probablement de *Leesce* (v. 1246 *sq.*, t. II, p. 39) ; Jean Le Fèvre l'attribue à Pierre Lombard (il cite son *Livre des Sentences*) ; elle est reprise aussi par Thomas d'Aquin (*Somme théologique*, question 92, art. 3). Voir A. Paupert, «Un corps problématique : la présence du corps féminin dans les œuvres didactiques de Christine de Pizan (La Cité des dames et l'*Advision*)», dans *Sens, Rhétorique et Musique. Études réunies en hommage à Jacqueline Cerquiglini-Toulet*, Paris, Champion, 2015, p. 891-905 ; voir aussi R. Brown-Grant, «Christine de Pizan as a Defender of Women», dans *Christine de Pizan, a casebook, op. cit.*, p. 90, qui signale qu'il s'agit d'une glose popularisée par Hugues de Saint-Victor et Pierre Lombard.

ne doit servir nulle femme et que cellui qui le fait s'aville,
car nul ne doit servir plus bas de lui.»

115   Responce: «Cellui ou celle en qui plus a vertus est le
plus hault, ne la hauteur ou abaissement des gens ne gist
mie es corps selons le sexe, mais en la parfeccion des
meurs et des vertus. Et cellui est eureux qui siert a la
120   Verge, qui est par dessus tous les angelz.

     - Dame, encore dit un des Chatons, qui fu si grant
orateur, que se ce monde feust sans femme [17ʳ] nous
conversissons avec les dieux.»

     Responce: «Or peux tu veoir la folie de cellui que on
125   tint a saige, car par achoison de femme homme regne avec
Dieu. Et se aucun disoit qu'il en fu bannis par femme pour
cause de dame Eve, je di que trop plus grant degré a acquis
par Marie que il ne perdi par Eve, quant humanité est
conjointe a deité, et qu'il ne seroit mie se le meffait de Eve
130   ne fust avenu. Si se doit louer homme et femme de celle
mesprison par laquelle telle honneur lui est ensuiv[i]e; car
de tant que nature humaine tresbucha plus bas par creature
a elle esté relevé plus hault par createur. Et de converser
avec les dieux, comme dit cellui Chaton, se femme
135   n'estoit, il dist plus vrai que il ne cuidoit, car il estoit
paien, et entre eulx de celle loy entendoient aussi bien
dieux estre en enfer comme ou ciel, c'est assavoir les
deables, que ilz appelloient dieux d'Enfer. Si n'est mie
bourde que avec iceulx dieux conversassent les hommes,
140   se Marie ne feust.»

servir aucune femme et que celui qui agit ainsi s'avilit, car nul ne
doit servir plus bas que lui. »

Elle me répondit : « Celui ou celle qui a le plus de mérite est le
plus haut placé ; la place des gens sur l'échelle des valeurs ne
dépend pas de leur corps et de leur sexe, mais de la perfection de
leurs mœurs et de leurs vertus. Heureux est celui qui sert la
Vierge, qui est elle-même placée au-dessus de tous les anges. »

- Dame, l'un des Catons[1], celui qui fut un si grand orateur, dit
que si ce monde était sans femmes, nous vivrions avec les dieux.

Elle me répondit : « Tu peux voir apparaître ici la folie de celui
qu'on tenait pour un sage. Car c'est à cause d'une femme que
l'homme participe au royaume de Dieu. Et si quelqu'un disait que
c'est par la femme qu'il en a été banni, à cause de dame Ève, je lui
dirais qu'il a gagné grâce à Marie un rang bien plus haut que celui
qu'il avait perdu à cause d'Ève, puisque l'humanité est unie à la
divinité, ce qui ne pourrait pas être sans la faute d'Ève. Hommes et
femmes doivent donc se réjouir de cette faute qui leur valut dans la
suite un tel honneur ; car aussi bas que la nature humaine soit tombée
par une créature, elle a été relevée d'autant plus haut par le Créateur.
Et pour ce qui est de vivre avec les dieux si la femme n'existait pas,
comme le dit ce Caton, il ne croyait pas si bien dire, car c'était un
païen, et ceux de cette religion croyaient que les dieux étaient aussi
bien en enfer qu'au ciel ; il s'agit des diables, qu'ils appelaient dieux
des Enfers[2]. Et ce n'est pas une sottise de dire que les hommes
vivraient avec ces dieux-là, si Marie n'avait pas existé ! »

---

[1] Il s'agit de Caton d'Utique, comme le précise le chapitre suivant. On lui
attribuait les *Distiques de Caton*, très utilisés dans l'enseignement au Moyen Âge.

[2] L'idée selon laquelle les dieux antiques étaient en réalité des démons apparaît
très tôt chez les apologistes chrétiens des premiers siècles, à partir de la traduction
grecque d'un verset du Ps. 95, 5 (« les dieux des nations sont des démons »), mot qui
ne figurait pas dans le texte hébreu). Elle est parfois reprise au Moyen Âge, en
concurrence ou en complémentarité avec l'explication évhémériste, selon laquelle
« les dieux sont des hommes ». (P. Demats, *op. cit.*, p. 40-41 ; voir ci-dessus, note 2
p. 219). Pour Boccace comme pour d'autres avant lui, les deux idées se complètent :
les dieux antiques étaient à l'origine des hommes (ou des femmes) dont les anciens
ont fait des dieux par ignorance et par la tromperie des démons (voir par exemple le
début du chapitre VI des *Cleres Femmes*, t. I, p. 26 : « Car elle fu nee et enfantee
avec ycellui Jupiter de Creteuse que les anciens ignorans et deceus par les ennemys
d'enfer faignoient estre dieu du ciel »). Christine, qui privilégie partout ailleurs
l'explication évhémériste, fait allusion ici à l'explication « démoniaque » pour les
dieux des Enfers.

Encores de ce meismes, altercacions et responces .X.

«Encores[1] dit icellui Chaton Uticensis que la femme qui plaist a l'omme naturelment ressemble a la rose qui plaisant est a veoir, mes l'espine est desoulx qui point.»

Responce: «De rechief dist plus vrai qu'il ne cuida icellui Chaton, car toute bonne et honneste femme et de belle vie doit estre et est une des plus plaisans choses qui soit[2]; et toutevoies est l'espine de paour de mesprendre et de componcion ou couraige de telle femme qui ne s'en part, et ce la fait tenir quoie, rassise et en cremeur, et c'est ce qui la garde.»

¶- Dame, est il vrai - aucuns aucteurs ont tesmongné - que femmes sont par nature lecheresses et curi[17ᵛ]euses en leurs mengiers?

- Fille, tu as par mainte fois ouï recorder le proverbe qui dit: "Ce que Nature donne, nulz ne peut tolir." Si seroit moult grant merveille que naturelment elles i feussent tant enclines, et que toutevoies elles feussent pou ou neant trouvees es lieux ou se vendent les friandises et lecheries, comme es tavernes et autres lieux a ce ordonnez. La sont cler semees; et se aucun veult respondre que honte les en garde, je di que ce n'est mie vrai que autre chose les en garde fors leur condicion, qui n'i est mie encline. Et poson que enclines y fussent et que honte leur donnast tel resistance contre inclinacion naturelle, que ceste vertu et constance leur doit tourner a grant louenge. Et a ce propos, ne te souvient il que n'a pas moult, si que tu estoies a un jour de feste a la porte de ton hostel, devisant avecques une honorable demoiselle, ta voisine, et tu advisas un homme issant d'une taverne qui aloit devisant avecques un autre: "J'ai tant despendu en la taverne, ma femme ne buvera hui mais de vin", et que adoncques tu l'appellas et lui demandas la cause pourquoy elle n'en buveroit? Et il te dit: "Dame, pour ce car elle a une telle maniere que toutes les fois que je viens de la taverne, elle me demande combien j'ai despendu,

---

[1] E orné sur 2 lignes.

[2] B, D, R: une des plus plaisans choses a veoir qui soit; plus manque dans P.

10. Autres discussions et réponses sur le même sujet

« Ce Caton d'Utique dit encore que la femme qui plaît naturellement à l'homme ressemble à la rose, qui est plaisante à voir,
mais qui cache des épines qui piquent. »

Elle me répondit : « Une fois encore, ce Caton ne croyait pas si
bien dire. Car toute femme vertueuse, honnête et de bonne vie doit
être, et est en effet, une des choses les plus plaisantes qui existent ;
cependant l'épine de peur de mal faire et de contrition est toujours
présente dans le cœur d'une telle femme et ne le quitte pas, ce qui
fait qu'elle se conduit de façon réservée, tranquille et prudente, et
c'est ce qui la protège. »

- Dame, est-il vrai, le témoignage de certains auteurs selon
lesquels les femmes sont par nature gourmandes et trop portées
sur la nourriture ?

- Ma fille, tu as souvent entendu citer ce proverbe : "Ce que
Nature donne, nul ne peut l'enlever[1]." Il serait donc bien extraordinaire qu'elles y fussent naturellement si enclines et que pourtant on
ne les voie que peu ou pas du tout dans les endroits où l'on vend
gourmandises et choses appétissantes, comme les tavernes et autres
lieux prévus pour cela. Elles y sont bien peu nombreuses ; et si
d'aucuns veulent répondre que la crainte du déshonneur les en
empêche, je leur dis que ce n'est pas vrai, et que rien d'autre ne les
en empêche que leur propre nature, qui n'y est pas encline. Et
quand bien même elles y seraient enclines, et que la crainte du
déshonneur leur permette de résister si bien à cette inclination
naturelle, tant de force et de constance ne mériteraient que des
louanges. À ce propos, ne te souviens-tu pas qu'il n'y a pas si
longtemps, tu te trouvais devant la porte de ta maison un jour de
fête, devisant avec ta voisine, une noble femme respectable ? Tu vis
un homme sortant d'une taverne et bavardant avec un autre, disant :
"J'ai tellement dépensé à la taverne que ma femme ne boira pas de
vin aujourd'hui." Tu l'interpellas et lui demandas pourquoi elle
n'en boirait pas. Et il te répondit : "Dame, c'est parce qu'elle a pour
habitude, chaque fois que je reviens de la taverne, de me demander

---

[1] É. Hicks et T. Moreau traduisent par un équivalent moderne bien connu :
« Chassez le naturel, il revient au galop ». Nous gardons ici la forme originelle,
bien que ce proverbe ne soit plus attesté de nos jours, car l'idée n'est pas exactement la même.

35 et se plus y a de douze deniers, elle veult recompenser par la
    sobrece de sa bouche en ce que j'ai trop despendu, et dit que
    se tous deux voulions largement despendre, nostre mestier
    ne pourroit fornir a la despence."

    - Dame, dis-je adoncques, de ce moult bien me
40 souvient.»

    Et elle a moy: «Par assez de exemples pués tu
    congnoistre que par nature sont [18ʳ] femmes sobres, et
    celles qui ne le sont se desnaturent. Ne plus lait vice ne
    peut estre en femme que gloutonnie, car cellui vice ou
45 qu'il soit attrait plusieurs autres. Mais tu les peus bien
    veoir a tres grans tourbes et grans presses par les eglises,
    aux sermons et aux pardons, tenans patrenostres et heures.
    Tout en est plain.

    - Voire, Dame, dis je, mes les hommes dient que elles y
50 vont cointes et jolies, pour moustrer leur beauté et atraire
    les hommes a leur amour.»

    Responce: «Ce seroit chose a croire, amie chiere, se
    on n'i veoit ne mes les jennes et jolies. Mais se tu y prens
    garde, pour une jenne que tu y verras, XX ou XXX vieiles,
55 de simple habit et honneste on y voit converser les lieux de
    devocion. Et se devocion est es femmes, semblablement
    n'y deffault mie charité. Car qui visete les malades, les
    reconforte, secuert aux pouvres, cerche les ospitaux,
    ensevelist les mors? Il me semble que ce sont les oeuvres
60 des femmes, lesquelles oeuvres sont les traces souveraines
    que Dieux commande a suivre.

    ¶- Dame, trop bien dites. Mais un aucteur dit que
    femmes ont par nature chetif couraige, et que elles sont
    comme l'enfant, et pour ce conversent voulentiers les
65 enfans avecques elles, et elles avec les enfans.»

    Responce: «Fille, se tu prens garde a la condicion de
    l'enfant, de sa nature il aime amiableté et doulceur. Et quel
    chose est en ce monde plus doulce et plus amiable que est
    femme bien ordonnee? Ha! Mauvaises gens diaboliques
70 qui vueillent parvertir le bien et la vertu de benignité, qui
    est en femme par nature, en mal et en reprouche! Car se
    femmes aiement les enfans, il [18ᵛ] ne leur vient mie par
    vice d'ignorence, ains leur vient de la doulceur de leur

combien j'ai dépensé; et si c'est plus de douze deniers, elle veut compenser par sa sobriété à elle le fait que j'ai trop dépensé, et elle dit que si nous voulions tous les deux dépenser largement, notre situation ne nous permettrait pas de fournir à la dépense."

- Dame, répondis-je alors, je m'en souviens très bien»

Et elle reprit: «Beaucoup d'exemples peuvent te montrer que par nature les femmes sont sobres, et celles qui ne le sont pas agissent contre leur nature. Il ne peut y avoir de vice plus laid chez une femme que la gloutonnerie, car ce vice en attire toujours beaucoup d'autres. Mais tu peux bien voir les femmes se presser en grandes foules dans les églises, aux sermons ou à la confession, chapelets et livres d'heures à la main. Les choses sont tout à fait claires.

- Certes, Dame, dis-je, mais les hommes disent qu'elles y vont bien parées et gracieuses, pour montrer leur beauté et inciter les hommes à les aimer.»

Elle me répondit: « On pourrait le croire, ma chère amie, si on n'y voyait venir que de jeunes et jolies femmes. Mais si tu y fais attention, pour une jeune que tu verras fréquenter les lieux de dévotion, on voit aussi vingt ou trente vieilles femmes, habillées de façon simple et décente. Et si la dévotion est bien présente chez les femmes, la charité ne leur fait pas non plus défaut. Car qui rend visite aux malades et les réconforte, qui secourt les pauvres, qui parcourt les établissements charitables, qui ensevelit les morts? Il me semble que ce sont les activités propres aux femmes, et ce sont d'excellents modèles de comportement conformes aux commandements de Dieu.»

- Dame, vous parlez très bien. Mais il y a encore un auteur qui dit que les femmes sont naturellement faibles de caractère, et qu'elles sont comme les enfants; et c'est la raison pour laquelle les enfants apprécient leur compagnie, et réciproquement.»

Elle me répondit: «Ma fille, si tu considères quelles sont les dispositions naturelles des enfants, par nature ils aiment la douceur et les manières affectueuses. Et quelle personne au monde est plus douce et plus affectueuse qu'une femme de bonne conduite? Ah! Quelle n'est pas la méchanceté diabolique de ces gens qui veulent pervertir ce bien et cette vertu de bonté, qui appartient aux femmes par nature, et la leur reprocher comme une faute! Car si les femmes aiment les enfants, ce n'est pas par vice

condicion. Et se elles sont comme l'enfant en benignité, de
75 ce sont souverainnement bien conseilliees. Car, si que
recorde l'Euvangille, ne dit pas Nostre Seigneur a ses
apostres, lorsque ilz contendoient ensemble lequel seroit
le plus grant d'entre eulx, et il appella un enfant et lui mist
la main sur le chief en disant : "Je vous di certainement que
80 cellui qui se tendra petit et humble comme l'enfant sera le
plus essaucié"? Car qui s'umilie est eslevez et qui
s'eslieve est humiliés.

¶- Dame, hommes me font un grant hernois d'un
proverbe en latin que ilz tant reprochent aux femmes, qui
85 dit : "Parler, plourer, filer mist Dieux en femme."
- Certes, doulce amie, ceste parole est vraie, combien
que, qui que le cuide ou die, ce ne leur soit point de
reprouche. Et de bonne heure pour celles qui par parler,
filer, plourer ont esté sauvees, mist Dieux en elles icelles
90 condicions. Et contre ceulx qui tant leur reprouchent la
condicion de plourer, je di que se[1] Nostre Seigneur Jhesu-
Crist, a qui nulle pensee est muciee et qui tout couraige
voit et congnoist, eust sceu que les larmes des femmes
venissent seulement par fragilité et simplece, la dignité de
95 sa tres grant haultece ne se fust jamais inclinee a rendre lui
meismes larmes des ieulx de son digne corps glorieux par
compassion quant il vit plourer Marie Madalaine et Marte
sa suer pour la mort de leur frere le ladre que il resuscita. O !
Quantes grans graces fist Dieux a femmes pour cause de
100 leurs larmes ! Il ne desprisa mie celles de la dite Marie
Madelaine, [19r] ains les acepta tant que il lui en pardonna
ses pechiez, et par les merites d'icelles larmes elle est ou
ciel glorieusement.

Item, il ne debouta mie celles de la femme vesve qui
105 plouroit aprés son seul filz mort que on portoit en terre. Et
Nostre Seigneur qui plourer la vid, comme cellui qui est
fontaine de toute pitié, meu de compassion pour les larmes
d'icelle, lui ala demander : "Femme, pour quoy ploures tu ?".
Et tantost lui resuscita son enfant. Autres grans graces qui

---

[1] se *omis* ; *corr. d'après B, D, R.*

et par ignorance, mais en raison de leur douceur naturelle. Et si elles sont semblables aux enfants par leur bonté, elles se montrent en cela particulièrement bien avisées. Car comme le rapporte l'Évangile, Notre-Seigneur parla ainsi à ses apôtres, lorsqu'ils se querellaient pour savoir qui d'entre eux serait le plus grand ; Il fit venir un enfant et lui posa la main sur la tête, en disant : "Je vous dis en vérité que celui qui restera humble et petit comme l'enfant sera le plus haut placé. Car quiconque s'abaisse sera élevé, et celui qui s'élève sera abaissé[1]."

- Dame, les hommes considèrent comme un argument de poids un proverbe latin dont ils font grand reproche aux femmes, et qui dit : "Parler, pleurer et filer, c'est ce que Dieu donna aux femmes."

- Certes, ma douce amie, ce dicton est vrai. Mais quoi que pensent ou disent certains, il n'y a pas lieu de le leur reprocher. Pour celles qui ont trouvé leur salut en parlant, en filant ou en pleurant, c'est une bonne chose que Dieu leur ait donné ces dispositions. À ceux qui leur reprochent si fort leur disposition à pleurer, je réponds que Notre-Seigneur Jésus-Christ, à qui nulle pensée n'est cachée et qui voit et connaît tous les cœurs, s'il avait pensé que les larmes des femmes ne venaient que de leur faiblesse et de leur sottise, ne se serait jamais abaissé, du haut de sa très grande dignité, à verser lui-même des larmes de compassion, issues de son corps glorieux, quand il vit Marie-Madeleine et sa sœur Marthe pleurer la mort de leur frère le lépreux, qu'il ressuscita[2]. Oh ! Que de grandes grâces Dieu accorda aux femmes à cause de leurs larmes ! Il ne méprisa pas celles de ladite Marie-Madeleine, mais il les accepta au point de lui pardonner ses péchés, et ce sont ses larmes qui lui ont mérité d'être reçue au ciel dans la gloire.

De même, il ne méprisa pas les larmes de la veuve qui se lamentait sur son fils unique, mort, que l'on portait en terre. Et Notre-Seigneur qui la vit pleurer, lui qui est la source de toute pitié, touché de compassion par ses larmes, alla lui demander : "Femme, pourquoi pleures-tu ?" Et aussitôt il ressuscita son enfant[3]. Dieu

---

[1] Voir Mat. 18, 1-5, Marc 9, 33-37 et Luc 9, 46-48.

[2] Jean 11, 1-44. Le frère de Marie-Madeleine et de Marthe est appelé Lazare, et était confondu au Moyen Âge avec le pauvre Lazare de la parabole dite «du mauvais riche et de Lazare» (Luc 16, 19-31). Ce pauvre couvert d'ulcères devient un lépreux, d'où le sens du mot «ladre», dérivé de Lazare.

[3] Luc 7, 11-17.

110   longues seroient a dire, si comme on peut veoir en la Sainte
       Escripture, fist Dieux a maintes femmes pour leurs larmes,
       et tous les jours fait, car je tiens que a cause des lermes de
       leur devocion soient sauvees plusieurs d'elles et d'autres
       pour qui elles prient. Ne fut saint Augustin, le glorieux
115   docteur de l'Eglise, convertis a la foy pour cause des lermes
       de sa mere? Car la tres bonne dame sans cesser plouroit,
       priant a Dieu que il lui pleust enluminer le cuer de son filz
       qui estoit paien et incredulle de la lumiere de la foy. Dont
       saint Ambroise, a qui la bonne dame[1] aloit souvent recquerir
120   que il priast Dieu pour lui, lui dist : "Femme, je tieng que ce
       soit chose imposible que tant de lermes soient perdues!"
       ¶Ha, benoit Ambroise, tu ne tenoies point que ce feussent
       frivoles que larmes de femme! Et se peut respondre aux
       hommes qui tant les reprouchent que a cause des lermes
125   d'une femme est ce saint luminaire ou front de sainte Eglise
       qui toute l'esclaire et enlumine, c'est assavoir Monseigneur
       saint Augustin. Si ne parlent plus non hommes en cel
       endroit.
           ¶Semblablement, le [19ᵛ] parler mist Dieux voirement
130   en femme, il en soit louez, car se parler n'i eust mis,
       muetes fussent! Mais contre ce que dit le dit proverbe, que
       ne sçay qui trouva a voulenté en leur reprouche, se lengage
       de femme eust esté tant reprouvable et de si petite aucto-
       rité comme plusieurs[2] veulent dire, Nostre Seigneur Jhesu
135   Crist n'eust jamais daigné vouloir que si digne mistere que
       fu cellui de sa tres glorieuse resureccion feust premiere-
       ment anoncié par femme, si comme il meismes le
       commanda a la benoite Madalaine, a qui premierement
       s'aparu le jour de Pasques, que elle le deist et nonçast aux
140   apostres et a Piere. O benoit Dieux, tu soies louez qui
       avecques autres infinis dons et graces que tu as fettes et
       donnees au sexe femenin, volz que femme feust portaresse
       de si haultes et dignes nouvelles! Bien se deussent tous
       leurs envieux taire se bien y avisaissent.

---

       [1] *B, D, R* : la sainte dame
       [2] *B, D, R* : aucuns

accorda d'autres grandes grâces à de nombreuses femmes à cause de leurs larmes ; le récit en serait trop long à faire, et l'on peut le voir dans les Saintes Écritures ; et il le fait encore tous les jours. Car je pense que c'est à cause de leurs larmes de dévotion que beaucoup d'entre elles ont été sauvées ainsi que ceux pour qui elles prient. Saint Augustin, ce glorieux docteur de l'Église, ne fut-il pas converti à la foi grâce aux larmes de sa mère ? Car cette très bonne dame pleurait sans cesse, priant Dieu qu'il veuille bien éclairer le cœur de son fils, qui était païen et incroyant, aveugle à la lumière de la foi. Saint Ambroise, que cette bonne dame allait souvent implorer de prier Dieu pour lui, lui dit : "Femme, je pense qu'il est impossible que tant de larmes soient perdues[1] !" Ah ! Bienheureux Ambroise, tu ne pensais pas que les larmes de femmes étaient des choses futiles ! Voilà ce qu'on peut répondre aux hommes qui leur en font le reproche : c'est à cause des larmes d'une femme que cette sainte lumière qu'est Monseigneur saint Augustin brille au front de la sainte Église qu'il éclaire et illumine tout entière. Que les hommes se taisent donc sur ce sujet.

De la même manière, certes, Dieu a donné la parole aux femmes, et loué soit-il, car s'il ne l'avait pas fait, elles seraient muettes ! Mais contrairement à ce que dit le proverbe, que je ne sais qui a inventé pour leur en faire reproche, si la parole des femmes avait été aussi répréhensible et dépourvue de toute autorité que beaucoup le prétendent, Notre-Seigneur Jésus-Christ n'aurait jamais daigné vouloir qu'une femme fût la première à annoncer le digne mystère de sa très glorieuse résurrection ; c'est lui-même qui demanda à la bienheureuse Madeleine, à qui il apparut en premier le jour de Pâques, de l'annoncer aux apôtres et à Pierre. Oh Dieu béni, loué sois-tu, toi qui, avec tous les autres dons et grâces infinis que tu as accordés au sexe féminin, as voulu qu'une femme soit porteuse de si grandes et si saintes nouvelles ! Tous les envieux devraient bien se taire, s'ils y prenaient garde.

---

[1] Saint Augustin, *Confessions*, livre VI, 1 et 2, mais il ne rapporte pas la conversation entre sa mère et saint Ambroise ; le développement sur les larmes vient peut-être du *Speculum historiale* de Vincent de Beauvais dans sa traduction par Jean de Vignay (Vincent de Beauvais, *Speculum historiale*, trad. Jean de Vignay, vol. V, BnF, NAF 15943, BnF, Gallica, 2011 [en ligne], XVII, 66, fol ; 55ᵛ).

145   - Voire, Dame, dis je, mes je me sousri d'une folie que
aucuns hommes dient, et meismement me souvient que je
l'ai ouy preschier a aucuns folz sermonneurs, que pour ce
s'aparut Dieux a femme premierement que il scet bien que
elle ne se scet taire, affin que plus tost feust sa resureccion
150 publiee. »

Responce : «Fille, tu as bien dit qui folz a appellez
ceulx qui ce dient, car il ne leur souffit pas blasmer les
femmes se ilz n'imposent meismes a Jhesucrist tel
blaphemme comme de dire que par un vice il eust volu
155 reveler si grant parfeccion et dignité[1], et ne sçai comment
homme l'ose dire. Et quoy que ilz le dient par bourdes,
Dieux ne se doit point mettre en choses de moquerie.

Mais encore au premier propos, de bonne [20ʳ] heure
pour elle fu si grant parleresse icelle femme Cananee, qui
160 ne finioit de crier et braire aprez Jhesucrist, alant par les
rues de Jherusalem, disant : "Aies merci de moy, Sire, car
ma fille est malade !". Mes que faisoit le benoit Dieu, il en
qui toute misericorde abondoit et abonde, et a qui souffi-
soit une toute seule parolle venant du cuer pour avoir
165 merci ? Il sembloit que il se delitast en plusieurs paroles
issans de la bouche de celle femme tousjours perseverant
en sa priere. Mais pourquoy le faisoit il ? C'estoit pour
esprouver sa constance. Car quant il l'ot comparee au[x]
chiens - ce sembla un pou rudement, pour ce que elle estoit
170 d'estrange loy, et non pas de celle de Dieu - elle n'ot pas
honte de bien et saigement parler en disant : "Sire, c'est
bien voir, mes des mietes de la table au seigneur se vivent
les petis chienes." O tres sage femme, qui t'aprist a ainsi
parler ? Tu gaignas ta cause par ton prudent lengaige issu
175 de bonne voulenté. Et bien comparu[2], car Nostre Seigneur
tesmoigna de sa bouche, se tournant vers ses apostres, que
il n'avoit trouvé tant de foy en tout Isdrael, et lui ottria sa
resqueste. Ha ! Qui pourra sonner souffissamment cest
honneur ou sexe femenin que les envieux vueillent despri-
180 sier, considerant que ou cuer d'une petite femelete de la

---

[1] *B* : mistere et dignité ; *R :* perfeccion et humilité
[2] *B, D, R* : bien y paru

- Vraiment, Dame, dis-je, je souris par devers moi d'une sottise que certains hommes disent, et je me souviens même l'avoir parfois entendue dans les sermons de sots prêcheurs : Dieu serait apparu en premier lieu à une femme, parce qu'Il sait bien qu'elles ne savent pas se taire, et qu'ainsi la nouvelle de sa résurrection se répandrait plus vite. »

Elle me répondit : « Ma fille, tu fais bien de traiter de sots ceux qui disent cela : il ne leur suffit pas de blâmer les femmes, mais il faut encore qu'ils blasphèment en disant que Jésus-Christ se serait servi d'un vice pour révéler une chose aussi sainte et aussi parfaite ! Je ne sais pas comment un homme peut oser dire une telle chose. Ils le disent pour plaisanter, mais on ne doit pas mêler Dieu à des moqueries.

Mais pour revenir à notre sujet, ce fut une très bonne chose d'être si grande parleuse pour cette Cananéenne qui ne cessait de crier et de gémir à la suite de Jésus-Christ dans les rues de Jérusalem, disant : "Aie pitié de moi, Seigneur, car ma fille est malade !" Et que faisait alors le Dieu de bonté, en qui toute miséricorde demeurait en abondance, et demeure encore, et pour qui il aurait suffi d'une seule parole venant du cœur pour obtenir sa pitié ? Il semblait prendre plaisir aux nombreuses paroles qui sortaient de la bouche de cette femme, qui ne cessait de persévérer dans ses prières. Mais pourquoi agissait-il ainsi ? C'était pour mettre sa constance à l'épreuve. Car quand il l'eut comparée aux chiens - et il semble qu'il l'ait fait avec une certaine rudesse, car elle était d'une religion étrangère, et non pas de celle du vrai Dieu - elle n'eut pas honte de répondre par de bonnes et sages paroles : "Seigneur, c'est bien vrai, mais les petits chiens se nourrissent des miettes de la table de leur seigneur." "Oh ! Femme pleine de sagesse, qui t'a appris à parler ainsi ? Tu as gagné ta cause par tes sages propos, nés d'un cœur sincère." Et cela apparut clairement, car Notre-Seigneur, se tournant vers ses apôtres, les prit à témoin de ce qu'il n'avait pas trouvé autant de foi dans tout Israël, et il lui accorda sa requête[1]. Ah ! Qui pourra apprécier dans toute sa valeur l'honneur ainsi fait à ce sexe féminin que les envieux cherchent à déprécier, si l'on considère que Dieu trouva plus de foi dans le

---

[1] Mat. 15, 21-28.

ligne des paiens, Dieux trouvast plus de foy qu'en tous les
evesques, les princes, les prestres et tout le peuple des
Juifs qui se disoient estre le digne peuple de Dieu ? En telle
maniere parla aussi longuement et a grant plait, et bien
185   pour elle, la femme samaritaine qui estoit venue au puis
traire de l'eaue, ou elle trou[20ᵛ]va Jhesucrist seant tout
lassé. O benoite divinité conjointe a ce digne corps,
comment souffroies-tu celle sainte bouche ouvrir a tenir
raigne de paroles de salu a celle petite femmelete pecha-
190   resse qui maismement n'estoit de ta loy ? Vraiement, tu
monstroies bien que point ne desdaignoies le devot sexe
des femmes. Dieux, a quans coups noz pontificaux d'au
jour d'ui daigneroient tenir paroles, meismes de son
sauvement, a une simple femelette[1] ?
195   ¶Ne parla pas moins sagement la femme qui se seoit au
sermon de Jhesucrist, qui fu si embrasee de ses saintes
paroles que si comme on dit que femmes ne se scevent
taire, de bonne heure parla a celle fois la parolle qui
solempnellement est recordee en l'Euvangille, que elle
200   dist lorsqu'elle se leva par grant voulenté, disant haultement: "Benoit soit le ventre qui te porta et les mamelles
que tu sussas !"
    Ainsi que tu peus entendre, belle tres doulce amie,
Dieux a demonstré que voirement a il mis lengaige en
205   femme pour en estre servi. Si ne leur doit estre reprouchié
ce dont maint bien vient et pou de mal ; car pou souvent
voit on grant prejudice venir a cause de leur langage.
    ¶Quant est du filer, voirement a Dieux volu que ce leur
soit naturel ; car c'est office neccessaire au service divin et
210   a l'aide de toute creature raisonnable, sans lequel ouvraige
les offices du monde seroient maintenus en grant ordure.
Si est grant mauvaistié de rendre en reprouche aux femmes
ce que leur doit tourner a tres grant gré, honneur et loz. »

---

[1] *R* : petite femmellette

cœur d'une humble petite femme d'origine païenne qu'en tous les évêques, les princes, les prêtres et tout le peuple des Juifs, qui se considéraient comme le peuple élu de Dieu?

De la même manière, elle parla et argumenta aussi longuement, et pour son plus grand bien, la Samaritaine qui était venue tirer de l'eau au puits où elle trouva Jésus assis et fatigué. Oh! Bénie soit la divinité incarnée en ce saint corps! Comment as-tu daigné ouvrir cette sainte bouche et t'entretenir avec cette femmelette, cette pécheresse qui n'était même pas de ta religion, en lui adressant des paroles de salutation[1]? En vérité, tu montrais bien ainsi que tu ne dédaignais pas le dévot sexe féminin. Dieu! Que ne faudrait-il pas à nos prélats d'aujourd'hui pour qu'ils daignent s'adresser, même pour lui parler du salut de son âme, à une humble petite femme?

Elle ne parla pas moins sagement, la femme qui assistait au sermon de Jésus et qui fut tout enflammée par ses saintes paroles. On dit que les femmes ne savent pas se taire, mais cette fois-là elle fut bien inspirée lorsqu'elle se leva avec enthousiasme et prononça d'une voix forte ces paroles, solennellement rapportées dans l'Évangile: "Bénis soient le ventre qui t'a porté et les mamelles qui t'ont nourri[2]!"

Comme tu peux le comprendre, ma bien chère amie, Dieu a clairement montré qu'en vérité, s'il a doté les femmes de la parole, c'est pour en être mieux servi. On ne doit donc pas leur faire le reproche de ce qui est la source de tant de biens et de si peu de mal; car ce n'est pas souvent que l'on voit de graves préjudices causés par leurs paroles.

Pour ce qui est de filer, il est vrai que Dieu a voulu que ce soit leur occupation naturelle; car c'est une tâche nécessaire pour le service de Dieu et pour l'entretien de toute personne raisonnable; sans ce travail, les gens de toutes fonctions sociales seraient maintenus dans la plus grande saleté. C'est un comble de malveillance de reprocher aux femmes ce qui devrait leur valoir au plus haut point la reconnaissance, l'honneur et les louanges.»

---

[1] Jean 4, 6-29.
[2] Luc 11, 27-28.

Demande Cristine a Rayson pourquoy ce est que femmes ne sieent en siege de plaidoirie, et responce .XI.

[21ʳ] «Tres¹ haulte et honnoree dame, voz belles raisons satifient tres grandement ma pensee; mais encore me dites, s'il vos agree, la verité pour quoy ce est que les femmes ne tiennent plaidoirie en court de justice, ne congnoissent des causes, ne font jugemens, car ces hommes dient que c'est je ne sçay pour quel femme qui ou siege de justice se gouverna mau sagement.

- Fille, ce sont frivoles et choses controuvees par ruse de ce que on dit d'icelles; mais qui vouldroit demander les causes et raisons de toutes ces choses, trop a souldre² y aroit; et Aristote, combien qu'il en declaire mainte ou livre de ses *Problemes* et en cellui des *Proprietés*, n'i souffiroit mie. Mais quant a celle question, belle amie, semblablement se pourroit demander pour quoy n'ordonna Diex aussi bien que les hommes feissent les offices des femmes que elles font, et les femmes ceulx des hommes. Si peut a ceste question estre respondu que tout aussi comme un sage seigneur bien ordonné establist sa maisnie a faire en divers offices l'un une chose, l'autre une autre, et ce que l'un fait, l'autre ne fait mie, semblablement Dieux a establi homme et femme pour le servir en divers offices, et pour aussi aidier, conforter et compaignier l'un l'autre, chascun en ce qui lui est establi a faire, et a chascun sexe a donné tel

---

¹ T *orné sur 2 lignes.*
² *B, D, R*: respondre

11. Christine demande à Raison pourquoi les femmes ne peuvent siéger dans les tribunaux, et la réponse de celle-ci

« Très noble et très honorée Dame, vos beaux arguments me satisfont pleinement. Mais dites-moi encore, si vous le voulez bien, la raison pour laquelle les femmes ne peuvent pas plaider devant les tribunaux, ni instruire des procès, ni rendre des jugements; les hommes disent que c'est à cause de je ne sais quelle femme qui se conduisit de façon déplacée dans une cour de justice[1].

- Ma fille, les choses que l'on raconte à son sujet sont des fariboles, inventées pour mieux tromper; si l'on voulait demander les raisons et les causes de tout ceci, il y aurait beaucoup à en dire; Aristote lui-même n'y suffirait pas, bien qu'il en parle dans ses *Problemata* et dans ses *Catégories*[2]. Mais pour ce qui est de ta question, ma chère amie, on pourrait demander de la même façon pourquoi Dieu n'a pas voulu que les hommes fassent les tâches que font les femmes, et les femmes, celles des hommes. On peut répondre à ceci qu'un seigneur bien avisé et bien organisé répartit les différentes tâches à faire dans sa maisonnée, et donne à faire telle chose à l'un, telle chose à l'autre; ce que l'un fait, l'autre ne le fait pas. De même, Dieu a voulu que l'homme et la femme le servent de différentes manières, et aussi qu'ils s'entraident, se soutiennent et soient des compagnons l'un pour l'autre, chacun dans les rôles qui leur sont assignés; et à chaque sexe Il a donné la

---

[1] Calphurnia (Cafurne ou Calfurne dans *Matheolus*, II, v. 183-200, t. I, p. 52), accusée d'impudeur et censée avoir découvert son derrière au milieu de sa plaidoirie. L'exemplum de Calphurnie fondant l'interdiction faite aux femmes de plaider était dès le XIVᵉ siècle (et même dès la fin du XIIIᵉ siècle, selon le texte latin de Mathéolus) et encore au XVIᵉ siècle un lieu commun juridique (M.-C. Malenfant, *Argumentaire de l'une et l'autre espèce de femmes. Le statut de l'exemplum dans les discours littéraires sur la femme (1500-1550)*, Québec, Les Presses de l'Université Laval, 2004, note p. 381). Martin le Franc en fait mention dans son *Champion des Dames* (1441-1442) par la bouche de l'« adversaire » (ici, Lourt Entendement): « Diras tu rien de Calfurnie / Qui son cul au juge monstra, / Dit l'autre plain de villanie, / Pour quoy puis la femme n'entra / En jugement pro ne contra? » (Martin Le Franc, *op. cit.*, t. IV, v. 18737-18741, p. 169). On notera la discrétion de Christine par rapport à sa source ou à son successeur lorsqu'elle fait allusion à cet exemple douteux.

[2] Les *Problemata*, traduits du grec à la fin du XIIIᵉ siècle, font partie d'un nombre important de textes faussement attribués à Aristote. Ce que Christine nomme les « Propriétés » est sans doute le livre des *Catégories* (A. de Libera, *La philosophie médiévale*, Paris, PUF, 2004, p. 360-362).

nature et inclinacion comme a faire son office lui apper-
25   tient et compette, combien que l'espece humaine abuse
souvent en ce qu'elle doit faire. Il a donné aux hommes
corps fort, puissant et hardi d'aler, de venir, de parler
hardiement. Et pour ce les hommes qui ont celle nature
aprennent les lois et faire le doivent, pour tenir le monde
30   en ordre de jus[21ᵛ]tice; et sont tenus que ou cas que
aucun ne vouldroit obeir aux lois establies par raison de
droit, que ilz les facent obeir par force de corps et de
puissance[1] d'armes, laquelle execucion ne pourroient mie
bien faire les femmes, lesquelles, combien que Dieux leur
35   ait donné entendement moult grant – a de telles y a –,
toutevoies pour l'onnesteté ou elles sont enclines, ce ne
seroit point chose convenable que elles se alaissent
moustrer en jugement baudement comme les hommes, car
il y a assez qui le fait. A quoy faire envoieroit on trois
40   hommes lever un fardel que deux peuent legierement
porter?
¶Mais se aucuns vouloient dire que femmes n'aient
entendement souffisant pour aprendre les lois, le contraire
45   est magnifeste par preuve de experience qui appert et est
apparue de plusieurs femmes, si que serra dit cy aprés, qui
ont esté tres grandes philosophes et ont aprises de trop plus
soubtilles sciences et plus haultes que ne sont lois escriptes
et establissemens d'ommes. Et de rechief, qui vouldroit

---

[1] *B*: de force

nature et les tendances appropriées pour accomplir la fonction qui lui revient, bien que l'espèce humaine n'en use souvent pas comme elle le devrait. Il a donné aux hommes des corps forts et puissants et le courage d'aller et venir et de parler sans crainte. Comme telle est leur nature, les hommes peuvent et doivent apprendre le droit, pour maintenir la justice dans le monde ; et au cas où certains ne voudraient pas obéir aux lois établies selon le droit, ils sont tenus de les faire obéir par la force et par la puissance des armes, alors que les femmes ne pourraient pas bien mettre à exécution les lois. Et bien que Dieu leur ait donné une très grande intelligence - à certaines d'entre elles tout au moins -, il ne serait pas convenable, en raison de leur modestie naturelle, qu'elles aillent hardiment se présenter au tribunal comme les hommes, car ils sont bien assez pour le faire[1]. Pourquoi envoyer trois hommes pour soulever un fardeau que deux hommes peuvent facilement porter ?

Mais si d'aucuns voulaient dire que les femmes ne seraient pas suffisamment intelligentes pour apprendre le droit, l'expérience prouve manifestement le contraire. On l'a vu et on le voit encore par l'exemple de plusieurs femmes dont nous parlerons plus loin, qui ont été de très grandes philosophes et qui ont appris des sciences bien plus difficiles et plus nobles que ne le sont le droit écrit et les institutions. D'autre part, si l'on voulait affirmer

---

[1] Ce passage peut poser un problème d'interprétation. Comme on l'a souvent dit, même s'il a pu y avoir des variations et des évolutions dans les formulations au cours de son œuvre, Christine de Pizan n'est pas « essentialiste ». Pour elle les différences sexuelles ne correspondent pas à une différence d'essence entre les hommes et les femmes. Cela apparaît clairement, par exemple, dans la grande scène allégorique qui ouvre l'*Advision* (I, 2 et 3), où Nature est représentée en train de fabriquer les êtres humains à partir des mêmes matériaux et avec des moules semblables. Droiture le dit très clairement au chapitre II, 54. Or Christine semble ici faire référence à une « nature » différente, et voulue telle par Dieu, pour les hommes et pour les femmes. Mais elle souligne qu'il s'agit de dispositions naturelles (« a chascun sexe a donné tel nature et inclinacion comme a faire son office lui appertient ») pour accomplir divers « offices » prévus par Dieu pour les hommes et pour les femmes, correspondant à leurs fonctions et à leurs rôles dans la société, et non pas d'une différence d'essence, puisque, comme elle le répète, les femmes sont tout aussi capables que les hommes pour ce qui est de leur « entendement », de leur intelligence pour comprendre et apprendre les lois (E. J. Richards, « Rejecting essentialism », *op. cit.*, p. 105). Voir notre introduction, p. 34-36 et p. 127.

50   proposer qu'elles n'eussent scens naturel en fait de
policies et de gouvernement, je te donrai exemple de
plusieurs grans maistresces qui ont esté les temps passez;
et meismement t'en ramentevrai aucunes de ton temps,
affin que tu mieux cognoisses ma verité, qui sont demou-
55   rees vesves, dont le bel gouvernement qu'elles ont eu, et
ont, en tous leurs affaires, aprés la mort de leurs maris,
donne magnifeste experience que femme qui a entendement est convenable en toutes choses. »

Cy dit de l'empereïs Nicole, et aprés [22ʳ] d'aucunes roines et princeces de France .XII.

1   «Je[1] te pri, di moy ou fu oncques roy de plus grant
savoir en fait de policie, de gouvernement et de souveraine
justice tenir, et mesmement de haulte magnificence de
vivre, que il est leü de la tres noble empereïs Nicole? Car
5   non obstant que es contrees grandes et lees et diverses que
elle dominoit eussent esté plusieurs roys de grant
renommee appellez pharaons, desquelz elle estoit
descendue, ceste dame fu celle qui premierement
commença a vivre en son regne selon lois et policie
10   ordonnee, et destruisi et mist a fin les rudes manieres de
vivre des lieux que elle seignourissoit, et amenda les rudes
usaiges des Ethiopiens bestiaux. Si fait ceste dame de tant
plus a louer, ce dient les aucteurs qui d'elle parlent, que
elle amenda la rudece des autres. Elle demoura heritiere
15   des susdis pharaons, non mie de petit païs, mais du
royaume d'Arabe, de cellui d'Ethioppe et de cellui
d'Egipte, et de l'isle de Maronnee, qui est moult longue et
moult large et abandonnee de tous biens et est close du
fleuve du Nil, qu'elle gouverna par merveilleuse
20   prudence. Que te diroie de ceste dame? Elle fut tant saige

---

[1] J orné sur 2 lignes.

qu'elles n'ont pas de dispositions naturelles en matière de politique et de gouvernement, je te donnerai l'exemple de beaucoup de grandes femmes qui ont exercé le pouvoir dans le passé. Pour que tu reconnaisses mieux la vérité de mes propos, je te rappellerai même l'exemple de quelques femmes de ton époque, restées veuves, qui ont si bien gouverné leurs affaires après la mort de leurs maris qu'elles donnent une preuve manifeste du fait qu'une femme intelligente est capable de tout faire.»

12. Où l'on parle de l'impératrice Nicole[1] puis de quelques reines et princesses de France[2]

«Dis-moi, je te prie, où vit-on jamais un roi ayant plus de connaissances en matière de politique, de gouvernement et de justice souveraine, ou même sachant mener une vie plus fastueuse que la très noble impératrice Nicole, d'après ce que nous en lisons? Car bien que dans les contrées vastes et variées où elle régnait, il y eût eu avant elle plusieurs rois très renommés, appelés pharaons, dont elle était issue, cette dame fut la première à instaurer dans son royaume des lois et une organisation politique; elle mit fin aux mœurs grossières dans les lieux où elle régnait, et adoucit les rudes coutumes des Éthiopiens brutaux. Cette femme mérite d'autant plus la louange, selon les auteurs qui en parlent, qu'elle sut corriger la grossièreté des autres. Elle fut l'héritière de ces pharaons, non pas d'un petit pays, mais des royaumes d'Arabie, d'Éthiopie et d'Égypte, et de l'île de Méroé, île très longue et très large où abondent toutes les richesses, entourée par le fleuve du Nil, qu'elle gouverna avec une remarquable sagesse. Que te dire de plus sur cette dame? Elle fut si sage et son règne fut

---

[1] La reine de Saba, nommée «Nicaule» par Flavius Josèphe (d'après Hérodote). Voir Flavius Josèphe, *Antiquités judaïques*, BnF, fr. 6446, BnF, Gallica, 2011 [en ligne], VIII, 7, fol. 117ʳ. Premier exemple inspiré d'un chapitre de Boccace (*Cleres femmes*, t. 1, XLIII, p. 147-149), dont Christine ne reprend ici que la première moitié. Elle ne dit pas, comme le font Boccace et Flavius Josèphe, que ce personnage est le même que la reine de Saba, dont il sera question plus loin (II, 4).

[2] Cette deuxième partie du titre conviendrait mieux au contenu du chapitre suivant. C'est ce que remarque M. Curnow, qui a donc déplacé ce segment de phrase à la fin du titre de 13. Mais nous avons conservé tel quel ce titre que l'on trouve dans les différents manuscrits consultés.

et de tant grant gouvernement que meismes la Sainte
Escripture parle de sa grant vertu. Elle meismes institua
lois tres droiturieres pour gouverner son peuple; elle
abonda de grant noblece et combleté de richeces presque
25   autant que tous les hommes qui oncques furent. Elle fu
parfonde et experte es escriptures et sciences, et tant ot
hault couraige que marier ne se daigna, ne volt que homme
se acostast a elle. »

**[22ᵛ] Cy dit d'une Royne de France qui fu nommee
Fredegonde .XIII.**

1   « **D**es[1] dames de saige gouvernement des temps
anciens assez te pourroie dire, si comme cy aprés vendra a
ce propos ce que je t'en dirai. En France fu la roine Fredegonde, laquelle fu femme au roy Chilperic. Celle dame,
5   non obstant feust elle cruelle outre loy naturelle de femme,
toutevoies aprés la mort de son mari gouverna le royaume
de France par grant savoir, voire qui estoit pour lors en
moult grant balance et peril, car un petit filz sans plus lui
estoit demouré heritier du pere, que on nommoit Clotaire.
10   Si avoit grant division entre les barons pour cause du
gouvernement, et ja estoit source de grant guerre sus le
royaume. Mais celle dame tenoit continuelement son

---

[1] D *orné sur 2 lignes.*

si grand que même l'Écriture sainte parle de sa puissance. Elle institua elle-même des lois très justes pour gouverner son peuple ; par sa grande noblesse et l'abondance de ses richesses, elle fut l'égale de presque tous les hommes qui aient jamais vécu. Elle avait une connaissance approfondie et une bonne expérience des lettres et des sciences, et avait le cœur si altier qu'elle ne daigna jamais se marier ni accepter la compagnie d'un homme. »

13. Où l'on parle ici d'une reine de France nommée Frédégonde

« Je pourrais te dire encore beaucoup de choses des dames qui gouvernèrent sagement au temps passé, et c'est en effet ce dont je vais te parler ci-après. Il y eut en France une reine appelée Frédégonde, femme du roi Chilpéric[1]. Malgré sa cruauté, peu naturelle chez une femme, après la mort de son mari cette dame gouverna le royaume de France avec une grande sagesse ; il était pourtant dans une situation instable et périlleuse, car il n'était resté comme héritier du père qu'un seul fils encore petit, nommé Clotaire. Les grands seigneurs se disputaient l'exercice du pouvoir, et déjà cette question représentait une grande menace de guerre pour le royaume. Mais cette dame ne cessait de tenir son fils dans ses

---

[1] Frédégonde (v.545-597) était reine de Neustrie et troisième épouse du roi mérovingien Chilpéric Ier. L'histoire rapportée ici est relatée dans les *Grandes Chroniques*, t. IV, 8 (t. II, p. 29-32). Christine fait de la reine un portrait plus élogieux que sa source, se contentant de mentionner ici « sa cruauté peu naturelle chez une femme », aspect longuement développé dans les chapitres précédents des *Grandes Chroniques* (t. III, 1-23, t. I, p. 206-332). L'auteur anonyme prend même soin de préciser, au moment de l'assassinat par traîtrise de l'usurpateur Sigisbert, frère du roi, que celui-ci ne voulait pas tuer lui-même, à l'inverse de ce que Christine dit ici : « selonc la costume de fame qui moult est de plus grant art a mal faire que n'est hons » (p. 225). Cette transformation du personnage de Frédégonde peut être interprétée comme une prise de position en faveur de la régence des reines et, plus particulièrement, de celle d'Isabelle (dite Isabeau) de Bavière, menacée par les ducs d'Orléans et de Bourgogne qui se disputent le pouvoir lors des crises de folie du roi Charles VI. L'histoire de la reine Blanche va aussi dans ce sens. Voir C. Beaune, « La mauvaise reine des origines. Frédégonde aux XIVe et XVe siècles », *Mélanges de l'École Française de Rome : Italie et Méditerranée*, vol. 113, n° 1, 2001, p. 29-44 ; elle recense les portraits très contrastés de Frédégonde et souligne la diffusion de son image à partir des ordonnances de 1374, ainsi que la « réécriture de l'épisode [qui] fut l'œuvre de Christine de Pizan » (p. 38). Voir aussi T. Adams, « Christine de Pizan, Isabeau of Bavaria, and Female Regency », *French Historical Studies*, vol. 32, n° 1, 2009, p. 1-32.

enfant entre ses bras, asembloit a conseil les barons et leur
disoit : "Seigneurs, veez cy vostre roy ; ne mettés pas en
15 oubli la loyauté qui tousjours a esté es François, et ne le
vueilliez desprisier pour tant se il est enfant, car a l'aide de
Dieu il croistera, et quant il sera en aage, il congnoistera
ses bons amis et les guerredonnera selon leurs desertes. Si
ne le vueilliez desheriter a tort et a pechié. Et quant a moy,
20 je vous fais certains que a ceulx qui bien et loyaument se
maintendront, je le[s] guerredonnerai si grandement que a
tousjours mais leur en serra de mieulx." Et ainsi ceste
roine apaisoit les barons, de laquelle chose par son sage
gouvernement tant fist que elle tira son filz des mains de
25 ses ennemis, le nourrit elles meismes [23ʳ] tant qu'il fu
grant et par elle revestu de la couronne et de l'onneur du
royaume, ce qu'il n'eust oncques esté se la prudence d'elle
ne feust.

¶Et semblablement se peut dire de la tres sage et en
30 tous cas bonne, la noble roine Blanche, mere de Saint
Loys, qui tant noblement et prudamment gouverna le
royaume de France tant que son filz fu mendre de age que
oncques mieulx par homme ne fu gouverné. Et meismement quant il fu grant, par l'espreuve du bon[1] gouverne-
35 ment d'elle, fu tousjours chief du conseil, ne riens n'estoit
fait sans elle, et meismement en guerre suioit son filz.

¶Infinies d'autres a ce propos te pourroie dire que je
laisse pour briefté. Mais puisque nous sommes entrez a
parler des dames de France, sans aler plus loings histoires
40 querre[2], tu veis en ton enfance la noble roine Jehene, vesve
du roy Charles IVᵉ du nom. Se tu en as memoire, avise les

---

[1] *B, D, R* : sage
[2] querres ; *corr. d'après B, D, R.*

bras; elle convoquait l'assemblée des grands vassaux et leur disait: "Messeigneurs, voici votre roi; n'oubliez pas la loyauté qui a toujours été celle des Français, et veuillez ne pas le mépriser parce qu'il n'est qu'un enfant; car avec l'aide de Dieu, il grandira, et quand il sera en âge de régner, il saura bien reconnaître ses vrais amis, et il les récompensera selon leurs mérites. Ne commettez donc pas le péché de le déshériter à tort. Quant à moi, je vous assure que ceux qui demeureront bons et loyaux seront si largement récompensés que leur situation en sera pour toujours améliorée." C'est ainsi que cette reine apaisait les seigneurs; elle gouverna si sagement qu'elle sauva son fils des mains de ses ennemis; elle l'éleva elle-même jusqu'à ce qu'il fût adulte, et c'est d'elle qu'il reçut la couronne et l'investiture du royaume, ce qui n'eût pas pu se produire sans la sagesse dont elle fit preuve.

On peut en dire autant de la noble reine Blanche[1], mère de Saint Louis, très sage et bonne en toutes circonstances, qui gouverna le royaume de France pendant la minorité de son fils avec tant de noblesse et de prudence que jamais il ne fut mieux gouverné par aucun homme. Et même quand il fut devenu majeur, elle demeura à la tête du conseil en raison du bon gouvernement qu'elle avait exercé, de sorte que rien ne se faisait sans elle, et qu'elle alla même jusqu'à suivre son fils à la guerre.

Je pourrais te parler d'une quantité d'autres femmes à ce propos, mais je les laisse de côté pour faire bref. Mais puisque nous avons commencé à parler des dames du royaume de France, sans aller chercher plus loin dans les récits historiques, tu as vu en ton enfance la noble reine Jeanne[2], veuve du roi Charles, quatrième de ce nom. Si tu t'en souviens, considère les grandes

---

[1] Blanche de Castille, qui constitue un modèle de la régente à la fin du Moyen Âge.

[2] Née vers 1310 et morte en 1371, Jeanne d'Évreux est la troisième épouse de Charles IV, dernier roi capétien. Charles IV n'ayant eu que des filles, sa mort en 1328 marque le début du règne des Valois ainsi que celui des tensions avec Édouard III d'Angleterre pour l'obtention du trône de France. S. Solente l'a identifiée parmi les reines appartenant à la cour de la reine de France mentionnées par Christine dans le *Charles V* (t. I, I, XX, p. 54 et note 2). Loin d'avoir un rôle effacé, la reine Jeanne est plusieurs fois intervenue en faveur de la paix dans plusieurs affrontements entre Charles de Navarre et Charles V, notamment en 1358, alors que le futur roi n'est encore que dauphin, et en 1371.

grans biens que renommee tesmoigne d'icelle dame, tant
en notable ordonnance de sa court comme en maniere de
vivre, et en souveraine justice tenir. Oncques ne fu parlé de
45   nul prince qui mieux la tenist et gardast en sa terre de ce
qui lui appertenoit que celle dame faisoit[1]. Et bien lui
ressembla sa noble fille, qui fu mariee au duc d'Orleans,
filz du roy Phelippe, laquelle en la vesveté ou elle fu par
lonc temps maintint justice en son païs si droiturierement
50   que plus ne pourroit estre fait.

¶Item la royne de France, Blanche, fu femme du roy
Jehan, maintint sa terre et gouverna par grant ordre de
droit et de justice.

Et que peut on dire de la vaillant et sage duchesse
55   d'Anjou, fille jadis de saint Charles de Blois, duc de
Bretaigne, et feu femme de l'aisné frere aprés lui [23ᵛ] du
saige roy Charles de France, lequel duc fu puis rois de
Cecille? Comment tint celle dame soubz grant verge de
justice les terres et païs tant de Prouvence comme
60   d'ailleurs, que elle gouverna et tint en sa main pour ses tres
nobles enfans tant comme ilz furent petis! O con grandement fait a louer ceste dame en toutes vertus! En sa
jennesce fu de si souveraine beauté que elle passa toutes
autres dames, et de tres parfaite chasteté et saigece, en son
65   aage parfait, de tres grant gouvernement et souveraine
prudence, et forte, et constante de courage, comme il
apparu; car aprez la mort de son seigneur, qui mourut en

---

[1] *R*: que celle noble dame faisoit

qualités dont la réputation de cette dame a gardé le témoignage, qu'il s'agisse de la remarquable organisation de sa cour, de sa manière de vivre ou de la façon dont elle rendait la justice. Jamais on n'a entendu parler d'aucun prince qui ait mieux rendu la justice ou l'ait mieux maintenue dans sa terre, pour tout ce qui relevait de son autorité, que ne le faisait cette dame. Et sa noble fille[1], mariée au duc d'Orléans, fils du roi Philippe, lui ressemblait bien : demeurée veuve pendant une longue période, elle maintint la justice dans son pays de façon si équitable que nul n'aurait pu mieux le faire.

De même la reine de France, Blanche[2], femme du roi Jean, administra sa terre et gouverna selon toutes les règles du droit et de la justice.

Et que dire de feu la duchesse d'Anjou[3], vaillante et sage, jadis fille de saint Charles de Blois, duc de Bretagne, épouse du frère cadet du roi de France Charles le Sage, le duc qui devint par la suite roi de Sicile ? Comme elle sut tenir sous son sceptre de justice les terres et les domaines de Provence comme d'ailleurs, qu'elle gouverna et tint en son pouvoir pour ses très nobles enfants, tant qu'ils furent mineurs ! Oh ! Combien elle mérite de grandes louanges, cette dame, pour toutes ses qualités ! En sa jeunesse elle était d'une beauté si exceptionnelle qu'elle dépassait toutes les autres dames, ainsi que par sa parfaite chasteté et sa sagesse ; en son âge mûr, elle fut capable de très bien gouverner, avec des qualités supérieures de prudence, de force et de constance, comme on a pu le voir. Car après la mort de son mari,

---

[1] Il s'agit de Blanche de France (1328-1393), fille de Charles IV et de Jeanne d'Evreux, épouse de Philippe de Valois, duc d'Orléans, fils du roi Philippe VI. Le couple n'a pas eu d'enfant. À la mort du duc, le duché revient à Louis, le frère de Charles VI.

[2] Christine pense ici à Blanche de Navarre (1333-1398), épouse du roi Philippe VI. À la mort du roi Philippe, Blanche administre les domaines qu'il lui a légués. Voir S. Solente, *Charles V*, t. I, I, XX, p. 54-55, note 2, qui souligne la méprise de Christine attribuant au fils l'épouse du père.

[3] Marie de Blois-Châtillon (1345-1404) était l'épouse de Louis Ier d'Anjou. Elle est décédée peu de temps avant la rédaction de la *Cité des dames*. Elle était selon les termes de F. Autrand, « un grand homme d'État » (F. Autrand, *Charles VI*, Paris, Fayard, 1986, p. 247). Elle sut parfaitement défendre les intérêts de ses enfants et faire en sorte que la Provence reste dans le royaume de Naples, alors que les oncles de Charles VI en avaient décidé autrement (p. 220).

Ytalie, aucques toute sa terre de Prouvence se rebella
contre elle et ses nobles enfans; mais ceste noble dame
70 tant fist et tant pourchaça, que par force que par amours,
que toute la remis a obedience[1] et sugeccion, et si bien la
maintint soulx ordre de droit que oncques clamour ne
plainte ne fu ouye de injustice qu'elle faist.

D'autres dames de France, unes et autres, qui bien et
75 bel en leur vesveté gouverne[re]nt elles et leurs juridi-
cions, assez te pourroie dire. La Contesse de La Marche,
dame et contesse de Vandome et de Castres et tres grant
terriene, qui encores est en vie, que peut on dire de son
gouvernement? Ne veult elle savoir comment et par quel
80 maniere sa justice est maintenue? Et elle meismes comme
bonne et saige s'en prent garde curieusement. Que t'en
diroie? Je te asseure que foison de grandes, moiennes et
petites pareillement se peut dire, lesquelles, qui prendre y
veult garde, on peut veoir qu'en leur vesveté ont soustenu
85 et soustiennent en aussi bon estat leurs seigneuries que
faisoient leurs maris a leurs vivans, [24ʳ] et qui autant sont
amees de leurs subgiez et mieulx. De telles y a, car n'est
point de doubte, n'en desplaise aux hommes, que quoy
qu'il soit des nisses femmes, que il en est maintes qui ont
90 meilleur entendement et plus vive consideracion et judicative que n'ont tout plain d'ommes – est-il? -, et desquelles,
se leurs maris les creuissent ou eussent pareil scens, grant
bien et proufit seroit pour eulx.

¶Mais se les femmes communement ne se meslent du
95 fait de jugier ou prononcier les causes des parties, de ce ne
leur peut chaloir, car tant ont elles moins de paine[2] a leurs
ames et corps. Et combien que ce soit chose neccessaire
pour pugnir les mauvais et faire droit a un chascun, assez

---

[1] B, D, R : que elle la remist toute en bonne obedience
[2] B, D, R : moins de charge

qui se trouvait alors en Italie, presque toute sa terre de Provence se rebella contre elle et contre ses nobles enfants. Mais cette noble dame fit tant et si bien, en usant de la force aussi bien qu'en faisant appel aux sentiments, qu'elle la ramena tout entière à l'obéissance et à la soumission, et elle y fit si bien régner le droit que jamais on n'entendit personne se plaindre d'une injustice qu'elle aurait commise[1].

Je pourrais encore te dire beaucoup de choses à propos d'autres dames de France qui, une fois devenues veuves, les unes comme les autres, surent très bien se conduire elles-mêmes et administrer les terres en leur pouvoir. Que peut-on dire du gouvernement de la comtesse de La Marche[2], dame et comtesse de Vendôme et de Castres et très grande propriétaire terrienne, qui vit encore ? N'est-elle pas soucieuse de savoir comment et de quelle façon la justice est maintenue sur ses terres ? Bonne et sage, elle s'y emploie elle-même avec le plus grand soin. Que te dire de plus ? Je t'assure qu'on peut en dire autant d'un très grand nombre de femmes de haute, de moyenne ou de petite condition, dont on peut voir, si on y prête attention, qu'en leur veuvage elles ont maintenu et maintiennent leurs domaines en aussi bon état que le faisaient leurs maris de leur vivant, et qu'elles sont tout autant qu'eux aimées de leurs sujets, et même plus. Et il y en a bien davantage qu'on ne le pense, car, n'en déplaise aux hommes, s'il existe des femmes sottes, il ne fait aucun doute qu'il en existe aussi beaucoup qui ont une plus grande intelligence, un discernement plus vif et un meilleur jugement que bon nombre d'hommes – n'est-ce pas ? Si leurs maris leur faisaient confiance, ou s'ils étaient aussi avisés, ce serait tout à leur avantage.

Mais si les femmes habituellement ne se mêlent pas de juger ou de prononcer les sentences, cela ne doit pas les préoccuper, car elles en souffrent d'autant moins dans leur âme et leur corps. Bien que ce soit nécessaire pour punir les méchants et pour rendre

---

[1] La reine Blanche, mère de Louis IX, la reine Jeanne, la duchesse d'Orléans et la duchesse d'Anjou sont déjà citées dans la lettre de Christine contre le *Roman de la Rose* adressée à Jean de Montreuil (*Le Livre des epistres du debat sur le Rommant de la Rose*, épître [III], p. 163).

[2] Catherine de La Marche était mariée à Jean de Bourbon, comte de La Marche. À sa mort, elle administre son domaine avec son fils Louis.

d'ommes sont en telz offices qui devroient voloir que
100   oncques n'y eussent sceu ne que leurs meres, car se tous y
vont la droite voie, ce scet Dieux, de laquel chose, quant
faulte y a, la pugnicion n'est pas petite.»

Encores altercacions et argumens de Cristine a Raison .XIV.

1   «Certes[1], Dame, bien dites, et moult sont conson-
nantes voz raisons en mon couraige. Mais toutevoies,
quoy qu'il soit de l'entendement, c'est chose prouvee que
femmes ont le corps foible, tendre et non puissant en fait
5   de force, et par nature sont couardes. Et icestes choses par
le jugement des hommes appetisent moult le degré et
auctorité du sexe femenin, car ilz veulent dire que de tant
que un corps est plus imparfait en quelque chose, de tant
est reprimé et appetisié de sa vertu, et par consequent il en
10   fait moins a louer.»

Responce: «Fille chiere, ceste consequence n'est pas
bonne et ne fait a soustenir; car sans faille on voit souvent
que quant Nature se est restrainte de donner a quel[24ᵛ]que
corps que elle ait fourmé aussi grant parfeccion comme a
15   un autre, ains l'a fait d'aucunes choses imparfait ou
defourmé, ou de beauté, ou de aucune impotence ou
foiblece de membres, que il avient qu'elle le reconpense
d'aucun autre plus grant don qu'elle ne lui a tolu –
exemple, si comme il est dit du tres grant philosophe
20   Aristote qui estoit tres lait de corps, un œil plus bas que
l'autre et d'estrange phisonomie; mais se il ot aucune
difformité de corps, vraiement Nature le recompensa
moult grandement en entendement, retentive et sentement,
si comme il appert par ses octentiques escriptures. Si lui
25   valu trop plus celle recompensacion de si grant engin que
se il eust eu le corps propre ou semblable de Absalom.

---

[1] S *orné sur 2 lignes.*

justice à tout un chacun, il y a bien des hommes exerçant de telles charges qui devraient souhaiter être restés aussi ignorants que leur mère en la matière. Car si tous s'efforcent de rester dans le droit chemin, Dieu sait que lorsque l'on commet une erreur le châtiment n'est pas petit!»

14. Suite des débats et discussions entre Christine et Raison

«Certes, Dame, vous parlez bien, et vos propos sont tout à fait en harmonie avec ce que je ressens. Cependant, quoi qu'il en soit de l'intelligence, c'est une chose bien établie que les femmes ont un corps faible, délicat et manquant de force, et qu'elles sont peureuses par nature. Selon le jugement des hommes, ces éléments affaiblissent beaucoup la position et l'autorité du sexe féminin, car ils affirment que si un corps est imparfait de quelque manière, cela diminue d'autant ses qualités, et par conséquent il est moins digne d'éloges.»

Elle me répondit: «Ma chère fille, cette conclusion n'est pas bonne et ne peut être soutenue. Car assurément on voit souvent que quand Nature s'est abstenue de donner à quelque corps qu'elle a formé une aussi grande perfection qu'à un autre, mais qu'elle l'a créé avec quelque imperfection ou difformité, que ce soit par son aspect physique ou par quelque impuissance ou faiblesse de ses membres, il arrive qu'elle compense ce qu'elle lui a enlevé par quelque don plus grand. C'est ce que l'on dit par exemple du très grand philosophe Aristote, qui était très laid, qui avait un œil placé plus bas que l'autre et un visage étrange[1]. Mais si son corps était quelque peu difforme, Nature a vraiment très largement compensé ces défauts par son intelligence et la puissance de son esprit, comme cela apparaît dans ses écrits dont l'autorité est reconnue. Cette compensation par une si grande intelligence valait pour lui beaucoup mieux que s'il avait eu le corps d'Absalon[2] lui-même, ou un corps semblable au sien.

---

[1] Christine semble reprendre ici la description qu'elle avait donnée d'Alexandre dans la *Mutacion*, au moment de sa naissance, juste avant qu'il ne soit confié à Aristote pour son éducation. Voir la citation à la note p. 281.

[2] Absalon, fils du roi David, est admiré pour sa beauté, en particulier celle de sa chevelure volumineuse (II Sam. 14, 25-26).

¶Semblablement[1] se peut dire du grant empereur
Alixandre, qui fu tres lait, petit et de chetif corsaige, et
toutevoies ot il en son couraige si grant vertu comme il y
30   paru. Et ainsi est il de maint autre. Si te promet, belle amie,
que le grant et fort corps ne fait mie le vertueux et puissant
couraige, ains vient d'une vigue[u]r vertueuse naturelle
qui est don de Dieu, que il concede a Nature empraindre es
unes creatures raisonnables plus que es aultres ; et est son
35   giste mucié en l'entendement et ou couraige et non mie en
la force du corps ou des membres. Ce nous appert souvent
par ce que assez de grans hommes et fors de membres
veons faillis et recreans, et d'autres petis et foibles de
corps qui sont hardis et viguereux. Et semblablement est
40   des autres vertus, mais quant a la hardiece et telle force de
corps, Dieux et Nature a assez fait pour les femmes qui
leur en a donné [25ʳ] impotence ; car a tout le moins sont
elles par cellui agreable default excusees de non faire les
orribles cruaultés, les murdres et les grans et griefs extor-
45   cions, lesquelles a cause de force on a fait et fait on continuellement au monde. Si n'en aront mie la pugnicion que
telz cas requierent. Et bien seroit et aroit esté pour les ames
de plusieurs des plus fors que ilz eussent passé leur peleri-
naige en ce monde en corps femenin et foible. Et vraie-
50   ment je di, et reviens a mon propos, que se Nature n'a
donné grant force de membres a corps de femme, que elle
l'a bien recompensé en ce que inclinacion y a mise tres
vertueuse : c'est de amer son Dieu et estre cremeteuse de

---

[1] *B, D, R* : pareillement

On peut en dire autant du grand empereur Alexandre, qui était très laid, petit et de stature chétive[1], mais qui avait cependant en son cœur l'immense force que l'on sait. Et il en va de même pour beaucoup d'autres. C'est pourquoi je t'assure, ma chère amie, qu'un corps grand et fort ne fait pas un cœur valeureux et puissant, mais que celui-ci provient d'une vigueur naturelle qui est un don que Dieu permet à Nature d'implanter dans certaines créatures raisonnables plus que dans d'autres ; celle-ci est logée au plus profond dans l'intelligence et dans le cœur, et non pas dans la force du corps ou des membres. Cela se manifeste souvent : nous voyons beaucoup d'hommes grands et forts qui se montrent lâches et défaillants alors que d'autres, petits et faibles de corps, sont hardis et vigoureux. Il en va de même pour les autres qualités. Mais pour ce qui est de la hardiesse et de la force physique, Dieu et Nature ont beaucoup fait pour les femmes en leur donnant la faiblesse, car au moins, grâce à cet agréable défaut, elles sont dispensées de commettre les actes violents, les meurtres et exactions qui ont été commis et sont sans cesse commis de par le monde, au nom de la force. Elles ne subiront donc pas les punitions requises en pareils cas ; et il aurait mieux valu pour les âmes de bien des hommes parmi les plus forts d'avoir accompli leur pèlerinage en ce monde dans un faible corps féminin. Et pour revenir à mon propos, je te dis en vérité que si Nature n'a pas donné une grande force au corps de la femme, elle l'a bien dédommagée en la dotant d'une disposition très vertueuse, qui lui fait aimer son Dieu et craindre de

---

[1] Ces détails viennent du *Roman d'Alexandre en prose* : « Et sachiés qu'il ne resambloit ne au pere ne a la mere, mais avoit propre semblance, car ses ceveus estoient comme crins de lyons, ses iouls estoient grant et resplendissant et ne resambloient mie li uns a l'autre, car l'un estoit noirs et li autres vairs ; ses dens estoient trop agu et sa regardeüre estoit comme de lyon et tout fust s'estature petite, nepourquant as signes qu'i se demostroient monstroit il bien que Alixandres devoit estre » (*op.cit.*, p. 29). Christine le présente déjà ainsi dans la *Mutacion*, t. IV, p. 31, v. 22149-22153 (« Alixandre le preux et sage / Estoit de moult petit corsage ; / Phinosomie estrange ot moult ; / Un œil plus bas que l'aultre ou voult / Ot assis »). Les portraits d'Alexandre dans la littérature médiévale mettent en avant sa physionomie peu commune, souvent aussi sa petite taille, mais Christine semble être la seule à insister sur sa laideur (voir M. Pérez-Simon, « Alexandre le Grand, métamorphoses d'un portrait », dans *Moyen Âge, Livres & Patrimoines. Liber Amicorum Danielle Quéruel*, éd. M. Colombo Timelli, M. Lacassagne et J.-L. Hauquette, Paris, Épure, 2012, p. 185-208 ; F. Suard, *Alexandre le Grand*, Paris, Larousse, 2001, p. 28-29).

faillir contre ses commandemens. Et celles qui sont autres
55 se desnaturent.

¶Mais advisez toutevoies, amie chiere, comment il
semble que Dieux tout[1] de gré ait voulu monstrer aux
hommes que pour tant se femmes n'ont mie toutes si grant
force et hardiece corporelle que ont hommes commune-
60 ment, que ilz ne doivent mie dire ne croire que ce soit pour
ce que du sexe femmenin soit forclose toute force et
hardiece corporelle. Il appert par ce que en plusieurs
femmes a demoustré grant courage, force et hardement de
toutes fortes choses emprendre et achever, semblablement
65 que firent les grans hommes solempnez conquereurs et
chevalereux dont si grant mencion est faite es escriptures,
si que je te ramenterai[2] cy aprés en exemples.

¶Belle fille et chiere amie, or t'ai preparé grant et large
fossé, et tout descombré de la terre que j'ay portee hors a
70 grans hotees sur mes espaules. Et des or est temps que tu
assiees ens les grosses [25ᵛ] et fortes pieres des fondemens
des murs de la Cité des dames. Si prens la truielle de ta
plume et t'aprestes de fort maçonner et ouvrer par grant
deligence, car voici une grande pierre et large que je vueil
75 qui soit la premiere assise ou fondement de ta cité. Et
saches que Nature propres la pourtraï par les signes
d'astrologie pour estre mise et alouee en ceste oeuvre. Si te
trai un pou arriere et je le te giterai jus. »

Cy dit de la roine Simiramis.XV.

1 « Semiramis[3] fu femme de moult grant vertu en fait de
vertueux et fort couraige es entreprises et excercite du fais

---

[1] toute

[2] *B, D, R* : ramenray

[3] S *orné sur 2 lignes.*

manquer à ses commandements. Et celles qui se comportent autrement agissent contre leur nature.

Mais remarque toutefois, ma chère amie, que Dieu semble avoir délibérément voulu montrer aux hommes que, même si toutes les femmes n'ont pas une force physique et une hardiesse aussi grandes que n'ont habituellement les hommes, ils ne doivent pas pour autant dire ni penser que le sexe féminin en soit totalement dépourvu. Il l'a manifesté en faisant apparaître chez de nombreuses femmes le grand courage, la force et la hardiesse pour entreprendre et mener à bien toutes les grandes tâches que l'on trouve de la même façon chez les grands hommes, les illustres conquérants et guerriers dont les livres font si grand cas. Je te le rappellerai en t'en donnant des exemples dans ce qui suit.

Chère fille et amie, je t'ai maintenant préparé un large et profond fossé, que j'ai dégagé en transportant de larges hottées de terre sur mes épaules. Il est temps maintenant pour toi d'y poser les grandes et solides pierres des fondations des murs de la Cité des dames. Prends donc la truelle de ta plume et apprête-toi à bien maçonner et à travailler avec empressement, car voici une grande et large pierre dont je veux qu'elle soit posée la première pour la fondation de ta cité. Sache que Nature elle-même l'a façonnée selon les signes astrologiques pour être placée ici et incorporée à cet ouvrage. Recule-toi donc un peu et je vais la déposer pour toi.»

15. Où l'on parle de la reine Sémiramis[1]

«Sémiramis fut une femme de très grande valeur, pleine de vertu et d'un grand courage dans ses entreprises et dans l'exer-

---

[1] Christine reprend ici le long passage qu'elle a consacré à Sémiramis dans la *Mutacion* (V, 2, v. 8957-8989; V, 3, «Ci dit de Semiramis», v. 9087-9174, t. II, p. 182-183, 186-189). Elle a aussi lu et utilisé le chapitre IV des *Cleres femmes* (t. I, p. 19-24) auquel elle emprunte des éléments (l'idée de l'origine divine de la reine) et des expressions (dans la partie sur ses conquêtes), ainsi que l'anecdote de la tresse; celle-ci est également développée dans le *Livre de Leesce* de Jean Le Fèvre (*op. cit.*, v. 3333-3557, p. 112-113). Elle omet de longs passages du chapitre de Boccace (la «cautelle» par laquelle elle se fait passer pour son fils au début de son règne; puis le récit de ses turpitudes, dont son union avec son fils). Toute la fin de ce chapitre reprend le récit de la *Mutacion*. Pour une comparaison avec le récit de Boccace, voir L. Dulac, «Un mythe didactique chez Christine de Pizan: Sémiramis ou la veuve héroïque (Du *De mulieribus claris* de Boccace à *La Cité des dames*)», *op. cit.*

des armes, laquelle i fu si tres excellente que les gens de
lors, qui estoient paiens, disoient, pour la grant puissance
5   que elle avoit sur terre et sur mer, qu'elle estoit seur du
grant dieu Jupiter et fille de l'ancien dieu Saturnus que ilz
disoient estre dieu de terre et de la mer. Ceste dame fu
femme du roy Ninus, qui nomma la cité de Ninive de son
nom, et fu si grant conquereur que a l'aide de sa femme
10 Semiramis, qui semblablement comme lui chevauchoit en
armes, il conquist la grant Babilonie et toute la grant terre
d'Asire, et autre païs maint. Avint en temps que la dame
estoit encores assez en jenne aage, Ninus son mari fu occis
d'une saiette a l'assault d'une cité. Mes les oseques
15 solempnellement faittes, comme il appertenoit, dudit
Ninus, ne delaissa pas la dame l'excercite des armes, ains
plus que devant par tres grant couraige prist viguereuse
force a gouverner et seignourir les royaumes et terres que
son mari et elle avoient, tant de leur propre comme
20 conquises a l'espee, lesquelz royaumes et ter[26ʳ]re elle
garda moult notablement et par grant discipline de chevalerie. Si et par tel maniere excercita et acompli tant de
notables oeuvres que nul homme en vigeur et force ne le
surmonta. Celle dame, en qui abondoit tres hardi couraige,
25 ne redoubtoit nulle paine n'estoit espouentee pour nulz
perilz, ains se exposoit a tous par tel excellence que elle
surmonta tous ses adversaires qui l'avoient quidié
debouter en sa veveté des contrees acquises, par quoy elle
fu tant crainte et doubtee en armes que elle ne garda mie
30 tant seulement les contrees ja conquises, mais avec ce, a
tres grant armee ala sus la terre d'Ethiope, qu'elle combati
par grant force et la subjugua et ajoingni a son empire. De
la s'en ala a grant puissance en Inde et fort assailli les
Indois, auxquelz oncques homme n'avoit approuchié pour
35 eulx faire guerre. Si les vainqui et subjugua, puis ala plus
avant sur les autres contrees, tant que, a brief parler,
aucques tout Orient conquist et mist en sa subjeccion.
Avecques ses conquestes qui furent grandes et puissantes,
ceste dame Semiramis enfforça la cité de Babiloine qui

cice et la pratique des armes. Elle y excellait tant que les gens de son temps, qui étaient des païens, disaient, à cause du grand pouvoir qu'elle exerçait sur la terre et sur la mer, qu'elle était la sœur du grand dieu Jupiter et la fille de l'ancien dieu Saturne, qu'ils considéraient comme les dieux de la terre et de la mer. Cette dame était la femme du roi Ninus, qui donna son nom à la ville de Ninive. Il fut un si grand conquérant qu'avec l'aide de sa femme Sémiramis, qui chevauchait en armes tout comme lui, il conquit la Grande Babylonie, toute la puissante terre d'Assyrie, et maints autres pays. Alors que la dame était encore très jeune, il arriva que Ninus, son mari, fut tué par une flèche pendant l'assaut d'une ville. Après ses obsèques, faites avec toute la solennité qui convenait à un tel homme, la dame n'abandonna pas la pratique des armes ; au contraire, plus encore qu'avant, avec une très grande force de caractère, elle s'appliqua avec vigueur à gouverner et régner sur les royaumes et les terres qui leur appartenaient en propre ou qu'ils avaient conquis à la force de l'épée, son mari et elle-même, et elle les défendit de façon remarquable, avec une grande maîtrise de l'art militaire. En s'y appliquant ainsi, elle accomplit tant de remarquables exploits qu'aucun homme ne la surpassa par la vigueur et la force. Cette dame avait tant de courage et de hardiesse qu'elle ne redoutait nulle douleur et n'était épouvantée par aucun danger. Au contraire, elle les bravait tous de façon si remarquable qu'elle surpassa tous ses adversaires, qui avaient pensé pouvoir la chasser, une fois veuve, des terres qu'elle avait conquises. Elle en fut si crainte et redoutée comme guerrière qu'elle ne garda pas seulement les terres déjà conquises, mais qu'elle assaillit le pays d'Éthiopie avec une très grande armée ; après des combats très rudes, elle le soumit et l'adjoignit à son empire. Elle s'en alla ensuite en Inde avec une troupe nombreuse et livra un violent assaut contre les Indiens, à qui personne n'avait encore jamais fait la guerre. Elle les vainquit et les soumit, puis elle alla encore plus loin envahir d'autres terres. Bref, elle finit par conquérir et soumettre presque tout l'Orient. En plus de ses grandes et puissantes conquêtes, cette dame Sémiramis reconstruit et fortifia la cité de Babylone, qui avait été fondée par

40   avoit esté fondee par Nambroth et les Jeans et estoit assise
       ou champ de Semair, grande et de merveilleuse force et
       circuité. Mais encore plus l'enforça ceste dame de
       pluiseurs deffences, et fist faire autour larges et parfons
       fossez.

45   Semiramis estoit une fois en sa chambre avironnee de
       ses damoiselles qui lui pignoient son chief. Adont advint
       que nouvelles lui vindrent que un de ses royaumes se estoit
       rebellé contre elle; si se leva tantost, et jura par sa
       puissance que jamais l'autre trece de son chief, qui estoit a
50   trecier, [26ᵛ] ne seroit treciee jusques a ce que elle eust
       vengié celle injure et que la terre fust remise en sa subjec-
       cion. Si fist prestement armer ses gens a grant multitude et
       ala sus les rebelles, et par merveilleuse force et vigue[u]r
       les remist en sa subjeccion, et tellement espouenta iceulx
55   et tous les autres subgiez que oncques puis ne s'en osa pié
       rebeller. Duquel fait tant noble et couraigeux par lonc

Nemrod[1] et les Géants[2] et établie dans la plaine de Shinéar[3] ; elle était déjà importante et extraordinaire par son étendue et sa force, mais cette dame la renforça encore par plusieurs fortifications et la fit entourer de larges et profonds fossés.

Un jour, Sémiramis était dans sa chambre, entourée de ses demoiselles qui la coiffaient. On lui apporta alors la nouvelle que l'un de ses royaumes s'était révolté contre elle. Elle se leva aussitôt et jura par tout son pouvoir que jamais l'autre tresse de sa coiffure, qui n'était pas encore faite, ne serait tressée avant qu'elle n'eût vengé cette offense et que la terre n'eût été à nouveau soumise à sa loi. Elle fit prestement armer une grande foule de ses gens et marcha sur les rebelles, et avec une vigueur et une force extraordinaires, elle les soumit ; elle sema une telle épouvante parmi eux et parmi tous ses autres sujets que jamais plus aucun d'entre eux n'osa se rebeller. Cet acte si noble et courageux fut

---

[1] Nemrod, descendant de Cham, «vaillant chasseur devant Yahveh», est l'un des premiers rois d'après le déluge, fondateur d'un empire «au pays de Shinéar» (Gen. 10, 8), dans la région de Babel. Il est caractérisé comme un géant dans *L'Histoire ancienne* 1 (V, fol. 5ᵛ). Christine s'en inspire déjà dans le passage de la *Mutacion* consacré à Nemrod, à la fondation de Babylone et à la tour de Babel, construite avec l'aide de géants qui sont à son service (IV, 19, v. 8450-8730, t. II, p. 146-155). Dante fait de Nemrod l'un des géants du Puits des Géants, au fond du 8e cercle de son Enfer (chant XXXI, v. 45-81 ; éd. et trad. J. Risset, Paris, Flammarion, 1985, p. 282-285).

[2] Il est question de ces Géants, mais à une époque antérieure, dans un passage de la Genèse (Gen 6,1-4). Les versions modernes de la Bible reprennent le mot *Nephilim*, «ce sont les héros du temps jadis» ; dans les versions plus anciennes, déjà dans la Septante grecque puis dans la Vulgate latine, le terme est traduit par «Géants». Ils auraient existé avant le déluge, nés de l'union des «fils de Dieu» et des filles des hommes. Ces versets ont été souvent commentés, depuis les Pères de l'Église. Saint Augustin en parle à plusieurs reprises dans son œuvre. Pour lui, l'existence des géants est indubitable : «Il est certain d'après les Écritures canoniques, hébraïques et chrétiennes, qu'il y eut avant le déluge bon nombre de géants citoyens de la société terrestre des hommes» (Saint Augustin, *La Cité de Dieu, op. cit.*, vol. II/1, 1994, livre XV, XXIII, 4, p. 290). Voir J.-M. Vercruysse, «Qui sont donc les géants du livre de la Genèse (Gn 6, 1-4)? L'interprétation des Pères de l'Église», dans *Les Géants entre mythe et littérature,* dir. M. Closson et M. White-Le Goff, Arras, Artois Presses Université, 2007 [en ligne].

[3] Dans la région de Babylone, plaine où les hommes entreprirent de construire la tour de Babel (Gen. 11, 2). Le pays de Shinéar est mentionné à plusieurs reprises dans la Bible (Gen. 10, 10 ; Gen. 14, 1 ; Dan. 1, 2).

temps donna tesmoignage une grande statue d'un ymaige
faite d'arain, doré richement, eslevé sus un hault pillier en
Babiloine, qui representoit une princece tenant une espee,
60 et avoit l'un des costez trecié[1] et l'autre non. Ceste roine
ediffia de nouvel[2] plusieurs citez et fortes places et parfist
plusieurs autres grans fais, et acompli tant que de nul
homme n'est point escript plus grant couraige ne plus de
fais merveilleux et dignes de memoire.

65   Bien est vrai que plusieurs lui donnent blasme, et a bon
droit lui fust donné se de nostre loy eust esté, de ce qu'elle
prist a mari un filz qu'elle avoit eu de Ninus son seigneur.
Mais les causes qui la murent a ce faire furent deux principales : l'une, qu'elle ne vouloit mie qu'en son empire eust
70 autre dame couronnee que elle, laquelle chose eust esté se
son filz eust espousee autre dame ; l'autre estoit qu'il lui
sembloit que nul autre homme n'estoit digne de lui avoir a
femme fors son propre filz. Mais de ceste erreur qui tant fu
grande, icelle noble dame fait aucunement a excuser pour
75 ce que adont n'estoit encores point de loy escripte, ains
vivoient les gens a loy de nature ou il loisoit a chascun de
faire sans mesprendre tout ce que le cuer leur apportoit.
Car n'est pas doubte que s'elle pensast que mal fust ou que
[27ʳ] aucun blasme lui en peust encourir, qu'elle avoit bien
80 si grant et si hault courage et tant amoit honneur que
jamais ne le faist.

     ¶Mais or est assise la premiere pierre ou fondement de
nostre cité. Si nous convient d'ores en avant asseoir
pierres a quantité pour avancier nostre edifice. »

---

[1] *B, D, R* : l'un des costez de son chief trecié
[2] *B, D, R* : fonda et ediffia de nouvel

pendant très longtemps commémoré par une grande statue d'airain, richement recouverte d'or, placée sur un haut piédestal à Babylone, qui représentait une princesse tenant une épée, dont les cheveux étaient tressés d'un seul côté et non de l'autre. Cette reine fit édifier bien des nouvelles villes et places fortes, elle accomplit bien d'autres hauts faits, et fit tant d'exploits que les livres ne mentionnent aucun homme doté d'un plus grand courage, ou ayant accompli des actions plus étonnantes et plus mémorables.

Il est vrai que certains la blâment[1] - et ce serait à juste titre si elle avait été de notre religion - d'avoir pris pour époux le fils qu'elle avait eu de son mari Ninus. Mais elle y fut poussée principalement par deux raisons : la première était qu'elle ne voulait pas qu'il y eût dans son empire une autre femme qu'elle-même portant la couronne, ce qui aurait été le cas si son fils avait épousé une autre dame ; la seconde était qu'il lui semblait qu'aucun autre homme que son propre fils n'était digne de l'avoir elle-même pour femme. Mais pour cette si grande faute, on peut l'excuser quelque peu, dans la mesure où il n'y avait point encore de lois écrites ; les gens vivaient alors selon la loi de nature, et il était loisible à chacun d'agir selon son cœur sans commettre de faute. Car il est hors de doute que si elle avait pensé que c'était mal ou qu'elle pouvait encourir quelque blâme, elle avait le cœur si noble et si haut placé et était si attachée à l'honneur qu'elle ne l'aurait jamais fait.

Mais voici donc posée la première pierre des fondations de notre cité. Il nous faut maintenant disposer une quantité de pierres pour faire avancer notre construction. »

---

[1] Boccace est très virulent à l'égard des mœurs de Sémiramis qu'il accuse d'avoir eu de nombreux amants dont son fils, et il consacre à cet aspect une bonne partie du chapitre portant sur cette reine. Christine, elle, ne mentionne pas les multiples aventures de Sémiramis et trouve une explication à l'inceste. Elle le fait déjà presque dans les mêmes termes dans le chapitre de la *Mutacion* consacré à Sémiramis (V, 3, v. 9144-9162, t. III, p. 188). Elle s'écarte aussi du portrait qu'en fait l'*Histoire ancienne* (une femme cruelle, incestueuse et qui a fait de l'inceste une loi générale dans son royaume ; *Histoire ancienne* 1, XXXIV, fol. 34ʳ ; voir aussi *L'Histoire ancienne jusqu'à César*, éd. Y. Otaka, t. I, p. 143-144).

Des Amazones .XVI.

1   « Une[1] terre siet vers la fin d'Europpe selon la grant
mer occeane qui ençaint[2] tout le monde. Icelle terre est
appellee Siché ou Sichie. Avint jadis que celle contree fu
par force de guerre despoullie de tous les principaux
5   hommes masles habitans en icelle contree. Quant les
femmes du lieu virent que tous avoient perdus leurs maris
et freres et parens, et ne leur estoient demourez que les
vieillars et les petis enfans, elles s'assemblerent par grant
couraige et prinsdrent conseil entre elles, et en conclusion,
10   delibererent que de la en avant par elles maintendroient
leur seignourie sans subjeccion d'ommes, et firent un tel
edit que homme quelconque ne seroit souffert entrer en
leur juridicion. Mais pour avoir lignee, elles yroient es
contrees voisines a certaines saisons de l'annee, et puis
15   retourneroient en leur païs ; et se elles enfantoient masles,
les envoieroient a leurs peres, et se femelles estoient, les
nouriroient. Pour parfurnir ceste ordonna[n]ce, establirent
des plus nobles dames d'entre elles II que a roines
couronnerent, dont l'une fut appellee Lampheto, l'autre

---

[1] U *orné sur 3 lignes.*
[2] Entient ; *corr. d'après B, D, R.*

16. Des Amazones[1]

« Il existe une terre aux limites de l'Europe, en bordure de la grande mer océane qui entoure le monde : cette terre est appelée Scythie. Il advint jadis que cette contrée fut privée, par suite des violences de la guerre, de la majeure partie des hommes adultes qui l'habitaient. Quand les femmes du pays virent qu'elles avaient toutes perdu leurs maris, frères et parents et qu'il ne leur restait que les vieillards et les petits enfants, elles s'assemblèrent courageusement pour tenir conseil ; en conclusion, elles décidèrent que dorénavant elles gouverneraient leur terre sans dépendre des hommes, et décrétèrent qu'aucun homme ne serait autorisé à entrer sur leur territoire. Mais pour assurer leur descendance, elles se rendraient dans les pays voisins à certaines périodes de l'année, puis reviendraient dans leur pays. Si elles mettaient au monde des enfants mâles, elles les enverraient à leurs pères, et si c'étaient des filles, elles les élèveraient[2]. Pour parachever cette organisation, elles choisirent deux des plus nobles d'entre elles et les couronnèrent reines : l'une était

---

[1] Pour toute cette partie sur les Amazones (chapitres 16 à 19), Christine reprend, résume et réécrit les chapitres qu'elle leur a consacrés dans la VIe partie de sa *Mutacion* (VI, 1-2, v. 13457-13884, t. III, p. 5-19 ; VI, 30-33, v. 17561-17886, t. III, p. 141-152), auxquels il faut ajouter le chapitre consacré à Thomyris (voir plus loin). Comme l'a établi S. Solente, la source en est l'*Histoire ancienne* (voir notre introduction). Pour ces quatre chapitres, Christine ne s'est pas du tout servie des *Cleres femmes*. Elle fait elle-même référence à la *Mutacion* et à *Othea* à la fin du chapitre 17. Nous avons néanmoins indiqué les chapitres correspondants de Boccace pour permettre une comparaison.

[2] Le mythe des Amazones est très présent dans la littérature médiévale, en particulier dans les romans antiques. Voir A. Petit, « Le traitement courtois du thème des Amazones d'après trois romans antiques : *Enéas, Troie* et *Alexandre* », *Le Moyen Âge*, t. 89, n° 1, 1983, p. 63-84 ; D. James-Raoul, « Les Amazones au Moyen Âge », dans *En quêtes d'utopies*, éd. C. Thomasset et D. James-Raoul, Presses de l'Université Paris-Sorbonne, 2005 ; p. 195-230 ; D. Demartini, « L'exemple de l'Amazone dans la *Cité des dames* », *Le Moyen Français*, vol. 78-79, 2016, p. 51-63. Sur une histoire globale des légendes relatives aux Amazones et de leurs racines historiques, voir A. Mayor, *The Amazons. Lives and Legends of Warrior Women across the Ancient World*, Princeton, Oxford, Princeton University Press, 2014 (*Les Amazones. Quand les femmes étaient les égales des hommes (VIIIe siècle avant J.-C. – Ier siècle après J.-C.)*, trad. P. Pignarre, Paris, La Découverte, 2017).

20   Marphasie. Ceste chose faite, tantost chacierent hors de
      leur païs tous les males qui leur estoient demourez, et
      aprez s'armerent, et a grant bataille toute de dames et de
      pucelles allerent sur leurs ennemis, et [27ᵛ] toute la terre
      gasterent par feu et par armes, ne il n'estoit nulz qui a elles
25   peust resister. Et a brief parler, moult bien vengierent la
      mort de leurs amis. Et par celle voie commencierent les
      dames[1] de Sichie a porter armes, qui furent puis appellees
      Amaisonnes, qui vault autant a dire comme desmamelees,
      pour ce que elles avoient une telle maniere que aux nobles
30   d'entre elles, quant petites filettes estoient, leur quisoient
      par certain artifice la mamele senestre, pour ce que elle ne
      leur encombrast a porter l'escu ; et aux non nobles ostoient
      la destre, pour plus aise traire de l'arc. Si s'alerent tant
      delitant en icellui mestier d'armes que elles acrurent par
35   force moult leur païs et leur raigne, tant que partout ala
      leur haulte renommee, si que je t'ai cy devant touchié.
      Icelles II roines Lampheto et Marphasie s'estendirent en
      divers païs, chascune menant moult grant ost, et tant i
      firent que elles conquisdrent grant partie de Europpe et de
40   la region d'Aisie, et plusieurs royaumes subguguerent et
      adjousterent a leur seignourie. Viles et citez maintes
      fonderent, et meismement en Aise la cité de Ephese, qui
      est et lonc temps a esté de grant renommee. De ces deux
      roines morut la premiere Marpasie en une bataille, dont en
45   son lieu les Amaisonnes couronnerent une sienne fille
      vierge, noble et belle, qui nommee fu Sinoppe. Ceste tant
      ot hault et grant couraige que jour de sa vie ne se daigna
      coupler a homme, ains remaint vierge tout son aage. Si
      n'avoit autre amour ne autre cure fors seulement en
50   l'excercite d'armes. La estoit toute sa plaisance, par tel
      ardeur que elle ne pouoit [28ʳ] estre saoulee de terres
      assaillir et conquerre. Par elle fu sa mere si grandement
      vengie que tous ceulx de la contree ou sa mere ot esté

---

[1] *B, D, R* : femmes

appelée Lampheto, l'autre Marthésie[1]. Cela fait, elles chassèrent aussitôt de leur pays tous les hommes qui leur étaient restés, puis elles s'armèrent et attaquèrent leurs ennemis avec une grande armée de dames et de jeunes filles ; elles mirent leur terre à feu et à sang, sans que nul ne pût leur résister. En bref, elles vengèrent très bien la mort de ceux qu'elles aimaient. C'est ainsi que les dames de Scythie commencèrent à porter les armes. Elles furent par la suite appelées Amazones, ce qui signifie "à qui l'on a enlevé un sein", parce qu'elles avaient pour coutume de brûler le sein gauche, par une technique particulière, aux petites filles nobles, pour qu'elles ne soient pas gênées en portant le bouclier ; et pour celles qui n'étaient pas nobles, elles ôtaient le sein droit, pour qu'elles puissent plus facilement tirer à l'arc. Elles prirent tant de plaisir au métier des armes que par la force, elles agrandirent considérablement leur pays et leur royaume, si bien que leur renommée se répandit partout, comme je te l'ai déjà dit plus haut. Ces deux reines, Lampheto et Marthésie, envahirent divers pays, chacune à la tête d'une armée très importante, et elles finirent par conquérir une grande partie de l'Europe et de l'Asie ; elles soumirent de nombreux royaumes et les ajoutèrent à leur empire. Elles fondèrent de nombreuses villes et cités, en particulier la cité d'Éphèse en Asie, ville qui fut longtemps et qui est encore très renommée. De ces deux reines, Marthésie fut la première à mourir, lors d'une bataille. Pour la remplacer, les Amazones couronnèrent l'une de ses filles, une noble et belle vierge nommée Synoppe. Celle-ci avait un cœur si hautain et si noble qu'elle ne daigna jamais s'accoupler à un homme, mais demeura vierge toute sa vie. Elle n'avait d'autre amour ni d'autre préoccupation que la pratique des armes. C'était là tout son plaisir, et elle s'y adonnait avec une telle ardeur qu'elle ne pouvait être rassasiée d'assaillir et de conquérir des terres. Elle vengea si bien sa mère qu'elle passa au fil de l'épée tous ceux du pays où sa mère avait été tuée

---

[1] Boccace intitule l'un de ses chapitres du nom des deux reines des Amazones (*Cleres femmes*, XIII, t. I, p. 42) mais il traite surtout des mœurs de ce peuple, notamment de la façon dont les filles sont éduquées au combat. Christine s'intéresse plus aux mérites de conquérantes de Marthésie et de Lampheto. Voir aussi *Mutacion*, VI, 1, v. 13565-13566, t. III, p. 9.

55 occise mist a l'espee, et toute gasta la terre, et avec ce
mainte autre contree conquist.»

De la roine d'Amazonie Thamaris .XVII.

1 «Ainsi[1] comme tu peus ouïr commencierent et
maintindrent par moult lonc temps les Amazones leur[2]
seigneurie moult vigueureusement, desquelles furent
roynes par succession l'une de l'autre moult de vaillans
5 dames, qui a toutes nommer de renc pourroit tourner aux
lisans a anui. Si souffira dire d'aucunes principales.

¶Roine d'icelle terre fu la preux, vaillant et saige
Thamaris par lequel scens, cautelle et force fu vaincu et
pris Chirus, le fort et puissant roy de Perse, qui tant avoit
10 fait de merveilles et conquis la grant Babiloine et
meismement une grant partie du monde. Si voult cellui
Cirus, aprés maintes grans conquestes autres qu'il avoit
faites, aler sur la terre et royaume d'Amazonie, en
esperance de le mettre semblablement soulx sa
15 seignourie; dont il avint que celle saige roine, comme elle
seust par ses espies que Cirus venoit sur elle a si grant
force de gens que souffire deust a conquerir tout le
monde, s'avisa que imposible seroit a tel ost desconfire
par force d'armes. Si lui convint user de cautelle. Adont, a
20 loy de vaillant chevetaine, quant elle sot que Cirus estoit
ja bien avant entrez en sa terre, laquelle chose elle avoit
souffert tout de gré, et passer avant sans nul contredit, fist
armer toutes ses damoiselles, et par moult belle ordonnance les mist en diverses embuches sur montaignes et en
25 bois par ou Cirus ne pouoit passer par [28�v] autre part. La
moult quoiement Thamaris, atout ses oz, atendi tant que
Cirus et toutes ses gens aprés lui se furent fichiés es

---

[1] A orné sur 2 lignes.
[2] leurs

et qu'elle dévasta leur terre. Elle conquit aussi bien d'autres contrées[1]. »

17. De Thomyris, reine des Amazones

« C'est ainsi, comme tu as pu l'entendre, que les Amazones commencèrent leur règne et le firent durer très longtemps avec beaucoup de fermeté. Elles eurent pour reines beaucoup de nobles dames qui se succédèrent ; les nommer toutes à la suite pourrait être ennuyeux pour les lecteurs, il suffira de parler des plus importantes.

Une reine de cette terre fut la noble Thomyris, vaillante et sage, qui par son intelligence, sa ruse et sa force, vainquit et fit prisonnier Cyrus, le fort et puissant roi de Perse, qui avait accompli tant d'exploits extraordinaires et avait conquis Babylone, ainsi qu'une grande partie du monde. Ce Cyrus, après les nombreuses et importantes autres conquêtes qu'il avait faites, voulut pénétrer sur la terre et le royaume des Amazones, dans l'espoir de les soumettre de la même manière. Mais cette sage reine, ayant appris par ses espionnes que Cyrus s'avançait sur elle avec des forces suffisantes pour conquérir le monde entier, se rendit compte qu'il serait impossible de vaincre une telle armée par la seule force des armes. Il lui fallut donc recourir à la ruse. Elle agit alors en vaillante commandante[2] : quand elle sut que Cyrus avait déjà pénétré bien avant dans ses terres, ce qu'elle l'avait laissé faire, lui permettant de s'avancer sans s'opposer à lui, elle fit armer toutes ses demoiselles et les mit en embuscade, selon un plan bien conçu, à différents points, dans les montagnes ou dans la forêt, dans un lieu où Cyrus était forcé de passer. Là, avec la plus grande discrétion, Thomyris attendit avec toute son armée que Cyrus et tous ses soldats à sa suite se fussent engagés dans les étroits et sombres défilés, au

---

[1] Pour tout ce chapitre, voir *Mutacion*, VI, 1, v. 13539-13884, t. III, p. 8-19 ; *Histoire ancienne* 1 (XLVII, fol. 47ʳ-47ᵛ) ; éd. M. de Visser-van Terwisga, p. 79-81 ; *Histoire ancienne* 2 ; fol. 22ᵛ-24ʳ ; éd. Y. Otaka, p. 208-209.

[2] Le mot *chevetaine*, employé ici par l'auteure, peut être masculin ou féminin (il désigne « celui ou celle qui est à la tête de quelque chose »). L'adjectif *vaillant* est épicène (identique au masculin et au féminin). Mais l'expression renvoie ici sans contredit à Thomyris et est donc au féminin.

destrois et obcurs passages entre roches et forestz especes
par ou aler lui couvenoit. Adont la dame, quant vit son
30   point, fist haultement sonner sa buisine. Si se trouva
esbahi Cirus, qui garde ne s'en donnoit, quant il se vit
assailli de toutes pars. Car par dessus les haultes
montaignes leur lançoient les dames sur eulx grandes
roches qui a tas les acraventoient, ne aler avant ne
35   avancier ne se pouoient, pour la diversité du païs. Et si
leur estoit une des embuches au devant qui les occioit au
feur que ilz issoient des destrois, ne reculer aussi ne
peussent pour l'autre embuche qui derriere eulx pareillement estoit. Si furent la tous craventez et mors, et Cirus
40   pris, et par le commandement de la roine laissié vif, lui et
ses barons, que elle fist aprés la desconfiture amener
devant elle en un paveillon que fait ot tendre la pour la
grant ire qu'elle avoit a lui pour un sien filz qui avoit esté
occis, qu'envoié avoit au devant de Cirus. Ne le voult
45   prendre a mercis, ains fist a tous ses barons trencier la
teste devant li. Et puis aprés li dist: "Cirus, qui par ta
grant cruaulté oncques ne fus saoulés de sanc d'ommes,
or en peus boire a ta voulenté." Et adont sa teste qu'elle ot
faite trenchier fist getter en une tine en laquelle avoit fait
50   recueillir le sanc de ses barons.

Belle fille et ma chiere amie, icelles choses je te
ramentois pour ce que il affiert a la matiere dont je te
parloie, non obstant que bien les saches et que toy
meismes les aies recitees autre fois en ton *Livre de la*
55   *Mutacion de Fortune* et mesmement en ton *Epistre* [29^r]
de Othea. Si t'en dirai encores ensuivant.»

milieu des montagnes et des bois, où il leur fallait passer. Alors la dame, voyant le moment venu, fit sonner bien fort ses buccins. Cyrus, qui ne s'y attendait pas, fut frappé de stupeur quand il se vit assailli de toutes parts. Car les dames leur lançaient du haut des montagnes de lourdes pierres qui les abattaient et les écrasaient en grand nombre, et ils ne pouvaient pas progresser vers l'avant à cause du relief accidenté; une troupe placée en embuscade devant eux les massacrait au fur et à mesure qu'ils sortaient des défilés, et ils ne pouvaient pas non plus reculer à cause de l'autre troupe embusquée de la même manière derrière eux. Ils furent donc tous écrasés et massacrés, à l'exception de Cyrus et de ses barons qui furent faits prisonniers, la reine ayant donné l'ordre de les laisser en vie. Après la défaite, elle les fit amener devant elle dans une tente qu'elle avait fait dresser, pleine de colère parce que l'un de ses fils, qu'elle avait envoyé au-devant de Cyrus, avait été tué. Elle se montra impitoyable; elle fit trancher la tête à tous ses barons devant lui, puis elle lui dit: "Cyrus, toi qui dans ta grande cruauté n'as jamais été rassasié de sang humain, tu peux maintenant en boire autant que tu veux". Alors, lui ayant fait trancher la tête, elle la fit jeter dans une cuve dans laquelle elle avait fait recueillir le sang de ses barons[1].

Ma chère fille et amie, je t'ai rappelé ces choses parce qu'elles se rapportent au sujet dont je te parlais, même si tu les connais bien et que tu en as toi-même parlé dans ton *Livre de la Mutation de Fortune* et aussi dans ton *Epître d'Othea*. Mais je vais maintenant t'en dire davantage à ce propos.»

---

[1] *Mutacion de Fortune* (V, 7, v. 9535-95802, t. II, p. 201-209 et VI, 1, v. 13685-13704, t. III, p. 12-13); *Histoire ancienne* 1 (LI, fol. 80ᵛ-81ᵛ) et éd. Rochebouet, p. 92-96; *Histoire ancienne* 2, fol. 186ʳ-188ʳ. Boccace (*Cleres femmes*, XLIX, t. I, p. 161) indique bien que Thomyris est scythe mais il n'en fait pas une Amazone pour autant, tout comme Nicolas de Gonesse dans sa traduction de Valère Maxime (*Faits et dits* IX, 10, ext. 1, p. 401-402). Voir aussi *Othea* (LVII, p. 280-281). Boccace développe l'épisode de la mort du fils de Thomyris, tombé dans un piège tendu par Cyrus auquel la reine, plus rusée, échappe ensuite. Christine centre beaucoup plus son récit sur l'affrontement de l'Amazone et du roi perse, les traitant comme deux adversaires d'égale importance.

Cy dit comment le fort Hercules et Theseus son compaignon vindrent de Grece a grant ost et a grant navire sur les Amazones. Et comment les deux pucelles Manalippe et Ypolite les abatirent, chevaulx et tout en un mont[1] .XVIII.

1 « Que[2] t'en diroie ja ? Orent tant fait a la force de leur corps les dames d'Amaizonie que par tout païs furent craintes et redoubtees, et jusques en la terre de Grece, qui assez lointaine en estoit, en alerent les nouvelles et

5 comment icelles dames ne cessoient d'envaïr terres et conquerre, et que partout aloient gastant païs et contrees se tost a elles ne se rendoient, et comment il n'estoit force qui a la leur resister peust. De ce fu Grece espouentee, doubtans que la force d'icelles s'estendist a la fois jusques

10 en celle terre.

¶Adont estoit en Grece en la fleur de sa jennesce Hercules le merveilleux et le fort, qui en son temps fist plus de merveilles de force de corps que oncques ne fist homme de mere nez dont il soit mencion en histoires ; car

15 il se combatoit aux geans, aux lyons, aux serpens et monstres merveilleux, et de tous avoit victoire. Et a brief parler, tant fu fort que oncques de force homme ne l'ataigni, excepté Sanson le fort. Cellui Hercules dist que il ne seroit mie bon d'antendre que les Amasonnes venissent

20 sur eulx, si estoit trop le meilleur de les aler premierement envaïr. Lors pour ce faire fist armer navire et assembla grant foison de nobles jouvenceaux pour y aler a grant effort. Quant Theseus le vaillant et le preux, qui roy estoit d'Athennes, seut celle nouvelle, dist que sans lui n'iroit il

25 mie. [29ᵛ] Si assembla son ost avec cellui d'Ercules, et ainsi a grant gent se mirent en mer, tirant vers le païs d'Amazonnie. Et quant aucques en furent approchié,

---

[1] *Titre plus long dans R* : Comment le fort Hercules et Theseus son compaignion vindrent de Grece a grant navire sur les Amazones. Et comment les II pucelles Manalippe et Ypolite les abatirent chevaulx et tout en un mont, et comment a la fin les II chevaliers orent victoire sur les II pucelles, non obstant la grant force dont elles estoient

[2] Q *orné sur 3 lignes.*

18. Comment le puissant Hercule et son compagnon Thésée arrivèrent de Grèce avec une grande armée et une flotte importante pour attaquer les Amazones, et comment les deux demoiselles Ménalippe et Hippolyte les abattirent pêle-mêle avec leurs chevaux

« Que te dire encore ? Les Amazones avaient accompli tant de choses à la force de leurs bras qu'elles finirent par être craintes et redoutées dans tous les pays. Les nouvelles de leurs exploits parvinrent jusqu'en la terre de Grèce, pourtant fort éloignée : on apprit comment ces dames ne cessaient d'envahir et de conquérir des terres, dévastant les pays et les contrées qui ne se rendaient pas assez vite ; il n'existait nulle force qui pût leur résister. La Grèce en fut effrayée, redoutant que leur pouvoir ne s'étendît finalement jusqu'à elle.

En Grèce vivait alors, dans la fleur de sa jeunesse, Hercule à la force extraordinaire, qui accomplit en son temps plus d'exploits par sa force physique que ne le fit jamais aucun être humain né d'une mère dont les récits antiques fassent mention, car il affrontait les géants, les lions, les serpents et autres monstres fabuleux et de tous il était victorieux. Bref, il était si fort que jamais aucun autre homme ne l'égala en force, excepté Samson le puissant. Ce même Hercule dit qu'il ne serait pas bon d'attendre que les Amazones les attaquent mais qu'il valait beaucoup mieux les envahir en premier. Alors il fit armer une flotte et rassembla un grand nombre de nobles jouvenceaux pour s'y rendre en force. Quand le preux et vaillant Thésée, qui était roi d'Athènes, apprit la nouvelle, il dit qu'Hercule n'irait pas sans lui. Il réunit donc son armée à celle d'Hercule, et ils prirent la mer en très grand nombre, se dirigeant vers le pays des Amazones. Et quand ils arrivèrent à proximité du rivage,

Hercules, non obstant sa tres merveilleuse force et
hardiece, et qui si grant ost de vaillant gent avoit
30   avecques li, n'osa oncques prendre port par jour ne
dessendre sur terre, tant ressongnoit la grant force et
hardiece d'icelles – laquel chose seroit merveilleuse
chose a dire et fort a croire, se tant d'istoires ne le
tesmoignoient, que homme qui oncques par puissance de
35   creature ne pot estre vaincu redoubtast force de femmes.
Si atendi Hercules, lui et son ost, tant que nuit obscure
fust venue. Et adoncques, quant il fu l'eure que toutes
choses mortelles doivent prendre repos et somme, iceulx
saillirent hors des nefs, ou païs entrerent, et par les villes
40   prisdrent partout a bouter feu et faire grant occision sur
celles qui garde ne s'en donnoient et qui despourvueues
furent prises. Si i fu grande la criee en petit d'eure, et ne
furent pas lentes a courir communement toutes aux
armes. Et au plus tost qu'elles porent, qui mieux mieux,
45   prinrent comme tres hardies a fouir[1] a grans tourbes vers
la marine sur leurs ennemis.

¶Adont raignoit sur les Amaisonnes la roine Orthia,
qui fu dame de moult grant vaillance et qui mainte terre
avoit conquise; et ceste fu mere a la preux[2] roine Pantha-
50   selee, dont ci aprez mencion sera faite. Ceste Orthia avoit
esté couronnee aprés la chevalereuse roine Anthioppe qui
les Amazones avoit maintenues et gouvernees en grant
discipline de chevalerie, et moult avoit esté preux[30r] en
son temps. Si ouy ceste Orthia les nouvelles comment les
55   Grieux, sans deffier, s'estoient par nuit embatus sur leur
terre, qui tout aloient occiant. Adont se elle fu aïree contre
eulx, nul nel demant, et bien leur quide chier vendre son
mautalent; et tantost fort menaçant ceulx qui de riens elle
ne craint, commande a armer toutes ses batailles. La
60   veissiés vous dames enbesongnees de courir aux armes et
elles assembler autour de la roine qui a l'adjournant ot
tous ses conrois prests.

---

[1] R : a courir; *manque dans D.*
[2] B : noble

Hercule, malgré sa force extraordinaire et sa hardiesse, et bien qu'accompagné d'une si grande armée de vaillants guerriers, n'osa pas entrer dans le port ni débarquer de jour, tant il craignait la grande force et la hardiesse de ces femmes – chose bien extraordinaire qui serait difficile à dire et à croire, n'était le témoignage de tant d'écrits : qu'un homme qui ne put jamais être vaincu par la force d'aucune créature ait pu redouter la force de simples femmes ! Hercule attendit donc avec son armée l'arrivée de la nuit et de l'obscurité. Alors, à l'heure où toutes les créatures mortelles doivent se reposer et dormir, ils jaillirent de leurs navires, pénétrèrent dans le pays et commencèrent à incendier les villes et à massacrer celles qui ne s'y attendaient pas et qui furent prises au dépourvu. Mais l'alarme fut donnée en peu de temps, et il ne leur fallut pas longtemps pour courir aux armes toutes ensemble, et se précipiter le plus vite possible, à qui mieux mieux, avec beaucoup de hardiesse et en grande foule vers le rivage, sur leurs ennemis.

En ce temps-là régnait sur les Amazones la reine Orithye, une dame de grande vaillance qui avait conquis maintes terres ; elle était la mère de la valeureuse reine Penthésilée dont il sera question ci-après. Cette reine Orithye avait succédé à la valeureuse reine Antiope, qui avait gouverné et dirigé les Amazones avec une grande maîtrise de l'art militaire, et qui avait été très vaillante en son temps. Orithye apprit comment les Grecs, sans défi préalable, s'étaient abattus durant la nuit sur leurs terres et massacraient tout sur leur passage. Inutile de demander quelle fut sa colère contre eux ! Elle résolut de le leur faire payer très cher ; aussitôt, avec force menaces contre ceux qu'elle ne craignait nullement, elle commande que l'on arme tous ses bataillons. Il fallait voir ces dames toutes occupées à courir aux armes et à se rassembler autour de la reine ! Au lever du jour, tous les corps d'armée étaient prêts.

Mes entandis que celle assemblee se faisoit et que la
roine entendoit a mettre ses oz et ses batailles en ordon-
65   nance, deux vaillans pucelles de souveraine force et
chevalerie, hardies et preux sur toutes riens, dont l'une
estoit appellee Menalippe et l'autre Ypolite, et parente
bien prouchaine a la roine estoient, n'atendirent pas les
convois de leur dame, mais au plus tost qu'elles porrent
70   estre armees, les lances es poins, les escus de fort[1]
olephant pendu au col, montees sur les courans destriers,
vindrent plus fort courant que elles porrent vers le port. Et
par grant ardeur, comme surprises d'ire et de mautalent,
les lances baissees, acoururent contre les plus grans des
75   Grieux[2], c'est assavoir Menalippe vers Hercules et Ypolite
a Thezeus. Mais se elles orent ire, bien y parut, car non
obstant la grant force, hardiece et grant couraige d'iceulx,
si fort les hurterent et par si viguereuse encontre les
damoiselles que chascune abati son chevalier, cheval et
80   tout en un mont, et elles aussi, de l'autre part, chairent.
Mais le plus tost se re[30ᵛ]leverent, et a bonnes espees leur
coururent sus. O! Quel honneur dorent avoir ces damoiselles, quant par elles deux femmes estoient abatus deux
les plus vaillans chevaliers qui feussent en tout le monde!
85   Et ceste chose ne seroit mie creable que elle peust estre
vraie se tant d'octeurs otentiques ne l'eussent en leur livres
tesmongnié, lesquelz octeurs mesmement eulx esmerveillant de ceste aventure, en excusant par especial
Hercules, considerant sa desmesuree force, dient que ce
90   pot tenir a son cheval qui tresbucha du grant hurt du coup,
car ne cuident pas que se a pié feust, eust esté tresbuchiés.
Honteux furent les deux chevaliers de estre par les deux
pucelles abatus, non pourtant icelles se combatirent a eulx
a bonnes espees par grant vertu, et longuement en dura la
95   bataille. Mais au desrain – et quel merveille, car ne deust
pas estre la couple pareille – furent prinses par eulx les
deux damoiselles.

---

[1] fer; *corr. d'après B, D, R.*

[2] *B*: brochent contre les plus preux des Grieux; *D, R*: brochent
contre les plus parens des Grieux

Mais pendant qu'elles se rassemblaient et que la reine s'occupait de mettre en ordre ses troupes et ses bataillons, deux vaillantes jeunes filles, exceptionnelles par leur force et leurs qualités guerrières, et par-dessus tout, par leur courage et leur valeur, dont l'une se nommait Ménalippe et l'autre Hippolyte, toutes deux proches parentes de la reine, n'attendirent pas les convois de leur maîtresse, mais dès qu'elles eurent pu s'armer, lances au poing, leurs solides écus de cuir d'éléphant accrochés au cou, elles s'élancèrent au plus vite sur leurs rapides destriers en direction du port. Et saisies de colère et d'animosité, elles se jetèrent avec une grande ardeur, lance baissée, contre les plus importants des chefs grecs, c'est-à-dire Ménalippe contre Hercule et Hippolyte contre Thésée. On vit bien alors quelle était leur rage, car malgré la grande force, la hardiesse et le grand courage de ces deux héros, les demoiselles les frappèrent avec une telle force et d'un élan si vigoureux que chacune d'elles abattit chevalier et cheval tout ensemble, et elles tombèrent elles aussi chacune de son côté. Mais elles se relevèrent au plus vite et les assaillirent de forts coups d'épée. Oh! Quel honneur pour ces demoiselles d'avoir ainsi abattu, elles, deux simples femmes, deux des plus vaillants chevaliers qui fussent au monde! Cette chose serait impossible à croire si tant d'auteurs dignes de foi ne l'avaient rapportée dans leurs livres; ces auteurs, eux-mêmes fort étonnés par cet événement, en particulier en ce qui concerne Hercule, en raison de sa force extraordinaire, l'excusent en disant que cela tenait à son cheval qui trébucha sous le grand choc du coup, car ils ne croient pas qu'il aurait pu être renversé s'il avait été à pied. Les deux chevaliers furent remplis de honte d'avoir été ainsi abattus par deux jeunes filles, et pourtant elles continuèrent à les combattre à forts coups d'épée avec un grand courage, et la bataille dura longtemps. Mais à la fin - et c'était bien extraordinaire, car l'affrontement aurait dû être bien plus inégal - les deux demoiselles furent faites prisonnières.

¶De ceste prise se tindrent si grandement honnorez
Hercules et Theseus qu'ilz n'en vaulsissent tenir l'avoir
d'une cité. Si se retrairent atant en leur navire pour eulx
refrechir et desarmer, et bien leur semble que grandement
ont esploitié. Les dames moult grandement honorerent, et
quant si belles et si avenantes desarmees les virent, adont
doubla leur joie, car oncques n'orent pris proie qui tant
leur fust agreable, et a grant plaisir les regardoient.

¶Ja venoit la roine sur les Grieux a grant ost quant les
nouvelles lui vindrent des deux damoiselles qui prises
estoient. De ce fu doulente a merveilles. Mais pour doubte
que pis en faissent aux damoiselles que prises te[31ʳ]noient
se sur eulx alast, s'arresta a tant et leur manda par deux de
ses baronnesses que ilz voulsissent mettre a tel rençon les II
pucelles comme il leur plairoit, et elle leur envoieroit.
Hercules et Theseus moult reçurent a grant honneur les
messageres, et courtoisement respondirent que se la reine
voloit faire paix a eulx et promettre, elle et ses baronnesses,
que jamais contre les Grieux ne s'armeroient, ains seroient
leurs bonnes amies, et que autresi pareillement leur
prometteroient que ilz renderoient les damoiselles tout
quittement sans vouloir autre raençon fors les armes seulement, car ce vouloient ilz bien avoir, pour honneur et
remembrance a tous jours d'icelle victoire que eue avoient
sur les demoiselles. La roine, pour le desir d'avoir ses II
pucelles qu'elle moult chieres tenoit, fu contrainte de faire
paix aux Grieux. Si fu tant la chose pourparlee et entre eux
accordee que la roine toute desarmee, a moult belle
compaignie de dames et de pucelles en si riches atours que
oncques pareil n'orent veü les Grieux, ala devers eulx pour
les festoier et creanter la paix. Et la fu faite moult grant joie.
Mais nonpourtant moult anuioit a Theseus de rendre
Ypolite, car ja l'aimoit de grant amour. Si en pria et requist
Hercules a la roine tant pour lui que elle ottroia que a
femme la preist et en son païs la menast. Grandes y furent
faites les noces, puis s'en partirent les Grieux. Et ainsi en
amena Thezeus Ypolite, qui puis en ot un filz qui nommé fu
Ypolitus, qui chevalier fu de grant eslite et moult renommé.
Et quant en Grece fu sceu que pais avoient aux Amazones,

Hercule et Thésée se considérèrent comme si honorés de cette capture qu'ils n'auraient pas préféré s'emparer des richesses de toute une ville. Ils regagnèrent alors leur navire pour se désarmer et se rafraîchir, avec le sentiment de s'être très bien battus. Ils rendirent de grands honneurs aux deux femmes, et quand, les ayant fait désarmer, ils les virent si belles et si charmantes, leur joie redoubla ; jamais prise de guerre ne leur avait causé autant de satisfaction, et ils les regardaient avec un grand plaisir.

La reine était déjà en train de marcher sur les Grecs avec une importante armée quand lui parvint la nouvelle que les deux demoiselles avaient été faites prisonnières. Elle en éprouva une extrême douleur. Mais de crainte qu'ils ne fassent pire encore aux demoiselles qu'ils retenaient prisonnières si elle les attaquait, elle s'arrêta aussitôt et envoya deux de ses baronnes pour leur faire dire qu'ils veuillent bien demander la rançon qu'ils voudraient pour les deux jeunes filles, et qu'elle la leur enverrait. Hercule et Thésée reçurent les messagères avec beaucoup d'honneurs et répondirent courtoisement que si la reine voulait faire la paix avec eux et leur promettre, ainsi que ses baronnes, que jamais elles ne prendraient les armes contre les Grecs, mais qu'elles seraient leurs fidèles alliées, ils s'engageaient en retour à rendre les demoiselles sans demander d'autre rançon que de conserver leurs armes, car ils souhaitaient les avoir pour garder à tout jamais le glorieux souvenir de la victoire qu'ils avaient remportée sur ces demoiselles. La reine, dans son désir de récupérer ces deux jeunes filles qu'elle chérissait beaucoup, fut contrainte de faire la paix avec les Grecs. On engagea des pourparlers, et on finit par établir un accord : la reine, entièrement désarmée, avec une très belle suite de dames et de demoiselles vêtues si richement que les Grecs n'avaient jamais rien vu de pareil, s'avança vers eux pour leur faire fête et promettre la paix. Et là on fit de grandes réjouissances. Cependant Thésée était très affligé de devoir rendre Hippolyte, car il l'aimait déjà d'un grand amour. Hercule pria et supplia tant la reine de sa part qu'elle lui accorda de la prendre pour femme et de l'emmener dans son pays. On célébra leurs noces avec faste, puis les Grecs repartirent. C'est ainsi que Thésée emmena Hippolyte, dont il eut plus tard un fils que l'on nomma Hippolytus, qui fut un chevalier d'élite d'un grand renom. Lorsque l'on sut en Grèce qu'ils avaient fait la paix avec les

oncques plus [31ᵛ] grant joie ne fu menee, car rien n'estoit
que tant redoubtassent.»

De la roine Panthasilee, et comment elle ala au secours de Troie .XIX.

«Lonc[1] temps vesqui ceste roine Orthia, et en grant
prosperité ot tenu le raigne d'Amazonnie, et moult creü
leur puissance, et moult fu fort envieillie[2]. Si couronnerent
aprés elle les Amazones sa noble fille, la tres vaillant
Panthasalee, qui sur toutes porta la couronne de scens, de
pris, de vaillance et de prouece. Ceste ne fu oncques lassee
de porter armes ne de combatre. Par elle fu plus que
oncques mais leur seignourie acreue, car nul temps ne
reposoit, si estoit tant crainte de ses ennemis que nul ne
l'osoit atendre. Ceste dame fu de si grant courage que
oncques ne se daigna coupler a homme et vierge fu toute
sa vie. Et en son temps fu la grant guerre des Grieux aux
Troiens, et pour la grant renommee qui adont florissoit
par tout le monde de la tres grant vaillance et chevalerie de
Hector de Troie comme le plus preux du monde et du

---

[1] L orné sur 3 lignes.
[2] B, D, R : et ja fu fort enviellie quant elle trespassa

Amazones, la joie fut extrême, car il n'était rien au monde qu'ils redoutassent autant[1]. »

19. Au sujet de la reine Penthésilée, et comment elle partit au secours de Troie[2]

« Cette reine Orithye vécut longtemps ; elle maintint le royaume des Amazones dans une grande prospérité et leur empire s'agrandit. Elle vécut jusqu'à un âge fort avancé. Après sa mort, les Amazones couronnèrent sa noble fille, la très valeureuse Penthésilée ; plus que toute autre, elle porta la couronne de sagesse, de valeur, de vaillance et de courage. Jamais elle ne se fatigua de porter les armes ni de combattre. Grâce à elle, leur pouvoir s'accrut plus que jamais, car à aucun moment elle ne se reposait et ses ennemis la craignaient tant que nul n'osait l'attaquer. Cette dame avait un caractère si fier que jamais elle ne daigna s'accoupler à un homme et qu'elle demeura vierge toute sa vie. Or c'est en son temps qu'eut lieu la grande guerre des Grecs contre les Troyens. La renommée d'Hector de Troie était alors florissante de par le monde : on célébrait sa très grande vaillance et ses qualités guerrières et il passait pour l'homme le plus preux

---

[1] *Mutacion*, (IV, 2, v. 13705-13884, t. III, p. 13-19) ; *Histoire ancienne* 1 et 2 (XLVIII, fol. 48[r] et éd. de Visser-van Terwisga, p. 82-84 ; fol. 23[v]-24[r] et éd. Y. Otaka, t. I, p. 210-212). L'histoire d'Orithye, de Ménalippe et d'Hippolyte est racontée dans une version différente et avec moins de détails par Boccace (*Cleres femmes*, XX, t. I, p. 66-67). Fondé sur celui de l'*Histoire ancienne*, le récit de Christine, dès la *Mutacion*, est plus développé. En ajoutant des détails, en soulignant avec force la vaillance des Amazones et en introduisant l'histoire d'amour entre Thésée et Hippolyte, Christine crée un récit beaucoup plus palpitant, animé par une véritable tension narrative. L'admiration des héros grecs pour les belles Amazones et la coloration courtoise de ce passage peuvent faire penser à l'épisode de la rencontre entre Alexandre et la reine des Amazones dans le *Roman d'Alexandre en prose* (p. 154-160). À la fin du chapitre 19 et en conclusion de cette partie sur les Amazones, Christine mentionne cette rencontre, mais sans la développer.

[2] Histoire de Penthésilée : *Mutacion* (VI, 30-33, v. 17561-17886, t. III, p. 141-152), *Histoire ancienne* 1 (LV, fol. 55[v]-56[r]), mais surtout *Histoire ancienne* 2 (fol. 133[v]-139[r]), éd. Y. Otaka, (t. II, p. 491-499) et *Roman de Troie en prose* (*Prose 5*, p. 594). Voir aussi *Othea* (XV, p. 224-225) et *Le Roman de Troie* de Benoît de Sainte-Maure, *op. cit.*, v. 23357-24378, p. 542-571. Boccace donne une autre version de cette histoire dans un chapitre très bref (*Cleres femmes*, XXXII, t. I., p. 101-103). Voir notre introduction, p. 109-111.

plus excellent en toutes graces, ainsi comme c'est usaige
que voulentiers chascun aime son semblable, Panthaselee,
qui estoit la souveraine des dames du monde, et qui tant de
grans bien ouoit continuelement dire du preux Hector,
20 l'ama honnorablement de tres grant amour, et sur toutes
riens le desira a veoir. Et pour cellui desir acomplir, si parti
de son regne a grant conroi et a moult noble compaignie de
dames et de pucelles de grant prouece et moult richement
armees, et prist son chemin vers Troie dont la voie n'estoit
25 pas petite, mais tres lontaine. Mais riens ne sem[32ʳ]ble
lonc ne grevable[1] a cuer qui bien aime quant grant desir le
porte. A Troie ariva la noble Panthaselee, mais tart estoit,
car ja trouva Hector mort, qui par Achilles ot esté occis en
agait en la bataille, et aucques toute perie la fleur de la
30 chevalerie troienne. Panthasellee fu reçeue a grant
honneur a Troie du roy Priant et de la roine Equba et de
tous les barons, mais tant ot le cuer dolent de ce que vif
n'ot trouvé Hector que riens resjoir ne la pouoit. Mais le
roy et la roine, qui sans cesser dueil menoient pour la mort
35 de leur filz Hector, lui distrent que puisque vif ne lui
pouoient moustrer, que mort lui mousteroient. Si la
menerent ou temple ou sa sepulture orent fait faire, la plus
riche et la plus noble qui oncques feust faite dont mencion
soit en histoires. La, en une riche chappelle toute d'or et de
40 pierres precieuses, devant le maistre otel de leurs dieux,
seoit le corps Hector en une chaiere, qui si estoit
embasmez et conrees que il sembloit visiblement que il
feust tout vif. L'espee nue tenant en sa main, sembloit
encor que son fier visage menaçast les Griegois. La estoit
45 vestu d'un garnement grant et large, tout tisu de fin or,
bandé et pourfillé de pieres precieuses, qui trainoit tout par
terre et couvroit les parties d'embas qu'il avoit toutes
plungiees en fin basme qui a merveilles grant odeur

---

[1] *R*: agreable

du monde, en tous points supérieur aux autres; comme il est d'usage que l'on aime volontiers ce qui vous ressemble, Penthésilée, qui était supérieure à toutes les dames du monde, et qui entendait sans cesse dire tant de bien du preux Hector, se mit à l'aimer en tout bien tout honneur d'un très grand amour, et n'eut de plus grand désir que de le voir. Pour réaliser ce désir, elle quitta son royaume avec une suite importante, accompagnée d'un grand nombre de nobles dames et jeunes filles de grande vaillance et très richement armées, et se mit en route vers Troie. Le chemin était long et la distance considérable; mais rien ne semble long ni pénible à un cœur bien épris quand il est porté par un grand désir. La noble Penthésilée arriva jusqu'à Troie, mais c'était trop tard, car elle y trouva Hector déjà mort: il avait été tué traîtreusement par Achille lors d'une bataille, et avec lui avait péri presque toute la fleur de la chevalerie troyenne[1]. Penthésilée fut reçue à Troie avec de grands honneurs par le roi Priam, la reine Hécube et tous les grands seigneurs, mais elle avait le cœur si plein de douleur de n'avoir pas trouvé Hector en vie que rien ne pouvait la réjouir. Mais le roi et la reine, qui ne cessaient de pleurer la mort de leur fils Hector, lui dirent que puisqu'ils ne pouvaient pas le lui montrer vivant, ils le lui montreraient mort. Ils la conduisirent donc au temple où ils avaient fait faire pour lui la sépulture la plus somptueuse et la plus noble qui ait jamais été faite et qui soit mentionnée dans les récits historiques. Là, dans une riche chapelle toute d'or et de pierres précieuses, devant le maître autel de leurs dieux, le corps d'Hector avait été placé sur un siège, embaumé et arrangé de telle sorte qu'il semblait à le voir qu'il était encore vivant. Tenant son épée nue à la main, l'air farouche, il semblait encore menacer les Grecs. Il était revêtu d'un long et large vêtement tissé de fils d'or fin, orné de bandes et de bordures de pierres précieuses, qui tombait jusqu'à terre et recouvrait tout le bas de son corps, qui était plongé dans un baume précieux

---

[1] L'expression fait-elle référence à la mort d'Hector lui-même – désigné un peu plus loin par Penthésilée comme «fleur et excellence de la chevalerie du monde» - ou aux autres chevaliers troyens morts peu après, comme le comprennent généralement les traducteurs (Hicks-Moreau, *Cité, p.* 78; Richards, *City*, p. 48; Richards-Caraffi, *Città*, p. 125)? Nous avons volontairement conservé une formulation ambiguë, comme dans le texte original.

rendoit. La tenoient les Troiens ce corps en aussi grant
50   honneur comme se fust un de leurs dieux, a grant
luminaire de cire et a grant clarté, ne nul ne pourroit
sommer la richesce qui la estoit. La menerent la roine
Panthasellee, laquelle aussi tost que la chapelle [32ᵛ] fu
ouverte et qu'elle vit le corps, elle s'agenoulla, l[e] saluant
55   tout ainsi comme se vif feust, puis s'aprocha, et en le
regardant ou visaige ententivement, prist telz parolles a
dire tout en plourant :

¶"Ha ! Fleur et excellence de la chevalerie du monde,
le sommet, le comble et la consommacion de toute
60   vaillance, qui se pourra d'or en avant aprez vous jamais
vanter de proece ne çaindre espee, puisque ores est
estainte la lumiere et exemple de si grant haultece ? Helas !
De quel heure fu oncques né le bras tant maudit ne excommenié qui osa par son oultrage despouillier le monde de
65   tant grant tresor ? ¶O tres noble prince, pour quoy m'a esté
Fortune tant contraire que pres de vous n'estoie quant le
traitre qui ce vous fist agaictoit vostre personne ? Ja ce ne
feust avenu, car bien vous en gardasse, et se ores fust vif,
bien quideroie sur lui vengier vostre mort, et la grant ire et
70   douleur que mon cuer sent d'ainsi vous veoir sans vie¹ ne
puissance de parler a moy, que je tant desiroie. Mes
puisque Fortune l'a ainsi consenti, et que autrement ne
peut estre, je jure par tous les haulx dieux que nous creons
et promet bien et affie a vous, mon chier seigneur, que tant
75   que vie ou corps me porra durer, vostre mort sur Grieux
serra par moy vengee."

Ainsi agenoullie devant le corps parloit si hault Pantha-
selle que grant tourbe de barons, de dames et de chevaliers
qui la estoient la pouoient ouir, et tous plouroient par pitié,
80   ne partir de la ne se pouoit. Toutevoies, au desrain, baisant
la main dont il tenoit l'espee, s'en parti disant : "O dignité

---

¹ P : bien *(barré) ; omis dans P ; corr. d'après B, D, R.*

merveilleusement odorant. Les Troyens conservaient là ce corps
avec d'aussi grands honneurs que s'il s'agissait d'un de leurs
dieux, avec quantité de cierges allumés qui répandaient une
grande clarté, et nul ne pourrait estimer à leur juste valeur les
richesses qui se trouvaient là[1]. C'est là qu'ils conduisirent la reine
Penthésilée ; celle-ci, dès que la chapelle fut ouverte et qu'elle
aperçut le corps, s'agenouilla, en le saluant comme s'il était
vivant, puis elle s'approcha, et ayant regardé attentivement son
visage, elle prononça ces paroles tout en pleurant :

"Ha ! Fleur suprême de la chevalerie du monde, sommet et
perfection accomplie de toute vaillance, qui pourra dorénavant se
vanter après vous d'une quelconque prouesse ni ceindre l'épée,
puisqu'est désormais éteinte la lumière exemplaire d'une si haute
noblesse ? Hélas ! Sous quelle mauvaise étoile naquit jamais celui
dont le bras maudit et damné osa, par cet acte odieux, dépouiller
le monde d'un tel trésor ? Oh ! Très noble prince, pourquoi
Fortune me fut-elle si contraire qu'elle m'empêcha de me trouver
à vos côtés quand le traître qui vous fit cela se tenait en embuscade ? Jamais cela ne serait arrivé, car je vous en aurais bien
protégé ; et s'il était encore vivant, je compterais bien me venger
sur lui de votre mort, ainsi que de la grande douleur et de l'affliction qui m'emplissent le cœur à vous voir ainsi sans vie et ne
pouvant parler avec moi comme je l'ai tant désiré. Mais puisque
Fortune en a décidé ainsi et qu'il ne peut en être autrement, je le
jure par tous les grands dieux auxquels nous croyons, je vous le
promets et vous en donne ma parole, mon cher seigneur, tant qu'il
me restera un souffle de vie dans le corps, je vengerai votre mort
en la faisant payer aux Grecs."

Ainsi agenouillée devant le corps d'Hector, Penthésilée parlait
si fort qu'elle pouvait être entendue d'une grande foule de grands
seigneurs, de dames et de chevaliers qui se trouvaient là, et tous
pleuraient de pitié, et elle ne parvenait pas à s'éloigner. Pourtant,
finalement, baisant la main avec laquelle il tenait son épée, elle

---

[1] La description du corps embaumé d'Hector est déjà présente dans la
Mutacion (VI, 21, t. III, v. 16601-16648 p. 109-110) et dans sa source (*Histoire
ancienne* 2, fol. 100ᵛ-101ʳ). Elle reprend sous une forme condensée celle du
Roman de Troie, avec notamment la mention de son attitude menaçante, l'épée à
la main, et du baume odorant (*Prose 5*, p. 447-450).

et excellence de chevalerie, [33ʳ] quel deviez vous a vostre
vivant estre, quant la representacion de vostre corps mort
vous tesmoigne de si grant haultece!" Et atant s'en parti,
85 pleurant moult tendrement, et au plus tost qu'elle pot,
s'arma, et atout son ost, sailli de la cité a moult noble aroy
contre les Grieux qui estoient au siege, et a brief parler de ce
que elle i fist, sans faille, tant i fist d'armes, elle¹ et sa route,
que se longuement vesquist, ja des Grieux ne retournast pié
90 en Grece. Elle abati Pirus, qui avoit esté filz de Achilles et
moult vaillant chevalier de sa main estoit, et tant le bati et
navra que a pou fu occis; et a moult grant paine lui fu de sa
gent rescoux, et comme mort en fu portez, ne ja ne cuidoient
Grieux que il en reschappast, dont grant dueil menoient, car
95 ce estoit toute leur esperance. Mais se Panthasellee porta
haine au pere, bien le moustra au filz. Toutevoies, pour
abregier le conte, quoy que ses fais fussent merveilleux, au
derrain, quant tant y ot fait d'armes par plusieurs journees
avec sa route la tres preux Panthasellee que les Grieux
100 estoient aucques du tout au bas, Pirus, qui de ses plaies fu
respassez, ot merveilleux dueil et honte dont par elle ot esté
abatus et si foulez, si ordonna aux gens de son ost, qui moult
estoient de grant prouece, que ilz n'entendissent en la
bataille a autre chose fors a enclosre entre eulx Panthasellee
105 et sourtraire des siennes, car par sa main vouloit il qu'elle
feust occise, et leur promist que se tant pouoient faire, grant
guerredon leur en doinroit. A ceste chose acomplir misdrent
longuement paine la gent Pirus, ains que avenir i peussent,
car pour les grans coups qu'elle donnoit, trop a aprocher la
110 redoubtoient. [33ᵛ] Mais non pour tant, a la fin, comme
ceulx qui a autre chose ne tendoient, tant i esploitierent, une
journee ou elle avoit tant fait d'armes que souffire deust
pour un jour a paines a Hector, et par raison lassee deust
estre, que il l'encloirent entre eulx et separerent de sa
115 bataille, et les dames tant empreserent que secourre ne la
porrent. Et la, nonobtant que par vertu merveilleuse se
deffendist, toutes lui derompirent ses armes, et un grant
quartier du heaume lui orent abatu. La fu Pirus, lequel quant

---

¹ P: lui; corr. d'après B, D, R.

s'en alla disant ces mots : "Oh ! Digne modèle d'excellence de la
chevalerie, quel homme deviez-vous être de votre vivant, quand
l'aspect de votre corps après votre mort témoigne d'une si grande
noblesse !" Alors elle s'en alla, pleurant à chaudes larmes ; et dès
qu'elle put, elle s'arma et s'élança hors de la ville avec toute son
armée en ordre de bataille à l'assaut des Grecs qui l'assiégeaient ;
et pour dire brièvement les choses, sans nul doute, elle fit tant
d'exploits avec toute sa troupe que si elle avait vécu longtemps,
aucun Grec n'aurait jamais remis les pieds en Grèce. Elle renversa
Pyrrhus, fils d'Achille et lui-même très vaillant chevalier, et elle
lui porta tant de coups et de blessures qu'il s'en fallut de peu qu'il
ne fût tué ; il lui fut arraché à grand peine par ses gens et emporté
comme mort. Les Grecs ne pensaient pas qu'il pût jamais en
réchapper, et ils manifestaient une grande douleur, car ils avaient
placé en lui tous leurs espoirs. Si Penthésilée avait haï le père, elle
le montra bien au fils. Toutefois, pour abréger ce récit, malgré ses
exploits extraordinaires, finalement, après plusieurs jours où la
très vaillante Penthésilée eut tant accompli de faits d'armes avec
sa troupe que les Grecs en étaient presque réduits à la dernière
extrémité, Pyrrhus, qui s'était remis de ses blessures, et qui éprouvait une très grande douleur et une très grande honte d'avoir été
ainsi abattu et écrasé par elle, donna l'ordre à ses hommes, qui
étaient d'excellents guerriers, de n'avoir d'autre but durant la
bataille que d'encercler Penthésilée et de la séparer de ses
guerrières, car il voulait la tuer de sa propre main ; et il leur promit
de grandes récompenses s'ils parvenaient à le faire. Les hommes
de Pyrrhus se donnèrent beaucoup de mal pour réaliser ce plan et
il leur fallut longtemps pour y parvenir, tant ils redoutaient de
s'approcher d'elle à cause des grands coups qu'elle donnait. Et
pourtant à la fin, alors qu'ils ne pensaient qu'à cela, un jour où
elle avait tant accompli d'exploits qu'Hector lui-même aurait à
peine pu en faire autant en une journée, et qu'elle avait de bonnes
raisons d'être fatiguée, ils en firent tant qu'ils parvinrent à
l'encercler et à l'isoler de son armée, harcelant les dames au point
qu'elles ne purent pas lui porter secours. Et là, bien qu'elle se fût
défendue avec une énergie extraordinaire, ils réussirent à briser
toute son armure et arrachèrent un grand quartier de son heaume.
Pyrrhus se trouvait là, et quand il vit sa tête nue, où apparaissaient

la teste lui vit nue, par ou paroient ses blons cheveulx, si
120   grant coup sur le chief lui donna que la teste et le cervel lui
pourfendi. Et ainsi fina la tres preux Panthasillee, dont grant
perte fu aux Troiens et grant marement a tout son païs, ou a
merveilles grant dueil fu fait et a bon droit, car oncques puis
sus les Amaisonnes pareille ne rengna. Si emporterent le
125   corps a grant douleur en sa terre.

¶Et ainsi, comme tu peus ouir, commença et se
maintint le royaume des femmes en grande puissance qui
dura par l'espasse de plus de VIII C ans, si comme tu peus
toy meismes veoir par le devis des histoires le nombre du
130   temps qui pot courir, depuis leur commencement jusques
aprés la conqueste du grant Alixandre qui conquist le
monde, ouquel temps il appert qu'encores duroit le rengne
et seigneurie des Amazones. Car l'istoire de lui fait
mencion comment il ala en icellui royaume, et comment il
135   y fu de la roine et des dames receu. Si fu cellui Alixandre
moult grant temps aprés la destruccion de Troie, et
mesmement plus de IV C ans aprés la fondacion de
Romme, qui lonc temps fu aprez la ditte destruccion. Par
quoy, se tu veux prendre le loisir de con[34ʳ]corder les
140   histoires ensemble et cartuler[1] le temps et le nombre, tu
trouveras par moult lonc espace avoir duré cellui royaume
et la seigneurie des femmes. Et pués notter qu'en toutes les
seignories qui ont ou monde esté qui par l'espasse d'autant
de temps aient duré, on ne trouvera point plus de notables
145   princes ne en plus grant nombre, ne qui plus de notables
fais aient fais, que furent et que firent des roines et des
dames d'icellui royaume. »

---

[1] *B, D, R :* calculer

ses blonds cheveux, il lui porta un si grand coup sur la tête qu'il lui fendit le crâne et la cervelle[1]. C'est ainsi que mourut la très vaillante Penthésilée, dont la mort fut une grande perte pour les Troyens et causa une grande affliction à tout son pays; le deuil y fut immense, et à juste titre, car jamais plus une pareille femme ne régna sur les Amazones. On emporta donc le corps dans son pays avec de grandes manifestations de douleur.

C'est ainsi, comme tu peux l'entendre, que le royaume des femmes commença et se maintint dans toute sa puissance durant plus de huit cents ans, comme tu peux le voir toi-même dans les récits historiques, en prenant en compte le temps qui a pu s'écouler entre ses débuts et jusqu'après la conquête du monde par Alexandre le Grand, époque à laquelle il apparaît que le règne et la puissance des Amazones durait encore. Car l'histoire d'Alexandre raconte comment il se rendit dans ce royaume, et comment il fut reçu par la reine et les autres dames. Alexandre vécut bien longtemps après la destruction de Troie, et plus précisément, plus de quatre cents ans après la fondation de Rome, qui eut lieu bien après cette destruction. Par conséquent, si tu veux prendre le temps d'établir une concordance entre les différents récits historiques et de calculer le nombre d'années, tu trouveras que ce royaume et ce pouvoir des femmes ont duré un temps considérable. Et tu peux remarquer que dans tous les royaumes ou empires qui ont existé dans le monde et qui ont eu une durée comparable, on ne trouvera point de princes plus remarquables, ni plus nombreux, ou qui aient accompli davantage d'exploits que ne le firent les reines et les dames de ce royaume.»

---

[1] Voir *Prose 5, ibid.*, p. 591-592, mort de Penthésilée tuée par Pyrrhus, mentions de la tête nue et de la cervelle répandue. Comme souvent, le roman en prose est ici très proche du *Roman de Troie* de Benoît de Sainte-Maure (*op. cit.,* p. 568, v. 24316-24326). Le détail de l'encerclement de la reine par les soldats de Pyrrhus, présent également dans la *Mutacion*, ne se trouve dans aucune des sources mentionnées. Par ailleurs, dans la *Mutacion*, aucun détail n'est donné au moment de la mort de Penthésilée (il est simplement dit qu'elle est attaquée à deux contre un par Pyrrhus et Ajax, et que «La tant fierent que partir l'ame / En font!»). Quant au détail des cheveux blonds apparaissant sous le heaume, dans les autres versions il n'en est pas question au moment de la mort de l'Amazone, mais plus haut, lorsque les Amazones partent au combat pour la première fois, entièrement armées mais se distinguant par leurs blonds cheveux déliés flottant sur les haubers (*Histoire ancienne* 2, éd. Y. Otaka, § 527, t. II, p. 493; *Prose 5,* § 355, p. 577-578; Benoît de Sainte-Maure, *op. cit.*, v. 23468 p. 546).

Cy dit de Cenobie, roine des Palmurenes .XX.

1   « Ne[1] furent pas des femmes preux seulement celles
d'Amazonnie, car ne doit pas estre moins renommee la
vaillant Cenobie, roine des Palmurenes, dame de tres
noble sanc issue des Tholomees, rois d'Egipte. De ceste
5   dame fu apparant tres son enfance le grant courage et
l'inclinacion chevalereuse que elle avoit. Et aussi tost que
aucques fu enforcie, nul ne la pot garder qu'elle ne delais-
sast la demeure des villes fermees et des palais et
chambres reaux pour habiter es bois et es forests, ouquel
10   lieu, çainte d'espee et de dars, par grant dilligence
bersoioit la sauvagine; et puis des cers et des biches, se
prist a combatre aux lions, aux ours et a toutes autres fieres
bestes qu'elle assailloit et vainquoit merveilleusement.
Ceste dame ne tenoit point a paine de gesir au bois, sans
15   riens doubter, sus la terre dure, par froit et par chault. Ne
lui grevoit tracer par les destrois des forests, gravir par les
montaignes, fouir par vallees, courant aprés les bestes.

---

[1]. N orné sur 3 lignes.

20. Où l'on parle de Zénobie, reine de Palmyre

« Les Amazones ne furent pas les seules femmes valeureuses ; tout aussi renommée doit être la vaillante Zénobie[1], reine de Palmyre, dame d'un sang très noble puisqu'elle était issue de la lignée des Ptolémées, rois d'Égypte[2]. Depuis l'enfance, cette dame laissa apparaître son grand courage et ses dispositions guerrières. Et dès qu'elle fut devenue suffisamment robuste, nul ne put l'empêcher de délaisser les demeures des villes fortifiées, les palais et les chambres royales pour séjourner dans les bois et les forêts, où, armée d'une épée et de javelots, elle chassait avec ardeur les bêtes sauvages. Après les cerfs et les biches, elle se mit à combattre les lions, les ours et toutes les autres bêtes féroces, qu'elle attaquait et vainquait de façon prodigieuse. Il ne lui était pas pénible de coucher dans les bois, intrépide, sur la terre dure, dans le froid ou la chaleur. Il ne lui en coûtait pas de se frayer un chemin dans les broussailles des forêts, de gravir des montagnes, d'explorer les terriers dans les vallées, en poursuivant les animaux.

---

[1] Zénobie, reine de Palmyre d'environ 266 à 272 après Jésus-Christ, a régné en régente sur le royaume. Elle a conquis l'Égypte et l'Asie Mineure avant d'être vaincue par Rome.

[2] La légende concernant Zénobie est issue en grande partie de l'*Histoire Auguste* (tout début du Ve siècle), source de Boccace comme de beaucoup d'autres. Selon des études récentes, malgré un cliché tenace jusqu'à nos jours, la Zénobie historique n'a jamais été « reine de Palmyre », qui était à son époque une puissante cité romaine ; son ascendance égyptienne est également une légende (voir A. et M. Sartre, *Zénobie, de Palmyre à Rome*, Perrin, 2014 ; à propos de l'*Histoire Auguste*, p. 193 : « son premier "historien" [de Zénobie] se révèle davantage un affabulateur qu'un historien soucieux de réalités, et il fonde nombre de légendes ultérieures en leur donnant l'apparence de l'Histoire. »). Elle porta bien le titre de « reine » (d'environ 266 à 272 après Jésus-Christ), car son mari Odainath avait pris celui de « roi des rois » après ses victoires sur les rois perses en Syrie et en Mésopotamie (voir les notes suivantes). Après la mort de celui-ci, elle renforça son autorité sur la Syrie et la Phénicie et étendit ses conquêtes en Égypte et dans une bonne partie de l'Asie Mineure. Elle fit proclamer son fils empereur de Rome (prenant elle-même le titre d'impératrice) en 271, avant d'être vaincue par le nouvel empereur Aurélien qui s'empara de Palmyre en 272 et emmena Zénobie à Rome, où elle fut exhibée dans son triomphe. Elle fut ensuite exilée et la date de sa mort est inconnue. Pétrarque (dans son *Triomphe de la Renommée*) et Boccace (qui contribue fortement à transmettre à la postérité la figure de Zénobie) établissent son image de « femme forte » et de femme de pouvoir ; c'est ce que retient Christine, tout en mettant aussi en valeur ses vertus morales et ses qualités intellectuelles.

Ceste pucelle desprisoit toute amour charnelle et lonc
temps refusa mariage comme celle qui garder virginité

20 vouloit toute sa vie. [34ᵛ] Mais a la parfin, contrainte par
ses parens, prist a espoux le roy des Palmurenes. De grant
beauté de corps et de viaire souverainement estoit la noble
Cenobie, qui pou de compte de sa beauté faisoit, et de tant
fu Fortune favourable a son inclinacion qu'elle lui

25 consenti avoir mari assez correspondant a ses meurs.
Cellui roy, qui tres chevalereux estoit, ot vouloir de
conquerre par force d'armes tout Orient et les empires
d'environ. En cellui temps, Valerien, qui tenoit l'empire de
Romme, estoit pris de Sapoure, roy des Persans. Son grant

30 ost assembla le roy des Palmurenes. Adont Cenobie, qui
pas ne fist grant force de garder la frescheur de sa beauté,
se disposa de souffrir le travail d'armes avec son mari,
vestir le harnois et estre participant avec lui en tous
labours ou l'excercite de chevalerie. Le roy, qui nommés

35 estoit Odounet, establi un filz que il avoit eu d'une autre
femme, qui nommez¹ estoit Herode, pour mener une partie
de son ost en l'avant garde contre le dit Sapoure, roy des
Persans, qui adont occuppoit Mesopotamie, puis ordonna
que de l'autre part iroit sur lui Cenobie sa femme atout

40 grant chevalerie, et il iroit d'autre lez atout la tierce partie
de son ost. Si se parti en tel ordonnance. Mais que t'en
diroie? Telle fu la fin de ceste chose, si que tu peux veoir
par les histoires, que icelle dame Cenobie tant viguereusement s'i porta et si courageusement, et par tel hardiece et

45 vertu, que pluiseurs batailles contre cellui roy de Perse
gaingna et eut victoire, et tant que par sa prouece Mesop-
potame mist en sa subjeccion². Sapoure a la parfin assigia
en sa cité et le prist par force avec [35ʳ] ses concubines et
grant tresor y conquesta.

---

¹ nommee; *corr. d'après D et R.*
² *B, D, R :* en la subjecion de son mari

Cette jeune fille méprisait tout amour charnel et refusa longtemps le mariage, car elle souhaitait garder sa virginité toute sa vie. Mais à la fin elle fut contrainte par ses parents d'épouser le roi de Palmyre. La noble Zénobie était souverainement belle, de corps comme de visage, mais elle faisait fort peu de cas de sa beauté. Fortune lui fut favorable car elle lui accorda un mari conforme à son inclination et à sa manière de vivre. Ce roi, qui avait de très grandes qualités guerrières, décida de conquérir par la force des armes tout l'Orient et les empires avoisinants. En ce temps-là, Valérien, empereur de Rome, était prisonnier de Shapur[1], roi des Perses. Le roi de Palmyre rassembla toutes ses armées. Alors Zénobie, ne faisant pas de grands efforts pour préserver sa fraîcheur et sa beauté, se disposa à supporter le dur métier des armes avec son mari, à revêtir l'armure et à partager avec lui tous les travaux et les exercices de la vie militaire. Le roi, qui avait pour nom Odainath[2], plaça un fils qu'il avait eu d'une autre femme, nommé Hérode, à la tête d'une partie de son armée, à l'avant-garde, pour attaquer le roi des Perses, Shapur, qui occupait alors la Mésopotamie ; puis il ordonna à sa femme Zénobie de l'attaquer d'un autre côté avec une grande armée ; lui-même prendrait la tête de la troisième partie de son armée pour attaquer sur l'autre aile. Et ils se mirent en marche selon ce plan. Que t'en dirais-je ? Comme tu peux le lire dans les récits historiques, telle fut la fin de cette campagne : cette dame Zénobie se comporta avec tant de vaillance et de courage, de hardiesse et de force, qu'elle gagna plusieurs batailles contre le roi de Perse et remporta la victoire ; c'est ainsi que par ses prouesses, elle mit la Mésopotamie en son pouvoir. Elle finit par assiéger la cité de Shapur, le fit prisonnier avec ses concubines et y conquit un grand trésor.

---

[1] Shapur ou Sapor Ier a régné sur la Perse de 241 à 272. En 260, il fit prisonnier l'empereur romain Valérien et le réduisit en esclavage. Il avança en Cappadoce et Syrie jusqu'à ce qu'il soit arrêté par Odainath, prince de Palmyre et allié de Rome, qui reconquit ses territoires de l'ouest de l'Euphrate.

[2] Odainath, né vers 220 et mort en 267 à Emèse. Allié des Romains (nommé sénateur, puis commandeur militaire et gouverneur), prince de Palmyre, il exerça le pouvoir sur une grande partie des provinces de l'Empire d'Orient. Il se fit nommer « roi des rois » à la manière perse, après ses victoires sur les Perses (voir ci-dessus). Il fut assassiné en 267 par un de ses parents comme il est dit ici (un cousin, selon l'*Histoire Auguste*). Pour la forme du nom, voir A. et M. Sartre, *op. cit.,* note 1, p. 284 (ils justifient l'adoption de cette graphie).

50   ¶Aprés celle victoire avint que son mari fu occis par un sien parent pour envie de raigner. Mais riens ne lui valu, car la dame de noble courage bien l'en garda ; car comme vaillant et preux, prist la possession de l'empire pour ses enfans encores petis et se mist en siege roial comme

55   empereïs, prist le gouvernement par grant vertu et cure, et a tout dire, tellement le gouverna et par si grant scens et discipline de chevalerie que Galerien et aprés lui Claudien, empereurs de Romme, quoy que ilz occuppassent une partie d'Orient pour les Rommains, n'oserent oncques

60   entreprendre aucune chose contre elle, et semblablement les Egipciens, ne les Arrabiens, ne ceulx d'Armenie, ains tant redoubterent sa puissance et sa grant fierté que ilz furent tous contempts de garder les termes de leurs contrees. Ceste dame tant sagement se savoit maintenir

65   que elle estoit de ses princes tres honnoree, de son peuple obeie et amee, de ses chevaliers crainte et doubtee, car quant elle chevauchoit en armes, que souvent avenoit, point ne parloit a ceulx de son ost qu'elle ne feust fervestie[1] et le heaume ou chief, ne en bataille point ne se

70   faisoit porter en cueure, no[n]obstant que les rois de lors tous s'i faisoient porter en celle guise. Ains tousjours estoit montee sur le courant destrier[2]. Et aucunefois, pour espier ses ennemis, chevauchoit mescongneue devant ses gens. Ceste noble dame Cenobie, avec ce qu'elle passoit en

75   discipline et art de chevalerie tous les chevaliers du monde qui feussent en son temps, autressi passoit toutes autres dames en nobles et bonnes meurs et honnesteté de vie. Tres sobre de son vivre estoit souverainement, mais non obstant ce, souventes fois [35ᵛ] faisoit de grans assemblees

80   ou me[n]giers avec ses barons et a estrangiers, et la estoit tenue toute magnificence et roial largece en toutes choses, et grans dons et beaux leur donnoit, et moult savoit gent bel atraire a s'amour et benivolence. Ceste estoit de souveraine chasteté, car non pas seulement des autres hommes

85   se gardoit, mais meismement avec son mari ne vouloit

---

[1] B, D, R : de fer vestue

[2] B, D : poignant destrier ; R : destrier

Après cette victoire, il arriva que son mari fut tué par l'un de ses parents qui voulait prendre le pouvoir. Mais ce fut en pure perte pour ce dernier, car la dame au noble cœur l'en empêcha. Vaillante et courageuse, elle prit possession de l'empire au nom de ses enfants, qui étaient encore petits, et se fit couronner impératrice. Elle mit tout son soin à gouverner avec une grande force de caractère, et pour tout dire, elle gouverna si bien, avec tant de sagesse et de sens de l'organisation militaire que ni Galien ni son successeur Claude, empereurs de Rome, quoiqu'ils fussent maîtres d'une partie de l'Orient, occupée par les Romains, n'osèrent entreprendre quoi que ce soit contre elle; il en fut de même pour les Égyptiens, les Arabes ou les Arméniens: ils craignaient tant sa puissance et sa grande audace qu'ils furent tous bien contents de pouvoir garder leurs frontières. Cette dame savait se comporter avec tant de sagesse qu'elle était très honorée par ses princes, obéie et aimée par son peuple, crainte et redoutée par ses chevaliers; car quand elle devait partir pour une bataille, ce qui arrivait souvent, elle ne parlait point à ceux de son armée avant d'avoir revêtu son armure et coiffé son heaume, et elle ne se faisait pas transporter à la bataille dans un chariot, bien que ce fût la coutume pour tous les rois de ce temps de se faire porter ainsi. Au contraire, elle chevauchait toujours un rapide destrier. Parfois même, pour épier ses ennemis, elle chevauchait incognito en avant de ses soldats. Zénobie, cette noble dame, ne surpassait pas seulement tous les chevaliers du monde qui vivaient en son temps pour ce qui est de l'art et de l'organisation militaires; elle surpassait aussi toutes les autres dames pour ce qui est de la noblesse morale, des bonnes mœurs et de la vertu. Elle était d'une extrême sobriété dans son mode de vie. Malgré cela, elle organisait souvent de grandes réceptions ou des banquets pour ses seigneurs ou pour des invités étrangers; il s'y faisait un grand déploiement de magnificence et elle se montrait d'une largesse royale en toutes choses, distribuant de grands et beaux dons, et elle savait attirer les gens de bien pour les faire bénéficier de son amour et de sa bienveillance. Elle était d'une chasteté extrême, car elle n'évitait pas seulement les autres hommes, mais même avec son mari elle

gesir, fors pour avoir lignee; et ce demoustroit elle
magnifestement pour ce que point n'y couchoit quant
enchainte estoit. Et affin que tous ses semblans de dehors
se corespondissent et confermassent aux meurs de
90   dedans, elle n'avoit cure que nul homme luxurieux ne de
vilz meurs frequentast a sa court, et vouloit que tous ceulx
qui sa grace vouloient avoir fussent vertueux et bien
moriginés. Elle portoit honneur aux gens selon leur bonté,
vaillance et vertus, et non mie pour richece ou lignee, et
95   moult amoit gens de pesans meurs et les esprouvez en
chevalerie. Elle vivoit a roial coustume d'empereïs par
grant magnificence et coust d'estat selon la maniere de
Perse, qui estoit la plus pontifficale coustume qui feust
entre les rois. Elle estoit servie en vesseaux d'or et de
100   pierres precieuses, aournee de tous paremens, assembloit
grans tresors de ses revenues et du sien propre, sans extorcion faire a nullui, et si largement en donnoit ou il est
raisonnable que oncques ne fu veü princece de greigneur
largece ne de plus grant magnificence.
105   ¶Avec ces dites choses, le comble de ses vertus que je
t'ai a dire, en toute somme, elle fu tres aprise en lettres, en
celles des Egipciens et en celles de leur lenga[g]e; et quant
elle es[36ʳ]toit a repos, adont dilligemment vacquoit a
l'estude, et volt estre apprise par Longin le philosophe, qui
110   fu son maistre et l'introduisi en philosophie; sçot le latin et
les lettres gregues, par l'aide desquelles elle meismes
toutes les histoires soubz briesves parolles ordonna et mist
moult curieusement. Et semblablement volt que ses enfans,
qu'elle norrissoit en grant discipline, feussent introduis en
115   science. Si nottez et advisez, doulce amie chiere[1], se tu as
point veü ne leü de quelconques prince ou chevalier plus
universel en toutes les vertus.»

---

[1] *B, D, R :* si nottes et avises, chiere amie

ne voulait pas coucher, sinon pour assurer sa descendance. Elle le prouvait de façon manifeste en ne partageant pas sa couche quand elle était enceinte. Et afin que les apparences extérieures correspondent et soient conformes aux mœurs intimes, elle prenait soin que nul homme luxurieux ou de mauvaises mœurs ne fréquentât sa cour, et elle voulait que tous ceux qui souhaitaient s'attirer ses faveurs fussent vertueux et bien éduqués. Elle honorait les gens selon leur bonté, leur vaillance et leurs vertus, et non pas en fonction de leur richesse ou de leur lignée ; elle appréciait beaucoup les gens aux manières sérieuses et les guerriers qui avaient fait leurs preuves. Elle avait un train de vie royal d'impératrice, d'une grande magnificence et avec les dépenses correspondant à son état selon la coutume des souverains perses, dont la manière de vivre était la plus fastueuse de tous les rois de cette époque. On la servait dans une vaisselle d'or et de pierres précieuses, revêtue de toutes ses parures. Elle amassait de grands trésors de ses revenus et de ses biens personnels, sans extorquer quoi que ce soit à quiconque, et elle distribuait des dons si généreux, dans les limites du raisonnable, que jamais on ne vit princesse faire preuve d'une plus grande ou plus fastueuse largesse.

À tout cela, il faut que j'ajoute ce qui était, tout compte fait, le couronnement de ses qualités : elle était très cultivée, connaissant aussi bien les écrits des Égyptiens que ceux de sa propre langue. Quand elle en avait le loisir, elle s'adonnait à l'étude avec diligence ; elle voulut suivre les leçons du philosophe Longin, qui fut son maître et l'initia à la philosophie ; elle connaissait le latin et le grec, et elle rédigea elle-même dans ces langues une version abrégée de tous les récits historiques. Elle voulut aussi que ses enfants, à qui elle donnait une très bonne éducation, fussent également formés dans les sciences. Dis-moi donc, ma très chère amie, si tu as jamais vu de tes yeux ou rencontré dans tes lectures prince ou chevalier doué d'autant de qualités dans tous les domaines[1]. »

---

[1] Le texte de Christine est très proche par endroits de celui de Boccace (*Cleres femmes*, C, t. II, p. 161-67), mais elle n'en retient pas tous les détails, ni le commentaire de Boccace, et surtout, elle achève son récit au moment où Zénobie est au faîte de sa puissance. Elle ne parle pas de la fin de l'histoire - la lutte contre l'empereur Aurélien et la défaite de Zénobie, sa présentation dans le triomphe, son exil et sa fin obscure. Le chapitre s'achève avec l'évocation de toutes les vertus et qualités de la reine.

De la noble roine Arthemise .XXI.

1　　　« Que[1] dirons nous moins que des autres dames preux
de la noble et tres excellent Arthemise, roine de Care ?
Laquelle, quant demouree fu vesve du roy Mansole, son
mari, que elle ama de si grant amour que pour sa mort fu
5　　aucques au cuer partir – et comme il i paru, si que devisé te
serra en temps et en lieu cy aprés – a ceste dame demoura
grant païs en gouvernement, mais du gouverner ne
s'esbahi mie, car force en vertu et sagece de meurs et
prudence en gouvernement estoit tout en elle ; si ot avec ce
10　　si grant hardiece en fait de chevalerie et tant bien en garda
la discipline que par plusieurs victoires que elle eut, la
magesté de son nom par grant renommee tres hault esleva,
car en son vesvage, avec ce que moult notablement
gouvernoit le païs, elle se arma par plusieurs fois, et par
15　　especial en deux moult noctables fais : l'un fu pour garder
son païs, l'autre fu pour tenir loyauté d'amistié et foy
promise.

　　　Le premier fu tel que quant le dit roy Masole son mari
fu mort, [36ᵛ] ceulx de Rodes, qui marchissoient assez
20　　prez ou royaume de celle dame, orent grant envie et
desdaing que une femme eust seignourie sur le royaume de
Caire. Et pour ce, en esperance de l'en mettre hors et
gaangnier la terre, vindrent sur elle a grant navire et a
foison gens d'armes[2], et adrecierent leur chemin devant la
25　　cité de Alicarnases, qui sciet sur la mer en un hault lieu
appellé Ycare, qui moult est forte place. Si a celle cité
deux pors, dont l'un est dedans la cité aussi comme mucié
et couvert, et a l'entree tres estroitte, et y pouoit on entrer
et aller du palais sans estre veü de ceulx dehors, et
30　　meismement de ceulx de la cité ; l'autre port communal est
coste les murs de la cité.

　　　¶Quant la preux et saige Arthemise sceut par ses espies
que ses ennemis venoient, elle fist armer ses gens, dont
assez avoit assemblez, et entra ou petit port ou navire que

---

[1] Q orné sur 2 lignes.

[2] B, D, R : a grant armee et a foison navire

21. De la noble reine Artémise

« Pourrait-on en dire moins de la noble et très remarquable Artémise, reine de Carie, que des autres dames de valeur ? Devenue veuve du roi Mausole, son mari, qu'elle aimait d'un si grand amour que lorsqu'il mourut, ce fut presque comme si son cœur se brisait, comme on put le voir, ainsi que cela te sera raconté plus loin en temps et lieu, cette dame se retrouva avec un grand pays à gouverner ; mais cela ne lui fit pas peur, car elle avait en elle ce qu'il fallait de force de caractère, de sages mœurs et de sens politique. Elle avait avec cela un si grand courage au combat et elle sut si bien maintenir la discipline militaire qu'elle éleva très haut la majesté de son nom et sa grande renommée grâce à de nombreuses victoires, car durant son veuvage, tout en gouvernant le pays de façon très remarquable, elle prit plusieurs fois les armes, en particulier lors de deux actions mémorables : une fois ce fut pour défendre son pays, et l'autre fois, pour rester fidèle à la parole donnée et à la loyauté que l'on doit à ses amis.

Voici quelle fut la première : après la mort du roi Mausole, son mari, les habitants de Rhodes, dont les terres étaient assez proches du royaume de cette dame, éprouvèrent de l'envie ainsi que du mépris de ce que le royaume de Carie fût sous la domination d'une femme. C'est pourquoi, dans l'espoir de la chasser et de s'emparer de la terre, ils l'attaquèrent avec une flotte importante et une grande quantité de soldats ; ils se dirigèrent vers la ville d'Halicarnasse, entourée par la mer et située sur une île escarpée appelée Icarie, et très bien fortifiée. Il y a dans cette ville deux ports, dont l'un se trouve dans l'enceinte de la cité où il est caché et abrité ; on y accède par un passage très étroit, par lequel on peut entrer et sortir du palais sans être vu de ceux qui se trouvent à l'extérieur, même de ceux de la ville ; l'autre port, accessible à tous, est attenant aux murs de la ville.

Quand la vaillante et sage Artémise apprit par ses espions que ses ennemis arrivaient, elle fit armer les soldats qu'elle avait rassemblés en grand nombre, et les installa dans le petit port sur

35   la avoit fait venir. Mais ains qu'elle partist, ordonna a
      ceulx de la cité, a aucuns bons et feaulx en qui bien se fioit
      que elle y avoit commis et laissiez pour ce faire, que quant
      elle leur feroit certain signe que leur devisa, que ilz
      feissent a ceulx de Rodes signe d'amour et que il les appel-
40   lassent de dessus les murs, et leur deissent que il leur
      renderoient la cité, et que ilz venissent hardiement, et tant
      feissent, s'ilz pouoient, que de leurs nefs les feissent saillir
      et entrer dedans le marcié de la ville. Et ceste chose
      ordonnee, la dame atout son ost s'en issi hors[1], et ala par
45   un destour en la haulte mer sans que les ennemis s'en
      donnassent de garde. Et comme elle eust fait son signe et
      eust congneu par le signe [37ʳ] de ceulx de la cité que les
      ennemis estoient entrez dedans, tantost elle retourna par le
      grant port et prist le navire des ennemis, entra dedans la
50   cité et fist forment assaillir les Rodes de toutes pars par ses
      embuches, et elle, avec son ost, leur fu au devant, et ainsi
      tous les occist, desconfit, et ot la victoire. Plus grant
      vaillance fist Arthemise, car elle entra aprez es nefs de ses
      ennemis atout son ost, et ala en Rodes, et fist lever en hault
55   le signe de victoire comme se ce feussent leurs gens qui
      retournassent victorieux. Et quant ceulx du païs ainsi les
      virent, quidant que ce feussent les leurs, furent moult
      esjoïs et laissierent leur port ouvert; et Arthemise entra
      dedans et ordonna gens pour eulx tenir saisis du port, et ala
60   droit ou palais, et la, prist et occist tous les princes. Et ainsi
      furent prins ceulx de Rodes qui garde ne s'en donnoient, et
      la dame se tint saisie de la cité, et tost aprés se rendirent a
      lui toute l'isle de Rodes. Et aprés ce que mise l'ot toute a
      son servaige et soubz treu, et la laissa garnie de bonnes
65   gardes et s'en retourna. Mais ainçois qu'elle partist, elle
      fist faire en la cité deux ymaiges d'arain, desquelz l'un
      representoit la personne de Arthemise comme vainqua-
      resce, et l'autre la cité de Rodes comme vaincue.
           ¶L'autre fait notable qu'entre les autres de ses fais fist
70   ceste dame fu tel, que comme il feust ainsi que Xerxes, le

---

[1] *B, D, R :* s'en yssy hors du petit port

les navires qu'elle y avait fait venir. Mais avant de partir, elle ordonna aux habitants de la ville, ainsi qu'à quelques hommes de confiance, fidèles et loyaux, qu'elle y avait laissés dans ce but et avec cette mission, de faire, lorsqu'elle leur ferait certain signal convenu, des signes d'amitié aux gens de Rhodes, de les appeler du haut des murailles, de leur dire qu'ils s'avancent sans crainte et qu'ils allaient leur rendre la ville. Il fallait, s'ils le pouvaient, faire en sorte que les ennemis débarquent de leurs navires et se rendent sur la place principale de la ville. Ayant donné cet ordre, la dame sortit avec toute son armée et emprunta une voie détournée pour gagner la haute mer sans que ses ennemis s'en aperçoivent. Quand elle eut donné le signal et qu'elle sut par le signe que lui faisaient ceux de la ville que les ennemis y étaient entrés, elle revint aussitôt par le grand port. Elle s'empara de la flotte des ennemis, pénétra dans la cité et fit attaquer les Rhodiens de tous côtés par ceux qu'elle avait fait placer en embuscade ; elle-même alla au-devant d'eux avec son armée ; et c'est ainsi qu'elle les vainquit, les tua tous et obtint la victoire. Artémise accomplit un fait d'armes encore plus grand : elle embarqua ensuite avec toute son armée sur les navires de ses ennemis et se rendit à Rhodes, où elle fit brandir le signal de la victoire, comme si c'était leurs hommes qui revenaient victorieux. Et quand les gens du pays les virent, croyant que c'étaient les leurs, ils se réjouirent fort et laissèrent leur port ouvert ; Artémise y entra, laissa des hommes pour occuper le port et se rendit droit au palais, où elle fit prendre et tuer tous les princes. C'est ainsi que ceux de Rhodes furent pris, alors qu'ils ne se méfiaient pas ; la dame prit possession de la ville, et peu de temps après, toute l'île de Rhodes se rendit. Après l'avoir entièrement soumise à son pouvoir et lui avoir imposé un tribut, elle y laissa une bonne garnison et s'en retourna chez elle. Mais avant de partir, elle fit ériger dans la ville deux statues d'airain, l'une représentant Artémise victorieuse, et l'autre, la ville de Rhodes vaincue.

 Voici quelle fut la seconde action mémorable, parmi tous les faits d'armes accomplis par cette dame : Xerxès, roi de Perse,

roi de Perse, feust venus contre les Lacedemoniens, et ja
feust toute la terre raemplie de la gent de cheval et de pié et
de son grant ost, et le rivage plain et occuppé de ses nefs et
de ses vaisseaux, comme cellui qui cuidoit toute Grece
75 destruire, adoncques les Grieux, qui aliance d'amistié
avoient a celle roine Arthemise, lui envoierent requerre
son [37ᵛ] aide. Auquel aide n'envoia mie, mais comme tres
chevalereuse y ala en propre personne a tres grant ost, et si
bien y tint son lieu que, a le faire brief, tantost se mist en
80 bataille contre Xerxes et le desconfit. Et quant sur terre l'ot
desconfit, elle rentra en ses nefs et fu au devant de son
navire, et coste la cité de Salemine lui donna la bataille. Et
ainsi comme il se combatoient a effort, la vaillant Arthemise estoit entre les premiers barons et chevetains de son
85 ost, et les reconfortoit et donnoit cuer par moult grant
hardement, en disant : "Or avant, mes freres et bons chevaliers, faites tant que l'onneur en soit nostre ! Si deservez
loz et gloire, et mes grans tresors ne vous seront espar-
gnies !". Et a tout dire, tant bien resploita que pareillement
90 qu'elle avoit fait sur terre, desconfit Xerces par mer, et
s'en foui honteusement. Et si avoit gens innombrables ; car
si comme tesmoignent plusieurs historiographes, il avoit si
tres grant ost que par ou ilz passoient, les ruis des fontaines
et des rivieres tarissoient. Et ainsi celle vaillant dame ot
95 celle noble victoire, et s'en retourna glorieusement atout le
diadame d'onneur en son païs. »

avait lancé une attaque contre les Lacédémoniens; alors que la
terre était déjà envahie par ses cavaliers, ses fantassins et toute sa
grande armée, que le rivage était entièrement occupé par ses
navires et ses vaisseaux, et qu'il pensait détruire la Grèce tout
entière, les Grecs, qui avaient un traité d'alliance amicale avec
cette reine Artémise, lui envoyèrent une demande d'aide. Elle ne
se contenta pas d'envoyer de l'aide, mais avec la grande vaillance
qui était la sienne, elle s'y rendit elle-même, en personne, avec une
très grande armée; elle s'y comporta si bien que pour le dire en
bref, elle engagea aussitôt la bataille contre Xerxès et le mit en
déroute. Après l'avoir anéanti sur la terre ferme, elle retourna à ses
vaisseaux et prit la tête de sa flotte, et elle lui livra bataille au large
de Salamine. Alors que le combat était rude, la vaillante Artémise
se tenait en première ligne au milieu des principaux seigneurs et
capitaines de son armée, et elle les réconfortait et les encourageait
par sa grande bravoure, leur disant: "En avant, mes frères et mes
braves chevaliers, faites tout pour que l'honneur soit pour nous!
Montrez-vous dignes de louange et de gloire, et je ne serai pas
avare du grand trésor de mes richesses!". Pour tout dire, elle fit
tant et si bien qu'ainsi qu'elle l'avait fait sur terre, elle anéantit
Xerxès sur mer, et qu'il s'enfuit honteusement. Il avait pourtant
des troupes innombrables; plusieurs historiens témoignent en effet
que son armée était si grande que là où elle passait, l'eau des
fontaines et des rivières était tarie. C'est ainsi que cette vaillante
dame remporta cette noble victoire, et qu'elle retourna glorieusement dans son pays, couronnée du diadème de l'honneur[1].»

---

[1] Christine mélange manifestement les histoires des deux reines de Carie -
une région du sud-ouest de l'Asie Mineure - qui ont porté le nom d'Artémise. La
première a vécu au Ve siècle avant J.-C. et est célèbre pour avoir combattu les
Grecs aux côtés de Xerxès. La seconde fut la sœur et l'épouse de Mausole. À sa
mort, elle édifia un tombeau somptueux en son honneur, le Mausolée, qui devint
une des Sept Merveilles du monde. Elle combattit Rhodes, comme le signale
Christine. Boccace, dans son chapitre consacré à Artémise (*Cleres femmes*, LVII,
t. II, p. 15-21) s'étend d'abord sur la construction du tombeau fastueux, aborde la
guerre contre Rhodes pour finir sur l'aide apportée à Xerxès. Christine suit donc
fidèlement sa source en résumant le premier épisode qui sera amplement repris
dans le chapitre 16 de la deuxième partie, également consacré à Artémise. En
revanche, Boccace signale que les exploits guerriers aux côtés de Xerxès sont
parfois imputés à une autre reine, avant d'attribuer à Artémise l'ensemble des
faits racontés et de louer la vaillance féminine.

Cy dit de Lilie, mere du vaillant chevalier Thieris .XXII.

1   « Et¹ combien que la noble dame Lillie ne fu en propre
personne en la bataille, ne fait elle bien a louer comme tres
preux de ce qu'elle fist, en admonnestant Thieris son filz,
le tres vaillant chevalier, de retourner en la bataille,
5   comme tu orras?
        ¶Cilz Thieris fu en son temps un des plus grans princes
du palais de l'empereur de Constantinoble. De tres grant
beauté estoit, et esprouvé en vaillance de chevalerie, et
avec ce, [38ʳ] par le tres bon norrissement et amonissions
10   de sa mere, moult vertueux et excellentement morigenés
estoit. Avint que un prince nommé Odouacre courut sus les
Rommains pour les destruire, et toute Ytalie se il peust. Et
comme les Rommains alassent requerir² au dit empereur de
Constantinoble aide, il leur envoia cellui Tieris comme le
15   plus souverain de la chevalerie, atout grant ost de gent. Si
avint que comme il se combatist en bataille ordonnee
contre icellui Odonnacre, la male fortune de la bataille
tourna sur lui tellement que par paour fu contraint de fouir
vers la cité de Ravene. Quant la vaillant et saige mere, qui
20   bien se prenoit garde de la bataille, vit son filz fouir, elle ot
douleur a merveilles, considerant que plus grant reprouche
ne peut estre en chevalier que fuir en bataille. Adont la
grant noblece de son couraige lui fist oublier toute pitié de
mere, en tel maniere que mieulx amast veoir la mort de son
25   filz honnourablement que ce qu'il encourust tel honte. Si
acourut tantost au devant de lui, et lui pria tres chierement
que il ne voulsist se deshonnourer par tel fuite, ains rassem-
blast sa gent et retournast a la bataille. Mais comme cellui
ne faist force des paroles, adont la dame, surprise de grant
30   couroux, leva sa robe par devant et lui dist: "Beaux filz,
vraiement tu n'as ou fuir, se tu ne retournes de rechief ou
ventre dont tu issis." Adont fu Tieris si honteux que il laissa
la fuite, rassembla sa gent et retourna a la bataille, en
laquelle, pour l'emflambement qu'il avoit de la honte des

---

¹ E *orné sur 2 lignes.*

² *B, D, R:* comme les dis Rommains alassent requerre

22. Où l'on parle de Lilie, mère du vaillant chevalier Théodoric[1]

«Bien que la noble dame Lilie n'ait pas pris part en personne à la bataille, ne convient-il pas de louer la grande valeur de son action lorsqu'elle fit des remontrances à son fils Théodoric, chevalier très vaillant, pour l'inciter à retourner au combat, de la manière que tu vas entendre?

Ce Théodoric était en son temps un des plus grands princes du palais de l'empereur de Constantinople. Il était d'une très grande beauté et c'était un chevalier vaillant et expérimenté; avec cela, grâce à la très bonne éducation et aux conseils que lui avait donnés sa mère, il avait de grandes qualités morales et d'excellentes mœurs. Un jour, un prince nommé Odoacre attaqua les Romains dans l'intention de les détruire, ainsi que toute l'Italie, s'il le pouvait. Et comme les Romains étaient allés demander du secours à l'empereur de Constantinople, celui-ci leur envoya Théodoric, qui était le meilleur de tous ses chevaliers, avec une armée nombreuse. Or, alors qu'il combattait en bataille rangée contre cet Odoacre, le sort se retourna contre lui au point que, pris de peur, il fut contraint de s'enfuir vers la ville de Ravenne. Quand sa sage et vaillante mère, qui suivait attentivement la bataille, vit son fils s'enfuir, elle éprouva une douleur extrême, considérant qu'il ne pouvait y avoir de plus grand déshonneur pour un chevalier que de s'enfuir du champ de bataille. Alors sa grande noblesse de cœur lui fit oublier toute pitié maternelle, au point qu'il lui parut préférable de voir son fils mourir de manière honorable plutôt que de subir une telle honte. Aussitôt, elle se précipita au-devant de lui, en le priant très instamment de bien vouloir ne pas se déshonorer par une telle fuite, mais bien plutôt, de rassembler ses hommes et de retourner au combat. Mais comme ses paroles restaient sans effet sur lui, la dame, saisie d'une grande colère, releva le devant de sa robe et lui dit: "Vraiment, mon cher fils, tu n'as nulle part où fuir, si ce n'est de retourner dans le ventre d'où tu es sorti!". Théodoric fut alors si honteux qu'il cessa de fuir, rassembla ses hommes et retourna au combat; tout enflammé par la honte que lui

---

[1] Théodoric le Grand (v. 455-526), roi des Ostrogoths, fut élevé à Constantinople. Il vainquit Odoacre (v. 433-493), roi des Hérules, peuple germanique de l'embouchure du Rhin et des bords de la mer Noire. L'empereur de Constantinople, Zénon, menacé par la puissance d'Odoacre, avait envoyé Théodoric contre lui. Théodoric s'établit ensuite à Ravenne et fonda un empire qui préfigure celui de Charlemagne.

35   parolles de sa mere, se combati si viguereusement qu'il
          desconfist ses ennemis [38ᵛ] et occist Odonacre. Et ainsi fu
          delivre toute Ytalie par le scens de celle dame, qui en peril
          estoit d'estre toute perdue. Si me semble que l'onneur de
          ceste victoire doit plus estre atribuee a la mere que au filz. »

Cy parle encores[1] de la roine Fredegonde .XXIII.

1   « De[2] celle roine de France Fredegonde, dont cy devant
          t'ay parlé, fu aussi grande la hardiece de ce qu'elle fist en
          bataille. Car si que je t'ai ja touchié, comme elle feust
          demouree vesve du roy Chilperic son mari, aiant Clotaire
5   son filz a mamelle, et le royaume fust assilli de guerre, elle
          parla aux barons en tel maniere : "Seigneur, ne vous
          espoentez pour la multitude de noz ennemis qui sur nous
          sont venus, car j'ai pourpensé un barat par coy nous
          vaincrons, mais que croire me vueilliez. Je lairai ester
10   toute paour femmenine et armerai mon cuer de hardiece
          d'omme, et a celle fin de croistre le couraige de vous et de
          ceulx de nostre ost par pitié de vostre jenne prince, si irai
          devant atout lui entre mes bras et vous me suivrez, et ce
          que j'ai ordonné a faire a nostre congnestable, semblable-
15   ment vous le ferez." Les barons lui dirent[3] qu'elle
          commandast, et de bon cuer en tout l'obeiroient. Elle fist
          bien et bel ordonner tout l'ost, puis se mist devant, bien
          montee, son filz entre ses bras, les barons aprez, et les
          batailles des chevaliers ensuivant aloient aprés. Et ainsi
20   chevauchoient vers leurs ennemis tant que la nuit fu
          venue, et adont entrerent en une forest. Si couppa le
          connestable une haulte branche d'un arbre, et tous les
          autres firent autressi, et tous les chevaulx couvrirent de

---

[1] *D, R* : Parle ancor
[2] D *orné sur 3 lignes.*
[3] *B, D, R* : les barons respondirent

avaient causée les paroles de sa mère, il combattit avec tant d'acharnement qu'il écrasa ses ennemis et tua Odoacre. C'est ainsi que toute l'Italie, qui était en danger d'être complètement anéantie, fut libérée grâce à l'intelligence de cette dame. Il me semble donc que l'honneur de la victoire revient à la mère plutôt qu'au fils[1].»

23. Où l'on parle encore de la reine Frédégonde

«Quant à cette reine Frédégonde dont je t'ai parlé auparavant, elle fut également d'une grande hardiesse au combat[2]. Comme je l'ai déjà mentionné, elle était veuve du roi Chilpéric son mari ; alors qu'elle allaitait encore son fils Clotaire, le royaume fut attaqué ; elle s'adressa en ces termes à ses barons : "Messeigneurs, ne soyez pas effrayés par la multitude des ennemis qui nous ont assaillis, car j'ai pensé à une ruse qui nous permettra la victoire, pourvu que vous veuillez bien me faire confiance. Je laisserai de côté toute peur féminine et j'armerai mon cœur d'une hardiesse virile, et afin d'accroître votre courage et celui de notre armée par la pitié que vous inspirera la vue de votre jeune prince, je marcherai devant en le tenant dans mes bras et vous me suivrez ; et ce que j'ai ordonné à notre connétable de faire, vous le ferez aussi." Les barons lui dirent qu'elle commande, et qu'ils lui obéiraient en tous points de bon cœur. Elle fit disposer les troupes en bon ordre, puis se plaça devant, droite sur son cheval, son fils entre les bras, ses barons derrière elle, suivis par les bataillons des chevaliers. Ils chevauchèrent ainsi en direction des ennemis jusqu'à la tombée de la nuit, et pénétrèrent alors dans une forêt. Le connétable coupa une haute branche d'arbre, et tous les autres firent de même, et ils recouvrirent tous les chevaux de verts branchages printaniers[3] ; à beaucoup

---

[1] L'anecdote est empruntée aux *Grandes Chroniques* (t. I, 11, p. 39-41 ; le fils est appelé le plus souvent Thierri, ou Theoderis, mais le titre moderne indique bien «Théodoric ») ; les propos que Christine prête à Lilie sont manifestement repris à cette source («Biau fiuz, croi moi, tu n'as forterece ne recet où tu puisses fuir ne mucier toi, se je ne lieve ma robe si que tu entres en la maison dont tu eissis quand tu fus nez», p. 41). Mais le commentaire final est un ajout de l'auteure.

[2] Voir ci-dessus chap. 13. Après avoir mis l'accent sur son art de gouverner avec sagesse, Christine met ici en avant sa valeur au combat. L'épisode ici raconté suit immédiatement le précédent dans les *Grandes Chroniques*.

[3] Le «mai» désigne ici par métonymie de verts branchages ou feuillages semblables à ceux que, selon la coutume, l'on plaçait devant les maisons ou que l'on offrait à l'occasion des fêtes du 1er mai.

mai, et a plusieurs pendirent campanelles et clochettes
25   comme on fait [39ʳ] aux chevaulx qui vont en pasture. Et
en celle maniere, serrez ensemble, chevauchierent pres des
heberges de leurs ennemis et tenoient haultes branches
fueillues de mai en leurs mains. Et tousjours aloit la roine
devant par hardi couraige, ammonestant par promesses et
30   doulces paroles de bien faire, tenant le petit roy entre les
bras, les barons aprés, dont tous avoient grant pitié et plus
courageux estoient de garder son droit. Et quant assez pres
de leurs ennemis leur sembla estre, il s'arresterent et se
tindrent quoy. Quant l'aube du jour commença a crever,
35   ceulx qui faisoient le gait de l'ost des ennemis, qui les
apperceurent, prindrent a dire l'un a l'autre : "Voi cy trop
grant merveille, car hersoir n'avoit bois ne forest pres de
nous, et voy cy un tres grant et tres espés bois !" Les autres
qui regardoient ceste chose disoient que il convenoit que le
40   bois y feust de pieça, car il ne pouoit estre autrement, mais
que ilz avoient esté si nisse que apperceu ne l'avoient, et
que il feust voirs [que] bois estoit, les campanes des
chevaulx et bestes qui paissoient les en pouoient faire
certains. Et adoncques, si comme ceulx devisoient qui
45   jamais ne pensaissent la tricherie, soubdainement ceulx de
l'ost a la roine giterent jus leurs branches, et lors ce qui
sembloit a leurs ennemis estre bois leur apparut chevaliers
armez ; si leur coururent sus, mais ce fu si soubdainement
que les ennemis n'orent loisir de eux[1] armer, et tous
50   estoient en leurs lis. Si se ficherent par les herberges et
tous les occirent et prirent, et ainsi orent victoire par le
scens de Fredegonde. »

---

[1] de leur armer ; *corr. d'après B, D, R.*

d'entre eux, ils accrochèrent des grelots et des clochettes, comme on le fait aux chevaux que l'on mène paître. De cette manière, serrés les uns contre les autres, ils s'approchèrent à cheval du campement de leurs ennemis, tenant en leurs mains de grandes branches verdoyantes et feuillues; et la reine au cœur hardi continuait d'avancer la première, les encourageant à bien faire par des promesses et de douces paroles, tenant entre ses bras le petit roi, suivie par les barons, qui étaient tous fort émus et étaient d'autant plus déterminés à défendre ses droits. Quand il leur sembla être suffisamment près de leurs ennemis, ils s'arrêtèrent et restèrent immobiles. Quand l'aube commença à poindre, ceux qui faisaient le guet dans l'armée ennemie les aperçurent et commencèrent à se dire les uns aux autres: "Voilà qui est bien extraordinaire! Hier au soir il n'y avait ni bois ni forêt près de nous, et voici maintenant une très grande et très épaisse forêt!" D'autres qui regardaient ce spectacle leur dirent que le bois devait bien être là depuis longtemps, car cela n'était pas possible qu'il en fût autrement, mais qu'ils avaient été bien sots de ne pas l'apercevoir; on voyait bien que c'était un bois, on pouvait même en être sûr en entendant les clochettes des chevaux et des bêtes qui paissaient. Alors, tandis qu'ils discutaient sans se douter nullement de la tromperie, ceux de l'armée de la reine jetèrent soudain leurs branches au sol, et ce qui avait semblé aux ennemis être une forêt leur apparut comme des chevaliers armés, qui se précipitèrent sur eux de façon si soudaine que les ennemis, qui étaient tous dans leurs lits, n'eurent même pas le temps de s'armer. Les chevaliers pénétrèrent dans le camp, les tuant ou les faisant prisonniers. C'est ainsi qu'ils obtinrent la victoire, grâce à l'habileté de Frédégonde[1].»

---

[1] Le texte de Christine est très fidèle à celui des *Grandes Chroniques de France* (t. II, 8, p. 29-32), qu'il s'agisse du discours adressé aux barons ou de la ruse de la forêt en marche que Frédégonde met au point pour vaincre ses ennemis. Christine ajoute néanmoins quelques éléments valorisants, comme la seconde phrase du discours ou le bref commentaire de la fin. La ruse de la forêt en marche, que l'on trouve notamment dans le *Macbeth* de Shakespeare, est un motif répertorié dans le *Motif-Index* de Stith Thompson sous la cote K 1872.1 («Army appears like forest»). S. Thompson, *Motif-index of folk-literature, a classification of narrative elements in folk-tales, ballads, myths, fables, mediaeval romances, exempla, fabliaux, jest-books and local legends*, Helsinki, Academia scientiarum fennica, 1932-1936, 6 vol.

Cy dit de la vierge Camille .XXIV.

1   [39ᵛ] «Des¹ femmes preux et chevalereuses assez te
pourroie dire. La vierge Camille ne fu pas moins vaillant
des dessus dites. Fille fu celle Camille du tres ancien roy
des Volques nommé Mathabius. Tres qu'elle fu nee, sa
5   mere mouru d'elle, et tost aprés, son pere fu desherité par
ses propres gens qui contre lui se rebellerent, et atant le
menerent que il fu contraint a fuir pour garentir sa vie. Si
n'en porta nulle autre chose fors Camille sa fille que il
amoit de grant amour. Et quant il vint a passer une grant
10   riviere que il lui convenoit passer a nou², moult fu a grant
meschief pour ce que il ne savoit trouver conseil de passer
sa fillette. Mes quant assez y ot songié, il prist et erracha
des arbres grans escorches et en fist un vaissel si comme
une petite nasselette, si mist l'enfant dedens, et atout
15   bonnes hars de yerre lia la naislete a son bras, puis se mist
en la riviere, et en nouant, conduisoit aprés lui la
naisselette; et ainsi oultre l'eaue passa, lui et sa fillette. Es
bois se vesqui cellui roy, car autre part n'osoit aler, de
paour de l'agait de ses ennemis. Sa fille nourrissoit du lait
20   des biches sauvaiges, et tant qu'elle fu enforcie et aucques
grande, et des bestes que il occiot vestoit lui et la pucelle³;
n'avoient autre lit ne autre couverture. Quant elle fu
parcreue, elle se prist fort a guerrier les bestes et a elles
occire a fondes et a pierres, et couroit si legierement aprés
25   eulx que nul levrier ne peust mieux. Et ainsi le continua
tant qu'elle fu en aage parfait, ouquel se trouva de
merveilleuse force, [40ʳ] legiereté et hardiece. Et adont
bien informé du pere du tort que lui avoient fait ses subgez,
elle se sentant de grant vigeur et tres courageuse, se parti de
30   la et prist les armes, et, a brief parler, tant fist et tant esploita

---

¹ D orné sur 2 lignes.
² B, D, R : traverser a no
³ B : sa fille

24. Où l'on parle de la vierge Camille

«Je pourrais te parler longuement de femmes qui furent de vaillantes et valeureuses guerrières. La vierge Camille[1] ne fut pas moins vaillante que celles dont nous avons parlé. Cette Camille était la fille d'un très ancien roi des Volsques nommé Métabus. Sa mère mourut en la mettant au monde, et aussitôt après, son père fut détrôné par ses gens qui se révoltèrent contre lui et poussèrent les choses si loin qu'il dut s'enfuir pour sauver sa vie. Il n'emporta rien d'autre que sa fille Camille, qu'il aimait d'un grand amour. Arrivé à une grande rivière qu'il lui fallait traverser à la nage, il fut rempli d'angoisse car il ne savait pas comment faire pour faire passer sa petite fille. Mais après avoir longuement réfléchi, il arracha de grands morceaux d'écorce sur des arbres et en fit une sorte de petite nacelle flottante ; il plaça l'enfant dedans et attacha la nacelle à son bras avec de solides liens de lierre, puis il entra dans la rivière et tout en nageant, il tirait après lui la nacelle. C'est ainsi qu'il traversa avec sa petite fille. Le roi vécut dans les bois, car il n'osait pas aller autre part, par peur des pièges de ses ennemis. Il nourrit sa fille du lait des biches sauvages jusqu'à ce qu'elle eut un peu grandi et forci ; la peau des bêtes qu'il tuait leur servait de vêtements, et ils n'avaient rien d'autre en guise de lit et de couverture. Quand elle eut grandi, elle se mit à chasser les animaux avec ardeur, en les tuant avec une fronde et des pierres, et elle courait si vite après eux qu'aucun lévrier n'aurait pu mieux faire. Elle continua ainsi jusqu'à avoir atteint l'âge adulte ; elle était alors d'une force, d'une rapidité et d'une hardiesse extraordinaires. Bien informée par son père du tort que lui avaient fait ses sujets, se sentant pleine de vigueur et de courage, elle le quitta et prit les armes. Pour le dire en bref, elle fit tant et si bien qu'avec

---

[1] L'enfance et les exploits de Camille sont racontés par Virgile dans le livre XI de l'*Énéide* (trad. M. Rat, Paris, Garnier Frères, 1965, p. 244-253). *Le Roman d'Eneas* (éd. et trad. A. Petit, Paris, LGF, 1997, v. 4046-4193, p. 272-281) célèbre sa beauté et sa valeur au combat. Christine fait allusion à l'aide que la guerrière a apportée à Turnus dans le chapitre de la *Mutacion de Fortune* consacré à Énée (*Mutacion*, VII, 1, v. 18328-18331, t. III, p. 174). Voir aussi Boccace (*Cleres femmes*, XXXIX, t. I, p. 122-126), qui insiste sur sa virginité et la donne en exemple aux jeunes filles de son époque, les encourageant à imiter sa chasteté, et l'*Histoire ancienne* 1, qui mentionne Camille parmi les alliés de Turnus face à Énée (LXIII, fol. 63ᵛ) et raconte sa mort lors d'une bataille qui oppose Turnus aux Troyens (LXVI, fol. 66ʳ⁻ᵛ), ainsi que l'*Histoire ancienne* 2 (fol.176ʳ et 180ʳ).

que a l'aide d'aucuns siens parens, elle meismes estant en
personne es fieres batailles, fist tant par force d'armes
qu'elle reconquesta son païs. Et puis ne fina de poursuivre
fais de chevalerie, tant qu'elle en ot souveraine renommee.
35 Mais tant fu de grant couraige que oncques mari ne daigna
prendre, ne se coupler a homme. Ceste Camille fu celle qui
ala[1] au secours de Tournus contre Eneas quant il fu
descendus en Ytalie, si que les histoires font mencion.»

Cy dit de la roine Veronice de Cappadoce .XXV.

1   «Une[2] roine fu en Capadoce qui nommee fu Veronice,
noble de sanc et de couraige comme celle qui estoit fille du
grant Mitridates[3] qui seignourissoit une grant partie
d'Orient, et femme fu du roy Anares de Cappadoce. Ceste
5   dame demoura vesve, en laquelle vesveté un frere de son
feu mari l'assailli de guerre pour elle et ses enfans desheriter. Et comme il avenist durant cellui contemps qu'en
une bataille l'oncle occist deux de ses nepveus, c'est
assavoir le filz de la dame, elle en fu si durement doulente
10 que ceste grant ire fist fuir d'elle toute paour femenine. Si
s'arma elle meismes et a grant ost ala contre son serouge,
et tant i esploita qu'en la parfin l'occist de sa propre main,
fist passer son chariot sur lui et vainqui la bataille.»

Cy dit de la hardiece de Cleolis .XXVI.

1   «Hardie[4] et sage[5] fu la noble Rommaine Cleolis, non
obstant ne feust en fait de guerre ou de bataille. Car comme
[40ᵛ] il avenist une fois que les Rommains, pour certaines
convenances creantees entre eulx et un roy qui ot esté leur
5   adversaire, couvensist que, pour certificacion d'icelles, lui
fussent envoiés en ostage la noble pucelle Cleolis et autres
vierges de Romme de noble lignie. Quant une piece ot esté
celle Cleolis ou dit ostage, elle se pensa que moult estoit

---

[1] R : fu celle vierge qui ala ; D : fu vierge qui ala ; *manque dans B.*

[2] U *orné sur 2 lignes.*

[3] B, D, R : du grant roy Mitridates

[4] H *orné sur 2 lignes.*

[5] B, D, R : hardie femme et sage

l'aide de quelques-uns de ses parents, prenant part elle-même aux rudes batailles, elle reconquit son pays par la force des armes. Par la suite, elle ne cessa d'accomplir des prouesses militaires qui lui valurent une très grande renommée. Mais elle avait le cœur si fier qu'elle ne daigna jamais prendre un mari ni s'accoupler à un homme. Ce fut cette même Camille qui vint en aide à Turnus contre Énée quand celui-ci débarqua en Italie, comme il est rapporté dans les récits historiques.»

25. Où l'on parle de Bérénice, reine de Cappadoce

«Il y avait en Cappadoce une reine nommée Bérénice, noble de sang et par le cœur, comme on pouvait l'attendre de la fille du grand roi Mithridate[1], qui régnait sur une grande partie de l'Orient; elle était l'épouse du roi Ariarathe de Cappadoce. Cette dame, devenue veuve, fut attaquée par un frère de feu son mari qui lui fit la guerre afin de s'emparer de son héritage et de celui de ses enfants. Pendant ce conflit, au cours d'une bataille, l'oncle tua deux de ses neveux, c'est-à-dire les fils de la dame; elle en éprouva une douleur si vive que la force de son chagrin chassa de son cœur toute peur féminine. Elle prit elle-même les armes et attaqua son beau-frère avec une grande armée, et elle fit si bien qu'elle finit par le tuer de sa propre main, faisant ensuite passer son char sur son corps, et qu'elle remporta la victoire[2].»

26. Où l'on parle de la hardiesse de Clélie

«La noble Romaine Clélie fut une femme hardie et avisée, même si cela ne se manifesta pas à la guerre ou sur un champ de bataille. Car il arriva un jour que les Romains, pour garantir un accord qu'ils avaient établi avec un roi qui avait été leur adversaire, durent lui envoyer en otage la noble jeune fille Clélie et d'autres vierges romaines issues de nobles lignées. Après avoir

---

[1] Il s'agit vraisemblablement de Mithridate V du Pont qui régna de 150 à 120 av. J.-C. Sa fille Laodicé épousa Ariarathe VI Éphiphanès Philopator, roi de Cappadoce de 130 à 110 av. J.-C. Boccace, contrairement à Christine, donne les différents noms de cette reine pour retenir Bérénice. Après la mort de son mari, la souveraine prit la régence du royaume.

[2] Christine résume l'essentiel du chapitre des *Cleres femmes* (LXXII, t. II, p. 65-67). On trouve également une version proche de cette histoire dans la traduction de Valère Maxime par Simon de Hesdin, III, 2, 1 (*Fais et dits* III, p. 598-600).

10 grant amenrissement de l'onneur de la cité de Romme que
tant de nobles vierges feussent tenues comme prisonnieres
d'un roy estrange. Si arma Cleolis son couraige de grant
hardiece, et fist tant par belles parolles et promesses qu'elle
deçut cautilleusement ceulx qui en garde les avoient. Et s'en
parti par nuit et amena ses compaignes, et tant allerent
15 qu'elles arriverent sus la riviere du Tibre. La, en la praierie,
Cleolis vid un cheval[1] qui payssoit. Adont elle, qui par
aventure n'avoit onques chevauchié, monta sus et sans nulle
freour ne avoir paour de la parfondeur de l'eaue, mist une de
ses compaignes derriere elle et passa oultre; et puis ainsi
20 toute l'une aprés l'autre revint querre et les passa saines et
sauves, et a Romme les ramena et rendi a leurs parens.

¶La hardiece de ceste vierge fu moult prisie de ceulx [de]
Romme, et meismement le roy qui en ostage le tenoit l'en
prisa et en ot grant soulas; et les Rommains, affin que de ce
25 fait feust memoire a tousjours mais, firent faire l'image de
Cleolis qui fu fait en guise d'une pucelle montee sur un
cheval, et mistrent cel ymaige en un hault lieu sur le chemin
par ou on aloit au temple, et i demoura par lonc temps.

¶Mes des or sont achevez les fondemens de nostre cité. Or
30 nous convient lever sus la haulte muraille tout a l'environ.»

[41ʳ] Demande Cristine a Raison se Dieux volt oncques anoblir nul entendement de femme de haultece des sciences, et la responce que Raison lui fait .XXVII.

1 Ces[2] choses de moy ouies, respondis a la dame qui
parloit: «Sans faille, Dame, voirement moustra Dieux
grans merveilles en la force d'icelles femmes dont vous
comptez. Mais encores me faites saige, se il vous plaist,
5 s'il a point pleu a cellui Dieu qui tant leur fait de graces de
honnourer le sexe femenin par previlegier aucunes d'elles
de vertu de hault entendement et de grant science, et se
elles ont point l'engin abille a ce, car je le desire moult
savoir, pour ce que hommes maintiennent que entende-
10 ment de femme est de petite aprehensive.»

---

[1] *B, D, R*: trouva Cleolis un cheval
[2] C *orné sur 2 lignes.*

passé un certain temps comme otage, Clélie pensa que c'était une grande atteinte à l'honneur de la cité de Rome que tant de nobles vierges fussent retenues prisonnières par un roi étranger. Clélie arma son cœur d'une grande hardiesse, et à force de belles paroles et de promesses, elle usa de ruse pour tromper ceux qui les gardaient. Elle s'enfuit durant la nuit en entraînant ses compagnes, jusqu'à ce qu'elles parviennent au bord du Tibre. Là, Clélie vit un cheval qui paissait dans la prairie. Alors qu'elle n'était encore jamais montée à cheval, elle l'enfourcha, et sans aucune frayeur, sans craindre la profondeur des eaux, elle fit monter en croupe une de ses compagnes et traversa la rivière ; elle revint ensuite les chercher l'une après l'autre, les fit toutes traverser saines et sauves et les ramena à Rome où elle les rendit à leurs parents.

Le courage de cette vierge fut tenu en haute estime par les Romains, et même le roi qui l'avait retenue en otage l'en estima et prit grand plaisir à son exploit ; quant aux Romains, pour garder à tout jamais le souvenir de ce haut fait, ils firent élever une statue de Clélie représentant une jeune fille montée sur un cheval, qu'ils placèrent sur une hauteur sur le chemin qui menait au temple, et elle y resta longtemps[1].

Désormais les fondations de notre cité sont achevées. Il nous faut maintenant élever la haute muraille d'enceinte. »

27. Christine demande à Raison si Dieu a jamais voulu ennoblir une intelligence féminine en lui permettant l'accès aux plus hautes sciences. Réponse de Raison

Ayant entendu ces choses, je répondis à la dame qui parlait : « Certes, ma Dame, Dieu a vraiment fait voir de grandes merveilles dans la force de ces femmes dont vous parlez. Mais faites-moi encore savoir, s'il vous plaît, si Dieu, qui a accordé tant de faveurs aux femmes, a jamais voulu honorer le sexe féminin en accordant à certaines la vertu d'une haute intelligence et d'un grand savoir, et si leur esprit en est capable. Je désire vivement le savoir, car il y a des hommes qui soutiennent que les capacités intellectuelles de la femme sont limitées. »

---

[1] Le chapitre de Boccace sur l'héroïne romaine est beaucoup plus complet (LII, t. I, p. 175-176).

Responce: «Fille, par ce que je t'ai dit cy devant peux
tu congnoistre estre vray tout le contraire de leur oppinion.
Et pour le te exposer plus a plain[1], te donrai preuve par
exemples. Je te di de rechief, et ne doubtes le contraire,
15   que se coustume estoit de mettre les petites filles a
l'escolle et que suivantment on les feist aprendre les
sciences comme on fait aux filz, qu'elles app[r]endroient
aussi parfaitement, et entendroient les soubtilleces de
toutes les ars et sciences comme ilz font. Et par aventure,
20   plus de telles y a, car si comme j'ay touchié cy devant, de
tant comme femmes ont le corps plus delié que les
hommes, plus foible et moins habille a plusieurs choses
faire, de tant ont elles l'entendement plus a delivre et plus
agu ou elles s'applicquent.
25   - Dame, que dites vous? Ne vous desplaise, souffrez
vous sur ce point, s'il vous plaist. Certainement hommes
ne souf[41ᵛ]ferroient jamais passer pour vraye ceste
question se plus a plain n'estoit solue, car ilz vouldroient
dire que on voit communement les hommes trop plus
30   savoir que les femmes ne font.
        - Scez tu[2] pour quoy ce est que moins scevent?
        - Dame, non, se ne le me dictes.
        - Sans faille, c'est pour ce que elles ne frequentent pas
tant de diverses choses, ains se tiennent en leurs ostelz, et
35   leur souffit de faire leur mainage, et il n'est rien qui tant
aprengne creature raisonnable que fait l'excercite et
experience de plusieurs choses et diverses.
        - Dame, et puisqu'elles ont l'entendement habille a
concepvoir et aprendre si que ont les hommes, pourquoy
40   n'aprendent elles plus?»
Responce: «Pour ce, fille, car il n'est point necessité a
la chose publique qu'elles se meslent de ce qui est commis
aux hommes a faire, si que je t'ai ja cy devant dit. Il souffit
qu'elles facent le commun office a quoy sont establies. Et de
45   ce que on juge par l'experience de ce que on les voit moins
savoir communement que les hommes leur entendement

---

[1]   *P*: applain, *corr. d'après D et R.*
[2]   *B, D, R*: Responce: Scez tu

Elle me répondit : « Ma fille, grâce à tout ce que je t'ai dit auparavant, tu peux comprendre que c'est tout le contraire qui est vrai. Et pour te le montrer de façon plus évidente, je vais t'en donner la preuve par des exemples. Je te le dis encore, et n'aie aucun doute à ce sujet : si c'était la coutume d'envoyer les petites filles à l'école et de leur enseigner successivement toutes les sciences comme on le fait pour les garçons, elles les apprendraient tout aussi bien et elles comprendraient comme eux les subtilités de tous les arts et de toutes les sciences. Il se peut même qu'il existe davantage de telles femmes, car comme je l'ai mentionné plus tôt, comme les femmes ont le corps plus délicat, plus faible et moins habile dans certaines tâches, leur intelligence est d'autant plus libre et plus pénétrante lorsqu'elles s'y appliquent.

- Ma Dame, que dites-vous là ? Ne vous en déplaise, arrêtez-vous sur ce point, s'il vous plaît. Certainement les hommes n'accepteraient jamais de considérer cette réponse comme vraie si elle n'était plus longuement justifiée, car ils s'empresseraient de dire que l'on voit bien qu'ordinairement les hommes savent beaucoup plus de choses que les femmes.

- Sais-tu pourquoi elles en savent moins ?

- Ma Dame, non, si vous ne me le dites pas.

- Sans le moindre doute, c'est parce qu'elles ont moins de contacts avec autant de choses différentes ; elles restent dans leurs maisons et se contentent de tenir leur ménage ; or il n'est rien d'aussi instructif, pour une créature douée de raison, que d'avoir l'expérience et la pratique de nombreuses choses diverses et variées.

- Ma Dame, si leur intelligence est aussi capable de concevoir et d'apprendre que celle des hommes, pourquoi n'apprennent-elles pas davantage ? »

Elle me répondit : « Ma fille, c'est qu'il n'est pas nécessaire au bien public qu'elles se mêlent des affaires qui sont du ressort des hommes, comme je te l'ai déjà dit auparavant[1]. Il suffit qu'elles remplissent les fonctions dont elles sont communément chargées. Quant au fait que l'on juge par l'expérience, parce qu'habituellement elles savent moins de choses que les hommes, que leur intelligence

---

[1] Au chapitre 11, Raison explique à Christine que Dieu a réparti les rôles des hommes et des femmes en fonction de leurs dispositions naturelles : « a chascun sexe a donné tel nature et inclinacion comme a faire son office lui appertient ».

estre mendre, regardez moy les hommes ruraux de plat païs
ou habitans es montaignes, tu lez me trouveras en assez de
contrees que ilz semblent tous bestiaux, tant sont simples. Et
50   toutevoies n'est mie doubte que Nature les a parfais de
toutes choses en corps et entendement aussi bien que les
plus sages hommes et les plus expers qui soient es citez et es
bonnes villes. Mais tout ce tient a faulte d'aprendre, non
obstant si que je t'ai dit que d'ommes et de femmes, les uns
55   ont meilleur entendement que les autres. Et qu'il ait esté de
femmes de grant science et de hault entendement, je t'en
dirai, et au propos que je te disoie de l'entendement des
femmes semblable a cellui [42ʳ] des hommes. »

Cy commence[1] a parler d'aucunes dames qui furent enluminees de grant science, et premierement, de la noble pucelle Cornifie .XXVIII.

1   « Cornifie[2] la noble pucelle fu de ses parens envoie a
l'escolle par maniere de trufferie[3] avec Cornifficien son
frere en l'eage de leur enfance ; mais ceste fillette par
merveilleux engin tant freque[n]ta les lettres qu'elle prist a
sentir le douls goust de savoir par aprendre. Si ne fu mie
5   legiere chose a lui tolir ceste plaisance, a laquelle, toutes
autres oeuvres femmenines laissies, s'appliqua du tout en
tout. Et tant par espace de temps s'i occuppa qu'elle fu tres
souveraine pouete ; et non pas tant seulement a la science
de poesie fu tres flourissant et experte, ains sembloit
10   qu'elle feust nourrie du lait et de la dottrine de parfaite
philosophie. Car elle voult sentir et savoir de toutes
sciences qu'elle aprist souvrainement en tant que son
frere, qui tres grant poete estoit, passa en toute excellence
de clergie. Et ne lui souffit mie tant seulement le savoir se
15   elle ne mist l'entendement a oeuvre et les mains a la plume
en compilant plusieurs et nottables livres, lesquelz livres et
dictiez estoient ou temps de saint Gregoire en tres grant
pris, et dont il meismes fait mencion, de laquel chose

---

¹ *B, D, R* : Commence a parler

² C *orné sur 3 lignes.*

³ *B, D, R* : de trufferie et de ruse

est moindre, regarde ce qu'il en est des paysans dans les campagnes ou des habitants des montagnes: tu verras que dans bien des régions, ils sont si simples qu'on les prendrait pour des bêtes. Et pourtant il ne fait aucun doute que Nature les a pourvus de toutes les qualités de corps et d'intelligence, tout comme les hommes les plus savants et les plus habiles que l'on puisse trouver dans les cités et les bonnes villes. Mais tout ceci vient d'un manque d'éducation, même si, comme je te l'ai dit, parmi les hommes comme parmi les femmes, certains sont plus intelligents que d'autres. Il a donc existé des femmes d'un grand savoir et d'une haute intelligence, et je vais t'en parler, en rapport avec ce que je t'ai dit sur le fait que l'intelligence des femmes est semblable à celle des hommes. »

28. Où l'on commence à parler de certaines dames qui eurent toutes les lumières de la science, et d'abord de la jeune et noble Cornificia

« La jeune et noble Cornificia fut envoyée par ses parents à l'école avec son frère Cornificius, par jeu, dès leur plus jeune âge; mais la petite fille, avec une intelligence extraordinaire, s'appliqua tant et si bien à l'étude des lettres qu'à force d'apprendre, elle prit goût à la douceur du savoir. Ce ne fut pas chose facile que de lui ôter ce plaisir; délaissant toutes les tâches féminines, elle s'y appliqua entièrement. Elle s'y consacra tant et si bien qu'au bout d'un certain temps, elle devint une poétesse accomplie; et ce n'était pas seulement dans l'art de la poésie qu'elle devint très experte et brillante: il semblait aussi qu'elle avait été nourrie du lait et de la doctrine de la parfaite philosophie. Car elle voulut comprendre et connaître toutes les sciences, et elle les apprit de si souveraine manière qu'elle surpassa son frère, qui était un très grand poète, par son excellence dans tous les domaines de la connaissance. Le savoir ne lui suffisait pas si elle ne pouvait pas aussi mettre en œuvre son intelligence et mettre la main à la plume, ce qu'elle fit en compilant plusieurs ouvrages remarquables. Ses livres et ses poèmes étaient très appréciés à l'époque de saint Grégoire, qui en parle lui-même[1]; ce qui fait

---

[1] Boccace mentionne saint Jérôme et non pas saint Grégoire. C'est en effet par les *Chroniques* de Jérôme de Stridon que le nom de Cornificia nous est parvenu (*Cleres femmes*, IIIIXXVI, t. II, p. 107-108).

Bocace l'Italien, qui fu grant pouete, en louant ceste
20   femme, dist en son livre : "O tres grant honneur a femme
qui as laissié toute oeuvre femmenine et a appliquié et
donné son engin aux estudes des tres haulx clers !"

Dist oultre cellui Bocace, certifiant le propos que je te
disoie de l'engien des femmes qui se deffient d'elles
25   meismes et de leur entendement, lesquelles, ainsi [42ᵛ] que
se elles feussent nees es montaignes sans savoir que est bien
et que est honneur, se descouragent et dient que ne sont a
autres choses bonnes ne proufitables, fors pour acoller les
hommes et porter et nourir les enfans. Et Dieux leur a donné
30   le bel entendement pour elles appliquier, se elles veullent,
en toutes les choses que les glorieux et excellens hommes
font. Se elles veulent estudier les choses, ne plus ne moins
leur sont communes comme aux hommes ; et peuent par
labour honneste acquerir non perpetuel, lequel a avoir est
35   agreable aux tres excellens hommes. Fille chiere, si peux
veoir comment cellui aucteur Bocace tesmoigne ce que je
t'ai dit, et comment il loe et apreuve science en femme.»

Cy dit de Probe la Rommaine .XXIX.

1   «**De**[1] grant excellence autressi fu Probe de Romme,
femme de Aldephe, et fu crestienne. Celle ot tant noble
engin et tant ama et frequenta l'estude qu'elle sçot souverainement les VII ars liberaux, et fu souveraine poete, et
5   par si grant labour d'estuide henta les livres des pouetes, et
par especial de Virgiles et ses dictiez, qui a tous propos lui
estoient a memoire, lesquelz livres et lesquelz dictiez
comme une fois elle les leust, par grant entente de son
engin et de sa pensee, et si comme elle se prenoit garde de
10   la significance d'iceulx, en son entencion lui vint que on
pourroit selons les dis livres toute descripre l'Escripture et
les histoires du Viel Testament et du Nouvel, par vers
plaisans et plains de substance. Laquel chose pour certain,
ce dit l'aucteur Bocace, n'est pas sans admiracion que si
15   haulte consideracion peust entrer en cervel de femme. Mes
[43ʳ] moult fu chose plus merveilleuse, ce dit il, de le

---

[1] D _orné sur 2 lignes._

dire dans son livre à l'Italien Boccace, qui fut un grand poète, en louant cette femme : "Oh ! Quel très grand honneur pour cette femme qui a délaissé toute tâche féminine et qui a appliqué et consacré son intelligence aux études des plus grands savants !".

Plus loin, ce même Boccace confirme ce que je t'ai dit à propos de l'intelligence des femmes, qui doutent d'elles-mêmes et de leurs capacités intellectuelles et se découragent, disant qu'elles ne sont bonnes et utiles qu'à embrasser les hommes et à mettre au monde et à élever les enfants - comme si elles étaient nées dans des montagnes reculées et ignoraient ce que c'est que le bien et l'honneur. Dieu leur a pourtant donné une belle intelligence pour qu'elles l'appliquent, si elles le veulent, à tout ce que font les hommes les plus éminents et les plus illustres. Si elles le veulent, elles peuvent étudier les mêmes choses, qui ne leur sont ni plus ni moins accessibles qu'aux hommes ; et par un travail honnête, elles peuvent acquérir une renommée éternelle, ce à quoi les hommes les plus remarquables trouvent du plaisir. Ma chère fille, tu peux donc voir comment le témoignage de cet auteur, Boccace, confirme ce que je t'ai dit, et comment il loue et approuve le savoir chez une femme. »

29. Où l'on parle de Probe la Romaine

« Tout aussi remarquable fut Probe de Rome, femme d'Adelphe, qui était chrétienne. Elle avait une si noble intelligence, elle aimait tant l'étude et elle s'y appliqua si bien qu'elle acquit une parfaite maîtrise des sept arts libéraux et qu'elle devint une excellente poétesse. Elle travailla et étudia de façon très approfondie les livres des poètes, et tout spécialement les poèmes de Virgile, qu'elle pouvait citer de mémoire à tous propos ; après avoir lu ces livres et ces poèmes en y appliquant toute son intelligence et sa réflexion, et comme elle examinait très attentivement leur signification, l'idée lui vint qu'on pourrait, à partir de ces ouvrages, réécrire les Écritures et les récits de l'Ancien et du Nouveau Testament en des vers plaisants et pleins de substance. Qu'une pensée si élevée ait pu entrer en un cerveau de femme, comme le dit l'auteur, Boccace, suscite assurément l'admiration ; mais, ajoute-t-il, c'est une chose encore plus extraordinaire qu'elle l'ait mise à exécution. En effet cette femme, dans sa grande ardeur de réaliser son dessein, se mit à la tâche : elle parcourait tantôt les *Bucoliques*, tantôt les

mettre a execution, car adoncques la dicte femme, moult
desireuse d'acomplir sa pensee, mist la main a l'euvre, et
maintenant par *Bucoliques* et puis par *Georgiques* ou par
20   *Eneydes*, qui sont livres ainsi appellés que fist Virgile, iceste
femme couroit, c'est a dire visetoit et lisoit, et maintenant
d'une partie les vers tous entiers prenoit, et maintenant de
l'autre aucunes petites parties touchoit. Par merveilleux
artifice et soubtiveté a son propos ordenneement vers
25   entiers faisoit, et les petites parties ensemble mettoit et
coupploit et lioit en gardant la loy, l'art et les mesures des
piés et conjonctions des vers. Sans y faillir, ordenoit tant
magistraument que nul homme ne peust mieux. Et par tel
maniere dés le commencement du monde fist le commence-
30   ment de son livre, et ensuivant, de toutes les histoires de
l'Ancien Testament et du Nouvel, vint jusques a l'envoie-
ment du Saint Esperit aux Apostres, les livres de Virgiles a
tout ce concordans si ordeneement que qui n'aroit congnoissance de ceste composicion quideroit que Virgile eust esté
35   prophete et evangeliste ensemble. Pour lesquelz choses, ce
dit meismes Bocace, grant recommendacion et louenge
affiert a ceste femme, car il appert magnifestement qu'elle
eust grant congnoissance et plainiere des sains livres et
volumes de la divine Escripture, laquelle chose pas souvent
40   n'avient, meismement a maint grans clers et theologiens de
nostre temps. Et volt celle tres noble dame que sa dite
oeuvre faite et composee par son labour feust appellé
Centomias, et non obstant que le labour de ceste oeuvre
pour [43ᵛ] sa grandeur deust souffire a la vie d'un homme, a
45   y vacquier ne s'en passa mie a ytant, ains fist plusieurs
autres livres excellens et tres louables. Un entre les autres en
fist en vers, appellé ausi *Centomie*, pour la cause de cent

Géorgiques ou encore l'*Énéide* - tels sont les titres des livres de Virgile -, c'est-à-dire qu'elle les lisait et les examinait de près, prenant parfois dans une partie plusieurs vers tout entiers, et d'autres fois des fragments plus petits. En suivant son propos selon l'ordre voulu, avec une habileté et une subtilité extraordinaires, elle en faisait des vers complets, et elle ajustait et joignait ensemble les petits fragments, tout en respectant les règles métriques, le compte des pieds et la mesure des vers, ainsi que les règles de composition. Sans faire de faute, elle arrangeait l'ensemble de façon si magistrale qu'aucun homme n'eût pu mieux faire. En travaillant de la sorte, elle commença son livre avec le récit de la création du monde et poursuivit avec toutes les histoires de l'Ancien Testament et du Nouveau, jusqu'à l'envoi du Saint-Esprit aux apôtres. Les livres de Virgile se prêtaient si bien à cette réorganisation que qui n'aurait pas eu connaissance de ce procédé de composition aurait pu croire que Virgile eût été tout à la fois prophète et évangéliste. Pour cela, dit même Boccace, cette femme mérite une grande considération et des éloges, car il apparaît manifestement qu'elle avait une connaissance pleine et entière des livres saints et des volumes de l'Écriture Sainte, ce qui n'arrive pas souvent, même chez de nombreux grands clercs et théologiens de notre temps. Cette très noble dame voulut que soit nommée *Centon*[1] cette œuvre qu'elle avait ainsi réalisée par son travail; et bien que le travail accompli pour cet ouvrage, vu son ampleur, eût pu suffire à occuper un homme durant toute sa vie, elle n'y passa pas autant de temps, mais elle composa plusieurs autres livres remarquables et dignes de louanges. Entre autres, elle en fit encore un en vers, appelé également *Centon*, puisqu'il comporte cent vers, et elle se servit des poèmes et des

---

[1] On nomme ainsi une pièce poétique composée de vers ou de fragments de vers empruntés à des auteurs célèbres et disposés dans un nouvel ordre qui leur donne un sens différent, ainsi que Christine l'explique dans ce passage (bien qu'elle donne à ce mot une autre origine quelques phrases plus loin: poème de cent vers). Du latin *cento*, morceau d'étoffe fait de pièces (patchwork). Virgile et Homère en ont particulièrement fait l'objet (on parle de «centons virgiliens» ou de «centons homériques»). Le genre du centon virgilien est apparu au début de l'ère chrétienne avec Ausone (*Cento nuptialis*). Une certaine Proba Falconia a en effet composé à la fin du IVᵉ siècle un centon virgilien à la louange du Christ (*Cento Vergilianus de laudibus Cristi*), connu et transmis de l'Antiquité tardive à la fin du XVIIᵉ siècle. Voir M. Clément, «Proba Falconia», *Dictionnaire des femmes de l'ancienne France,* SIEFAR, 2018 [en ligne].

vers qui y sont contenus, et prist les dis de Omerus le pouete
et les vers, par quoy on puet conclure a la louenge d'icelle
50 que non pas tant seulement les lettres latines, mais aussi les
grecques sot parfaitement. De laquel femme et de ses
choses, ce dit Bocace, doivent estre en grant plaisir d'oïr
aux femmes.»

Cy dit de Sapho, la tres soubtille[1] femme, pouete et philosophe .XXX.

1   «N'ot[2] pas moins de science que Probe la sage Sapho,
qui fu une pucelle de la cité de Milisene. Ceste Sapho fu[3]
de tres grant beauté de corps et de vis, en contenance,
maintien et parole tres agreable et plaisant, mais sur toutes
5   les graces dont elle fu douee passa celle de son hault
entendement. Car en plusieurs ars et sciences fu tres
experte et parfonde, et ne savoit pas tant seulement lettres
et escriptures par autrui faictes, ains d'elle meismes trouva
maintes choses nouvelles et fist plusieurs livres et dictiez.
10   De laquelle dit le poete Bocace par doulceur de poetique
lengage ces belles paroles: "Sapho, admonestee de vif
engin et d'ardant desir, par continuel estude, entre les
hommes bestiaux et sans science, henta la haultece de
Pernasus la montaigne, c'est assavoir d'estude parfaite.
15   Par hardement et osement beneuré s'acompaigna entre les
Muses non refusee, c'est assavoir, entre les ars et les
sciences, et s'en entra en la forest de lauriers plaine de
mai, de verdure, de flours et de diverses couleurs, odeurs
de grant [44ʳ] soueftume et de plusieurs herbes, ou
20   reposent et habitent Gramaire, Logique et la noble Rethorique, Geometrie, Arismetique. Et tant chemina qu'elle
vint et ariva en la caverne et parfondeur de Apolin, dieu de
science, et trouva le ruissel et conduit de Castalio la

---

[1] *B*: noble

[2] N *orné sur 3 lignes.*

[3] la sage Sapho, qui fu de tres grant beauté; *deux lignes omises, saut du même au même; corr. d'après B, D, R.*

vers du poète Homère, ce qui permet de conclure, tout à son honneur, qu'elle n'avait pas seulement une parfaite connaissance des lettres latines, mais aussi de la littérature grecque. Comme le dit encore Boccace, les femmes doivent prendre grand plaisir à entendre parler de cette femme et de ce qu'elle a fait[1].»

30. Où l'on parle de Sappho, femme très subtile, poète et philosophe

«La savante Sappho[2], une jeune fille de la ville de Mytilène, ne fut pas moins érudite que Probe. Cette Sappho était d'une très grande beauté, de corps comme de visage, très agréable et plaisante dans son comportement, par son maintien et sa conversation, mais sa haute intelligence surpassait les autres grâces dont elle était douée. Car elle avait des connaissances très approfondies dans un bon nombre d'arts et de sciences, et elle ne se contentait pas de connaître les écrits des autres : elle créa elle-même bien des choses nouvelles et composa plusieurs livres et poèmes. Boccace dit à propos d'elle ces belles paroles, dans un langage poétique et plein de douceur : "Sappho, poussée par une vive intelligence et un ardent désir, en s'appliquant assidûment à l'étude au milieu d'hommes bestiaux et ignorants, fréquenta les hauteurs du mont Parnasse, c'est-à-dire les sommets de la parfaite connaissance. Par son courage et son heureuse audace, elle fut admise dans la compagnie des Muses, c'est-à-dire des arts et des sciences, et elle pénétra ainsi dans cette forêt de lauriers pleine de vertes frondaisons, de verdure, de fleurs multicolores aux odeurs très suaves et de nombreuses plantes aromatiques, là où demeurent et reposent Grammaire, Logique et la noble Rhétorique, ainsi que Géométrie et Arithmétique. Elle poursuivit son chemin jusqu'à parvenir en la profonde caverne d'Apollon, dieu du savoir ; elle découvrit les eaux ruisselantes et le conduit de la fontaine de Castalie[3]. Elle se

---

[1] *Cleres femmes*, XCVII, t. II, p. 149-152. Christine suit de très près ce chapitre, à l'exception de la fin. Elle remplace un assez long commentaire moralisateur par une phrase de son cru (qu'elle attribue à Boccace).

[2] Poétesse grecque de la fin du VIIe - début du VIe siècle avant Jésus-Christ, Sappho est célèbre pour ses poèmes lyriques et pour avoir inventé un nouveau type de strophe, la strophe saphique.

[3] L'eau de cette fontaine, située à Delphes au pied du Mont Parnasse et fréquentée par les Muses, donnait l'inspiration poétique.

fontaine. Et de la harppe prist le plestren et la touche ; si en
25   faisoit grans melodies, avec les Nimphes menans la dance,
c'est a entendre avec ruilles d'armonie et d'accort de
musique." Par ces choses que Bocace dist d'elle doit estre
entendu la parfondeur de son entendement, et les livres
qu'elle fist de si parfaite[1] science que les sentences en[2]
30   sont fortes a savoir et entendre meismes aux hommes de
grant engin et estude, selon le tesmoing des Anciens ; et
jusques au jour d'ui durent encores ses escrips et dictiés,
moult notablement fais et composez, qui sont lumiere et
exemple a ceulx qui sont venus aprés de parfaitement
35   dicter et faire. Elle trouva plusieurs manieres de faire
chançons et dictiez[3], lays et plaintes plourables, et lamentacions estranges, et d'amours et d'autre sentement, moult
bien faites et par bel ordre, qui furent nommees par son
nom "saphice". Et de ses dictiés recorde Orace que quant
40   Platon, le tres grant philosophe qui fu maistre de Aristote,
fu trespassé, on trouva le livre des dictiés de Sapho soubz
son chevet.

¶A brief parler, ceste dame fu en science de si tres
grant excellence qu'en la cité ou elle conversoit, affin
45   qu'elle feust de tous tres honoree, et qu'a tousjours fust en
souvenance, on fist a sa semblance un ymage d'arain dedié
ou nom d'elle, eslevé haultement. Si fu celle dame mise et
comptee entre les grans pouetes renommez desquelz, [44ᵛ]
ce dit Bocace, les honneurs des diademes et des couronnes
50   des roys et les mitres des evesques ne sont pas greigneurs,
ne de ceulx qui ont victoire les couronnes et chapeaux de
lorier et de paulme.

---

[1]   *B, D, R* : parfonde
[2]   ou ; *corr. d'après B, D, R.*
[3]   dictiez *omis dans B.*

saisit du plectre et de la touche de la harpe et elle en tira de belles mélodies, tandis que les Nymphes menaient la danse, c'est-à-dire qu'elle suivait les règles de l'harmonie et des accords musicaux." Par ce que nous dit ainsi Boccace, il faut comprendre qu'il fait référence à la profondeur de son intelligence et à ses livres, réalisés avec tant de science que la substance en est difficile à comprendre et à retenir même pour les hommes très intelligents et érudits, selon le témoignage des Anciens. Ses œuvres et ses poèmes, remarquablement écrits et composés, ont survécu jusqu'à nos jours, et sont restés des exemples éclairants de composition poétique parfaite pour ceux qui lui ont succédé. Elle inventa plusieurs formes lyriques et poétiques : lais et dolentes complaintes, et un nouveau type de poèmes élégiaques, d'inspiration amoureuse ou autre, très beaux par leur forme et leur composition, que l'on appela "saphiques", d'après son nom. À propos de ces poèmes, Horace rapporte qu'après la mort de Platon, le très grand philosophe qui fut le maître d'Aristote, on trouva à son chevet le recueil des poèmes de Sappho.

Bref, cette dame fut si exceptionnelle par son savoir que dans la ville où elle demeurait, afin que tous lui rendent honneur et que son souvenir se perpétue à jamais, on fit ériger une haute statue d'airain faite à son effigie et dédiée à son nom. Cette dame fut aussi mise au rang des grands poètes renommés dont Boccace nous dit que les honneurs des diadèmes et couronnes des rois ne sont pas plus grands, ni ceux des mitres des évêques ou des couronnes de lauriers et de palmes des vainqueurs[1].

---

[1] Le texte de Christine est très proche, par endroits identique mot pour mot, à celui des *Cleres femmes* (XLVII, t. I, p. 155-157). On note deux différences majeures dans ces deux portraits de Sappho : omission par Christine de l'amour de la poétesse pour un jeune homme et ajout du passage sur l'admiration de Platon mentionnée par Horace. Christine ne confond pas Sappho et Sophron, comme le pense M. Curnow (*Cité*, p. 1068-1069) ; Nicolas de Gonesse (*Faits et dits* VIII, 7, ext. 3, p. 135) est à l'origine de cette erreur, comme le remarque A. J. Kennedy dans la note p. 168 de son édition du *Livre du corps de policie* où cette confusion apparaît également (III, 4, p. 97). C'est dans cette traduction qu'elle a trouvé ces éléments (admiration de Platon, présence d'un de ses recueils à ses côtés lors de sa mort et référence à Horace). Pour une analyse du traitement du personnage de Sappho par Christine, voir J. Cerquiglini-Toulet, dans *Femmes et littérature : Une histoire culturelle, op. cit.*, p. 126-128.

¶De femmes de grant science[1] te pourroie dire assez.
Leonce, qui fu femme greque, fu autresi si tres grant philo-
55   sophe que elle osa par pures et vraies raisons reprendre et
redarguer le philosophe Theophaste, qui en son temps tant
estoit renommez.»

Cy dit de la pucelle Ma[n]thoa .XXXI.

1   «Se[2] les sciences sont sciybles aux femmes et convenables a aprendre, saches de vrai que semblablement leur
sont les ars non veez, si que tu oras. Jadis en l'ancienne
loy[3] les gens usoient d'endevinemens de ce qui estoit a
5   avenir par le vol des oyseaux et par les flames du feu, et
par les entrailles des bestes mortez; et ce estoit une propre
art ou science que ilz tenoient en grant dignité. En cel art
fu souveraine maistresse une pucelle qui fu fille de
Thirisie, qui estoit le tres grant prestre de la cité de Thebes,
10 si que nous dirions evesque, car es autres loys les prestres
estoient mariés. Ceste femme qui nommee estoit
Ma[n]thoa et florissoit ou temps de Edippus, roy de
Thebes, fu de si cler et de si grant engin qu'elle sçot toute
l'art de piromencie, qui est a deviner par le feu, de laquel
15 art usoient ou tres ancien temps ceulx de Caldee qui la
trouverent. Et autres dient que Nambroch le jayant la
trouva. Si n'estoit en son temps nul homme qui mieux
congneust les movemens des flames du feu, les couleurs,
le son qui du feu ist. Et aussi tant clerement congnoissoit
20 les vaines des bestes, les gosiers des toreaux et les
entrailles des bestes, que on creoit que par ses ars [45ʳ]
souventefois contraignoit les esperis a parler et donner
respons de ce qu'elle vouloit savoir. Ou temps de ceste
dame fu Thebes destruitte pour le contemps des filz de
25 Edippus le roy. Si s'en ala celle demourer en Aise, et la fist
un temple au dieu Appollo qui puis fu en grant renommee.
Elle fina sa vie en Ytalie et du nom de ceste dame pour son

---

[1] *B* : grant puissance
[2] *S orné sur 2 lignes.*
[3] *B, D, R* : en l'ancienne loy des payens

Je pourrais t'en dire encore beaucoup à propos des femmes de grand savoir : ainsi, Léontion, une femme grecque, fut une si grande philosophe qu'elle osa reprendre et réfuter, par des arguments justes et fondés en vérité, le grand philosophe Théophraste, si renommé en son temps[1]. »

31. Où l'on parle de la vierge Mantô

« Si les sciences sont accessibles aux femmes et qu'il leur est profitable de les apprendre, sache en vérité que les arts ne leur sont pas non plus interdits, comme tu vas l'entendre. Jadis, dans la religion païenne, les gens pratiquaient la divination et lisaient l'avenir dans le vol des oiseaux, dans les flammes du feu et dans les entrailles des bêtes mortes ; c'était un art ou une science à part entière, que l'on tenait en grande estime. Une jeune fille fut une souveraine maîtresse en cet art : elle était la fille de Tirésias, qui était le grand prêtre de la cité de Thèbes - nous dirions aujourd'hui l'évêque -, car dans les autres religions les prêtres étaient mariés. Cette femme, nommée Mantô, vécut et prospéra à l'époque d'Œdipe, roi de Thèbes ; elle était d'une intelligence si grande et si brillante qu'elle connaissait parfaitement la pyromancie, qui est l'art de la divination par le feu, pratiqué en des temps très anciens par les Chaldéens, qui en furent les inventeurs. Mais d'autres disent que ce fut le géant Nemrod qui l'inventa. Il n'y avait en son temps aucun homme qui connût mieux qu'elle les mouvements des flammes, les couleurs ou le bruit du feu. Elle savait également si bien lire dans les veines des animaux, la gorge des taureaux et les entrailles des bêtes que l'on croyait que par ses pratiques elle contraignait souvent les esprits à parler et à donner des réponses sur ce qu'elle voulait savoir. À l'époque où vécut cette dame, Thèbes fut détruite à cause de la querelle entre les fils du roi Œdipe. Elle s'en alla donc vivre en Asie, et elle y éleva en l'honneur du dieu Apollon un temple qui devint par la suite très renommé. Elle finit ses jours en Italie, et pour la grande considération qu'on lui portait,

---

[1] Christine ne garde du chapitre de Boccace consacré à Léontion (*Cleres femmes*, LX, t. II, p. 28-29) que l'essentiel, et laisse de côté la réflexion sur les origines sociales de l'intelligence. Elle évite surtout de parler de sa vie dissolue de courtisane. Cicéron parle du traité que la disciple d'Épicure a composé contre Théophraste. Sur Théophraste, voir la note XXX p. XXX (II, 13).

auctorité fu nommee une cité du païs, et encore est,
Ma[n]thoa, de laquelle Virgille fu nez.»

Cy dit de Medee et d'une autre royne nommee Circés .XXXII.

1   «Medee[1], de laquelle assez d'istoires font mencion, ne
sut pas moins d'art et de science que celle devant dite. Elle
fu fille de Othes, roy de Colcos et de Perse, moult belle de
corsaige, haulte et droitte, et assez plaisant de viaire, mais
5   de savoir elle passa et exceda toutes femmes. Elle savoit
de toutes herbes les vertus et tous les enchantemens que
faire se peuent. Et de nul art qui estre puist sceue, elle
n'estoit ignorente. Elle faisoit par vertu d'une chançon
qu'elle savoit troubler et obscurcir l'air, mouvoir les vens
10   des fossez et cavernes de la terre, commouvoir les
tempestes en l'air, arrester les fleuves, confire poissons,
composer feux sans labour pour ardoir quelconques chose
qu'elle vouloit, et toutes semblables choses savoit faire.
Ceste fu celle qui par l'art de son enchantement fist
15   conquerre a Jason la Toison d'or.

Circés autresi fu roine d'une contree sur la mer qui
sciet sur les entrees d'Italie. Ceste dame sçot tant de l'art
d'enchantement qu'il n'estoit chose qu'elle voulsist faire

---

[1] M orné sur 2 lignes.

on donna son nom à une ville du pays, encore appelée ainsi aujour-d'hui : c'est Mantoue, où est né Virgile[1]. »

32. Où l'on parle de Médée et d'une autre reine nommée Circé

« Médée, qui est mentionnée par de nombreuses chroniques, ne fut pas moins savante dans les arts et les sciences que celle dont nous venons de parler. Elle était la fille d'Aétès, roi de Colchide, et de Perse[2]. C'était une très belle femme, d'allure haute et droite, au visage très agréable ; mais par son savoir elle surpassait toutes les femmes. Elle connaissait les vertus de toutes les plantes et tous les sortilèges qu'il est possible de faire. Elle n'ignorait aucun art qu'il fût possible d'apprendre. Par la force d'une incantation qu'elle savait, elle pouvait troubler l'air ou le rendre obscur, faire sortir les vents des profondeurs de la terre et des cavernes, provoquer des tempêtes, arrêter le cours des fleuves, confectionner des poisons, déclencher des incendies sans se donner aucune peine pour brûler tout ce qu'elle voulait, et bien d'autres choses du même genre. C'est elle qui permit à Jason de conquérir la Toison d'or grâce à ses enchantements[3].

Circé fut elle aussi reine d'une contrée marine, située aux abords de l'Italie. Cette dame était si savante en matière d'enchantements qu'il n'était rien qu'elle voulût faire qu'elle ne

---

[1] On ne retrouve que les grandes lignes du chapitre de Boccace (*Cleres femmes*, XXX, t. II, p. 94-96). Christine élimine les détails qui ne lui servent pas à démontrer l'excellence intellectuelle des femmes. Elle ajoute la référence à Virgile (Mantô apparaît dans l'*Énéide*, livre X, 199). En revanche, ni Boccace ni Christine n'évoquent Dante qui raconte longuement l'histoire de la prophétesse et la lie aux origines de la ville de Mantoue (*La Divine Comédie : L'Enfer, op. cit.*, chant XX, v. 52-99, p. 184-87).

[2] La mère de Médée dans la mythologie est Idyie ou Hypsie, fille d'Océan et de Thétys. Christine suit ici la traduction française de Boccace, le texte original donnant le nom d'Hypsie. S'agit-il d'une erreur, voire d'une confusion avec Persès, son oncle, qui avait détrôné son frère Aétès, père de Médée et que celle-ci finira par tuer pour restituer le pouvoir à son père ?

[3] Le portrait entièrement élogieux que Christine fait de Médée se distingue de celui de Boccace qui lui consacre un long chapitre mais qui la présente comme une magicienne experte en maléfices. En revanche, il insiste sur son histoire d'amour avec Jason que Christine se contente d'évoquer rapidement. Elle y reviendra dans la IIe partie, où tout un chapitre est consacré à Médée amoureuse (II, 56).

que par vertu de son enchantement ne faist. Elle savoit, par
20   vertu d'un buvraige qu'elle donnoit, transmuer corps
d'ommes en figure de bestes sau[45ᵛ]vages et d'oiseaux,
pour laquel chose tesmoignier est escript en l'istoire de
Ulices que quant il s'en retournoit aprés la destruccion de
25   Troie, quidant raler en son païs de Grece, Fortune et oraige
de te[m]ps transporta ses nefs tant ça et la par maintes
tempestes qu'a la parfin ariverent au port de la cité de
ceste roine Circés. Mais comme le saige Ulixes ne voulsist
mie descendre sans le congié ou licence de la roine d'icelle
30   terre, envoia ses chevaliers par devers elle pour savoir se il
lui plairoit que il descendissent. Mes celle dame, tantost
reputant que ilz feussent ses ennemis, abuvra les dis
chevaliers de son buvraige, par quoy tantost furent en pors
convertis et muez. Mais Ulixes ala tantost vers elle, et tant
35   fist qu'ilz furent remis en leur propre fourme. Et semblablement dient aucuns de Diomedes, qui estoit un autre
prince de Grece, que quant il fu au port de Circés arivez,
que elle fist ses chevaliers muer en oiseaux, qui encores
sont, lesquelz oiseaux sont assez grans et d'autre fourme
40   que autres oiseaux ne sont, et sont moult fiers, et les
appelent les gens de la contree "diomedins". »

fût capable de réaliser par la force de sa magie. Elle connaissait un breuvage qui avait le pouvoir de métamorphoser les hommes en bêtes sauvages ou en oiseaux, comme l'atteste ce qui est écrit dans l'histoire d'Ulysse: alors qu'il avait pris le chemin du retour après la destruction de Troie, croyant revenir en son pays de Grèce, Fortune et les vents violents ballotèrent ses navires de çà et de là, leur faisant subir maintes tempêtes, si bien qu'ils finirent par arriver au port de la cité de cette reine Circé. Mais comme le sage Ulysse ne voulait pas débarquer sans l'autorisation ou la permission de la reine de cette terre, il envoya ses chevaliers auprès d'elle pour savoir si cela lui agréerait. Cette dame, pensant aussitôt qu'ils étaient des ennemis, fit boire de son breuvage aux dix chevaliers, qui furent sur-le-champ métamorphosés en pourceaux. Mais Ulysse se rendit rapidement auprès d'elle, et fit en sorte qu'elle leur fasse reprendre leur forme première[1]. Certains disent que la même chose arriva à Diomède, un autre prince grec: quand il fut arrivé au port de Circé, elle transforma ses chevaliers en oiseaux. Ils existent encore: ce sont des oiseaux très grands, différents par leur apparence des autres oiseaux, et très farouches; les gens du pays les nomment "diomédéidés"[2]. »

---

[1] Christine résume les chapitres des *Cleres femmes* consacrés à ces deux personnages (Médée, XVIII, t. I, p. 59-63; Circé, XXXVIII, t. I, p. 119-22). L'épisode de Circé s'inspire aussi de l'*Ovide moralisé*, livre XIV (t. V, p. 70 *sq.*), comme le suggère M. Curnow (*Cité*, note 90, p. 1071): un détail, en effet, n'est pas présent chez Boccace, le fait qu'Ulysse envoie ses hommes demander à Circé l'autorisation d'accoster sur ses terres. Du reste, Christine a déjà raconté les histoires de ces deux femmes dans plusieurs de ses œuvres. Ainsi, Médée apparaît à deux reprises dans *Othea* (LIV, p. 275-276, LVIII, p. 282-283) et son histoire d'amour avec Jason est longuement racontée dans la *Mutacion* (VI, 5, v. 14301-14734, t. III, p. 33-46). Circé est présente dans les mêmes textes (*Othea*, XXXIX, p. 255-56 et XCVIII, p. 337-39, *Mutacion*, I, 11, v. 1043-1050, t. I, p. 42; I, 26, v. 3982, t. I, p. 144; VI, 35, v. 18228-18232, t. III, p. 163) et elle est simplement mentionnée dans le *Chemin de longue étude*, v. 5287, p. 400.

[2] L'*Ovide moralisé* (XVII, v. 3692-3878, t. V, p. 103-108) est la source du récit impliquant Diomède, mais dans ce texte, l'auteure de la métamorphose est Vénus et non Circé. Les *diomedeidae* («diomédéidés» en français) sont les albatros (qui sont en effet des oiseaux de très grande envergure).

Demande Cristine a Raison se il fu oncques femme qui de soy trouvast aucune science non par avant sceue .XXXIII.

1   Je[1], Cristine, qui ces choses entendoie de Dame Raison, lui replicquay sur ce pas en tel maniere : « Dame, je voy bien qu'assez et a grant nombre trouveriés femmes aprises es sciences et ars ; mais je vous demande se nulles
5   en savez qui par vertu de sentement et de soubtiveté d'engin et d'entendement aient d'elles meismes trouvees [46ʳ] aucunes nouvelles ars et sciences neccessaires, bonnes et convenables, qui par avant n'ayent[2] esté trouvees ne congneues. Car n'est mie si grant maistrise de
10   suivre et aprenre aprés autre aucune science ja trouvee et congneue, comme est trouver de soy meismes chose nouvelle et non acoustumee. »

Responce : « Ne doubtez pas, chiere amie, du contraire[3], que maintes notables et grans sciences et ars ont esté
15   trouvees par engin et soubtiveté de femme, tant en speculacion d'entendement, lesquelles se demoustrent par escript, comme en ars, qui se demoustrent en oeuvres manuelles et de labour. Et de ce donrai assez exemple.

¶Et premierement te dirai de la noble Nicostrate, que
20   ceulx d'Italie appellerent Carmentis. Ceste dame fu fille du roy d'Archade nommé Pallent. Elle estoit de merveilleux engin et douee de Dieu d'especiaux dons de savoir. Grant clergece estoit es lettres greques, et tant ot bel et saige lengaige et venerable faconde que les pouetes
25   de lors qui d'elle escriprent faignirent en leurs dictiez qu'elle estoit amee du dieu Mercurius ; et un filz qu'elle avoit eu de son mari, qui en son temps fu de moult grant savoir, distrent qu'elle l'avoit eu d'icellui dieu. Ceste dame, par certaines mutacions qui advindrent en la terre
30   ou elle estoit, se transportat de son païs, son filz et grant foison peuple qui la suivi avec elle, a grant navire, en la

---

[1] I *orné sur 2 lignes.*

[2] *B, D, R* : n'eussent

[3] *B, D* : Ne doutes pas du contraire

33. Christine demande à Raison s'il arriva jamais qu'une femme trouve par elle-même une science inconnue jusqu'alors

Ayant écouté attentivement ces propos de dame Raison, moi, Christine, je lui répondis sur-le-champ en ces termes : « Ma Dame, je vois bien qu'on pourrait trouver un grand nombre de femmes instruites dans les sciences et les arts ; mais je vous demande si vous en connaissez qui auraient d'elles-mêmes, par la seule force de leur intuition, par leur subtilité, leur habileté et leur intelligence, inventé quelque technique nouvelle ou quelque science nécessaire, bonne et profitable, qui n'auraient pas été encore découvertes ni connues auparavant. Car étudier et apprendre après d'autres une science déjà découverte et connue n'est pas faire preuve d'une aussi grande maîtrise que de découvrir par soi-même quelque chose de nouveau et d'inconnu jusqu'alors. »

Elle me répondit : « N'en doute pas, ma chère amie, il en existe assurément : car nombre de sciences et de techniques importantes et notables ont été inventées par l'intelligence et la subtilité féminines, tant dans le domaine des sciences spéculatives, qui s'exposent dans des écrits, que dans le domaine des techniques, qui se manifestent par des ouvrages et des travaux manuels. Je vais t'en donner plusieurs exemples.

Je te parlerai tout d'abord de la noble Nicostrate, que les Italiens appelèrent Carmenta[1]. Cette dame était la fille du roi d'Arcadie, nommé Pallas. Elle était d'une intelligence extraordinaire, et douée par Dieu de dons exceptionnels en matière de savoir. Elle était très savante dans le domaine des lettres grecques. Son langage était si beau et si sage et son éloquence si admirable que les poètes de l'époque qui parlèrent d'elle dans leurs poèmes laissèrent croire qu'elle était aimée du dieu Mercure ; ils dirent d'un fils qu'elle avait eu de son mari, et qui fut en son temps un grand savant, qu'elle l'avait eu de ce dieu. À la suite de changements survenus dans la terre où elle vivait, elle quitta son pays, accompagnée de son fils et d'une grande foule de gens qui l'avaient suivie. Avec une flotte

---

[1] Carmenta est aussi connue sous les noms de Nicostrate, Thémis, Timandra ou Telpousa. Selon la mythologie romaine, c'est une nymphe, fille du fleuve Ladon, et une prophétesse. À sa mort à 110 ans, son fils l'enterre près d'une porte du Capitole qui porte son nom. Dès avant sa mort, elle fut considérée comme une divinité. On l'invoquait également pour favoriser les naissances.

terre d'Italie, et ariva sur le fleuve du Tibre. La descendi, si
monta sur un hault mont qu'elle nomma du[1] nom de son
pere, le mont Palentin, sur lequel mont la cité de Romme
35   fu puis [46ᵛ] fondee. La celle dame, avec son filz et ceulx
qui suivie l'avoient, fonda un chastel. Et comme elle eust
trouvez les hommes du païs comme tous bestiaux, escript
certaines lois qu'elle leur enjoingnoit a suivre par ordre de
droit et de raison selon justice. Et fu la premiere en celle
40   contree, qui puis fu tant renommee et dont toutes les loys
de droit vindrent et issirent, qui premierement i establi
lois. Ceste noble dame sçot par inspiracion divine et par
esperit de prophesie, dont avec les autres graces qu'elle
avoit, singuliere especiaulté lui en estoit donnee,
45   ¶comment celle terre devoit estre, le temps advenir,
anoblie de excellence et de renommee sur tous les païs du
monde. Si lui sembla que ce ne serroit pas chose honneste
que, quant la haultece de l'empire de Romme vendroit, qui
tout le monde devoit seignourir, que ilz usaissent de lettres
50   et de karateres estranges et mendiés d'autres pays. Et affin
aussi qu'elle moustrast sa sapience et l'excellence de son
engin aux siecles advenir, tant fist et tant estudia qu'elle
trouva propres lettres du tout differenciees des autres
nacions, c'est assavoir l'a.b.c et l'ordonnance du latin,
55   l'assemblee d'icelles et la difference des voieux et des
mutes, et toute l'entree de la science de gramaire,
lesquelles letres et science elle bailla et aprist aux gens, et
voult que communement feust sceue. Si ne fu pas petite
science ne pou proufitable que ceste femme trouva, ne
60   dont petit gré lui doie estre sceu, car pour la soubtiveté de
la dite science et pour la grant [47ʳ] utilité et bien qui ou
monde en est ensuivi, on peut dire que oncques chose plus
digne ne fu trouvee au monde. Et de ce benefice n'ont pas
esté ingras les Ytaliens, et a bon droit, a qui ceste chose fu
65   tant mervilleuse que ilz ne repputerent mie seulement
ceste femme plus que homme, mais deesse, pour laquel

---

[1] le ; *corr. d'après B, D, R.*

importante, elle se rendit en Italie et remonta le fleuve du Tibre.
Là, elle débarqua et monta sur une haute colline qu'elle nomma le
mont Palatin, d'après le nom de son père ; c'est sur cette colline
que fut fondée plus tard la ville de Rome. Cette dame, avec son
fils et ceux qui l'avaient suivie, y établit une forteresse. Et comme
elle avait trouvé les gens du pays vivant tous comme des bêtes,
elle écrivit des lois qu'elle leur enjoignit de suivre conformément
au droit et à la raison et selon la justice. Elle fut ainsi la première
à établir les toutes premières lois dans cette contrée dont le renom
fut si grand par la suite, et d'où sont issues toutes les lois qui
constituent le droit[1]. Cette noble dame, par inspiration divine et
grâce au don de prophétie qu'elle possédait tout particulièrement,
en plus de ses autres talents, sut que cette terre était destinée à
devenir dans le futur la plus noble, la plus excellente et la plus
renommée parmi tous les pays du monde. Il lui sembla donc que
le moment venu, il ne serait pas digne de la grandeur de l'empire
romain, appelé à régner sur le monde entier, d'utiliser des lettres
et des caractères étrangers, empruntés à d'autres pays. Et afin que
sa sagesse et l'excellence de son intelligence soient manifestées
aussi aux siècles futurs, elle travailla et étudia tant et si bien
qu'elle inventa des lettres particulières tout à fait différentes de
celles des autres nations : c'est l'abc et l'ordre alphabétique latin ;
elle trouva aussi la manière d'assembler les lettres, la différence
entre les voyelles et les consonnes, et toutes les bases de la
grammaire ; elle donna au peuple ces lettres et cette science pour
qu'ils les apprennent, et voulut qu'elles soient connues de tous.
Ce ne fut certes pas une science mineure et de peu de profit que
cette femme inventa ; on ne lui doit pas peu de reconnaissance, car
tant pour la subtilité de cette science que pour sa grande utilité et
tout le bien qu'elle a apporté au monde, on peut dire que jamais il
n'y eut dans l'univers entier d'invention plus digne d'admiration.
Les Italiens ne furent pas ingrats pour ce bienfait, et à juste titre :
cette découverte leur parut si extraordinaire qu'ils considérèrent
cette femme non seulement comme supérieure aux hommes, mais

---

[1] C'est le droit romain, dont les lois écrites constituent l'une des principales
formes du droit à l'époque médiévale (en concurrence avec le «droit
coutumier», surtout dans la partie nord de la France), et dont l'influence a été
très importante dans toute l'Europe occidentale.

choses meismes en sa vie l'onnourerent d'onneurs divines.
Et quant elle fu morte, il lui ediffierent un temple que ilz
dedierent en son nom, et fu fait au pié de la montaigne ou
70   elle avoit demouré. Et pour donner a celle dame perpetuelle memoire, prisdrent plusieurs noms de la science
qu'elle ot trouvee, et aussi donnerent nom d'elle a
plusieurs de leurs choses, si comme eulx meismes de celle
contree, pour la science du latin qui par celle dame fu la
75   trouvee, se appellerent par grant honneur Latins. Et qui
plus est, pour ce que *ita* en latin, qui veult dire en françois
ouÿl, est la souveraine affirmacion d'icellui lengaige latin,
ne leur souffit mie encore que celle contree feust appellee
terre latine, ains vouldrent que tout le païs qui est oultre les
80   mons, qui est grant et large et ou a maintes diverses
contrees et seigneuries, feust appellez Ytalie. De ceste
dame Carmentis furent nomez dictiés *carmen* en latin, et
meismes les Rommains qui depuis vindrent lonc temps
aprés nommerent une des portes de Romme[1] Carmentelle.
85   Lesquelz noms, pour quelconque prosperité que les
Rommains aient eue ne pour haultece de quelconques de
leurs empereurs ne changie[47ᵛ]rent puis, si comme il
appert jusques au jour d'ui que encores durent.

¶Et que veulx tu plus, belle fille? Peut on greigneur
90   solempnité dire d'omme né de mere? Mais ne cuide mie
que ceste ait esté seulle au monde par qui sciences
plusieurs et diverses aient esté trouvees.»

**Cy dit de Minerve qui trouva mainte science et la
maniere de faire armeures de fer et d'acier .XXXIV.**

1   «Minerve[2], si que toy meismes en as ailleurs escript,
fu une pucelle de Grece et fu surnommee Pallas. Ceste
pucelle fu de tant grant excellence ou engin que la folle
gent de lors, pour ce que il ne savoient pas bien de quel
5   parens elle estoit et lui veoient faire de choses qui oncques

---

[1] *B, D, R* : une des portes de la cité de Romme
[2] M *orné sur 3 lignes.*

comme une déesse. De son vivant même, ils l'honorèrent comme une divinité. Et quand elle fut morte, ils lui élevèrent un temple dédié à son nom, au pied de la montagne où elle avait vécu. Pour perpétuer sa mémoire, ils utilisèrent beaucoup de mots de la science qu'elle avait inventée; ils donnèrent aussi son nom à beaucoup de choses: c'est ainsi que les gens de ce pays se donnèrent à eux-mêmes le nom de Latins, en l'honneur de la science du latin qu'elle avait inventée en ce lieu. Plus encore, comme *ita* en latin, qui correspond à *oïl* en français, est l'affirmation majeure de cette langue latine, il ne leur parut pas suffisant que cette région fût appelée terre latine; ils voulurent aussi que tout le pays au-delà des montagnes, qui est grand et vaste et comporte beaucoup de régions et de domaines, fût appelé Italie. C'est d'après le nom de cette dame, Carmenta, que l'on nomme *carmen* les poèmes en latin; et même bien longtemps après, les Romains nommèrent porte Carmentale l'une des portes de Rome. Quelles qu'aient été par la suite la prospérité des Romains et la grandeur de tel ou tel de leurs empereurs, ces noms ne changèrent plus, comme on le voit encore puisqu'ils ont duré jusqu'à nos jours[1].

Que veux-tu de plus, ma chère fille? Peut-on rien dire de plus noble ni de plus important d'aucun homme né d'une femme? Ne crois pourtant pas que cette femme ait été la seule au monde à avoir découvert nombre de sciences différentes.»

34. Où l'on parle de Minerve, qui inventa maintes sciences, ainsi que la technique pour fabriquer des armures de fer et d'acier

«Comme tu l'as toi-même écrit ailleurs, Minerve était une jeune fille originaire de Grèce, à qui l'on donna le surnom de Pallas. Cette jeune fille était d'une intelligence tellement exceptionnelle que les gens de cette époque, dans leur sottise, comme ils ne savaient pas qui étaient ses parents et qu'ils lui voyaient

---

[1] Christine est très fidèle au chapitre XXVII des *Cleres femmes* (t. I, p. 83-87). Elle ne reprend cependant pas les apports des différentes nations dans les disciplines intellectuelles. De même, elle ne donne pas le nom du fils de Carmenta, Évandre, et fait de Pallas le père de l'héroïne, alors que Boccace est plus flou sur le statut de Pallas: est-ce le mari, le beau-père ou le petit-fils de Carmenta?

n'avoient esté en usaige, distrent qu'elle estoit deesse
venue du ciel, car de tant que moins congnoissoient sa
venue, si que dit Bocace, de tant leur fu plus merveillable
le grant savoir d'elle sur toutes femmes en son temps.
10 Ceste fu soubtille et de grant entendement, non mie seulement en une chose, mais generaument en toutes. Elle
trouva par sa soubtiveté aucunes lettres greques que on
appelle carateres, par lesquelles on peut mettre une grant
narracion de choses en escript en l'espasse de bien pou de
15 lettres et de briefves escriptures, desquelles au jour d'ui
encores usent les Grieux, qui fu moult belle invencion et
soubtive a trouver. Elle trouva nombre et maniere de
compter et d'assembler sommes soubz briefté. Et a tout
dire, tant avoit l'esperit enluminé de savoir qu'elle trouva
20 plusieurs ars et ouvraiges a faire qui oncques n'avoient
[48ʳ] esté trouvez : l'art de la laine et de faire draps trouva
toute, et fu la premiere qui oncques s'avisast de brebis
tondre, de laine charpir, piner, carder, a divers outilz,
nettoier, amolir aux broches de fer, filer a la quenoille, puis
25 les outilz a faire le drap et comment il seroit tissu.

¶Item, elle trouva l'usaige de faire l'oeyle des fruis de
terre, des olives et d'autres fruis presser et en tirer la
liqueur. Item, elle trouva l'art et usage de faire chars et
charettes apporter choses asiement d'un lieu en autre.

30 ¶Item, plus fist ceste dame et qui plus semble mervil-
lable, pour ce que c'est loins de nature de femme qu'elle
de tel chose se avisast, car elle trouva l'art et la maniere de
faire le harnois et les armeures de fer et d'acier, de quoy
les chevaliers et les gens d'armes usent en bataille et dont
35 ilz cuevrent leurs corps, qu'elle bailla premierement a
ceulx d'Athenes, a qui elle aprist l'usaige d'ordonner ost
et batailles et la maniere de combatre en ordre arengié.

¶Item, elle trouva premierement flautes et flaioz,
trompes et instrumens de bouche. Ceste dame, avec la

faire des choses que nul n'avait encore jamais faites, dirent qu'elle était une déesse venue du ciel[1] ; car comme le dit Boccace, on s'émerveillait d'autant plus de son savoir très supérieur à celui de toutes les femmes de son temps que l'on ignorait ses origines. Sa grande intelligence et sa subtilité ne se limitaient pas à un domaine, mais s'étendaient à tous de façon générale. Par son ingéniosité, elle inventa certaines lettres grecques que l'on appelle des caractères, qui permettent de faire tenir un long récit en peu d'espace, avec un nombre restreint de lettres, en un écrit assez bref ; les Grecs les utilisent encore de nos jours, et ce fut une invention très belle et subtile. Elle inventa aussi les chiffres, et la manière de compter et de faire des additions rapidement. Pour tout dire, son esprit était si éclairé par la connaissance qu'elle inventa plusieurs arts et techniques qui n'avaient jamais été découverts jusqu'alors : elle inventa tout l'art de la laine et du tissage, et fut la première à avoir l'idée de tondre les brebis, d'étirer la laine, de la peigner et de la carder avec divers outils, de la laver, de l'assouplir avec des broches de fer, de filer à la quenouille ; elle inventa aussi les instruments servant à fabriquer des étoffes et la technique du tissage.

En outre, elle eut l'idée d'utiliser les fruits de la terre pour en faire de l'huile, de presser les olives ou d'autres fruits pour en extraire le jus. Elle inventa l'art de fabriquer chars et charrettes et de les utiliser pour apporter facilement les choses d'un endroit à un autre.

Cette dame fit encore une autre chose qui semble plus étonnante, parce que cela paraît plus éloigné de la nature féminine de penser à de telles choses : elle inventa l'art et la manière de fabriquer l'équipement militaire et les armures de fer et d'acier, dont les chevaliers et les hommes d'armes se servent pour couvrir leurs corps pendant les batailles, et elle les donna en tout premier lieu aux Athéniens, à qui elle apprit aussi comment disposer leurs troupes et leurs corps d'armée, et la manière de combattre en bataille rangée.

Ce fut elle aussi qui inventa la première les flûtes et flageolets, les trompes et les autres instruments à vent. Cette dame qui avait

---

[1] Pour ce commentaire, ainsi que celui sur Cérès et Isis au début des deux chapitres suivants, voir la note 2 p. 219 sur l'evhémérisme.

40   grant vertu d'entendement qu'elle avoit, fu tout son temps
        vierge, et pour la grant chasteté dont elle estoit, dirent les
        poetes en leurs ficcions que Vulcan, le dieu du feu, avoit
        longuement luittié a elle, et que finablement elle vainqui et
        le surmonta, qui estoit a dire qu'elle surmonta l'ardeur et
45   la concupiscence de la char, qui donne grant assault en
        jennece. Les Atheniens orent en si grant reverence ceste
        pucelle que ilz l'aourerent comme deesse[1] d'armes et de
        chevalerie pour ce que pre[48ᵛ]mierement en trouva
        l'usaige. Et aussi l'appelloient deesse de savoir pour la
50   grant science qui en elle estoit[2].

        ¶Aprés sa mort lui firent a Athenes edifier un temple
        consacré a son nom; et en cellui temple assirent son
        ymaige qui estoit en la figure et semblance d'une pucelle,
        ouquel ymage signifierent sapience et chevalerie. Si avoit
55   celle ymaige les yeulx terribles et cruelz, pour ce que
        chevalerie est ordonnee pour excecuter rigueur de justice;
        et aussi signifioit que on congnoist pou souvent a quel fin
        tent l'entencion du saige. Elle avoit la teste heaumee, qui
        signifioit que chevalier doit avoir force en adurcy et
60   constant couraige es fais des armes, et aussi signifioit que
        les conseulz des saiges sont couvers, secrez et muciez. Elle
        estoit vestue d'un hauberc, qui signifioit la puissance de
        l'estat de chevalerie, et nottoit aussi que le sage est
        tousjours armé contre les mouvemens de Fortune, soit ou
65   bien ou el mal. Elle tenoit une hante ou une lance tres
        longue, qui estoit a dire que le chevalier doit estre le
        baston de justice, et signifioit aussi que le sage fiche ses
        dars de moult loings. Elle avoit pendu au col une targe ou
        un escu de cristal, qui signifioit que le chevalier doit
70   tousjours estre esveillié et veoir partout sur la deffence du
        païs et du peupple; aussi signifioit que au saige toutes
        choses sont appertes et magnifestes. Ou milieu de celle
        targe avoit pourtrait la teste d'une serpent que on nommoit
        Gergon, qui signifioit que chevaliers doit estre cautilleux
75   et agaittant sur ses ennemis comme le serpent; estoit aussi

---

[1] *B, D, R*: comme deesse et l'appelloient deesse d'armes
[2] *B, D, R*: qui en elle abondoit

une si grande force intellectuelle resta vierge toute sa vie. À cause de la grande chasteté qu'elle observait, les poètes racontèrent dans leurs fables que Vulcain, le dieu du feu, avait longuement lutté contre elle, et qu'à la fin elle le vainquit et triompha de lui, ce qui signifie qu'elle triompha de l'ardeur et de la concupiscence de la chair qui assaillent la jeunesse. Les Athéniens avaient une telle vénération pour cette jeune fille qu'ils l'adoraient comme une déesse, la déesse des armes et de la chevalerie, puisqu'elle avait été la première à les inventer; ils l'appelaient aussi déesse de la sagesse, en raison de son très grand savoir.

Après sa mort ils firent édifier à Athènes un temple qui lui était dédié; ils y placèrent une statue d'elle, qui avait l'apparence d'une jeune fille et qui représentait la sagesse et la chevalerie. Cette statue avait des yeux durs et terribles, parce que la chevalerie est destinée à exercer la justice dans toute sa rigueur; cela signifiait aussi que l'on connaît rarement les intentions du sage. Elle portait un heaume sur la tête, ce qui signifiait que le chevalier doit être fort et garder un cœur endurci et inflexible sur le champ de bataille, mais aussi, que les opinions des sages sont masquées, secrètes et cachées. Elle était revêtue d'une cotte de mailles, qui signifiait la puissance de l'ordre de chevalerie, et indiquait aussi que le sage est toujours armé contre les vicissitudes de la Fortune, que ce soit en bien ou en mal. Elle tenait à la main une sorte de lance très longue, ce qui voulait dire que le chevalier doit être le bâton de justice[1], mais signifiait aussi que le sage lance ses traits de très loin. Elle avait, accroché à son cou, un petit bouclier ou écu de cristal, qui signifiait que le chevalier doit toujours être en alerte et veiller de tous côtés à la défense de son pays et du peuple, mais aussi, que pour le sage toutes choses sont claires et évidentes. Au milieu de ce bouclier était représentée la tête d'une serpente que l'on appelait Gorgone, qui signifiait que le chevalier doit être rusé et vigilant à l'égard de ses ennemis comme le

---

[1] Bâton terminé par une main de justice (l'un des emblèmes de la justice).

a dire que le saige est ad[49ʳ]visé de toutes les malices de
quoy on lui pourroit nuire. Mistrent aussi coste cel ymage
comme pour le garder un oysel qui vole par nuit que on
nomme çuette, qui signifioit que chevaliers doit estre aussi
80   bien de nuit que de jours tout prest pour la deffence civille,
se mestier est; aussi signifioit que le saige veille a toute
heure sur ce qui lui est propice a faire. Ceste dame fu par
lonc temps tenue en si grant reverence et tant ala sa grant
renommee qu'en plusieurs lieux establirent temples en son
85   nom, et meismement lonc temps aprés que les Rommains
estoient en leur grant puissance, misdrent son ymaige avec
leurs autres dieux.»

Cy dit de la royne Cerés qui trouva l'art[1] de labourer les terres et maintes autres ars .XXXV.

1   «Cerés[2], qui fu es tres anciens aages roine du royaume
des Siçuliens, ot prerogative de trouver par soubtilleté
d'engin premierement la science et usaige du cultivement
des terres et des outilz qui y appertiennent. Elle enseigna a
5   ses subgiez a dompte[r] et aprivoisier les buefs et a les
acoustumer a estre acoupplez au jouc; trouva aussi la
cherue, et leur monstra la maniere comment fenderoient et
partiroient la terre avec feremens et tout le labour qui y
appertient, et aprés leur enseigna a getter semence sur
10   celle terre et couvrir. Et aprés, quant celle semence fu
parcreue et moutepliee, moustra comment il soieroient les
blefs, et par batre de fleaux les osteroient des espis. Puis
enseigna a le mouldre entre pierres dures par engin, et

---

[1] *B*: la maniere
[2] C *orné sur 2 lignes.*

serpent ; cela voulait aussi dire que le sage est conscient de toutes les méchancetés qui pourraient lui nuire. Ils placèrent aussi à côté de cette statue, comme pour veiller sur elle, un oiseau qui vole la nuit et que l'on nomme la chouette, qui signifiait que le chevalier doit être toujours prêt à défendre la cité, de nuit comme de jour, en cas de besoin ; elle signifiait aussi que le sage veille à toute heure à faire ce qui lui est profitable. Cette dame fut si révérée pendant longtemps et sa renommée se répandit si bien qu'ils édifièrent dans de nombreux endroits des temples dédiés à son nom, et que même bien longtemps après, alors que les Romains étaient au faîte de leur puissance, ils placèrent sa statue avec celles de leurs autres dieux[1]. »

35. Où l'on parle de la reine Cérès, qui inventa l'art de labourer la terre ainsi que bien d'autres techniques

« Cérès, qui fut dans des temps très anciens reine du royaume des Siciliens, eut le privilège, grâce à son ingéniosité, d'être la première à découvrir la science et les techniques de l'agriculture, ainsi que les outils appropriés. Elle apprit à ses sujets à dompter et apprivoiser les bœufs, à les habituer à être attelés par paire et à supporter le joug ; elle inventa aussi la charrue et leur montra la manière de fendre et de séparer la terre avec des socs et des coutres et tout le travail du labour, et elle leur apprit ensuite à ensemencer cette terre et à recouvrir les graines. Ensuite, quand ces semences eurent cru en se multipliant, elle leur montra comment moissonner les blés et comment les battre au fléau pour détacher les grains des épis. Puis elle leur apprit à les moudre par un procédé ingénieux

---

[1] Le chapitre reste très proche du texte de Boccace, mais alors que le poète italien commence par citer une invention très féminine, l'art de filer et de tisser, Christine insiste sur l'intelligence de Minerve en indiquant qu'elle a inventé les caractères grecs ainsi que le calcul. Par ailleurs, Minerve/Pallas est une figure récurrente dans les textes de Christine : elle est citée à plusieurs reprises dans *Othea*, I, p. 197, XIII, p. 221-222, XIV, p. 223-224, XC, p. 327 et XCVI, p. 335-336), dans la *Mutacion* (t. II, v. 11920-12016, p. 281-283,) et dans le chapitre liminaire du *Livre des faits d'armes et de chevalerie*. Voir A. Tarnowski, « Pallas Athena, la science et la chevalerie », *Sur le chemin de longue étude... Actes du colloque d'Orléans,* éd. B. Ribémont, Paris, Champion, 1998, p. 149-58 ; C. Le Ninan, « La main tendue de Pallas. De l'*Epistre Othea* au *Livre des fais d'armes et de chevallerie,* la représentation du pacte didactique dans quelques œuvres de Christine de Pizan », *Le Moyen français*, n° 78-79, 2016, p. 125-137.

comment molins feroient, et aprés de la farine aprist a
15   confire et a faire pain. Et ainsi ceste dame aprist et
enseigna aux [49ᵛ] hommes, qui avoient acoustumé
comme bestes a vivre de glans, de blez sauvaiges, de
pommes et de cenelles, a user de plus convenable pasture.
Encore fist plus ceste dame, car les gens de lors, qui
20   avoient acoustumé a demourer ça et la par boix et par lieux
sauvaiges, vacquans¹ comme bestes, fist assembler a grans
tourbes et leur apprist a faire villes et citez maisonnees,
esquelles ilz demourassent ensemble. Et ainsi par ceste
dame fu ramené le siecle de bestialité a vie humaine et
25   raisonnable. De ceste Cerés faignirent les pouetes la fable
comment sa fille lui fu ravie par Pluto, le dieu d'Enfer. Et
pour l'auctorité de son savoir et le grant bien qu'elle avoit
procuré au monde l'aourerent les gens de lors, et l'appellerent deesse des blefs. »

**Cy dit de Ysis qui trouva l'art de faire les courtillages
et de planter plantes .XXXVI.**

1   « Ysis² semblablement fu une femme³ de si grant
savoir en fait de labour qu'elle ne fu pas tant seullement
nommee roine d'Egipte, mais tres singuliere et especialle
deesse des Egipciens. De ceste Ysis parle la fable que
5   Jupiter l'ama, et comment il la tourna en vache, et puis
comment elle redevint en sa premiere fourme, qui sont

---

¹ *B, D, R* : vagans *(nous conservons* vacquans, *le verbe* vacquer
étant aussi attesté au sens de « bouger, errer »).
² Y *orné sur 3 lignes.*
³ *B, D, R* : dame

entre des pierres dures, et à faire des moulins ; elle leur enseigna aussi comment préparer et façonner le pain à partir de la farine. C'est ainsi que cette dame apprit et enseigna aux hommes, qui avaient l'habitude de vivre de glands, de blés sauvages, de pommes et de baies comme des bêtes, à se nourrir d'aliments plus convenables. Cette dame fit encore davantage : les gens de cette époque avaient coutume de vivre çà et là dans des forêts ou des lieux sauvages, errant à l'aventure, comme des animaux ; elle les fit se rassembler en larges groupes et leur apprit à faire des villes et à bâtir des cités où ils puissent vivre ensemble. Et c'est ainsi que grâce à cette dame, les hommes passèrent du stade de la bestialité à celui de la vie humaine et raisonnable. Au sujet de Cérès, les poètes inventèrent un mythe racontant comment sa fille fut enlevée par Pluton, le dieu des Enfers. Son savoir reconnu par tous et les grands biens qu'elle avait apportés au monde lui valurent d'être adorée comme une déesse par les gens de cette époque, qui l'appelèrent la déesse des moissons[1]. »

36. Où l'on parle d'Isis, qui inventa l'art du jardinage et des plantations

« Isis fut elle aussi une femme qui avait de si grandes connaissances dans l'art de cultiver qu'elle ne fut pas seulement appelée reine d'Égypte, mais également considérée comme une déesse particulière, propre aux Égyptiens. Un mythe raconte à son sujet comment elle fut aimée de Jupiter, qui la transforma en vache, puis comment elle reprit sa forme première, ce qui est une manière de

---

[1] Figure mythologique récurrente dans les premières œuvres de Christine (on la trouve dans *Othea*, texte III, p. 204 et XXIV, p. 237-238, juste avant un passage consacré à Isis ; et dans la *Mutacion*, V, 19, v. 12047-12064, t. II, p. 284, qui contient déjà tous les éléments de ce portrait), Cérès figure parmi les premières dames dont Boccace rappelle l'histoire (*Cleres femmes*, VII, t. I, p. 28-31). Christine est très fidèle à la première partie du chapitre de la traduction française. Elle ne suit pas sa source dans la mention d'une seconde Cérès ni dans la déploration de la perte d'un âge d'or due à la découverte de l'agriculture. Elle n'a pas non plus repris la version que donne Boccace de l'enlèvement de sa fille par « Orte, le roi des Molossiens » (dans l'original latin : «*ab Orco Molossorum rege*», *De mulieribus claris*, V, p. 13), mais elle s'en tient à la version mythologique plus connue de l'enlèvement par Pluton, roi des Enfers, sans doute d'après l'*Ovide Moralisé* (t. V, v. 1833-2299, t. I, p. 227-237). Sur Cérès considérée comme une déesse : voir plus haut, note 2 p. 219.

toutes signifiances de son grant savoir, si que toy meismes
as touchié en ton *Livre de Othea*. Elle trouva aucunes
manieres de letres abrigees qu'elle apprist aux Egipciens,
10 et leur donna fourme de leur lengage trop lonc abrigier.
Ceste fu fille de Ynacus, roy des Grieux, et suer de Phoroneus qui moult fu sages, et se transporta celle dame par
aucun accident de Grece en Egipte avec son dit frere. La
leur [50ʳ] aprist entre les autres choses l'usaige de
15 courtillaiges et de faire plantes et entes de divers estas[1].
Elle donna et ordonna certaines loys bonnes et droiturieres, aprist aux gens d'Egipte, qui vivoient rudement et
sans loy ni justice n'ordonnance, a vivre par ordre de
droicture. Et a brief parler, tant y fist que vive et morte
20 l'orent en tres grant reverence, que par tout le monde ala sa
renommee tant qu'en toutes parties lui furent establis
temples et oratoires, et meismes a Romme ou temps de
leur haultece firent les Rommains ediffier un temple en
son nom ou ilz ordonnerent sacrifices et oblacions et grans
25 sollempnitez, en la maniere que on avoit acoustumé de lui
faire en Egipte.

¶Le mari de ceste noble dame fu nommé Appis, qui
selons l'erreur des paiens, fu filz du dieu Jupiter et de
Nyobé, fille de Phoroneus dont les histoires anciennes et
30 les poetes font assez mencion.»

**Du grant bien qui est venu au siecle par icelles dames.
XXXVII.**

1 «Dame[2], j'ay grant admiracion de ce que ouy dire vous
ay, que tant de biens sont venus ou siecle par cause
d'entendement de femme. Et ces hommes communement
dient que leur savoir est comme chose de nul pris, et est un

---

[1] *B, D, R* : de divers estocs
[2] D *orné sur 3 lignes.*

signifier son très grand savoir, ainsi que tu l'as toi-même mentionné dans ton *Livre d'Othea*. Elle inventa et apprit aux Égyptiens certaines formes de lettres permettant de condenser les significations et d'abréger ainsi leur langue trop prolixe. Elle était la fille d'Inachos, roi des Grecs, et la sœur de Phoroneüs, qui était très savant. Les circonstances firent qu'elle se rendit avec son frère de Grèce en Égypte. C'est là qu'elle apprit aux hommes, entre autres choses, les techniques du jardinage, l'art de cultiver les plantes et de faire des greffes de différentes sortes. Elle élabora et établit un certain nombre de lois justes et équitables, et apprit aux Égyptiens, qui avaient jusque-là des mœurs rudes et vivaient sans loi ni droit et sans organisation, à vivre selon l'ordre et la justice. Bref, elle y fit tant de choses que durant sa vie et après sa mort elle fut l'objet d'une si grande vénération que sa renommée s'étendit à travers le monde et que partout on éleva en son honneur des temples et des oratoires; même à Rome, à l'époque de leur plus grande puissance, les Romains firent édifier un temple en son nom, où ils faisaient faire des sacrifices, des oblations et de grandes cérémonies, de la même manière qu'on avait coutume de le faire en Égypte.

Le mari de cette dame était nommé Apis[1]; selon l'erreur répandue chez les païens, il était le fils du dieu Jupiter et de Niobé, fille de Phoroneüs, souvent mentionnée par les récits et les poèmes anciens[2]. »

37. Des grands biens que ces dames ont apportés au monde

«Ma Dame, je suis pleine d'admiration de ce que je vous ai entendu dire: tant de biens ont été apportés au monde grâce à l'intelligence des femmes! Et pourtant les hommes disent en général que le savoir des femmes n'a aucune valeur, et l'on entend

---

[1] Le dieu Apis, taureau sacré, a été très tôt assimilé à Osiris sous le nom d'Osiris-Apis.

[2] L'organisation de ce chapitre est très proche de celle du chapitre des *Cleres femmes* (X, t. I, p. 37-39), mais Christine ne donne pas le nom d'Yo; elle ne s'étend pas sur la transformation en vache (qui concerne Yo dans la mythologie et dans *Othea*), dont elle donne une interprétation allégorique confirmant la grande sagesse de la déesse; elle cite en premier, parmi ses inventions, le système graphique égyptien. Le texte de Boccace est très résumé. Un passage de la *Mutacion* est consacré à Yo, renommée *deesse Ysis* par les Égyptiens (*Mutacion*, V, 19, v. 11884-11916, t. II, p. 278-279). Dans *Othea*, elle distingue Ysis, (25, p. 238-239), déesse des plantes, et Yo (29, glose, p. 242).

5   reprochier que on dit communement quant on raconte
       quelque folie, de dire "c'est savoir de femme". Et a brief
       dire, l'oppinion et dit des hommes communement est que
       elles n'ont servi au monde, ne servent, fors de porter
       enfans et de filler. »

10   Responce : « Or peux tu congnoistre la grant ingrati-
       tude de ceulx qui ce dient ; et ilz sont comme ceulx qui
       vivent des biens et ne scevent dont ilz leur viennent, ne
       graces n'en rendent a nullui. Et aussi [50ᵛ] tu peux veoir
       clerement comment Dieux, qui riens ne fait sans cause, a
15   voulu monstrer aux hommes que il ne desprisent le sexe
       femmenin ne que le leur, quant il lui a pleu conceder
       qu'en cervelle de femme ait si grant entendement que non
       mie seulement soient abilles a apprendre et retenir les
       sciences, mes trouver d'elles meismes toutes nouvelles,
20   voire, sciences de si grant utilité et proufit au monde que
       riens n'est plus necessaire. Si que tu peux veoir d'icelle
       Carmentis dont orains te parlai, qui trouva les lettres
       latines, auxquelles Dieu a esté tant favourable, et tant a
       multipliee la science que trouva celle dame que aucques
25   toute la gloire des lettres hebraïques et greques, qui tant
       furent en grant pris, out effaciee, et que presque toute
       Europpe, qui contient moult grant partie et espace de la
       terre, use de ses lettres, desquelles sont fais et composez
       si comme infinis livres et volumes de toutes facultez, ou
30   sont mis et gardez en parpetuelle memoire les fais des
       hommes et les nobles et excellens gloires de Dieu, les
       sciences et les ars. Et que on ne die que icestes choses te
       die par faveur, ce sont les propres parolles de Bocace,
       desquelles la verité est nottoire et magnifeste. Cy pués
35   conclure que les biens que celle femme a fais sont infinis,
       car par elle¹ sont hommes, quoy que ilz ne le recongnois-
       sent, tirez hors d'ignorence et mis en congnoissance ; par
       elle ilz ont l'art d'envoier les secrez de leurs pensees et
       entencions si loings que ilz veullent, de nottifier et faire
40   savoir partout ce que il leur plaist, et semblablement,
       savoir les choses passees et presentes, et aucunes a avenir.

---

¹ par elles ; *corr. d'après B, D, R.*

souvent dire en reproche, lorsque l'on raconte quelque sottise :
"C'est une idée de femme". Bref, l'opinion généralement admise
par les hommes est qu'elles n'ont servi et ne servent à rien d'autre
dans le monde qu'à porter les enfants et à filer.»

Elle me répondit : «Tu vois bien maintenant la grande ingratitude de ceux qui parlent ainsi ; ils ressemblent à des gens qui
vivent des biens d'autrui et, ne sachant d'où ils viennent, n'en
rendent grâce à personne. Tu peux voir clairement aussi comment
Dieu, qui ne fait rien sans cause, a voulu montrer aux hommes
qu'ils n'avaient pas lieu de mépriser le sexe féminin plus que le
leur, quand il lui a plu d'accorder à des cerveaux de femmes une si
grande intelligence qu'elles soient capables, non seulement
d'apprendre et de retenir les sciences, mais aussi d'en inventer
elles-mêmes de nouvelles, et même, des sciences si utiles et profitables à l'humanité qu'il n'existe rien de plus nécessaire. Tu peux
le voir, par exemple, pour cette Carmenta dont je t'ai parlé tout à
l'heure, qui inventa l'alphabet latin ; car Dieu a été si favorable à
l'invention de cette dame et elle a connu un tel développement
que la gloire des alphabets hébraïque et grec, qui avaient connu un
tel succès, en a été presque éclipsée, et que presque toute
l'Europe, c'est-à-dire une grande partie de la terre, utilise ses
lettres, qui ont servi pour composer une infinité de livres et de
volumes dans toutes les disciplines, où est conservée la mémoire
perpétuelle des hauts faits des hommes, des excellents et nobles
témoignages de la gloire de Dieu, des sciences et des arts. Et que
l'on ne dise pas que je fais preuve de partialité en disant cela : ce
sont les propres paroles de Boccace, dont la vérité est notoire et
manifeste. Tu peux donc conclure que les bienfaits réalisés par
cette femme sont infinis, car c'est grâce à elle, même s'ils ne le
reconnaissent pas, que les hommes sont tirés de l'ignorance et
amenés à la connaissance ; c'est grâce à elle qu'ils peuvent
envoyer aussi loin qu'ils le souhaitent leurs plus secrètes pensées
et leurs intentions, qu'ils peuvent annoncer et faire savoir partout
ce qui leur plaît, et aussi, connaître le passé et le présent, et même

De rechief [51ʳ] par la science de celle femme peuent faire
hommes accors et joindre amistiez a plusieurs personnes
lointaines de eulx, et par responces que ilz donnent les
45 uns aux autres, eulx entrecongnoistre sans s'entreveoir. Et
a brief parler, tout le bien qui vient de lettres ne pourroit
estre racompté, car ilz descripsent et font entendre et
congnoistre Dieu, les choses celestes, la mer, la terre,
toutes personnes et toutes choses. Je te demande ou fu
50 oncques hommes qui plus de bien feist. »

Encore de ce meismes .XXXVIII.

1   « Et[1] pareillement, ou fu oncques homme par qui au
monde plus de bien advenist qu'il a fait par celle noble
roine Cerés dont je t'ay cy devant dit ? Qui pourra jamais
acquerir nom de plus grant louenge comme de ramener les
5   hommes vagues et sauvaiges, habitans es bois comme
bestes cruelles sans loy de justice, demourer es villes et
citez, et les aprendre a user de droit, et leur avoir
pourchacié vitaille de meilleur pasture que glans et que
pommes sauvaiges, c'est assavoir fourmens et blez, par
10 laquelle pasture les hommes ont le corps plus bel, plus
cler, et les membres plus fors et plus mouvables, comme
ce soit viande plus confortative et plus convenable a nature
humaine, et la terre plaine de chardons, d'espines et de
buissons, mal composee et plaine d'arbres sauvaiges,
15 avoir apris de l'embelir et nectoier par labour, et semer de
semence, laquelle, par la courtiveure[2], devint de sauvaige
en franche et domistique, ou profit commun et publique ?
Et ainsi par celle dame nature humaine rechut ce proufit
que le rude sauvage siecle fu muez en civil et citoien, et les
20 engins des hommes, vagues et pareceulx estans es
caver[51ᵛ]nes d'ignorence, mua, atrai et ramena a la
haultece de contemplacion et excercitacions convenables ;
et ordena aucuns hommes es champs pour faire les
labours, par lesquelz tant de villes et de citez sont

---

[1] C orné sur 3 lignes.
[2] B, D, R : cultiveure

parfois l'avenir. C'est encore grâce à l'invention de cette femme que les hommes peuvent conclure des accords et se lier d'amitié avec des personnes qui se trouvent loin d'eux, et par les réponses qu'ils échangent, ils peuvent se connaître les uns les autres sans se voir. Bref, on ne saurait dire en détail tous les bienfaits qui viennent de l'écriture, car elle permet de décrire et de faire comprendre et connaître Dieu, les choses célestes, la mer, la terre, tous les êtres et toutes les choses. Je te le demande, où y a-t-il jamais eu un homme qui ait fait plus de bien ? »

38. Encore sur le même sujet

« De même, où y a-t-il jamais eu un homme qui apporta plus de bien au monde que ne le fit cette noble reine Cérès dont je t'ai déjà parlé plus haut ? Qui pourra jamais acquérir une renommée plus grande et plus digne de louange que celle d'avoir amené les hommes nomades et sauvages, qui vivaient dans les bois comme des bêtes cruelles sans foi ni loi, à demeurer dans des villes et des cités ; de leur avoir appris l'usage du droit ; de leur avoir fourni une meilleure nourriture que les glands et les pommes sauvages, c'est-à-dire le froment et le blé, une nourriture grâce à laquelle ils ont un corps plus beau, le teint plus clair, les membres plus forts et plus agiles, car c'est une nourriture plus substantielle et mieux adaptée à la nature humaine ? De leur avoir appris à embellir la terre, jusque-là pleine de chardons et de buissons épineux, en friche et couverte d'arbres sauvages, à la nettoyer, à la labourer et à l'ensemencer, de sorte que cette terre sauvage devint fertile, pour le profit commun et général ? L'espèce humaine bénéficia grâce à cette dame de la transformation d'un monde rude et sauvage en une société policée ; elle tira des cavernes de l'igno- rance les esprits des hommes, nomades et paresseux, les trans- forma et les amena à des formes de pensée plus élevées et à des activités convenables ; par elle, certains hommes furent voués aux travaux des champs, ce qui permit d'assurer le peuplement de

25   raemplies et d'eulx soustenues, qui font les autres oeuvres
       neccessaires a vivre.

       ¶Ysis semblablement, es courtillaiges, qui pourroit
       sommer le grant bien qu'elle procura au siecle, de donner
       maniere d'eslever plantes d'arbres portans tant de bons
30   fruis, et de toutes bonnes herbes tant convenables a la
       nouriture[1] de l'omme?

       ¶Minerve aussi, qui pourvey de son savoir nature
       humaine de maintes choses tant neccessaires, comme de
       vestemens de laine, qui avant ne se vestoient fors de peaux
35   de bestes; osta de la paine que ilz avoient de porter leurs
       choses neccessaires entre bras d'un lieu a autre, par leur
       trouver la maniere de faire chars et charettes pour leur
       secours, et aux nobles et chevaliers trouver et donner l'art
       et l'usaige de faire hernois pour couvrir leurs corps pour
40   plus grant seureté en guerre, trop plus bel, plus fort et plus
       convenable que devant ne l'avoient, qui estoit seulement
       de cuir de bestes, Cristine.»

       ¶Et je dis adont a elle: «Ha, ma dame, or apperçoy je
       par ce que vous dites plus que oncques mais la tres grant
45   ingratitude et descongnoissance d'iceulx hommes qui tant
       mesdient des femmes, car non obstant que il me semblast
       que assez cause souffisent y avoit de non les blasmer par
       ce que femme est a tout homme mere, et les autres biens
       que on voit magnifestement que generaument femmes font
50   a hommes, vraiement voy cy droit comble de benefices, et

---

[1] *B*: nature

nombreuses villes et cités, et la nourriture de ceux qui accomplissent les autres travaux nécessaires à la vie[1].

De même, pour ce qui est d'Isis, qui pourrait faire la somme de tout le bien qu'elle apporta au monde dans le domaine du jardinage, en enseignant la manière de faire croître des arbres portant tant de beaux fruits, et de cultiver toutes les bonnes plantes si utiles pour la nourriture des hommes ?

Minerve aussi, chère Christine, fit don de sa science à l'espèce humaine pour de nombreuses choses si nécessaires, comme les vêtements de laine, pour ceux qui n'étaient vêtus que de peaux de bêtes ; elle délivra les hommes de la difficulté qu'ils avaient à transporter dans leurs bras leurs affaires d'un endroit à l'autre, en inventant l'art de faire chariots et charrettes pour les y aider ; pour les nobles et les chevaliers, pour que leurs corps soient mieux protégés à la guerre, elle inventa l'art et la manière de fabriquer des armures beaucoup plus belles, plus résistantes et mieux adaptées que celles qu'ils avaient auparavant, faites seulement de cuir d'animaux. »

Et je lui dis alors : « Ah ! Ma dame, à ce que vous dites, je perçois plus que jamais la très grande ingratitude et l'ignorance de ces hommes qui disent tant de mal des femmes ; il me semblait pourtant que c'était déjà une raison amplement suffisante pour ne pas les blâmer que de considérer le fait qu'une femme est la mère de tout homme, ainsi que les autres bienfaits que l'on voit manifestement les femmes apporter à tous les hommes ; mais je vois ici, en vérité, qu'avec la plus grande générosité elles les ont

---

[1] Christine prend ici le contre-pied de ce qu'écrit Boccace à la fin du chapitre sur Cérès des *Cleres femmes* (VII, t. I, p. 29 -31). Alors que Boccace déplore la décadence des mœurs à la suite de ces inventions et regrette l'âge d'or des débuts, Christine loue les bienfaits de la civilisation née grâce à l'invention de l'agriculture. Elle y revient à la fin du chapitre sur Arachné (I, 39). Le mythe de l'âge d'or occupe une grande place dans la partie du *Roman de la Rose* de Jean de Meun qui en fait un tableau idyllique (dans le discours d'Ami, *op. cit.*, v. 8358 *sq.*, p. 457-461 ; puis v. 9497 sq, p. 513-521 ; et dans le discours de Genius, v. 20119 *sq.*, p. 1043, où il cite les *Géorgiques* de Virgile). Sans remonter jusqu'à Hésiode, on le trouve notamment dans les *Géorgiques* et l'une des *Bucoliques* (IV) de Virgile, dans la satire VI de Juvénal, ainsi qu'au début des *Métamorphoses* d'Ovide, repris au début de l'*Ovide moralisé*. Cette position de Christine de Pizan est peu commune en son temps ; voir R. Brown-Grant, *Christine de Pizan and the Moral Defence of Women*, p. 157-162.

[52ʳ] a souveraine largece, que ilz ont receu et reçoivent
d'elles. Or se taisent, or se taisent[1] d'or en avant, les clers
mesdisans de femmes, ceulx qui en ont parlé en blasme, et
qui en parlent en leurs livres et dictiés, et tous leurs
55   complisses et consorts, et baissent les yeulx de honte de ce
que tant en ont osé dire, considerant la verité, qui contredit
a leurs dis, voiant ceste noble dame Carmentis, laquelle,
par la haultece de son entendement, les a apris comme leur
maistresce a l'escolle, ce ne peuent ilz nyer, la lesçon de
60   laquelle savoir se tiennent tant haultains et honnourez,
c'est assavoir les nobles lettres du latin!

       ¶Mais que diront les nobles et les chevaliers dont tant y
a, et c'est chose contre droit, qui[2] mesdient si generaument
de toutes femmes? Refraignent leurs bouches d'or en
65   avant, avisant que le usaige des armes porter, faire
batailles et combatre en ordonnance, duquel mestier tant
s'alosent et tiennent grans, leur est venu et donné d'une
femme. Et generaument, tous hommes qui vivent de pain
et qui civilement vivent es citez par ordre de droit, et aussi,
70   ceulx qui coultivent les gaangnages, ont ilz cause de
blasmer[3] tant femmes, comme plusieurs de eulx font,
pensant ces grans benefices? Certes non. Et que par
femmes, c'est assavoir Minerve, Cerés et Ysis, leur sont
venus tant de pourfis, desquelz benefices ont leur vie a
75   honneur, et s'en vivent et viveront a tousjours, sont ce
choses a peser. Sans faille, Dame, il me semble que la
doctrine d'Aristote, qui moult a proufité a l'engin humain
et dont on tient si grant compte et a bon droit, ne de tous
les autres philosophes qui oncques furent, n'est [52ᵛ] point
80   de pareil prouffit ou siecle comme ont esté et sont les
oeuvres faites par le savoir desdites dames.»

       Et elle a moy dist : «Certes ne furent pas seules, ains en
y ot des autres maintes, dont d'aucunes te dirai.»

---

[1] *Pas de répétition dans B.*

[2] qu'ilz ; *corr. d'après B, D, R.*

[3] *B, D, R* : blasmer et debouter

vraiment comblés de biens qu'ils ont reçus d'elles, et continuent à recevoir. Qu'ils se taisent donc, qu'ils se taisent dorénavant, les clercs qui médisent des femmes, ceux qui en ont dit et qui en disent encore du mal dans leurs livres et dans leurs poèmes, ainsi que tous leurs complices et alliés! Qu'ils baissent les yeux de honte de tout ce qu'ils ont osé dire, en considérant la vérité, qui est contraire à leurs affirmations! On le voit par cette noble dame Carmenta, qui par sa haute intelligence a été pour eux comme une maîtresse d'école puisqu'elle leur a enseigné - cela, ils ne peuvent pas le nier - la science dont ils s'honorent tant et s'enorgueillis-sent, à savoir les nobles lettres latines.

Mais que diront les nobles et les chevaliers, qui sont si nombreux à médire de toutes les femmes en général, ce qui est contraire à la justice? Qu'ils tiennent leur langue dorénavant, considérant que l'habitude de porter des armes, de livrer des batailles et de combattre en bon ordre, ce métier des armes dont ils sont si fiers et dont ils tirent tant de gloire, tout cela leur est venu et leur a été donné par une femme. Et d'une manière générale, tous les hommes qui vivent de pain et qui vivent en citoyens dans les villes conformément au droit, et aussi ceux qui cultivent la terre, ont-ils des raisons de tant blâmer les femmes, comme le font beaucoup d'entre eux, si l'on pense à ces grands bénéfices? Certes non. Le fait que c'est par des femmes, à savoir Minerve, Cérès et Isis, que leur sont venues tant de choses profitables qui leur permettent de mener une vie digne, des choses qui les font vivre et les feront toujours vivre, est certainement une chose qui mérite d'être prise en considération. Assurément, ma Dame, il me semble que ni la pensée d'Aristote, qui a pourtant été d'un si grand profit pour l'intelligence humaine et dont on fait tant de cas, et à juste titre, ni celles de tous les autres philosophes qui ont jamais existé, n'ont apporté autant de bénéfices au monde que ne l'ont fait et ne le font encore les activités créées grâce à la science de ces femmes.»

Et elle me répondit: «En vérité, elles ne furent pas les seules; il y en eut bien d'autres, et je vais te parler de quelques-unes d'entre elles.»

Cy dit de la pucelle Arenie qui trouva l'art de taindre les laines et faire les draps ouvrés que on dit de haulte lice, et aussi trouva l'art de cultiver le lin et faire toilles[1]. XXXIX.

1   «Non[2] mie voirement sans plus par icelles dames a Dieux voulu pourveoir au monde de plusieurs choses convenables et neccessaires, mais semblablement par maintes autres, si comme par une pucelle de la terre

5   d'Aise qui fu nommee Arenie, fille de Ydomette Tholophone, laquelle de merveilleuse soubtiveté et engin estoit, et tant se soubtiva qu'elle fu la premiere qui trouva l'art de taindre laines en diverses couleurs, et a tisir ouvrages en draps si comme font paintres, en la maniere

10   que nous dirions ces draps de haulte lice. Et en tout fait de tisserie fu de mervilleuse soubtiveté; et fu celle dont la fable dit qu'elle estriva a Pallas, qui la mua en yraigne.

    ¶Aultre science plus neccessaire trouva ceste femme, car ce fu celle qui premierement trouva la maniere du lin et

15   chanvre coultiver et ordonner, rouir, teiller, cerancer et filler a la quenoille, et faire toilles, laquel chose me semble a esté assez neccessaire au monde, quoy que l'excercite en soit par plusieurs hommes reprouchié aux femmes. Ceste Arenie aussi trouva l'art de faire roys, las et fillez a

20   prendre oiseaux et les poissons, et trouva l'art de pescherie,

---

[1] et faire toile *manque dans B.*

[2] N *orné sur 2 lignes.*

39. Où l'on parle de la jeune Arachné, qui inventa les techniques permettant de teindre la laine et d'exécuter les tapisseries de haute lice, ainsi que l'art de cultiver le lin et d'en faire des tissus

« En vérité, ce n'est pas seulement par ces quelques femmes que Dieu a voulu fournir au monde de nombreuses choses profitables et nécessaires, mais par beaucoup d'autres également, comme par exemple une jeune fille d'Asie nommée Arachné, fille d'Idmon de Colophon[1]. Elle était d'une intelligence et d'une subtilité extraordinaires. Elle fit preuve de tant d'ingéniosité qu'elle fut la première à découvrir l'art de teindre la laine de diverses couleurs et de tisser des œuvres à la manière des peintres dans des étoffes, selon la technique que nous appelons la tapisserie de haute lice. Et pour tout ce qui concerne le tissage, elle était d'une habileté extraordinaire. C'est d'elle qu'il est dit dans le mythe qu'elle voulut rivaliser avec Pallas et que celle-ci la transforma en araignée.

Cette même femme inventa un savoir-faire encore plus nécessaire, car elle fut la première à trouver comment cultiver le lin et le chanvre, les préparer, les rouir, les teiller, les sérancer[2], et aussi, comment filer la quenouille et tisser, activités qui, à ce qu'il me semble, ont été particulièrement nécessaires à l'humanité, bien qu'un certain nombre d'hommes reprochent aux femmes de les pratiquer. C'est aussi cette Arachné qui découvrit l'art de fabriquer rets, lacets et filets pour prendre les oiseaux et

---

[1] Sur l'histoire d'Arachné, voir Ovide, *Métamorphoses* (VI, 133) et l'*Ovide moralisé* (VI, v. 1-972, t. II, p. 291-311) ; *Cleres femmes* (XIX, t. I, p. 63). Christine lui emprunte notamment le nom de son père, qui ne figure pas chez Ovide : « Ydomené, de qui le surnom estoit Colophone », qu'elle déforme en « Ydomette Tholophone ». Mais là encore, Christine supprime tous les détails qui pourraient dévaloriser son personnage, notamment son suicide par pendaison, ainsi que le discours moralisateur de Boccace condamnant la prétention d'Arachné qui a voulu rivaliser avec Pallas. En faire la créatrice des tapisseries de haute lice contribue également à rehausser ce personnage, qui devient ainsi une véritable artiste. Dans *Othea* (LXIV, p. 289-290), Christine retient l'affrontement avec Pallas pour condamner la vantardise chez le bon chevalier. Voir R. Blumenfeld-Kosinki, *Reading Myth : Classical Mythology and Its Interpretations in Medieval French Literature*, Stanford, Stanford University Press, 1997, p. 208.

[2] Christine utilise ici des termes techniques qui existent encore aujourd'hui : rouir, c'est isoler les fibres textiles (du lin, du chanvre) par une macération dans l'eau ; teiller, c'est débarrasser le lin ou le chanvre de la teille ou de la partie ligneuse de la fibre ; les sérancer, c'est les peigner.

et de prendre et decepvoir les fortes et cruelles bestes
sauvaiges [53ʳ] par fillez et rois, et les connins et lievres, et
aussi les oyseaulx, dont par avant riens ne savoient. Si ne
fist pas en ce, comme il me semble, ceste femme petit
25   service ou monde, qui depuis en a eu et a maint aise et maint
profit, non obstant que plusieurs aucteurs, et meismement
cellui pouete Bocace qui racompte ces dites choses, ont dit
que le siecle valoit mieux quant la gent ne vivoient fors de
cenelles et de glans, et ne vestoient fors les peaux des bestes,
30   que il n'a fait depuis que les choses a plus delicativement
vivre leur ont esté enseigniés. Mais sauve sa grace, et de
tous ceulx qui vouldroient dire que prejudice soit ou monde
que telles choses pour l'aise et nourissement du corps
humain feussent trouvees, je dis que de tant que creature
35   humaine reçoit plus de biens, de graces et de grans dons de
Dieu, tant plus est tenue de le mieux servir, et que se elle use
mal des biens que son Createur lui a premis et ottroiés a en
user bien et convenablement et que pour usaige d'omme et
de femme fist, que ce vient de la mauvaistié et perversité de
40   ceulx qui mal en usent, et non pas que les choses de soy ne
soient tres bonnes et prouffitables a en avoir l'usaige et a
s'en aidier licitement. Et Jhesucrist en sa personne lui
meismes le nous monstra, car il usa de pain, de vin, de char,
de poisson, de robe de couleur, de linge, et de tous si fais
45   neccessaires, laquel chose n'eust point fait se mieux feust
user de glans et de cenelles; et grant honneur fist a la
science que Cerés trouva, c'est assavoir au pain, quant il lui
plot donner a homme et femme son digne corps soubz
l'espece de pain et que ilz en usassent.»

[53ᵛ] Cy dit de Pauphile qui trouva l'art de traire la soie des vers et de la taindre[1] a faire dras de soie .XL.

1   «**De**[2] sciences trouvees par femmes bonnes et convenables et proufitables, entre les autres ne fait mie a oublier
celle que trouva la noble Paufille, qui fu du païs de Grece.
Ceste dame fu de tres soubtil engin en divers ouvrages, et

---

[1] *B* : taindre en plusieurs couleurs

[2] D *orné sur 3 lignes.*

les poissons, et qui inventa ainsi l'art de la pêche, et la manière de prendre au piège par la ruse le gros gibier féroce et sauvage à l'aide de rets et de filets, de même que les lapins, les lièvres et les oiseaux, techniques inconnues jusqu'alors. Ce ne fut pas là, à ce qu'il me semble, un petit service que cette femme rendit à l'humanité, qui en a tiré par la suite et jusqu'à nos jours beaucoup de bien-être et de profit. Et pourtant plusieurs auteurs, notamment le poète Boccace qui rapporte ces faits, ont dit que le monde était meilleur quand les gens ne vivaient que de baies et de glands et ne se vêtaient que de peaux de bêtes qu'il ne le fut après qu'on leur eut enseigné des manières de vivre plus raffinées. Mais sauf le respect que je lui dois, ainsi qu'à tous ceux qui voudraient dire que toutes ces inventions pour améliorer le bien-être et la nourriture du corps ont été préjudiciables à l'humanité, je dis quant à moi que plus la créature humaine reçoit de biens, de grâces et de grands dons de Dieu, plus elle est tenue de mieux le servir; et que si elle utilise mal les biens que son Créateur lui a consentis et octroyés pour qu'elle en fasse usage de manière bonne et convenable, et qu'il a faits pour les hommes et pour les femmes, cela vient de la méchanceté et de la perversité de ceux qui en usent mal. Cela ne veut pas dire que les choses ne soient pas en elles-mêmes très bonnes et très profitables, à condition de les utiliser et de s'en servir de manière légitime. Jésus-Christ lui-même nous en donna l'exemple : il fit usage de pain, de vin, de viande, de poisson, de vêtements colorés, de linge et de toutes ces choses de première nécessité, ce qu'il n'eût pas fait s'il eût été préférable de n'utiliser que des glands et des baies ; et ce fut un grand honneur qu'il rendit à l'invention de Cérès, c'est-à-dire au pain, quand il lui plut de donner aux hommes et aux femmes, pour qu'ils s'en nourrissent, son noble corps sous l'espèce du pain. »

40. Où l'on parle de Pamphile, qui inventa l'art de recueillir la soie produite par les vers, de la teindre et de fabriquer des étoffes de soie

« Parmi toutes les bonnes, utiles et profitables techniques inventées par des femmes, il ne faut pas oublier celle que découvrit la noble Pamphile, du pays de Grèce. Cette dame était d'une grande et subtile ingéniosité dans diverses activités, et elle prenait

5   tant se delicta a investiguer et encerchier choses estranges
       qu'elle fu la premiere qui trouva toute l'art de soie. Car si
       comme elle fust moult speculative et ymaginative, elle
       avisa les vers qui font la soie naturellement sur les
       branches des arbres ou païs ou elle estoit; si prist des
10   bocetes que ces vers avoient faites qu'elle vit moult belles,
       et prist les filles de plusieurs ensemble a assembler, puis
       esprouva se belle tainture en diverses couleurs prendroit
       cellui fil. Et quant elle ot tout ce essayé, veü que belle
       chose estoit, elle se prist a faire et a tissir les draps de soie,
15   pour laquel chose de la science de celle femme est venu
       grant beauté et proufit ou monde, monteplié en toutes
       terres; car Dieux en est honnourez et servis en plusieurs
       paremens, et en sont fais les nobles robes et paremens des
       prelas au divin office, et aussi des empereurs, et des roys et
20   princes, et meismement au peuple d'aucune terre qui n'use
       d'autres vestemens, pour ce qu'ilz n'ont nulles laines et
       ont foison vers. »

       **Cy dit de Thamar qui fu souveraine[1] maistresse en l'art
       de painterie, et d'une autre semblablement qui fu
       nommee Yrane, et de Marcia la Romaine .XLI.**

1   « Que[2] veulx tu que je die se nature de femme est
       habille et pronte [54ʳ] a aprendre les sciences speculatives,
       et aussi a le trouver, et semblablement les ars manuelles?
       Je te promés que aussi est elle tres propre et tres soubtive a
5   les excecuter et mettre a oeuvre tres soubtivement quant
       aprises les a, si qu'il est escript d'une femme qui ot nom
       Thamar, qui fu de si grant soubtiveté en l'art et science de
       painterie qu'elle en estoit en son vivant la souveraine que
       on sceust. Ceste, ce dist Bocace, fu fille de Nicon, paintre,
10   et fu ou temps de la nonentieme Olimpe. Olympe estoit un

---

[1] *B* : soubtive

[2] Q *orné sur 3 lignes.*

tant de plaisir à faire des recherches sur des choses inconnues qu'elle fut la première à inventer tout l'art de la soie. Car comme elle était douée d'une grande capacité de réflexion et d'une grande imagination, elle remarqua les vers qui font naturellement de la soie sur les branches des arbres du pays où elle vivait ; elle prit des cocons fabriqués par ces vers, qu'elle trouvait très beaux, et commença à assembler les fils de plusieurs d'entre eux, puis elle essaya diverses teintures pour voir si ce fil prendrait de belles couleurs. Et quand elle eut fait toutes ces expériences, voyant que c'était très beau, elle commença à tisser et à fabriquer des étoffes de soie. C'est ainsi que la science de cette femme a apporté au monde une grande beauté et un grand profit, qui se sont répandus dans tous les pays, car on l'utilise pour honorer et servir Dieu sous la forme de nombreux ornements sacerdotaux ; on s'en sert pour faire les nobles vêtements et les ornements des prélats lors de l'office divin, mais aussi pour ceux des empereurs, des rois et des princes, et même pour les vêtements du peuple de certains pays qui n'en utilisent pas d'autres, parce qu'ils n'ont pas de laine mais qu'ils ont des vers à soie en quantité[1]. »

41. Où l'on parle de Timarète, qui fut une maîtresse incontestée dans l'art de la peinture, d'une autre peintre nommée Irène, et de Marcia la Romaine

« Que pourrais-je te dire de plus sur cette question de savoir si la nature féminine est habile et prompte à apprendre les sciences spéculatives, et même à les inventer ? Et qu'en est-il des arts manuels ? Je t'assure que les femmes y sont également très aptes, qu'elles font preuve d'une grande subtilité dans leur exécution et dans leur mise en œuvre une fois qu'elles les ont appris. C'est ce qui est écrit au sujet d'une femme nommée Timarète, qui avait un si grand talent dans l'art et la technique de la peinture qu'elle était considérée de son vivant comme la plus grande artiste connue. Selon ce que dit Boccace, elle était la fille du peintre Micon et était née au temps de la quatre-vingt-dixième Olympiade. L'Olympiade

---

[1] Christine est très fidèle au chapitre XLIV des *Cleres femmes* (t. I, p. 149-150). Pamphile, fille de Platès, est citée par Aristote dans son *Histoire des animaux* (éd. P. Louis, Paris, Les Belles lettres, 1968, t. II, livre V, 19, p. 40-41) comme la première femme à avoir tissé de la soie.

jour d'une sollempnité ainsi appellé, en laquelle on faisoit
divers jeux; et cellui qui gaangnoit, on lui ottroioit ce qu'il
demandoit qui fust chose raisonnable. Laquelle feste et jeux
se faisoient en l'onneur du dieu Jupiter, et estoit celebree de
15   VI ans en VI ans, quatre ans frans entre deux. Et ordonna
ceste feste premierement Hercules; et du premier commencement qu'elle fu instituee faisoient leur datte, ainsi que
font les Crestiens de l'incarnacion de Jhesucrist.

Ceste Thamar, toutes communes oeuvres de femmes
20   laissiés par soubtiveté d'engin, suivi l'art de son pere, dont
ou temps que raignoit Archelaon sur les Macedonois elle
eut singuliere louenge, en tant que ceulx de la contree de
Euphese, qui aouroient la deesse Diane, firent par grant
cure paindre a ceste Thamar en un thablel[1] l'image de leur
25   deesse, lequel il garderent aprés tres lonc temps en grant
digneté, comme chose faite par souveraine excellence et
soubtiveté. Ne moustroient cel ymaige fors a la feste et
sollempnité de la deesse. Laquelle painture, comme elle
durast par tres grant aage, porta si tres grant tesmoing de la
30   soubtiveté de ceste femme que jusques au jour d'ui est
faite [54ᵛ] mencion de son engin.

¶En ceste science de painterie fu autresi souverainement
aprise une autre femme meismement de Grece, laquelle fu
nommee Yrane, qu'elle passa tous ceulx du monde en son
35   temps. Ceste fu disciple d'un paintre appellé Cracin, qui
estoit souverain ouvrier, mais celle fu tant soubtive et tant
aprist de sa science qu'elle passa et exceda son maistre
merveilleusement, laquelle chose tourna a la gent de lors a si
grant merveille que pour memoire d'elle firent faire son
40   ymage, qui estoit comme une pucelle qui paignoit, et l'assi-
rent par honneur entre les ymaiges des souverains ouvriers
de certains ouvraiges qui avoient esté devant elle. Car tel
coustume avoient les Anciens que ilz honnoroient tant ceulx
qui passoient les autres en aucune excellence, feust de
45   savoir ou de force ou de beauté ou d'autre grace, que pour
faire leur memoire perpetuelle au monde, ilz faisoient
mettre leurs ymaiges en hauls et honnorables lieux.

---

[1] *R*: tablet

était un jour de fête solennelle lors duquel on pratiquait plusieurs jeux ; à celui qui gagnait, on accordait ce qu'il demandait, dans les limites du raisonnable. Cette fête et ces jeux étaient donnés en l'honneur du dieu Jupiter, et étaient célébrés tous les six ans, avec quatre années entières entre deux célébrations. Cette fête avait été instituée pour la première fois par Hercule ; et cette date marquait le début de leur calendrier, comme pour les Chrétiens l'Incarnation de Jésus-Christ.

Cette Timarète, dans sa grande subtilité d'esprit, abandonna toutes les occupations ordinaires des femmes pour se consacrer à l'art de son père. C'était au temps où Archélaos régnait sur les Macédoniens, et elle acquit une renommée si exceptionnelle que les Éphésiens, qui adoraient la déesse Diane, demandèrent à Timarète de peindre avec le plus grand soin l'image de leur déesse sur un tableau qu'ils conservèrent ensuite très longtemps avec grand respect, le considérant comme un chef-d'œuvre d'excellence et d'habileté. Ils ne le montraient que lors de la fête solennelle de la déesse. Ce tableau subsista très longtemps, gardant ainsi le témoignage de l'habileté de cette femme, au point que l'on parle encore aujourd'hui de son talent.

Une autre femme, également originaire de Grèce, nommée Irène, maîtrisa de façon si souveraine l'art de la peinture qu'elle surpassa en son temps tous les peintres du monde. Elle était l'élève d'un peintre appelé Cratinus, qui était un artiste d'un talent supérieur, mais elle était si habile et apprit si bien de lui cet art qu'elle surpassa de très loin son maître, ce qui parut si extraordinaire aux gens de son époque qu'ils firent faire sa statue pour conserver sa mémoire ; elle représentait une jeune fille en train de peindre, et ils la mirent à une place d'honneur parmi les statues d'autres artistes qui avaient accompli des chefs-d'œuvre avant elle. Car telle était la coutume chez les Anciens : ils honoraient tant ceux qui surpassaient les autres en excellence dans quelque domaine que ce soit, par le savoir, la force ou la beauté, ou par quelque autre qualité, que pour en garder perpétuellement la mémoire, ils plaçaient leurs statues dans des lieux élevés et honorables.

¶Marcia la Rommaine, qui fu vierge de moult grant
vertu en noble vie et en meurs, comment autresi fut elle de
50   noble engin en l'art de painterie! Ceste par si grant art en
ouvra et si magistraument qu'elle en passoit tous hommes,
et maismement Gays et Spolin, qui estoient reputez les
souverains paintres du monde en leur temps. A tout dire,
55   elle surmonta et ataigni le comple de tout quanque on puet
savoir de celle science, selon ce que disoient les maistres.
Ceste Marcia, affin que memoire demourast de sa science
aprés elle, entre ses notables oeuvres, fist une table par
grant art, ou elle paigni sa figure en se regardant en un
60   mirouer, si proprement que tout [55ʳ] homme qui la veoit
la jugoit estre vive; laquelle table fu puis longtemps tres
souverainement gardee et monstree aux ouvriers comme
un tresor de sollempnité.»

¶Lors dis a elle: «Dame, par ces exemples peut estre
65   apperceu qu'anciennement, moult estoient plus honnourez
les sages que or ne sont, et en plus grant pris les sciences
tenues. Mais a propos de ce que vous dites de femmes
expertes en la science de painterie, je congnois au jour d'ui
une femme que on appelle Anastaise, qui tant est experte et
70   apprise a fere vigneteures d'enlumineure en livres et
champaignes d'istoires qu'il n'est mencion d'ouvrier en la
ville de Paris, ou sont les meilleurs du monde[1], qui point
l'en passe ne qui aussi doulcement face fleureteure et

---

[1] *B, D, R*: les souverains du monde

Et Marcia la Romaine, jeune fille de grand mérite par sa digne vie et ses mœurs, comme elle fut elle aussi douée d'un remarquable talent dans l'art de la peinture ! Elle y travailla avec un si grand art et de façon si magistrale qu'elle y dépassait tous les hommes, même Dionysius et Sopolis[1], pourtant réputés en leur temps les plus grands peintres du monde. Pour tout dire, si l'on en croit les maîtres, elle atteignit et même dépassa le sommet de tout ce que l'on pouvait savoir de cette science. Parmi ses œuvres les plus remarquables, afin que l'on se souvienne de son art après elle, elle peignit avec une très grande habileté, en se regardant dans un miroir, un tableau où elle se représenta elle-même de façon si exacte que tout homme qui le voyait pensait la voir vivante ; ce tableau fut par la suite conservé avec les plus grands soins et on le montrait aux artistes comme un trésor important[2]. »

Alors je lui dis : « Ma Dame, on peut voir par ces exemples qu'aux temps anciens, les savants étaient beaucoup plus honorés qu'ils ne le sont aujourd'hui, et que les arts et les sciences étaient tenus en plus haute estime. Mais à propos de ce que vous dites de femmes expertes dans l'art de la peinture, j'en connais une aujourd'hui appelée Anastaise, qui est si experte et habile à réaliser des rinceaux de vigne enluminés dans les livres et les fonds ornés des miniatures, qu'on ne connaît à Paris, où sont les meilleurs enlumineurs du monde, aucun qui la surpasse ni qui fasse plus délicatement qu'elle le décor floral et les filigranes et

---

[1] Dans le texte latin de Boccace, on trouve la forme correcte de ces noms : *Sopolini* et *Dionisius*, *Degnis et Spolin* dans l'édition des *Cleres femmes* que nous citons (t. II, p. 46).

[2] Si le texte de Christine est très proche de celui des *Cleres femmes* en ce qui concerne Timarète (LVI, t. II, p. 13-14), il résume les chapitres consacrés à Irène et à Marcia (LIX et LXVI, t. II, p. 27 et 46-47). Pline l'Ancien consacre le livre XXXV de son *Histoire naturelle* aux peintres, avec deux paragraphes concernant les femmes peintres (*Histoire naturelle*, éd. et trad. S. Schmitt, Paris, Gallimard, 2013, « Des femmes ont peint également », p. 1627). Il cite Timarète (Timarétè) et Irène (Eirénè) en vantant leurs œuvres, la Diane d'Éphèse et la jeune fille d'Éleusis. Voir aussi M. Muller-Dufeu, *Créer du vivant : sculpteurs et artistes dans l'antiquité grecque*, Villeneuve d'Ascq, Presses Universitaires du Septentrion, 2011, p. 173. Les mérites de Marcia sont attribués par Pline à Iaia de Cyrique, qui vécut à Rome et s'illustra par des portraits qui dépassèrent ceux de Sopolis et de Dionysius, et par un autoportrait qu'on pouvait, d'après l'écrivain latin, admirer à Naples. Dans la traduction de Boccace (*Cleres femmes*, LIX, t. II, p. 27), Irène est nommée « Yrene, femme de Cratin ».

75 menu ouvraige comme elle feroit[1], ne de qui on ait plus
cher la besongne, tant soit le livre riche ou chier que on a
d'elle, qui finer en puet. Et ce sçay je par experience, car
pour moy meismes a ouvré aucunes choses qui sont tenues
singulieres entre les vignettes des autres grans ouvriers. »

Responce : « De ce te croy je bien, chiere fille. Assez
80 de femmes soubtilles trouveroit on par le monde, qui
cercher les vouldroit. Et encore a ce propos te dirai d'une
femme rommaine. »

Cy dit de Sampronie de Romme .XLII.

1 « Ceste[2] Sampronie, qui fu de Romme, fu femme de
moult grant beauté, mais non obstant que la fourme de son
corps et de son viaire passa en son temps si comme toutes
femmes en beauté, encore plus passa et exceda l'excel-
5 lence de la soubtilleté de son engin, lequel elle ot si tres
grant qu'il n'estoit chose, tant feust soubtille, fust en
parolle ou en oeuvre, que tantost ne retenist si entierement
qu'elle n'y failloit point. Si faisoit tout [55ᵛ] quanque elle
vouloit de l'abileté de son corps et repetoit tout quanque
10 elle ouoit dire, ja si grant enaracion ne feust. Ceste ne
savoit pas tant seulement lettres latines, mais les grecques
entierement, et les escripsoit si tres ingignieusement que
grant admiracion estoit du veoir.

Item, de parole, de faconde et de maniere si belle, si
15 avenante et tant propice, que par ses parolles et manieres
elle savoit attraire toute personne a ce qu'elle vouloit, car

---

[1] *B, D, R* : que elle fait
[2] *C orné sur 2 lignes.*

dont le travail soit plus apprécié[1], quelle que soit la valeur ou le prix du livre qu'on lui demande d'enluminer, pour qui en a les moyens. Et je sais cela d'expérience car elle a réalisé pour moi-même des rinceaux de vigne qui passent pour remarquables parmi ceux des meilleurs enlumineurs[2]. »

Elle me répondit : « Je veux bien t'en croire, ma chère fille. On trouverait bien des femmes pleines de subtilité dans le monde, si l'on se donnait la peine de chercher. Et toujours sur le même sujet, je vais te parler d'une Romaine. »

42. Où l'on parle de Sempronie la Romaine

« Cette Sempronie, originaire de Rome, était une femme d'une très grande beauté ; mais bien qu'elle surpassât en son temps toutes les autres femmes par la beauté de son corps et de son visage, elle les dépassait plus encore par l'excellence et par la subtilité de son intelligence, qui était si grande qu'il n'y avait rien de si subtil, qu'il s'agisse de paroles ou de faits, qu'elle ne fût capable de retenir aussitôt, sans rien oublier. Elle faisait tout ce qu'elle voulait grâce à ses capacités et était capable de répéter tout ce qu'elle entendait dire, fût-ce le plus long récit. Elle ne connaissait pas seulement le latin, mais elle connaissait aussi parfaitement le grec, et l'écrivait avec tant d'habileté que c'était tout à fait admirable à voir.

De plus, sa façon de parler, son élocution et ses façons étaient si belles, si plaisantes, si bien appropriées que par ses paroles et son attitude elle savait amener tout un chacun à faire ce qu'elle

---

[1] Nous proposons de distinguer ici dans la traduction les deux sens de l'adjectif *cher/chier* : ici, au sens figuré, « apprécié » (« tenir/avoir cher » : considérer comme précieux, apprécier) ; juste après, *chier* a son sens premier : « coûteux, onéreux, dont le prix est élevé » (nous nous écartons sur ce point minime de la traduction proposée par I. Villela-Petit, voir note suivante).

[2] Pour ce passage sur l'art d'Anastaise, nous reprenons pour l'essentiel la traduction proposée par I. Villela-Petit qui a élucidé le sens précis des termes techniques employés ici, soulignant à quel point « Christine en employant ces termes fait preuve de connaissances précises en la matière ». I. Villela-Petit, « À la recherche d'Anastaise », *Cahiers de recherches médiévales*, n° 16, 2008, p. 301-316. Elle explique aussi quel était le métier d'Anastaise, qui « appartient au métier spécialisé des enlumineurs ornemanistes, le domaine de son art étant la vigneture, c'est-à-dire les rinceaux des bordures, sans doute aussi les filigranes, et le cas échéant, le champ ou fond décoratif des images peintes ».

se a jeu vouloit esmouvoir, ja ne feust personne si triste
que elle ne esmeust et provocast a soulas et joie, et se elle
voloit, a yre ou a plourer et a tristece semblablement y
sceust esmouvoir tout homme ; ou a hardiece ou a aucun
fait de force ou d'autre chose emprendre pouoir condes-
cendre, se elle vouloit, tous ceulx qui parler l'ouoient. Et
avec ce, tant estoit sa maniere de parler et le maintien de
son corps plain de courtoisie et de doulceur que on ne se
pouoit saouler de la regarder et ouïr parler[1]. Elle chantoit
melodieusement et par grant art, jouoit de tous instrumens
de touche[2] souverainement, et a tous jeux vainquoit. Et, a
brief dire, a toutes choses faire qu'engin humain puist
comprendre, elle estoit tres abille et inginieuse. »

Cy demande[3] Cristine a Raison se en naturel sens de femme a prudence, et la responce que Raison lui fait .XLIII.

Je[4], Cristine, encores dis a elle : « Dame, vraiement, je
voy bien que c'est voir que Dieux – il en soit loez – a
donné a entendement de femme assez apprehenssive de
toutes choses entendibles concevoir, congnoistre et retenir.
Mais pour ce que on voit assez de gens qui ont l'engin

---

[1] *B, D, R* : et ouïr
[2] *R* : de bouche
[3] *R* : Demande Cristine
[4] I *orné sur 3 lignes.*

voulait. Car si elle voulait qu'on s'amuse, il n'y avait personne de si triste qu'elle ne pût le réconforter et l'amener à la joie ; mais si elle le voulait, elle pouvait tout aussi bien amener n'importe qui au chagrin, aux larmes et à la tristesse ; elle pouvait encore, si elle le voulait, amener tous ceux qui l'entendaient parler à la hardiesse, les engager à entreprendre quelque action par la force ou d'autre manière. Avec tout cela, sa façon de parler et de se tenir était si courtoise et si douce qu'on ne pouvait se lasser de la regarder et de l'écouter parler. Elle chantait fort bien et d'une voix mélodieuse, jouait merveilleusement bien de tous les instruments à cordes et gagnait toutes les compétitions. Bref, elle était très habile et ingénieuse dans toutes les activités qu'une intelligence humaine puisse comprendre[1]. »

43. Où Christine demande à Raison si l'esprit féminin est naturellement doué de discernement[2], et la réponse de Raison

Et moi, Christine, je lui dis encore : « Ma Dame, en vérité, je vois bien qu'il est vrai que Dieu - loué en soit-il ! - a donné à l'intelligence des femmes la faculté de saisir tout ce qui peut être compris pour leur permettre de concevoir, de connaître et de retenir toutes ces choses. Cependant on voit beaucoup de gens

---

[1] Christine ne garde du chapitre LXXIX des *Cleres femmes* (t. II, p. 86-89) que les dons extraordinaires du personnage, elle laisse de côté les vices qui occupent la majeure partie du passage original : la luxure et la cupidité, qui donnent lieu à une longue condamnation de la part de Boccace. Il y a deux *Sempronia* dans le texte de Boccace, qui leur consacre deux chapitres assez proches (ch. LXXVI, « Sempronia fille de Gracchus », et ch. LXXIX, « Sempronia, femme romaine »), repris tous les deux dans les *Cleres femmes* (t. II, p. 76-78 et p. 86-89, ce chapitre LXXIX étant intitulé dans le manuscrit « De Sempronie .IIe. ». Si la première est bien identifiée (fille de Gracchus et femme de Scipion Emilien, 185-129 av. J.-C.), pour la seconde, dont il est question ici, il est précisé au début du chapitre qu'il s'agit d'une autre Sempronie, qu'elle était de noble lignage mais que l'auteur ne connaît pas le nom de son mari ni celui de sa famille. Il dit à la fin du chapitre qu'elle vivait au temps de Cicéron et a participé à la conjuration de Catilina (63-62 av. J.-C.).

[2] C'est par ce terme que nous avons choisi de traduire le mot *prudence*, employé à plusieurs reprises dans ce chapitre. Parmi les nombreuses acceptions du mot en ancien français, il nous semble le mieux adapté dans ce contexte (voir en particulier le début de la réponse de Raison). É. Hicks et T. Moreau utilisent alternativement « discernement » et « jugement ». Il nous a paru préférable de conserver autant que possible le même terme, comme dans le texte original.

moult soubtil en sentement et entendement de tout[1] ce que
on leur [56ʳ] veult moustrer, et sont si inginieux et promps
a concepvoir toutes choses qu'il n'est science qui ne leur
soit apperte, tant que pour frequenter l'estude acquierent
10　　tres grant clergie, et toutevoies a maint en y a, meismes des
plus reputez, grans clers et plains de science, voit on[2]
aucune fois assez petite prudence en meurs et en gouvernement mondain – dont j'ai grant merveille, car n'est point
de doubte que les sciences introduisent et apprennent les
15　　meurs –, si saroie voulentiers de vous, Dame, s'il vous
plaisoit, se en entendement de femme, qui assez est, si
comme il me semble par vous prouvez et ce que je voi[3],
comprennent et retentif es choses soubtilles, tant en
sciences comme en autres choses, est autresi pront et abille
20　　es choses que prudence enseigne ; c'est assavoir, qu'elles
aient advis sur ce qui est le meilleur affaire, et a ce qui doit
estre laissié, souvenance des choses passees, par quoy plus
soient expertes par l'exemple que elles ont veü, saiges ou
gouvernement des choses presentes, qu'elles aient
25　　pourveance sur celles a avenir. Ces choses, comme il me
semble, enseigne prudence. »

　　Responce : « Tu dis voir, fille, mais ycelle prudence
dont tu parles, saches qu'elle vient par nature a homme et
femme, aux uns plus, aux autres moins, et ne la donne mie
30　　science du tout, combien qu'elle la parface moult en ceulx
qui naturellement sont prudens. Car tu peux savoir que
deux forces ensemble sont plus poissantes et plus resis-
tantes que n'est chascune force a par soy. Et pour ce dis je
que personne qui par nature a prudence, que on appelle
35　　scens naturel, et avec ce science acquise, a celle personne
affiert los de grant reverence[4] ; mes tel a l'un, si comme
toy meismes as dit, qui n'a pas l'autre, car l'un est don de
Dieu par naturelle influence, et l'autre est acquis par lonc
estude. Si sont bons tous deux, mais [56ᵛ] aucuns plus tost

---

[1] B, D, R : et en entendre tout
[2] ont
[3] B, D, R : par voz preuves et ce que j'en voy
[4] B, D, R : de grant excellence

doués d'une intelligence très subtile pour percevoir et comprendre tout ce qu'on veut leur montrer, et qui sont si habiles et prompts à concevoir les choses qu'il n'est de science qui leur reste fermée, si bien qu'à force de s'appliquer à l'étude, ils deviennent de très grands savants ; toutefois chez nombre d'entre eux, même parmi les plus réputés, grands clercs de grand savoir, on constate certaines fois qu'ils n'ont guère de discernement pour ce qui est de leurs mœurs et de leur comportement dans la société, ce qui m'étonne profondément, car il ne fait aucun doute que les sciences forment les mœurs et apprennent à bien se conduire. C'est pourquoi je serais heureuse d'apprendre de vous, ma Dame, si vous le voulez bien, si l'intelligence des femmes, qui peut bien comprendre et retenir les choses les plus subtiles, dans les sciences comme dans d'autres domaines, comme vous l'avez bien prouvé à ce qu'il me semble, et comme je le vois, est également prompte et habile dans tout ce qui relève du discernement ; à savoir, si elles peuvent se former une opinion sur ce qu'il convient de faire et sur ce qu'il vaut mieux ne pas faire, se souvenir des choses passées pour s'instruire par l'expérience et être plus avisées dans la conduite des affaires présentes et plus prévoyantes pour l'avenir. C'est le discernement, me semble-t-il, qui permet tout cela.»

Elle me répondit : « Tu dis vrai, ma fille, mais ce discernement dont tu parles, sache que c'est un don naturel fait aux hommes et aux femmes, aux uns plus qu'à d'autres, et que le savoir ne peut absolument pas l'apporter, bien qu'il l'améliore beaucoup en ceux qui le possèdent naturellement, car comme tu le sais, deux forces associées sont plus puissantes et plus solides que ne l'est chacune d'elles à elle seule. C'est pourquoi je dis qu'une personne qui possède naturellement ce discernement que l'on appelle l'intelligence naturelle ou le bon sens, et qui, de plus, possède le savoir acquis, une telle personne mérite grande louange et grand respect. Mais comme tu l'as dit toi-même, certains possèdent l'un sans avoir l'autre, car le premier est un don naturel accordé par Dieu, tandis que l'autre est acquis par un long travail. Tous deux sont

40   esliroient scens naturel sans science acquise, que grant
       science acquise sans point de scens naturel[1]. Et toutevoies
       sur ceste proposicion peuent estre fondees maintes
       oppinions, desquelles peuent sourdre assez de questions.
       Car on pourroit dire que cellui bien fait plus a eslire qui
45   plus est valable ou proufit et utilité publique et commune.
       Et il est ainsi que les sciences savoir a singuliere personne
       proufite plus a tous par la demoustrance que il en fait aux
       autres, que ne feroit tout le scens naturel que il pourroit
       avoir, car cellui scens naturel ne peut durer que la vie
50   durant de la personne qui l'a, et quant elle meurt, son
       scens meurt avecques lui; mes les sciences acquises
       durent a perpetuité a ceulx qui les ont, c'est assavoir en
       loz, et profitent a maintes gens en tant que ilz les appren-
       gnent aux autres et en font livres pour ceulx advenir, si ne
55   meurt pas leur science avecques eulx, si que je te puis
       monstrer par exemple d'Aristote et des autres, par
       lesquelz les sciences furent baillies ou monde, que plus
       proufite ou siecle le savoir acquis d'iceulx que ne le fait
       toute la prudence sans science acquise de tous les
60   hommes passez et qui sont, non obstant que par la
       prudence de maint, plusieurs royaumes et empires ont
       esté bien gouvernez et adreciez; mais toutes icelles
       choses sont faillibles et s'en vont avec le temps, et la
       science tousjours dure.

65   ¶Mais icestes questions je lairay insolues, et a deter-
       miner a aultres, car elles ne affierent au propos du bastisse-
       ment de notre cité, et retournerai a la demande que tu m'as
       faitte, c'est assavoir se en femme a naturelle prudence; de
       laquelle chose je te respons que si. Et [ce] [57ʳ] pués tu
70   congnoistre desja par ce que devant te est dit, si comme tu
       pués veoir generaument ou gouvernement d'elles es
       offices qui a faire leur sont establis. Et y prens garde, se
       bon te semble: tu trouveras que de leur menage gouverner
       et pourveoir a toutes choses selons leur puissance sont
75   communement toutes, ou la plus grant partie, tres
       curieuses, songneuses et dilligentes, et tant que aucune

---

[1] *B, D, R*: a pou de scens

bons, mais d'aucuns préféreraient le bon sens sans savoir acquis, plutôt qu'un grand savoir acquis sans bon sens. Toutefois cette proposition peut susciter des opinions différentes qui soulèvent plusieurs questions. Car on pourrait dire qu'il est préférable de choisir une qualité qui est plus profitable et plus utile pour le bien commun et public. Et c'est un fait que la connaissance des sciences que peut avoir un individu singulier profite davantage à tous, par l'exposé qu'il peut en faire aux autres, que ne le ferait tout le bon sens qu'il pourrait avoir, car ce dernier ne dure qu'autant que la vie de la personne en question ; quand elle meurt, il meurt avec elle, alors que les sciences acquises durent toujours, pour ceux qui les possèdent, par la renommée qu'ils leur apportent, et elles profitent à beaucoup de gens puisqu'ils les apprennent aux autres et en font des livres pour ceux qui viendront après, de sorte que leur science ne meurt pas avec eux. Je peux te le montrer par l'exemple d'Aristote et des autres savants par lesquels les sciences ont été apportées au monde : le savoir acquis par ceux-là profite davantage à l'humanité que ne le fait tout le discernement sans savoir acquis de tous les hommes passés et présents, même si de nombreux royaumes et empires ont été bien gouvernés et dirigés grâce au discernement de quelques-uns. Mais toutes ces choses sont incertaines et passent avec le temps, alors que la science est éternelle.

Mais je laisse là ces questions non résolues - elles le seront par d'autres -, car elles n'ont pas trait à l'édification de notre cité. Je reviens à la question que tu m'as posée, à savoir si la femme est naturellement douée de discernement, et je te réponds que oui. Tu peux déjà le savoir par ce que je t'ai dit plus haut, et tu peux le voir, d'une façon générale, par la manière dont les femmes se conduisent dans les tâches qu'elles sont chargées d'accomplir. Prêtes-y attention, si tu le veux bien : tu constateras que pour ce qui est de conduire leur ménage et de s'occuper de tout selon leurs capacités, toutes les femmes, ou la plus grande partie d'entre elles, se montrent généralement très attentives, soigneuses et diligentes, au point que parfois certains maris

fois en anuie a aucuns de leur negheligens maris de ce que
il leur semble que trop les timonnent et sollicitent de faire
ce que a eulx appartient a pourveoir, et dient qu'elles
80   vuellent estre maistresses et plus saiges que eulx, et ainsi
revertissent en malice[1] ce que maintes leur dient en bonne
entencion. Et de ces prudentes femmes parle l'*Epistre
Salemon*, duquel la substance selon notre propos vuelt dire
ce qui s'ensuit.»

L'Epistre Salemon ou Livre des Proverbes .XLIV.

1   « Qui[2] trouvera femme forte, c'est a dire prudente, son
mari n'ara pas faute de tous biens. Elle est renommee par
tout païs, et son mari s'i fie, car elle lui rent tout bien et
toute prosperité en tout temps. Elle quiert et pourchace
5   laines, c'est a entendre ouvraiges pour embesongnier ses
maignies en aucunes oeuvres proufitables, garnist son
hostel, et elle meismes met la main a la besongne. Elle est
comme la nef du marchant qui aporte tous biens et
pourvoit de pain. Elle donne ses dons a ceulx qui le
10   vallent, et ceulx sont ses privez, et toute abondance de
viande sourdent meismes a ses servans[3]. Elle considere la
value du manoir ains[4] qu'elle l'achate; par l'ouvraige de
son scens elle a planté la vigne dont l'ostel est pourveu.
Elle a avironné ses rains de force en la cons[57ᵛ]tance de
15   solicitude, et ses bras sont endurcis en continuelle bonne
oeuvre. Et pour tant la lumiere de son labour ne serra ja
estainte, quelque temps tenebreux qu'il face. Elle s'enbe-
songne meismes es fortes choses, et avec ce ne desprise
pas les femenins ouvraiges, ains elle meismes y met les

---

[1] *B, D* : mal

[2] Q *orné sur 2 lignes.*

[3] *B, D, R* : servantes

[4] advis, *corr. d'après B, D, R.*

négligents s'en irritent, parce qu'ils trouvent qu'elles les harcè-
lent et les sollicitent de façon excessive pour qu'ils fassent ce
dont ils sont supposés s'occuper ; ils disent qu'elles veulent les
dominer et se montrer plus sages qu'eux, tournant ainsi en mal
ce que beaucoup leur disent dans une bonne intention. C'est de
ces femmes pleines de discernement que parle l'*Épître de
Salomon*, dont je veux rapporter ici l'essentiel, pour ce qui
touche à notre sujet. »

44. L'*Épître de Salomon* dans le *Livre des Proverbes*[1]

« Celui qui pourra trouver une femme forte – c'est-à-dire sage
et avisée -, ce mari ne manquera jamais d'aucun bien. Sa
renommée s'étend dans tout le pays, et son mari se fie en elle, car
elle lui apporte en tout temps biens et prospérité. Elle recherche et
achète des laines, c'est-à-dire qu'elle donne de l'ouvrage aux
gens de sa maisonnée pour qu'ils s'occupent à des travaux profitables ; elle approvisionne sa maison, et met elle-même la main à
la besogne. Elle est semblable au navire du marchand qui fournit
tous les biens et procure le pain. Elle accorde des dons à ceux qui
le méritent, et elle fait de ceux-ci ses intimes ; il y a chez elle
abondance de nourriture même pour les serviteurs. Elle examine
la valeur d'une propriété avant de l'acheter ; c'est elle qui a eu
l'idée de planter la vigne dont la maison est garnie. Elle a ceint ses
reins de force, par son application constante, et affermi ses bras en
ne cessant d'accomplir des travaux utiles. Cependant la lampe de
son travail ne s'éteint jamais, même au cœur des ténèbres. Elle
entreprend même les travaux les plus rudes, et ne méprise pas
pour autant les travaux féminins, mais elle y participe elle-même

---

[1] Le passage qui suit est une traduction-adaptation d'un passage bien connu
qui se trouve à la fin du livre biblique des *Proverbes*, attribué à Salomon
(*Proverbes* 31, 10-31 ; on y fait souvent référence comme à la « femme forte » de
l'Écriture). Il est cité dans *Matheolus* (*Leesce*, II, t. I, p. 117, v. 2609-2614), qui
commente ironiquement la tournure interrogative que l'on trouve dans la Bible
au début de ce passage (« aussi que s'on dicoit en glose : "Ce seroit impossible
chose" »). Jean Le Fèvre ne mentionne pas Salomon dans *Leesce*, mais énumère
les bienfaits apportés par la femme dans son ménage (v. 3738-3758, t. II, p. 119).
Mais plutôt que cette source, Christine suit ici de très près le texte de la Bible (en
ajoutant de brefs commentaires, comme le « c'est a dire prudente » du début, qui
rattache ce passage au thème abordé dans le chapitre précédent ; voir aussi deux
lignes plus loin, le « c'est a entendre »).

20   dois. Elle estant les mains[1] aux pouvres et souffraicteux
      en les secourant. Sa maison par sa pourveance est gardee
      de froidure et de neges, et ceulx qu'elle a a gouverner sont
      vestus de doubles robes. Elle fait pour soi robe de soie et
      de pourpre, d'onneur et de renommee. Et son mari est
25   honnoré quant il est assis des premiers avec les anciens de
      la terre. Elle fait toilles et linges deliés qu'elle vent, et sa
      vesteure est force et honneur, et pour ce, joie lui serra
      perpetuelle. Sa bouche dit tousjours parolles de sapience,
      et la loy de debonnaireté est en sa lenge. Elle considere les
30   provisions de son hostel par les angles, ne point ne
      mengue son pain oiseuse. Les meurs de ses enfans
      moustrent quelle est leur mere, et les oeuvres de eulx
      preschent sa beneureté. Le net aournement de son mari lui
      rent louenge. Elle est maistresse de ses filles en toutes
35   choses, quoy qu'elles soient grandes. Elle desprise faulse
      gloire et vaine beauté. Telle femme craindra Nostre
      Seigneur, serra louee, et il lui rendra fruit selons ses
      oeuvres qui la louent en toutes places. »

Cy dit de Gaie Cirile .XLV.

1   « Au[2] propos que dit l'*Epistre Salemon* de femme
      prudent, bien puet estre ramenteue la noble roine Gaie
      Cirile. Ceste dame fu de Romme ou de Toscane, et mariee
      au roy des Rommains nommé Tarquin[3] ; elle fu de moult
5   grant prudence en fait de gouvernement, et moult
      vertueuse. Et avec le grant scens naturel, leauté et bonté
      qu'elle [58ʳ] avoit sur toutes femmes, fu renommee d'estre
      tres grant mainagiere et de notable pourveance. Et tout
      feust elle roine et bien se peust passer de ouvrer de ses
10   mains, tant avoit celle dame le cuer a tousjours proufiter en
      aucune chose et n'estre nul temps oiseuse que tousjours
      labouroit en aucune oeuvre, et semblablement faisoit
      labourer les dames et pucelles d'environ elle et qui la

---

      [1] *D, R* : elle estend ses dois
      [2] A *orné sur 2 lignes.*
      [3] et mariee au roy des Rommains nommé Tarquin, *omis ; corr.
      d'après B, D, R.*

de ses doigts. Elle tend la main aux pauvres et aux indigents et leur porte secours. Grâce à sa prévoyance, sa maison est protégée de la froidure et de la neige, et ceux dont elle a la charge, elle fait doubler leurs vêtements. Elle se fait pour elle-même des vêtements de soie et de pourpre, d'honneur et de renommée. Son mari est honoré, il est assis dans les premiers parmi les anciens du pays. Elle fabrique des toiles et des tissus fins qu'elle vend, et elle est revêtue de force et d'honneur, c'est pourquoi elle vivra perpétuellement dans la joie. Sa bouche ne prononce que des paroles de sagesse, et sa langue est gouvernée par la bienveillance. Elle veille jusque dans les recoins au soin de sa maison, et ne mange pas son pain dans l'oisiveté. Les mœurs de ses enfants montrent quelle femme est leur mère, et par leurs actions, ils la proclament bienheureuse. La belle apparence de son mari lui vaut des louanges. Elle gouverne ses filles en toutes choses, même lorsqu'elles sont devenues grandes. Elle méprise la fausse gloire et la vaine beauté. Une telle femme craindra Notre-Seigneur, sera louée, et le Seigneur lui donnera en récompense le fruit de ses œuvres, qui disent sa louange en tous lieux. »

45. Où l'on parle de Gaia Cecilia

« À propos de ce qui est dit de la femme sage et avisée dans l'*Épître de Salomon*, on peut bien rappeler l'exemple de la noble reine Gaia Cecilia. Cette dame était originaire de Rome ou de Toscane[1] et mariée au roi des Romains nommé Tarquin ; elle faisait preuve d'un très grand discernement dans sa conduite, et possédait de grandes vertus. Outre sa grande intelligence naturelle, sa loyauté et sa bonté, qui la rendaient supérieure à toutes les autres femmes, elle était réputée pour ses excellentes qualités de maîtresse de maison et pour sa remarquable prévoyance. Bien qu'elle fût reine et qu'elle eût bien pu se passer de travailler de ses mains, cette dame avait tant à cœur d'être utile en quelque façon et de ne jamais demeurer oisive qu'elle était toujours occupée à quelque tâche, et qu'elle faisait de même travailler les dames et les jeunes filles de son entourage qui étaient

---

[1] Le texte des *Cleres femmes* donne *Tuscienne* pour *etrusqua* (p. 154 et note). Le mot a été manifestement mal compris, d'où la confusion avec « Toscane ».

15 servoient. Elle trouva la maniere de sortir laines et faire
fins draps et de plusieurs sortes, et en ce se occuppoit, qui
estoit pour le temps tres honnorable chose, par quoy celle
noble dame en fu par tout le monde louee, honnouree,
prisee et renommee[1]. Pour quoy, pour la renommee et
20 memoire d'elle, les Rommains, qui puis crurent encores en
plus grant puissance que ou temps d'elle n'estoient, ordonnerent et maintindrent tousjours tel coustume que aux
noces de leurs filles, quant l'espousee entroit premierement en la maison de l'espoux, on lui demandoit comment
elle seroit nommee, et elle respondoit: "Gaie"; et ce
25 donnoit a entendre qu'elle vouloit icelle dame ensuivre en
fais et en oeuvres selon sa puissance. »

Cy dit de la prudence et advis de la roine Dido .XLVI.

1 « Prudence[2], si que toy meismes as dit cy devant, est de
avoir advis et regart sur les choses que on veult emprendre,
comment ilz pourront estre terminees. Et que femmes
soient en tel regart avisees, meismes en grans choses, te
5 donrai encore exemple d'aucunes puissans dames, et

---

[1] *R*: louee, honoree, prisee
[2] P *orné sur 2 lignes.*

à son service. Elle trouva la manière de trier les différentes qualités de laine et de fabriquer des étoffes fines ou de diverses sortes; c'était là son occupation, considérée à cette époque comme très honorable, et c'est pour cela que cette noble dame fut louée, honorée, renommée et appréciée par tous. C'est pourquoi, en raison de cette renommée et pour honorer sa mémoire, les Romains, dont la puissance s'accrut encore bien davantage par la suite, instituèrent et maintinrent toujours cette coutume : aux noces de leurs filles, quand l'épousée entrait pour la première fois dans la maison de l'époux, on lui demandait comment elle serait appelée, et elle répondait "Gaia[1]"; cela signifiait qu'elle voulait suivre autant qu'elle le pourrait l'exemple de cette dame dans sa conduite et dans ses actions[2]. »

46. Où l'on parle du discernement et de la sagesse de la reine Didon

« Le discernement, ainsi que tu l'as dit toi-même, est la capacité de bien prendre en compte ce qu'il convient de faire pour mener à leur terme les choses que l'on veut entreprendre. Et pour te montrer que les femmes ont cette capacité de discernement, même pour des choses de grande importance, je te donnerai encore d'autres exemples de femmes de pouvoir, à commencer

---

[1] La coutume à laquelle il est fait ici référence est plus connue sous une autre forme; les historiens citent généralement cette formule prononcée par la future épouse dans le rituel romain du mariage : *Ubi tu Gaius, ibi ego Gaia*. On en trouve l'explication dans l'une des *Questions romaines* (30) de Plutarque, qui donne aussi l'origine de la version que l'on trouve chez Boccace (reprise ici). D'après l'histoire, Gaia était femme de Tarquin l'Ancien. Pline l'Ancien (*Histoire Naturelle*, VIII, 194-197, p. 410-411) mentionne, dans un passage sur la laine, cette Tanaquil, aussi appelée Caïa Caecilia, dont on conservait la quenouille et le fuseau dans le temple de Sancus, d'où la coutume selon laquelle « les jeunes filles qui se marient ont avec elles une quenouille garnie et un fuseau chargé »; on lui attribuait l'invention d'une forme de tissage. (Merci à Emmanuelle Valette pour ces informations).

[2] Épouse étrusque de Tarquin l'Ancien, réputée pour ses vertus domestiques (Pline l'Ancien, *Histoire naturelle*, VIII, 74, p. 410-411 : « Tanaquil, qui fut aussi appelée Gaia Caecilia »). Nous donnons ici la forme connue des historiens modernes, plutôt que celle de la traduction française de Boccace, qui est ici comme ailleurs la source de Christine (*Cleres femmes*, XLVI, t. I, p. 154, « Gaye Cyrille, femme de Tarquin, roy des Rommains »; *Gaia Cirilla* dans l'original latin : Boccace, *De mulieribus claris*, p. 83).

premierement de Dido. Icelle Dido, qui premierement fu
nommee Elisa, demonstra bien le savoir de sa prudence
par ses oeuvres, si que je te conterai. Elle fonda et ediffia
en la terre [58ᵛ] d'Auffrique une cité appellee Cartaige, de
10 laquelle elle fu dame et roine. Et la maniere du fonder,
d'acquerre la terre et de la posseder demonstra sa grant
constance, nobblece et vertu, sans lesquelles graces avoir
ne peut estre en personne droite prudence. La venue de
ceste dame fu de ceulx de Fenice, qui des derraines partiez
15 d'Egipte vindrent en la terre de Sirie, et la ediffierent et
fonderent plusieurs nobles villes et citez; entre lesquelz
gens ot un roy appellé Agenor, duquel dessendi par linage
le pere de ceste Dido, qui fu nommé Beel et fu roy de
Phenice, et subjugua le royaume de Chipre. Cestui roy
20 avoit un seul filz, nommé Pimalion, et ceste pucelle Dido,
sans plus d'enfans. Quant il vint a mort, il encharga moult
a ses barons que loyauté et amour portassent a ses deux
enfans, et que ainsi le feroient, leur fist promettre. Quant le
roy fu mort, ilz couronnerent Pimalion son filz et marie-
25 rent Elise, qui moult estoit belle, a un duc du païs, le plus
grant aprés le roy, qui avoit nom Acerbe, Ciceon ou
Ciceus; et estoit cellui Ciceon grant prestre du temple de
Hercules selon leur loy, et a merveilles riche. Si s'entrea-
moient moult, lui et sa femme, et bonne vie ensemble
30 menoient. Mes Pimalion le roy estoit de mauvaises meurs,
cruel et la plus convoiteuse personne que veoir on peust,

par celui de Didon[1]. Cette Didon, qui fut d'abord appelée Elissa, manifesta bien par ses actions sa sagesse et son discernement, comme je vais te le raconter. Elle fonda et fit construire sur la terre d'Afrique une ville appelée Carthage, dont elle fut la dame et la reine. La manière dont elle fonda cette ville, dont elle acquit la terre et en prit possession, montra bien sa grande fermeté, sa noblesse d'âme et sa force, qualités sans lesquelles on ne saurait être pleinement capable de discernement. Cette dame descendait des Phéniciens, qui étaient venus des régions les plus reculées d'Égypte pour s'établir en Syrie ; là ils fondèrent et construisirent nombre de belles et bonnes villes et cités. Parmi eux, il y avait un roi nommé Agénor ; un de ses descendants fut le père de Didon, nommé Bélos, roi de Phénicie, qui conquit le royaume de Chypre. Ce roi n'avait qu'un seul fils, nommé Pygmalion, et pour fille Didon ; c'étaient ses seuls enfants. Sur le point de mourir, il recommanda instamment à ses barons de reporter leur loyauté et leur affection sur ses deux enfants, et il leur fit promettre de le faire. Après la mort du roi, ceux-ci couronnèrent son fils Pygmalion et marièrent Elissa, qui était très belle, à un grand seigneur du pays, le plus grand après le roi, qui avait pour nom Acerbe, Sychéon ou Sychée[2]. Ce Sychée était le grand prêtre du temple d'Hercule, selon leur religion, et il était extrêmement riche. Lui et sa femme s'aimaient profondément et menaient ensemble une vie heureuse. Mais le roi Pygmalion était un mauvais homme ; c'était la personne la plus cruelle et la plus envieuse que l'on pût voir ; il

---

[1] Christine ne garde du long chapitre des *Cleres femmes* consacré à Didon (XLII, t. I, p. 134-146) que l'épisode de la fuite hors de Phénicie et celui de la fondation de Carthage. Elle laisse ce qui donne lieu à un discours de louange, encourageant les femmes à prendre exemple sur Didon : le refus de briser la chasteté liée à son veuvage. La traduction française de Valère Maxime offre une version de l'histoire plus concise que celle de Christine, mais insistant sur les mêmes éléments (*Faits et Dits* I, 8, add., p. 299). Christine a également pu lire cette histoire dans l'*Histoire ancienne* 1 (LIX, fol. 59^r-59^v, le cuir de bœuf étant remplacé par du cuir de cerf) et dans l'*Histoire ancienne* 2 (169^v-170^r). Dans la *Mutacion*, la fondation de Carthage par Didon ne fait l'objet que d'une rapide évocation (VII, 27, v. 20604, t. III, p. 251).

[2] Sychée ou Sichée, époux de Didon, est aussi appelé Acherbas ou Sicharbas selon les sources (*Sychaeus*, Virgile, *Énéide*, I, 343 *sq.* ; *Sychée* dans les traductions françaises ; *Sicharbas*, Servius). Dans la traduction de Boccace (*Cleres femmes*, t. I, p. 134-135), on trouve les formes « Acerbe [...], ou Sicé ou Sicart, comme aucuns dient. »

ne tant ne savoit avoir que plus ne convoitast. Elise sa
suer, qui bien congnoissoit sa grant convoitise et savoit
bien que son mari avoit grant tresor et que grant renom
35   estoit de sa richece, lui conseilla et avisa que il se gardast
du roy et meïst son avoir en lieu secret, affin que le roy ne
lui otast. Ce conseil crut Ciceux, mais ne garda pas bien
sa personne des agais du roy, si que elle [59ʳ] lui avoit dit.
Si le fist le dit roy un jour occirre, affin que il eust ses
40   grans tresors ; de laquel mort tel dueil ot Elisse que a pou
de dueil mouru, et fu par lonc temps en plours et gemissemens, regraitant piteusement son ami et son seigneur, en
maudissant son cruel frere qui fait mourir l'avoit. Mais le
felon roy, qui de son oppinion trouvé fraudé s'estoit par
45   ce que il avoit pou ou neant trouvé de l'avoir de Ciceux,
portoit grant ra[n]cune a sa suer, car il pensoit qu'elle eust
l'avoir mucié. Et celle, qui vid bien qu'elle estoit en grant
peril de sa vie, fu amonnestee par sa maisme prudence de
laissier son propre païs et de s'en aller. Ceste chose
50   deliberee, elle prist en soy par vertueux couraige advis de
ce que elle feroit et se arma de force et de constance pour
mettre a effaict ce que entreprendre voloit. Si savoit bien
celle dame que le roy n'estoit mie amez de tous les barons
ne du peuple, pour les grans cruaultez et extorcions que il
55   faisoit. Si tira a soy aucuns des princes et des citoiens, et
aussi de ceulx du peuple ; et aprés ce que leur ot fait jurer
que secrete la tendroient, elle, par moult belles parolles,
leur prist a declairier son entencion, tant que ilz furent
d'accord de eulx en aller avecques elle, et lui jurerent estre
60   bons et feaux. Si fist la dame au plus tost que elle pot
aprester son navire tout secretement[1], et par nuit s'en parti
atout ses grans tresors et foison gens avecques elle, et
enchargia moult aux maronniers de fort esploitier d'aller.
Plus grant malice fist ceste dame, car elle savoit bien que
65   son frere, aussitost qu'il sauroit son alee, envoieroit[2]
aprés. Et pour ce fist emplir secretement grosses males,
bahus et [59ᵛ] grans fardeaux de choses pesans de nulle

---

[1] *D* : Si fist tout secretement
[2] envoieroient ; *corr. d'après B, D, R.*

ne pouvait posséder assez de biens sans en convoiter davantage. Sa sœur Elissa, qui connaissait sa convoitise et qui savait bien que son mari possédait de grands trésors et que sa richesse était très connue, lui conseilla de se méfier du roi et de cacher ses biens dans un endroit secret, pour que le roi ne puisse pas les lui prendre. Sychée suivit ce conseil, mais il ne se protégea pas bien lui-même contre les pièges que pourrait lui tendre le roi, ainsi qu'elle le lui avait dit. Un jour, le roi le fit donc tuer afin de s'emparer de ses grands trésors. Elissa éprouva une telle douleur de sa mort qu'elle faillit mourir de chagrin ; elle fut longtemps plongée dans les larmes et les gémissements, se lamentant pitoyablement de la perte de son mari bien-aimé et maudissant le frère cruel qui l'avait fait mourir. Mais ce roi perfide, déçu dans ses attentes parce qu'il n'avait presque rien trouvé des richesses de Sychée, gardait contre sa sœur une grande rancune, car il pensait qu'elle les avait cachées. Celle-ci s'aperçut bien que sa vie était en grand danger, et sa sagesse et son discernement la poussèrent à quitter son pays et à s'exiler. Ayant pris cette décision, elle réfléchit courageusement à ce qu'elle ferait et s'arma de force et de persévérance pour mener à bien ce qu'elle voulait entreprendre. Cette dame savait bien que le roi n'était pas aimé de tous ses barons ni du peuple, en raison de sa grande cruauté et des exactions qu'il commettait. Elle fit donc venir quelques-uns des princes, des citoyens et des gens du peuple ; après leur avoir fait jurer le secret, elle leur exposa son intention avec tant de très belles paroles qu'ils furent d'accord pour partir avec elle et lui jurèrent de demeurer bons et loyaux. La dame fit donc apprêter sa flotte le plus vite possible et dans le plus grand secret et elle s'en fut de nuit, avec ses grands trésors et une foule de gens avec elle, en donnant l'ordre aux marins de faire tout leur possible pour partir au plus vite. Cette dame se montra plus rusée encore : elle savait bien que son frère, dès qu'il aurait appris son départ, la ferait poursuivre ; c'est pourquoi elle fit emplir en cachette de grosses malles, des coffres et de grands ballots de choses lourdes et sans aucune valeur, pour faire croire que c'était son trésor, afin

value comme ce feust son tresor, affin que en baillant
icelles males et fardeaux a ceulx que son frere envoieroit
70   aprez, ilz la laissassent aller et n'empechacent leur erre.
Laquelle chose advint, car n'orent pas moult longuement
erré quant foison de gens de par le roy vindrent fuiant
aprés elle pour la arrester; mais la dame bien et sagement
parla a eulx, et dit qu'elle aloit en un sien pelerinage, si ne
75   la voulsissent empescher. Mais quant la dame vit que
riens ne lui valloit ceste excusance, dist que bien savoit
que le roy son frere n'avoit que faire d'elle, mais au fort,
s'il vouloit avoir son tresor, que voulentiers le lui envoieroit. Et ceulx qui savoient bien que le roy ne tendoit a
80   autre chose distrent que hardiement le leur baillast, car
par ce metteroient paine de contempter le roy et de l'apaisier vers elle. Et lors la dame, a triste chiere, comme se
envis le feist, leur fist livrer et chargier sur les nefs toutes
les dites males et bahus; et ceulx, qui bien cuidoient avoir
85   exploitié et que bonnes nouvelles portassent au roy, s'en
partirent atant.

Et la roine[1], sans de ce faire nul semblant, fist penser de
son erre au plus tost qu'elle pot. Et ainsi tant errerent que
jour que nuit que ilz ariverent en l'isle de Chipre. La un pou
90   se rafreschirent, puis tantost monta la dame sur son navire
quant fait ot aux dieux ses oblacions, et en mena avec elle
le prestre de Jovis[2] et sa maisniee, lequel avoit par avant
deviné que il vendroit une dame des parties de Phenice
pour laquelle il lairoit son païs et s'en iroit avec elle. Ainsi
95   s'en allerent et laissierent derriere eulx la terre de Crete et a
destre la terre de Cecile, [60ʳ] et longuement nagierent
contre la terre[3] de Mesulie tant que ilz ariverent en
Aufrique, et la, descendirent. Et tantost vindrent des gens
100 du païs pour veoir la navire et quel gent y avoit. Et quant la
dame virent et que gent de pais estoient, ilz leur apporterent
foison vivres. Et la dame parla a eulx moult aimablement,
et dit que pour le bien qu'elle avoit ouy dire de celle

---

[1] B : Et la dame
[2] de Juifs; *corr. d'après B, D, R.*
[3] B, D, R : coste la terre

de pouvoir les donner aux hommes que son frère enverrait à sa poursuite, pour que ceux-ci la laissent aller et n'empêchent pas son voyage. Et ce fut ce qui arriva : ils n'étaient pas partis depuis longtemps quand une foule de gens du roi se mirent à la poursuivre pour l'arrêter. La dame leur dit d'abord de bonnes et sages paroles, prétendant qu'elle se rendait à un pèlerinage et leur demandant de bien vouloir ne pas lui faire obstacle. Mais quand elle vit que ce prétexte ne lui servait à rien, elle leur dit qu'elle savait bien que le roi, son frère, n'avait rien à faire de sa personne, mais que somme toute, si c'était son trésor qu'il voulait, elle le lui enverrait volontiers. Et eux, qui savaient bien que le roi ne désirait rien d'autre, lui dirent de le leur donner sans plus attendre, car cela leur permettrait de satisfaire le roi et de le mettre en paix avec elle. Alors la dame, faisant triste mine comme si elle agissait à contrecœur, leur fit livrer toutes les malles et les coffres en question et les fit charger sur leurs navires ; et eux repartirent aussitôt, pensant avoir bien fait les choses et croyant apporter de bonnes nouvelles au roi.

La reine, sans rien laisser paraître, s'occupa de reprendre son voyage aussitôt qu'elle le put. Ils naviguèrent jour et nuit, jusqu'à atteindre l'île de Chypre. Là ils purent se restaurer un peu ; mais dès qu'elle eut fait ses offrandes aux dieux, la dame remonta sur son navire, emmenant avec elle le prêtre de Jupiter et toute sa maisonnée, car celui-ci avait su par divination qu'une femme viendrait des terres de Phénicie et qu'il quitterait son pays pour partir avec elle. C'est ainsi qu'ils partirent, laissant derrière eux la terre de Crète et sur leur droite la terre de Sicile ; ils naviguèrent le long des côtes de la terre des Massyliens[1], et finirent par arriver en Afrique, où ils débarquèrent. Des habitants du pays arrivèrent aussitôt pour voir la flotte et ses occupants. Et quand ils virent la dame et comprirent que ses gens avaient des intentions pacifiques, ils leur apportèrent des vivres à foison. La dame s'adressa à eux fort aimablement et leur dit qu'elle était venue en

---

[1] La Numidie, royaume d'Afrique du Nord.

contree, elle estoit venue, et toute sa compaignie[1], pour y
105   demourer se il leur plaisoit. Et il respondirent que bien le
vouloient. Et la dame, qui fist semblant que moult grant
abitacle ne vouloit faire sur estrange terre, leur requist a
vendre sur la marine tant de terre seulement comme un cuir
de buef pourroit enclorre, pour y faire ediffier aucun
110   heberge pour elle et pour sa gent; laquel chose lui fu
octroiee, et les convenances et marchié fait et juré entre
eulx. La dame, qui adont demonstra son savoir et grant
prudence, fist prendre I cuir de buef et le fist trenchier par
les plus petites[2] couroies que faire se pouoit et lier
115   ensemble tout en une chainture, puis les fist estendre sur la
terre environ la marine, qui contenoit a merveilles grant
païs; de laquel chose les vendeurs furent moult esbahis et
esmerveilliés de la cautelle et scens de ceste dame[3], et non
pourtant convint que lui tenissent son marchié.
120   ¶Et ainsi ceste dame ot acquise terre en Aufrique, et en
ladite pourprise fu trouvee la teste d'un cheval, par laquelle
teste et par le vol et cry des oyseaux ilz entendirent, selon
leurs devinemens, que en la cité qui la serroit [60ᵛ] fondee
aroit gens guerroieurs et moult preux aux armes. Si envoia
125   ceste dame tantost partout querre ouvriers, et desploia son
tresor. Une cité fist ediffier a merveilles belle, grande et
forte qu'elle nomma Cartage, et la tour et le donjon elle
appella Burse, qui est a dire cuir de buef.
   ¶Et si comme elle commençoit ja a edifier sa cité, elle
130   ouy nouvelles de son frere qui fort la menaçoit et tous
ceulx qui acompaignié l'avoient, pour cause qu'elle
l'avoit moquié et gabé du tresor. Mais elle respondi aux
messaiges que le tresor estoit bon et bel que baillié avoit
pour porter a son frere, mais que il pouoit estre que ceulx
135   qui l'avoient porté l'avoient robé et mis faulces choses en
lieu, ou par aventure, que pour le pechié que le roy avoit
commis de son mari faire occirre, les dieux n'avoient pas

---

[1]   B, D, R : d'icelle contree, estoient venus pour y demourer
[2]   B, D : deliees
[3]   B, D, R : de ceste femme

cette contrée avec toute sa compagnie à cause de tout le bien qu'elle en avait entendu dire, dans l'intention de s'y installer, s'ils le voulaient bien. Ils répondirent qu'ils étaient d'accord. Et la dame, laissant croire qu'elle ne voulait pas établir un grand domaine dans une terre qui lui était étrangère, leur demanda de lui vendre en bordure de mer autant de terre qu'on pourrait enclore dans une peau de bœuf, pour qu'elle puisse y faire construire des logements pour elle-même et pour ses gens. Cela lui fut accordé ; le marché fut conclu selon les conditions fixées et ils firent le serment de les respecter. C'est alors que la dame manifesta son intelligence et son discernement ; elle fit apporter une peau de bœuf et la fit découper en lanières les plus fines qu'il fut possible de faire, qu'elle fit ensuite lier ensemble en une sorte de ceinture qu'elle fit étendre sur la terre aux abords de la mer, ce qui permit d'enclore un terrain extrêmement grand ; les vendeurs furent tout ébahis et stupéfaits de la ruse et de l'intelligence de cette dame, mais il leur fallut bien respecter les termes du contrat[1].

C'est ainsi que cette dame acquit une terre en Afrique. Dans cet enclos on trouva la tête d'un cheval ; cette tête, ainsi que le vol et le cri des oiseaux, furent interprétés comme des présages annonçant que la cité qui y serait fondée serait peuplée de guerriers très vaillants aux armes. Aussitôt, la dame envoya chercher partout des ouvriers et dépensa son trésor. Elle fit édifier une cité extraordinairement belle, grande et forte qu'elle nomma Carthage ; quant à la tour et au donjon, elle les appela "Byrsa", ce qui veut dire "cuir de bœuf"[2].

Alors qu'elle venait de commencer à édifier sa cité, elle reçut des nouvelles de son frère, qui la menaçait fort, ainsi que tous ceux qui l'avaient accompagnée, parce qu'elle s'était moquée de lui et l'avait trompé au sujet du trésor. Mais elle répondit à ses messagers qu'elle avait bel et bien remis le trésor pour qu'il soit porté à son frère ; peut-être ceux qui l'avaient emporté l'avaient-ils dérobé et l'avaient-ils remplacé par des choses sans valeur ; ou peut-être, à cause de la faute que le roi avait commise en faisant

---

[1] L'acquisition d'une terre par une ruse de ce type est un motif répertorié et bien représenté, avec quelques variantes, dans le *Motif-Index* de S. Thompson (K 185 : « Deceptive land purchase »).

[2] *Byrsa* signifie « cuir » en grec. La légende, d'origine grecque, est rapportée par Virgile (*Énéide*, I, 367). Le nom de la tour viendrait plutôt du phénicien *bosra*, contrefort.

voulu que il joisist de son tresor, si l'avoient ainsi tresmué.
Mais quant a la menace, elle pensoit que a l'aide des
140 dieux, bien se deffenderoit de son frere. Et adont fist
appeller tous ceulx qu'elle avoit amenez, et leur dist que
mie ne vouloit qu'avec elle remainsisent contre leur bon
gré et corage, ne que par elle avoir peussent aucun encombrier, par quoy se retourner s'en vouloient, tous ou
145 aucuns[1], qu'elle leur restitueroit leurs labours et les en
envoieroit. Et ilz respondirent tous d'une vois qu'ilz
viveroient et mouroient avec elle, sans partir jour de leurs
vies. Si s'en partirent les messages, et la dame, tant
comme elle pot, se hasta et esploita de parfaire sa cité[2]. Et
150 quant parfaite fu, elle establi lois et ordonnances au pueple
pour vivre selon droit et justice. Et tant se gouverna [61ʳ]
notablement et par grant prudence qu'en toutes terres en
aloient les nouvelles et ne parloit on se d'elle non, tellement que pour la grant vertu qui fu veue en elle, tant pour
155 la hardiece et belle entreprise que faite avoit comme pour
son tres prudent gouvernement, lui transmuerent son nom
et l'appellerent Dido, qui vault autant a dire comme
virago[3] en latin, qui est a dire celle qui a vertu et force de
homme. Et ainsi vesqui glorieusement un grant temps, et
160 tousjours eust fait, se Fortune ne lui eust neu ; mais comme
elle soit souvent envieuse[4] de ceulx qui sont en prosperité,
lui destrempa en la parfin trop dur buvraige, si comme cy
aprés en temps et en lieu te dirai. »

Cy dit de Oppis, roine de Crete .XLVII.

1   « Oppis[5] ou Ops, qui fu appellee deesse et mere des
dieux, fu es tres anciens aages reputee prudente pour ce
que, selon [ce] que dient les anciennes histoires, moult
prudentment et constamment se seut contenir entre les
5   prosperitez et adversitez qui lui advindrent en son temps.

---

[1] *B, D, R* : tous ou aucuns d'eulx
[2] *B* : exploita de faire sa cité ; *D, R* : exploita de parfaire sa cité
[3] *B* : qui vaut autant comme *virago*
[4] ennuieuse ; *corr. d'après B, D, R.*
[5] O *orné sur 2 lignes.*

tuer son mari, les dieux n'avaient-ils pas voulu qu'il pût jouir de son trésor et l'avaient-ils ainsi transformé. Pour ce qui était de la menace, elle pensait bien pouvoir se défendre contre son frère avec l'aide des dieux. Elle fit alors appeler tous ceux qu'elle avait emmenés avec elle et leur dit qu'elle ne voulait pas qu'ils restassent auprès d'elle malgré eux et à contrecœur, ni qu'ils pussent subir aucun dommage à cause d'elle ; en conséquence de quoi, si l'un ou l'autre voulait s'en retourner, ou même s'ils le voulaient tous, elle leur restituerait le fruit de leur travail et les laisserait partir. Ils répondirent tous d'une seule voix qu'ils voulaient vivre et mourir avec elle, sans la quitter aucun jour de leur vie. Alors les messagers repartirent, et la dame se mit au travail, pour achever sa cité aussi vite que possible. Et quand celle-ci fut achevée, elle établit des lois et des règlements pour que le peuple vive selon le droit et la justice. Elle se conduisit de façon si remarquable et avec tant de discernement que le bruit s'en répandit dans tous les pays et que l'on ne parlait plus que d'elle ; en raison de la grande force qu'elle fit paraître, dans l'audace de son entreprise et sa belle réalisation tout autant que dans sa façon de gouverner très avisée, on changea son nom et on l'appela "Dido", qui a le même sens que *virago* en latin, c'est-à-dire, "celle qui a le courage et la force d'un homme". Elle vécut ainsi longtemps dans la gloire, et elle eût continué toute sa vie, si Fortune ne s'était pas retournée contre elle ; comme elle se montre souvent jalouse de ceux qui prospèrent, elle lui prépara à la fin un bien amer breuvage, comme je te le raconterai plus tard en temps et lieu. »

47. Où l'on parle d'Ops, reine de Crète

« **O**pis ou Ops, qui fut appelée déesse et mère des dieux, fut réputée dans des temps très anciens pour sa sagesse et son discernement, car selon ce que racontent les récits antiques, elle sut faire preuve de sagesse et de constance au milieu des circonstances favorables tout comme des adversités auxquelles elle dut faire

Ceste dame fu fille de Urane, qui fu homme tres puissant
en Gresse, et de Vesta sa femme. Moult rude et pou savant
estoit encores le siecle. Adont elle ot a espoux Saturnus, le
roy de Crete, qui son frere estoit. Si ot en avision cellui roy
10   de Crete que sa femme devoit enfanter un filz masle qui
l'occiroit. Et pour ce, affin de obvier a celle destinee,
ordonna que tous les filz masles que la roine aroit feussent
occis. Mes pour ce que la dame fist tant par son savoir que
elle, par saige cautelle, respita ses trois filz de mort, c'est a
15   savoir Jupiter, Neptunus et Pluto, fu puis moult honnouree
et sa prudence louee ; et pour [61ʳ] son savoir et pour l'auctorité de ses enfans, acquist en son temps si tres grant voix
et honneur ou monde que la folle gent l'appellerent deesse
et mere des dieux, car ses filz furent dés en leur vies
20   reputez dieux, pour ce que il estoient en aucunes choses
plus savans que les autres hommes, qui tous estoient
bestiaux. Si fu a ceste dame constitués temples et sacrifices. Laquelle oppinion comme folz tindrent par lonc
temps, et meismement a Romme ou temps de la prosperité
25   des Rommains duroit celle folie, et avoient celle deesse en
grant reverence[1]. »

Cy dit de Lavine, fille du roy Latin[2] .XLVIII.

1   « Lavine[3], qui fu roine des Laurentins, ot aussi
renommee de prudence. Ceste noble dame estoit aussi
descendue d'icellui Saturnus, roy de Crete, dont parlé
avons, et fu fille du roy Latin, et puis mariee a Eneas. Et
5   ains que mariee feust, Turnus, le roy des Turiliens, la
convoitoit a avoir ; mais son pere, qui avoit eu respons des
dieux qu'elle devoit estre donnee a un duc de Troie, retar-
doit tousjours le mariage, non obstant que la royne sa

---

[1] *B, D, R* : en grant renommee
[2] *B, D, R* : De Lavine, fille du roy Latin
[3] L *orné sur 2 lignes.*

face durant sa vie. Cette dame était la fille d'Uranus, un homme très puissant en Grèce, et de sa femme Vesta[1]. L'époque était encore fort rude et peu civilisée. Elle eut donc pour époux Saturne, le roi de Crète, qui était son frère. Ce roi eut une vision lui indiquant que sa femme enfanterait un enfant mâle qui le tuerait. C'est pourquoi, pour faire obstacle à ce destin, il ordonna que soient mis à mort tous les enfants mâles que la reine mettrait au monde. Mais dans sa grande sagesse, la dame fit en sorte, par une habile ruse, de faire échapper à la mort ses trois fils, Jupiter, Neptune et Pluton ; à la suite de quoi, on l'honora grandement et on loua son discernement. En raison de son intelligence et du prestige de ses enfants, elle acquit en son temps un renom si considérable et fut si honorée dans le monde que les ignorants l'appelèrent déesse et mère des dieux, car ses fils furent dès leur vivant considérés comme des dieux, parce que par leur savoir dans certains domaines ils dépassaient tous les autres hommes, qui étaient encore comme des bêtes brutes[2]. On construisit donc des temples et l'on institua des sacrifices en l'honneur de cette dame. Cette croyance déraisonnable fut maintenue longtemps ; même à Rome, au temps de la prospérité des Romains, ce culte irrationnel existait toujours, et ils avaient une grande vénération pour cette déesse[3]. »

48. Où l'on parle de Lavine, fille du roi Latinus

« Lavine, qui fut reine des Laurentins, fut elle aussi renommée pour son discernement. Cette noble dame descendait de Saturne, roi de Crète, dont nous venons de parler ; elle était la fille du roi Latinus, et fut mariée par la suite à Énée. Avant son mariage, Turnus, le roi des Rutules, désirait l'épouser ; mais son père, à qui un oracle des dieux avait annoncé qu'elle devait être donnée à un seigneur troyen, ne cessait de retarder ce mariage,

---

[1] Uranus est la forme latine du nom grec d'Ouranos, le dieu du Ciel. De son union avec Gaïa (la Terre), selon la mythologie, seraient nés aussi les Titans, dont Cronos (Saturne), Océan, et Ops. La généalogie reprise ici par Christine est celle que l'on trouve chez Boccace (*Cleres femmes*, V, t. I, p. 24).

[2] Voir note 2, p. 219.

[3] Christine reprend l'essentiel du chapitre V des *Cleres femmes* (t. I, p. 24-25).

femme moult l'empressast. Et quant Eneas fu arrivé en
10   Ytalie, il fist demander a ycellui roy Latin conjé de
descendre en sa terre ; mais il ne lui donna pas seulement
ce congié, ains lui ottroia tantost Lavine sa fille a mariage.
Et pour celle cause Turnus esmut guerre contre Eneas, en
laquelle ot fait grant occision, et lui meismes y fu occis ; et
15   Eneas ot la victoire et espousa Lavine, qui ot puis un fil de
lui, duquel demoura ençainte quant Eneas trespassa. Mais
quant elle vint a l'enfanter, pour la grant paour que elle
avoit que un filz que Eneas avoit eu d'une autre femme,
que on nommoit Ascaneus, ne faist, pour cou[62ʳ]voitise
20   de raigner, mourir l'enfant qu'elle enfanteroit, elle ala
enfanter en un bois, et mist a l'enfant a nom Julius
Silvius[1]. Ceste dame ne volt oncques puis estre mariee, et
se gouverna en sa vesveté moult prudentement, et maintint
le royaume par grant savoir. Son fillastre sot tenir en si
25   grant amour que il n'ot nul mal vouloir contre elle ne
contre son frere, ains aprés ce qu'il ot ediffiee la cité
d'Albe, il y ala demourer. Et Lavine avec son filz
gouverna tres sagement tant que l'enfant fu parcreu,
duquel enfant descendirent puis Remus et Romulus qui
30   fonderent Romme, et les haulx princes rommains qui puis
vindrent.

¶Que veulx-tu que plus t'en die ? Fille chiere, il me
semble que assez ay produit des preuves a mon entencion,
c'est assavoir de te demonstrer par vive raison et exemple
35   que Dieux n'a point eu, ne a en reprobacion le sexe
femmenin ne que cellui des hommes, si que tu vois clerement, et comme il y a paru et appara par la deposicion de
mes autres deux seurs qui cy sont. Car bien me semble que

---

[1] Salvius ; *corr. d'après B, D, R.*

bien que sa femme le pressât de le conclure. Quand Énée arriva en Italie, il fit demander au roi Latinus la permission de débarquer sur sa terre ; celui-ci ne se contenta pas de lui donner cette permission : il lui offrit aussitôt la main de sa fille. C'est pour cette raison que Turnus entra en guerre contre Énée ; il y eut beaucoup de morts dans cette guerre, et Turnus lui-même y fut tué ; Énée remporta la victoire et épousa Lavine. Elle eut de lui un fils, dont elle était enceinte lorsqu'Énée mourut. Quand vint le moment d'accoucher, craignant que le fils qu'Énée avait eu d'une autre femme, nommé Ascagne, dans son désir de régner, ne fît mourir l'enfant qu'elle allait mettre au monde, elle alla accoucher dans un bois, et appela l'enfant Julius Silvius[1]. Cette femme ne voulut jamais se remarier. Restée veuve, elle se conduisit avec beaucoup de sagesse et prit soin du royaume avec beaucoup d'intelligence. Elle sut si bien chérir son beau-fils qu'il n'eut jamais aucune mauvaise intention envers elle ni envers son frère ; après avoir édifié la cité d'Albe, il alla s'y établir. Et Lavine gouverna très sagement avec son fils, jusqu'à ce qu'il soit devenu grand. C'est de cet enfant que descendirent ensuite Remus et Romulus, les fondateurs de Rome, ainsi que tous les grands princes romains qui leur succédèrent[2].

Que veux-tu que je te dise de plus ? Ma chère fille, il me semble t'avoir donné assez de preuves pour soutenir ma thèse, à savoir te prouver par de forts arguments et des exemples que Dieu ne réprouve pas ni n'a jamais réprouvé le sexe féminin plus que le masculin, comme tu le vois clairement dans ce que je t'ai dit, et comme cela apparaîtra dans les déclarations de mes deux autres sœurs ici présentes. Car il me semble qu'il suffit à présent pour

---

[1] De *silva*, le bois, la forêt.

[2] Christine choisit différents éléments du chapitre XLI des *Cleres femmes* (t. I, p. 131-134) en vue de montrer le rôle essentiel de Lavine dans la *translatio imperii* de Troie vers Rome. Lavine est déjà citée dans la *Mutacion* (VII, 1, v. 18320-18346, t. III, p. 173-74) et dans le *Chemin de longue étude* (*op. cit.*, v. 3556-3562, p. 296). Le texte de l'*Histoire ancienne* 1 (LXVII, 67ᵛ-68ʳ) et celui de l'*Histoire ancienne* 2 (fol. 182ᵛ) racontent, de façon très proche, l'accouchement de Lavine dans les bois par crainte du meurtre de son enfant, la fondation d'Albe par Adraste (qui aurait ensuite laissé son royaume à son demi-frère) et l'illustre descendance de Silvius.

desormais doit souffire en ce que je t'ai basti es murs et
40   closture[1] de la Cité des dames. Or sont tous[2] achevez et
enduis. Viengnent avant mes autres suers, et par leur aide
et devis soit par toy parfait le surplus de l'edefice ! »

Explicit la premiere partie du *Livre de la Cité des dames*.

---

[1] *B, D, R* : es murs de la closture
[2] *B, R* : et sont tous

ma part, puisque je t'ai bâti les murs d'enceinte de la Cité des dames[1]. Les voici maintenant achevés et crépis. Que mes sœurs s'avancent donc ! Avec leur aide et leur conseil, tu mèneras à bien tout le reste des constructions. »

Fin de la première partie du *Livre de la Cité des dames*.

---

[1] C'était en effet le programme que s'était fixé Dame Raison à la fin du chapitre 26 (voir *supra*).

[62ᵛ] **Cy**[1] commencent les rubriches de la IIᵉ partie de ce livre, laquelle parle comment et par qui la Cité des dames fu au pardedans maisonnee, ediffiee et puepplee[2].

1 ¶ Le premier chapitre parle des dis sebilles **.I.**

¶ Item de sebille Errithea **.II.**

¶ Item de sebille Almethea **.III.**

¶ Item de plusieurs dames prophetes **.IV.**

5 ¶ Item encore de Nicostrate et de Cassandra et de la roine Basine **.V.**

¶ Item de Anthoine qui fu puis empereïs **.VI.**

¶ Item dit Cristine a dame Droiture **.VII.**

¶ Item commence a parler des filles qui aimerent pere et 10 mere, et premierement de Dripetrue **.VIII.**

¶ Item de Isiphile **.IX.**

¶ Item de la vierge Claudine **.X.**

¶ Item d'une femme qui alaitoit sa mere en la prison **.XI.**

¶ Item dit Droiture qu'elle a achevé le maisonnage de la 15 cité et qu'il est temps que puepplee soit **.XII.**

¶ Item demande Cristine a dame Droiture se c'est voir ce que les livres et les hommes dient que la vie de mariage soit si dure a porter pour l'occacion des femmes et a leur grant tort; respont Droiture et commence a parler de la 20 grant amour des femmes a leurs maris **.XIII.**

¶ Item de la roine Hipsistrate **.XIV.**

¶ Item de l'empereïs Triaire **.XV.**

¶ Item encores de la roine Arthemise **.XVI.**

¶ Item de Argine fille du roy Adrastus **.XVII.**

25 ¶ Item de la noble dame Agrippine **.XVIII.**

¶ Item dit Cristine et puis Droiture lui respont donnant maint exemple, et de la noble dame Julie, fille de Julius Cesar et femme du prince Pompee **.XIX.**

¶ Item de la noble dame Tierce Emuliene **.XX.**

30 ¶ Item de Xansippe, femme du philosophe Socrates **.XXI.**

¶ Item de Pompee Pauline, femme de Seneque **.XXII.**

¶ Item de la noble dame [63r] Sulpice **.XXIII.**

---

[1] C *orné sur 3 lignes.*

[2] *Les rubriques de B et de D présentent des différences importantes par rapport à celles de R et de P. Nous les signalons en annexe.*

Ici commencent les rubriques de la deuxième partie de ce livre, qui dit comment et par qui furent construits les demeures et les édifices à l'intérieur de la Cité des dames, et comment ils furent peuplés.

1. Le premier chapitre parle des dix sibylles
2. De la sibylle Érythrée
3. De la sibylle Amalthée
4. De plusieurs femmes prophètes
5. Encore à propos de Nicostrate, de Cassandre et de la reine Basine
6. D'Antonia, qui fut ensuite impératrice
7. Christine s'adresse à Dame Droiture
8. Où l'on commence à parler des filles qui aimèrent leurs pères et mères, et premièrement, de Dripetrua
9. D'Hypsipyle
10. De la vierge Claudine
11. D'une femme qui allaitait sa mère dans sa prison
12. Droiture dit qu'elle a achevé la construction des édifices et qu'il est temps de peupler la Cité
13. Christine demande à Dame Droiture s'il est vrai, comme le disent les livres et les hommes, que l'état de mariage est si difficile à supporter à cause des femmes et par leur grande faute ; Droiture lui répond et commence à parler de femmes qui aimèrent leurs maris d'un grand amour
14. De la reine Hypsicratea
15. De l'impératrice Triaria
16. Encore à propos de la reine Artémise
17. D'Argie, fille du roi Adraste
18. De la noble dame Agrippine
19. Christine parle. Droiture lui répond, et lui donne en exemple[1] la noble dame Julie, fille de Jules César et épouse du Grand Pompée
20. De la noble dame Tertia Aemilia
21. De Xanthippe, la femme du philosophe Socrate
22. De Pompeia Paulina, la femme de Sénèque
23. De la noble dame Sulpicia

---

[1] Le texte de la rubrique indique ici *donnant maint exemple* ; mais le titre de ce chapitre tel qu'il figure plus loin dit simplement *donne exemple et dit de la noble dame Julie*, qui est effectivement le seul exemple donné dans ce chapitre. D'où la traduction proposée ici, identique à celle du titre de ce chapitre

¶ Item de plusieurs dames ensemble[1] qui respiterent leurs maris de mort **.XXIV**.

35   ¶ Item dit Cristine[2] a dame Droiture contre ceulx qui dient que femmes ne scevent riens celer, et la responce qu'elle lui fait, et[3] de Porcia fille de Chato **.XXV**.

¶ Item a ce meismes propos dit de la noble dame Curia **.XXVI**.

¶ Item encore a ce propos **.XXVII**.

40   ¶ Item preuves contre ce que aucuns dient que homme est vil qui croit au conseil de sa femme ne y adjouste foy, demande Cristine et Droiture lui respont **.XXVIII**.

¶ Item des hommes a qui bien est ensuivi de croire leurs femmes, donne example d'aucuns **.XXIX**.

45   ¶ Item du grant bien qui est venu au monde et vient tous les jours pour cause de[4] femmes dit Cristine **.XXX**.

¶ Item de Judith, la noble dame vesve qui sauva le puepple **.XXXI**.

¶ Item de la roine Hester qui sauva le puepple **.XXXII**.

50   ¶ Item des dames de Sabine qui mistrent paix entre leurs amis **.XXXIII**.

¶ Item de la noble dame Veturie qui apaisa son filz qui vouloit destruire Romme **.XXXIV**.

¶ Item de la sainte[5] roine de France Crotille par laquelle
55   son mari le roy Clodovee fu convertis a la foy **.XXXV**.

¶ Item contre ceulx qui dient qu'il n'est pas bon que femmes apregnent lettres **.XXXVI**.

¶ Item dit Cristine a Droiture contre ceulx qui dient que ils sont pou de femmes chastes et parle de Susane **.XXXVII**.

60   ¶ Item dit de Sara **.XXXVIII**.

¶ Item de Rebecha **.XXXIX**.

¶ Item de Ruth **.XL**.

¶ Item de Peneloppe femme de Ulixes **.XLI**.

¶ Item contre ceulx qui dient qu'a poine soit belle femme
65   chaste, dit de Mariamire **.XLII**.

---

[1] *Titre du chapitre* : plusieurs femmes ensemble

[2] *Titre du chapitre* : De Cristine

[3] est de Porcia ; *corr. d'après le titre du chapitre, D et R.*

[4] pour cause des femmes ; *corr. d'après le titre du chapitre.*

[5] sainte *ne figure pas dans le titre du chapitre.*

24. De plusieurs dames qui ensemble sauvèrent leurs maris de la mort

25. Christine parle à Dame Droiture contre ceux qui disent que les femmes ne savent pas garder un secret ; la réponse que celle-ci lui fait, et l'exemple de Porcia, fille de Caton

26. Sur le même sujet, à propos de la noble dame Curia

27. Encore sur le même sujet

28. Réfutation de ceux qui disent que l'homme qui croit le conseil de sa femme et lui fait confiance est méprisable. Question de Christine et réponse de Droiture

29. Où l'on donne quelques exemples d'hommes à qui bien en prit d'avoir cru leurs femmes

30. Christine parle des grands biens dont les femmes ont été la cause et le sont encore tous les jours

31. De Judith, la noble veuve qui sauva le peuple

32. De la reine Esther qui sauva le peuple

33. Des dames sabines qui firent la paix entre leurs parents

34. De la noble dame Veturia, qui apaisa son fils qui voulait détruire Rome

35. De la sainte reine de France Clotilde qui convertit à la foi son mari, le roi Clovis

36. Contre ceux qui disent qu'il n'est pas bon que les femmes fassent des études

37. Christine s'adresse à Droiture et celle-ci lui répond, contre ceux qui disent qu'il y a peu de femmes chastes ; exemple de Suzanne

38. De Sarah

39. De Rébecca

40. De Ruth

41. De Pénélope, femme d'Ulysse

42. Contre ceux qui disent qu'il est difficile à une belle femme de rester chaste, exemple de Mariamne.

¶ Item encores de ce meismes dit de Anthonie, femme de Druse Thibere .**XLIII**.

¶ Item contre ceulx qui dient que femmes veullent estre efforciees, donne exemple plusieurs[1], et premierement de Lucrece .**XLIV**.

¶ Item de ce meismes propos [63ᵛ] dit de la roine des Gaugrés .**XLV**.

¶ Item encores de ce meismes dit des Sicambres et d'aucunes vierges .**XLVI**.

¶ Item preuvez de ce que on dist de l'inconstance des femmes, parle Cristine et puis Droiture lui respont de l'inconstance et fragelité d'aucuns empereurs .**XLVII**.

¶ Item parle de Noiron .**XLVIII**.

¶ Item de l'empereur Galba et d'autres .**XLIX**.

¶ Item de constantes femmes en vertu, parle de Gliselidis, marquise de Saluces, forte femme en vertu .**L**.

¶ Item de Flourence de Rome .**LI**.

¶ Item de la femme Bernabo le Jenevois .**LII**.

¶ Item aprés ce que[2] Droiture a compté des dammes constantes, Cristine lui demande pourquoy c'est que tant de vaillans femmes qui ont esté n'ont contredit aux livres et aux hommes qui mesdisoyent d'elles, et les responces que Droiture lui fait .**LIII**.

¶ Item demande Cristine a Droiture se c'est voir ce que plusieurs hommes dient, que si pou soit de femmes loiales en la vie amoureuse ; et la responce de Droiture .**LIV**.

¶ Item de Dido, roine de Cartaige, a propos d'amour ferme en femme .**LV**.

¶ Item de Medee amante .**LVI**.

¶ Item de Tisbé .**LVII**.

¶ Item de Hero .**LVIII**.

¶ Item de Sismonde fille du prince de Salerne .**LIX**.

¶ Item d'Elisabeth et d'aultrez dames amantes .**LX**.

¶ Item de Juno et de plusieurs dames renommees .**LXI**.

---

[1] *Titre du chapitre* : exemple de plusieurs

[2] *Titre du chapitre* : a ce propos que

43. Encore sur le même sujet, exemple d'Antonia, femme de Drusus Tibère

44. Contre ceux qui disent que les femmes veulent être violées, l'on donne plusieurs exemples, à commencer par celui de Lucrèce

45. Sur le même sujet, histoire de la reine de Galatie

46. Toujours sur le même sujet, exemple des Sicambres et d'autres vierges

47. Pour contrer ce que l'on dit de l'inconstance des femmes, Christine parle, puis Droiture lui répond en invoquant l'inconstance et la faiblesse de certains empereurs

48. De Néron

49. De l'empereur Galba et d'autres empereurs

50. À propos de femmes constantes dans la vertu ; de Grisélidis, marquise de Saluces, une femme forte par sa vertu

51. De Florence de Rome

52. De la femme de Bernabo le Génois

53. Après les histoires que Droiture lui a racontées sur des dames remarquables par leur constance, Christine lui demande pourquoi toutes les dames de valeur qui ont existé n'ont pas réfuté les livres et les hommes qui disaient du mal d'elles. La réponse de Droiture

54. Où Christine demande à Droiture s'il est vrai, comme beaucoup d'hommes le disent, qu'il y ait très peu de femmes fidèles dans la vie amoureuse. Et la réponse de Droiture

55. De Didon, reine de Carthage, et de la constance en amour chez une femme

56. De Médée amoureuse

57. De Thisbé

58. D'Hero

59. De Gismonde, fille du prince de Salerne

60. D'Élisabeth et d'autres amantes

61. De Junon et de plusieurs dames renommées

¶ Item dit Cristine et Droiture lui respont contre ceulx qui dient que femmes attraient les hommes par leurs jolivetez **.LXII.**

¶ Item de Claudine, femme rommaine **.LXIII.**

105   ¶ Item dit Cristine[1] que plusieurs femmes sont amees pour leur vertus plus que autres leurs jolivetez **.LXIV.**

¶ Item de la roine Blanche, mere de Saint Loys, et d'autres dames bonnes et sages amees pour leurs [64ʳ] vertus **.LXV.**

110   ¶ Item dit Cristine et Droiture lui respont contre ceux qui dient que femmes par nature sont escharces **.LXVI.**

¶ Item de la riche dame liberale nommee Buse **.LXVII.**

¶ Item des princeces et dames de France **.LXVIII.**

¶ Item parle Cristine aux princeces, aux dames et a toutes

115   femmes[2] **.LXIX.**

---

[1] *Titre du chapitre :* Cy dit Droiture comment… *La locutrice est bien Droiture dans ce chapitre, mais on pourrait arguer que c'est Christine qui parle à travers elle. Nous conservons ici le texte original.*

[2] *Le titre du chapitre ne comporte pas le mot* dames : Parle Cristine aux princesses et a toutes femmes

62. Contre ceux qui disent que les femmes attirent les hommes par leurs coquetteries : Christine parle et Droiture lui répond

63. De Claudia, une Romaine

64. Christine dit comment de nombreuses femmes sont aimées pour leurs vertus plus que d'autres pour leur belle apparence

65. De la reine Blanche, mère de Saint Louis, et d'autres dames bonnes et sages, qui furent aimées pour leurs vertus

66. Contre ceux qui disent que les femmes sont avares de nature : Christine parle et Droiture lui répond

67. De la générosité d'une puissante dame nommée Busa

68. Des princesses et des dames de France

69. Christine s'adresse aux princesses, aux dames et à toutes les femmes

[64ᵛ]

Cy commence la IIᵉ partie de ce livre[1], laquelle parle comment et par qui[2] la Cité des dames fu au par dedens maisonnee, ediffiee et puepplee.
.I.[3]

1 Aprés[4] les parolles de la premiere dame, qui Raison estoit nommee, se tira vers moy la seconde, qui Droiture avoit a nom, et me dist[5] : « Amie chiere, je ne doi pas me

---

[1] *B, D* : la IIe partie du Livre de la Cité des dames

[2] *R* : parle comment

[3] *Le titre du premier chapitre manque dans les quatre manuscrits alors qu'il figure bien dans la table des rubriques.*

[4] A *orné sur 4 lignes.*

[5] *B, D, R* : a nom. Et ainsi me dist

Ici commence la deuxième partie de ce livre, qui dit comment et par qui furent construits les demeures et les édifices à l'intérieur de la Cité des dames, et comment ils furent peuplés.

1. [Le premier chapitre parle des dix sibylles]

Après que la première dame, qui était appelée Raison, eut fini de parler, la seconde, nommée Droiture, s'approcha de moi et me dit : « Ma chère amie, je ne dois pas me dérober à ma tâche, qui est

tirer ariere d'ediffier et maisonner avec ton aide ou circuit
5   de la closture et de la muraille ja bastie par ma seur Raison
de la Cité des dames. Or prens tes outilz, et viens avec
moy! Vien avant, si destrempes le mortier ou cornet et
maçonnes fort a la trampe de ta plu[65ʳ]me, car assez de
quoy te livrerai et en pau de heure¹, par vertu divine, arons
10   ediffiés les haulx palais royaux et nobles menssions des
excellens dames de grant gloire et renomee qui en ceste
cité seront hebergiees et demoureront a perpetuité et a
tousjours mais. »

¶Adont je, Cristine, oiant la parolle de la dame
15   honnoree, dis en ceste maniere : « Tres excellent dame,
voy me² cy preste. Or commandés, car mon desir est
d'obeir. » Et celle a moy dit ainsi : « Regardez, amie, les
belles reluisans pierres plus precieuses que autres nulles
que je t'ay acquerries et rendues prestes pour alouer en ce
20   maçonnage. Ay je dont esté oiseuse tendis que toy avec
Raison fort bastissoies ? Or les arenges selon ma ligne que
tu vois cy par l'ordonnance que je te dirai.

¶Entre les dames de souveraine digneté sont de
haultece³ les tres reamplies de sapience sages sebilles,
25   lesquelles, si que mettent les plus autenticques aucteurs⁴
en leurs institucions⁵, furent dix par nombre, quoy que
aucuns n'en mettent que IX. ¶O amie chiere, prens cy
garde : quel plus grant honneur en fait de revelacion fist
oncques Dieux a prophete quel qu'il fust, tant l'amast,

¹ *B, D, R* : en pou d'eure
² *R* : veez me
³ *B* : sont a louer de haultece (a louer *suscrit*)
⁴ aucteurs *omis* ; *corr. d'après B, D, R.*
⁵ instituacions ; *corr. d'après B, D, R.*

de construire avec ton aide des édifices et des maisons dans
l'enceinte de la clôture et des murailles déjà bâties par ma sœur
Raison pour la Cité des dames. Prends donc tes outils, et viens
avec moi! Approche-toi, détrempe le mortier dans ton encrier et
maçonne vigoureusement de ta plume ainsi trempée, car je te
fournirai bien de quoi faire, et en peu de temps, avec l'aide de
Dieu, nous aurons édifié les grands palais royaux et les nobles
habitations des éminentes dames de grande gloire et de grand
renom, qui seront logées et demeureront dans cette cité perpétuellement et à tout jamais.»

Alors moi, Christine, ayant entendu les paroles de cette
vénérable dame, je lui répondis ainsi: «Très éminente dame, me
voici prête. Commandez, car mon désir est de vous obéir.» Celle-
ci me dit alors: «Regarde, mon amie, les belles pierres resplendis-
santes, plus précieuses que nulles autres, que je me suis procurées
pour toi et que j'ai préparées pour les employer dans cet ouvrage
de maçonnerie. Suis-je donc restée oisive pendant que tu t'acti-
vais à construire avec Raison? Dispose-les maintenant en suivant
la ligne que j'ai tracée et que tu vois ici, en suivant l'ordre que je
t'indiquerai.

Parmi les dames de suprême dignité, les plus élevées sont les
sages sibylles, qui possèdent le savoir en abondance. Selon ce
qu'ont établi les auteurs les plus dignes de foi, elles étaient au
nombre de dix, bien que certains n'en comptent que neuf[1]. Oh!
Ma chère amie, considère bien ceci: Dieu a-t-il jamais accordé de
plus grand honneur en matière de révélation à un prophète, quel

---

[1] Jean Le Fèvre mentionne les sibylles, mais sans les nommer (*Leesce*,
v. 3662-3673, p. 116: *Sebille*, qui prédit l'avènement du Christ; et «les autres
sebilles / Qui de sens furent tant habiles»). Boccace les cite également, mais sans
non plus indiquer leurs noms, au début du chapitre concernant Érythrée (*Cleres
femmes*, XXI, t. I, p. 67, «De Erithree une des sibiles»). Christine en avait déjà
mentionné quelques-unes dans le *Chemin de long estude*, la *Mutacion* et
l'*Epistre Othea* (voir les notes suivantes). L'*Ovide moralisé* donne la même liste
(XIX, t. V, v. 1067-1091, p. 38-39). Outre cette source, elle a certainement
consulté le *Miroir historial* de Jean de Vignay. Pour ce passage sur les dix
sibylles, elle le suit de près, si ce n'est qu'elle inverse l'ordre de la 6e et de la 7e,
rétablissant l'ordre donné par l'*Ovide moralisé* (*Miroir historial*, vol. I, III, 102,
fol. 113ᵛ). Christine a pu également consulter la traduction de Valère Maxime par
Simon de Hesdin (*Faits et dits* I, 1, 1, p. 18-20) qui donne la même explication
du nom «sibylle», et la liste des sibylles dans le même ordre.

30   qu'il donna et ottroia a ces tres nobles dames dont je te
      parle ? Ne mist il en elles saint esperit de prophesie, tant et
      si avant que il ne sembloit mie de ce qu'elle disoit que ce
      feust pronosticacion du temps advenir, ains sembloit que
      ce feussent si comme croniques de choses passees et ja
35   avenues, tant estoient clers et entendibles et plains leurs
      dis et escrips ? Et meismes de l'adve[ne]ment Jhesucrist,
      qui moult lonc temps vint aprés, en parlerent plus clere-
      ment et plus avant que ne firent, si qu'il est trouvé, tous les
      prophetes. [65ᵛ] Ycestes dames userent toute leur vie en
40   virginité et desprisierent polucion. Si furent toutes
      nommees sibilles, et n'est mie a entendre que ce feust leurs
      propres noms, ains est a dire "sebille" ainsi que savant la
      pensee de Dieu ; et furent ainsi appellees pour ce qu'elles
      prophetisierent si merveilleuses choses que il convenoit
45   que ce qu'elles disoient leur venist de la pure pensee de
      Dieu. Si est nom d'office, et non pas propre. Cestes furent
      nees de diverses contrees du monde, et non mie tout en un
      temps, et toutes prophetisierent grant foison choses a
      advenir, et par especial de Jhesucrist et de son advenement
50   tres clerement, si que dit est, et toutevoies furent elles
      toutes paiennes et non mie de la loy des Juifs.

      ¶La premiere fu de la terre de Perse et pour ce est
      nommee Persia. La seconde fu de Libé et fu nommee
      Libica. La tierce, de Delphe engendree ou temple
55   d'Apolin, pour ce ot nom Delphica ; et ceste predit lonc
      temps devant¹ la destruccion de Troie, et d'elle mist Ovide

---

¹ lonc temps aprés ; *corr. d'après B, D, R.*

qu'il soit, si aimé fût-il de lui, qu'il ne le fit par le don qu'il octroya à ces très nobles dames dont je te parle ? Ne mit-il pas en elles un saint esprit de prophétie, si grand et si profond que ce qu'elles disaient ne semblait pas être une prédiction de l'avenir, mais bien plutôt des chroniques de choses passées et déjà arrivées, tant leurs propos et leurs écrits étaient clairs, nets et compréhensibles ? En ce qui concerne l'avènement de Jésus-Christ, qui se produisit bien longtemps après, elles en parlèrent même plus clairement et davantage que ne le firent tous les prophètes, comme on peut le constater. Ces femmes demeurèrent vierges toute leur vie et rejetèrent toute souillure. Elles furent toutes appelées "sibylles", mais il ne faut pas en déduire que c'était leur nom propre ; il faut comprendre "sibylle" comme "celle qui connaît la pensée de Dieu" ; on les appela ainsi parce que leurs prophéties étaient si extraordinaires qu'il semblait que ce qu'elles disaient ne pouvait venir que directement de la pensée de Dieu[1]. C'est donc le nom de leur fonction, et non pas leur nom propre. Elles naquirent dans différents pays du monde et pas toutes à la même époque, et toutes firent un grand nombre de prophéties portant sur des faits qui devaient se produire dans l'avenir ; en particulier, elles annoncèrent très clairement l'avènement de Jésus-Christ, comme on l'a dit, alors qu'elles étaient pourtant toutes païennes et n'appartenaient pas à la religion juive.

La première était originaire de Perse, ce pourquoi elle est nommée la Persique[2]. La seconde venait de Libye et on la nomma donc la Libyque. La troisième, née au temple d'Apollon à Delphes, prit pour cette raison le nom de Delphique ; celle-ci prédit longtemps à l'avance la destruction de Troie, et Ovide lui consacra plusieurs

---

[1] Boccace explique ainsi l'étymologie du mot : « Car *syos* en grec sermon vault en latin tant comme « dieu », et *biles* vault autant que « pensee » ; et ainsi *sibilles* vault autant comme « divines en la pensée » ou « portans Dieu en la pensee » » (*Cleres femmes*, XXI, t. I, p. 67). Christine reprend ici la définition plus précise du *Miroir Historial* : « Sebilles sont dites generalment toutes les femmes prophetizantes en la langue greque. Car *syos* en la parole eolienne les Griex appellent Dieu et nomment bel en pensee, c'est a dire *Sibilla* aussi comme pensee de Dieu pource que ilz souloient entrepreter as hommes la pensee de Dieu. » (vol. I, III, 102, fol. 113ᵛ). Vincent de Beauvais cite comme source Isidore de Séville (mais cette référence ne figure pas dans la traduction de Jean de Vignay).

[2] *Mutacion*, IV, 20, t. II, p. 158.

en son livre plusieurs vers. La quarte fu d'Italie et fu
nommee Cimeria. La quinte fu nee en Babiloine et fu
nommee Erophile; ceste respondi a ceulx de Grece qui lui
60   en demandoient que Troie et Ylion le fort chastel par eulx
periroit, et que Omer en escriproit mençongeusement; ceste
fu nommee Erithee pour ce que en icelle isle demouroit, et
la furent ses livres trouvez. La VIe fu de l'isle de Samos et fu
nommee Samia. La VIIe fu appellee Cumana et fu d'Italie,
65   nee en la cité de Cumins en la terre de Campagne. La VIIIe
fu nomee Helespontine et fu nee en Helespont, ou champ de
Troie, et florissoit ou temps du noble aucteur Solin et de

vers dans son livre[1]. La quatrième était d'Italie et fut appelé la Cimérienne. La cinquième naquit à Babylone et fut nommée Hérophilé[2]; ce fut elle qui répondit aux Grecs qui l'avaient interrogée à ce sujet que Troie et la puissante forteresse d'Ilion seraient détruites par eux, et qu'Homère en ferait un récit mensonger[3]; on lui donna le nom d'Érythrée parce qu'elle demeurait sur cette île, et que c'est là que ses livres furent découverts. La sixième était de l'île de Samos et fut donc appelée la Samienne[4]. La septième fut appelée la Cuméenne, et était originaire d'Italie, née dans la ville de Cumes, dans la région de Campanie[5]. La huitième était nommée l'Hellespontine car elle était née dans l'Hellespont, sur la plaine de Troie[6]; elle était renommée à l'époque de l'éminent auteur Solon et de Cyrus[7].

---

[1] *Mutacion,* IV, 20, t. II, p. 159. Le *Miroir historial* ne cite pas Ovide. Christine s'appuie sans doute sur l'*Ovide moralisé,* même si cette prophétie n'apparaît pas dans les passages consacrés aux sibylles dans les livres XIV et XIX (*Ovide moralisé,* XIV, v. 797-972, t. V, p. 31-36; XIX, t. V, v. 1067-1716, p. 38-54). En revanche, comme les livres XII et XIII de l'*Ovide moralisé* racontent la guerre de Troie, on peut effectivement considérer que de nombreux vers sont consacrés à la réalisation de la prophétie de la sibylle de Delphes.

[2] *Eriphile* est, dans la traduction de Boccace, le nom donné par certains à cette sibylle, plus connue sous le nom d'*Erithree.* La forme *Hérophilé* que nous adoptons pour la traduction est celle que retiennent les spécialistes modernes de la mythologie (comme le *Dictionnaire de la mythologie grecque et romaine* de P. Grimal, Paris, PUF, 1969), qui le donne comme le nom de la deuxième sibylle, parfois donné aussi à la sibylle d'Erythrea ou à la sibylle italienne, celle de Cumes en Campanie - la septième sibylle de Christine -, «nommée tantôt Amalthée, tantôt Démophilé, ou même Hérophilé» (article «Sibylle», p. 421; voir aussi «Hérophilé»). La prophétie concernant la destruction de Troie est mentionnée dans la *Mutacion* (VI, 9, t. III, v. 15104-15110, p. 60).

[3] Idée reprise du *Miroir historial* vol. I, III, 102: «Omer escriroit mençonges» (fol. 113ᵛ). On la trouve aussi dans les *Faits et dits* («Omer en escriroit faulz», I, 1, 1, p. 18).

[4] *Mutacion,* IV, 20, t. III, p. 164.

[5] Voir plus loin dans la *Cité,* II, 3, où elle est nommée Amalthée.

[6] Région au sud-est du détroit des Dardanelles, où était supposée se trouver la ville de Troie. L'archéologie moderne en a identifié le site dans cette région (dans l'actuelle province de Çanakale en Turquie).

[7] M. Curnow et les traducteurs qui ont suivi ont pensé qu'il s'agissait de Solin, grammairien latin du IIIᵉ ou du IVᵉ siècle (bien éloigné de l'époque supposée de la sibylle). Nous proposons d'y voir plutôt Solon, homme politique, législateur et poète athénien (v. 638-vers 558 av. J.-C.). Cyrus désigne Cyrus le Grand, qui a fondé l'empire de Perse (vers 550 av. J.-C.-530 av. J.-C.). La forme *Tiri* ou *Tiry* (ms R) est proche de celle qu'on peut lire dans le *Miroir historial* vol. I (*Ciry,* issu d'un génitif latin) et provient sans doute d'une mauvaise lecture, rendant le nom de Cyrus difficilement reconnaissable.

Tiri. La IXe fu de Frige, pour ce fu nommee Frigica. [66^r]
Ceste moult parla du decheement de plusieurs seigneuries
70   et moult parla au vif aussi de l'avenement du faux
prophete Antecrist. La Xe fu dite Tiburtine, par aultre nom
nommee Albunia, de laquelle les dictiez sont moult
honnourez pour ce que elle escripst tres clerement de
Jhesucrist. Et non obstant que ces sebilles fussent venues
75   et nees des paiens, toutes reprouverent la loy d'iceulx et
blasmerent a aourer plusieurs dieux, disant qu'il n'en
estoit fors un seul, et que les ydolles estoient vaines. »

Cy dit de sebille Erithee .II.

1   « Il[1] est assavoir qu'entre les sebilles, Eritee ot la plus
grant prerogative de sapience, car de ceste fu tant grande la
vertu par don singulier et especial de Dieu qu'elle descript
et prophetisa plusieurs choses a avenir tant clerement que
5   ce semble mieulx estre euvangille que prophesie. Et a la
requeste des Grieux, descrist[2] tant clerement en dictiés
leurs labours, les batailles et la distrucion de Troie que ce
n'estoit point plus clere chose aprés le fait que devant.
Semblablement descript et composa en pou de parolles et
10   vraies l'empire de Romme et la seigneurie des Rommains
et leurs diverses aventures par lonc temps devant qu'il fust
avenu, et tellement que ce semble mieulx estre une briesve
memoire des choses passees que choses a advenir.

     ¶Et plus grant fait dit et plus merveillable, car elle
15   predit et magnifesta[3] plainement le secret de la puissance
de Dieu qui n'estoit point revellé par les prophetes fors par
figures et parolles obscures et couvertes, c'est assavoir du
Saint Esperit le hault mistere et l'incarnacion[4] du filz de
Dieu en la Vierge ; et en son livre avoit escript : [66^v]
20   "*Jhesus Ceytos Ceuy Yos Sother*", c'estoit a dire en latin
"Jhesus Crist Filz de Dieu Sauveur". La vie et les oeuvres

---

1 I *orné sur 3 lignes.*

2 *R* : escript

3 magnifeste ; *corr. d'après B, D, R.*

4 *B, D, R* : le hault mistere de l'incarnacion

La neuvième était originaire de Phrygie et fut donc nommée la Phrygienne; elle annonça la chute de nombreux royaumes et elle prédit aussi avec force l'avènement du faux prophète Antéchrist. La dixième, dite la Tiburtine, était aussi appelée Albunéa; ses prédictions sont tenues en haute estime parce qu'elle annonça très clairement la venue de Jésus-Christ[1]. Et bien que païennes d'origine et de naissance, toutes ces sibylles désapprouvèrent la religion des païens et les blâmèrent d'adorer plusieurs dieux, disant qu'il n'en existait qu'un seul et que les idoles étaient illusoires.»

2. Où l'on parle de la sibylle Érythrée

«Il faut savoir que parmi les sibylles, Érythrée a eu le privilège d'être la plus savante; par un don de Dieu singulier et particulier, son pouvoir fut si grand qu'elle annonça et décrivit dans ses prophéties de nombreux événements à venir de façon si claire qu'elles semblent bien plutôt être des évangiles que des prophéties. À la demande des Grecs, elle décrivit si clairement dans ses vers leurs peines, les batailles et la destruction de Troie que les faits ne parurent pas plus clairs après s'être produits qu'ils ne l'avaient été avant. De la même façon, elle décrivit, dans des propos brefs et vrais, l'empire de Rome, la puissance des Romains et tout ce qui leur arriva bien longtemps avant l'époque où cela se produisit, et d'une telle manière que cela semble être une brève chronique d'événements passés plutôt que l'annonce d'événements à venir.

Elle dit quelque chose de plus grand et de plus prodigieux encore, puisqu'elle prédit et révéla de façon manifeste les secrets de la puissance de Dieu que les prophètes n'avaient annoncés que de façon allégorique, à travers des paroles obscures et voilées: à savoir le très grand mystère du Saint-Esprit et de l'Incarnation du Fils de Dieu en la Vierge Marie; en effet il était écrit dans son livre: *Iesous Chreistos Theou huios sôter*, c'est-à-dire en latin "Jésus-Christ Fils de Dieu Sauveur"[2].

---

[1] Voir *Othea*, glose C, p. 340.

[2] Ce passage est emprunté au chapitre 100 du livre III du *Miroir historial* (vol. I) intitulé «De sebille Heriteienne des vers que elle fist de Jhesucrist. Augustin el livre XVIIIe de la Cité de Dieu» (I, fol. 112^v). Vincent de Beauvais a en effet pour source le chapitre 23 du livre XVIII de la *Cité de Dieu* où la formule grecque et sa traduction latine sont données (*La Cité de Dieu, op. cit.*, vol. II/1, p. 480).

de lui, la traison, la prise, les mocqueries et la mort, la
resureccion, la victoire et l'asompcion, la venue du Saint
Esperit aux apostres, l'avenement de lui au jour du
25   Jugement, et tellement qu'elle semble avoir dit et composé
en brief les misteres de la foy crestienne et non mie avoir
predit les fais a venir[1].

¶Ceste dit du jour du Jugement ces parolles : "A cellui
t[r]emblable jour, terre, en signe de jugement, suera sanc.
30   Du ciel [vendra][2] le Roy qui jugera tout le siecle. Si le
verront bons et mauvais ; toute ame reprendra son corps, et
chascun ara loier selon sa deserte. Lors fauldront richeces
et les faulx ymaiges. Le feu serra appert et toute riens
vivant moura. Lors ara plour et tristece, gent estraindront
35   leurs dens par destrece. Souleil, lune et estoilles perderont
leur clareté, mons et vallees serront faites onnies. Mer,
terre et toutes choses de ça jus seront ramenees a esgaletté.
La trompe du ciel appellera l'umaine espece pour venir au
Jugement. Lors serra grant la fureur, chascun plourera sa
40   folie ; et adont sera faite terre noefve. Rois, princes et
toutes gens seront devant le Juge qui donnera a chascun sa
deserte. Feu de souffre partira du ciel qui chaira en enfer."

¶Et ycestes choses sont contenues en XXVII vers que
ceste sebille fist, pour lesquelz merites, ce dit Bocace, et
45   tous autres sages aucteurs qui d'elle ont escript le tiennent,
est a croire qu'elle fu tres amee de Dieu, et qu'elle soit a
honnourer plus que autre femme après les saintes
crestienes de paradis. Ceste, avec virginité qu'elle garda
toute sa vie, est a presu[67ʳ]mer qu'elle estoit esleue en
50   toute pureté, car en cuer tachié et ordoié de vices ne peust

---

¹ *R* : a avenir
² verra

Elle annonça sa vie et ses actes, la trahison, sa capture, les moqueries, sa mort, sa résurrection, sa victoire et son assomption, l'apparition du Saint-Esprit aux apôtres, son avènement au jour du Jugement, à tel point qu'elle semble avoir composé un résumé des mystères de la foi chrétienne plutôt que d'avoir prédit des événements à venir.

À propos du jour du Jugement, elle dit ceci[1] : "En ce jour de terreur, en signe du jugement, la terre suera du sang. Du ciel viendra le Roi qui jugera le monde entier ; tous pourront le voir, les bons comme les méchants ; chaque âme retrouvera son corps, et chacun aura la récompense qu'il aura méritée. Alors c'en sera fait des richesses et des fausses idoles. Le feu apparaîtra et toute chose vivante périra. Alors surviendront les pleurs et la désolation, et l'angoisse provoquera des grincements de dents. Le soleil, la lune et les étoiles perdront leur clarté, montagnes et vallées seront nivelées. La mer, la terre et toutes les choses d'ici-bas seront égalisées. La trompette céleste appellera l'espèce humaine au Jugement. Alors l'épouvante sera grande, chacun pleurera sa folie. Alors la terre sera renouvelée. Les rois, les princes et tout le peuple seront mis en présence du Juge qui donnera à chacun ce qu'il aura mérité. Un feu de soufre descendu du ciel s'abattra sur l'enfer."

Toutes ces choses sont contenues dans vingt-sept vers composés par cette sibylle. Il faut croire que cela lui valut, selon Boccace – et tous les autres sages auteurs qui ont écrit à son sujet s'accordent avec lui sur ce point -, d'être très aimée de Dieu, et de mériter d'être honorée plus que toutes les autres femmes, après les saintes chrétiennes du paradis. Comme elle garda sa virginité durant toute sa vie, on peut supposer qu'elle était élue en toute pureté, car une telle clairvoyance et une si grande connaissance

---

[1] Ce passage résume les «Vers de Sebille en françois» du chap. 100 du livre III du *Miroir Historial* vol. I (fol. 112ᵛ). Jean de Vignay souligne son acte de traduction («lesqueles lectres je Jehan de Vignay translateur de ce livre ay ordené en françois en ceste maniere»), se faisant ainsi messager de la révélation prophétique de la sibylle. En choisissant de reprendre au *Miroir historial* ces deux passages, qui insistent chacun sur la traduction et sur l'interprétation d'un passage obscur, Christine met en valeur le pouvoir d'Érythrée de lire les signes et de les interpréter, mais elle se pose aussi en intermédiaire du message divin apocalyptique.

avoir tant grant lumiere et congnoissance des choses a
avenir. »

Cy dit de sebille Almethea .III.

1   «Sebille[1] Almethea fu nee, comme dit est, de la terre
de Campaigne qui sciet vers Romme. Ceste ot semblablement tres especial grace d'esperit de prophecie, et fu nee,
si comme dient aucunes histoires, dés le temps de la
5   destruccion de Troies, et vesqui jusques au temps de
Tarquin l'Orgueilleux. Aucuns l'appellent Deiphile. Ceste
dame, non obstant qu'elle vesquist merveilleusement
grant aage, si fu elle vierge toute sa vie ; et pour la grant
sapience de ceste cy, aucuns pouetes faignirent qu'elle fu
10   amee de Phebus, que ilz appelloient dieu de scapience, et
que par le don d'icellui Phebus elle acquist si grant savoir
et vesqui si longuement, qui est a entendre que pour sa
virginité et pureté, elle fu amee de Dieu, souleil de
sapience, qui l'enlumina de clarté de prophesie, par
15   laquelle elle a predit et escript plusieurs choses a venir.
Oultre ce, est escript que elle, estant ou rivage de Baiol
emprés le lac d'Enfer, ot une noble et merveilleuse
responce et revelacion divine, qui est escripte et gardee en
son nom. Et est en vers rimés, et tout soit la chose moult
20   encienne, toutevoies donne elle encores amiracion de la
grandeur et excellence de celle femme, a qui bien la considere et regarde. Aucunes ficcions dient qu'elle mena
Eneas en Enfer et le ramena.
     Ceste vint a Romme et apporta IX livres, lesquelz elle
25   presenta a vendre au roy Tarquin. Mais comme il refusast a

---

[1] S *orné sur 2 lignes.*

des choses à venir n'auraient pu trouver place dans un cœur souillé et sali par les vices[1]. »

3. Où l'on parle de la sibylle Amalthée

« La sibylle Amalthée est née, comme on l'a dit, dans la région de Campanie, située non loin de Rome. Elle avait reçu elle aussi une grâce très particulière sous la forme de l'esprit de prophétie. Selon certains récits historiques, elle naquit au temps de la destruction de Troie et vécut jusqu'à l'époque de Tarquin le Superbe. Certains la nomment Démophilé. Cette dame vécut jusqu'à un âge extraordinairement avancé, et néanmoins elle demeura vierge toute sa vie. En raison de son grand savoir, certains poètes imaginèrent qu'elle avait été aimée de Phébus, qu'ils appelaient le dieu de la sagesse, et que c'était grâce à un don de ce Phébus qu'elle avait acquis tant de science et qu'elle vécut si longuement ; mais il faut comprendre par là que sa virginité et sa pureté la firent aimer de Dieu, qui est le soleil de la sagesse, et qui l'illumina de la clarté de la prophétie, par laquelle elle prédit et nota par écrit de nombreux événements à venir. On a écrit en outre à son sujet qu'alors qu'elle s'était établie sur le rivage de Baïes[2], près du lac d'Enfer[3], elle eut une noble et merveilleuse révélation divine, qui a été notée par écrit et qui est conservée sous son nom, entièrement écrite en vers rimés. Et bien qu'elle soit très ancienne, ceux qui la consultent et l'examinent sont encore aujourd'hui pleins d'admiration devant la grandeur et l'excellence de cette femme. Selon certains récits, elle aurait conduit Énée aux Enfers et l'en aurait ramené.

Cette femme se rendit à Rome, apportant neuf livres qu'elle présenta au roi Tarquin pour les lui vendre. Mais comme il refusait

---

[1] Pour l'essentiel, Christine suit ici le chapitre XXI des *Cleres femmes* (t. I, p. 67-69). Les deux emprunts au *Miroir Historial* précisent les paroles prophétiques de la sibylle et renforcent l'image d'une femme au savoir exceptionnel.

[2] Ville du golfe de Naples qui était, dans l'Antiquité romaine, une station thermale très appréciée pour ses sources d'eau chaude produite par l'activité volcanique de la région.

[3] Il s'agit du lac Averne, situé près de Naples, en Campanie. Il était considéré comme l'entrée des Enfers. Selon Virgile (*Énéide*, livre VI), la sibylle de Cumes a demandé à Énée de cueillir un rameau d'or sur les rives de ce lac avant de le conduire aux Enfers.

en donner le prix qu'elle demandoit, elle en ardi trois en sa
presence. Et comme l'autre [67ᵛ] jour elle lui demandast
des autres six livres qui demourez estoient icellui meismes
pris qu'elle avoit demandé des IX, et affermast que se on
30   ne lui donnoit le pris qu'elle demandoit, tantost ardroit
trois d'iceulx livres, et au jour ensuivant les autres trois, le
roy Tarquin lui donna le pris qu'elle avoit premiers[1]
demandé. Si furent les livres bien gardez, et fu trouvé que
il declairoient entierement les fais qui aux Romains
35   estoient a avenir; et les grands cas qui puis leur avindrent
trouverent tous predis es dis livres, lesquelz es tresors des
empereurs furent tres singulierement gardez si comme
pour conseil requorir a eulx comme a responce divine.
        Or prens cy garde, doulce amie, et vois comment
40   Dieux donna si grant grace a une femme seule que elle ot
scens de conseillier et aviser non mie seulement un
empereur en son vivant, mes si comme tous ceulx qui le
monde durant estoient a avenir a Romme, [et] tous les fais
de l'empire. Si me di, je t'en pri, ou fu oncques homme qui
45   ce faist? Et tu, comme folle, te tenoies nagaires malcon-
tente d'estre du sexe de telz creatures, pensant que Dieux
l'eust ainsi comme en reprobacion! De ceste sebille parla
en vers Virgille en son livre. Elle fina ses jours en Siché, et
le tombel d'elle fu par lonc temps moustré.»

De plusieurs dames prophetes .IV.

1   «Mais[2] ne furent mie seulement icelles dix dames ou
monde par don singulier de Dieu prophetisantes, ains en a
esté maintes[3], voire en toutes les loys qui ont esté tenues.
Car se tu quiers en la loy des Juifs, assez en trouveras, si

---

[1] *B, D, R* : premierement
[2] M *orné sur 2 lignes.*
[3] *B, D, R* : ains tres grant foison en a esté

d'en donner le prix qu'elle lui demandait, elle en brûla trois en sa présence. Le jour suivant, comme elle lui demandait pour les six livres qui restaient le même prix qu'elle avait demandé pour les neuf, affirmant que si on ne lui donnait pas le prix qu'elle demandait, elle brûlerait aussitôt trois autres de ces livres, et les trois derniers le lendemain, le roi Tarquin lui paya le prix qu'elle avait demandé au début. Les livres furent bien conservés, et l'on s'aperçut qu'ils annonçaient tout ce qui devait arriver aux Romains dans le futur; on trouva prédits dans ces livres les grands événements qui leur arrivèrent par la suite; c'est pourquoi ils furent très précieusement conservés dans les trésors des empereurs, afin que l'on puisse avoir recours à eux et en prendre conseil, comme d'un oracle divin.

Considère bien ceci, ma chère amie, et vois comment Dieu accorda une si grande grâce à une seule femme qu'elle eut assez de sagesse pour conseiller et éclairer non pas seulement un empereur de son vivant, mais aussi tous ceux qui viendraient ensuite à Rome aussi longtemps que le monde durerait, prédisant tous les événements qui se produiraient dans l'empire romain. Dis-moi donc, je t'en prie, s'il y eut jamais un homme qui en fît autant! Et toi, folle, qui te considérais il y a peu comme malheureuse d'appartenir au même sexe que de telles créatures, pensant que Dieu n'avait pour lui que de la réprobation! Virgile dans son livre composa des vers sur cette sibylle. Elle acheva ses jours en Sicile, et l'on y montra longtemps son tombeau[1].»

4. De plusieurs femmes prophètes

«Cependant ces dix dames ne furent pas les seules au monde à avoir reçu de Dieu ce remarquable don de prophétie; il y en eut au contraire un grand nombre, et même dans toutes les religions établies. Si tu cherches dans la religion juive, tu en trouveras

---

[1] *Cleres femmes*, XXVI, t. I, p. 80. Le titre français utilise de façon intéressante le terme *clergesce* («De Amalthee clergesce»), alors que le sous-titre, conformément à l'original, et comme le fait ici Christine, la désigne simplement comme *sibille*. Ce chapitre suit fidèlement celui des *Cleres femmes* mais supprime les considérations morales qui figurent en conclusion et ajoute la référence à Virgile, là où la source se contente d'émettre des doutes sur les récits affirmant que la sibylle a conduit Énée aux Enfers. C'est cette même sibylle qui guide Christine dans le *Livre du chemin de long estude*.

5   comme Del[68ʳ]bora, qui fu femme prophete ou temps des
       Juges d'Israel, par laquelle Delbora et par son scens fu
       delivré le peuple de Dieu de la servitude du roy de[1] Canan,
       qui XX ans les avoient tenus serfs.

       ¶Item la benoite Elisabet, cousine a Notre Dame, ne fut
10   elle prophete quant elle dist a la glorieuse Vierge qui
       l'estoit alee veoir: "Dont vient ce que la mere de Dieu soit
       venue a moy?" Toutevoies ne savoit elle pas qu'elle eust
       conceu du Saint Esperit, se ce n'estoit par esperit de
       prophesie.

15   ¶Aussi Anne, la bonne dame ebrieue, qui alumoit les
       lampes du temple, n'ot elle esperit de prophecie[2], ainsi que
       ot Simeon le prophete, auquel Nostre Dame presenta
       Jhesucrist au jour de le Chandeller a l'autel du temple? Et
       le saint prophete sceut que c'estoit le Sauveur du monde et
       entre ses bras le prist, lors qu'il dit: *nunc dimittis*. Mais la
20   bonne dame Anne, qui aloit par le temple faisant son
       office, aussi tost qu'elle vit la Vierge tenant son enfant
       entrer ou temple, elle congnut en esperit que c'estoit le
       Sauveur. Si s'agenouilla et l'aoura, et a haulte vois dist que
       c'estoit cellui qui estoit venu pour sauver le monde.

25   Assez d'autres femmes prophettes trouveras se tu y
       prens garde en la loy des Juifs; en celle des Crestiens,
       comme infinies, si comme les saintes plusieurs; mais
       passons oultre cestes ycy, pour ce que on pourroit dire que
       Dieux les eust par especial don previlegiees[3], et alons
30   oultre, parlant encore des paiennes.

       ¶La roine Saba, de laquelle la Sainte Escripture meisme-
       ment fait mencion que quant elle, qui estoit de souverain

---

¹ de *omis*; *corr. d'après B et D.*

² *Dans B et R, il manque ce début. Le texte enchaîne directement,
après la première occurrence d'*esperit de prophecie, *avec*: ainsi que ot
Simeon…

³ brevilegiees; *corr. d'après B, D, R.*

beaucoup, comme Déborah, qui fut prophétesse au temps des Juges d'Israël : c'est grâce à cette Déborah et à son intelligence que le peuple de Dieu fut délivré de la servitude où il avait été maintenu durant vingt ans par le roi de Canaan[1].

De même, la bienheureuse Élisabeth, cousine de Notre-Dame, ne fut-elle pas prophétesse quand elle dit à la glorieuse Vierge qui était venue la voir : "D'où vient que la mère de Dieu soit venue à moi ?". Et pourtant elle ne pouvait pas savoir que celle-ci avait conçu du Saint-Esprit, si ce n'était par l'esprit de prophétie.

De même Anne, la bonne dame juive qui allumait les lampes du Temple, n'eut-elle pas l'esprit de prophétie, de même que Siméon le prophète, à qui Notre-Dame présenta Jésus-Christ à l'autel du Temple le jour de la Chandeleur[2] ? Le saint prophète sut que c'était le Sauveur du monde, lorsqu'il le prit dans ses bras et dit : *Nunc dimittis*[3]. Mais Anne, la bonne dame, qui vaquait à son office dans le temple, aussitôt qu'elle vit entrer la Vierge tenant son enfant dans ses bras, sut en son cœur que c'était le Sauveur. Elle s'agenouilla et l'adora, et dit à haute voix que c'était celui qui était venu pour sauver le monde.

Tu trouveras bien d'autres femmes prophètes, si tu regardes bien, dans la religion juive, et un nombre infini d'autres dans la religion chrétienne, comme un bon nombre de saintes ; mais nous ne les prendrons pas en compte, car on pourrait dire que Dieu les a dotées de privilèges particuliers. Mais passons outre, et parlons encore des païennes.

La Sainte Écriture fait encore mention de la reine de Saba[4] : d'une intelligence exceptionnelle, quand elle entendit parler de la

---

[1] Juges IV, 4-24.

[2] Luc 2, 22-39. Événements commémorés lors de la fête chrétienne de la Présentation (ou «Présentation de Jésus au Temple»), célébrée le 2 février.

[3] «Maintenant, laisse partir (ton serviteur)». Ce sont les premiers mots d'une prière bien connue, le «cantique de Siméon», qui reprend des versets de Luc 2, 29-32.

[4] 1 Rois, 10, 1-13. La visite de la reine de Saba est racontée dans le *Miroir historial* (*Le Miroir historial*, trad. Jean de Vignay, éd. M. Cavagna, *op. cit.*, p. 525). Cette première partie du récit est également très proche de la source du *Miroir historial*, les *Antiquités judaïques* (Flavius Josèphe, *Les Antiquités judaïques*, VIII, 7, fol. 117r-118r). Mais dans ce passage, l'énumération des pays traversés rend le texte plus semblable encore à celui des *Cleres femmes* (t. 1, XLIII, p. 148-149).

entendement, ouy parler de la sapience de Salemon, dont la
renommee couroit par tout le monde[68ᵛ], elle le desira a
35   veoir, et pour ce se mut des parties d'Orient du cornet de la
derreniere partie du monde[1] et laissa son païs, et chevaucha
par la terre d'Etioppe et de Egipte par les rivages de la
Rouge mer et par les grans desers d'Arabe, et atout moult
noble compaignie de princes, de seigneurs, de chevaliers et
40   de nobles dames, a moult grant estat et tresor de plusieurs
choses precieuses, vint et ariva en la cité de Jherusalem
pour veoir et viseter le sage roy Salemon, et pour esprouver
et veoir se voir estoit ce que on disoit de lui par tout le
monde. Si la reçut Salemon a moult grant honneur, comme
45   raison estoit, et fu avec lui grant piece, et esprouva sa
sapience en maintes choses. Plusieurs demandes et
questions lui fist, et maintes devinailles obscures et
couvertes lui proposa, auxquelles il respondi selon qu'elle
demandoit si grandement qu'elle dist que non pas par engin
50   humain Salemon avoit si grand science, mais par especial
don de Dieu. Ceste dame lui donna plusieurs choses
precieuses, entre lesquelles furent plantés de petis arbres
qui rendent liqueur et portent le balme. Lesquelz le roy fist
planter emprés un lac appellé Allefabter, et commanda que
55   la feussent coultivez et labourez songneusement; et
pareillement lui donna le roy plusieurs joyaux precieux.

    ¶De la sapience de ceste femme et de sa prophecie
parlent aucunes escriptures qui dient que si que elle estoit
en Jherusalem, que Salemon la menoit pour veoir la
60   noblece du temple que il avoit fait ediffier, elle vit une
longue ais plate qui estoit couchie au travers d'un fengias[2]
et d'une boue, et en faisoit on planche a traverser ceste
fouldriere. [69ʳ] Adont la dame s'aresta en regardant la
planche et l'aoura et dist: "Ceste planche, qui ores est
65   tenue en grant vilté et mise soulx les piez, serra, tel temps
verra[3], honnoree sur tous les fustz du monde et aournee de

---

[1] de la derreniere partie et laissa son païs; *corr. d'après B, D, R.*

[2] fengnas; *corr. d'après B, D, R.*

[3] *B, D, R*: vendra

sagesse de Salomon, dont la renommée s'étendait dans le monde entier, elle désira le voir ; quittant son pays, elle partit donc des régions de l'Orient, dans le coin le plus reculé du monde, et parcourut à cheval toute l'Éthiopie et l'Égypte, franchissant les rives de la mer Rouge et traversant les grands déserts d'Arabie, entourée d'une très noble compagnie de princes, de seigneurs, de chevaliers et de nobles dames, en très grand équipage et transportant un grand trésor d'objets précieux. Elle parvint ainsi jusqu'à la ville de Jérusalem pour y rencontrer le sage roi Salomon, et pour vérifier si tout ce que l'on disait de lui dans le monde entier était vrai. Salomon la reçut avec les plus grands honneurs, comme il convenait ; elle demeura longtemps auprès de lui, et mit sa sagesse à l'épreuve dans de nombreux domaines. Elle lui posa beaucoup de questions, et lui soumit de nombreuses énigmes obscures et impénétrables ; il répondit si pleinement aux demandes qu'elle lui faisait qu'elle déclara que la si grande sagesse de Salomon ne pouvait pas provenir d'une intelligence humaine, mais d'un don spécial de Dieu. Cette dame lui fit un grand nombre de cadeaux précieux, parmi lesquels des plants d'arbustes qui produisent une résine et fournissent le baume ; le roi les fit planter auprès d'un lac appelé Allefabter[1] et ordonna qu'ils y fussent cultivés et entretenus soigneusement. En retour, le roi lui fit don de nombreux joyaux précieux.

Certains écrits qui parlent de cette femme et de son don de prophétie racontent qu'alors qu'elle était à Jérusalem et que Salomon l'emmenait admirer le noble temple qu'il avait fait bâtir, elle vit une longue pièce de bois plate posée en travers d'un bourbier plein de fange, et l'on s'en servait comme d'un pont pour traverser cette fondrière. Alors la dame s'arrêta, regarda la planche et l'adora, disant : "Cette planche aujourd'hui tant méprisée et foulée aux pieds, il viendra un temps où elle sera plus vénérée que tous les bois du monde ; elle sera ornée de pierres

---

[1] Ce lac n'est pas mentionné dans la Bible (il y est question de «bois d'almuggim» offert par la Reine de Saba à Salomon). Il s'agit sans doute du «lac Asphaltite», l'ancien nom donné à la mer Morte à cause de l'asphalte qu'on trouve sur ses bords. Ce lac est notamment cité par Simon de Hesdin dans sa traduction de Valère Maxime (*Faits et dits* I, 8, add., p. 307). Nous n'avons trouvé ce nom d'Allefabter nulle part ailleurs.

pieres precieuses es tresors des princes. Et dessus le fust
de ceste planche moura Cellui par qui serra anientie la loy
des Juifs." Ceste parolle ne tindrent mie a trufe les Juifs,
70   ains l'osterent de la et l'entererent en lieu ou ilz cuidierent
que jamais ne feust trouvee. Mais ce que Dieux veult
garder, si est gardé bien[1]. Car si bien ne la sorent Juifs
mucier qu'elle ne feust trouvee ou temps de la passion de
Nostre Seigneur Jhesucrist. Et de ceste[2] planche veult on
75   dire que fu faicte la croix sur laquelle Nostre Sauveur
Jhesucrist[3] souffry mort et passion. Si fu lors avoerie la
prophecie de ceste dame[4]. »

Encores de Nicostrate et de Cassandra et de la roine Basine .V.

1   « Ycelle[5] Nicostrate dont cy devant a esté parlé autresi
fu femme prophete. Car aussi tost qu'elle ot passé le fleuve
du Tibre, elle avecques son filz Evander, duquel les
histoires font assez mencion, fu montee sur le mont
5   Palentin. Elle prophetisa que sur ce mont seroit ediffie une
cité, la plus renommee qui jamais feust ou monde, et qui
seroit le chief et souveraine de toutes seigneuries[6]. Et affin
qu'elle feust la premiere qui pié y aroit assis[7], elle y ediffia
un fort chastel, si que dit est devant, et la fu puis Rome
10   assise et ediffiee.

¶Item, Cassandra, la noble vierge troiene, fille Priant le
roy de Troye et seur du preux Hector, qui tant fu grant
clergece qu'elle savoit tous les ars, ne fu elle semblablement femme prophete ? Car comme celle pucelle oncques
15   ne voulsist prendre homme a baron, tant fust grant prince,

---

[1] *B, D, R* : ce que Dieux veult garder est bien gardez
[2] *B, D, R* : celle
[3] *B, D, R* : Nostre Sauveur
[4] *B* : de celle, *D, R* : d'icelle
[5] Y *orné sur 3 lignes.*
[6] *B, D, R* : de toutes seigneuries mondaines
[7] *B, D, R* : qui pierre y asseist

précieuses et gardée dans les trésors des princes. Car sur le bois de cette planche mourra celui par qui la religion des Juifs sera anéantie". Les Juifs ne prirent pas ces paroles à la légère ; bien au contraire, ils l'enlevèrent de là et l'enterrèrent dans un endroit où ils pensaient qu'on ne la trouverait jamais. Mais ce que Dieu veut garder est bien gardé ; car les Juifs ne purent si bien la cacher qu'elle ne fût retrouvée au temps de la Passion de Notre-Seigneur Jésus-Christ. Et l'on dit que c'est de cette planche que fut faite la Croix sur laquelle Notre Sauveur Jésus-Christ souffrit sa passion et sa mort. C'est ainsi que fut alors avérée la prophétie de cette dame[1]. »

5. Où l'on parle encore de Nicostrate, de Cassandre et de la reine Basine

« Cette Nicostrate dont il a déjà été question auparavant[2] fut aussi prophétesse. Car dès qu'elle eut franchi le fleuve du Tibre avec son fils Évandre, souvent mentionné dans les récits historiques, elle monta sur le mont Palatin. Elle prophétisa que sur ce mont serait édifiée une cité, la plus célèbre que le monde ait jamais connue, et qui régnerait en souveraine sur tous les autres territoires. Et afin d'être la première à y avoir posé le pied, elle y fit construire un château fortifié, comme il a été dit plus haut, et c'est là que par la suite Rome fut fondée et édifiée.

De même Cassandre, la noble vierge troyenne, fille du roi Priam et sœur du preux Hector, qui était si savante qu'elle connaissait toutes les sciences, ne fut-elle pas elle aussi prophétesse ? Cette jeune fille ne voulut jamais prendre aucun homme

---

[1] Le *Miroir historial* mentionne la prophétie de la reine de Saba concernant la croix de Jésus et la fin de la religion des Juifs d'une façon légèrement différente : « Et aucuns dient que elle escrist a Salemon aucunes choses que elle ne li osa pas dire en sa presence, c'est assavoir que elle avoit veu en la maison des saus de Liban un fust ou un devoit estre pendu pour la mort du quel le regne des Juis periroit, et le demoustra par certaines enseignes au roy. La quel chose Salemon doutant le muça es entrailles très parfondes de la terre. Mes comment il noa en la piscine probatique environ le temps Nostre Seigneur est chose non certaine et croit l'en que ce fu le fust de la croiz de Nostre Seigneur (Jhesu Crist). » (*Le Miroir historial*, trad. Jean de Vignay, éd. M. Cavagna, *op. cit.*, p. 525).

[2] Voir plus haut, I, 33 (« la noble Nicostrate que ceulx d'Italie appellerent Carmentis », ou Carmenta).

et sceut en esperit ce qui estoit a avenir aux Troiens,
tousjours estoit [69ᵛ] en tristece; et quant elle veoit[1] la
grant prosperité de Troie plus flourir et estre en magnificence moult grant[2], des avant que la guerre commençast
20   que Troie[n]s orent puis aux Grieux, tant plus celle
plouroit, crioit et faisoit grant dueil, regardant la noblece et
richece de la cité, ses beaux freres si renommez, le noble
Hector qui tant avoit de pris; elle ne se pouoit taire du mal
qui leur estoit a avenir[3]. Et quant elle vit la guerre encom-
25   mencier, adont enfforça son dueil; si ne finoit de crier,
braire et timonner son pere et ses freres pour Dieu que ilz
feissent paix aux Grieux, ou que sans faille par celle guerre
seroient destruis. Mais de toutes ces parolles ne faisoient
conte ne point ne l'en creoient; et toutevoies, comme celle
30   qui moult plaignoit, et a bon droit, celle grant perte et ce
dommage, ne s'en pouoit taire, par quoy mainte fois en fu
batue de son pere et de ses freres qui disoient que folle
estoit. Mais[4] ne s'en tut mie, ne pour mourir ne s'en teust
ne souffrist de leur dire sans cesser, par quoy convint, se
35   paix vouldrent avoir, qu'en une chambre lontaine de gens
l'enfermassent pour oster sa noise de leurs oreilles. Mais
mieux leur vaulsist l'avoir creue, car tout ce leur avint que
predit leur avoit. S'en repentirent a la parfin, mais ce fu
trop tart pour eulx.

40   ¶Item, ne fu ce pas autresi mervilleuse pronosticacion
que fist la roine Basine, qui ot esté femme du roy de
Thorige et puis fu femme a Cilderec, le quart roy de

---

[1]   *R*: et quant elle savoit
[2]   *B, D, R*: et estre en grant magnificence
[3]   *R*: elle ne se pouoit taire du grant mal qui lui estoit
[4]   *B, D, R*: Mais pourtant

pour mari, si grand prince fût-il, et elle connaissait dans son esprit tout ce qui arriverait aux Troyens ; elle était donc toujours plongée dans la tristesse ; et plus elle voyait croître et prospérer la richesse de Troie et sa grande magnificence, avant même que ne commençât la guerre entre les Troyens et les Grecs, plus elle pleurait, se lamentait et menait grand deuil, considérant la noblesse et la puissance de la cité, la grande renommée de ses chers frères, le noble Hector de si grande valeur ; elle ne pouvait passer sous silence le malheur qui devait leur arriver. Et quand elle vit la guerre commencer, sa douleur ne fit que redoubler ; elle ne cessait de crier, de pleurer bruyamment et de presser son père et ses frères, au nom de Dieu, de faire la paix avec les Grecs, sinon sans faute ils seraient anéantis par cette guerre. Mais ils ne tenaient aucun compte de toutes ces paroles et ils ne la croyaient pas. Toutefois, comme elle ne cessait de se lamenter – et à juste titre – de cette grande perte et de ce désastre, et ne pouvait se taire, elle fut de nombreuses fois battue par son père et ses frères, qui disaient qu'elle était folle. Mais elle ne se tut pas pour autant ; dût-elle en mourir, elle n'aurait pas pu se taire ni s'abstenir de leur parler sans cesse ; il leur fallut donc, pour avoir la paix, l'enfermer dans une chambre éloignée de tous, pour ne plus avoir les oreilles pleines de ses cris. Mais il aurait mieux valu qu'ils la crussent, car tout ce qu'elle leur avait prédit leur arriva. Ils s'en repentirent à la fin, mais c'était trop tard pour eux[1].

De même, ne fut-ce pas aussi une prédiction extraordinaire que celle que fit la reine Basine, qui avait d'abord été la femme du roi de Thuringe avant de devenir celle de Childéric, quatrième roi

---

[1] Cassandre tient une place importante dans l'œuvre de Christine en ce qu'elle incarne la prophétesse qui annonce les désastres à venir sans être entendue par les gouverneurs de la cité. En cela, elle est une image de la sagesse féminine se heurtant à l'incompréhension masculine. On la trouve notamment au chapitre XVIII du livre I de l'*Advision Cristine*, composée très peu de temps après la *Cité* (*Advision*, p. 48). Christine rassemble ici sous forme condensée des éléments dispersés dans la longue partie consacrée à la guerre de Troie dans la *Mutacion* (t. III, VI, 7, p. 55, v. 14975-14984 ; 11, p. 67, v. 15325-15333 – elle est désignée, comme ici, par le terme *Cassandra, la sage clergece* ; 14, p. 82, v. 15780-15786 ; 34, p. 156-157, v. 18025-18030). La source en est l'*Histoire Ancienne* 2 (voir *Mutacion*, notes p. 275-277 et p. 281). Dans le chapitre des *Cleres femmes* consacré à Cassandre (XXXV, t. I, p. 107-108), Boccace raconte de plus comment elle obtint son don prophétique d'Apollon et comment elle fut tuée par Agamemnon.

France, si que les croniques le racontent? Car dit l'istoire
que la nuit des noces d'elle et du dit roy Childeric, elle lui
45   dist que il se tenist celle nuit chastement et il verroit
mervilleuse avision. Si lui dist tantost que il se levast et
alast a l'uis de la cham[70ʳ]bre et notast ce que il verroit.
Le roy i ala, et il lui sembla que il veoit grans bestes que on
nomme unicornes, lieppars et lions, qui aloient et venoient
50   par le palais. Si s'en retourna tous espouentez et demanda
a la roine que ce signifioit. Et elle lui respondi que au
matin le lui diroit, et qu'il n'eust nulle paour, ains retournast de rechief. Et il si fist. Si lui sembla que il vit grans
ours et grans loups qui se voulsissent courir sus l'un a
55   l'autre. La roine lui renvoya la IIIe fois, et il lui sembla que
il veist chiens et petites bestes qui s'entredespeçoient
toutes. Et comme le roy feust espouentez et moult esmerveilliés de ceste chose, la roine lui dist que l'avision des
bestes qu'il avoit veues signifioit diverses generacions de
60   princes qui en France devoient raigner qui de eulx dessen-
droient, desquelz leurs meurs et leurs fais se retrairoient[1] a
la nature et diversité des bestes qu'il avoit veues. Si pouez
clerement veoir, belle amie, comment Nostre Seigneur a
magnifestez et magnifeste souvent au monde ses secrez
65   par femmes.»

De Anthoine qui devint empereïs .VI.

1   «Ce[2] ne fu pas petit secret que Dieux revela par vision
de femme a Justinien, qui puis fu empereur de Constantinoble. Cellui Justinien estoit garde des tresors et des
coffres de l'empereur Justin. Avint un jour que comme
5   cellui Justinien se fust alez esbatre sur les champs et avoit
mené avec lui pour se soulacier une femme qu'il amoit,
laquelle avoit nom Anthoine, quant l'eure de midi fu
venue, volenté de reposer prist a Justinien. Si se coucha
soubz un arbre pour dormir, et mist sa teste ou giron de
10   s'amie. Et si comme il fu endormi, adont Anthoine [70ᵛ]

---

[1] retraioient; *corr. d'après B, D, R.*
[2] C *orné sur 2 lignes.*

de France, ainsi que le racontent les chroniques? L'histoire raconte en effet que pendant la nuit de ses noces avec le roi Childéric, elle lui dit que s'il restait chaste cette nuit-là il aurait une vision merveilleuse; après quoi elle lui dit de se lever sur-le-champ, d'aller à la porte de la chambre et de noter ce qu'il y verrait. Le roi y alla, et il lui sembla voir ces grands animaux que l'on appelle licornes, léopards et lions qui allaient et venaient dans le palais. Il revint en arrière tout épouvanté et demanda à la reine ce que cela signifiait. Elle lui répondit qu'elle le lui dirait le matin venu, et qu'il ne devait pas avoir peur, mais y retourner sur-le-champ, ce qu'il fit. Il lui sembla voir de grands ours et de grands loups prêts à s'attaquer les uns les autres. La reine le renvoya une troisième fois, et il lui sembla voir des chiens et d'autres petits animaux qui s'entre-dévoraient. Le roi fut épouvanté, et comme il s'étonnait fort de ce que cela pouvait être, la reine lui dit que cette vision qu'il avait eue de ces animaux signifiait les différentes générations de princes, leurs descendants, qui devaient régner en France; leurs mœurs et leurs actions seraient à l'image de la nature et de la cruauté des bêtes qu'il avait vues[1]. Tu peux voir ainsi, ma chère amie, comment Notre-Seigneur a souvent révélé, comme il le fait encore, ses secrets au monde par l'intermédiaire de femmes.»

6. À propos d'Antonia, qui devint impératrice

«Ce ne fut pas un petit secret que Dieu révéla par l'intermédiaire d'une vision de femme à Justinien, qui devint par la suite empereur de Constantinople. Ce Justinien était le gardien des trésors et des coffres de l'empereur Justin. Un jour que Justinien était allé se distraire en se promenant dans les champs, et qu'il avait emmené avec lui pour son plaisir une femme qu'il aimait, nommée Antonia, lorsque vint l'heure de midi, l'envie lui prit de se reposer. Il s'étendit sous un arbre pour dormir, et posa la tête sur le giron de son amie. Aussitôt qu'il fut endormi, Antonia vit

---

[1] *Grandes Chroniques,* t. I, 10, p. 34-37.

vit venir un grant aigle volant par dessus eulx, qui se penoit d'estandre ses elles pour garder le visaige de Justinien de l'ardeur du souleil. Celle, qui fu sage, entendi la signifiance, et quant il fu esveillié, elle l'araisonna par
15 belles parolles et lui dist: "Beau doulx amis, je vous ay moult amé et aim, si comme vous qui estes tout maistre de mon corps et de m'amour pouez savoir, si n'est mie raison que amans bien amez de s'amie lui doie riens refuser. Et pour ce vous vueil requerir en guerredon de mon pucelage
20 et de m'amour que un don, lequel tout soit il tres grant a moy, et semblera a vous estre tres petit, me vueilliez ottroier." Justinien respondi a s'amie qu'elle requeïst hardiement, et que ja ne fauldroit a chose que il ottrier peust. "Adont, dist Anthoine, je vous requier[1] que quant
25 vous serrez empereur, que vous n'aiés en despris vostre pouvre amie Anthoine, ains soit compaigne de vostre honneur et de vostre empire par loyal mariage, et ainsi dés maintenant promettre le me vueilliés." Quant Justinien ot ainsi oy parler la damoiselle, il s'en commença a rire,
30 quidant que ce eust elle dit par trufferie, comme cellui qui cuidoit que impossible feust qu'il peust avenir qu'il fust empereur, lui promist que sans faille a femme le prenderoit quant empereur seroit, et ainsi lui jura par tous ses dieux; et elle l'en mercia, et pour enseignes de celle promesse se
35 fist donner son annel, et elle lui redonna le sien. Et tantost elle lui prist a dire: "Justinien, je t'anonce certainement que tu serras empereur, et ce t'avendra en brief terme." Et atant se departirent.

Si ne passa lonc temps [71^r] aprez que ainsi comme
40 l'empereur Justin[2] avoit assemblé son ost pour aller sur ceulx de Perse, une maladie lui prist dont il mourut. Et comme aprez les barons et princes feussent assemblez pour eslire nouvel empereur et ilz ne peussent accorder, advint que par maniere de despit l'un de l'autre, ilz eslirent
45 Justinien pour estre empereur. Lequel ne songa mie, mais

---

[1] B, D, R: le don que vous requier est que
[2] Justinien; corr. d'après B, D, R.

venir un grand aigle qui vola au-dessus d'eux, prenant bien soin d'étendre ses ailes pour protéger le visage de Justinien de l'ardeur du soleil. Et elle, qui était avisée, en comprit la signification, et dès qu'il fut réveillé, elle lui adressa ces belles paroles: "Mon bien cher ami, je vous ai beaucoup aimé et je vous aime toujours, comme vous le savez bien, vous qui êtes le maître de mon corps et de mon cœur. Un amant bien aimé de son amie n'a aucune raison légitime de lui refuser quelque chose; c'est pourquoi je voudrais vous demander de bien vouloir m'accorder, en contrepartie du don que je vous ai fait de mon pucelage et de mon amour, un don qui est pour moi très important, mais qui vous paraîtra bien peu de chose." Justinien répondit à son amie qu'elle demande sans crainte, car elle ne manquerait pas d'obtenir toute chose qu'il serait en son pouvoir de lui accorder. "Eh bien donc, dit Antonia, je vous demande que quand vous serez empereur, vous ne méprisiez pas votre pauvre amie Antonia, mais qu'elle soit, par un loyal mariage, votre compagne dans les honneurs de l'empire; promettez-le moi dès maintenant, je vous en prie." Quand Justinien entendit la demoiselle parler ainsi, il commença à rire, pensant qu'elle l'avait dit pour plaisanter, car il croyait bien qu'il était impossible qu'il pût arriver qu'il fût empereur; il lui promit de la prendre pour femme sans faute quand il le serait, et il le lui jura par tous ses dieux; elle l'en remercia, et en gage de cette promesse, elle lui fit donner son anneau et lui remit le sien en échange. Après quoi elle lui déclara: "Justinien, je t'annonce comme une chose sûre que tu seras empereur, et ce, dans un bref délai." Sur ce, ils se séparèrent.

Peu de temps après, alors que l'empereur Justin avait rassemblé son armée pour marcher contre les Perses, il tomba malade et mourut. Les barons et les princes s'étant rassemblés pour élire un nouvel empereur, comme ils n'arrivaient pas à se mettre d'accord, poussés par une forme de ressentiment les uns envers les autres, ils élurent Justinien. Il ne perdit pas de temps à

tantost tres vigueureusement a grant ost couru sus aux
Persans et gaingna la bataille, prist le roy de Perse et grant
honneur et avoir y conquesta.

    Et quant il fu retourné en son palais, Anthoine s'amie
50   ne s'oublia pas, ains fist tant par grant soubtilleté qu'elle
entra[1] la ou il seoit en son trosne avec ses princes. Et la,
ajenouillié devant lui, commença sa raison, et dit qu'elle
estoit une pucelle qui li venoit demander droit et raison
d'un varlet qui l'avoit fiancee et lui avoit donné son anel et
55   pris le sien. L'empereur, qui plus ne pensoit a elle, lui
respondi que se il estoit ainsi que aucuns l'eust fiancee,
que raison estoit que cellui la preist, et que voulentierz lui
en feroit droit, mais que elle le prouvast. Adont Anthoine
tira l'anel de son doy[2], disant: "Noble empereur, je le puis
60   prouver par cest anel. Regardes se tu le congnoisteras."
Adont vit bien l'empereur que il estoit pris[3] par ses
parolles, et nonpourtant lui voult garder sa promesse, et
tantost la fist mener en ses chambres et parer de nobles
paremens et la prist a femme.»

Dit Cristine a Dame Droiture .VII.

1   «Dame[4], pour[5] ce que j'entens et voy magnifestement
le grant droit des femmes contre ce de quoy tant sont
accusees, me fait mieulx congnoistre que oncques mais le
grant tort de leurs accuseurs. Et encores [71ᵛ] ne me puis je
5   taire d'une coustume qui cuert assez communement entre
les hommes, et meismement entre aucunes femme[s], qui
est telle que quant les femmes sont ençaintes et elles
enfantent fille, les maris s'en troublent, plusieurs y a, et
murmurent pour ce que leurs femmes n'ont filz apportez;
10   et leurs nices femmes, qui deussent avoir grant joie de ce
que Dieux a sauveté les a delivrees et le mercier de bon
cuer, semblablement s'en troublent pour ce que elles

---

¹ *B, D, R*: fist tant que elle entra par grant soubtiveté

² *B, D, R*: l'anel de son doy et lui tendi

³ *B, D, R*: que il se estoit pris

⁴ D *orné sur 2 lignes.*

⁵ *B, D, R*: par

réfléchir, mais il se lança très énergiquement, avec une armée nombreuse, à l'assaut des Perses; il gagna la bataille, fit prisonnier le roi de Perse, et conquit ainsi la gloire et de grandes richesses.

Quand il eut regagné son palais, son amie Antonia ne resta pas en retrait: avec beaucoup d'habileté, elle fit en sorte d'entrer dans la salle où il trônait, entouré de ses princes. Et là, à genoux devant lui, elle commença son plaidoyer, disant qu'elle était une jeune fille qui venait lui demander de faire valoir son droit auprès d'un jeune homme qui s'était fiancé avec elle en échangeant son anneau contre le sien. L'empereur, qui ne pensait plus à elle, lui répondit que s'il en était bien ainsi et que quelqu'un lui avait fait une telle promesse, il était juste qu'il la prît pour épouse, et qu'il lui rendrait volontiers justice, à condition qu'elle le prouve. Alors Antonia retira l'anneau de son doigt, et lui dit: "Noble empereur, je peux le prouver par cet anneau. Regarde si tu le reconnais." L'empereur vit alors bien qu'il s'était laissé prendre par ses paroles. Néanmoins il voulut tenir sa promesse: il la fit aussitôt emmener dans ses appartements, il la fit revêtir de riches vêtements et la prit pour femme[1]. »

7. Christine s'adresse à Dame Droiture

« Ma Dame, en entendant et en voyant aussi clairement à quel point le droit est du côté des femmes dans toutes les accusations qui sont portées contre elles, je comprends mieux que jamais à quel point leurs accusateurs ont tort. Pourtant il me faut encore parler d'une coutume très répandue parmi les hommes, et même parmi certaines femmes: quand les femmes sont enceintes et qu'elles accouchent d'une fille, les maris, pour bon nombre d'entre eux, en sont contrariés et se plaignent ce de que leur femme n'ait pas mis au monde un fils; et leurs sottes de femmes, qui devraient éprouver une grande joie de ce que Dieu leur ait permis d'être saines et sauves après l'accouchement et le

---

[1] Christine tire cette histoire des *Grandes Chroniques* (t. I, 3, p. 105-108), qui ne cachent pas le statut de prostituée d'Antonia et soulignent que la basse condition de l'impératrice fut source de critiques de la part des sénateurs et du peuple. La femme de l'empereur Justinien est plus généralement connue sous le nom de Théodora.

voient que leur[s] maris en sont troublez. Et dont vient ce,
Dame, que ainsi s'en marissent ? Leur sont doncques filles
15 de plus grant prejudice que les filz, ou se de moins
d'amour sont a leurs parens et plus nonchalentes de eulx
que les masles ne sont ? »

Responce : « Amie chiere, pour ce que tu me demandes
la cause dont ce vient, je te respons certainement que ce
20 vient de tres grant simplece et ingnorence a ceulx qui s'en
troublent, non obstant que la cause principalle qui les meut
est pour le coustement que ilz resongnent de ce que marier
les convient, si fault que ilz y mettent de leur avoir. Et
aussi aucuns le font pour ce que ilz redoubtent les perilz
25 que par mauvais conseil en simple et jenne aage elles
puissent estre deceues. Mais toutes ces causes ou regart de
raison sont nulles. Car quant est a la doubte qu'elles facent
folie, il n'y a que de les sagement introduire quant elles
sont petites[1] en honnesteté et droiture, car se la mere estoit
30 de folle vie, petit exemple seroit a la fille. Et que soit
gardee de mauvaise compaignie et court tenue en crainte,
car discipline tenue a enfans et aux jeunes leur est prepara-
toire de bonnes meurs a toute leur vie.

¶Item, quant a la cou[72ʳ]stange, je croy que se les
35 parens regardent bien ce que les filz leur coustent, tant en
faire aprendre science ou maistier comme en tenir estat et
meismement en despenses superflues, soient de grant
estat, de moien ou petit, en folles compaignies et en
maintes nicetés, je croy que ilz ne trouveroient gaires plus
40 d'avantages es filz ne que es filles. Et le couroux et soussi
que donnent plusieurs y a souventes fois a peres et a
meres[2], des brigues et riotes que ilz font, ou de suivre vie
dissolue, et tout au grief et coust de leurs parens, je pense
que ce puet bien monter au soussi que ilz ont de leurs
45 filles. Regarde quans filz tu trouveras qui nourrissent pere

---

[1] *Il manque ici une partie de la phrase présente dans B, D, R :*
« quant elles sont petites et que la mere leur donne bon exemple par soy
mesmes en honnesteté et doctrine [ici, «droiture»], car se la mere […] ».
Mais la phrase ainsi raccourcie garde son sens et sa cohérence.

[2] *B, R :* aspres et ameres

remercier de bon cœur, en sont également contrariées parce qu'elles voient que leurs maris le sont. Comment se fait-il, ma Dame, qu'elles s'en désolent ainsi ? Les filles leur causent-elle donc plus de tort, ont-elles moins d'amour pour leurs parents ou se soucient-elles moins d'eux que ne le font les garçons ? »

Elle me répondit : « Ma chère amie, puisque tu m'en demandes la cause, je peux te dire en toute certitude que cela vient de la très grande stupidité et de l'ignorance de ceux qui en sont contrariés ; cependant la principale raison qui les y pousse est la pensée de ce qu'il leur en coûtera s'il faut les marier, car il faudra qu'ils engagent des dépenses. Pour certains, c'est aussi la crainte des périls qui les attendent, si en leur jeune âge et dans leur naïveté elles se laissent tromper par de mauvais conseils. Mais toutes ces raisons ne valent rien si on les examine bien. Pour ce qui est de la crainte qu'elles ne commettent des folies, il n'y a qu'à leur enseigner sagement, quand elles sont petites, comment se conduire de façon droite et honnête ; car si la mère menait une vie dissolue, elle serait un piètre exemple pour sa fille. Il faut aussi qu'on la préserve des mauvaises fréquentations, qu'elle soit surveillée de près et maintenue dans la crainte, car la discipline que l'on impose aux enfants et aux jeunes gens les prépare à bien se conduire toute leur vie durant.

Pour ce qui est des dépenses, je crois que si les parents examinent bien ce que leur coûtent leurs fils, que ce soit pour leur éducation, pour l'apprentissage d'un métier ou pour les établir, sans parler des dépenses superflues, en mauvaise compagnie ou en folies de toutes sortes, qu'ils soient de haute, de basse ou de moyenne condition, je crois qu'ils ne trouveraient pas qu'il soit beaucoup plus avantageux d'avoir des fils que des filles. Et que dire des chagrins et des soucis que bon nombre d'entre eux donnent à leurs pères et mères, par les querelles et les disputes dans lesquelles ils s'engagent, ou par une vie dissolue, et tout cela aux frais de leurs parents et pour leur peine ? Je pense que cela vaut bien le souci que leur causent leurs filles. Regarde combien de fils tu trouveras qui prennent soin de leur père et de leur mère

et mere en leur vieillece doulcement et humblement, si que
faire doivent. Je tiens que il sont clers semez, non obstant
que il en soit et ait esté maint, mais ce avient a tart. Ainçois
quant pere et mere ont fait de leur filz comme de leur
50   dieux, et ilz sont ja grans devenus, et par le pourchas du
pere et par les faire aprendre science ou maistier ou par
quelque bonne fortune sont devenus riches et plains, et
leur vieil pere soit devenu par quelque aventure[1] pouvre[2],
ilz le desprisent et en sont tanez et honteux quant ilz le
55   voient; et se le pere est riche, ilz desirent sa mort pour son
avoir[3]. Ha, Dieux scet quant filz de grans seigneurs
desirent la mort de leurs parens pour avoir leurs terres et
leurs avoirs! Et de ce bien dit voir Petrac ou il dist en son
livre[4]: "O fol homme, tu desires avoir enfans, mes tu ne
60   pués avoir nulz si mortelz ennemis, car se tu es povre, il
seront tanés de toy et desireront ta mort pour en estre
deschargiez; et se tu es riche, il ne la desireront pas moins
pour avoir le tien." Je ne vueil mie dire que tous soient
telz, mais maint en y a. Et s'ilz sont mariez, dieux scet la
65   grant [72ᵛ] convoitise qu'ilz ont de tousjours traire du pere
et de la mere tant que pou leur chaudroit se les las de
vieille gens mouroient de fain, mais que ilz eussent tout!
Ha! Quel nourreture! Ou se leur meres demeurent vesves,
la ou ilz les deussent reconforter et estre le baston et port
70   de leur vieillece, elles qui tant les ont chieris et mignotement nourris en sont bien guerredonnees, car il semble aux
mauvais enfans que tout doie estre leur, et se elles ne leur
baillent tout ce que ilz vuellent avoir, il ne les espargnent
mie[5] de leur dire du desplaisir assez. Et Dieux scet
75   comment reverence y est gardee. Et pis y a car les aucuns
ne se feront ja conscience de mouvoir contre elles plait et
procés. Et c'est le guerredon que plusieurs ont, quant ilz se

---

[1] *B, D, R* : mesaventure
[2] *B, R* : et dechoit ; *D* : et decheut
[3] *B, D, R* : pour avoir le sien
[4] *B, D, R* : Petrac qui dist :
[5] l'espargnent mie ; *corr. d'après B, D, R.*

en leur vieillesse avec gentillesse et simplicité, comme c'est leur devoir de le faire. Je pense qu'ils ne sont pas si nombreux, même s'il en existe et s'il en a existé beaucoup, mais cela arrive rarement. Au contraire, lorsque le père et la mère ont traité leurs fils comme des dieux, et que ceux-ci sont devenus grands, et qu'ils sont devenus riches et comblés de biens, grâce à l'effort de leur père pour leur donner une éducation ou un métier, ou par quelque bonne fortune, si par quelque circonstance malheureuse leur vieux père est devenu pauvre, ils le méprisent, et quand ils le voient, ils en sont ennuyés ou honteux ; et si le père est riche, ils désirent sa mort pour posséder ses richesses. Ah ! Dieu sait combien de fils de grands seigneurs désirent la mort de leurs parents, pour posséder leurs terres et leurs richesses ! Pétrarque dit bien vrai, quand il écrit dans son livre[1] : "Fou que tu es, toi qui désires avoir des enfants ! Tu ne peux avoir d'ennemis plus mortels, car si tu es pauvre, ils se lasseront de toi et désireront ta mort pour être débarrassés de toi ; et si tu es riche, ils ne la désireront pas moins, pour avoir ton bien." Je ne veux pas dire qu'ils soient tous comme cela, mais il y en a beaucoup. Et s'ils sont mariés, Dieu sait jusqu'où va leur cupidité, qui les pousse à tirer toujours plus de leurs père et mère, au point qu'ils ne se soucieraient guère de voir ces pauvres vieux mourir de faim, pourvu qu'ils puissent tout avoir ! Ah ! Quels enfants sont-ce là ! Ou bien, si leurs mères sont devenues veuves, alors qu'ils devraient les réconforter et être le bâton qui soutient leur vieillesse, elles qui les ont tant chéris et choyés, elles en sont bien récompensées ! Il semble à ces mauvais enfants que tout leur est dû, et si elles ne leur donnent pas tout ce qu'ils veulent avoir, ils ne se privent pas de leur dire toutes sortes de choses désagréables. Et Dieu sait ce qu'il en est du respect qui leur est dû. Il y a même pire, puisque certains ne se font pas scrupule de leur intenter un procès et de plaider contre elles. Voilà quelle est la récompense de nombreux parents, alors qu'ils se sont donné du mal toute leur vie

---

[1] Il s'agit du *De remediis utriusque Fortunae* (1366). L'idée s'y trouve, même si la citation précise n'a pu être identifiée. Christine a utilisé la traduction en français faite par Jean Daudin pour Charles V en 1378 (*Des remèdes de l'une et l'autre fortune prospère et adverse*), qu'elle paraphrase plutôt qu'elle ne la cite, selon un procédé courant à l'époque. Voir l'introduction p. 87-88 ; Curnow, *Cité*, p. 22 et note p. 1082 ; L. Walters, « "Translating" Petrarch : *Cité des dames* I.7.1, Jean Daudin, and Vernacular Authority », *op. cit.*

sont penés toutes leurs vies[1] pour acquerir ou mettre avant
leurs enfans. De telz filz est il assez et de telz filles ce puet
80 bien estre. Mais se tu y prens garde, je croy que plus
d'enfans parvers trouveras filz que filles. Et poson que
tous feussent bons, si voit on communement les filles tenir
plus grant compaignie a peres et a meres que les filz, et
plus les visetent, confortent et gardent en leur maladies et
85 vieillece. La cause si est pour ce que les filz vont plus
avant[2] le monde et ça et la, et les filles sont plus coyes, si
s'en tiennent plus pres, ainsi comme de toy meismes le
pués veoir. Car non obstant que tes freres feussent tres
naturelz et de grant amour et bons, ilz sont allez par le
90 monde et tu seulle es demouree pour compaignie a ta
bonne mere, qui lui est souverain reconfort en sa vieillece.
Et pour ce, en conclusion te di que trop sont folz ceulx qui
se troublent[3] et marissent quant filles leur naissent. Et pour
ce [73ʳ] que sus ce propos m'as mise, dire te vueil
95 d'aucunes femmes dont entre les autres les escriptures
parlent, qui moult furent naturelles et de grant amour a
leurs parens. »

Cy commence a parler des filles qui amerent leurs parens, et premierement de Dripetrue .VIII.

1 « De[4] grant amour a son pere fu Dripetrue, royne de
Leodocie. Celle fu fille du grant roy Mitridates, et tant
l'ama qu'en toutes ses batailles le suivoit. Elle estoit moult
laide, car elle avoit double renc de dens, qui estoit chose
5 moult diffourmee, mais de tant grant amour estoit a son
pere que oncques ne le laissa, ne en prosperité ne en malle

---

[1] *D, R* : quant ilz se sont toutes leurs vies ; *B* : quant ilz se sont toutes leurs vies travaillez

[2] *B, D, R* : a vau

[3] *B, D, R* : se courroucent et marissent

[4] D *orné sur 2 lignes.*

pour acquérir du bien et pour l'avenir de leurs enfants. Des fils comme ceux-là, il y en a beaucoup, et il se peut bien qu'il y ait aussi de telles filles ; mais si tu y prends garde, je pense que parmi les mauvais enfants tu trouveras plus de fils que de filles. Et quand bien même tous seraient de bons enfants, on voit habituellement les filles tenir davantage compagnie à leur père et à leur mère que les fils ; elles leur rendent visite plus souvent, elles les réconfortent et s'occupent d'eux dans la maladie et la vieillesse. La cause en est que les fils voyagent davantage de-ci et de-là, de par le monde, alors que les filles sont plus tranquilles et restent plus près d'eux, comme tu peux le voir dans ton propre cas. Car bien que tes frères soient des personnes d'une grande humanité[1], pleins d'affection et de bonté, ils s'en sont allés de par le monde, et tu es restée seule auprès de ta bonne mère pour lui tenir compagnie, ce qui lui est un souverain réconfort dans sa vieillesse[2]. C'est pourquoi je te dis, pour conclure, qu'ils sont vraiment stupides, ceux qui sont contrariés et attristés à la naissance d'une fille. Et puisque tu m'as mise sur ce sujet, je veux te parler de quelques femmes parmi d'autres dont parlent les anciens textes, qui firent preuve de grandes qualités humaines et d'une grande affection pour leurs parents.»

8. Où l'on commence à parler des filles qui aimèrent leurs parents, et premièrement, de Dripetrua

«Dripetrua, reine de Laodicée, porta un grand amour à son père. Elle était la fille du grand roi Mithridate, et elle l'aimait tant qu'elle le suivait dans toutes ses batailles. Elle était très laide, car, chose monstrueuse, elle avait une double rangée de dents, mais elle portait un si grand amour à son père qu'elle ne le quitta jamais, ni dans la prospérité ni dans l'infortune. Et tout en étant reine et

---

[1] Le texte donne, ici comme dans la dernière phrase, «naturel». Le mot est à prendre ici dans l'un de ses nombreux sens indiqués par le *DMF* : «[D'une personne, des sentiments qu'elle éprouve] Qui est en conformité avec les exigences de la nature humaine, qui est humain.» (entrée «naturel» du *DMF*). D'où notre traduction, le substantif ayant gardé ce sens possible en français moderne de façon plus nette que l'adjectif.

[2] Christine avait deux frères, Paolo et Aghinolfo, qui sont retournés en Italie où ils ont touché un héritage. Voir C. C. Willard, *Christine de Pizan : Her Life and Works*, op. cit., p. 39 et F. Autrand, *Christine de Pizan ; Une femme en politique*, op. cit., p. 56.

fortune. Et tout feust elle roine et dame de grant royaume,
par quoy bien peust estre aise et a repos en son païs, elle fu
partout partissipant des paines et travaulx que son pere ot
10   eu en mainte armee ou il fu. Et quant il ot esté vaincu du
grant Pompee, oncques ne le laissa, ains le servoit par
grant cure et delligence.»

Cy dit de Ysiphile .IX.

1   «Ysiphile[1] se mist en peril de mort pour sauver son
pere qui avoit nom Thoant et estoit roy des Lenidiniens. Et
comme son païs se rebellast contre lui et a grant fureur
courussent ou palais pour le occirre, sa fille Ysiphille le
5   mucha tantost en un de ses escrins et puis sailli dehors pour
apaisier le peuple. Mais ce ne lui valut riens. Et comme il
querussent le roy par tout et ne le peussent trouver, ilz
appointierent les glaves contre Ysiphile et moult la
menacierent de mort se elle ne leur enseignoit, et avec ce
10   lui promettoient que se elle leur enseignoit, que a roine la
couronneroient et a elle obeiroient. Mais la bonne et
naturelle fille, qui mieulx [73ᵛ] amoit la vie de son pere que
estre roine, ne point n'estoit fleschie pour paour de mort,
leur respondoit de tres hardi couraige que sans faille il s'en
15   estoit fouis grant piece avoit. Et a la parfin, pour ce que ilz
ne le povoient trouver[2] et qu'elle tant asseureement leur
affermoit que fuis s'en estoit, l'en crurent et la couronnerent a royne. Et une piece paisiblement regna sur eulx.
Mais elle, qui une piece de temps ot son pere gardé secrete-
20   ment, de paour qu'a la parfin par quelque envieux peust
estre encusé, le mist hors par nuit et l'en envoia par mer a
seureté atout grant avoir. Mes comme ceste chose feust a la
parfin revellé aux desloyaux citoiens, ilz chacierent leur

---

[1] Y *orné sur 2 lignes.*
[2] *B, D, R* : par ce que ilz ne le porent trouver

souveraine d'un grand royaume, ce qui aurait pu lui permettre de vivre à son aise et en repos dans son pays, elle alla partout partager les peines et les souffrances de son père dans de nombreuses guerres auxquelles il prit part. Et après qu'il eut été vaincu par le grand Pompée, elle ne l'abandonna jamais, mais elle s'occupa de lui avec le plus grand soin et le plus grand empressement[1]. »

9. Où l'on parle d'Hypsipyle

« Hypsipyle mit sa vie en danger pour sauver son père, qui avait pour nom Thoas, roi des Lemniens. Comme ceux de son pays s'étaient rebellés contre lui et avaient couru au palais, pleins de fureur, dans l'intention de le tuer, sa fille Hypsipyle le cacha bien vite dans un de ses coffres, puis se précipita dehors pour apaiser le peuple. Mais cela ne lui servit à rien. Et comme ils cherchaient partout le roi et ne pouvaient pas le trouver, ils pointèrent leurs épées contre Hypsipyle et la menacèrent de mort si elle ne leur disait pas où il se trouvait ; en même temps ils lui promettaient, si elle le leur disait, de la couronner reine et de se soumettre à son autorité. Mais cette bonne et digne fille, qui préférait la vie de son père à la royauté et qui n'était pas ébranlée par la peur de la mort, leur répondit avec une grande hardiesse de cœur qu'à coup sûr il s'était enfui longtemps auparavant. Et finalement, comme ils ne pouvaient pas le trouver et qu'elle leur affirmait avec tant d'assurance qu'il s'était enfui, ils la crurent et la couronnèrent reine. Elle régna sur eux paisiblement pendant un certain temps. Cependant, après avoir gardé son père caché assez longtemps, craignant qu'il ne finît par être dénoncé par quelque envieux, elle le fit sortir de nuit et le fit passer par la mer pour l'envoyer vers un lieu plus sûr, avec beaucoup de richesses. Mais comme tout cela finit par être révélé aux citoyens déloyaux,

---

[1] *Cleres femmes*, LXXV, t. II, p. 75. Nous conservons dans la traduction la forme donnée par Boccace (comme le fait le traducteur moderne du *De mulieribus claris*, p. 135). On trouve parfois la forme latine, Drypetina (ou Drypetine, dans la trad. d'É. Hicks et T. Moreau). Christine reste proche de sa source mais elle insiste sur la fidélité de la fille envers son père, alors que Boccace met l'accent sur sa laideur. Simon de Hesdin, dans sa traduction de Valère Maxime, garde les deux aspects du personnage (*Faits et Dits* I, 8, ext. 13, p. 290-291) : « Dripectine, la fille de Mitridates et de la royne Leodice, qui avoit double ordenance de dens lait et deforme tint compaignie a son pere, quant il s'enfouy, vaincu de Pompee. »).

25   roine Deyphile[1] et occise l'eussent, mais ce qu'elle estoit
        tant bonne mut a pitié les aucuns d'eulx. »

De la vierge Claudine .X.

1   « **O**[2] ! Comme grant signe d'amour monstra la vierge
        Claudine a son pere, lors que pour les biens fais de lui et
        par les grans victoires que il avoit eues en maintes
        batailles, lui, retourné victorieux, fu receu a Romme en la
5   plus grant[3] honneur, que ilz appelloient triomphes, qui
        estoit une honneur moult grant en laquelle recevoient les
        princes quant ilz retournoient vainqueurs d'aucun grant
        fait ! Ainsi cellui pere de Claudine, qui un des princes de
        Romme estoit, moult vaillant, estant en icelle honneur de
10   triomphe, fu assailli de fait par un autre des seigneurs de
        Romme, qui le haioit. Mais quant Claudine sa fille, qui
        estoit sacree a la deesse Vesta - si que nous dirions mainte-
        nant religieuses d'aucune abbaie - et estoit avecques les
        dames de son ordre qui estoient allees a la [74ʳ] procession
15   a l'encontre de cellui prince, si que la coustume estoit, ouy
        la noise et sot que son pere estoit assailli de ses ennemis,
        adont la grant amour que la dame[4] avoit au pere lui fist
        oublier tout le simple et quoy maintien que vierge
        religieuse sieust avoir communement, et aussi lui fist
20   mettre arriere toute crainte et toute paour en tel maniere
        que tantost elle sailli jus du char ou elle avecques ses
        compaignes estoit et ala fuiant par la presse, et hardiement
        se ficha entre les glaves et espees qu'elle veoit sur son
        pere, et de fait ala prendre a la gorge cellui que elle vit plus
25   pres, et de son pouoir prist fort a deffendre son pere. La fu
        grande la presse qui tantost la meslee departi. Mes comme
        les vaillans Rommains eussent de coustume de faire grant
        compte de toute personne qui faisoit aucun fait digne
        d'admiracion, prisierent moult ceste vierge et lui donne-
30   rent grant louenge de ce qu'elle ot fait. »

---

[1] *Forme donnée par les 4 ms. On attendrait Ysiphile.*

[2] O *orné sur 3 lignes.*

[3] *B, D, R* : la souveraine honneur

[4] *B, D, R* : la fille

ils chassèrent leur reine Hypsipyle; ils l'auraient même tuée, mais sa grande bonté émut de pitié certains d'entre eux[1].»

10. À propos de la vierge Claudine

«**Oh**! Quel grand signe d'amour la vierge Claudine manifesta à son père, le jour où il rentra victorieux à Rome! À cause de ses hauts faits et des grandes victoires qu'il avait remportées dans de nombreuses batailles, il y fut reçu avec les plus grands honneurs, dans ce qu'ils appelaient "triomphe", l'accueil triomphal qui était réservé aux grands chefs de guerre quand ils revenaient en vainqueurs après quelque haut fait. Ainsi le père de Claudine, qui était un général romain très vaillant, fut attaqué durant ce triomphe par un autre dignitaire romain qui le haïssait. Sa fille Claudine était consacrée à la déesse Vesta - ce qui équivaudrait maintenant à être religieuse dans une abbaye - et elle se trouvait avec les dames de son ordre, qui avaient pris part à la procession qui allait à la rencontre de ce général, comme c'était la coutume; quand elle entendit le tumulte et sut que son père était attaqué par ses ennemis, le grand amour qu'elle lui portait lui fit oublier la retenue qui sied normalement à une vierge consacrée, et il lui fit aussi rejeter toute crainte et toute peur, de sorte qu'elle sauta du char où elle se trouvait avec ses compagnes, se faufila à travers la foule et alla se placer hardiment au milieu des glaives et des épées qu'elle voyait menacer son père; elle alla même littéralement prendre à la gorge celui qu'elle vit le plus près de lui, et se mit à le défendre de toutes ses forces. La foule était grande et on eut tôt fait de séparer les combattants. Mais les vaillants Romains, qui avaient coutume de faire grand cas de toute personne faisant une action digne d'admiration, eurent la plus grande estime pour cette vierge et lui prodiguèrent leurs louanges pour ce qu'elle avait fait[2].»

---

[1] *Cleres femmes*, XVII, t. I, p. 56-59. Le chapitre de Boccace est beaucoup plus long. Christine n'a conservé que ce qui se rapporte au dévouement d'Hypsi-pyle pour son père et omet sa rencontre avec Jason, la naissance de ses fils et sa servitude auprès du roi Lycurgue. Mais surtout, Christine change la nature du danger qui menace Thoas. Fidèle au mythe, Boccace raconte que les femmes de Lemnos ont massacré tous les hommes de l'île. Dans la *Cité*, Thoas est victime d'un soulèvement de son peuple, de façon, peut-être, à ne pas donner une image trop sombre des personnages féminins.

[2] *Cleres femmes*, LXII, t. II, p. 34-35. Là encore, Christine garde l'essentiel du chapitre de Boccace en supprimant le commentaire à la gloire de Claudine qui suit le récit de son exploit. Le récit se trouve aussi dans les *Faits et dits* V, 4, 6 p. 93.

D'une femme qui alaitoit sa mere en la prison .XI.

« Grant[1] amour semblablement ot a sa mere une femme
de Rome dont les histoires parlent. Il avint que la dite mere,
pour certain criesme dont elle fu atainte, fu condempnee a
mourir en prison et que on ne lui donnast ne que boire ne
que mengier. Sa fille, contrainte de grant amour fillialle,
doulente de ceste condempnacion, requist de grace
especialle a ceulx qui la prison gardoient que sa mere peust
par chascun jour viseter tant comme elle seroit en vie, a
celle fin qu'ammonester de pasience la peuist. Et a brief
dire, tant en pria et tant en ploura que les gardes [74ᵛ] de la
prison en orent pitié, et lui ottroierent que tous les jours
peust visiter sa mere ; mais ainçois que devers elle la
meissent, moult bien la cerchoient, que elle ne leur portast
aucune chose a vivre. Et comme ceste visitacion eust ja duré
par tant de jours que imposible semblast aux jaioliers que la
femme prisonniere peust naturelment tant vivre sans
mourir, et toutevoies n'estoit pas morte. Et consideré que
autre ne la visitoit que sa fille, laquelle tres songneusement
cerchoient ains que devers sa mere entrast, se merveillierent
moult forment que ce pouvoit estre. Et de fait un jour espierent la mere et la fille ensemble, et adont virent que la lasse
fille, qui assez de nouvel avoit eu un enfant, donnoit la tetté
a sa mere, tant que tout lui avoit la mere tiré le lait des
mamelles. Et ainsi rendoit la fille a sa mere en sa vieillece ce
que elle avoit pris d'elle en son enfance. Ceste continuelle
dilligence et grant amour de fille a mere mut a grant pitié les
jaioliers, et le fait rapporté aux juges, meus de humaine
compassion, delivrerent la mere et rendirent a sa fille.

Encores a propos d'amours de filles a pere puet on dire
de la tres bonne et saige Gliselidis, qui puis fu marquise de
Saluces, de laquelle raconterai cy aprés la grant vertu,
fermeté et constance. O ! Comment grant amour, par
loyalle nature en elle avivee, lui faisoit estre tant
songneuse de servir si humblement et tant obeissamment
son pouvre pere Janicole, malade et vieil, qu'elle en sa

---

[1] G orné sur 3 lignes.

11. D'une femme qui allaitait sa mère dans sa prison

«Une Romaine dont parlent les récits anciens fit également preuve d'un grand amour pour sa mère. Il se trouva que cette mère, pour quelque crime dont elle avait été reconnue coupable, fut condamnée à mourir en prison, sans qu'on lui donne ni à boire ni à manger. Sa fille, tourmentée par un grand amour filial et affligée par cette condamnation, requit comme une faveur spéciale auprès des gardiens de la prison la permission d'aller rendre visite à sa mère tous les jours tant qu'elle serait en vie, afin qu'elle puisse l'encourager à supporter ses souffrances. Bref, elle pleura et les supplia tant et si bien que les gardes de la prison eurent pitié d'elle et lui accordèrent la permission de venir tous les jours rendre visite à sa mère ; mais avant de la conduire auprès d'elle, ils la fouillaient minutieusement, pour s'assurer qu'elle ne lui apportait pas de vivres. Ces visites ayant duré un certain nombre de jours, il parut impossible aux geôliers que la prisonnière puisse survivre aussi longtemps de façon naturelle ; et pourtant elle n'était pas morte. Attendu que personne d'autre ne lui rendait visite que sa fille, qu'ils fouillaient très soigneusement avant qu'elle n'entre auprès de sa mère, ils s'étonnèrent très fortement de ce qui pouvait bien se passer. Si bien qu'un jour ils épièrent la mère et la fille tandis qu'elles étaient ensemble ; ils virent alors que cette malheureuse fille, qui avait eu un enfant assez récemment, donnait le sein à sa mère, jusqu'à ce qu'elle ait bu tout le lait de ses mamelles. Ainsi la fille rendait à sa mère en sa vieillesse ce qu'elle avait reçu d'elle en son enfance. Ces soins assidus et ce grand amour d'une fille pour sa mère émurent profondément les geôliers ; le fait fut rapporté aux juges qui furent pris de compassion, délivrèrent la mère et la rendirent à sa fille[1].

Toujours à propos de l'amour des filles pour leur père, on peut parler de la très bonne et sage Grisélidis, qui devint ensuite marquise de Saluces, et dont je raconterai plus loin la grande vertu, la fermeté et la constance[2]. Oh ! Par quel grand amour, avivé en elle par sa loyauté naturelle, elle prenait si grand soin de servir, avec tant d'humilité et d'obéissance, son pauvre père Janicole,

---

[1] *Cleres femmes*, LXV, t. II, p. 43-45. Christine ne garde que les faits sans reprendre le commentaire de Boccace. En cela, sa version se rapproche de celle des *Faits et dits* (V, 4, 7, p. 95-96).

[2] Voir le chapitre 50.

pureté et virginité, et en fleur de jennece, nourrissoit et
gouvernoit tant dil[75ʳ]ligemment ! Par le labour et mestier
35 de ses mains, gaangnoit a grant cure et solicitude la pouvre
vie de eulx deux. O ! Tant sont de bonne heure nees filles
de telle bonté et de si grant amour a peres et a meres ! Car
nonobtant qu'elles facent ce qu'elles doivent, toutevoies y
aquierent elles grant merite a l'ame, et grant loz au monde
40 leur en doit estre donné, et semblablement au filz.

  ¶Que veulx tu que je t'en die plus ? Sans cesser
examples te pourroie dire de cas semblables, mais atant te
souffise »

Cy dit Droiture que elle a achevé le maisonnage de la Cité et qu'il est temps que puepplee soit .XII.

1 « **D**es¹ or me semble², chiere amie, que bien est avancié
nostre ediffice, et la Cité des dames hault maisonnee tout
au lonc de ses larges rues, et les palais royaulx fort ediffiez,
et ses dongons et tours deffensables hault levees et droites,
5 que ja les puet on de loing veoir. Si est bien temps des or en
avant qu'a pueppler commencions ceste noble cité, affin
que elle ne soit vague ne vuide, ains habitee toute de dames
de grant excellence, car autre gent n'y voulons. O ! Tant
serront heureuses les citoiennes de nostre ediffice ! Car
10 n'auront besoing d'avoir crainte ne doubte d'estre deslo-
giés de leur possession par estranges hostes, car tel est la
proprieté de cest ouvraige que les possessaresses n'en
pourront estre deboutees. Et ores est un nouvel royaume de
Femmenie encommencié, mais trop plus est digne que
15 cellui de jadis ; car ne convendra aux dames ychy hebergiees aller hors de leur terre pour concepvoir ne enfanter
nouvelles heritieres pour maintenir leur possession par
[75ᵛ] divers aages de ligne en ligne, car assez souffira pour
tousjours mais de celles que ores y commettrons³.

20 ¶Et quant nous l'aurons puepplee de nobles citoiennes,
vendra aprés dame Justice ma serour, qui amenra la Roine

---

¹ D *orné sur 3 lignes.*

² semblerez ; *corr. d'après B, D, R.*

³ *B, D, R* : y mettrons

vieux et malade! Et elle, pure et vierge, et dans la fleur de sa jeunesse, le nourrissait et s'occupait de lui avec tant d'empressement! Elle se donnait beaucoup de peine et s'appliquait à gagner leur pauvre vie à tous les deux en travaillant de ses mains. Oh! Comme elles sont nées sous d'heureux auspices, les filles si bonnes et portant un tel amour à leurs pères et à leurs mères! Car bien qu'elles ne fassent que leur devoir, elles y acquièrent cependant un grand mérite pour leurs âmes. On leur doit aussi de grandes louanges en ce monde, et il en va de même pour les fils.

Que veux-tu que je te dise de plus? Je pourrais te citer sans fin des exemples de cas semblables, mais que cela te suffise pour cette fois.»

12. Où Droiture dit qu'elle a achevé la construction des édifices et qu'il est temps de peupler la Cité

«Maintenant, il me semble, ma chère amie, que notre construction est bien avancée; de hautes maisons s'élèvent tout au long des larges rues de la Cité des dames, ainsi que des palais royaux fort bien construits; ses donjons et ses tours de défense s'élèvent hauts et droits, de sorte qu'on peut déjà les voir de loin. Il est bien temps désormais que nous commencions à peupler cette noble cité, afin qu'elle ne reste pas vide et inoccupée, mais qu'elle soit entièrement habitée par des dames de grande excellence, car nous n'en voulons pas d'autres. Oh! Comme elles seront heureuses, les citoyennes de notre ville! Car elles n'auront pas besoin de craindre ou de redouter d'être délogées de leur propriété par des occupants étrangers, puisque notre ouvrage a pour particularité que celles qui en prendront possession ne pourront pas en être délogées. Voici donc que commence un nouveau royaume de Féminie[1], mais il a beaucoup plus de mérite que celui de jadis, car les dames qui seront logées ici ne devront pas quitter leur terre pour aller concevoir et enfanter de nouvelles héritières pour conserver leur propriété à travers les âges, de génération en génération: celles que nous y mettrons maintenant y suffiront pour toujours.

Et quand nous l'aurons peuplée de nobles citoyennes, dame Justice, ma sœur, arrivera et amènera avec elle la Reine excellente

---

[1] C'est le nom souvent donné au royaume des Amazones au Moyen Âge. Voir D. James-Raoul, «Les Amazones au Moyen Âge», *op. cit.*, p. 207.

sur toute excellente, acompaignie de princeces de tres
grant dignité, lesquelles habiteront es plus haultes places
et es souverains donjons. Si est bien raison que quant la
25   Roine y vendra, qu'elle treuve ja sa cité garnie et puepplee
de nobles dames qui a honneur la reçoivent comme leur
souveraine dame, empereïs de tout leur sexe. Mais quelz
citoien[ne]s y commettrons-nous[1]? Seront ce femmes
dissolues ou diffamees? Certes non, ains seront toutes
30   preudefemmes de grant auctorité[2], car plus bel puepple ne
plus grant parement ne peut estre en cité que bonnes
preudefemmes. Or sus, chiere amie, or te mes en besongne
et passe avant, si les alons querre!»

**Demande Cristine a Dame Droiture se c'est voir ce que
les livres et les hommes dient, que la vie de mariage soit
si dure a porter pour l'occasion des femmes et a leur
grant tort, et respont Droiture et commence a parler de
la grant amour de femmes a leur maris .XIII.**

1   Adont[3], en alant querre les dites dames par l'ordonnance de Dame Droiture, disoie en alant icestes parolles:
«Dame, vraiement vous et Raison m'avez solues et
concluses toutes mes questions et demandes si que replic-
5   quier plus n'y saroie, et me tiens pour tres bien informee
de ce que je queroie. Et assez par vous deux ay apris
comment toutes choses faisables et scyibles, tant en force
de corps [76ʳ] comme en sapience d'entendement et de
toutes vertus sont possibles et aissiees a estre excecutees
10   par femmes. Mais encore vous pri que dire me vueilliés et
certifier se ce est vraie chose ce que ces hommes dient, et
tant de aucteurs le tesmongnent, dont je sui en trop grant
pensee, que la vie de l'ordre de mariage so[i]t[4] aux
hommes plaine et avironné de si grant tempeste par la
15   coulpe et impetuosité des femmes et de leur rencuneuse
moleste, comme il est escript en mains livres, et assez de

---

[1] B, D, R: quieulx citoyennes y mettrons

[2] R: de grant beauté et de grant auctorité

[3] A orné sur 3 lignes.

[4] sont

entre toutes, accompagnée de princesses de très haute dignité, qui habiteront dans les demeures les plus élevées et les donjons majestueux. Il est bien juste que quand elle y viendra, la Reine trouve sa cité déjà garnie et peuplée de nobles dames qui puissent la recevoir avec tous les honneurs comme leur souveraine, et l'impératrice de tout le sexe féminin. Mais quelles citoyennes y mettrons-nous? Seront-ce des femmes dissolues ou de mauvaise réputation? Certes non, bien au contraire, elles seront toutes des femmes de valeur dotées d'un grand prestige, car il ne peut y avoir de meilleur peuple ou de plus belle parure pour une ville que des femmes de bien et de valeur. Sus donc, ma chère amie, mets-toi donc à l'ouvrage et passe devant, allons les chercher!»

13. Christine demande à Dame Droiture s'il est vrai, comme le disent les livres et les hommes, que l'état de mariage soit si difficile à supporter à cause des femmes et par leur grande faute; Droiture lui répond et commence à parler de femmes qui aimèrent leurs maris d'un grand amour

Alors, tandis que nous allions chercher ces dames selon la volonté de dame Droiture, je lui tins tout en marchant ces propos: «Ma Dame, en vérité vous avez, Raison et vous-même, résolu tous les problèmes que je vous ai soumis et répondu à toutes mes questions, si bien que je n'ai plus rien à répliquer, et que je considère avoir bien obtenu toutes les informations que je cherchais. J'ai très bien appris de vous deux que tout ce que l'on peut faire ou apprendre, que ce soit par la force physique, par les facultés intellectuelles ou par toute autre faculté, est possible et facile à réaliser pour des femmes. Mais je vous prie encore de bien vouloir me dire et me certifier s'il est vrai, comme le disent les hommes et comme tant d'auteurs en portent témoignage - ce qui me plonge dans la plus grande perplexité - que la vie dans l'état de mariage est pour les hommes pleine de tourments et de tempêtes, par la faute des femmes, de leur caractère violent, mauvais et rancunier, comme c'est écrit dans bien des livres et comme beaucoup de gens en témoignent; et qu'elles aiment si peu la compagnie de leurs maris

gens le tesmongnent, et que elles si pou aiment leurs maris
et leur compaignie que riens tant ne leur ennuie. Pour
quoy, pour obvier et eschever ses inconveniens, plusieurs
20   ont conseillié aux sages que ilz ne se marient, certifiant
que nulles ou pou d'elles soient loialles a leur parti.

¶Et meismement Valere a Ruffin en escript, et
Theofrastus en son livre dit que nul sage ne doit prendre
femme, car trop a en femmes de cures, pou d'amour, et
25   foison jengleries, et que se l'omme le fait pour estre mieux
servi ou gardé en ses maladies, que trop mieulx et plus
loyaument le servira et gardera un loyal serviteur et ne lui
coustera pas tant; et que se la femme est malade, le mari
est alangouré et ne s'osera bougier d'emprés elle. Et assez

qu'il n'est rien qui leur soit aussi pénible. C'est pourquoi beaucoup ont conseillé aux sages de ne pas se marier pour contourner et éviter les inconvénients du mariage, assurant qu'aucune femme - ou bien peu d'entre elles - n'est loyale envers son conjoint.

C'est ainsi que Valérius écrit à Ruffin, reprenant ce que Théophraste dit dans son livre, que nul sage ne doit prendre femme, car les femmes apportent beaucoup de soucis, peu d'amour et quantité de bavardages inutiles ; que si l'homme se marie pour être mieux servi ou mieux soigné en cas de maladie, un loyal serviteur le servira et le soignera bien mieux, tout en lui coûtant moins cher ; et que si la femme est malade, le mari est tout languissant et n'ose pas bouger ni s'éloigner d'elle[1]. Il dit encore bien d'autres choses

---

[1] Les auteurs cités ici - Théophraste et « Valérius » - font partie d'un fonds commun d'auteurs misogynes et misogames fréquemment cités par les adversaires des femmes et du mariage durant toute la période médiévale. On les trouve notamment dans le discours du Jaloux dans le *Roman de la Rose* (voir plus haut, I, 2, et note 11), *op. cit.*, p. 466, v. 8565 *sq.*, et v. 8693 et 8731 (p. 472 et 474, références à Valérius). On attribue à Théophraste (philosophe du IIIe s. avant J-C.) un traité intitulé *Aureolus sive De Nuptiis*, perdu, mais dont un long extrait est cité par saint Jérôme dans son *Adversus Jovinianum* (où, en réponse à Jovinien, condamné par les autorités ecclésiastiques en 390 puis en 391 en raison de ses prises de position contre le mouvement ascétique, il développe une critique de la femme et du mariage). C'est par ce seul texte qu'est connu ce passage de Théophraste qui sera souvent repris et cité par la suite. Voir P. Delhaye, « Le dossier anti-matrimonial de l'*Adversus Jovinianum* et son influence sur quelques écrits latins du XIIe siècle », *Mediaeval Studies*, vol. 13, 1951, p. 65-86. Quant à la « Lettre de Valerius au philosophe Rufinus pour le dissuader de prendre femme », attribuée à un certain Valerius, elle est de Gautier Map, qui l'a insérée dans son *De Nugis Curialium*, IV, 3. Le texte de cette lettre se trouve séparément dans un grand nombre de manuscrits, en particulier parmi les œuvres apocryphes de saint Jérôme, à qui elle a parfois été faussement attribuée. Ces « autorités » sont citées par Jean de Salisbury dans son *Policraticus* (VIII, 11), que Christine connaît sans doute surtout par la traduction française effectuée en 1372 par Denis Foulechat (elle cite le *Policratique* à plusieurs reprises dans son *Chemin de long estude* ainsi que dans plusieurs autres de ses œuvres, notamment le *Charles V*). Outre la mention de saint Jérôme citant Théophraste, on y trouve en termes assez proches l'idée de l'homme mieux soigné par un bon serviteur, ou qui ne quitte pas sa femme quand elle est malade (voir Jean de Salisbury, *Policratique*, trad. Denis Foulechat, BnF fr. 24287, BnF, Gallica, 2012 [en ligne], fol. 247r-252r). Théophraste a déjà été mentionné plus haut par Christine (à propos d'un texte écrit contre lui par Léontion, I, 30). Théophraste et saint Jérôme sont également cités par Simon de Hesdin dans sa traduction de Valère Maxime (II, 1, 1, p. 313-314) dans un passage très misogyne contre le mariage.

30   de telz choses dit qui trop longues serroient a racompter[1],
     dont je di, chiere dame, que se cestes choses sont vraies,
     tant sont ces deffaulx villains que toutes autres graces et
     vertus qu'avoir pourroient en sont anienties et estaintes. »
     Responce : « Certes, amie, si que toy meismes as autre-
35   fois dit a ce propos, qui maine [76ᵛ] procés sans partie bien
     aise plaide. Et te promet que les livres qui ce dient, les
     femmes ne les firent mie. Mais je ne doubte pas que qui
     des debas de mariage vouldroit faire informacion pour en
     faire nouvel livre selon le vrai, on trouveroit autres
40   nouvelles.

     ¶Ha ! Chiere amie, quantes femmes est il, et tu
     meismes les scez, qui usent leur lasse de vie ou lien de
     mariage par dureté de leurs maris en plus grant penitence
     que se elles feussent esclaves entre les Sarasins ? Dieux !
45   Quantes dures bateures sans cause et sans raison, quantes
     ledenges, quantes villenies, injures, servitudes et oultrages
     y seuffrent maintes bonnes preudefemmes qui toutes ne
     crient pas harou ! Et de telles qui meurent de fain et de
     mesaise atout plain foier d'enfans, et leurs maris sont en
50   lieux dissolus ou mainent les galles par la ville ou es
     tavernes, et encores les pouvres femmes seront batues au
     retourner, et ce serra leur soupper, qu'en dis tu ? Men je ?
     En veis tu oncques nulles de tes voisines ainsi
     atournees ? »

55   Et je a elle respondi[2] : « Certes, dame, si ay fait mainte,
     dont grant pitié avoie. »

     « Je t'en croy, dist elle[3]. Et a dire que les maris soient
     tant adolez pour les maladies de leurs femmes, je te prie,
     m'amie, ou sont ilz ? Et sans que plus je t'en die, tu peus
60   bien savoir que ces babuises dites et escriptes contre les
     femmes furent et sont choses trouvees et dites a voulenté
     et contre verité. Car les hommes sont maistres sur leurs
     femmes, et non mie les femmes sur leurs maris
     maistresses ; si ne leur soufferoient jamais telle auctorité.

---

[1] B, D, R : a reciter

[2] B, D, R : Et je a elle : respondi omis.

[3] B, D, R : dist elle omis.

du même ordre, qui seraient trop longues à rapporter en détail.
Ce qui me fait dire, ma chère Dame, que si ces choses sont vraies,
ces défauts sont si affreux qu'ils éclipsent et anéantissent toutes
les autres qualités et vertus qu'elles pourraient avoir. »

Elle me répondit : « Certes, mon amie, ainsi que tu l'as dit toi-
même ailleurs à ce propos, qui engage un procès sans partie
adverse plaide bien facilement. Et je t'assure que ce ne sont pas
des femmes qui ont écrit les livres qui disent de telles choses[1].
Mais je n'ai aucun doute que, si quelqu'un prenait la peine de
mener une enquête sur les querelles dans le mariage pour en faire
un nouveau livre conforme à la vérité, on trouverait des choses
toutes différentes.

Ah ! Ma chère amie, combien y a-t-il de femmes - toi-même,
tu le sais bien - qui usent leur malheureuse vie dans les chaînes du
mariage, à cause de la dureté de leur mari, dans de plus grandes
peines que si elles étaient esclaves chez les Sarrasins ? Ah ! Dieu !
Que de volées de coups sans cause et sans raison, que d'injures,
que de mauvais traitements, d'insultes, d'offenses, d'outrages, de
servitudes, qu'endurent tant de bonnes et vertueuses femmes sans
même appeler au secours ! Et celles qui meurent de faim et de
misère avec une maison pleine d'enfants, tandis que leurs maris
fréquentent des lieux de débauche ou s'en vont faire la fête dans
toute la ville ou dans les tavernes ? Et encore, quand ils rentrent,
les pauvres femmes seront battues, et cela leur tiendra lieu de
souper ! Qu'en dis-tu ? Dis-moi si je mens, et si tu n'as jamais vu
aucune de tes voisines traitée ainsi ? »

Je lui répondis : « En vérité, oui, ma Dame, j'en ai vu
beaucoup, et cela me faisait beaucoup de peine. »

« Je veux bien te croire, dit-elle. Et pour ce qui est de ces maris
si accablés de douleur par les maladies de leurs femmes, où sont-
ils, ma chère amie, je te le demande ? Sans qu'il soit nécessaire de
t'en dire plus, tu peux bien savoir que ces balivernes qu'on
raconte ou qu'on écrit contre les femmes ont été et sont encore
inventées et forgées de toutes pièces, à l'encontre de la vérité. Car
ce sont les hommes qui dominent leurs femmes, et non pas les
femmes qui dominent leurs maris ; ils ne supporteraient jamais de

---

[1] Pour le proverbe précédent, voir plus haut, I, 3. Les deux idées se trouvent
déjà dans l'*Epistre au dieu d'Amour* (p. 14, v. 409-415).

65   Mais je te promés que tous les [77ʳ] mariages ne sont mie
      maintenus en tel contens, car il en est qui vivent en grant
      paisibleté, amour et loyauté ensemble, pour ce que les
      parties sont bonnes, discretes et raisonnables. Et quoy
      qu'il soit des mauvais maris, il en est de tres bons, vaillans
70   et saiges, et que les femmes qui les encontrerent nasqui-
      rent de bonne heure, quant a la gloire du monde, de ce que
      Dieux les y adreça. Et ce pués tu bien savoir par toy
      meismes, qui tel l'avoies qu'a fin souhait ne seusses miex
      demander, et qui, a ton jugement, nul autre homme de
75   toute bonté, paisibleté, loyauté et bonne amour ne le
      passoit, duquel les regrais de ce que mort le te toli jamais
      de ton cuer ne partiront. Et quoy que je te die, et il est voir
      que il sont moult de bonnes femmes moult malmenees par
      leurs divers maris, saches pourtant que il en est de moult
80   diverses et sans raison. Car se je disoie que toutes feussent
      bonnes, je pourroie assez de legier estre trouvee menta-
      resse ; mais c'est en la mendre partie, et de celles qui telles
      sont, je ne me mesle, car telles femmes sont comme chose
      hors de sa nature.

85   ¶Mais a dire des bonnes, pour ce que cellui
      Theophrastus dont tu as parlé dit que aussi loyaument,
      autant songneusement serra un homme gardé en sa
      maladie ou essoine par son servant que par sa femme, ha,
      quantes bonnes femmes sont aussi songneuses de leurs
90   maris servir, sains et malades, par loyal amour, que ce
      feussent leurs dieux ? Je croy que on ne trouveroit point de
      tel serviteur. Et pour ce qu'entrees sommes en ceste
      matiere, je t'en donrai maint exemple de grant amour[1] et
      loyauté de femmes portee a leurs maris. Et or sommes,
95   Dieu merci, retournees en nostre Cité atout [77ᵛ] belle
      compaignie de nobles preudefemmes que nous y herberge-
      rons. Et voy ci ceste noble roine Hipsistrate, femme jadis
      du riche roi Mitridates. Pour ce que moult est d'ancien

_____
    [1] amoure

leur donner un tel pouvoir. En revanche, je t'assure que tous les mariages ne se passent pas ainsi dans des querelles continuelles ; il est des couples qui vivent très paisiblement, dans l'amour et dans la fidélité, car les deux partenaires sont bons, avisés et raisonnables. Et bien qu'il y ait des mauvais maris, il en est aussi de très bons, pleins de valeur et de sagesse ; les femmes qui les ont rencontrés sont nées sous une bonne étoile, pour ce qui est du bonheur terrestre dont Dieu les a pourvues. Tu peux bien le savoir par ton propre exemple, car celui que tu as eu était si bon que tu n'aurais pu en souhaiter de meilleur ; aucun autre homme, à ton avis, ne le dépassait pour la bonté, la douceur, la loyauté et l'amour sincère ; la mort te l'a ravi, et jamais tu ne cesseras de le regretter en ton cœur[1]. Toutefois, s'il est vrai, comme je te le dis, qu'il existe beaucoup de femmes bonnes qui sont maltraitées par leurs mauvais maris, sache aussi qu'il en existe de très méchantes, et sans aucune raison. En effet, si je disais que toutes sont bonnes, on pourrait très facilement me convaincre de mensonge. Mais il s'agit d'une minorité, et celles qui sont ainsi, je ne m'en occupe pas, car de telles femmes sont en quelque sorte des êtres dénaturés.

Mais pour en revenir à celles qui sont bonnes, ce Théophraste dont tu as parlé dit qu'un homme serait soigné dans la maladie ou dans les difficultés avec autant de loyauté et de soin par un serviteur que par sa femme. Ah, combien de bonnes épouses servent leurs maris, qu'elles aiment d'un loyal amour, avec autant de soin, qu'ils soient malades ou en bonne santé, que s'ils étaient leurs dieux ? Je crois bien qu'on ne trouverait pas de pareil serviteur. Et puisque nous en sommes venues à ce sujet, je vais te donner de nombreux exemples de femmes qui ont témoigné à leur mari un grand amour et une grande loyauté. Nous voici, Dieu merci, revenues à notre Cité entourées d'une belle compagnie de nobles et dignes femmes que nous pourrons y héberger. Voici d'abord la noble reine Hypsicratea, qui fut jadis l'épouse du puissant roi Mithridate[2]. Comme elle a vécu à une époque très ancienne et que

---

[1] Thème récurrent dans les œuvres de Christine, depuis ses tout premiers poèmes, inspirés par la douleur de son veuvage.

[2] Hypsicratea est l'une des concubines de Mithridate VI Eupator dit le Grand, roi du Pont. Christine en fait ici une épouse modèle.

temps et sa valeur de grant dignité, premiere y herberge-
100   rons ou noble lieu et palais qui lui est apresté.»

Cy dist de la royne Hipsitrate .XIV.

1   «Comment[1] pourroit estre nulle creature de plus grant
amour a autre que fu la tres belle, bonne, loyalle Hipsitrate
a son mari? Et bien lui demonstra. Ceste fu femme du
grant roy Mitridates, qui signourissoit les contrees de
5   XXIIII langages; et ja soit ce que cestui roy feust sur tous
puissant, les Rommains lui menerent moult dure guerre.
Mais en tout le temps que vaqua longuement et par grans
cures es batailles, ou que il alast, oncques sa bonne femme
ne le laissa. Et combien que cestui roy, selons la maniere
10   barbarine, eust plusieurs concubines, toutevoies ceste
noble dame fu tousjours en parfaite amour embrasee en tel
maniere que nulle part ne souffrist que il alast sans elle, ou
souvent estoit avec lui es grans batailles en peril de perdre
son royaume ou en aventure de mort contre les Rommains.
15   Mes alast en region estrange ou en lontain païs, passast la
mer ou desers perilleux, oncques n'ala en lieu qu'elle ne
fust tousjours sa tres loyalle compaigne sans point
departir, car elle l'amoit de si parfaite amour qu'elle
pensoit que nul homme ne le pourroit si nettement, si
20   loyaument ne si bien servir[2] comme elle feroit.

Et contre ce que le philosophe Theofrastus dit touchant
ceste matiere, ceste dame, pour ce qu'elle savoit que
souventes fois roys et princes ont de faulx serviteurs, [78r]
dont s'ensuit faulx service, elle, comme loialle amante, a
25   celle fin qu'a son seigneur les choses convenables et
neccessaires peust tousjours amenistrer, ja soit ce qu'elle y
souffrist grant paine, le voulst tousjours suivir. Et pour tant
qu'a tel fait l'abit de femme n'estoit pas convenable, ne
expedient que une femme au costé d'un si grant roy et si
30   noble combatant feust veue en bataille, affin que homme
semblast estre, coppa ses cheveulx loncs et blons comme
or, qui au parement des femmes est chose moult avenant.

---

[1]   C orné sur 2 lignes.
[2]   B, D, R: servir son seigneur

son grand mérite l'en rend tout à fait digne, elle sera la première que nous logerons dans le noble palais qui a été préparé pour elle. »

14. Où l'on parle de la reine Hypsicratea

«Comment aucun être vivant pourrait-il éprouver de plus grand amour pour un autre que ne le fit pour son mari la très belle, très bonne et loyale Hypsicratea ? Elle le lui fit bien voir. C'était la femme du grand roi Mithridate, qui régnait sur des pays où l'on comptait vingt-quatre langues différentes. Bien que ce roi fût plus puissant que tous les autres, les Romains lui livrèrent une guerre très rude. Mais pendant tout le temps où il fut entièrement occupé par ses longues campagnes, partout où il allait, son excellente femme ne le quitta jamais. Et bien que ce roi ait eu plusieurs concubines selon la coutume des barbares, cette noble dame fut toujours enflammée d'un si parfait amour que jamais elle ne supporta qu'il allât quelque part sans elle ; elle était souvent auprès de lui dans les grandes batailles contre les Romains où il risquait de perdre son royaume ou se mettait en danger de mort. Que ce soit dans une terre étrangère ou dans un pays lointain, qu'il faille traverser la mer ou un désert périlleux, jamais il ne se rendit où que ce soit sans qu'elle ne fût toujours sa compagne très loyale qui ne le quittait jamais, car elle l'aimait d'un si parfait amour qu'elle pensait qu'aucun homme ne serait capable de le servir aussi bien, aussi soigneusement ni aussi loyalement qu'elle ne le faisait elle-même.

Et contrairement à ce que le philosophe Théophraste dit sur ce sujet, cette dame, qui savait bien que souvent les rois et les princes ont de mauvais serviteurs qui les servent très mal, voulut toujours le suivre partout, en amante loyale, afin de pouvoir toujours procurer à son mari tout ce qui était nécessaire et convenable, malgré toutes les peines qu'il lui fallut souffrir. Et comme les vêtements féminins n'étaient pas appropriés pour de telles activités et qu'il n'était pas opportun qu'on vît dans la bataille une femme aux côtés d'un si grand roi et d'un si noble combattant, pour ressembler à un homme, elle coupa ses longs cheveux blonds comme l'or, qui sont pourtant une si belle parure pour les femmes.

Mes avecques ce n'espargna mie la belle frescheur de son
visaige, ains prist le heaume, soubz lequel fu souvent
35   souillee, plaine de sueur et de pouldre, et son beau corps et
souef vestu d'armes et de hobergon, chaucee de fer, et les
aneaux precieux et les riches aournemens ostez, et en lieu
de eulx, tenir es mains haches, dures lances, ars et saiettes,
chaindre espees en lieu de riches couroies. Et en telle
40   maniere se gouvernoit celle noble dame par force de grant
et loyal amour que la tendreté de son beau corps, jenne et
delié et souef norri, estoit converti si comme en un tres fort
et viguereux chevalier armé.

¶Ce dit Bocace[1] qui ceste histoire racompte : "Que est
45   ce que amour ne face fere, quant celle qui avoit acoustumé
a vivre tant delicativement, couchiez souef, et toutes
choses avoir a son aise, est maintenant demenee par
franche voulenté comme se ce fust homme dur et fort par
montaignes et par vallees, nuit et jour, gisans es desers et
50   es forests, souventes fois sus la terre pour paour des
ennemis, avironnee de toutes pars de bestes et de
serpens !" Mes tout ce lui estoit doulx pour tousjours estre
coste son mari pour le conforter, [78ᵛ] conseillier et servir
en tous ses affaires. Et encores aprés, quant elle ot par
55   longue enduree souffert maint dur travaux, avint que son
mari fust desconfit moult crueusement par Pompee, prince
de l'ost des Rommains, si que il fu contraint de fouir. Mes
comme il feust de tous les siens delaissiez et demourast
seul, ne le delaissa pas sa bonne femme, ains courant aprés
60   par montaignes et par vallees et lieux obscurs et sauvaiges,
adés le suivoit. Et il, qui de tous ses amis estoit delaissié et
relainqui, ne plus n'avoit esperance, estoit reconforté par
sa bonne femme qui doulcement d'avoir esperance de
meilleur fortune l'ennortoit[2]. Et quant lui et elle estoient en
65   plus grant desolacion, et plus celle mettoit paine de lui
donner soulas et de l'esjoïr par la doulceur de ses parolles,

[1] *B, D, R* : O ! ce dit Bocace

[2] *B* : qui doulcement le reofortoit d'avoir esperance de meilleur
fortune ; *D* : qui doulcement d'avoir esperance de meilleur fortune ; *R* :
qui doulcement d'avoir esperance de meilleur fortune l'admonnestoit

En plus de cela, elle n'épargna pas la belle fraîcheur de son teint, mais elle revêtit le heaume, sous lequel elle était souvent sale, pleine de sueur et de poussière ; son beau corps délicat fut revêtu d'un équipement guerrier, haubergeon et chausses de fer ; les anneaux précieux et les riches joyaux furent ôtés de ses mains et remplacés par des haches, de rudes lances, des arcs et des flèches ; au lieu de ses ceintures précieuses, elle ceignit l'épée. Cette noble dame se conduisait de telle façon, mue par la force de son grand et loyal amour, que son beau corps tendre, jeune, délicat et élevé dans la douceur se transforma au point de ressembler à celui d'un chevalier armé, très fort et vigoureux.

Voici ce qu'en dit Boccace, qui raconte cette histoire : "Quel n'est pas le pouvoir de l'amour, quand celle qui avait l'habitude de vivre de manière si raffinée, de dormir dans un lit moelleux et d'avoir tout ce qu'elle voulait pour son confort, est maintenant, par sa seule volonté, comme si elle était un homme rude et fort, menée par monts et par vaux, nuit et jour, couchant dans des déserts ou dans des forêts, souvent à même la terre par peur des ennemis, entourée de toutes parts de bêtes sauvages et de serpents !" Mais tout cela lui semblait doux, puisqu'elle était toujours aux côtés de son mari pour le réconforter, le conseiller et le servir en toutes circonstances. Plus tard, après qu'elle eut supporté pendant longtemps bien des dures peines, il arriva encore que son mari fut très sévèrement vaincu par Pompée[1], le général en chef de l'armée romaine, si bien qu'il fut contraint de s'enfuir. Mais alors qu'il était demeuré seul, abandonné par tous les siens, son excellente épouse ne le quitta pas ; elle le suivait toujours, courant derrière lui par monts et par vaux, à travers des lieux obscurs et sauvages. Et lui, qui avait été abandonné et renié par tous ses amis et avait perdu tout espoir, était réconforté par sa bonne épouse qui l'exhortait doucement à espérer que son sort s'améliore. Et plus ils se trouvaient tous deux dans la désolation, plus elle se donnait du mal pour le consoler et l'égayer par de douces paroles, afin qu'il oublie un instant son désespoir grâce

---

[1] Pompée vainquit et mit en fuite le roi du Pont en 66 av. J.-C. Cette défaite marque l'avancée de l'empire romain vers l'Orient. Christine raconte longuement l'affrontement de ces deux personnages dans la *Mutacion* (VII, 40-42, t. IV, p. 17-24, v. 21740-21900).

affin qu'il entroubliast sa melencolie par gracieux et solacieux jeux qu'elle savoit trouver. Pour lesquelles choses et par la grant doulceur d'elle, tant lui donnoit de
70 consolacion ceste dame qu'en quelconque misere ou souffrete que il feust, tant eust de tribulacions, elle lui faisoit si oublier[1] que souvent il disoit que il n'estoit point homme exillié, ains lui sembloit que il feust tres delicieusement en son palais avec sa loial espouse. »

De l'empereïs Triare .XV.

1   « Assez[2] pareille et semblable a la susdite roine en cas et en loial amour vers son mari fu la noble empereïs Triare, femme de Lucien Utilien, empereur des Romains. Celle l'amoit de si grant amour qu'elle le suivoit partout, et en
5 toutes batailles, armee comme un chevalier, estoit hardiement coste lui, et se combatoit viguereusement. Dont il avint que ou temps que icellui empereur ot guerre a Vaspa[79r]cien pour cause de la seignourie de l'empire, que comme il alast contre une cité des Volques et par nuit
10 feist tant que il entrast dedans, ou il trouva les gens endormis, auxquelz il couru sus cruellement ; mes celle

---

[1] B : elle lui faisoit si sa douleur oublier
[2] A orné sur 2 lignes.

aux distractions agréables et plaisantes qu'elle savait inventer. Par tout ceci et par sa grande douceur, elle le consolait si bien que, quels que fussent le malheur et les privations, et les épreuves qu'il subissait, elle les lui faisait si bien oublier qu'il disait souvent qu'il ne se sentait pas comme un exilé, car il lui semblait mener une vie de délices dans son palais avec sa loyale épouse[1]. »

15. De l'impératrice Triaria

« La noble impératrice Triaria, épouse de l'empereur romain Lucius Vitellius[2], ressemblait fort à la reine dont nous venons de parler par ce qui lui arriva et par l'amour loyal qu'elle portait à son mari. Elle aimait celui-ci d'un amour si grand qu'elle le suivait partout et qu'elle se tenait hardiment à côté de lui dans toutes les batailles, armée comme un chevalier, combattant avec vigueur. Or, au temps où cet empereur était en guerre contre Vespasien pour le pouvoir impérial, il assaillit de nuit une cité volsque et parvint à pénétrer à l'intérieur de la ville, où il trouva les gens endormis, et il les attaqua avec un courage féroce[3] ;

---

[1] Christine raccourcit le chapitre des *Cleres femmes* : elle conserve la transformation par amour de la dame, pourvue de tous les traits caractéristiques de la beauté féminine au Moyen Âge, en chevalier, et sa loyauté indéfectible à son mari déchu. Le traducteur de Valère Maxime, Simon de Hesdin, retient également ces deux épisodes dans un récit encore plus bref (*Faits et Dits* IV, 6, fol. 201ʳ). La traduction de Boccace insiste sur les horreurs de la guerre et surtout, dénonce la cruauté de Mithridate qui finit par assassiner celle qui a tout sacrifié pour lui. Bien qu'elle cite longuement Boccace, Christine a réécrit son récit contre les misogynes représentés par Théophraste, cité plus haut dans ce chapitre, en inscrivant cet exemple en tête d'une section où elle traite des femmes « qui aimèrent leurs maris d'un grand amour » (titre du chapitre précédent). Elle a très probablement utilisé aussi la version de Simon de Hesdin. Pour une analyse détaillée de cet exemple, voir D. Lechat, *Dire par ficcion, op. cit.* p. 419-423.

[2] Triaria a vécu au premier siècle après J.-C. Elle fut la seconde épouse de Lucius Vitellius Novis (v. 16 av. J.-C.-69 ap. J.-C.), qui fut consul et non pas empereur, contrairement à son frère Aulus Vitellius qui a régné quelques mois pendant l'année 69. C'est lui qui s'opposa à Vespasien. Tacite raconte dans les *Histoires* : « Certains ont accusé la femme de L. Vitellius, Triaria, d'avoir ceint une épée de soldat et, au milieu de deuil et du désastre que constituait la prise de Terracine, de s'être conduite avec superbe et cruauté. » (Tacite, *Histoires*, dans *Œuvres complètes*, trad. P. Grimal, Paris, Gallimard, 1990, III, LXXVII, p. 280).

[3] L'adverbe « cruellement » peut avoir une valeur positive, d'où la traduction proposée.

noble dame Triare, qui par toute la nuit avoit suivi son
mari, n'en estoit mie adont loins, mais desirant que il eust
la victoire, elle, toute armee, l'espee traitte[1], se combatoit
15   fierement en la route coste son mari, maintenant ça,
maintenant la, par les tenebres de la nuit. N'avoit point
paour ne de oreur, ains s'i porta tant vigueureusement que
de celle bataille elle ot de tous le pris et merveille y fist. Et
demoustra bien, ce dit Bocace, la grant amour qu'elle avoit
20   a son mari, en approuvant le lyen de mariage que autres
veullent tant reprouchier. »

Encore de la royne Arthemise .XVI.

1   « **Des**[2] dames qui ont amé de grant amour leur maris et
qui de fait l'ont moustré, puis encores dire d'icelle noble
dame Arthemise, roine de Care, que comme elle eust,
pareillement que dessus est dit, suivi en mainte bataille le
5   roy Mansolle, et il venist a mort, elle, atainte et oultree de
si grant douleur que creature peut porter, se elle avoit bien
demoustré en sa vie qu'elle l'amoit, n'en fist mie moins a
la fin. Car en faisant toutes les sollempnitez qui a l'usaige
de lors se peussent faire a roy, fist ardoir a grant oseque et
10   a grant compaignie de princes et de barons le corps duquel
elle meismes en recueilli la cendre, en faisant la laissive de
ses lermes, et la mist en un vessel d'or. Si lui sembla que
ce n'estoit pas raison que les cendres de cellui que tant
avoit amé eussent autre sepulcre que le cuer et le corps ou
15   estoit la racine de celle grant amour. Et pour ce[3] elle but les
dites [79ᵛ] cendres par sucession de temps meslees avec
buevraige, petit a petit, jusques qu'elle ot tout pris. Mais
non obstant ceste chose, volt en ramembrance de lui faire
un tel sepulcre que a tousjours en feust memoire, et pour
20   ce faire n'espargna nul avoir. Si fist querre certains

---

[1]   *B, D, R* : l'espee çainte
[2]   D *orné sur 2 lignes.*
[3]   par ce ; *corr. d'après B, D, R.*

cependant cette noble dame Triaria, qui avait suivi son mari durant toute la nuit, ne se trouvait pas loin de lui ; désirant qu'il obtienne la victoire, toute armée, brandissant son épée, elle combattit farouchement au milieu de la troupe, aux côtés de son mari, tantôt d'un côté tantôt de l'autre, dans les ténèbres de la nuit. Elle n'éprouvait point de peur ni d'horreur, mais elle combattit avec tant d'énergie que dans cette bataille elle surpassa tous les autres, car elle y fit merveille. Elle fit bien la preuve du grand amour qu'elle portait à son mari, comme le dit Boccace, lui qui approuve les liens du mariage que d'autres veulent tant critiquer[1]. »

16. Où l'on parle à nouveau de la reine Artémise[2]

« Parmi les dames qui ont aimé leur mari d'un grand amour et qui l'ont prouvé par leurs actes, je peux parler à nouveau de cette noble dame Artémise, reine de Carie. Alors qu'elle avait suivi le roi Mausole dans de nombreuses batailles, comme cela a été dit plus haut, il vint à mourir ; quant à elle, frappée et submergée par la douleur la plus forte qu'aucune créature puisse éprouver, si elle avait bien manifesté durant sa vie combien elle l'aimait, elle ne le fit pas moins à sa mort. Elle lui fit des obsèques solennelles, accomplissant tous les rites qui se pussent faire pour la mort d'un roi selon les coutumes de l'époque ; elle fit brûler son corps en grande cérémonie, accompagnée d'un grand nombre de princes et de seigneurs, et elle recueillit elle-même ses cendres en les lavant de ses larmes, puis les mit dans un vase d'or. Alors il lui sembla qu'il n'était pas juste que les cendres de celui qu'elle avait tant aimé eussent d'autre sépulture que le corps et le cœur où ce grand amour était enraciné ; c'est pourquoi elle décida de boire ces cendres mêlées avec un breuvage, petit à petit, jour après jour, jusqu'à ce qu'elle eût tout absorbé. Malgré cela, elle voulut aussi faire construire en souvenir de lui une sépulture telle qu'elle pût perpétuer à jamais sa mémoire, et elle n'épargna aucune richesse

---

[1] *Cleres femmes*, XCVI, t. II, p. 147-148. Christine ne garde que l'essentiel du chapitre, sans entrer dans les détails de l'histoire. À la différence de Boccace, qui se fonde sur Tacite, elle fait de Triaria une impératrice. Les deux textes soulignent l'amour exceptionnel de la dame pour son mari ; Boccace loue, de plus, sa vaillance et son courage guerriers.

[2] Tout un chapitre lui a déjà été consacré dans la première partie (I, 21).

ouvriers qui savoient pourpenser et faire ouvrages mervilleux en ediffices, c'est assavoir Scope, Briare, Thimothé et
Leothaire, qui estoient ouvriers de grant excellence. Et a
ceulx dit la royne qu'elle vouloit que un sepulcre fust fait
25 au roy Mausolle son seigneur, le plus sollempnel que roy
ne prince qui ou monde fust eust, car elle vouloit que par
l'euvre mervilleuse le nom de son mari durast a tousjours.
Et ceulx dirent que bien le feroient. Si leur fist la roine
querre pierre de marbre et de jaspe de diverses couleurs, et
30 tout quanque ilz demanderent. La fin de l'ouvraige fu tel
que lesdis ouvriés devant la cité de Elicarnase, qui est la
maistre cité de Care, esleverent un grant estre de pierre de
marbre entaillee moult noblement, et fu de querree figure,
et en chascune querre ot LXIV piez et de hault cent XL
35 piez. Et plus grant merveille fu, car tout ce tres grant
ediffice fu assis sur XXX grosses coulombes de marbre, et
chascun des IV ouvriers entailla par estrif l'un de l'autre
l'une des quarrures de l'ediffice, dont l'euvre fu tant
mervilleuse qu'elle ne donna pas tant seulement remem-
40 brance de cellui pour qui avoit esté faite, mes donna amiracion de la soubtiveté des ouvriers. Le quint ouvrier vint a
celle oeuvre parfaire, qui ot nom Ytare. Et cellui fist la
haultece de l'eguille dudit sepulcre, laquelle il leva par
dessus ce que les autres avoient fait par XL degrés. Et
45 aprés vint le VIe ouvrier [80^r] nommé Pechis, lequel tailla
un chariot de marbre et le mist en la haultece de l'ediffice.

pour y parvenir. Elle envoya chercher des maîtres d'œuvre réputés, connus pour leur capacité à concevoir et à réaliser d'extraordinaires ouvrages d'architecture, Scopas, Bryaxis, Timotheus et Léocharès, qui excellaient alors en cet art. La reine leur dit qu'elle voulait faire élever pour son époux Mausole le tombeau le plus somptueux qui ait jamais été fait pour aucun prince ou aucun roi en ce monde, car elle voulait que le nom de son mari dure éternellement grâce à cette œuvre extraordinaire. Ceux-ci répondirent qu'ils sauraient bien accomplir cette tâche. La reine fit venir pour eux des marbres et des jaspes de diverses couleurs, et tout ce qu'ils demandèrent. Voici quel fut le résultat du travail effectué par ces artistes : devant la cité d'Halicarnasse, la ville principale de la Carie, ils élevèrent un grand bâtiment de marbre magnifiquement sculpté ; il était de forme carrée, et chacune des faces, large de soixante-quatre pieds[1], s'élevait à une hauteur de cent quarante pieds. Plus extraordinaire encore, cet énorme édifice reposait sur trente grosses colonnes de marbre, et chacun des quatre artistes, rivalisant d'adresse avec les autres, sculpta l'une de ses faces. Leur œuvre était si magnifique qu'elle ne fit pas que perpétuer la mémoire de celui pour qui elle avait été faite, mais qu'elle suscita l'émerveillement devant l'admirable talent des artistes. Un cinquième artiste, nommé Ptéron, vint parfaire l'ouvrage ; il construisit la pointe de l'édifice, qui s'élevait au moyen de quarante marches au-dessus de ce que les autres avaient fait. Ensuite un sixième artisan, nommé Pythius, sculpta un char de marbre et le plaça tout en haut de l'édifice[2]. Cette

---

[1] Tous les autres textes (voir la note suivante) indiquent soixante-trois pieds.

[2] Pour les noms des artistes (architectes et sculpteurs) ainsi que pour la description du Mausolée, Christine suit le texte des *Cleres femmes* (LVII, t. II, p. 16-17). Ces détails viennent de Pline l'Ancien (*Histoire naturelle*, XXXVI, 30-31, p. 1649). Les quatre premiers artistes, Scopas, Bryaxis, Timotheus et Léocharès, sont cités par Pline comme des sculpteurs célèbres en leur temps (IVᵉ siècle). Il en va de même du sixième, Pythis (ou Pythius). Pour le cinquième en revanche, Pline le mentionne comme celui qui réalisa la partie supérieure de l'édifice et la sculpture qui la surmonte, mais il ne donne pas son nom. Mais quelques lignes plus haut, il utilise le terme rare de *ptéron* pour désigner le pourtour du monument. D'où l'erreur de Boccace (ou de sa source), qui y voit un nom propre, celui du cinquième artiste, nommé par lui *Yteron* (traduit par Ptéron dans le *De mulieribus claris*, p. 102).

Ceste oeuvre fu tant mervilleuse qu'elle fu reputee l'une
des sept merveilles du monde. Et pour ce qu'elle fu faite
pour le roy Mausole, l'oeuvre en prist son nom et fu
50   appellee Mausolle. Et pour ce que cellui fu le plus
sollempnel sepulcre que oncques fust fait pour roy ne
prince, tous les aultres sepulcres des roys et des princes, ce
dit Bocace, ont puis esté appellez "masolles". Et ainsi
apparut en fait et en signe la loyalle amour que Arthemise
55   ot a son loyal espoux, laquelle amour dura tant comme
celle vesqui. »

Cy dit de Argine, fille du roy Adrastus .XVII.

1   « O[1] la tres grant amour[2] esprouvee que ot Argine, fille
de Adrastus le roy d'Arges, envers Polinices son mari !
Qui est cellui qui ose dire que poi d'amour ait femme a son
mari se il considere ceste dame ? Cellui Polinices, qui mari
5   estoit d'Argine, contendoit a son frere Ethiocles pour
cause de la seignourie du royaume de Thebes, qui lui
appertenoit par certaines convenances qu'entre eulx
avoient. Mes comme Ethiocles se voulsist du tout atribuer
le royaume, Polinices son frere lui mut guerre, auquel aide
10   ala son seigneur le roy Adrastus a toute sa puissance. Mes

---

[1] O *orné sur 3 lignes.*
[2] Amouvoir

œuvre était si extraordinaire qu'elle fut considérée comme l'une des sept merveilles du monde. Et comme elle avait été faite pour le roi Mausole, elle prit son nom et fut appelée Mausolée. Comme c'était le tombeau le plus somptueux qui eût jamais été construit pour un roi ou pour un prince, tous les autres tombeaux de rois et de princes, nous dit Boccace, furent par la suite appelés "mausolées". C'est ainsi, par ses actes et par ce symbole, que fut rendu visible le fidèle amour d'Artémise pour son loyal époux, un amour qui dura aussi longtemps qu'elle vécut.»

17. Où l'on parle d'Argie, fille du roi Adraste

«Oh! Quel très grand amour que celui qu'éprouva Argie, fille d'Adraste, roi d'Argos, pour son mari Polynice[1]! En considérant cette dame, qui oserait dire qu'une femme a peu d'amour pour son mari? Ce Polynice, le mari d'Argie, était en conflit avec son frère Étéocle pour la souveraineté du royaume de Thèbes, qui devait lui revenir en raison d'un accord qu'ils avaient conclu entre eux. Mais comme Étéocle voulut s'attribuer complètement le royaume, son frère Polynice lui déclara la guerre, et le roi Adraste, son seigneur, lui apporta son aide, avec toutes ses forces

---

[1] Personnages de la légende de Thèbes, connue d'abord dans la littérature grecque antique par les tragédies d'Eschyle (*Les Sept contre Thèbes*, 467 av. J.-C.) et de Sophocle (*Antigone, Œdipe roi* et *Œdipe à Colonne*, Vᵉ siècle av. J.-C.). La pièce d'Eschyle raconte l'affrontement mortel entre Polynice, qui s'est allié à Adraste, roi d'Argos, et son frère Étéocle. Tous deux fils d'Œdipe et de sa mère Jocaste, ils ont été maudits par leur père avant sa mort. Les deux frères s'entretuent. Leur oncle Créon, devenu roi de Thèbes, interdit que Polynice ait une sépulture, mais cette interdiction est bravée par sa sœur Antigone. Au Moyen Âge, la légende est surtout connue par la *Thébaïde* de Stace, un poème épique latin en douze livres datant du Iᵉʳ siècle après J.-C. C'est là qu'apparaît le personnage d'Argie, fille d'Adraste et épouse de Polynice. Stace raconte l'assaut contre Thèbes des sept chefs argiens menés par Polynice. C'est dans le livre XII que figurent les péripéties évoquées ici. Sur le champ de bataille où elle est venue rechercher la dépouille de son mari, Argie rencontre Antigone avec qui elle s'associe pour rendre les honneurs funèbres à leur mari et frère, et avec qui elle sera emprisonnée par Créon. Mais il n'est pas question d'Antigone dans le récit de Boccace. Christine suit le texte de Boccace (*Cleres femmes*, XXIX, t. I, p. 90-94), dont elle résume le début, avant de le reprendre de plus près; les passages qu'elle rapporte explicitement à Boccace (mentionné ici à trois reprises) sont en effet des quasi-citations. Elle ne reprend pas les commentaires de Boccace à la fin du chapitre. Mais elle a ajouté une brève conclusion (voir la note suivante).

si mal tourna la fortune contre Polinices que lui et son
frere s'entre occirent en la bataille, et ne demoura de tout
l'ost en vie fors le dit roy Adrastus lui IIIe de gent. Mais
quant Argine sot que son mari estoit mort en la bataille,
15   elle se parti et avec lui toutes les dames de la cité d'Arges,
et laissa son siege roial. Et de ce qu'elle fist dit Bocace en
ceste maniere : La noble dame Argine ouy dire que le
corps de Polinices son espoux gi[80ᵛ]soit mort non
enseveli entre les corps et charongnes du puepple
20   commun qui la estoit occis. Tantost ele, plaine de douleur,
laissa l'abit et aournement roial et la moleté et doulceur
de demourer en ses chambres parees, et avec ce surmonta
et vainqui par grant desir et ardeur d'amour la foiblece et
tendrece femmenine, et tant ala par ses journees qu'elle
25   vint ou lieu ou avoit esté la bataille, ouquel chemin ne
l'avoit point espouentee les embusches des agaitans
anemis, ne rendue lasse la longeur de la voie ne la chaleur
du temps. Et elle venue ou champ, ne l'espouenta point
les bestes crueuses ne les grans oyseaux suivans les corps
30   mors, ne les mauvais esperis, lesquelz, comme plusieurs
folz appuient¹, volent entour les corps des hommes ; et
qui est chose plus mervilleuse, ce dit Bocace, ne doubta
point le dit et commandement du roy Creonce, qui avoit
commandé et fait crier sur paine capitale que nul ne
35   visitast ne ensevelist les corps, quelz qu'ilz feussent.
Mais n'estoit pas allee celle part pour obeir a cellui
commandement. Ains si tost comme elle y fu arivee, qui
fu environ l'anuitier, adont ne laissa pas, aussi pour la
pueur qui moult grant y estoit² des charongnes, que elle,
40   menee³ par moult ardant et triste couraige, ne preist a
patoier les corps, puis les uns, puis les autres, en cerchant
cellui qu'elle amoit puis ça, puis la ; et ainsi ne cessa
jusques a ce que a la lumiere du petit brandon qu'elle
tenoit, trouva⁴ son tres amé mari, et ainsi trouva ce

---

¹ *B, D, R* : oppinent
² *B, D, R* : yssoit
³ *B, D* : meue
⁴ *B, D, R* : congneut

militaires. Mais le sort fut contraire à Polynice, au point que son frère et lui s'entretuèrent sur le champ de bataille, et que de toute l'armée il n'y eut que trois survivants, dont le roi Adraste. Lorsqu'Argie apprit que son mari était mort durant la bataille, elle abandonna son trône royal et partit, accompagnée de toutes les dames de la cité d'Argos. Voici comment Boccace raconte ce qu'elle fit : la noble dame Argie entendit dire que le corps de son époux Polynice gisait mort sans sépulture au milieu des cadavres et des charognes des gens ordinaires qui avaient été tués à cet endroit. Aussitôt, éperdue de douleur, elle quitta sa robe et ses parures royales et abandonna la douceur et le confort de ses appartements richement ornés ; par la force de sa volonté et l'ardeur de son amour, elle surmonta et vainquit la faiblesse et la mollesse habituelles aux femmes ; elle voyagea durant plusieurs jours pour parvenir jusqu'au lieu de la bataille, sans être épouvantée par les embûches tendues par les ennemis aux aguets le long du chemin, et sans être lassée par la longueur de la route ni par la chaleur du climat. Arrivée sur le champ de bataille, elle ne fut point effrayée par les bêtes féroces ni par les grands oiseaux attirés par les cadavres, ni par les esprits mauvais qui, comme le disent bon nombre de sots, voltigent auprès des cadavres. Chose plus extraordinaire, dit encore Boccace, elle n'eut pas peur de l'ordre prononcé par le roi Créon, qui avait fait proclamer l'interdiction à toute personne, sous peine de mort, d'aller voir ou d'ensevelir les cadavres, quels qu'ils fussent. Mais elle n'était pas venue jusque-là pour obéir à un tel ordre. Au contraire, dès qu'elle fut arrivée, alors qu'il commençait à faire nuit, malgré la très grande puanteur des charognes, elle ne se laissa pas décourager, et avec l'ardeur du désespoir, elle se mit à remuer les corps de ses mains, les uns après les autres, en cherchant çà et là celui qu'elle aimait ; et elle ne s'arrêta pas avant d'avoir trouvé, à la lueur du petit brandon qu'elle tenait,

45   qu'elle queroit. "O !", ce dit Bocace, "Mervilleuse amour
     et tres ardant desir et affeccion de femme !" Car comme
     la face de son mari, par l'enrouilleure des armes moittié
     mengiee [81ʳ] et toute emplie de pulenteur, toute ensan-
     glentee, pouldreuse, chargie et tachiee d'ordure, toute
50   palle et noircie, qui ja estoit comme descognoissable, ne
     pot estre muciee a celle femme, tant ardamment l'amoit,
     ne la pugnasie du corps ne l'ordure du viaire n'ont peu
     empechier qu'elle ne le baisast et embraçast estroitement,
     ne le edit et commandement du roy Creonce ne la pot
55   retraire qu'elle ne criast a haulte voix : "Lasse ! Lasse !
     J'ai trouvé cellui que j'amoie !", et qu'elle ne plourast par
     moult grant habondance. Et comme elle eust quis par
     plusieurs baisiers de bouche se en lui estoit plus l'ame, et
     eust lavé de ses larmes les membres ja tous puans, et
60   souvent par grans cris, pleurs et gemissemens l'eust
     appellé, adont, affin qu'elle lui feist le derrenier et piteux
     office, le mist ou feu a grans cris, duquel elle recueilla la
     cendre chierement en un vessel d'or. Et quant elle ot tout
     ce fait, comme celle qui vouloit exposer son corps a mort
65   pour vengier son mari, fist tant et y mist tel paine, a l'aide
     des autres dames, dont grant quantité y avoit, que les
     murs de la cité furent perciez et gaangnerent la ville, et
     tout mistrent a mort. »

celui qu'elle cherchait, son mari bien-aimé. "Oh! Quel amour extraordinaire, quel ardent désir, quel attachement conjugal!", dit Boccace. Le visage de son mari était à moitié rongé par la rouille de son armure, putride, tout ensanglanté, poussiéreux, couvert de saletés, terriblement pâle et livide, déjà presque méconnaissable; mais cela ne suffit pas à le dissimuler à cette femme, tant elle l'aimait ardemment; ni la puanteur de son corps ni l'aspect répugnant de son visage ne purent l'empêcher de l'embrasser et de le serrer étroitement contre elle; l'ordre promulgué par Créon ne put la retenir de s'écrier d'une voix forte: "Hélas! Pauvre de moi! J'ai trouvé celui que j'aimais!", et de verser d'abondantes larmes. Après avoir cherché par de nombreux baisers sur sa bouche si elle y trouvait encore une trace de son âme, après avoir lavé de ses larmes ses membres déjà tout décomposés, après l'avoir appelé de nombreuses fois à grands cris, avec des pleurs et des gémissements, accomplissant envers lui le dernier devoir que réclame la piété, elle le livra au feu tout en se lamentant avec force, puis elle recueillit soigneusement ses cendres dans une urne d'or. Et quand elle eut fait tout cela, voulant s'exposer à la mort pour venger son mari, elle fit tant et si bien, avec l'aide des autres dames, qui étaient venues en très grand nombre, qu'elles parvinrent à ouvrir des brèches dans les murs de la cité, à conquérir la ville et à mettre à mort tous ceux qui s'y trouvaient[1]. »

---

[1] Cet épisode final de la vengeance d'Argie et de la prise de Thèbes ne se trouve pas dans le texte de Boccace. Dans la *Thébaïde*, Antigone et Argie échappent *in extremis* à la mort, sauvées par l'arrivée de Thésée, qui attaque Créon à la demande des Argiennes, vainc l'armée thébaine et tue le roi sur le champ de bataille, avant d'être accueilli à Thèbes avec enthousiasme. Christine parle déjà d'Argie dans la *Mutacion* (V, XXVII, t. II, p. 321, v. 13165-13356) en lui attribuant, avec d'autres dames d'Argos, la prise de Thèbes. Elle s'inspire très probablement de l'*Ovide moralisé* qui accorde à Thésée, dont les dames ont sollicité l'aide, une place importante dans le combat, mais qui mentionne aussi la part active que les dames prennent à la prise de la ville, dans des termes très proches de ceux de Christine: «Theseüs ceulz dedens assault. / Moult lor refont cruel assault. / Les dames a piquois d'acier / font les murs a force percier. / Un grant pan en ont abatu. / Par la se sont tuit embatu/ Cil d'Athenes en la cité» (*Ovide moralisé*, IX, v. 1795-1801, t. III, p. 264). On remarquera que Christine passe sous silence l'intervention de Thésée et attribue la victoire uniquement à Argie et aux femmes d'Argos.

De la noble dame Agrippine .XVIII.

1   « **Bien**[1] doit estre mise entre les nobles dames de
grant amour a leurs maris la bonne et loyalle Agripine,
fille de Marc Agripe et de Julie, fille de l'empereur
Othovien, seigneur de tout le monde. Et comme celle
5   noble dame feust donnee a mariage a Germanice, tres
noble prince bien moriginés, sage et coultiveur du bien
de Romme publique[2], ¶Thibere, l'empereur de mauvaises
meurs qui [81ᵛ] adont raignoit, prist telle envie du bien
que il ouoit dire de Germanice, mari de la dite Agrippine,
10   et de ce que chascun l'amoit, que il le fist agaitier et
occirre. De laquel mort sa bonne femme ot tel dueil
qu'elle voulsist semblablement estre occise, et de ce
faisoit bien semblant, car ne se taisoit mie de dire grans
villenies a Thibere, par quoy il la fist batre et tourmenter
15   cruellement et tenir en chartre. Mais comme celle qui
pour la douleur de son mari, que houblier ne pouoit,
mieulx amast la mort que la vie, proposa de jamais plus
ne boire ne mengier, mais ce propos venu a congnoissance du thirant Thibere, pour la tourmenter plus longue-
20   ment, la volt par tourmens contraindre qu'elle mengiast.
Si lui voult a force faire getter de la viande en l'estomac.
Mes elle lui moustra bien que il avoit puissance de faire
gent mourir, mais de les en garder non, se ilz vouloient,
car elle fina ainsi ses jours. »

---

[1] B *orné sur 2 lignes.*
[2] *B, D, R*: du bien publique de Romme

18. De la noble Agrippine

« Elle mérite bien d'être rangée parmi les nobles dames qui manifestèrent un grand amour à leur mari, la bonne et loyale Agrippine, fille de Marcus Agrippa et de Julie, fille de l'empereur Octave[1], qui fut maître du monde entier. Cette noble dame avait été donnée en mariage à Germanicus, un très noble prince romain de bonnes mœurs, sage et soucieux du bien public. Tibère, l'empereur aux mœurs corrompues qui régnait alors[2], fut pris d'une telle jalousie à l'encontre de Germanicus, le mari d'Agrippine, à cause du bien qu'il entendait dire de lui et parce qu'il était aimé de tous, qu'il le fit prendre en embuscade et assassiner. Son excellente femme éprouva une telle douleur de sa mort qu'elle aurait voulu être tuée de la même façon, et qu'elle le montra bien, car elle ne cessait d'injurier Tibère, ce pour quoi il la fit battre et torturer cruellement, et la retint prisonnière. Mais elle, qui ne pouvait oublier son mari, et qui dans sa douleur préférait la mort à la vie, décida de ne plus jamais rien boire ni manger. Tibère l'ayant appris et voulant la faire souffrir plus longuement, ce tyran voulut la contraindre de manger en la torturant, et lui faire ingurgiter de force de la nourriture. Mais elle lui montra bien qu'il avait le pouvoir de faire mourir les gens, mais pas celui de les en empêcher s'ils le désiraient, car ce fut ainsi qu'elle mit fin à ses jours[3]. »

---

[1] C'est l'empereur Auguste (63 av. J.-C.-14 ap. J.-C.), d'abord connu comme Octave (son nom de naissance était Caius Octavius), puis Octavien (Caesar Octavianus), après son adoption par César. Il devint empereur en 31 av. J.-C. après le second triumvirat (après l'élimination de Marc Antoine et de Lépide), et le surnom d'*Augustus* lui fut attribué par le Sénat. Souvent nommé César Octavien par les historiens anciens, il est désigné comme *Octovien Cesar* dans les *Cleres femmes* (XC, t. II, p. 124 ; *Octavianus Cesar* dans le *De mulieribus claris*, XC, p. 161).

[2] Tacite en fait un tyran, Suétone s'étend longuement sur ses turpitudes et sa cruauté. Il en est de même dans le *Miroir Historial* (début et fin du livre VIII ; voir par exemple le titre du chapitre 2 : *De la gloutonnie et de la cruauté de li et de ses fais*, vol. II, fol. 288ᵛ).

[3] *Cleres femmes*, XC, t. II, p. 124-125. Boccace reprend l'hypothèse, seulement évoquée par Suétone, selon laquelle Germanicus aurait été empoisonné par Tibère. L'ensemble du chapitre est condensé, Christine ne gardant que le plus marquant, notamment l'idée que le tyran ne peut pas empêcher quelqu'un de mourir s'il le souhaite.

Dit Cristine et puis Droiture lui respont, donne exemple[1] et dit de la noble dame Julie, fille de Julius Cesar et femme du prince Pompee .XIX.

1   Tendis[2] que dame Droiture me disoit ces choses, je lui replicquay en tel maniere: «Dame, certes, moult me semble estre grant honneur au sexe femmenin de tant de tres excellentes dames ouïr raconter, et entre les autres

5   vertus d'elles, moult doit estre agreable a toute gent que si grant amour puist estre en cuer de femme ou lien de mariage. Or se voisent dormir et se taissent Matheolus et tous les autres gengleurs qui envieusement et par tant de menteries en ont parlé contre les femmes. Mes Dame,

10   encores me souvient que le philosophe Theofrastus, dont j'ay parlé cy dessus, dit que [82ʳ] les femmes heent leurs maris quant ilz sont vieux; et aussi, que elles n'aiment pas hommes de science ne clers, car il dit que les cures que il convient avoir es dongiers des femmes et l'estude des

15   livres sont ensemble contraires.»

     Responce: «Ho, chiere amie, tais toy! Je t'ai tantost trouvé exemple contraire[3] a leurs dis, par quoy les renderons non voir disant.

     ¶Julie fu en son temps la plus noble des dames

20   rommaines, fille de Julius Cesar, qui puis fu empereur, et de Cornille sa femme, descendus de Eneas et venus de Troie. Ceste dame fu femme de Pompee le grant conque- reur, lequel, ce dit Bocace, en vainquant les rois, en les deposant, en refaisant des autres, en subjuguant les nacions

25   et destruisant les larons, aiant l[a] faveur de Rome et des rois de tout le monde, en acquerant les seignouries, non pas tant seulement des terres, mais aussi de la mer et des eaues, par mervilleuses victoires, en souverain honneur, estoit ja envieillis et debrisiés. Mais non pourtant la noble dame

30   Julie, sa femme, qui encores moult jenne estoit, l'amoit de si tres parfaite, loialle et grant amour que elle en fina sa vie

---

[1] *B, D, R*: donnant exemples. *Table des rubriques:* donnant maint exemple

[2] T *orné sur 2 lignes.*

[3] contraire

19. Christine parle. Droiture lui répond, et lui donne en exemple la noble Julie, fille de Jules César et épouse du grand Pompée

Après que Droiture m'eut dit tout cela, je lui répliquai ainsi : «Certes, ma Dame, il me semble que c'est un très grand honneur pour le sexe féminin que d'entendre l'histoire de tant de femmes très remarquables ; parmi toutes leurs vertus, tous doivent se réjouir beaucoup de voir qu'il peut exister un aussi grand amour dans le cœur d'une femme au sein même du lien de mariage. Qu'ils se taisent donc et qu'ils aillent se coucher, Mathéolus et tous les autres médisants qui par jalousie ont proféré tant de mensonges contre les femmes ! Mais ma Dame, je me souviens encore d'une autre chose : le philosophe Théophraste, dont j'ai déjà parlé plus haut, dit que les femmes haïssent leurs maris quand ils deviennent vieux ; il dit aussi qu'elles n'aiment pas les savants ni les clercs, car les soins auxquels on est obligé en s'engageant auprès d'une femme sont incompatibles avec l'étude des livres[1]. »

«Holà ! Ma chère amie, tais-toi ! », me répondit-elle. «Je peux tout de suite te citer un exemple qui va dans le sens contraire, et qui montrera bien qu'ils ne disent pas la vérité.

Julie[2], qui fut en son temps la plus noble des dames romaines, était la fille de Jules César, qui plus tard devint empereur, et de sa femme Cornélie ; ils étaient des descendants d'Énée, originaires de Troie. Cette dame était la femme de Pompée, le grand conquérant. Selon Boccace, celui-ci, après avoir vaincu des rois, déposé certains et rétabli d'autres, soumis des nations et détruit des pirates, ayant gagné la faveur de Rome et des rois du monde entier, ayant conquis le pouvoir non seulement sur des terres mais aussi sur la mer et les eaux par d'éclatantes victoires, était couronné d'honneurs, mais aussi déjà vieilli et diminué. Et cependant la noble Julie sa femme, qui était encore fort jeune, l'aimait d'un si grand amour, si loyal et si parfait qu'elle en mourut par un

---

[1] Voir Jean de Salisbury, *Policratique*, trad. Denis Foulechat, *op. cit.*, fol. 249ʳ et 248ʳ (prendre une femme pour être soutenu dans sa vieillesse est une sottise ; incompatibilité entre le mariage et l'étude).

[2] Julie (env. 83 av. J.-C.-56 av. J.-C.) est la fille de Jules César et de Cornelia Cinna. Elle épouse Pompée en 59 av. J.-C. Elle fait une fausse couche après avoir vu la toge de son mari couverte du sang d'opposants lors de l'élection des édiles de 44 av. J.-C. Elle meurt en couches l'année suivante.

par diverse aventure. Car il avint un jour que Pomppee ot
devocion de donner louenge aux dieux des nobles victoires
que il avoit eues, et voult sacrifier selon la coustume de
35 lors. Et comme la beste sacrefiee fust sur l'autel, et Pompee
par devocion la tenist d'un costé, sa robe fu toullie du sanc
ysant de la plaie de la beste ; par quoy il se despouilla et
envoia la robe que vestue avoit par un de ses serviteurs en
son hostel pour querir une autre, nette et [82ᵛ] fresche. Si
40 avint par male fortune que cellui qui portoit la dite robe
encontra Julie, la femme de Pompee, laquelle quant elle vit
la robe de son seigneur si toullie de sanc, adont, pour ce
qu'elle savoit bien que aucune fois avenoit a Romme que a
ceulx qui estoient les meilleurs on couroit sus[1] et a la fois
45 les occioit on, fu surprise soubdainement par le signe
qu'elle vit de certaine creance que ainsi feust avenu de son
mari par quelque fortune ; par quoy telle douleur soubdaine
lui prist ou cuer, comme celle qui plus ne vouloit vivre,
qu'elle estant grosse d'enfant chut pasmee, palle et
50 destainte, les yeux tournez en la teste, ne si tost n'y pot
estre remede mis, ne celle paour ostee, que elle ne rendeist
l'esperit, laquelle mort dot par raison estre grant dueil au
mari. Mes ne fu mie seulement prejudiciable a lui ne aux
Rommains, ains le fu aussi a tout le monde du temps de
55 lors, car se elle et son enfant eussent vescu, la grant guerre
n'eust jamais esté que puis fu entre Julius Cesar et Pompee,
laquelle guerre fu en toutes terres prejudiciable. »

De la noble dame Tierce Emuliene .XX.

1 « Ne[2] haï pas son mari pour estre vieil autresi la belle et
bonne Tierce Emulienne, femme du prince Sipion le
premier Aufriquan. Ceste dame estoit de moult grant
prudence et tres vertueuse, et comme son mari feust ja
5 enviellis et elle encores belle et jenne, non obstant ce, se
couchoit avecques une sienne serve qui estoit chamberiere
d'elle ; et par tant de fois y enchut que la vaillant dame s'en
perchut. Mes elle, non obstant que moult lui en feist mal,

---

[1] *B, D, R* : on couroit sus par envie
[2] N *orné sur 2 lignes.*

terrible concours de circonstances. Un jour en effet, désireux de rendre grâce aux dieux pour les nobles victoires qu'il avait remportées, Pompée voulut faire un sacrifice selon les rites en usage à l'époque. Pendant que l'animal était sacrifié sur l'autel, Pompée le tenant pieusement d'un côté, sa toge fut souillée du sang qui jaillissait de la plaie ; il l'ôta donc, et fit rapporter à la maison par un de ses serviteurs cette toge qu'il portait ce jour-là afin qu'il lui en apporte une autre, propre et fraîche. Or, par un hasard malheureux, celui qui rapportait la toge rencontra Julie, la femme de Pompée ; celle-ci, quand elle vit la toge de son mari ainsi souillée de sang, comme elle savait bien qu'il arrivait souvent à Rome que les citoyens les meilleurs fussent attaqués et parfois même tués, elle fut prise d'un saisissement, croyant voir le signe qu'il en était advenu ainsi à son mari par quelque mauvais sort ; une telle douleur lui foudroya le cœur qu'elle pensa n'avoir plus de raison de vivre ; alors qu'elle était enceinte, elle tomba évanouie, pâle et décolorée, les yeux révulsés, et avant qu'on ait pu lui porter secours ni lui enlever cette crainte, elle rendit l'âme. Cette mort causa assurément une grande douleur à son mari. Cependant elle ne fut pas seulement préjudiciable à lui-même ou aux Romains, mais aussi à tous ceux qui vivaient à cette époque : car si son enfant et elle avaient vécu, il n'y aurait jamais eu la grande guerre qu'il y eut ensuite entre Jules César et Pompée, une guerre qui fut cause de malheurs pour tous les pays[1]. »

20. De la noble dame Tertia Aemilia

« Elle ne détestait pas non plus son mari sous prétexte qu'il était vieux, la belle et vertueuse Tertia Aemilia, femme du premier Scipion, le général Scipion l'Africain. Cette dame était d'une très grande sagesse et pleine de vertu ; son mari était déjà vieux, et elle encore jeune et belle, et pourtant il couchait avec une de ses esclaves qui était la chambrière de sa femme ; il s'y laissa aller si souvent que la valeureuse dame s'en aperçut. Mais malgré tout le

---

[1] *Cleres femmes*, LXXXI, t. II, p. 94-95. Le texte de Christine est très fidèle à sa source, il est néanmoins plus explicatif en ce qu'il souligne la fréquence des assassinats politiques à Rome pour expliquer la panique de Julie à la vue du vêtement ensanglanté, et qu'il précise les conséquences sur l'histoire romaine de la mort de l'enfant que portait Julie.

usa de la vertu de son grant savoir, et non mie de
pas[83ʳ]sion de jalousie, car si sagement le dissimula que
10   oncques son mari ne autres n'en ouy parler. Car a lui ne le
volt pas dire pour ce que il lui sembla que honte seroit de
reprendre un si grant homme comme il estoit, et d'en faire
mencion a autre vauldroit encores pis, car ce seroit en
reprimant et amenuisant la louenge de tant sage homme, et
15   contre l'onneur de sa personne[1] qui tant avoit conquis de
royaumes et d'empires. Si ne l'en laissa oncques la bonne
dame a servir, loyaument amer et honnorer. Et quant il fu
mort, elle franchi la femme et la maria a un homme
franc.»
20   ¶Et je, Cristine, respondis adont: «Certes, dame, a ce
propos que vous dites, me souvient avoir veü femmes
semblables, lesquelles, pour chose qu'elles seussent bien
que petite loyauté leur portoient leurs maris, ne les en
laissoient pour tant a amer et faire bonne chiere, et
25   relevoient et confortoient les femmes de qui ilz avoient des
enfans. Et meismes l'ay ainsi ouy dire d'une dame de
Bretaigne qui nagaires vivoit et estoit comtesse de
Coemen, qui estoit en fleur de jennece et belle sur toutes
dames, et par sa tres grant constance et bonté ainsi le
30   faisoit.»

---

[1] *B* : contre sa personne

mal que cela lui faisait, elle puisa de la force dans sa grande
sagesse plutôt que de se laisser emporter par la passion de la
jalousie, car elle dissimula les choses si habilement que jamais
son mari ni aucune autre personne n'en entendit parler. Elle ne
voulait pas le lui dire à lui, parce qu'il lui semblait que ce serait
une honte de faire des reproches à un si grand homme ; en parler à
quelqu'un d'autre serait encore pire, puisque cela reviendrait à
diminuer et amoindrir la gloire de cet homme si sage, et que ce
serait une atteinte à l'honneur d'un homme qui avait conquis tant
de royaumes et d'empires. Cette vertueuse dame continua donc à
le servir, à l'aimer loyalement et à l'honorer. Et quand il mourut,
elle affranchit la femme et la maria à un homme libre[1]. »

Et moi, Christine, je lui répondis alors : « En vérité, ma Dame,
à ce propos, je me souviens d'avoir vu d'autres femmes agir de la
même manière ; tout en sachant que leurs maris leur étaient bien
peu fidèles, elles ne cessaient pas pour autant de les aimer et de
leur faire bon visage ; elles réconfortaient et consolaient les
femmes dont ils avaient eu des enfants. Je l'ai même entendu dire
d'une dame de Bretagne qui vécut il n'y a pas longtemps, une
comtesse de Coëtmen, qui était dans la fleur de sa jeunesse et
d'une beauté qui dépassait celle de toutes les autres dames ; ce fut
en raison de sa très grande fidélité et par bonté qu'elle agit
ainsi[2]. »

---

[1] *Cleres femmes*, LXXIV, t. II, p. 72-74. Même si la version de Christine est
plus synthétique, elle est très proche de sa source. Elle ne reprend pas la louange
que Boccace fait du comportement digne de cette femme qui protège la réputation de son mari. Tertia Aemilia figure parmi les trois exemples donnés par
Valère Maxime de femmes fidèles envers leur mari (VI, 7, fr. 282, fol. 261ᵛ).

[2] Cette comtesse de Coëtmen (nom d'une famille d'ancienne noblesse
bretonne) n'a pas été identifiée. Ce peut être une des comtesses ayant vécu au
XIVᵉ siècle : Marie de Kergolay, femme de Guy, ou Jeanne de Quintin, épouse de
Rolland II qui s'est illustré lors de la bataille d'Auray en 1341, ou encore Marie
de Dinan, mariée à Jean Iᵉʳ. Selon M. Curnow, il pourrait s'agir aussi d'une
allusion voilée et d'un éloge de Valentine Visconti (*Livre de la Cité*, p. 51 et
p. 1089). En 1403 ou 1404, Louis d'Orléans lui demanda d'élever le fils bâtard
qu'il avait eu de Mariette d'Enghien, femme d'un de ses officiers, ce que fit
Valentine, allant jusqu'à dire sur son lit de mort qu'il lui semblait le plus apte à
venger son père. Ce fils, Jean, comte de Dunois, dit Dunois ou « le Bâtard
d'Orléans », fut un fidèle compagnon de Jeanne d'Arc. L'allusion ne nous
semble pas évidente.

Cy dit de Xancippe, femme du philosophe Socratez .XXI.

1 « Xancippe[1], la tres noble dame, fu de moult grant savoir et bonté. Si ot espousé le tres grant philosophe Socrates, et non obstant fust ja envieillis, et que il eust plus grant cure de cerchier et reverchier les livres que de
5 pourchacier a sa femme choses soueves et curieuses, la vaillant dame ne laissa pas pour tant a amer, ains extimoit estre tant grant chose l'excellence de son sçavoir et la grant vertu de lui et de sa constance qu'elle l'avoit en [83ᵛ] souveraine amour et reverence. Et quant ceste vaillant
10 dame sçot que son mari estoit condempnez a mort par ceulx d'Athennes pour ce que il les reprenoit d'aourer les ydolles et disoit que il n'estoit que un seul Dieu que aourer et servir on devoit, ceste noble dame ne pot avoir de ceste chose pacience, ains s'enfui toute eschevelee, plaine de
15 dueil, plourant et batant, ou palais ou son mari estoit, qu'elle trouva entre les faulx juges qui ja lui avoient livré le buvraige venimeux pour abregier sa vie. Et comme elle arivast sur le point que Socrates vouloit mettre le hanap a la bouche pour boire le venin, elle afuy celle part et par

---

¹ X orné sur 2 lignes.

21. Où l'on parle de Xanthippe, la femme du philosophe Socrate[1]

«Xanthippe, cette très noble dame, était d'une grande sagesse et d'une grande bonté. Elle avait épousé le très grand philosophe Socrate, et bien que celui-ci fût déjà vieux et se préoccupât davantage de fouiller et d'examiner ses livres que de chercher à procurer à sa femme toutes sortes de choses agréables et nouvelles, cette dame pleine de valeur ne cessa pas pour autant de l'aimer ; au contraire, elle estimait si fort son savoir exceptionnel, sa remarquable vertu et sa fermeté d'âme qu'elle éprouvait pour lui le plus grand amour et le plus grand respect. Et quand cette vaillante dame apprit que son mari avait été condamné à mort par les Athéniens pour leur avoir reproché d'adorer les idoles, disant qu'il n'existait qu'un seul dieu, qu'on devait adorer et servir, cette noble dame ne put pas le supporter ; elle courut toute échevelée, en proie à une vive douleur, pleurant, se précipitant vers le palais où se trouvait son mari, qu'elle trouva au milieu des juges mensongers qui lui avaient déjà donné le poison pour mettre fin à ses jours. Elle arriva juste au moment où Socrate voulait porter la coupe à ses lèvres pour boire le poison ; elle se précipita vers lui et avec emportement

---

[1] Ce personnage n'apparaît pas dans le texte de Boccace. En l'incluant parmi les femmes admirables pour l'amour porté à leur mari, Christine s'inscrit contre la tradition misogyne qui fait de Xanthippe l'archétype de la mauvaise épouse. Dès *Le Banquet* de Xénophon, Xanthippe est perçue comme une femme désagréable : Antisthène n'hésite pas à demander à Socrate comment il peut supporter de vivre avec la plus désagréable des femmes de tous les temps. Socrate répond qu'il met ainsi à l'épreuve sa faculté de fréquenter les humains (Xénophon, *Le Banquet*, éd. et trad. F. Ollier, Paris, Les Belles Lettres, 1972, II, 10, p. 44). Jean Le Fèvre contribue à véhiculer cette image en faisant de Xanthippe le cas concret d'une généralité selon laquelle la femme est le diable (*Leesce*, t. II, p. 185, v. 929-934 : «Femme est Sathan ; assés le preuve / Qui les dis de Socrates treuve, / Quant de sa femme nous raconte, / Qui luy faisoit ennuy et honte ; / Il congnut ses fais detestables, / Si dist que femmes sont deables.»). C'est aussi ainsi qu'elle apparaît dans le livre III de la traduction française de Valère Maxime par Simon de Hesdin (*Fais et dits* III, 4 ext. 1, p. 688). Christine s'inspire plutôt du livre VII, traduit par Nicolas de Gonesse, où cette dame est mentionnée non pas pour louer son amour pour son mari mais pour illustrer la sagesse de Socrate face à la mort (*Faits et dits* VII, 1, fr. 282, fol. 270v). Voir D. Lechat, *«Dire par fiction»*, *op. cit.*, p. 424-425.

20   grant yre lui erracha le hanap des mains et tout versa par
       terre ; de laquel chose Socrates la reprist, et l'ammonesta
       de pacience et le reconforta. Et comme celle ne peust
       mettre empeschement en sa mort, s'en dolousoit forment
       en disant : "Ha ! Quel dommage et con[1] grant perte fere
25   mourir un si juste homme a tort et a pechié !" Et Socrates
       toudis la reconfortoit, en disant que mieux valoit que il
       mourust a tort que a cause. Et ainsi fina. Mes ne fina mie
       toute sa vie le dueil ou cuer de celle qui l'amoit. »

De Pompeyne Pauline, femme de Seneque .XXII.

1   « Seneque[2], le tres sage philosophe, non obstant que il
       feust ja envieillis et que toute son entente estoit a l'estude,
       ne demoura pas que il ne feust tres amez de sa femme belle
       et juene qui nommee estoit Pompeye Pauline. Toute la
5   cure de celle noble dame estoit de le servir et garder sa
       paix, comme celle qui tres loyaument et chierement
       l'amoit. Et quant elle sot que le thirant empereur Neron, a
       qui il avoit esté maistre, l'avoit comdempné [84r] a mourir
       par estre saignié en un baing, celle comme forcenee devint
10   de douleur, et comme celle qui avecques son mari mourir
       voulsist, ala crier moult de villenies au thirant Neron affin
       que il estendist sa cruaulté semblablement sur elle. Mais
       comme tout ce riens ne lui voulsist, tant se dolousa de la
       mort de son espoux que gaires aprés ne vesqui. »
15   Et je, Cristine, dis adont a la dame qui parloit :
       « Certes, Dame honnoree, voz parolles m'ont ramenteu et
       trait a memoire maintes aultres femmes jennes et belles
       tres parfaitement amantes leurs maris, non obstant que
       moult feussent lait et vielx. Et meismes en mon temps l'ai
20   assez veü, que ama tres parfaitement son seigneur et
       loialle amour lui porta tant qu'il vesqui la noble dame, fille
       d'un des grans barons de Bretaigne, qui fu donnee par
       mariage au tres vaillant connestable de France messire

---

[1] *B, D, R* : quel
[2] S *orné sur 2 lignes.*

elle lui arracha des mains la coupe et renversa tout par terre. Socrate lui reprocha ce qu'elle venait de faire, l'exhorta à la résignation et la réconforta. Voyant qu'elle ne pouvait empêcher sa mort, elle se lamentait vivement, s'exclamant : "Ah! Quel malheur! Quelle grande perte de faire mourir si injustement et à grand tort un homme si juste!". Mais Socrate continuait à la consoler, disant qu'il valait mieux qu'il mourût injustement plutôt que de mourir pour une juste raison. C'est ainsi qu'il alla à sa fin. Mais la douleur dans le cœur de celle qui l'aimait fut sans fin, toute sa vie durant. »

22. De Pompeia Paulina, la femme de Sénèque

« Sénèque, le très sage philosophe, quoique déjà vieux et ne s'intéressant qu'à l'étude, n'en fut pas moins très aimé de sa belle et jeune épouse, nommée Pompeia Paulina[1]. Cette noble dame mettait tous ses soins à le servir et à préserver sa tranquillité, car elle l'aimait tendrement d'un amour très loyal. Quand elle sut que l'empereur Néron, ce tyran, dont il avait été le maître[2], l'avait condamné à mourir en se faisant ouvrir les veines dans un bain, elle devint comme folle de douleur; voulant mourir avec son mari, elle alla crier toutes sortes d'insultes au tyran Néron afin qu'il fît preuve de la même cruauté envers elle. Mais tout ceci ne lui ayant servi à rien, elle éprouva une telle douleur de la mort de son époux qu'elle ne lui survécut que peu de temps. »

Et moi, Christine, je dis alors à la dame qui me parlait : « En vérité, ma Dame honorée, vos paroles m'ont remis en mémoire l'exemple de nombreuses autres femmes jeunes et belles qui aimaient d'un parfait amour leur mari, bien qu'ils fussent fort laids et vieux. J'ai même bien pu voir à mon époque l'amour très parfait et très loyal que porta à son mari tant qu'il vécut cette noble dame, fille d'un des grands seigneurs de Bretagne, qui fut donnée en mariage au très vaillant connétable de France monseigneur

---

[1] *Cleres femmes*, XCXIV, t. II, p. 139-141. Christine ne garde que l'essentiel de l'histoire.

[2] Il en sera plus longuement question au chapitre 48.

Bertran du Claiquin, lequel, non obstant feust il tres lait de
25   corps et vieil, celle vaillant dame, estant en la fleur de sa
jennece, qui plus regarda au grant pris de ses vertus que a
la façon de sa personne, l'ama de tres grant amour tant que
elle a toute sa vie plainte la mort de lui. Et ainsi d'assez
d'aultres pourroie dire en cas pareil, que je laisse pour
30   briefté. »

Responce : « De ce te croy je moult bien. Et encore te
dirai des dames amantes leurs maris. »

De la noble Sulpice .XXIII.

1   « Sulpice[1] fu femme de Lentulius Crusolien, noble
homme de Romme, qu'elle ama de si grant amour, comme
il y paru. Car comme cellui feust condempnez par les juges
de Romme pour certaines choses dont il fu encoulpez a
5   estre envoiés miserablement en exil et que la pouvrement
usast sa vie, la tres bonne Sulpice, non obstant que [84ᵛ]
elle feust a Romme de tres grant richece et peust demourer
aise et en delices a repos, ama mieux suivre son mari en sa
pouvreté et excil que demourer en abondance de richeces
10   sans lui. Si renonça a tous ses heritaiges, a ses avoirs et a
son païs. Et fist tant que a quelque paine que elle s'embla
de sa mere et de ses parens, qui pour celle cause moult
curieusement la gardoient, et en abit mescongneu, ala a
son mari. »

15   Dist Cristine : « Certes, Dame, il me souvient par ce
que vous dites d'aucunes femmes que j'ay veü en mon
temps auques en cas pareil. Car de telles ay congneues de
qui leur[s] maris devenoient meseaux, et que il convenoit
que ilz feussent separez du siecle et mis en maladerie. Mes

---

[1] S *orné sur 2 lignes.*

Bertrand Du Guesclin[1] ; bien qu'il fût très laid et vieux, cette valeureuse dame, encore dans la fleur de sa jeunesse, considérant le
grand mérite de ses qualités plutôt que son apparence physique,
l'aima d'un si grand amour qu'elle ne cessa de toute sa vie de
pleurer sa mort. Je pourrais citer beaucoup d'autres exemples du
même ordre, mais je passe, pour abréger.»

Elle me répondit : «Je veux bien te croire. Et je vais encore te
parler de femmes qui aimèrent leur mari.»

23. De la noble Sulpicia

«Sulpicia était la femme de Lentulus Truscellio, un noble romain,
qu'elle aima d'un très grand amour, comme on put le voir. Car
comme celui-ci avait été condamné par les juges de Rome, pour des
fautes dont il avait été accusé, à partir misérablement en exil et à
mener sa vie dans la pauvreté, cette excellente Sulpicia, qui possédait
à Rome de très grandes richesses et aurait pu y demeurer tranquille-
ment dans l'aise et les plaisirs, préféra suivre son mari dans son exil et
dans la pauvreté plutôt que de rester vivre sans lui dans la richesse et
l'abondance. Elle renonça donc à tout son héritage, à ses biens et à
son pays. Elle se donna tant de mal qu'elle réussit à échapper à sa
mère et à ses parents, qui pour cette raison la surveillaient avec le plus
grand soin, et sous un déguisement, elle alla retrouver son mari[2].»

Christine dit alors : «Vraiment, ma Dame, ce que vous dites me
rappelle certaines femmes que j'ai vues à mon époque se trouver
dans des situations assez similaires. J'en ai connu dont les maris
devenaient lépreux, et il fallait le mettre à part de la société et le

---

[1] Jeanne de Laval-Tinténiac, morte en 1437, a épousé en 1374 Bertrand Du
Guesclin, alors âgé de plus de cinquante ans. Du Guesclin meurt en 1380, après
avoir été fait connétable de France par Charles V en 1370. Ils n'ont pas d'enfant.
Jeanne se remarie en 1384 avec Guy XII de Laval, son cousin éloigné et compagnon d'armes du connétable. Elle est encore en vie lorsque Christine compose la
Cité des dames et elle connaîtra même Jeanne d'Arc. L'hommage que Christine
lui rend en lui prêtant un amour éternel pour son premier mari est une façon de
célébrer la mémoire de Du Guesclin, dont elle fait, dans le *Charles V*, le double
militaire du roi (t. II, II, en particulier chap. XIX, XX, XXIII à XXV, p. 184-189
et p. 194-202, mais la figure du connétable est présente dans l'ensemble du
livre II et sa mort précède de peu celle du roi, t. II, III, LXX, p. 180-181).

[2] *Cleres femmes*, LXXXV, t. II, p. 104-06. Christine ne garde que la trame
de l'histoire. Valère Maxime parle de Sulpicia dans le passage des *Faits et dits
mémorables* consacré à la fidélité des femmes envers leur mari (VII, 7, fr. 282,
fol. 261ᵛ).

20   leurs bonnes femmes oncques laissier ne les vouldrent, et
      mieux amoient aler avecques eulx pour les servir en leur
      maladie et leur tenir la loial foy promise en mariage que
      demourer sans leurs maris bien aises en leurs maisons. Et
      si quide au jour d'ui congnoistre celle qui est jenne et belle
25   et bonne, de laquelle le mari est moult souspeçonné
      d'avoir tel maladie; mes comme ses parens la timonnent
      souvent et la pressent de laissier sa compaignie et s'en
      aller demourer avecques eulx, elle leur respont que jour de
      sa vie ne le laira, et que se il le font esprouver et il est
30   trouvé ataint de la dite maladie, par quoy il conviengne
      que il laisse le siecle, que sans faille elle ira avec lui. Et
      pour celle cause ses parens le laissent a faire esprouvier.

          Item, autre femmes je congnois, et les laisse a nommer,
      pour ce que par aventure il leur en desplairoit, qui ont
35   maris si parvers et de si desordenee vie que les parens des
      femmes vouldroient qu'ilz feussent mors, et mettent toute
      [85ʳ] paine de retraire icelles femmes avecques eulx et
      hors de leurs mauvais maris, mais elles ament mieux estre
      bien batues, mau peues, en grant pouvreté et subjeccion
40   avec leurs maris que les laissier, et dient a leurs amis:
      "Vous le m'avez donné. Avecques lui viverai et mourai."
      Et ce sont choses que chascun jour on voit, mais chascun
      n'i vise. »

Cy dit de plusieurs femmes ensemble[1] qui respiterent leurs maris de mort .XXIV.

1   « De[2] plusieurs femmes ensemble, pareillement que les
      susdites de grant amour a leur maris, te vueil encores
      racompter. Il avint, aprés ce que Jason ot esté en Colcos
      pour conquerre la Toison d'or, que aucuns des chevaliers
5   que il mena avec lui, qui estoient d'une contree de Grece
      que on nommoit Menudie, laissierent leur propre cité et

---

[1] B, D, R et table des rubriques: plusieurs dames ensemble
[2] D orné sur 2 lignes.

placer dans une léproserie. Mais leurs bonnes épouses ne voulurent jamais les abandonner; elles préféraient aller avec eux pour les servir dans leur maladie et respecter loyalement la promesse de fidélité qu'elles leur avaient faite dans le mariage plutôt que de rester sans leur mari bien à l'aise dans leurs maisons. Je crois connaître aujourd'hui une jeune femme belle et bonne dont on soupçonne fort le mari d'être atteint de cette maladie. Ses parents ne cessent de l'exhorter et de la presser de quitter sa compagnie et de venir demeurer avec eux; mais elle leur répond que jamais de sa vie elle ne l'abandonnera, et que s'ils le font examiner et qu'on trouve qu'il est bien atteint de cette maladie, et qu'il lui faut quitter la société, elle partira certainement avec lui. Pour cette raison, ses parents renoncent à le faire examiner.

Je connais aussi d'autres femmes - et je ne les nommerai pas, car cela risquerait de leur déplaire - qui ont des maris si pervers et menant une vie si dissolue que les parents de ces femmes souhaiteraient qu'ils fussent morts. Ils mettent tous leurs efforts à faire en sorte d'éloigner ces femmes de leurs maris et de les ramener chez eux. Mais elles préfèrent être battues, mal nourries, dans une grande pauvreté et entièrement soumises à l'autorité de leur mari plutôt que de le quitter, et elles disent à leur famille: "Vous me l'avez donné. Avec lui je vivrai et je mourrai." Ce sont des choses que l'on voit tous les jours, mais tout le monde n'y prête pas attention.»

24. Où l'on parle de plusieurs femmes qui ensemble sauvèrent leurs maris de la mort

«Je veux encore te parler de plusieurs femmes qui ensemble montrèrent un grand amour pour leurs maris, tout comme celles dont il vient d'être question. Après que Jason se fut rendu en Colchide pour conquérir la Toison d'or, certains des chevaliers qu'il avait emmenés avec lui, qui venaient d'une région de Grèce que l'on nommait Minyée[1], abandonnèrent leur ville et leur pays pour aller

---

[1] Nom de la cité des Minyens, descendants de Minyas (les compagnons de Jason sont nommés *Menies*, «Minyens» dans le texte de Boccace, leur terre n'étant pas nommée, *Meniez* dans les *Cleres Femmes*). Ancien nom de la ville d'Orchomène en Béotie, ville des Minyens d'après *L'Iliade* (II, 511). Pline l'Ancien (*Histoire Naturelle*, IV, 15, éd. cit., p. 188) indique qu'elle porta d'abord le nom de Minyée (*Minyoeus* dans le texte latin, traduit par «Minyeus» ou «Minyée», la forme retenue ici).

païs et s'en allerent demourer en une autre cité de Grece
que on nommoit Lacedemonie. Si y furent grandement
receux et honnourez, tant pour leur ancienne noblece
10 comme pour leurs richeces. La se marierent a dez nobles
filles de la cité, et tant enrichirent iceulx et monterent en
honneurs que ilz se esleverent en si grant orgueil que
conspiracion vouldrent faire contre les souverains de la
cité et eulx atribuer la seignourie. Si fu descouverte leur
15 machinacion, par quoy tous furent mis en prison et
condempnez a mort. De ceste chose furent leurs femmes a
moult grant douleur, et ensemble se assemblerent comme
pour faire leur dueil. Si se vont la conseillier entre elles se
aucune voie pourroient trouver comment leurs maris
20 pourroient delivrer. A la fin fu le effait de leur conclusion
tel que toutes ensemble par nuit se vestiroient de
mauvaises robes et affubleroient leurs testes de manteaux
comme se elles [85ᵛ] le faisoient[1] pour non estre
congneues. En cel estat allerent en la prison et tant
25 prierent en plourant, avec promesses et dons aux gardes
des prisons, que il leur souffrirent aler veoir leurs maris.
Quant les dames furent la, elles vestirent leurs maris de
leurs robes et prisdrent pour elles les robes que ilz vestues
avoient, et puis les misdrent hors ; et les gardes quidierent
30 que ce feussent les femmes qui s'en retournassent. Quant
vint au jour que morir devoient, les boureaux les
menerent au tourment. Et quant il fu veü que ce estoient
femmes, chascun ot admiracion de leur sage cautelle. Si
en furent louees, et les citoiens orent pitié de leurs filles.
35 Si n'en mourut nulles, et ainsi ces vaillans femmes respiterent[2] de mort leurs maris. »

---

[1] B, D, R : elles le feissent
[2] B, D, R : delivrerent

s'installer dans une autre cité grecque appelée Lacédémone. Ils y furent très bien reçus et honorés, tant parce qu'ils étaient d'ancienne noblesse que pour leur richesse. Ils épousèrent de nobles filles de la cité. Ensuite ils acquirent tant de richesses et de considération et en retirèrent un si grand orgueil qu'ils voulurent monter une conspiration contre les chefs de la cité et s'emparer du pouvoir. Mais leur machination fut découverte ; tous furent mis en prison et condamnés à mort. Leurs femmes en furent fort affligées, et elles se rassemblèrent comme pour mener leur deuil. Mais les voilà qui réfléchissent entre elles pour trouver un moyen de délivrer leurs maris. Finalement, le résultat de leur délibération fut que toutes ensemble, cette nuit-là, elles se vêtiraient de pauvres vêtements et se cacheraient la tête sous leurs manteaux, comme si elles ne voulaient pas être reconnues. Dans cette tenue, elles se rendirent à la prison, et supplièrent tant les gardiens, avec des larmes, des promesses et des dons, qu'ils leur permirent d'aller voir leurs maris. Quand les dames furent entrées, elles revêtirent leurs maris des vêtements qu'elles portaient et les échangèrent avec ceux que portaient leurs maris, puis elles les firent sortir ; et les gardiens crurent que c'étaient les femmes qui s'en retournaient. Quand vint le jour où ils devaient mourir, les bourreaux les menèrent au supplice. Et quand on vit que c'étaient des femmes, tous furent pleins d'admiration devant l'intelligence de leur ruse. Elles en furent louées, et les citoyens eurent pitié de leurs filles. Aucune ne mourut, et c'est ainsi que ces vaillantes femmes sauvèrent leurs maris de la mort[1]. »

---

[1] *Cleres femmes*, XXXI, t. I, p. 96-101. Christine résume la partie consacrée à l'accueil des étrangers dans la cité et leur ascension sociale pour se concentrer sur la ruse qui permet aux femmes de tirer leurs maris de prison. Elle supprime également le commentaire, confiant à son lecteur le soin de faire seul le lien entre l'idée avancée et le cas exemplaire.

De Cristine[1] a Dame Droiture contre ceulx qui dient que femmes ne scevent rien celer et la responce que elle luy fait, et de Porcia, fille de Chato .XXV.

1   « Dame[2], je congnois certainement maintenant, et autre fois l'ai aperceu, que grant est l'amour et la foy que maintes femmes ont eu et ont a leurs maris. Et pour ce je me donne merveille du langaige qui cuert assez commune-
5   ment entre les hommes ; et meismement, maistre Jehan de Meun trop fort l'afferme en son *Rommant de la Rose*, et autres auteurs aussi le font : que homme ne die a sa femme chose que il vueille celer, et que femmes ne se scevent taire. »

10   Responce : « Amie chiere, tu dois savoir que toutes femmes ne sont mie sages, et semblablement ne sont les hommes ; par quoy se un homme a aucun savoir, il doit bien aviser voirement quel scens sa femme a et quel bonté, ains que il lui die gaires chose qu'il vueille celler, car peril
15   y peut [86ʳ] avoir. Mais quant un homme sent qu'il a une femme bonne, sage et discrete, il n'est ou monde chose tant feable ne qui plus le peust reconforter. Et que femmes feussent[3] si pou secretes que iceulx veulent dire, encores a propos de femmes amantes leurs maris, n'ot mie celle
20   oppinion jadis a Romme le noble homme Bructus, mari de Porcia.

        Celle noble dame Porcia fu fille de Chato[4]. Son dit mari, qui la senti tres sage, secrete et chaste, lui dist l'entencion que il avoit, lui et Cassien, qui estoit un autre
25   noble homme de Romme, de occirre Julius Cesar au Conseil, laquel chose la sage dame, avisant le grant mal

---

[1] *B, D, R et table des rubriques* : Dist Cristine

[2] D *orné sur 2 lignes.*

[3] ussent *; cor. d'après B, D, R.*

[4] *B, D, R* : fu fille de Cathon le mendre qui neveu estoit au grant Catho

25. Christine parle à Dame Droiture contre ceux qui disent que les femmes ne savent pas garder un secret ; la réponse que celle-ci lui fait, et l'exemple de Porcia, fille de Caton

« Ma Dame, je sais maintenant de façon certaine, et j'avais déjà eu l'occasion de le remarquer, que grands sont l'amour et la loyauté que de nombreuses femmes ont eus et ont pour leur mari. C'est pourquoi je m'étonne fort de ce propos assez répandu parmi les hommes ; Maître Jean de Meun lui-même l'affirme bien fort dans son *Roman de la Rose*[1], et d'autres auteurs le font aussi[2] : c'est que l'homme ne doit pas dire à sa femme une chose qu'il veut tenir secrète, et que les femmes ne savent pas se taire. »

Elle me répondit : « Ma chère amie, tu dois savoir que les femmes ne sont pas toutes sages, et il en va de même pour les hommes ; c'est pourquoi si un homme est un tant soit peu raisonnable, il doit bien considérer quelles sont vraiment l'intelligence et la bonté de sa femme avant de lui confier quoi que ce soit qu'il veuille tenir secret, car il peut y avoir un risque. Mais quand un homme sent qu'il a une femme bonne, sage et discrète, il n'est personne au monde qui soit plus fiable ni plus capable de lui redonner du courage. Quant à l'idée que les femmes seraient incapables de garder un secret, comme ils le prétendent, et pour continuer sur le sujet des femmes aimant leurs maris, ce ne fut pas l'avis de Brutus[3], le noble romain, mari de Porcia[4].

Cette noble dame était la fille de Caton[5]. Son mari, sentant qu'elle était très sage, discrète et chaste, lui confia qu'il avait l'intention, avec Cassius, un autre noble romain, de tuer Jules César au Sénat. Prévoyant tout le mal qui en découlerait, cette

---

[1] *Roman de la Rose*, *op. cit.*, p. 856-864, v. 16351-16502.

[2] Mathéolus et Jean Le Fèvre développent largement ce thème en donnant plusieurs exemples (*Leesce*, v. 2215-2322, p. 106-09).

[3] Il avait épousé Porcia après avoir divorcé de sa première épouse.

[4] *Cleres femmes*, LXXXII, t. II, p. 96-98. Boccace développe davantage les origines de Porcia, son mariage et la fuite de Brutus en Orient. Christine, pour sa part, donne une version à la fois plus ramassée et plus dramatique, tout en insistant sur le fait qui sert sa démonstration. Voir aussi *Fais et dits* (III, 2, 15, p. 616-617 et IV, 5, fol. 200ʳ).

[5] La précision donnée dans les trois autres manuscrits manque ici : il s'agit de Caton le Jeune (dit aussi Caton d'Utique, 95-46 av. J-C.), arrière-petit-fils de Caton l'Ancien (*neveu*, selon la variante - ce mot pouvant désigner aussi bien le petit-fils).

qui en vendroit, de toute sa puissance lui desconseilla et
desloua. Et du soussi de ceste chose fu a si grant meschief
que toute nuit dormir ne pot. Le matin venu, quant Brutus
30   yssoit de sa chambre pour aller parfurnir son emprise, la
dame, qui moult volentiers l'en destournast, prist le rasouer
du barbier si comme pour trenchier ses ongles et le laissa
cheoir, puis fist maniere de le reprendre et tout de gré le se
ficha en la main, par quoy ses femmes, qui navree la virent,
35   si fort s'escrierent que Brutus retourna; et quant bleciee la
vit, il lui dist que[1] ce n'estoit mie son office de ouvrer de
rasouer[2]. Et elle lui respondi que elle ne l'avoit pas fait si
follement comme il pensoit, car ce avoit elle fait tout de gré
pour essaier comment elle se occirroit se l'emprise que il
40   avoit faite venoit mal pour lui. Mais cellui ne s'en laissa
oncques et occist[3] tantost aprés, entre lui et Cassien, Julius
Cesar. Mais ilz en furent exilliés, et en fu puis occis Brutus,
non obstant que il s'en feust fuis hors de Romme. Mais
quant Porcia, sa bonne femme, scut [86ᵛ] sa mort, tant fu
45   grande sa douleur qu'elle renonça a joie et vie, et pour ce
que on lui tolli couteaux et toutes choses dont occirre se
peust, car on veoit bien ce que faire vouloit, elle ala au feu
et prist charbons ardans et les avala, et ainsi se ardi et
estaingni. Et par celle voie, qui fu la plus estrange dont
50   oncques autre mourust, fina la noble Porcia.»

Encore a ce meismes propos de la noble dame Curia .XXVI.

1   «Encore[4] te dirai a propos contre ceulx qui dient que
femmes riens celer ne scevent, et tousjours continuant la
matiere de la grant amour que maintes ot a leurs maris.
Curia la noble Romaine fu de merveilleuse foy, constance et
5   sagece[5] envers Quintus Lucrecius son mari. Car comme son

---

[1] *B, D, R* : il la blasma et dist que

[2] *B, D, R* : rasouer mais au barbier

[3] *B, D, R* : et ala et occist

[4] E *orné sur 2 lignes.*

[5] *B* : constance, sage et de bonne amour; *D, R* : constance, sagece
et bonne amour

femme avisée le lui déconseilla et s'efforça autant qu'elle le put de l'en dissuader. Le souci qu'elle en eut la tourmenta toute la nuit au point de l'empêcher de dormir. Le matin venu, quand Brutus sortit de la chambre pour mettre à exécution son projet, la dame, qui aurait bien voulu l'en détourner, prit le rasoir du barbier comme pour se couper les ongles, le laissa tomber, fit mine de le ramasser, et se le planta volontairement dans la main. La voyant blessée, ses servantes poussèrent des cris si forts que Brutus revint sur ses pas; et voyant qu'elle s'était blessée, il lui dit que ce n'était pas à elle de se servir d'un rasoir. Alors elle lui répondit qu'elle ne l'avait pas fait aussi sottement qu'il le croyait, mais qu'elle l'avait fait exprès, pour essayer la manière dont elle se tuerait si son entreprise tournait mal pour lui. Mais celui-ci n'y renonça pas pour autant, et aussitôt après, avec l'aide de Cassien, il assassina Jules César. Ils furent exilés à cause de cela, et par la suite Brutus fut tué, bien qu'il se fût enfui loin de Rome. Et quand Porcia, sa bonne épouse, apprit sa mort, sa douleur fut si grande qu'elle renonça à toute joie et à la vie; comme on lui avait enlevé les couteaux et tous les objets qu'elle aurait pu utiliser pour se tuer, car on voyait bien ce qu'elle avait l'intention de faire, elle s'approcha du feu, prit des charbons ardents et les avala, ce qui la brûla et la fit mourir. Ce fut de cette manière, la plus surprenante dont quiconque mourut jamais, que périt la noble Porcia.»

26. Sur le même sujet, à propos de la noble dame Curia

«Je vais continuer à te parler du même sujet, contre ceux qui disent que les femmes ne savent pas garder un secret, et toujours sur le thème du grand amour que beaucoup de femmes éprouvèrent pour leur mari. Curia, la noble Romaine, fit preuve envers son mari Quintus Lucretius[1] d'une fidélité, d'une constance et

---

[1] Quintus Lucretius Vespillo (Ier siècle av. J.-C.), consul romain touché par les proscriptions ordonnées par le second triumvirat, alliance rassemblant Marc Antoine, Lépide et Octave après la mort de Jules César.

dit mari et aussi d'autres semblablement feussent
condempnez a mort pour certain crime que on leur mettoit
sus et il leur venist a congnoissance que on les queroit pour
estre justiciés, tant de bien leur avint que ilz orent espasse de
10 eux enfuir. Mes pour la grant paour que ilz avoient de estre
trouvez, ilz s'aloient cachant es cavernes des bestes
sauvaiges et encore pas bien habiter n'y osoient. Mais
Lucrecius, par le scens et bon conseil de sa femme,
¶oncques ne se parti de sa chambre, et quant ceulx qui le
15 queroient vindrent la, elle le tenoit entre ses bras en son lit,
mais si sagement le muçoit et cachoit que oncques ne l'aper-
ceurent, et entre les murs de sa chambre si bien le sot celler
et mucier que oncques maisnie que elle eust ne personne ne
le scot. Et par si grant cautelle savoit couvrir le fait que elle,
20 vestue de pouvres draps, eschevellee et esplouree, batant ses
paulmes, fuioit et traçoit par [87^r] les rues, par temples et par
moutiers, comme se folle fust, et par tout demandoit et
encerchoit se personne savoit que son mari estoit devenus et
ou il estoit fouis, car ou qu'il feust, aller voulsist avec lui
25 pour estre compaigne de son exil et de ses miseres. Et par
ceste voie si sagement savoit faindre que jamais homme ne
l'apperceust, et ainsi le sauva ; et avec ce, son mari, qui
estoit plain de paour, reconfortoit. Et a brief parler, tant fist
et tant pourchaça qu'elle de mort et de excil le sauva. »

Encore a ce propos .XXVII.

1 « **Et**[1] pour ce que nous sommes entrés de dire exemples
contre ceulx qui dient que femmes ne scevent riens celer,
certes infinies dire t'en pourroie, mes souffisse toy seullement d'un que je te dirai encores. Ou temps que Neron le
5 thirant empereur raignoit a Romme, furent aucuns
hommes qui, considerant que pour les tres grans maux et
cruaultez que le dit Neron faisoit, que grant bien et grant

---

[1] E *orné sur 2 lignes.*

d'une sagesse extraordinaires. Alors que celui-ci avait été condamné à mort, ainsi que d'autres, pour un crime dont on les accusait, ils apprirent qu'on les cherchait pour les exécuter, et ils furent assez heureux pour avoir le temps de prendre la fuite. Mais dans la grande crainte qu'ils avaient d'être découverts, ils se cachaient dans des cavernes habitées par des bêtes sauvages; et encore n'osaient-ils pas y séjourner trop longtemps. Mais Lucretius, grâce à l'intelligence de sa femme et au sage conseil qu'elle lui donna, ne quitta jamais sa chambre, et quand arrivèrent ceux qui le cherchaient, elle le tenait entre ses bras dans son lit, mais en le dissimulant et en le cachant si bien qu'ils ne s'en aperçurent pas du tout; et elle sut si bien le cacher entre les murs de sa chambre qu'aucun membre de son entourage ni personne d'autre ne put jamais le savoir. Pour mieux dissimuler le fait, elle poussa la ruse jusqu'à errer comme une folle par les rues, les temples et les églises, vêtue de vêtements misérables, échevelée et éplorée, se frappant de ses mains, et demandant partout si quelqu'un savait ce que son mari était devenu et où il s'était enfui, car où qu'il fût, elle voulait aller avec lui pour être sa compagne dans son exil et dans ses malheurs. De cette manière, elle sut si bien déguiser la vérité que jamais personne ne s'en aperçut, et c'est ainsi qu'elle le sauva; de plus, elle réconfortait son mari, qui était en proie à la peur. Bref, elle fit si bien et se donna tant de mal qu'elle le préserva de la mort et de l'exil[1].»

27. Encore sur le même sujet

«Puisque nous avons entrepris de citer des exemples pour contredire ceux qui disent que les femmes ne savent pas garder un secret, je pourrais t'en citer encore une infinité, mais qu'il te suffise d'un autre que je vais encore te raconter. Au temps où l'empereur Néron régnait en tyran sur Rome, quelques hommes, considérant sa cruauté et les grands crimes qu'il commettait, jugèrent que ce serait un grand bien et un grand profit pour tous

---

[1] *Cleres femmes*, LXXXIII, t. II, p. 99-101. Christine suit, dans ces deux chapitres, l'ordre dans lequel apparaissent ces personnages féminins dans sa source. Elle choisit ici encore de donner au récit une forme plus synthétique et dynamique. L'histoire de Curia est aussi mentionnée par Valère Maxime (*Faits et dits* VI, 7, 2, fr. 282, fol. 261ᵛ), qui n'entre pas dans les détails et se sert de l'exemple de «Turia» pour illustrer la fidélité des femmes envers leurs époux.

pourfit serroit de lui tolir la vie. Si firent conspiracion
contre lui et delibererent de le tuer. Yceulx hommes repai-
10   roient cheus[1] une femme en qui tant se fioient que point ne
laissierent a dire le fait de leur conspiracion devant elle ; et
comme il avenist un jour que ilz avoient deliberé de mettre
lendemain a effaict leur entreprise, souppoient cheux la
dite femme et pas assez sagement ne se garderent de
15   parler, par quoy par mesaventure furent ouys et escoutez
de personne qui pour flater et avoir la grace de l'empereur
lui ala tantost dire ce qu'il avoit ouy. Par quoy ne s'en
furent pas plus tost partis de chieux la dite femme les
hommes [87ᵛ] qui la dite conspiracion avoient faite, que
20   vindrent a l'uis de la femme les sergens de l'empereur,
lesquelz, pour ce que pas ne trouverent les hommes,
menerent la femme devant l'empereur, lequel moult lui
enquist de ceste chose. Mais comme oncques il ne peust
tant faire, par beaux dons offrir, par promettre, ne par force
25   de tourmens ou il ne l'espargna mie, qu'il peust traire de
ceste femme qui ces hommes estoient ne meismes que elle
sceust riens, fu esprouvee constante et secrete merveilleusement. »

**Preuves[2] contre ce que aucuns dient que homme est vil
qui croit au conseil de sa femme ne y ajouxte foy.
Demande Cristine et Droiture lui respont .XXVIII.**

1   « Dame[3], par les raisons que j'entens de vous et parce
que je voy tant de scens et de bien estre en femme, je me
merveil de ce que plusieurs dient que iceulx hommes sont
vilz et fols qui croient et adjoustent foy au conseil de leurs
5   femmes. »

---

¹ sur ; *corr. d'après B, D, R.*
² Preuve ; *corr. d'après B, D, R et table des rubriques.*
³ D *orné sur 2 lignes.*

de lui ôter la vie. Ils montèrent donc une conspiration contre lui et résolurent de le tuer. Ces hommes se retrouvaient chez une femme[1] en laquelle ils avaient tant de confiance qu'ils n'hésitaient pas à parler devant elle de leur projet de conspiration. Un jour, alors qu'ils avaient décidé de mettre leur projet à exécution le lendemain, ils soupaient chez cette femme et ne prirent pas assez garde à ce qu'ils disaient ; par malheur, leurs propos furent surpris par quelqu'un qui alla aussitôt dire à l'empereur ce qu'il avait entendu, pour le flatter et gagner ses bonnes grâces. Ensuite de quoi, les conspirateurs ne furent pas plus tôt partis de chez la femme que les soldats de la garde impériale se présentèrent à la porte ; comme ils ne trouvèrent pas les hommes, ils conduisirent la femme devant l'empereur, qui lui fit subir un interrogatoire poussé. Mais que ce soit en lui offrant de beaux cadeaux, en lui faisant des promesses, ou par la force, car on ne lui épargna pas les tortures, il ne put jamais parvenir à lui faire dire ni qui étaient ces hommes, ni même qu'elle savait quelque chose. Elle prouva ainsi de façon admirable sa constance et sa discrétion. »

28. Où l'on réfute ceux qui disent que l'homme qui croit le conseil de sa femme et lui fait confiance est méprisable. Question de Christine et réponse de Droiture

« Ma Dame, pour toutes les raisons que vous m'avez données et parce que je vois chez les femmes tant d'intelligence et de bonnes qualités, je m'étonne de ce que beaucoup de gens disent que les hommes qui croient les conseils de leur femme et lui font confiance sont sots et méprisables. »

---

[1] Il s'agit d'Epicharis qui, d'après les *Annales* de Tacite (éd. et trad. P. Wuilleumier, Paris, Les Belles Lettres, 1990, t. IV, XV, 51 et 57, t. IV, p. 178 et 184-185), a participé à la conjuration de Pison en 65. Elle est arrêtée, torturée sans jamais révéler les noms des conspirateurs. Elle se suicide pour ne pas risquer de les dévoiler lors de nouvelles tortures. Tacite loue son courage et sa loyauté. Boccace cite son exemple dans un chapitre assez long, en mentionnant son nom, sa participation active dans la conspiration, sa résistance exceptionnelle à la torture et son suicide final (*Cleres femmes*, XCIII, t. II, p. 136-138). Christine donne au personnage une présence plus discrète. Dans sa version, pas de nom, un rôle d'hôtesse témoin passif du complot et pas de suicide pour garder définitivement le secret. Epicharis y possède les qualités traditionnellement féminines d'accueil, de protection et de patience alors que l'héroïne de Tacite et de Boccace possède un courage digne d'un homme.

Responce: « Je t'ai ja dit devant que toutes femmes ne
sont mie sages ; mes ceulx qui les ont bonnes et saiges sont
que folz quant ilz ne les croient, si que tu peus veoir par ce
que cy devant t'ay dit, car se Brutus eust creü Porcia sa
10   femme de non occirre Julius Cesar, il meismes n'eust pas
esté occis ne le mal ne feust avenu qui en avint. Et pour ce
qu'en ce propos sommes entrez, te dirai de plusieurs a qui
semblablement en est mal avenu pour non les croire, et
aussi te dirai aprés de ceulx a qui il est bien venu par les
15   croire. Se Julius Cesar dont nous avons parlé eust creü sa
tres sage et bonne fem[88ʳ]me, laquelle pour plusieurs
signes qu'elle avoit veü apparans, qui signifioient la mort
de son mari, et le terrible[1] songe que la nuit devant en avoit
songié, par quoy en tout quanque elle avoit peu avoit
20   destourné que il n'alast celle journee au Conseil, il n'y
feust pas allez et ne eust mie esté occis.

¶Item semblablement Pompee, qui avoit eu espousé
Julie, fille du dit Julius Cesar, si que devant t'ai dit, et aprés
celle en avoit espousee une autre moult noble dame
25   nommee Cornelia, laquelle, au propos dessus dit, tant
l'ama que oncques pour male fortune qui lui avenist ne le
volt laissier. Et meismement quant il fu contraint de s'en
fouir par mer aprés la bataille ou il ot esté desconfit par
Julius Cesar, la bonne dame estoit avec lui et en tous perilz
30   l'acompaignoit. Et quant il ariva ou royaume d'Egipte et
que Tholomee le roy du lieu fist semblant par traison que il
avoit joie de sa venue et envoia au devant de lui ses gens en
semblant de le recevoir a joie, et ce estoit pour le occirre ;
lesquelz gens lui distrent que il entrast en leurs nez et que il
35   laissast ses gens affin que plus legierement le peussent
mettre a port pour leur vessel qui estoit plus legier. Mes
comme il y voulsist entrer, sa sage et bonne femme[2] lui
desconseilloit qu'il n'y alast nullement et qu'il ne se depar-
tist point des siens. Et quant elle vit qu'il ne l'en vouloit
40   croire, elle, a qui le cuer n'en disoit nul bien, se volt lancier
a toutes fins en la nef avec lui, mais il ne le volt souffrir et

---

[1] B, D, R : l'orrible
[2] B, D, R : sage et bonne femme Cornille

Elle me répondit : « Je t'ai déjà dit auparavant que les femmes ne sont pas toutes douées de sagesse ; mais ceux qui ont des femmes bonnes et sages sont bien sots de ne pas les croire, ainsi que tu as pu le voir par ce que je t'ai dit ; car si Brutus avait fait confiance à sa femme Porcia et n'avait pas tué Jules César, lui-même n'aurait pas été tué, et les malheurs qui ont suivi ne seraient pas arrivés. Et puisque nous abordons ce sujet, je vais te parler des malheurs qui sont arrivés à beaucoup d'autres pour ne pas avoir cru leurs femmes, ainsi que de ceux qui les ont crues et qui s'en sont bien trouvés. Si Jules César, dont nous avons déjà parlé, avait cru sa très bonne et sage épouse, qui avait essayé autant qu'elle l'avait pu de le détourner d'aller ce jour-là au Sénat, à cause de nombreux présages qui lui étaient apparus, annonçant la mort de son mari, et du terrible songe qu'elle avait fait la nuit précédente, il n'y serait pas allé et il n'aurait pas été tué [1].

De la même manière, Pompée, qui avait d'abord épousé Julie, fille de ce même Jules César, comme je te l'ai déjà dit, avait pris comme épouse, après celle-ci, une très noble dame nommée Cornélie ; pour revenir à notre propos, celle-ci l'aimait tant qu'elle ne voulut jamais l'abandonner dans les malheurs qui lui arrivèrent. Même quand il fut contraint de s'enfuir par la mer après la bataille où il avait été vaincu par Jules César, cette excellente dame était à ses côtés et fut sa compagne dans tous les périls. Et quand il arriva au royaume d'Égypte, Ptolémée, le roi de ce pays, feignit par traîtrise de se réjouir de sa venue et envoya ses hommes à sa rencontre, faisant semblant de l'accueillir avec joie, alors que c'était pour le tuer. Ces hommes lui dirent de monter dans leurs navires et de laisser derrière lui ses gens, afin qu'ils puissent plus rapidement l'amener au port dans leur vaisseau, qui était plus léger. Mais alors qu'il s'apprêtait à y monter, sa bonne et sage épouse lui déconseilla fortement d'y aller et de se séparer des siens. Et quand elle vit qu'il ne voulait pas la croire, alors qu'en son cœur elle n'augurait rien de bon, elle voulut à tout prix s'élancer avec lui sur le vaisseau ; mais il ne voulut pas la laisser

---

[1] Il s'agit de Calpurnia Pisonis. Son rêve prémonitoire et son intervention auprès de César pour éviter sa mort sont racontés dans la traduction de Valère Maxime par Simon de Hesdin au chapitre I, 7, 2 (*Faits et Dits* I, p. 200). Les *Faits des Romains* (Bnf., fr. 246, fol. 305r) mentionnent aussi le rêve funeste de Calpurnia mais pas ses tentatives pour sauver César de la mort.

la convint tenir si comme a force, dont des lors commença
le dueil a la vaillant dame qui puis ne lui failli toute sa vie,
car ne l'ot mie moult eslongné quant elle, qui n'avoit
45   ailleurs [88ᵛ] son regard et qui aux yeux le sievoit, le vit
murdrir aux traiteurs dedans leurs nefs, pour lequel dueil en
mer se feust jettee se afforce n'en eust esté gardee.

¶Item pareillement en mesavint au preux Hector de
Troie car comme la nuit devant qu'il fu occis, sa femme
50   Endromacha eust eu en avision trop mervilleuse que se
Hector aloit en la bataille le lendemain, que il y mouroit
sans faille ; par quoy la dame, effraee de ceste chose qui ne
fu mie songié mes vraie prophecie, le pria a jointes mains,
agenouillié devant lui, en lui apportant entre ses bras ses
55   deux enfans, qu'il se voulsist a cellui jour deporter d'aller
en la bataille. Mes comme il desprisast du tout ses
parolles, pensant que a tous jours mais, ce lui sembloit, lui
eust tourné a reprouche que pour le conseil et parolles
d'une femme laissast d'aler en la bataille, ne pour priere de
60   pere ne de mere, par qui elle l'en feist requerir, ne s'en
volt¹ deporter. Si en avint ainsi que dit avoit, car occis y fu
par Achilles, dont mieux lui voulsist l'avoir creue.

¶De infinis cas dire te pourroie d'ommes a qui il est
malvenu en plusieurs manieres par non daignier croire le
65   conseil de leurs bonnes et saiges femmes ; mais se mal en
vient a ceulx qui le desprisent, n'en doivent mie estre
plains. »

---

¹ ne volt deporter ; *corr. d'après B, D, R.*

faire et il fallut la retenir par la force. Alors commença pour cette courageuse femme la douleur qui devait durer toute sa vie : à peine s'était-il éloigné qu'elle, qui ne l'avait pas quitté des yeux et le suivait du regard, le vit se faire assassiner par les traîtres dans leur bateau ; elle en éprouva une telle douleur qu'elle se fût jetée à la mer si on ne l'en avait pas empêchée par la force[1].

Un malheur semblable arriva au preux Hector de Troie. La nuit avant qu'il ne fût tué, sa femme Andromaque avait eu une vision très étonnante, lui montrant que si Hector allait à la bataille le lendemain, il y mourrait sans faute ; la dame, effrayée par ce qui n'était pas un songe, mais bien plutôt une véritable vision prophétique, se jeta à genoux devant lui, les mains jointes, tenant dans ses bras ses deux enfants, et le pria de bien vouloir ce jour-là s'abstenir d'aller au combat. Mais il ne voulut tenir aucun compte de ses paroles, pensant qu'on lui reproche-rait toute sa vie, croyait-il, d'avoir renoncé d'aller au combat pour avoir écouté les paroles d'une femme ; et il ne voulut pas y renoncer, malgré les prières de son père et de sa mère, à qui elle avait demandé d'intervenir. Alors, ce qu'elle avait prédit se produisit, car il fut tué par Achille ; il aurait mieux valu pour lui de l'avoir crue[2].

Je pourrais te citer un nombre infini de cas d'hommes à qui différents malheurs sont arrivés pour n'avoir pas daigné croire le conseil de leurs bonnes et sages femmes ; mais si le malheur frappe ceux qui méprisent ces conseils, il ne faut pas les plaindre. »

---

[1] L'épisode est également raconté dans la traduction française de Valère Maxime (*Faits et dits* I, 8, 9, p. 264-266), mais Christine s'est sans doute plutôt inspirée des *Faits des Romains* (*op. cit.*, CCLX, fol. 267^v-268^r), le récit étant beaucoup plus dramatique et la place de Cornélie, plus importante. Elle recentre le récit sur la réaction de l'épouse, qui pressent le destin funeste de son mari.

[2] Christine résume ici un passage de la *Mutacion* (VI, 19, v. 16241-16342, t. III, p. 97-100). Voir *Othea* (texte, glose et allégorie LXXXVIII, p. 324-325). La source en est l'*Histoire ancienne* 1 (LII, fol. 52^v) et l'*Histoire ancienne* 2 (fol. 95^r-96^v, éd. Y. Otaka, t. II, p. 399-408). Le songe prémonitoire d'Andromaque ainsi que ses tentatives pour retenir Hector sont longuement racontées dans le *Roman de Troie* de Benoît de Sainte-Maure (*op. cit.*, p. 340, v. 15263 *sq,*) et dans le *Roman de Troie en prose* (*Prose 5*, p. 429-432).

Des hommes a qui bien est ensui de croire leurs femmes, donne exemple d'aucuns[1] .XXIX.

1   « De[2] ceulx a qui il est bien pris de croire le conseil de leurs femmes te dirai d'aucuns et te souffise pour preuve, car de tant dire en pourroie que procés serroit sans finer, et vaille a ce propos ce [89ʳ] que j'ai devant dit de maintes

5   saiges et bonnes dames.

       L'empereur Justinien, dont cy devant ay parlé, avoit un sien baron que il tenoit a compaignon et l'amoit comme soy meismes et avoit cellui a nom Belisere, qui moult vaillant chevalier estoit. Si l'avoit fait l'empereur maistre et gouver-

10   neur de sa chevalerie et le faisoit seoir a sa table et servir comme lui proprement et a tout dire, tant lui monstroit signe d'amour que les barons en orent tres grant envie et tant que il dirent a l'empereur que Belisere tendoit a le faire mourir et a se revestir de l'empire. Ceste chose crut l'empereur trop

15   legierement et pour trouver voie couvertement comment le peust faire mourir, lui commanda que il alast combatre contre une gent que on appelloit les Vendres, dont nul ne pouoit venir a chief pour leur grant force. Quant Belisere entendi ce commandement, il vit bien et congnut que

20   l'empereur ja ne lui enchargast ceste chose se il n'estoit forment decheut de grace et de sa benivolence. Si en fu si durement doulent que plus ne peust et s'en ala en son hostel. Quant sa femme, qui Anthonie on nommoit et seur de l'empereïs estoit, vit son mari gitté sur le lit, palle, pensif et

25   les yeux plains de lermes, elle, qui grant pitié en ot, lui enquist tant qu'a toute paine lui dist la cause de son dueil. Et quant la sage dame si l'ot entendu, adont elle fist semblant d'estre tres joieuse et le reconforta et lui dist : "Comment, n'avez vous autre chose ? De ce ne vous desconfortez

30   nullement !" Et est assavoir que ou temps de lors, la foy de

---

¹ d'aucunes ; *corr. d'après B, D, R.*

² D *orné sur 3 lignes.*

29. Où l'on donne quelques exemples d'hommes à qui bien en prit d'avoir cru leurs femmes

« Je te citerai quelques-uns de ceux à qui bien en prit de croire le conseil de leurs femmes, et que cela te suffise comme preuve, car je pourrais t'en donner tant d'exemples que l'exposé en serait sans fin ; on peut faire valoir aussi à ce sujet ce que j'ai dit auparavant à propos d'un grand nombre de dames sages et bonnes.

L'empereur Justinien, dont j'ai déjà parlé, avait parmi les grands de sa cour un homme qu'il considérait comme son compagnon, et qu'il aimait comme lui-même ; il avait pour nom Bélisaire, et c'était un vaillant guerrier[1]. C'est pourquoi l'empereur avait fait de lui le maître et le chef de son armée ; il le faisait asseoir à sa table, où on le servait exactement comme lui ; pour tout dire, il lui témoignait tant d'amitié que les autres nobles de la cour en devinrent très jaloux. Ils dirent à l'empereur que Bélisaire avait l'intention de le faire mourir et de s'emparer du pouvoir. L'empereur y crut trop facilement, et pour trouver un moyen détourné de le faire mourir, il lui commanda d'aller combattre contre un peuple que l'on appelait les Vandales, dont la force était si grande que personne n'avait pu en venir à bout. Quand Bélisaire reçut cet ordre, il comprit bien que l'empereur ne l'aurait jamais chargé de cette tâche s'il n'était pas tombé en disgrâce. Il fut plongé dans la plus profonde douleur qu'on puisse imaginer et s'en retourna chez lui. Quand sa femme, qui se nommait Antonina et était la sœur de l'impératrice, vit son mari gisant sur son lit, pâle, songeur et les yeux pleins de larmes, elle fut remplie de compassion et le pressa tant qu'il finit par lui dire à grand-peine la cause de sa douleur. Après l'avoir entendu, la sage dame fit semblant d'être très joyeuse et le réconforta en lui disant : "Comment ! Il n'y a rien d'autre qui vous trouble ? Ne soyez pas si malheureux pour autant !" Il faut savoir qu'à cette époque, la foi

---

[1] Bélisaire était un général byzantin, au service de l'empereur Justinien Ier. Comme pour l'épisode concernant l'empereur au chapitre 6, la source est les *Grandes Chroniques* (t. I, 4, p. 109-113). Des expressions similaires prouvent l'influence d'un texte sur l'autre, mais une fois de plus, Christine recentre l'histoire sur les rapports de Bélisaire et de sa femme, ne mentionnant pas, par exemple, que le chevalier refuse d'abord de suivre ses conseils sous prétexte qu'elle est une femme et qu'Antonina le convainc de lui faire confiance en mettant en avant sa foi en Jésus-Christ.

Jhesus Crist estoit encores assez nouvelle, et pour ce la
bonne dame, qui cristiene estoit, prist a dire : "Aiés fiance
en Jhesus Crist le Crucifié, et de ce verrez vous a l'aide de
lui bien a chief. Et se les [89ᵛ] envieux vous beent anuire
35   par leurs faulces parolles, vous les rendrez par voz bon fais
menteurs et decheux de leur fraude. Si me croiés et ne
desprisiés mes paroles! Si soit toute votre esperance en
Dieu le vif et je vous promet que vous vaincrez. Et gardez
bien que ne montrez nul semblant de avoir de ceste chose
40   nulle pesance, et que on ne vous voie triste, mes tres joieux
comme cellui qui moult en est content, et je vous dirai que
nous ferons : assemblez votre ost le plus hastivement que
vous pourrez et gardez que nul ne sache quel part vous
voulez aller, et aussi faites que aies du navire assez. Et puis
45   partez votre ost en deux parties, et le plus tost et le plus
secretement que vous pourrez, atout une partie de votre ost,
entrez en Aufrique et tantost courez sus a voz ennemis. Et je
rarai l'autre partie de voz gens avec moy et par mer ariverai
de l'autre part au port. Et tendis que ilz entenderont a vous
50   donner la bataille, nous entrerons de l'autre part es villes et
es citez et mettrons tout a mort et a feu et flambe, et tous les
destuirons."

       Ce conseil de sa femme crut Belisere car[1] ne plus ne
moins comme elle avoit dit, il ordonna son erre, dont si
55   bien lui prist que il vainqui et subjuga ses ennemis, prist le
roy des Vandes et ot, par le bon conseil, scens et vaillance
de sa femme, si noble victoire que l'empereur l'ama mieux
que oncques mais.

       Item une autre fois avint que par le faulx rapport des
60   envieux, cellui Bellisere dechut de la grace de l'empereur
tellement qu'il fu du tout mis hors de l'office de la chevalerie. Mes sa femme le reconfortoit et donnoit esperance.
Si advint que l'empereur meismement fu depposé [90ʳ] de
l'empire par les dis envieux. Mais Bellisere, par le conseil
65   de sa femme, a tel puissance comme il pot avoir, fist tant,
non obstant que l'empereur lui eust fait grant tort, que il le
remist en son siege, et ainsi esprouva l'empereur la

---

[1] *B, D, R* : si fist que sage car

en Jésus-Christ était une chose assez nouvelle; cette bonne dame, qui était chrétienne, lui dit alors : "Ayez confiance en Jésus-Christ le Crucifié, et avec son aide vous viendrez bien à bout de cette tâche. Et si les envieux aspirent à vous nuire par leurs paroles mensongères, par vos belles actions vous ferez d'eux des menteurs, et leur tromperie sera mise en échec. Croyez-moi donc et ne dédaignez pas mes paroles! Mettez toute votre espérance dans le Dieu vivant, et je vous promets que vous vaincrez. Gardez-vous bien de laisser aucunement paraître votre accablement; qu'on ne vous voie pas triste, mais très joyeux, comme si vous étiez très satisfait, et je vais vous dire ce que nous ferons : rassemblez vos troupes le plus rapidement possible et prenez garde à ce que personne ne sache de quel côté vous voulez aller; faites aussi en sorte d'avoir une flotte conséquente. Ensuite, séparez votre armée en deux parties, et le plus vite et le plus secrètement possible, allez en Afrique avec une partie de votre armée et attaquez aussitôt vos ennemis. Quant à moi, je prendrai avec moi l'autre partie de vos hommes et j'arriverai par la mer jusqu'au port, de l'autre côté. Et pendant qu'ils seront occupés à vous livrer bataille, nous entrerons de notre côté dans les villes et les cités, nous les mettrons à feu et à sang, et nous les tuerons et détruirons tous."

Bélisaire crut les conseils de sa femme; il prépara son expédition exactement comme elle le lui avait dit, et bien lui en prit : il vainquit ses ennemis et les soumit, fit prisonnier le roi des Vandales, et grâce aux conseils, à l'habileté et au courage de sa femme, il remporta une si noble victoire que l'empereur l'aima plus qu'il ne l'avait jamais fait.

Il arriva encore une autre fois que sur de fausses accusations des envieux, ce même Bélisaire tomba dans une telle disgrâce qu'il fut totalement déchu de son rang militaire. Mais sa femme le réconfortait et lui donnait de l'espoir. Or l'empereur lui-même fut destitué de l'empire par ces mêmes envieux. Mais Bélisaire, suivant le conseil de sa femme, avec toutes les forces qu'il put rassembler, parvint à rétablir l'empereur sur son trône, malgré le grand tort que celui-ci lui avait fait. C'est ainsi que l'empereur put éprouver la loyauté de son noble guerrier et la traîtrise des

loyauté de son chevalier et la traison des autres et tout par
le scens et bon conseil de la sage dame.

70   ¶Item le roy Alixandre n'ot pas despris le conseil et
parolles de la roine sa femme, qui ot esté fille de Daire le
roy de Perse. Lorsque le roy[1] senti que il avoit esté empoisonné par ses desloyaux serviteurs et de la grant douleur
qu'il sentoit, se vouloit aller giter en une riviere pour plus
75   tost finer sa vie. Et la dame qui l'encontra, quoy qu'elle
eust grant douleur, le prist a reconforter et lui dist que il
retournast et se couchast en son lit et la, parlast a ses barons
et feist ses ordonnances si comme a tel empereur comme il
estoit appertenoit, car trop serroit grant amendrissement de
80   son honneur se aprés lui on pouoit dire que impacience
l'eust convaincu. Si crut sa femme, et par son conseil fist
ses ordonnances. »

Du grant bien qui est venu[2] et vient tous les jours pour cause de femmes dit Crestine .XXX.

1   « **D**ame[3], je voy infinis biens venus ou monde par
femmes et toutevoies ces hommes dient qu'il n'est mal qui
par elles ne viengnent. »

Responce : « Belle amie, tu pués veoir par ce que ja
5   pieça t'est dit que le contraire de ce qu'ilz en dient est vrai.
Car il n'est homme qui sommer peust les grans biens qui
par femmes sont avenus et chascun jour aviennent. Ja le
t'ai prouvé par les nobles dames qui les sciences et ars
donnerent ou monde. Mais se il ne te souffit ce que dit t'ai
10   des biens temporelz qui par elles sont venus, [90ᵛ] je te
dirai des espirituelz. O ! Comment est jamais homme si
ingrat que il oublie que par femme la porte de paradis lui
est ouverte ! C'est par la Vierge Marie. Quel plus grant
bien peut il demander et que Dieux est fait homme si que
15   devant t'a esté dit ? Et qui veult oublier les grans biens que
font les meres a leurs filz et femmes a tous hommes ?

---

[1] *B, D, R* : Lorsque le dit Alexandre
[2] *B, D, R, table des rubriques* : venu au monde
[3] D *orné sur 2 lignes.*

autres, et tout cela grâce à l'intelligence et au bon conseil de la sage dame[1].

De la même manière, le roi Alexandre ne dédaigna pas les conseils de la reine sa femme, qui était la fille de Darius, roi des Perses. Lorsque le roi sentit qu'il avait été empoisonné par de déloyaux serviteurs, à cause de la grande douleur qu'il éprouva, il voulut aller se jeter dans une rivière pour mettre plus vite fin à ses jours. La dame, qui croisa son chemin, malgré la vive douleur qu'elle éprouvait, se mit à le réconforter et lui dit de retourner se coucher dans son lit, de parler à ses vassaux et de prendre ses dispositions testamentaires, comme il convenait à un empereur tel que lui, car ce serait une trop grande atteinte à son honneur si on pouvait dire après sa mort qu'il n'avait pas pu supporter la souffrance. Il crut sa femme, et prit ses dispositions, comme elle le lui avait conseillé[2].»

30. Christine parle des grands biens dont les femmes ont été la cause et le sont encore tous les jours

«Ma Dame, je vois qu'un nombre infini de biens ont été apportés par les femmes dans le monde; et pourtant ces hommes disent qu'il n'est pas de mal qui ne vienne d'elles.»

Elle me répondit: «Ma chère amie, tu peux voir par ce qui t'a déjà été dit que c'est le contraire de ce qu'ils disent qui est vrai. Car aucun homme ne pourrait faire la somme des grands biens qui sont arrivés et arrivent chaque jour par les femmes. Je te l'ai déjà prouvé par les nobles dames qui ont donné au monde les sciences et les arts. Mais si ce que je t'ai dit des biens temporels apportés par les femmes ne te suffit pas, je vais te parler des biens spirituels. Oh! Comment un homme peut-il être ingrat au point d'oublier que c'est par une femme que la porte du paradis lui est ouverte! C'est par la Vierge Marie. Et que Dieu se soit fait homme, ainsi que je te l'ai rappelé, quel plus grand bien peut-il demander? Et qui voudrait oublier les grands bienfaits que les mères font à leurs fils

---

[1] Ce second épisode a pour source un autre chapitre des *Grandes chroniques* (t. II, 12, p. 140-44), mais il n'est pas question, cette fois, d'une intervention d'Antonina.

[2] Christine raconte déjà la mort d'Alexandre et l'intervention de sa femme, Roxane, qui l'empêche de se suicider dans la *Mutacion* (VII, 52, v. 23188-23212, t. IV, p.64-66). La source en est le *Roman d'Alexandre en prose* (*op. cit.*, p. 251-252).

Atout le moins, je leur pri que les biens qui touchent dons espirituelz, ilz ne vuellent pas oublier.

Et regardons en l'ancienne loy de Juifs; se tu veux
20   regarder l'istoire de Moïse[1] a qui Dieux donna la loy escripte des Juifs, tu trouveras que par femme cellui saint prophete, par qui puis tant de grans biens vindrent, fu respité de mort si que je te dirai. ¶Ou temps que les Juifs estoient en la servitude des roys d'Egipte, il estoit prophetisié que un
25   homme naisteroit des Ebrieux qui thireroit le pueple d'Israel de la servitude d'iceulx. Si avint que quant Moïse le noble duc fu nez, sa mere, qui nourir ne l'osoit, fu contrainte de le mettre en un petit escring et d'envoier contre val la riviere. Si avint si comme Dieux vost, qui sauve ce qui lui plaist,
30   que Therinich, la fille du roy Pharaon, s'esbatoit sur le rivaige a l'eure que l'escrinet flotoit sur l'eaue, par quoy tantost le fist prendre pour savoir qu'il avoit ens, et quant elle vit que un enfant estoit et si tres bel que plus bel ne peust estre veü, elle ot a merveilles grant joie. Si le fist
35   nourir et dist que il estoit sien. Et pour ce que par miracle, il ne vouloit alaitier femme qui fust d'estrange loy, elle le fist alaitier et nourrir par une femme ebrieue. Celui Moïse de Dieu esleu, quant il fu grant, fu cel[91ʳ]lui a qui Nostre Seigneur donna la loy et qui thira les Juifs hors des mains
40   des Egipciens, et passa la mer Rouge et fu duc et conduiseur des enfans d'Israel. Et ainsi vint ce grant bien aux Juifs a cause de la femme qui le sauva.»

De Judith la noble dame vesve qui sauva le puepple[2] .XXXI.

1   «Judith[3] la noble dame vesve sauva le puepple d'Israel d'estre peris ou temps que le second Nabugodonosor avoit envoié Olophernes, duc de sa chevalerie, sur les Juifs aprés ce qu'il ot conquis la terre d'Egipte. Et comme le dit

---

[1]   *R* : l'istoire des Juifs

[2]   qui sauva le puepple *omis dans B et D.*

[3]   I *orné sur 2 lignes.*

et les femmes à tous les hommes ? Je les prie à tout le moins de ne pas oublier les biens qui se rapportent aux dons spirituels.

Regardons dans l'Ancien Testament des Juifs ; si tu considères l'histoire de Moïse, à qui Dieu donna la loi écrite des Juifs, tu verras que c'est par une femme que ce saint prophète, à qui l'on doit tant de grands biens, fut sauvé de la mort, ainsi que je vais te le raconter. Au temps où les Juifs étaient esclaves des rois d'Égypte, il existait une prophétie selon laquelle un homme naîtrait des Hébreux et tirerait de l'esclavage le peuple d'Israël. Aussi lorsque naquit Moïse, ce noble chef, sa mère, qui n'osait pas le nourrir, fut contrainte de le placer dans une petite corbeille sur le fleuve et de la laisser descendre au fil de l'eau[1]. Mais selon la volonté de Dieu, qui sauve qui il lui plaît de sauver, il se trouva que Thermutis[2], la fille de Pharaon, se divertissait sur la rive du fleuve au moment où passa la petite corbeille flottant sur l'eau ; elle la fit aussitôt attraper pour voir ce qu'il y avait dedans, et quand elle vit que c'était un enfant, le plus beau qu'on eût pu voir, elle en éprouva une joie extrême. Elle le fit nourrir et dit que c'était le sien. Et comme par miracle, il ne voulait pas boire le lait d'une femme d'une religion étrangère, elle le fit allaiter et élever par une Juive. Ce Moïse choisi par Dieu, devenu grand, est celui à qui Notre-Seigneur donna sa Loi ; il délivra les Juifs de la main des Égyptiens, franchit la Mer Rouge et devint le chef et le guide des enfants d'Israël. Et c'est grâce à la femme qui le sauva que ce grand bien arriva aux Juifs. »

31. De Judith, la noble veuve qui sauva le peuple

« Judith la noble veuve sauva de la mort le peuple d'Israël à l'époque où Nabuchodonosor II[3], après avoir conquis l'Égypte, avait envoyé Holopherne, général de son armée, contre les Juifs.

---

[1] Exode 2, 1-10.

[2] Ce nom ne figure pas dans la Bible, mais la fille du Pharaon est nommée ainsi dans les *Antiquités Judaïques* de Flavius Josèphe. Le nom de la fille de Pharaon, « Therimith », est mentionné dans le chapitre 4 du livre II (fol. 27ʳ). Mais Christine l'a sans doute trouvé dans le *Miroir historial*, vol. 1, III, 1, fol. 73ᵛ.

[3] Le plus connu de ce nom, roi de Babylone au temps de sa plus grande splendeur. Il a régné de 604 à 562 av. J.-C et a battu les Égyptiens avant même de monter sur le trône. Le royaume de Juda s'étant révolté contre lui, il prit Jérusalem, détruisit le temple de Salomon et déporta les habitants.

5   Olophernes eust a moult grant puissance assegé les Juifs
       en la cité et ja les avoit si malmenez que mais ne se
       pouoient tenir, et les conduis de l'eaue leur avoit tolus et
       tous vivres leur estoient comme au faillir, ne n'avoient
       mais esperance de eulx pouoir tenir, et estoient Juifs si
10   comme au point d'estre prins de cellui qui moult les
       menaçoit, dont ilz estoient a grant douleur; et adés estoient
       en oroisons, priant Dieu que il voulsist avoir pitié de son
       puepple, et les voulsist deffendre des mains de leurs
15   ennemis, Dieu ouy leurs oroisons. Si comme il vost sauver
       l'umain lignage par femme, vost Dieux iceulx autresi
       secourir et sauver par femme.
           En celle cité estoit adont Judith, la noble preude-
       femme, qui encores moult juene femme estoit et moult
20   belle, mais encore trop plus chaste et milleure estoit. Celle
       ot moult grant pitié du puepple qu'elle veoit en si grant
       desolacion, si prioit jour et nuit Nostre Seigneur que
       secourir les volsist. Et si comme Dieu l'inspira en qui
       avoit [91ᵛ] sa fiance, elle se va aviser de grant hardement
25   et une nuit, se recommandant a Nostre Seigneur, se parti
       de la cité entre elle et sa servante[1], et ala tant que elle vint
       a l'ost de Olophernes. Et quant ceulx qui faisoient le gait
       de l'ost apperceurent a la lumiere de la lune sa grant
       beauté, il l'amenerent tantost a Olophernes, qui a grant
30   joie la rechut pour ce que elle estoit belle, et coste lui la fist
       seoir, et moult prisa son savoir et maintieng[2], et en la
       regardant, estoit moult embrasé d'elle, et par grant desir la
       convoitoit. Mais celle qui ailleurs pensoit, prioit tousjours
       Dieu en son couraige que il lui pleust a estre en aide a
35   parfurnir ce que faire vouloit. Celle par belles parolles
       avoit tousjours pourmené Olophernes, tant qu'elle veist
       son point. Quant vint a la IIIᵉ nuitee, Olophernes avoit
       donné a soupper a ses barons et avoit moult bien beu, si fu
       eschauffé de vin et de viande, et ne volt plus atendre de
40   couchier avec la femme ebrieue. Si la manda et elle vint

---

[1] entre elle sa servante et ala; *corr. d'après B, D, R.*
[2] *B, D, R*: savoir, beauté et maintieng

Holopherne assiégea les Juifs dans leur ville avec une très grande armée. Il leur avait déjà fait subir tant de dommages qu'ils ne pouvaient plus résister; il avait coupé les arrivées d'eau, les vivres allaient bientôt leur manquer totalement, ils n'avaient plus aucun espoir de pouvoir tenir. Les Juifs étaient sur le point d'être pris par celui qui les menaçait fort, et ils en étaient accablés de douleur; sans cesse ils étaient en prière, priant Dieu de bien vouloir avoir pitié de son peuple, et les empêcher de tomber aux mains de leur ennemis. Dieu entendit leurs prières. De même qu'il voulut sauver le genre humain par une femme, Dieu voulut aussi secourir et sauver ceux-ci par une femme.

Dans cette ville se trouvait alors Judith, cette noble et valeureuse femme, qui était encore très jeune et très belle, mais elle était encore bien davantage chaste et bonne. Elle éprouvait une très grande pitié pour le peuple qu'elle voyait plongé dans une telle désolation, et elle priait Notre-Seigneur nuit et jour de bien vouloir les secourir. Sous l'inspiration de Dieu, en qui elle avait mis sa confiance, elle imagina un projet d'une grande audace : une nuit, se recommandant à Notre-Seigneur, elle quitta la ville avec sa servante et se rendit au campement de l'armée d'Holopherne. Quand les soldats qui faisaient le guet aperçurent à la lumière de la lune sa grande beauté, ils la conduisirent aussitôt à Holopherne, qui la reçut avec grande joie parce qu'elle était belle; il la fit asseoir à côté de lui et il apprécia beaucoup son comportement et ses manières. Plus il la regardait, plus il s'enflammait et la désirait avec une grande ardeur. Mais elle, qui avait d'autres pensées en tête, continuait à prier Dieu dans son cœur pour qu'il veuille bien l'aider à accomplir ce qu'elle voulait faire. Elle continua donc à faire languir Holopherne avec de belles paroles, en attendant le moment favorable pour agir. Quand arriva le troisième soir, il avait donné un dîner pour ses vassaux et avait beaucoup bu; tout échauffé par le vin et la nourriture, il ne voulut plus attendre pour coucher avec la Juive. Il la fit donc appeler et elle vint devant lui;

vers lui ; il lui dist sa voulenté et celle point ne lui escondit,
mais elle lui dist que pour plus grant honnesteté[1], il feist
vuidier son pavillon de toute gent et qu'il se couchast le
premier, et qu'elle vendroit[2] a lui sans faille environ
45   minuit quant chascun dormiroit. Ainsi cellui l'accorda et la
bonne dame se mist en oroisons, priant tousjours Dieu
qu'a son cuer femmenin et paoureux donnast hardement et
force de delivrer son puepple du fel thirant. Quant Judith
pensa que Olophernes fut endormis, elle vint tres quoie-
50   ment entre elle et sa meschine et escoute a l'uis du
pavillon et entent que cellui dormoit[3]. Adont dit la
dame : "Alons [92ʳ] hardiement car Dieux est avec nous."
Si entra dedans et sans paour prist l'espee qu'elle vit au
chevet et la traist nue, puis la haulça de toute sa force et
55   trencha a Olophernes la teste sans que de nul fust ouye. Si
met la teste[4] en son giron et le plus tost que elle pot s'en
vait vers la cité, tant que sans encombre vint aux portes, si
hucha : "Venez, venez ouvrir car Dieux est avec nous !" Et
quant elle fu leans entree, nulz ne scet la joie qui fu faite de
60   celle aventure. Et le matin pendirent la teste a une perche
sur les murs, et tous se armerent et hardiement coururent
sus a leurs ennemis qui encores estoient en leurs lis, car
jamais de ceulx ne se gaitaissent. Et quant il furent au
pavillon de leur duc ou ilz estoient fouis pour le resvillier
65   et faire hastivement lever et mort le trouverent, oncques
gens ne furent plus esperdus ! Si les occirrent tous les Juifs
et prisdrent. Et ainsi fu le puepple de Dieu delivré des
mains de Olofernes par Judith la preudefemme qui a
tousjours en la Sainte Escripture en serra louee. »

---

[1]   B, D, R : elle dist qu'elle lui prioit que pour plus grant honnesteté
[2]   verroit ; *corr. d'après B, D, R.*
[3]   B, D, R : dormoit tres fort
[4]   B, D, R : le chief

il lui dit son désir, et elle ne se refusa pas à lui; mais elle lui demanda, par respect des bienséances, de faire sortir tous les gens de sa tente et de se coucher le premier; elle viendrait le voir sans faute vers minuit, quand tout le monde dormirait. Celui-ci accéda à sa demande, et cette noble dame se mit en prière, demandant sans cesse à Dieu de donner à son cœur de femme craintive la force et le courage de délivrer son peuple de ce cruel tyran. Quand Judith pensa qu'Holopherne s'était endormi, elle alla tout douce-ment avec sa servante prêter l'oreille à l'entrée de la tente, et elle entendit qu'il dormait. Alors la dame dit ces mots: "Allons hardi-ment, car Dieu est avec nous." Puis elle entra et sans aucune peur, elle saisit l'épée qu'elle vit à son chevet et la tira du fourreau, l'éleva de toute sa force et trancha la tête d'Holopherne sans que personne ne l'entendît. Elle mit la tête dans son giron et partit vers la ville aussi vite qu'elle le put. Arrivée sans encombre aux portes de la cité, elle cria: "Venez, venez ouvrir, car Dieu est avec nous!" Et quand elle fut entrée, nul ne peut imaginer la joie que provoqua cet exploit. Le matin venu, ils fichèrent la tête sur une pique et l'accrochèrent aux murailles; tous s'armèrent et attaquè-rent hardiment leurs ennemis qui étaient encore dans leurs lits, car jamais ils n'auraient eu l'idée de se méfier d'eux. Et quand ils arrivèrent à la tente de leur chef, où ils étaient accourus pour le réveiller et le faire se lever en hâte, ils le trouvèrent mort; jamais on ne vit de soldats si éberlués! Les Juifs les tuèrent tous ou les firent prisonniers. Et c'est ainsi que le peuple de Dieu fut délivré des mains d'Holopherne par Judith, cette vaillante femme, qui en sera louée à jamais dans les Saintes Écritures[1].»

---

[1] L'histoire de Judith est racontée dans le Livre de Judith, Jdt 7-15. Judith est un personnage récurrent dans l'œuvre de Christine. Elle est mentionnée dans le *Débat sur le Roman de la Rose* (éd. cit., p. 55), et dans plusieurs œuvres posté-rieures. Voir C. Le Ninan, «La veuve et le tyran: l'*exemplum* de Judith dans l'œuvre de Christine de Pizan», dans *Christine de Pizan: La scrittrice e la città*, dir. P. Caraffi, Florence, Alinea Editrice, 2013, p. 75-82. Christine lui consacre un long passage dans la *Mutacion* (V, 10, v. 10149-10400, t. II, p. 221-229). Sa source est l'*Histoire ancienne* 1 (LXXXII-LXXXIII, 82ᵛ-83ᵛ; éd. Rochebouet, p. 101-106). Comme il est dit dans ce texte, Christine précise que Judith prie avant d'entrer dans la tente d'Holopherne pour le décapiter, ce qui ne figure pas dans l'Ancien Testament. Ici encore, Christine résume la version de la *Mutacion* et celle de l'*Histoire ancienne*.

Cy dit de la royne Hester qui sauva le puepple[1] .XXXII.

1   « Par[2] la noble et saige roine Hester voult autresi Dieux
     delivrer son puepple de la servitude du roy Assuere. Cellui
     roy Assuere estoit de moult grant puissance sur tous rois et
     possedoit moult de royaumes. Paien estoit et tenoit les Juifs
5   en servaige. Et comme cellui feist querir par tous royaumes
     les plus nobles pucelles, les plus belles et mieux enseignees,
     pour choisir une qui mieux lui plairoit pour estre sa femme,
     entre les autres lui fu amenee la noble sage femme et belle[3]
     et [92ᵛ] de Dieu amee, la pucelle Hester, qui estoit ebrieue,
10   laquelle lui plut sur toutes et l'espousa, et tant l'ama cellui
     de grant amour que ne lui refusast chose que requeist.
         Avint un temps aprés que un faulx flateur, qui nommez
     estoit Naman, enorta tant le roy contre les Juifs qu'il
     commanda que partout ou il serroient trouvez, fussent pris
15   et occis. De ceste chose ne savoit riens la roine Hester, car
     se elle le sceust, moult lui pesast malement que son puepple
     feust ainsi malmenez. Toutevoies un sien oncle nommé
     Mardocins, qui estoit comme chief des Juifs, lui fist savoir
     et que elle remediast tost car le jour estoit brief dedens
20   lequel on devoit excecuter la sentence du roy. De ceste
     chose fu moult doulente la roine. Si se vesti et para le plus
     noblement que elle pot, et ala, ses femmes avec elle,
     comme pour soy esbatre, en un jardin ou elle savoit que le
     roy estoit aux fenestres. Et quant vint au retour vers la
25   chambre du roy, comme se elle n'y pensast point et elle
     veist le roy aux fenestres, tantost celle se laissa cheoir a
     genoulx et toute estendue sur sa face, le salua. Et le roy, a
     qui moult pleut son humilité et qui a grant plasance regarda
     la grant beauté dont elle resplendissoit, l'appella et lui dist
30   qu'elle demandast quelconques chose qu'elle vouldroit et
     elle l'avoit. La dame dist[4] que autre chose ne vouloit fors
     que il alast disner en ses chambres et que il menast avec lui
     Naman, et il lui ottroia voulentiers. Et comme par trois

---

[1] qui sauva le puepple *omis dans B et D.*

[2] P *orné sur 2 lignes.*

[3] *B, D, R* : la noble sage, bonne et belle

[4] *B, D, R* : respondi

32. Où l'on parle de la reine Esther qui sauva le peuple

« C'est par la noble et sage reine Esther que Dieu voulut aussi délivrer son peuple de la servitude où le tenait le roi Assuérus[1]. Ce roi très puissant exerçait son autorité sur tous les autres rois et tenait en son pouvoir de nombreux royaumes. Il était païen et il avait réduit les Juifs en esclavage. Alors qu'il faisait rechercher dans tous les royaumes les jeunes filles les plus nobles, les plus belles et les mieux éduquées pour choisir celle qu'il préférerait pour en faire sa femme, on lui amena, entre autres, une femme noble, sage, belle et aimée de Dieu, une jeune fille nommée Esther, qui était juive; il la préféra à toutes les autres et il l'épousa. Il l'aimait d'un si grand amour qu'il n'aurait rien pu lui refuser si elle le lui demandait.

Quelque temps après, un fourbe flatteur, nommé Aman, monta le roi contre les Juifs au point que celui-ci ordonna que partout où on les trouverait, ils soient capturés et tués. La reine Esther ne savait rien de tout cela, car si elle l'avait su, il lui aurait été extrêmement pénible que l'on maltraitât ainsi son peuple. Cependant un homme nommé Mardochée, son oncle, qui était en quelque sorte le chef des Juifs, le lui fit savoir et lui demanda d'y remédier rapidement, car le jour était proche où cette sentence du roi devait être exécutée. La reine en fut très affligée. Elle s'habilla et se para le plus richement possible, puis se rendit avec ses suivantes dans un jardin, comme pour aller se divertir, alors qu'elle savait que le roi était à la fenêtre. Au retour, en repassant vers la chambre du roi, comme sans y penser et comme si elle apercevait le roi à sa fenêtre, elle se laissa tomber à genoux, complètement prosternée, et le salua. Son humilité plut beaucoup au roi, qui regarda aussi avec beaucoup de plaisir sa beauté resplendissante; il l'appela et lui dit qu'elle pouvait lui demander tout ce qu'elle voudrait, il le lui accorderait. La dame lui dit qu'elle ne voulait rien d'autre, sinon qu'il vienne dîner dans ses appartements en amenant avec lui Aman, ce qu'il lui octroya volontiers. Il y dîna trois jours de

---

[1] Il s'agit du roi perse Xerxès Ier qui a régné de 486 à 465 av. J.-C. Le *Livre d'Esther* se passe lors de la déportation des Juifs à Babylone, après la destruction du royaume de Juda par Nabuchodonosor II.

jours suivanment y dinast, et tant eust agreable la chiere,
35   l'onneure, la bonté et beauté de ceste dame que adés
l'appressoit de lui fere [93ʳ] aucune requeste, celle se gieta
a ses piez et en plourant lui prist a dire que elle lui prioit
que il eust pitié de son puepple et que il ne la voulsist mie
tant aviler, puis qu'en si hault honneur l'avoit mise, que son
40   linage et ceulx de sa nacion feussent si villainement
destruis. Adont le roy, tout ayrés, respondi: "Dame, qui est
cil si hardis qui l'ose faire?" Elle respondi: "Sire, ce fait
faire Namam, votre prevost, qui yci est!"

      A te dire la chose en brief, le roy rappella sa sentence.
45   Naman, qui tout par envie avoit ce basti, fu pris et pendus
par ses demerites, et Mardocins, l'oncle de la roine, mis en
son lieu, les Juifs franchis et fais les plus previlegiez de
tous autres puepples et les plus honnorez. Et ainsi semblablement que de Judith voult Dieux a ceste fois sauver son
50   puepple par femme. Et ne quidies pas que icestes deux
dames soient seulles en la Sainte Escripture par qui Dieux
vost sauver par diverses fois son puepple, car assez en y ot
d'autres que je lasse pour briefté, si comme Delbora, dont
j'ay icy dessus parlé, qui delivra aussi le puepple de servi-
55   tude, et semblablement le firent d'autres.»

Des dames de Sabine qui mistrent paix entre leurs amis[1] [.XXXIII[2].]

1   «Des[3] dames de la loy ancienne des paiens aussi te
pourroie de maintes racompter qui furent cause de sauver
païs, villes et citez, mais de deux exemples moult notables
sans plus pour toutes preuves de elles me passerai. Quant

---

[1] qui mistrent paix entre leurs amis *omis dans B et D.*

[2] *Numéro absent dans P.*

[3] D *orné sur 2 lignes.*

suite, et trouva si agréables la chère aussi bien que la noblesse, la bonté et la beauté de cette dame qu'il la pressa fort de lui faire une nouvelle requête ; celle-ci se jeta à ses pieds et se mit à lui dire en pleurant qu'elle le priait d'avoir pitié de son peuple, et de ne pas la déshonorer, puisqu'il l'avait élevée à une si haute dignité, en faisant mourir de façon si ignominieuse sa lignée et ceux de sa race. Alors le roi, fort en colère, lui répondit : "Madame, qui a l'audace d'oser faire une chose pareille ?" Elle répondit : "Sire, c'est votre officier Aman, ici présent !"

Pour te dire les choses en bref, le roi révoqua cet ordre. Aman, qui avait fomenté tout cela par jalousie, fut saisi et pendu pour ses fautes, et Mardochée, l'oncle de la reine, fut mis à sa place ; les Juifs furent affranchis et obtinrent plus de privilèges et d'honneurs que les autres peuples. C'est ainsi que comme il l'avait fait pour Judith, Dieu voulut cette fois encore sauver son peuple grâce à une femme. Et ne crois pas que ces deux dames soient les seules dans les Saintes Écritures par lesquelles Dieu voulut sauver son peuple ; à diverses reprises, il y en eut beaucoup d'autres, que je laisse de côté pour abréger, comme Déborah, dont j'ai parlé plus haut, qui délivra elle aussi le peuple de son esclavage, et d'autres en firent autant[1]. »

33. Des dames sabines qui firent la paix entre leurs parents

« Je pourrais te parler de nombreuses dames de l'ancienne religion des païens qui sauvèrent leurs pays, leurs villes ou leurs cités ; mais je m'en passerai et je me contenterai, pour toute preuve, de deux exemples particulièrement remarquables. Quand

---

[1] Est., 2-8. Dans la *Mutacion* (V, 17, t. II, p. 263-71), Christine consacre tout un chapitre à Esther. La source en est l'*Histoire ancienne* 1 (LXXXVII, fol. 87ᵛ-88ᵛ ; éd. Rochebouet, p. 122-128). Si certains détails sont directement inspirés de ces versions (en particulier, le fait qu'Esther s'agenouille devant le roi, détail qui n'est pas dans la Bible), il faut surtout souligner ici le travail de réécriture de Christine qui donne un récit condensé d'une histoire très connue correspondant parfaitement aux besoins argumentatifs de son texte. Comme Judith, Esther est présente dans plusieurs œuvres de Christine, sous la forme d'une simple allusion (Ballade XI, *Autres ballades, Œuvres poétiques, op. cit.*, t. I, p. 219-220, v. 21 ; *Le Livre des epistres du debat sus le Rommant de la Rose*, III, p. 163 ; *Le Ditié de Jehanne d'Arc, op. cit.*, v. 217, p. 33), ou d'un récit plus long, comme dans l'*Epistre à la reine* (éd. J. Laidlaw, *op. cit.*, p. 256). Alors que Christine encourage la reine Isabelle de Bavière à intervenir pour sauver le peuple et le royaume dévasté par la violence de la guerre civile, Esther donne l'exemple d'une reine qui a su intervenir pour que son peuple soit épargné.

5   Remus et Romulus orent fondee la cité de Romme et
     Romulus ot puepplee la dite cité et raemplie de tous les
     chevaliers et hommes d'armes que il avoit peu finer et
     assembler aprés plusieurs victoires que il avoit eues, [93ᵛ]
     Romolus moult voulentiers pourchaçast que ilz eussent des
10   femmes afin de avoir lignee¹ qui a tousjours possedast la
     cité et seignourie. Mais ne savoit mie bien comment peust
     faire que lui et tous ses compaignons eussent femmes et
     feussent mariés, car les rois et les princes et les gens du païs
     ne leur vouloient donner leurs filles pour ce que trop leur
15   sembloient gens volaiges, et ressongnoient a avoir affinité
     a eulx car trop estoient fiers et divers. Et pour ce Romulus,
     avisé de grant cautelle, fist crier un tornoy et unes joustes
     par tout païs et que il pleust aux princes et aux roys et a
     toute gent d'i mener les dames et les damoiselles pour veoir
20   l'esbatement des chevaliers estranges. Le jour de la feste
     venu, grant y fu l'assemblee d'un costé et d'autre, et la
     furent venues grant foison dames et pucelles pour les jeux
     regarder. Entre les autres y ot amené le roy de Sabine une
     moult belle et jente fille que il avoit et avec elle toutes les
25   dames et pucelles de la contree qui suivie l'avoient.
          Si furent les joustes ordonnees hors de la cité en une
     plaine lez une montaigne, et les dames furent assises toutes
     de renc au dessus le mont. La s'efforcierent les chevaliers
     les uns contre les autres de faire forces et vasselages car les
30   belles dames que ilz veoient leur croissoient adez cuer, force
     et hardement de faire chevaleries. A te faire le compte brief,
     quant assez orent tournoié et que il sembla temps a Romulus
     de faire ce qu'il avoit ordonné, il prist I grant cor d'olefant et
     le sonna². Ce son et celle enseigne entendirent bien tous, si
35   laissierent le jeu et tous coururent vers les dames. Romulus
     prist la fille [94ʳ] du roy dont ja moult estoit ferus et tous les
     autrez semblablement prisdrent chascun la sienne, et a force
     les leverent sur leurs chevaulx, et a tout s'en alerent fuiant
     vers la cité et les portes bien et bel clostrent. La fu grande la

---

¹ B, D : que ilz eussent des femmes afin que ilz peussent avoir
lignee ; R : que ilz peussent avoir lignee
² B, D, R : et tres haultement corna

Romulus et Remus eurent fondé la cité de Rome et que Romulus
eut peuplé cette cité de tous les chevaliers et hommes d'armes
qu'il avait pu trouver et rassembler après les nombreuses victoires
qu'il avait remportées, il aurait bien voulu se mettre en quête pour
leur trouver des épouses, afin qu'ils aient une descendance qui
pourrait à tout jamais posséder la ville et la gouverner. Mais il ne
savait pas bien comment faire en sorte de trouver des épouses
pour lui-même et tous ses compagnons, car les rois, les princes et
les gens du pays ne voulaient pas leur donner leurs filles, parce
qu'ils pensaient qu'ils étaient inconstants, et ils craignaient de
s'allier avec eux car ils leur paraissaient trop agressifs et redoutables. C'est pourquoi Romulus eut l'idée d'une ruse : il fit
annoncer dans tout le pays un tournoi et des joutes, et il invita les
princes, les rois et tous ceux qui viendraient à y amener les dames
et demoiselles pour assister au divertissement organisé par les
chevaliers étrangers. Le jour de la fête, l'assemblée était
nombreuse des deux côtés, et un grand nombre de dames et de
jeunes filles étaient venues pour regarder les jeux. Entre autres, le
roi des Sabins y avait amené sa fille, une très belle et très
gracieuse personne, accompagnée de toutes les dames et jeunes
filles du pays qui l'avaient suivie.

Les joutes furent organisées en-dehors de la ville, dans une
plaine proche d'un mont, et les dames étaient assises en rangs sur
les hauteurs. Là, les chevaliers se lancèrent les uns contre les
autres en rivalisant de beaux coups et d'actions d'éclat, car la vue
des belles dames faisait croître en eux le désir, la force et le
courage d'accomplir des exploits. Pour abréger mon récit, le
tournoi durait depuis un certain temps lorsqu'il sembla à Romulus
que le moment était venu de mettre son plan à exécution ; il prit un
grand cor d'ivoire et le fit résonner. Tous entendirent bien et
comprirent le signal ; ils abandonnèrent le tournoi et se précipitèrent tous vers les dames. Romulus se saisit de la fille du roi dont il
était déjà bien épris, et tous les autres firent de même et prirent
chacun la sienne, ils les enlevèrent de force, les placèrent sur leurs
chevaux et s'enfuirent vers la cité, dont ils refermèrent bien les
portes. Les pères et les parents restés au-dehors poussèrent de

40   criee[1] menee des peres et parens de dehors et des dames
     aussi qui a force estoient ravies, mais leur pleur riens ne leur
     valu : Romulus a grant feste espousa la sienne et aussi firent
     tous les autrez. De ceste chose sourdi grant guerre car au
     plus tost que le roy de Sabine pot, vint a tout grant ost sur les
45   Rommains, mais n'estoit pas legiere chose a les desconfire
     car moult estoient vaillant gent.
            Cinq ans entiers avoit ja duré la guerre quant, un jour, se
     deurent assembler en champ a toute leur puissance d'un
     costé et d'autre, et moult estoit la chose disposee que grant
50   perte de gent et grant occision y deust avoir. Ja estoient issus
     les Rommains[2] a moult grant ost quant la roine assembla a
     parlement en un temple toutes les dames de la cité. Adont
     comme celle qui moult estoit sage et bonne et belle leur prist
     ainsi a dire : "Dames honnorees de Sabine, mes chieres
55   suers et compaignes, vous savez le ravissement qui fu fait
     de nous par noz maris, pour laquel cause noz peres et parens
     leur mainent guerre et noz maris a eulx. Si ne peut de nostre
     part en nulle maniere terminer ceste mortel guerre ne estre
     maintenue, qui qu'en ait la victoire, que ce ne soit a nostre
60   prejudice. Car se noz maris sont vaincus, ce devra estre, a
     nous qui les amons, si que raison est, et qui ja des enfans en
     avons, grant couroux et desolacion que ja noz petis enfans
     demou[94ᵛ]ront orphelins. Et s'il avient que noz maris aient
     la victoire et noz peres et parens soient mors et destruis,
65   certes moult devrons avoir grant pitié que pour nous soit tel
     meschief avenu. Et ce qui est fait est fait et ne peut autre-
     ment estre. Et pour ce me semble que moult serroit grant
     bien se aucun conseil par nous y pouoit estre trouvé que
     paix feust mise en ceste guerre. Et se mon conseil en voulez
70   croire et me suivre et faire ce que je ferai, je tien que de ce
     vendrons nous bien a chief."
            Aux parolles de la dame respondirent toutes qu'elle
     commandast et elles obeiroient tres voulentiez. Adont la
     roine se eschevela et mist nus piez et toutes les dames
75   pareillement le firent, et celles qui avoient enfans les

---

[1] *B, D, R* : et le deuil
[2] *B, D, R* : dehors

grands cris, ainsi que les dames qui étaient enlevées de force, mais il ne leur servit à rien de pleurer : Romulus épousa la sienne en grande cérémonie, et tous les autres firent de même. Ce fut la cause d'une grande guerre, car dès qu'il le put, le roi des Sabins marcha sur les Romains avec une grande armée ; mais ce n'était pas chose facile de les vaincre car ils étaient d'une grande vaillance.

La guerre avait déjà duré cinq ans entiers lorsqu'il fut décidé qu'ils allaient s'affronter en bataille rangée, avec de part et d'autre toutes leurs forces armées ; les choses étaient telles qu'il risquait d'y avoir de lourdes pertes et un grand nombre de morts. Les Romains étaient déjà sortis de la ville avec une armée considérable. Alors la reine rassembla toutes les dames de la cité dans un temple pour tenir conseil. Et cette femme très sage autant que bonne et belle s'adressa à elles en ces termes : "Honorables dames sabines, mes chères sœurs et compagnes, vous savez comment nos maris nous ont enlevées, ce qui a causé la guerre que mènent contre eux nos pères et nos parents, et nos maris contre eux. De notre point de vue, cette guerre mortelle ne peut en aucune façon s'achever, quel qu'en soit le vainqueur, ni se poursuivre sans que cela ne soit à notre préjudice. Car si nos maris sont vaincus, pour nous qui les aimons, comme il est juste, et qui avons déjà eu des enfants d'eux, ce sera un grand chagrin et une grande désolation, car nos petits enfants se retrouveront orphelins. Et s'il arrive que nos maris aient la victoire et que nos pères et nos parents soient morts et anéantis, nous devrons en vérité être plongées dans la plus grande affliction d'avoir été la cause d'un tel malheur. Ce qui est fait est fait, et on ne peut rien y changer. C'est pourquoi il me semble que ce serait une très bonne chose si nous pouvions trouver une solution pour mettre fin à cette guerre et ramener la paix. Et si vous voulez bien m'en croire, suivez-moi et faites comme moi, et je pense que nous y parviendrons."

À ces paroles de la dame, toutes répondirent en lui disant qu'elle ordonne, et qu'elles lui obéiraient très volontiers. Alors la dame mit ses cheveux en désordre et se mit pieds nus, et toutes les dames firent de même, et celles qui avaient des enfants les prirent dans leurs bras ;

porterent entre leurs bras; sy y avoit ja foison enfans et de
femmes enchaintes. La roine se mist devant et toute ceste
piteuse procession aprés. Si vint au champ de la bataille
droitement a l'eure que assembler devoient et entre les
80   deux osts s'alla mettre tellement que assembler ne
peussent fors parmy elles. Si s'agenoulla la roine et toutes
aussi firent criant a haultes vois: "Peres et parens tres
chiers et seigneurs maris tres amez, pour Dieu, faites paix
ou se ce non toutes voulons mourir soubz les piez de voz
85   chevaulx!" Les maris, qui la virent plourant leurs femmes
et leurs enfans, moult furent esmervilliés, et bien envis,
n'est pas doubte, courussent parmy eulx. Semblablement
apitoia et atendri moult les cuers aux peres d'ainsi veoir
leurs filles, par quoy regardant les uns les autres pour la
90   pitié des dames qui si humblement les prioient, tour[95ʳ]na
leur felonnie en amoureuse pitié[1] tant que ilz furent
contraint de giter jus leurs armes d'ambedeux pars, et
d'aler embracier les uns les autrez et de faire paix.
Romulus mena le roy de Sabine, son sire, en sa cité et
95   grandement l'onnoura et tout[e] sa compagnie. Et ainsi,
par le scens et vertu de ceste roine et des dames, furent
gardez les Rommains et les Sabins d'estre destruis.»

---

[1] *B, D, R*: en amoureuse pitié comme de filz a peres

et il y avait déjà un grand nombre d'enfants et de femmes enceintes. La reine se mit en tête, suivie par ce pitoyable cortège. Elle se rendit sur le champ de bataille juste au moment où le combat allait s'engager, et alla se placer entre les deux armées, de sorte qu'elles n'auraient pas pu s'affronter, sinon au milieu des femmes. Alors la reine se mit à genoux, ainsi que toutes les autres, criant à haute voix : "Très chers pères, très chers parents, et vous aussi, nos maris très aimés, au nom de Dieu, faites la paix, ou sinon, nous voulons toutes mourir sous les sabots de vos chevaux !" Les maris, voyant là leurs femmes et leurs enfants en larmes, furent stupéfaits, et sans aucun doute il leur aurait été bien difficile de s'élancer au milieu d'eux. De même, les cœurs des pères furent fort attendris et pleins de pitié de voir ainsi leurs filles ; ils se regardèrent les uns les autres, par pitié pour les dames qui les suppliaient si humblement, et leur dureté se changea en affectueuse piété filiale ; ils furent contraints de part et d'autre de jeter à bas leurs armes, de se précipiter dans les bras les uns des autres et de faire la paix. Romulus emmena le roi des Sabins, son seigneur, dans sa cité et lui rendit les plus grands honneurs ainsi qu'à toute sa compagnie. C'est ainsi que grâce au bon sens et au courage de cette reine et des dames, les Romains et les Sabins furent empêchés de se détruire mutuellement[1]. »

---

[1] Cet épisode extrêmement célèbre de l'histoire de Rome est repris dans l'*Histoire ancienne* 1 (LXIX, fol. 69ᵛ-70ʳ) et dans l'*Histoire ancienne* 2 (fol. 194ʳ). Mais ces deux textes ne disent pas que les Sabines se sont interposées dans la bataille pour imposer la paix entre leurs maris et leurs parents. Romulus et ses chevaliers calment la tristesse des femmes enlevées en leur promettant pouvoir et honneur, et la paix avec les Sabins finit par être instaurée après de nombreuses batailles. Le récit contenu aux chapitres 10 et 12 du livre I de la traduction de l'*Histoire romaine* de Tite-Live par Pierre Bersuire pour Jean II le Bon correspond davantage à celui de la *Cité*. Dans le manuscrit 777 de la Bibliothèque Sainte-Geneviève copié pour Charles V, les passages consacrés à l'enlèvement des Sabines se situent aux folios 10ᵛ-11ʳ et 12ʳ (Tite-Live, *Histoire romaine*, trad. Pierre Bersuire, *op. cit.*) On y trouve aussi l'idée que les demandes en mariage faites par les Romains auprès des peuples voisins ont d'abord été méprisées, ce qui ne figure pas dans l'*Histoire ancienne*. Selon son usage, Christine choisit les éléments qu'elle garde et développe les passages qui l'intéressent pour fournir une version personnelle, adaptée aux besoins de son texte. Elle a déjà longuement rapporté la prouesse des Sabines dans la *Mutacion* (VII, 3-4, v. 18549-18666, p. 181-185). Dans l'*Advision* (I, 14, p. 25-26, l. 11-22), elle se sert de leur exemple pour rappeler que Romulus et ses guerriers ont arrêté la bataille pour épargner les femmes qui se sont jetées dans la mêlée, alors que les princes français en guerre n'ont pas pitié du royaume souffrant à cause de leur violence.

De la noble dame Veturie qui apaisa son filz qui vouloit destruire Romme[1] .XXXIV.

1   « Veturie[2] fu une noble dame de Rome, mere d'un tres grant homme rommain appellé Marcien, homme plain de grant vertu et conseil soubtil, et pront, preux et hardi. Ce noble chevalier, filz de Veturie, fu envoié par les

5   Rommains atout grant ost contre les Coriens, desquelz il ot la victoire et prist la forterece des Volques, pour laquel victoire que il ot sur les Coriens fu appellez Coriolus. De ceste chose fu tant honnorez cellui que il ot aucques tout le gouvernement de Rome. Mais comme ce soit chose moult

10   dongereuse que de gouverner un peupple au gré de chascun, a la parfin les Rommains, aïrez contre lui, le condempnerent a excil et fu bannis hors de Romme. Mais de ce se sçot il bien vengier car il s'en ala par devers ceulx que il avoit autre fois[3] desconfis et les fist rebeller contre les Romains,

15   et il le firent leur chevetaine et a tres grant puissance vindrent sur la cité de Rome et moult grant dommage faisoient par tout ou ilz aloient. Ceste chose moult redoubterent les Rommains et pour le peril ou il se virent, envoierent vers lui leurs messagiers pour traittier paix. Mes

20   Marcien ne les daigna ouir. De rechief y envoierent, mais riens n'y vali, [95ᵛ] et tousjours cellui les adommagoit. Si y envoierent les evesques et les prestres, tous revestus, le suppliant moult humblement, mais riens n'y firent, tant que les Rommains, qui ne savoient que faire, envoierent les

25   nobles dames de la cité vers la noble dame Veturie, mere de Marcien, lui supplier qu'elle se voulsist travillier de pacefier son filz vers eux. Adoncques la noble dame Veturie se parti de la cité avecques elle toutes les nobles dames, et a celle procession s'en ala devers son filz, lequel,

30   comme bon et humain, si tost que il sot sa venue, descendi de son cheval et lui ala a l'encontre et si humblement la reçut que filz doit faire mere. Et adont, comme celle le voulsist prier de la paix, il respondi que il appertenoit a

---

[1] qui apaisa son filz qui vouloit destruire Romme *omis dans B, D.*

[2] V *orné sur 2 lignes.*

[3] *B* : devant ; *D, R* : par avant

34. De la noble Veturia qui apaisa son fils qui voulait détruire Rome

« Veturia était une noble dame romaine, mère de Martius[1], un très grand personnage chez les Romains, un homme de grand courage et d'une intelligence subtile, vif, vaillant et hardi. Ce noble chevalier, fils de Veturia, fut envoyé par les Romains avec une grande armée contre les Corioliens. Il en fut victorieux et s'empara de la forteresse des Volsques, et à la suite de cette victoire obtenue sur les Corioliens, il fut appelé Coriolan. Il en retira tant d'honneurs qu'il obtint presque tout le pouvoir à Rome. Mais c'est une chose bien périlleuse que de gouverner un peuple en donnant satisfaction à tout un chacun. À la fin les Romains, en colère contre lui, le condamnèrent à l'exil, et il fut banni de Rome. Mais il sut bien s'en venger, car il alla trouver ceux qu'il avait autrefois vaincus et les poussa à se rebeller contre Rome ; ils firent de lui leur chef et fondirent sur la ville de Rome avec des troupes très importantes, causant de très grands dommages partout où ils passaient. Cela fit très peur aux Romains, et devant le danger où ils se trouvaient, ils lui envoyèrent des émissaires pour négocier la paix. Mais Martius ne daigna pas les écouter. Ils lui envoyèrent de nouveaux messagers, mais ce fut en vain, et Martius continuait ses ravages. Alors ils lui envoyèrent les évêques et les prêtres, tous revêtus de leurs vêtements sacerdotaux et le suppliant humblement, mais rien n'y fit. Enfin les Romains, ne sachant que faire, envoyèrent les nobles dames de la ville auprès de la noble Veturia, mère de Martius, pour la supplier de bien vouloir tenter d'apaiser la colère de son fils envers eux. La noble Veturia quitta donc la ville, accompagnée de toutes ces nobles dames, et elles se rendirent en cortège auprès de son fils ; celui-ci, plein de bonté et d'humanité, dès qu'il apprit sa venue, descendit de son cheval, alla à sa rencontre et la reçut avec humilité, comme doit le faire un fils pour sa mère. Et comme elle voulait le prier de faire la paix, il

---

[1] Caïus Marcius Corolanus a vécu au Ve siècle av. J.-C. Ce personnage historique est devenu légendaire, illustrant la force des liens familiaux et leur influence sur le désir de vengeance d'un homme.

mere de commander a filz et non mie supplier. Et ainsi celle
35 noble dame le ramena a Romme et par elle furent les
Rommains gardez a celle fois d'estre destruis, et elle seulle
fist ce que les haulx legas de Romme n'avoient peu faire. »

**Cy dit de la royne de France Crotille par laquelle son
mari le roy Clodovez fu convertis a la foy[1] .XXXV.**

1   « Des[2] grans biens qui sont venus par femme a regarder
a l'espirituauté, si que devant t'avoie dit, Crotilde, fille du
roy de Bourgoingne et femme du fort Clodovee, roy de
France, ne fu elle pas celle par qui la foy de Jhesus Crist fu
5 premierement mise et espandue es roys et es princes de
France? Quel plus grant bien pourroit estre fait que celle y
fist? Car comme elle fust enluminee de la foy, comme
bonne cristienne qu'elle estoit et sainte dame, elle ne finoit
de timonner et prier son seigneur que il voulsist [96ʳ]

---

¹ par laquelle son mari le roy Clodovez fu convertis a la foy *omis dans B et D.*

² D *orné sur 2 lignes.*

répondit qu'il appartenait à une mère de commander à son fils et non pas de le supplier. C'est ainsi que cette noble dame le ramena à Rome ; grâce à elle les Romains furent cette fois-ci sauvés de la destruction, et elle fit à elle seule ce que les hauts dignitaires de Rome n'avaient pas pu faire[1]. »

35. Où l'on parle de la reine de France Clotilde qui convertit à la foi son mari, le roi Clovis

« Quant aux grands bienfaits qui ont été apportés par des femmes dans le domaine spirituel, comme je te l'ai dit auparavant, la reine Clotilde, fille du roi de Bourgogne[2] et femme du puissant roi de France Clovis[3], ne fut-elle pas celle par qui la foi en Jésus-Christ fut implantée pour la première fois puis répandue parmi les rois et princes de France ? Quel plus grand bienfait pourrait-on imaginer que celui qu'elle accomplit ? Car comme elle était éclairée par la foi, elle ne cessait de presser et supplier son mari, en bonne chrétienne et sainte femme qu'elle était, de

---

[1] Veturia a vécu à la fin du VIe siècle et au début du Ve siècle av. J.-C. à Rome. Son histoire et celle de son fils sont racontées par Boccace. Elles se trouvent aussi dans la traduction de Tite-Live par Pierre Bersuire (1ere décade, II, 23, fol. 42bisv-43r). Le chapitre LV des *Cleres femmes* (LV, t. II, p. 7-12) propose une histoire plus complète et détaille notamment le discours de Veturia à son fils visant à le convaincre d'épargner Rome, alors que chez Christine, Coriolan cède aux volontés de sa mère sans qu'elle ait besoin d'argumenter. En cela, la version de Christine est très proche de celle des *Faits et dits* I, 8, 4 (p. 251-252), alors qu'une autre version, au livre V (4, 1, p. 88-89) donne une place importante aux dialogues.

[2] Clotilde, reine des Francs qui vécut au VIe siècle. Elle est célèbre pour avoir contribué à la conversion de son mari et à la christianisation du royaume. La conversion de Clovis est racontée dans les *Grandes Chroniques* (t. I, 18, p. 65-67) dans une version très proche de celle de Christine. Mais ce chapitre a également des points communs avec le récit de Grégoire de Tours (*Histoire des Francs* [1995], trad. R. Latouche, Paris, Les Belles Lettres, 2005, II, 30, p. 119-120). Le père de Clotilde y est nommé « roi des Burgondes » (peuple d'origine germanique), la Bourgogne (*Burgundia*) étant le nom donné à la région et, sous les Mérovingiens, au royaume. Nous avons conservé le terme français employé par Christine.

[3] Clovis Ier (v. 466-511), roi des Francs de 481 à 511. Issu de la dynastie des Mérovingiens, il est connu comme le premier roi de tous les Francs et celui qui a unifié le royaume sur les plans politique et religieux. Christine le cite dans la glose de l'*Advision* (p. 8) et dans le *Charles V* (I, 25, p. 68-69), elle le mentionne pour illustrer la bonté du roi. Enfin, elle cite son nom parmi ceux des rois allant sur les champs de bataille dans le *Livre des faits d'armes et de chevalerie* (éd. L. Dugaz, Paris, Classiques Garnier, 2021, I, 6, p. 181).

10   recepvoir la sainte foy et estre baptisez. Mais accorder ne
      s'i vouloit, par quoy ceste dame ne cessoit de prier Dieu en
      grans lermes et jeunes et devocions que il voulsist
      enluminer le cuer du roy. Et tant en pria que a la parfin
      Nostre Seigneur ot pitié de son affliccion et inspira le roy
15   en tel maniere que comme il feust une fois allé en bataille
      contre le roy des Allemans et la perte et la desconfiture de
      la bataille tournast sur lui, adont le roy Clodovee, si que
      Dieux le vost inspirer, leva les yeux vers le ciel et par grant
      affeccion dist: "Dieux tous puissans que la roine ma
20   femme croit et aoure, vueillies moy aidier en ceste bataille,
      et je te promet que je receverai ta sainte foy." Il n'ot mie
      plus tost dit le mot que le fait de la bataille se tourna pour
      lui et ot plaine victoire. Si rendi graces a Dieu et lui
      retournez, a grant joie et consolacion de lui et de la roine
25   fu batisiés, et aussi tous les barons et puis tout le puepple.
      Et de telle heure fu et tant y estendi Dieux sa grace par les
      prieres de celle bonne et sainte roine Crotilde que oncques
      puis ne failli la foy en France ne oncques, Dieu mercis, n'y
      ot roy heretique, ce qu'il n'a mie esté d'aultres rois et de
30   plusieurs empereurs, laquelle chose est grant louenge a
      eulx. Et pour ce sont appellez tres crestiens.
          ¶Se tous te vouloie dire les grans biens que par femme
      sont venus, trop grant escripture y convendroit. Mes
      encores sur le fait qui touche l'esperituauté, quans sains
35   martirs, si que je dirai cy aprés, furent reconfortez, heber-
      giés et reppeux par femmelettes, vesves, bonnes preude-
      femmes! Se tu lis leurs [96ᵛ] legendes, tu trouveras[1] que il
      plaisoit a Dieu que tous ou la plus grant partie en leurs
      aversitez et martire feussent reconfortez par femmes. Que
40   dis je? Les martirs, voire autresi les apostres, saint Paul et
      les autres, et meismement Jhesus Crist peux et reconfortez
      par les femmes. Et les François qui ont en si grant
      devocion le corps de mon seigneur saint Denis, et a bonne
      cause, qui apporta premiers la foy en France, ne ont ilz ce

---

      [1] tu trouveras *omis; corr. d'après B, D, R.*

bien vouloir recevoir la sainte foi et se faire baptiser. Mais il ne voulait pas y consentir, et donc cette dame ne cessait de prier Dieu, à force de larmes, de jeûnes et de dévotions, qu'il veuille bien éclairer le cœur du roi. Elle pria tant et si bien qu'à la fin Notre-Seigneur eut pitié de son affliction ; il inspira le roi de telle manière qu'un jour où il était allé combattre le roi des Alamans et qu'il semblait sur le point de perdre la bataille et d'être déconfit, le roi Clovis leva les yeux aux ciel et, suivant l'inspiration divine, dit dans un grand élan d'émotion : "Dieu tout-puissant, toi que la reine ma femme adore, toi en qui elle croit, veuille m'aider dans cette bataille, et je te promets que je me convertirai à ta sainte foi." Il n'eut pas plus tôt prononcé ces mots que la bataille tourna à son avantage et qu'il remporta une victoire complète. Alors il rendit grâce à Dieu, et une fois revenu, à la grande joie et au grand soulagement de la reine et de lui-même, il se fit baptiser, ainsi que tous ses barons, puis le peuple tout entier. Et ce fut fort heureux, car Dieu répandit tant sa grâce, par les prières de cette bonne et sainte reine Clotilde, que jamais depuis lors la foi ne s'éteignit en France, et que jamais non plus, Dieu merci, il n'y eut de roi hérétique, ce qui est tout à leur honneur car cela n'a pas été le cas pour d'autres rois ou d'autres empereurs. Et c'est pourquoi on les appelle "rois très chrétiens".

Si je voulais te citer tous les grands bienfaits que nous devons aux femmes, mon livre serait bien trop gros. Mais encore en ce qui concerne le domaine spirituel, combien de saints martyrs, comme je te le dirai plus loin, ont été réconfortés, hébergés et nourris par de simples femmes, des veuves, des femmes de bien ! Si tu lis leurs légendes, tu verras qu'il plut à Dieu que tous, ou la plupart d'entre eux, fussent réconfortés par des femmes dans leurs malheurs et dans leur martyre. Que dis-je ? Ce ne sont pas seulement les martyrs, mais aussi les apôtres, saint Paul et les autres, et Jésus-Christ lui-même, qui ont été nourris et réconfortés par des femmes. Et les Français, qui vénèrent avec une si grande dévotion le corps de Monseigneur saint Denis[1], et à juste titre, puisqu'il fut le premier à apporter la foi en France, n'est-ce pas grâce à une

---

[1] Premier évêque de Paris, qui aurait été martyrisé en 250. Son histoire est racontée par Jacques de Voragine dans la *Légende dorée* (trad. J. de Vignay, p. 972-980 ; *Lég. dor.* 149, p. 841-849).

45   benoit corps et ceulx de ses benois compaignons, saint
        Rustin et saint Electaire, a cause d'une femme? Car le
        thirant qui les avoit fait decoler ordonna que les corps
        feussent giettés en Saine, et ceulx qui ce devoient faire les
        mirent en un sac pour les y porter. Ilz se hebergierent sur
50   une bonne femme vesve qui nommee estoit Catulle,
        laquelle les enyvra et puis osta les sains corps et mist
        pourcheaux mors en sac et enterra les benois martirs au
        plus honnorablement qu'elle pot en sa maison et mist un
        escript dessus affin que le temps advenir feust sceu. Et
55   lonc temps aprés pareillement par une femme fu ou dit lieu
        premierement faite chappelle en l'onneur d'eulx : ce fu par
        Madame sainte Jenevieve, jusques a ce que le bon roy de
        France Dagobert y fonda l'eglise qui ores y est.»

**Contre ceulx qui dient qu'il n'est pas bon que femmes
aprengnent lettres .XXXVI.**

1   Aprés[1] ces choses dites, je Cristine dis ainsi : «Dame,
        je voy bien que maint grans biens sont venus par femmes.
        Et se aucuns maulx sont ensuivis par aucunes mauvaises,

---

[1] A *orné sur 2 lignes.*

femme qu'ils ont conservé ce corps saint, ainsi que ceux de ses saints compagnons, saint Rustique et saint Éleuthère[1] ? Car le tyran qui les avait fait décapiter avait ordonné de jeter leurs corps dans la Seine, et ceux qui en étaient chargés les mirent dans un sac pour les y transporter. Ils se logèrent chez une bonne veuve, une femme nommée Catulle[2] ; celle-ci les enivra, puis elle ôta les saints corps du sac et y mit à la place des cadavres de porcs ; elle enterra les saints martyrs le plus dignement possible chez elle, avec une inscription qui permettrait à l'avenir de les identifier. Et longtemps après, ce fut également par une femme - c'était Madame sainte Geneviève[3] - qu'une première chapelle fut édifiée à cet endroit en leur honneur, avant que le bon roi de France Dagobert[4] y fonde l'église qui s'y trouve aujourd'hui. »

36. Contre ceux qui disent qu'il n'est pas bon que les femmes fassent des études

« Après avoir entendu ces propos, moi, Christine, je répondis ainsi : « Ma Dame, je vois bien que beaucoup de bonnes choses ont été apportées par des femmes. Et si quelques mauvaises choses se sont produites par la faute de certaines mauvaises

---

[1] Éleuthère était prêtre et Rustique diacre. Ils auraient été envoyés par le pape Clément Ier, avec Denis, pour christianiser Lutèce (trad. J. de Vignay, p. 978 ; *Lég. dor.*, p. 846-848).

[2] La *Légende dorée* rapporte cette histoire mais ne mentionne pas le nom de la dame ni la substitution des porcs aux saints corps, ni la chapelle édifiée par sainte Geneviève (trad. J. de Vignay, p. 979 ; *Lég. dor.*, p. 848).

[3] Elle aurait vécu entre 420 et 502, à l'époque de Clovis (auprès duquel elle fut d'abord enterrée), et aurait fait édifier une première chapelle pour abriter le tombeau du saint décapité, tout près de ce qui deviendra ensuite l'église, puis la basilique de Saint-Denis. Connue d'abord par une *Vita* latine du VIe siècle, devenue très tôt la sainte patronne de Paris après avoir contribué, selon la légende, à repousser de Paris les Huns menés par Attila (ce que rappelle aujourd'hui encore la statue de la sainte sur le Pont de la Tournelle, réalisée en 1928). Elle était l'objet d'une grande vénération au Moyen Âge, surtout à Paris, d'où le titre de « Madame sainte Geneviève » qui lui est ici donné. Le quartier de la montagne Sainte-Geneviève, outre son nom, en conserve encore des traces, malgré des destructions successives (châsse et sarcophage de sainte Geneviève dans l'église Saint-Étienne-du-Mont, sur le lieu de l'ancienne abbaye Sainte-Geneviève de Paris dont le clocher, appelé « la Tour Clovis », subsiste encore dans l'enceinte du Lycée Henri IV).

[4] Dagobert Ier (v. 605-v. 638), roi de France et fondateur de la basilique de Saint-Denis (trad. J. de Vignay, p. 980 ; *Lég. dor.*, p. 980).

toutevoies me semble il que trop plus sont grans les biens
5   qui par les bonnes[1] aviennent et sont avenus, et meismement par les saiges et par les lettrees et aprises es sciences
dont cy dessus est faite mencion; par quoy je me mervueil
trop [97r] fort de l'oppinion d'aucuns hommes qui dient
que ilz ne vouldroient point que leurs filles ou femmes ou
10   parentes appreissent sciences, et que leurs meurs en
empireroient.»

Responce: «Pour ce pués tu bien veoir que toutes
oppinions d'ommes ne sont pas fondees sur raison, et que
ceulx ont tort, car il ne doit mie estre presumé que de
15   savoir les sciences moralles et qui enseignent les vertus,
les meurs en doivent empirer, ains n'est point de doubte
que ilz en amendent et anoblissent. Comment est il a
penser ne croire que qui suit bonne leçon et de dottrine en
doie empirier? Ceste chose n'est a dire n'a soustenir. Je ne
20   di mie que bon fust que homme ne femme estudiast es
sciences de sors ne en celles que sont deffendues, car pour
neant ne les a pas l'Eglise sainte ostees de commun
usaige; mais que les femmes empirent de savoir le bien, ce
n'est pas a croire.

25   N'estoit pas de celle oppinion Quintus Ortencius, qui
estoit a Rome grant rethoricien et souverain dicteur. Cellui
ot une fille nommee Ortence que il moult ama par la
soubtillece de son engin et lui fist apprendre letres et
estudier en la dite science de rethorique, dont elle tant en
30   apprist que non pas tant seulement, ce dit Bocace, a son
pere Ortencius, par engin et vive memoire, elle ressembla
et en toute faconde, mais aussi de bien prononcier et de
tout ordre de parleure, si bien que en riens il ne la passoit.
Et au propos de ce qui est dit dessus du bien qui vient par
35   femmes, le bien qui par ceste femme et son savoir avint fu
un notable entre les autres, c'est a savoir que ou temps que
Romme estoit gouvernee par trois hommes, ceste Ortence

---

[1] *B*: les bonnes femmes; *R*: les bons

femmes, il me semble cependant qu'ils sont beaucoup plus importants, les grands biens qui sont arrivés et arrivent encore grâce à celles qui sont bonnes, en particulier par les savantes, instruites dans les lettres et les sciences, que j'ai mentionnées plus haut. C'est pourquoi je m'étonne fort de l'opinion avancée par certains hommes qui disent qu'ils ne voudraient pas que leurs filles, leurs femmes ou leurs parentes apprennent les sciences, car leurs mœurs en seraient corrompues. »

Elle me répondit : « Tu peux bien voir par cela que les opinions des hommes ne sont pas toutes fondées sur la raison, et que ceux-ci ont tort, car on ne doit pas croire que la connaissance des sciences morales, qui enseignent la vertu, puisse corrompre les mœurs ; bien au contraire, il n'y a aucun doute qu'elle les améliore et les ennoblit. Comment peut-on penser ou croire que quelqu'un qui suit un bon enseignement et une bonne doctrine puisse en être corrompu ? On ne peut pas exprimer ou défendre une telle idée. Je ne dis pas qu'il serait bon qu'un homme ou une femme étudie l'art de la divination ou quelque autre science défendue, car ce n'est pas pour rien que la Sainte Église en a interdit la pratique ; mais que les femmes soient corrompues par la connaissance du bien, on ne saurait le croire.

Ce n'était pas l'avis de Quintus Hortensius, qui était à Rome un grand rhétoricien et un orateur souverain. Il avait une fille nommée Hortense[1], qu'il aimait beaucoup à cause de la subtilité de son intelligence ; il lui fit apprendre les lettres et étudier la science de la rhétorique ; elle l'apprit si bien, nous dit Boccace, que non seulement elle ressemblait à son père Hortensius par son intelligence et la rapidité de sa mémoire ainsi que par sa facilité d'élocution, mais aussi par son éloquence et sa pratique de l'art oratoire sous toutes ses formes, si bien qu'il ne la surpassait en rien. Et à propos de ce qui a été dit plus haut sur le bien apporté par les femmes, celui qui arriva grâce à cette Hortense et à son savoir fut particulièrement remarquable. Au temps où Rome était gouvernée par un triumvirat[2], elle entreprit de soutenir la cause

---

[1] Voir *Faits et dits* VIII, 3, 3 (p. 108-109). Dans la glose, Nicolas de Gonesse cite les *Cleres femmes* de Boccace. Hortense y occupe le chapitre 84 (t. II, p. 102-103) qui constitue la source première de Christine.

[2] Il s'agit du second triumvirat. Voir note 1 p. 501.

prist a soustenir la cause des femmes et a demener ce que
homme n'osoit entreprendre, c'es[97ᵛ]toit de certaines
40   charges que on vouloit imposer sur elles et sur leurs
aournemens ou temps de la neccessité de Romme. Et de
ceste femme tant estoit belle la eloquence que non pas
moins voulentier que son pere estoit ouye et gaangna sa
cause.

45   ¶Pareillement, a parler de plus nouveau temps sans
querre les anciennes histoires, Jehan Andri, le sollempnel
docteur[1] a Boulongne la Grace n'a mie soixante ans,
n'estoit pas d'oppinion que mal feust que femmes feussent
lettrees quant a sa noble et belle fille que il tant ama, qui ot
50   nom Nouvelle, fist apprendre lettres et si avant es drois[2]
que, quant il estoit occuppez d'aucun ensoine par quoy ne
pouoit vacquier a lire les leçons a ses escoliers, il envoyoit
Nouvelle sa fille en son lieu lire aux escolles en chaiere, et
affin que la beauté d'elle n'empeschast la pensee des
55   oyans, elle avoit une petit courtine au devant d'elle, et par
celle maniere souppleoit et allegoit aucune fois les
occupacions de son pere, lequel l'ama tant que pour mettre
le nom d'elle en memoire, fist une noctable lecture d'un
livre de droit[3] que il nomma du nom de sa fille "La
60   Nouvelle".

¶Si ne sont mie tous hommes et par especial les plus
sages de la susdite oppinion que mal soit que femmes
sachent lettres, mes bien est voir que plusieurs qui ne sont
pas sages le dient pour ce que il leur desplairoit que
65   femmes sceussent plus que eulx. Ton pere, qui fu grant
naturien et philosophe, n'oppinoit pas que femmes
vaulsissent pis par science aprendre ; ains de ce qu'encline

---

[1] B, D : solempnel legiste ; R : docteur legiste
[2] B, D, R : lois
[3] B, D, R : lois

des femmes et de s'engager dans ce qu'aucun homme n'osait entreprendre : on voulait les contraindre à payer certaines taxes sur leurs parures, en un temps où Rome était dans une situation économique difficile. L'éloquence de cette femme était si admirable qu'on l'écoutait aussi volontiers que son père, et elle gagna sa cause.

De manière semblable, pour évoquer une époque plus récente sans aller chercher dans l'histoire ancienne, Giovanni Andrea[1], célèbre docteur en droit à Bologne il n'y a pas soixante ans, n'était pas d'avis que c'était un mal que les femmes fussent instruites. Pour ce qui est de sa noble et belle fille, nommée Novella[2], qu'il aimait tant, il lui fit apprendre les lettres et le droit, à un degré si avancé que quand il était occupé par quelque occupation qui l'empêchait de venir lire ses leçons à ses étudiants, il envoyait sa fille Novella à sa place pour faire le cours en chaire ; mais afin que sa beauté n'aille pas distraire les auditeurs et les empêcher de réfléchir, on avait fait placer un petit rideau devant elle ; c'est ainsi qu'elle pouvait à l'occasion suppléer son père et le soulager dans ses occupations. Celui-ci l'aimait tant que pour transmettre son souvenir à la postérité, il donna son nom à un remarquable commentaire d'un livre de droit qu'il appela, d'après sa fille, "La Novella".

Ainsi tous les hommes, et en particulier les plus instruits, ne partagent pas l'opinion mentionnée plus haut, selon laquelle il serait mauvais que les femmes fassent des études ; mais il est bien vrai qu'un bon nombre d'entre eux, qui ne sont pas instruits, le disent parce qu'il leur déplairait que des femmes fussent plus savantes qu'eux. Ton père, qui fut un grand naturaliste et un philosophe, ne pensait pas que les femmes deviendraient plus mauvaises en apprenant les sciences ; bien au contraire, comme tu

---

[1] Giovanni Andrea ou d'Andrea (v. 1275-1348), célèbre juriste, spécialiste de droit canon, et professeur à l'université de Bologne. Il est l'auteur de *Novella sive commentarius in decretales epistolas Gregorii IX.*

[2] Novella d'Andrea est née à Bologne en 1312. Peu d'informations la concernant nous sont parvenues. La date de sa mort n'est pas connue avec précision, elle varie entre 1333 et 1346. Elle aurait été mariée au juriste Giovanni Calderinus. Sa sœur, Bettina d'Andrea, enseignait également le droit et la philosophie à l'université de Padoue. Voir J. Uglow, *The Macmillan Dictionary of Women's Biography, Second Edition*, Londres/Basingstoke, The Macmillan Press LTD, 1989.

te veoit aux lettres, si que tu scez, grant plaisir y prenoit.
Mais l'oppinion femenine de ta mere, qui te vouloit
70   occupper en fillasse selons l'usage [98ʳ] commun des
femmes, fu cause de l'empeschement que ne fus en ton
enfance plus avant boutee es sciences et plus en parfont.
Mais si comme dit le proverbe cy devant ja allegué, "ce
que Nature donne, nulz ne puet tollir", ne pot ta mere si
75   empescher le sentir des sciences que tu, par inclinacion
naturelle, n'en aies requilli atout le moins des petites
goutelettes, desquelles choses je tiens que tu ne quides pas
pis valoir, ains le te reputes a grant tresor. Et sans faille tu
as cause.»
80   Et je Cristine respondis atant: «Certes, Dame, ce que
vous dites est voir comme patrenostre.»

le sais, il prenait grand plaisir à voir ton inclination pour les lettres. Ce furent les idées féminines de ta mère[1], qui voulait t'occuper à filer[2], selon l'habitude commune des femmes, qui t'empêchèrent d'approfondir et d'étendre tes connaissances durant ton enfance. Mais comme le dit le proverbe que nous avons déjà cité, "ce que Nature donne, nul ne peut l'enlever"; ta mère ne put empêcher complètement ton goût pour les sciences sans que, par ton inclination naturelle, tu n'en recueilles au moins quelques petites gouttelettes; et je ne pense pas que tu te croies moins bonne pour autant; au contraire, tu considères que c'est un grand trésor. Et sans aucun doute, tu as bien raison.»

Alors moi, Christine, je lui répondis: «Assurément, ma Dame, ce que vous dites est aussi vrai que le Notre Père[3].»

---

[1] La mère de Christine est déjà intervenue au début de la *Cité* pour interrompre la méditation de la narratrice et l'appeler pour souper (voir I, 1). Elle apparaît dans d'autres œuvres: dans le *Chemin de longue étude* (*op. cit.*, v. 6393-6398, p. 466), elle réveille Christine et met fin à son voyage onirique à la suite de la sibylle. Dans l'*Advision*, elle est mentionnée dans le long discours autobiographique que Christine adresse à Philosophie dans le livre III (III, 14, p. 116). La narratrice souligne l'amour filial qui la conduit à assumer seule la charge de sa mère, en remerciement de l'affection et des soins dont elle a bénéficié de sa part. Elle fait de sa mère une présentation beaucoup plus positive que dans ce chapitre de la *Cité* où elle apparaît uniquement comme celle qui l'a empêchée de développer son goût pour les études en voulant la cantonner à des activités féminines. Mais dans chacun de ces textes, par son action, la figure de la mère est fortement liée à la vie concrète par opposition à la vie intellectuelle. Voir A. Paupert, «Fille de son père et fille de sa mère: Christine de Pizan à la croisée des genres» et C. Lucken, «Christine de Pizan et sa mère ou l'appel du réel», dans *Genèses et Filiations dans l'œuvre de Christine de Pizan*, éd. D. Demartini et C. Le Ninan, Paris, Garnier, 2021, p. 43-64 et p. 81-99.

[2] M. Curnow (*Cité*, p. 1097) voit ici un possible jeu de mots, et propose de comprendre: «de petites choses sans importance, bonnes à faire par les filles», en se fondant sur la valeur péjorative du suffixe –asse, dans un mot *fillasse* qui serait dérivé de «fille» (idée reprise par E. J. Richards dans sa traduction anglaise). Mais selon le *DMF*, tout comme le dictionnaire de Godefroy, ce mot est bien attesté en ancien et en moyen français dans le sens d'«action de filer», sans connotation péjorative. Par ailleurs, il n'est pas attesté comme dérivé de «fille».

[3] D. Lechat commente ainsi cette fin: «Thomas de Pizan est finalement relégué dans les lointains, on lui voue une pieuse reconnaissance, comme à Dieu le Père, dont le nom fait office de clausule - ironique? - à l'intérieur du chapitre pétri de sentiments filiaux […].» (*«Dire par fiction»*, *op. cit.*, p. 435).

Dit Cristine a Droiture et responce contre ceulx qui dient que il soit pou de femmes chastes et exemple de Susane .XXXVII.

1   « A[1] ce que je voy, Dame, tous les biens et toutes les vertus peuent estre trouvees en femmes. Et dont vient ce que ces hommes dient que il en soit si pou de chastes ? Se il estoit ainsi, tout serroit neant leurs autres vertus, comme

5   chasteté soit souveraine vertu en femme. Mais par ce que ouy dire vous ay, il est tout autrement qu'ilz ne dient. »

     Responce : « Par ce que ja t'ai dit voirement et ce que tu en scez, t'est assez magnifeste le contraire et encore te puis dire et tousjours diroie. O ! de quantes vaillans dames

10   chastes parle la Sainte Escripture, qui avant eslisissent la mort que fraindre leur chasteté et netteté de corps et de pensee, si comme la belle et bonne Susane, femme de Joachin, qui estoit homme riche et de grant auctorité de la lignee des Juifs. Et comme celle vaillant dame Susane

15   s'esbatist seule en son jardin, entrerent devers elle deux vieillars faulx prestres et la requirent de pechié, laquelle du tout les escondit, par quoy quant ilz virent que priere n'y [98ᵛ] valoit, ilz la menacierent d'accuser a la justice, de lui mettre sus que trouvee l'avoient avec un jouvencel. Et

20   comme celle ouyst leurs menaces, car la coustume de lors estoit que femmes estoient en tel cas lapidees, elle dist adont : "Angosses m'avironnent de toutes pars, car se je ne fay ce que ces hommes me requierent, j'encourai mort corporelle, et se je le fay, je offence devant la face de mon

25   Createur. Mais non pourtant trop mieux m'est ingnocent soustenir la mort corporelle que cheoir par pechié en l'ire de mon Dieu." Si s'escria adont Susane, et les gens de l'ostel vindrent et a brief dire tant firent les faulx prestres par leur desloial tesmoignage que Susane fu condempnee a

30   mort. Mais Dieux, qui toujours pourvoit a ses amis, ouvri la bouche du prophete Daniel qui estoit petit enfant entre les bras de sa mere, lequel, quant on menoit Susane a la justice a grant pourcession de gent qui aprés elle plouroient,

---

[1] A orné sur 2 lignes.

37. Christine s'adresse à Droiture et celle-ci lui répond, contre ceux qui disent qu'il y a peu de femmes chastes; exemple de Suzanne[1]

« À ce que je vois, ma Dame, on peut trouver chez les femmes tous les biens et toutes les vertus. Comment donc se fait-il que des hommes disent qu'il y en a si peu de chastes ? S'il en était ainsi, leurs autres vertus seraient réduites à néant, puisque pour une femme la chasteté est la vertu souveraine. Mais d'après ce que je vous ai entendue dire, il en va tout autrement qu'ils ne le disent. »

« Certes, par ce que je t'ai dit et par ce que tu connais par toi-même, tu sais évidemment que c'est le contraire, je pourrais te le répéter encore et toujours. Oh ! Combien de femmes chastes et valeureuses sont citées dans l'Écriture Sainte qui auraient préféré la mort plutôt que de manquer à la chasteté et de renoncer à la pureté de leurs corps et de leurs pensées, comme la belle et bonne Suzanne, femme de Joachim, qui était un homme riche et de grande autorité parmi le peuple juif. Un jour où cette noble dame Suzanne se délassait seule dans son jardin, deux vieillards, des prêtres hypocrites, entrèrent et s'approchèrent d'elle, la priant de se livrer au péché ; elle refusa tout net. Quand ils virent que leurs prières ne servaient à rien, ils la menacèrent de l'accuser devant la justice en affirmant qu'ils l'avaient trouvée avec un jeune homme. En ce temps-là, selon la coutume, les femmes dans un tel cas étaient lapidées. En entendant leurs menaces, elle dit alors : "Où que je me tourne, je suis en proie à l'angoisse, car si je ne fais pas ce que ces hommes me demandent, je m'expose à la mort physique, et si je le fais, j'offenserai ouvertement mon Créateur. Pourtant j'aime bien mieux subir la mort tout en étant innocente plutôt que d'encourir par mon péché la colère de mon Dieu." Alors Suzanne poussa des cris et les gens de sa maison accoururent ; et pour le dire en bref, les prêtres hypocrites parvinrent par leurs faux témoignages à la faire condamner à mort. Mais Dieu, qui prend toujours soin de ses amis, fit parler le prophète Daniel, qui était encore un petit enfant dans les bras de sa mère : alors qu'on conduisait Suzanne au châtiment, suivie par un long cortège de gens qui pleuraient, il s'écria que

---

[1] Dn., 13, 1-64. Suzanne apparaît aussi dans le chapitre d'ouverture du *Livre de paix* (p. 201) pour célébrer le fait que Dieu se serve d'une voix d'enfant pour disculper les innocents.

35   s'escria que a grant tort estoit condempnee l'innocent
Susane. Si fu ramenee et les faulx prestres mieulx examinez
et trouvez par leur meismes confession coulpables, et
Susane ingnocent fu delivré et eulx justiciés.»

Cy dit de Sara .XXXVIII.

1   « De[1] la chasteté et bonté de Sara parle la Bible environ
le XXe chapitre du premier livre. Ceste dame fu femme de
Abrahan le grant patriarche. Moult de grans biens sont dis[2]
de ceste dame en la Sainte Escripture que je laisse a te dire
5   pour briefté, mais de sa chasteté puet estre dit au propos de
ce que nous disions cy dessus que assez de belles femmes
sont chastes, car elle fu de si grant[3] beauté qu'en son temps
toutes femmes elle passoit, tant que maint prince la
convoitierent, mais si loyalle estoit que nul n'en [99^r]
10   daigna ouir. Entre les autres qui la convoitierent fu le roy
Faraon, tant que afforce la toli a son mari, mais la grant
bonté d'elle qui encores passoit sa beauté lui empettra tel
grace que Nostre Seigneur l'amoit si tendrement que il la
garda de toute vilenie, car il tourmenta tant Pharaon, et lui
15   et sa maisnie, de cuer et de corps par griefs maladies et par
diverses visions que oncques ne la toucha et qu'il fu
contraint a la rendre.»

---

[1] D *orné sur 2 lignes.*

[2] grans biens sont de ceste dame ; *corr. d'après B, D, R.*

[3] *B, D, R* : souveraine

c'était à grand tort qu'on avait condamné l'innocente Suzanne. Elle fut alors ramenée au tribunal, on interrogea mieux les prêtres menteurs qui durent confesser leur culpabilité ; Suzanne, reconnue innocente, fut libérée et eux furent exécutés. »

38. Où l'on parle de Sarah

« La chasteté et la bonté de Sarah sont mentionnées dans le premier livre de la Bible, autour du chapitre vingt. Cette dame était la femme du grand patriarche Abraham. L'Écriture Sainte dit beaucoup de bonnes choses de cette dame, sur lesquelles je passe par souci de brièveté ; mais on peut mentionner sa chasteté à propos de ce que nous disions plus haut sur le fait que beaucoup de belles femmes sont chastes, car elle était d'une si grande beauté qu'elle surpassait toutes les femmes de son temps. De nombreux princes la désirèrent, mais elle était si loyale qu'elle ne daigna en écouter aucun. Parmi ceux qui la désirèrent, il y eut le roi Pharaon, qui l'enleva de force à son mari. Mais sa grande bonté, encore plus grande que sa beauté, lui valut la grâce de Notre-Seigneur, qui l'aimait si tendrement qu'il la protégea de toute souillure, car il tourmenta tant Pharaon et sa maison, dans leurs corps et dans leurs cœurs, en leur envoyant de graves maladies et de terribles visions, que jamais Pharaon ne la toucha et qu'il fut contraint de la rendre à son mari[1]. »

---

[1] Gen. 12 et 20. Sarah est d'abord appelée *Saraï*, et Dieu la renomme *Sara* lorsqu'il annonce à Abraham qu'elle concevra un enfant dans sa vieillesse, au chapitre 17 ; en sa jeunesse sa grande beauté la fait remarquer des Égyptiens, notamment de Pharaon (ch. 12, mais une histoire très semblable est racontée au ch. 20, avec un autre roi, Abimelek). Le récit biblique est assez différent de celui de Christine : Abraham la fait passer pour sa sœur de crainte qu'on ne le tue pour s'emparer d'elle. Pharaon la prend pour femme et traite bien Abraham par égard pour elle. Mais Dieu le frappe de châtiments pour le punir. Pharaon apprend la vérité et reproche à Abraham de lui avoir menti, puis il renvoie Abraham et sa femme avec tous leurs biens. Le récit de Christine est plus proche de celui de Flavius Josèphe, au chapitre 12 du livre I des *Antiquités judaïques* (fol. 9ʳ), en ce que l'historien insiste sur le fait que Pharaon n'a pas, grâce à l'intervention divine, cédé à la luxure, élément qui n'est pas mentionné dans la Genèse mais qui est en faveur de la chasteté de Sarah : « Et meisme Pharas, qui estoit roy d'Egypte, la voult veoir pour la grant beauté qu'il avoit ouy dire qui estoit en li, et se hasta de la veoir en cuidant toucher a elle. Mais Dieu empescha son desir, qui n'estoit pas juste, par maladie et grant tumulte qui lui venoyent de diverses causes. » (fol. 9ʳ).

Cy dit de Rebeca .XXXIX.

« Ne[1] fu pas moins bonne et belle de Sara la tres bonne preudefemme Rebeca, femme de Ysac le patriache, pere de Jacob. Ceste est louee merveilleusement en la Sainte Escripture de moult de choses, et est escript d'elle ou XXIVe chapitre du premier livre de la Bible. Icelle estoit tant preudefemme et bonne et honneste qu'elle estoit exemple de chasteté a toutes celles qui la veoient et avec ce, elle se portoit a merveilles humblement envers son mari et si humblement que il sembloit qu'elle ne feust pas dame et pour ce, le preudomme Ysac la prisoit[2] et aimoit a merveilles. Mes plus grant bien que l'amour de son mari empettra pour sa grant chasteté et bonté ceste dame, ce fu la grace et amour de Dieu qu'elle ot si grandement que non obstant feust elle ja envieillie et brehaigne, Dieux lui donna deux enfans a une ventree : ce fu Jacob et Esau, desquelz vindrent les lignees de Isdrael. »

Cy dit de Ruch .XL.

« Assez[3] te pourroie dire des femmes[4] bonnes et chastes desquelles la Sainte Escripture fait mencion, que je laisse pour abrigier. Ruch fu une autre noble dame, de quel lignee descendi David le prophete. Ceste dame fu moult chaste en mariage et autresi en sa vesveté, et de grant amour a son mari, comme il y [99ᵛ] paru, car pour la grant amour qu'elle avoit eu a lui, elle laissa quant il fu mort son propre païs et sa nacion et ala demourer et user sa vie avec les Juifs de quel lignee avoit esté son mari. Et meismement avec la mere de lui voult demourer. Et a brief dire, tant fu bonne et chaste ceste noble dame que un livre fu fait de lui et de sa vie ou quel ces choses sont escriptes. »

---

[1] N orné sur 2 lignes.

[2] B, D, R : l'onnouroit

[3] A orné sur 2 lignes.

[4] B, D, R : des dames

39. Où l'on parle de Rébecca

« L'excellente et vertueuse Rébecca[1], femme du patriarche Isaac, père de Jacob, n'était pas moins bonne ou belle que Sarah. L'Écriture Sainte la présente de façon extraordinairement élogieuse pour beaucoup de choses, et il en est question au vingt-quatrième chapitre du premier livre de la Bible. Elle était si vertueuse, bonne et honnête qu'elle était un exemple de chasteté pour toutes celles qui la voyaient ; en outre, elle se comportait de façon extrêmement humble envers son mari, avec une telle humilité qu'il ne semblait pas qu'elle était une dame, et pour cette raison, le vertueux Isaac l'appréciait et l'aimait énormément. Mais sa grande chasteté et sa grande bonté valurent à cette dame un bien plus important encore que l'amour de son mari - ce fut la grâce et l'amour de Dieu, qu'elle obtint de façon si considérable que bien qu'elle fût déjà âgée et stérile, Dieu lui accorda de porter deux enfants jumeaux : c'étaient Jacob et Esaü, de qui descendirent les tribus d'Israël. »

40. Où l'on parle de Ruth

« Je pourrais te parler d'un bon nombre de femmes bonnes et chastes mentionnées par l'Écriture Sainte, mais je les laisse de côté pour abréger. Une autre noble dame fut Ruth ; c'est d'elle que descend le prophète David. Cette dame fut très chaste dans son mariage, et aussi durant son veuvage, et elle porta un grand amour à son mari, comme on put le voir, car à cause de ce grand amour qu'elle avait éprouvé pour lui, quand il fut mort, elle quitta son propre pays et son peuple et alla passer le reste de sa vie avec les Juifs, peuple auquel avait appartenu son mari. Elle voulut même demeurer avec la mère de celui-ci. En bref, cette noble dame fut si bonne et si chaste qu'un livre fut fait sur elle et sur sa vie, où toutes ces choses sont écrites[2]. »

---

[1] Gen. 24 et 25, *Antiquités judaïques* (I, 17, fol. 13ᵛ). Rébecca apparaît, sans que son nom soit cité, comme la mère de Jacob et Esaü dans la *Mutacion* (V, 19, v. 11816-17, t. II, p. 276) et dans *Le Livre des espistres du debat sus le Rommant de la Rose* (III, p. 163).

[2] Le livre de Ruth dans l'Ancien Testament.

De Peneloppe femme de Ulixés .XLI.

1   «Des[1] dames paiennes assez de chastes et de bonnes
preudefemmes treuve l'en es escriptures. Peneloppe, la
femme du prince Ulixés, fu dame moult vertueuse, et entre
les autres graces qu'elle ot, moult fu louee de la vertu de
5   chasteté. Et d'elle font moult grant mencion plusieurs
histoires car ceste dame, tant que son mari fu au siege
devant Troie, qui dura X ans, se gouverna moult sagement,
et non obstant que moult feust requise de plusieurs roys et
princes pour sa grant beauté, nul ne vost ouir ne escouter.
10   Elle estoit sage, prudent, devote aux dieux et de belle vie,
et meismement aprés le destruccion de Troie, atendi son
mari autre dix ans, et cuidoit on que il feust peris en mer,
ou il ot maintes pestillences. Et quant il fu retournez, il la
trouva assegiee d'un roy qui a force la vouloit avoir a
15   mariage pour sa grant chasteté et bonté. Son mari vint en
guise d'un pelerin et enquist d'elle, si fu moult joieux des
bonnes nouvelles que il en ouy dire et grant joie ot de son
filz Thelemacus, que il avoit laissié petit et le trouva
parcreux.»

20   ¶Et je Cristine dis ainsi : «Dame, par ce que ouy dire
vous ay, n'en laissierent pas a estre chastes icelles dames,
pourtant se belles furent, car assez d'ommes dient que a
trop grant paine est trouvee belle femme chaste.»

Responce [100r] : «Ceulx qui le dient faillent a parler ;
25   que moult en est, fu et sera de belles tres chastes.»

Contre ceulx qui dient que a paines sont belles femmes chastes, dit de Mariamire .XLII.

1   «Mariamire[2] fu femme hebrieue, fille du roy
Arisbolus. Elle fu de si grant beauté que non pas tant
seulement en icellui temps on creoit qu'elle passoit et
excedoit toutes femmes en beauté, mais jugoit on que plus
5   tost feust ymage celestiel et divin que femme mortelle. Et

---

[1] D *orné sur 2 lignes.*
[2] M *orné sur 2 lignes.*

41. De Pénélope, femme d'Ulysse

«Pour ce qui est des dames païennes, on trouve dans les textes de nombreux exemples de femmes vertueuses, chastes et bonnes. Pénélope, la femme du prince Ulysse, fut une femme de très grande vertu, et parmi ses nombreuses qualités, on la loua beaucoup pour sa chasteté. Plusieurs récits historiques en font longuement mention, car cette dame, tant que son mari participa au siège de Troie, qui dura dix ans, se comporta de façon très sage, et bien qu'elle ait été beaucoup courtisée par de nombreux rois et princes en raison de sa grande beauté, elle ne voulut jamais en entendre ni en écouter aucun. Elle était pleine de sagesse et de discernement, ainsi que de piété envers les dieux, et menait une vie vertueuse; et qui plus est, après la destruction de Troie, elle attendit son mari pendant dix autres années, alors qu'on pensait qu'il avait péri en mer, où il avait connu bien des tourments. À son retour, il la trouva assiégée par un roi qui voulait l'épouser de force, conquis par sa grande chasteté et sa bonté. Son mari arriva déguisé en pèlerin et posa des questions à son sujet; il fut très joyeux des bonnes nouvelles qu'on lui rapporta, et il éprouva une grande joie de retrouver son fils Télémaque, qu'il avait laissé encore petit et qui était devenu adulte[1].»

Alors moi, Christine, je lui parlai ainsi: «Ma Dame, d'après ce que je vous ai entendu dire, ces femmes ne manquèrent pas d'être chastes, malgré leur beauté; et pourtant beaucoup d'hommes disent qu'il est extrêmement difficile de trouver une belle femme qui soit chaste.»

Elle me répondit: «Ceux qui le disent parlent à tort; car il y a maintenant, il y a eu et il y aura encore beaucoup de belles femmes très chastes.»

42. Contre ceux qui disent qu'il est difficile à de belles femmes de rester chastes, exemple de Mariamne

«Mariamne était une Juive, fille du roi Aristobule. Elle était d'une si grande beauté qu'en ce temps-là, non seulement on croyait qu'elle dépassait de très loin en beauté toutes les femmes, mais on estimait qu'elle était une apparition céleste et divine plutôt qu'une

---

[1] Le chapitre XL des *Cleres femmes* (t. I, p. 126-131) propose une version très complète du retour d'Ulysse à Ithaque, que Christine réduit à quelques lignes concernant uniquement la fidélité de Pénélope envers son mari.

de ceste fu painte la figure en un tablel et envoié au roy
Anthoine d'Egipte, lequel par tres grant amiracion de tel
beauté, dist et jugia[1] qu'elle estoit fille du dieu Jupiter, car
ne creoit mie que de homme mortel peust estre engendree.
10   Ceste dame, non obstant son excellent beauté et qu'elle
feust tamptee et essaiee a avoir de plusieurs grans princes
et rois, toutevoies par grant vertu et force de courage,
resista a tous, et pour tant fu plus louee et plus resplandi en
rennomee. Et encores qui plus croist son grant loz est
15   qu'elle estoit tres mal mariee, c'est a savoir a Herode
Anthipater, roy des Juifs, qui fu homme de grant cruaulté
et qui meismement avoit fait mourir le frere d'elle, pour
laquel cause et pour maintes durtés que il lui faisoit, elle
l'ot en haine. Mais pourtant n'en laissa a estre preude-
20   femme et chaste. Et encor avec ce vint a congnoissance a
la dite dame que il avoit ordonné que se il mouroit avant
que elle, que tantost on la feist mourir affin que autre
n'eust la possession de si grant beauté aprés lui. »

---

[1] juga, *corr. d'après B.*

femme mortelle. On fit peindre un portrait d'elle, et le tableau fut envoyé au roi Antoine d'Égypte[1], qui, plein d'admiration devant une telle beauté, jugea et affirma qu'elle devait être la fille du dieu Jupiter, car il ne croyait pas qu'un homme mortel ait pu l'engendrer. Malgré sa remarquable beauté et le nombre de grands princes et de rois qui tentèrent d'obtenir ses faveurs, par sa grande vertu et sa force morale, cette dame résista à tous, ce qui lui valut encore plus de louanges et une renommée encore plus resplendissante. Sa grande réputation fut encore accrue par le fait qu'elle fut mariée à un très mauvais mari, à savoir Hérode Antipater[2], roi des Juifs, un homme d'une grande cruauté qui était allé jusqu'à faire mourir le frère de Mariamne, raison pour laquelle, outre les sévices qu'il lui faisait subir, elle le prit en haine. Mais elle ne cessa pas pour autant d'être une femme vertueuse et chaste. Et pourtant, en plus de cela, cette dame avait appris qu'il avait donné l'ordre, s'il venait à mourir avant elle, de la tuer aussitôt, afin que nul autre ne pût posséder après lui une aussi grande beauté[3]. »

---

[1] Marc Antoine (80-30 av. J.-C.) qui règne sur la partie orientale de l'Empire romain avec Cléopâtre entre 36 et 30 av. J.-C. (date de leur mort). « Le triumvir Marc Antoine », selon Boccace (*Cleres femmes*, LXXXVII, t. II, p. 109).

[2] Il s'agit d'Hérode Ier le Grand (73-74 av. J.-C.). Il règne sur la Judée de 37 av. J.-C. jusqu'à sa mort. Désireux d'éliminer ses rivaux éventuels, il fait assassiner sa femme Mariamne et plusieurs de ses enfants. Il est également l'auteur du massacre des Innocents (la mise à mort de tous les enfants de moins de deux ans, après l'annonce de la naissance du « roi des Juifs » à Bethléem).

[3] Petite-fille d'Aristobule II, assassinée par Hérode, son époux, en 29 av. J.-C. L'histoire de Marianne fait l'objet du chapitre LXXXVII des *Cleres femmes* (t. II, p. 109-112). La version de Boccace est bien différente de celle de Christine : Mariamne, ulcérée par la jalousie de son mari et sa cruauté, lui manifeste son mépris et se refuse à lui, puis meurt dignement après qu'il l'a condamnée, méritant l'admiration de la postérité pour son courage. Christine réduit une nouvelle fois le récit à quelques faits qui lui servent directement dans sa démonstration. Une formulation dans l'épisode du tableau envoyé à Antoine pourrait laisser penser que Christine a lu aussi le récit des *Antiquités judaïques* (XV, 3, fol. 208[r]) : « jugia qu'elle estoit fille du dieu Jupiter, car ne creoit mie de homme mortel peust estre engendree » fait écho à « les enffans d'Alexandre n'estoient mie engendrés ne procreés d'omme mais d'un dieu » dans le texte de l'historien juif, là où les Cleres femmes se contentent de signaler qu'Antoine n'avait jamais vu de personnes plus belles. La graphie choisie pour le prénom « Mariamire » n'est pas présente chez Boccace, ni dans les *Antiquités judaïques*. Est-ce une erreur de lecture de la part de Christine ou bien une citation de mémoire qui entraînerait une référence approximative ?

Encore de ce meismes dit de Anthoine femme de Druse Thibere .XLIII.

1   « Pour[1] ce que on dit communement que c'est aussi
forte chose que une belle femme se puist garder entre les
jouvenceaux et les gens curiaux desireux [100ᵛ] d'amours
sans ce qu'elle soit prise que c'est d'estre entre les
5   flambes sans soi ardoir, bien s'en scot deffendre la belle et
bonne Anthoine, femme de Druse Thibere, frere de Neron
l'empereur. Ceste dame demoura, en la fleur de sa jennece
resplendissant de tres souveraine beauté, vesve de
Thibere son mari, qui fu occis de son frere par venin, dont
10   la noble dame ot moult grant douleur et proposa de non
estre jamais[2] mariee et vivre en chasteté de vesvage,
lequel propos elle tint tant comme elle vesqui, si tres
entierement que nulle dame des paiens n'ot oncques plus
grant loz de chasteté. Si fist de ceste chose plus a louer, ce
15   dit Bocace, qu'en telle continence estoit demourant a
court entre les jouvenceaux bien parez et assesmez, jolis
et amoureux, vivans oyseusement. Celle usa sa vie sans
notte et sans blasme de quelconques legiereté, laquel
chose, ce dit l'aucteur, est digne d'estre eslevee en
20   louenge, si comme d'une jenne femme en beauté tres
excellente, qui estoit fille de Marc Anthoine, qui menoit
vie moult luxurieuse et lubre, mais non pourtant ne pour

---

[1] P *orné sur 2 lignes.*

[2] *B, D, R* : de jamais plus n'estre

43. Encore sur le même sujet, exemple d'Antonia, femme de Drusus Tibère

« On dit communément qu'il est aussi difficile qu'une belle femme puisse se protéger sans se laisser prendre, lorsqu'elle est entourée de jeunes gens et d'hommes de cour désireux d'aimer, que de rester au milieu des flammes sans se brûler ; et pourtant la belle et bonne Antonia[1], femme de Drusus Tibère[2], frère de l'empereur Néron, sut bien s'en préserver. Cette dame, alors qu'elle était dans la fleur de sa jeunesse et resplendissait de beauté, se retrouva veuve de son mari Tibère, empoisonné par son frère. La noble dame en éprouva une très grande douleur et forma le projet de ne jamais se remarier et de vivre son veuvage dans la chasteté, et elle s'y tint durant toute sa vie, d'une façon si totale qu'aucune autre dame du temps des païens ne fut jamais aussi louée pour sa chasteté. Elle méritait d'autant plus ces louanges, nous dit Boccace, qu'elle gardait la continence alors qu'elle résidait à la cour au milieu de jeunes gens bien habillés et élégants, séduisants et galants, vivant dans l'oisiveté. Elle y passa sa vie sans jamais s'attirer la moindre remarque ni le moindre blâme pour une quelconque faiblesse. C'est, selon l'auteur, une chose d'autant plus digne de louange qu'il s'agissait d'une jeune femme d'une beauté très remarquable, et qu'elle était la fille de Marc Antoine, qui lui-même vivait dans la luxure et la lubricité ; mais malgré cela, et en dépit de tous les

---

[1] Dite Antonia la Jeune (36 av. J.-C.-37 ap. J.-C. ; *Antonia minor* en latin ; *Cleres femmes*, « Anthonie la Mendre »). Boccace rappelle qu'elle était la fille de Marc Antoine et d'Octavie, et fut la mère de Germanicus et du futur empereur Claude, ainsi que d'une fille, Livilla. Christine n'a pas repris ces éléments généalogiques.

[2] Drusus (Nero Claudius Drusus, 38 av. av. J.-C.-9 av J.-C.), général romain et consul, frère de l'empereur Tibère. Christine semble confondre ici les deux personnages. Selon Boccace, Drusus serait mort lors d'une campagne en Germanie, empoisonné par son frère Tibère, mais il s'agit sans doute d'une confusion avec son fils Germanicus. Les sources historiques ne mentionnent pas toutes l'empoisonnement. Surnommé Germanicus en raison de ses victoires contre les Germains, surnom ensuite passé à son fils (dont il a été question plus haut, au chap. 18, en tant que mari d'Agrippine l'Aînée, assassiné par son oncle Tibère). (*Cleres femmes*, LXXXIX, t. II, p. 122-123 ; l'histoire d'Agrippine et de l'assassinat de Germanicus se trouve dans le chapitre qui suit, LC, t. II, p. 124-125).

lait exemple qu'elle veist, ne laissa qu'elle ne demourast
saine entre les flames ardans, plaine de chasteté et non pas
25   pou de temps mais toute [s]a[1] vie perseverante jusques a
la mort de vieillece.

¶De telles belles et tres chastes vivans entre les
mondains, et meismement a court et entre les jouvenceaux, assez de exemples te trouveroie, et au jour d'uy
30   meismes, n'en doubte pas, en est maintes. Et il en est bien
besoing, quoy que les mauvaises lengues[2] dient. Mais je ne
quide mie que tous les temps passez feussent ne courussent autant de mauvaises lengues comme il est au jour
d'hui, ne que tant feussent hommes en[101ʳ]clins a
35   mesdire de femmes sans savoir achoison qu'ilz sont ores.
Et fais doubte que se icelles bonnes et belles dont je t'ai
parlé vivoient ou temps de maintenant, qu'en lieu du loz
que les Anciens lui donnerent, leur seroient par envie mis
sus mains blasmes.

40   ¶Mais a retourner a nostre matiere, encore d'icelles
bonnes et chastes dames menant vie honneste, meismes
demourant et frequentant les plus mondains, parle Valere
de la noble dame Suplice qui de grant beauté estoit et
toutevoies entre toutes les dames de Romme, elle fu
45   reputee la plus chaste.»

**Contre ceulx qui dient que femmes veullent estre effor-
ciés, donne exemple de plusieurs, et premierement de
Lucrece .XLIV.**

1   Adont[3], je, Cristine, dis ainsi: «Dame, moult bien
croy ce que vous dites et suis certaine que assez est de
belles femmes bonnes et chastes, et qui bien se scevent
garder des agais et des decepveurs. Si m'anuie et me
5   grieve de ce que hommes dient tant que femmes vuellent

---

[1] ta

[2] *B, D, R*: les mauvaises gens

[3] A *orné sur 2 lignes.*

mauvais exemples qu'elle voyait, elle n'en demeura pas moins pure au milieu des flammes brûlantes, persévérant dans la chasteté tout le temps que dura sa vie, jusqu'à ce qu'elle mourût de vieillesse[1].

Je pourrais te donner beaucoup d'autres exemples de femmes belles et très chastes vivant dans un milieu mondain, ou même à la cour, entourées de jeunes gens. Aujourd'hui même, elles sont nombreuses, n'en doute pas. Et il est bien nécessaire de le rappeler, quoi qu'en disent les mauvaises langues. Car je ne pense pas qu'il y ait jamais eu dans le passé autant de mauvaises langues qu'il y en a aujourd'hui, ni autant d'hommes enclins à dire du mal des femmes sans le moindre motif. Et si ces belles et bonnes femmes dont je t'ai parlé avaient vécu de nos jours, au lieu des louanges que les Anciens leur accordaient, j'ai tout lieu de craindre que par jalousie, on eût fait peser sur elles de nombreuses critiques.

Mais pour revenir à notre sujet, toujours à propos de ces dames vertueuses et chastes menant une vie honnête, même en vivant au milieu des gens du monde et en les fréquentant, Valère Maxime cite l'exemple de la noble Sulpice, une dame d'une grande beauté, qui était pourtant réputée comme la plus chaste de toutes les dames de Rome[2]. »

44. Contre ceux qui disent que les femmes veulent être violées, l'on donne plusieurs exemples, à commencer par celui de Lucrèce

Alors moi, Christine, je lui déclarai : « Ma Dame, je veux bien croire ce que vous dites, et je suis certaine qu'il y a beaucoup de belles femmes qui sont vertueuses et chastes et qui savent bien se protéger des pièges et des trompeurs. Mais je suis accablée et affligée d'entendre tant d'hommes dire que les

---

[1] *Cleres femmes*, LCIX, t. II, p. 122. Simon de Hesdin loue également Anthonie pour sa chasteté dans sa traduction des *Faits et dits* IV, 2, fr. 282, fol. 187ʳ.

[2] Boccace lui consacre un chapitre (*Cleres femmes*, LXVII, t. II, p. 48-50), mais ne mentionne pas Valère Maxime, cité ici par Christine, qui ne fait qu'une très rapide référence à cette dame. La traduction des *Faits et dits* par Nicolas de Gonesse loue la chasteté de Sulpice qui, pour cette raison, sert au temple de Vénus (VIII, 15, 12, p. 222).

efforcier et que il ne leur desplait mie, quoy qu'elles
escondisent de bouche, estre par hommes efforciees. Mes
trop fort me seroit a croire que agreable leur feust si grant
villenie.»

10   Responce: «N'en doubtes pas, amie chiere, que ce
n'est mie plaisir aux dames chastes et de belle vie estre
efforciés ains leur est douleur sur toutes autres, et que ce
soit vrai l'ont demoustré plusieurs d'elles par vrai
example, si comme Lucrece, la tres noble Rommaine,

15   souveraine en chasteté entre toutes les femmes
rommaines, femme d'un noble homme nommé Tarquin
Colatin. Et comme Tarquin l'orguilleux filz du roy
Tarquin, fust forment espris de l'amour de ceste noble
Lucrece et ne lui osast dire pour la grant chasteté [101ᵛ]

20   dont il la veoit, desesperé d'i avenir par don ou priere, se
pourpensa de l'avoir par cautelle. Il se disoit estre moult
ami du mari d'elle, par quoy il avoit assés entree en son
hostel quant il lui plaisoit, par quoy une fois, il y alast qu'il

femmes désirent le viol et que cela ne leur déplaît pas d'être violées par un homme, même si elles le repoussent en paroles. Mais il me serait bien difficile de croire qu'une telle infamie pût leur être agréable.»

Elle me répondit: «N'aie aucun doute à ce sujet, ma chère amie; ce n'est pas un plaisir pour les dames chastes et honnêtes d'être violées, mais c'est une douleur sans pareille. Bien des femmes ont montré par leur propre exemple que c'est la vérité, comme Lucrèce[1], la très noble Romaine, la plus chaste d'entre toutes les Romaines, femme d'un patricien nommé Tarquin Collatin. Tarquin le Superbe, fils du roi Tarquin[2], brûlait d'amour pour cette noble Lucrèce, et il n'osait pas lui en faire l'aveu, en raison de la grande chasteté qu'il la voyait manifester; désespérant de parvenir à ses fins par des cadeaux ou des prières, il fit le projet de l'avoir par la ruse. Il prétendit être très ami avec son mari, ce qui lui permit d'avoir ses entrées dans sa maison quand il lui plaisait; tant et si bien qu'un jour il y alla alors qu'il savait

---

[1] Christine divise en deux l'histoire de Lucrèce, commençant par le viol pour parler de ses vertus au chapitre 64. Elle s'inspire des *Cleres femmes* (XLVIII, t. I, p. 158-161) qui ne consacrent qu'un chapitre à l'ensemble du récit. Elle omet plusieurs détails. Le traducteur anonyme ajoute une dernière phrase, qui ne figure pas dans le texte original de Boccace: «Selon nostre loy crestienne elle fist grant folie, si est dapnee, et pour ce la reprent saint Augustin en son livre de *La Cité de Dieu*» (p. 161). Le texte de Christine est très proche de celui des *Cleres femmes*, mais elle remplace cette conclusion par une autre de son cru, en omettant la référence à saint Augustin et en assimilant le viol à un crime méritant une condamnation à mort (voir notre introduction, p. 55-56). L'histoire de Lucrèce est très célèbre au Moyen Âge. Elle est longuement racontée à la fin de la première décade de l'*Histoire romaine* de Tite-Live (fol. 28^r-30^r), qui est sans doute une source commune à Boccace et à Christine, plutôt que le récit très court de l'*Histoire ancienne* 1 (LXX, fol. 70^v) comme le suggère M. Curnow. Voir aussi Valère Maxime (VI, 1, fol. 242^v-243^v et IX, 1, add., p. 261-263); les traducteurs citent abondamment Tite-Live et au livre V, Simon de Hesdin mentionne la condamnation de saint Augustin. Exemple prisé par Christine, Lucrèce apparaît déjà dans la *Mutacion* (VII, 5, v. 18829-18864, t. III, p. 190-191), l'*Advision* (I, XXV, p. 43), le *Charles V* (III, XVI, p. 55), le rondeau XIV et la ballade XI des *Autres ballades* (*Œuvres poétiques, op. cit.*, t. I, p. 155 et 220).

[2] Christine fait ici une légère confusion: si le mari de Lucrèce est bien Tarquin Collatin (neveu de Tarquin l'Ancien, comme le précise Boccace), le violeur est le fils du roi Tarquin le Superbe, nommé Sextus (*Sexce* dans les *Cleres femmes*).

savoit que le dit mari pas n'y estoit. La noble dame le rechut
25 honnorablement comme cellui qu'elle tenoit estre grant ami
de son mari. Mais Tarquin, qui a autre chose pensoit, fist
tant que il entra par nuit en la chambre de Lucrece, dont elle
fu moult espouentee. Et a brief dire, quant il l'ot assez
sermonnee par grans promesses, dons et offres, que faire
30 voulsist sa voulenté et il vit que priere riens ne lui valoit, il
tira son espee et la menaça d'occirre se elle disoit mot ne se
elle ne se consentoit a sa voulenté. Et celle respondi que
hardiement l'occeist et que mieux amoit mourir que s'i
consentir. Tarquin, qui vit bien que riens ne lui valoit,
35 s'avisa d'une autre grant malice et dit que il diroit public-
quement que il l'avoit trouvee avecques un de ses sergens.
Et a brief dire[1], tant l'espouenta, pensant que on croiroit aux
parolles de lui, que au paraller, elle souffri sa force.

Mais ne pot Lucrece porter pacientment ce grant
40 desplaisir, dont quant vint au jour, elle envoia querre son
mari et son pere et ses prochains parens, qui estoient les
plus grans de Rome, si leur regehi a grant pleurs et a grans
gemissemens ce qui lui estoit avenu. Adont comme ses
maris et parens qui la veoient outree de grant douleur la
45 reconfortassent, elle tira un coutel qu'elle avoit desoubz sa
robe en disant : "Se il est ainsi que je me assoille de pechié
et que je monstre mon ingnocence, toutevoies je ne me
delivre pas de [102ʳ] tourmens ne de paine ne me mes hors,
ne dorenavant ne vivra femme hontoiee ne vergondee a
50 l'example de Lucrece." Et ces choses dites, elle, par grant
force, se ficha le coutel en la poitrine, si chut tantost en
mourant[2]. Son mari et ses amis si coururent tous comme
fourcenez sus a Tarquin et pour celle cause fu toute Romme
esmeuee et chacierent le roy hors et le filz eussent occis, se
55 trouvé feust. Ne oncques puis n'ot roy a Romme. Et a cause
de cel oultrage fait a Lucrece, comme dient aucuns, vint la
loy que homme mouroit pour prendre femme a force,
laquelle loy est convenable, juste et sainte. »

---

[1] B, D, R : a brief dire de ceste chose
[2] B, D, R : en mourant voyant son mari et ses amis

que le mari n'y était pas. La noble dame le reçut fort honorable-
ment, le considérant comme un grand ami de son mari. Mais
Tarquin, qui avait tout autre chose en tête, fit en sorte d'entrer
nuitamment dans la chambre de Lucrèce, ce dont elle fut
épouvantée. Pour le dire en bref, après lui avoir tenu de longs
discours avec force promesses, présents et offres, pour qu'elle
accepte de faire ce qu'il voulait, comme il vit que ses prières ne
lui valaient rien, il tira son épée et menaça de la tuer si elle disait
un mot et refusait de se soumettre à son désir. Celle-ci lui
répondit qu'il pouvait la tuer sans hésiter, car elle préférait
mourir plutôt que d'y consentir. Tarquin, qui se rendit bien
compte qu'il n'arrivait à rien, eut l'idée d'une ignoble ruse, et dit
qu'il affirmerait publiquement qu'il l'avait trouvée avec un de
ses serviteurs. Bref, il lui causa une telle épouvante, car elle
pensait qu'on croirait ce qu'il dirait, qu'à la fin elle se rendit à la
force.

Mais Lucrèce ne put pas supporter sans rien dire cette grande
offense. Le matin venu, elle envoya chercher son mari, son père
et ses plus proches parents, qui étaient les plus hauts personnages
de Rome, et elle leur avoua avec bien des pleurs et des gémissements ce qui lui était arrivé. Alors, comme son mari et ses
parents, qui la voyaient dans le plus profond désespoir, s'efforçaient de la réconforter, elle tira un couteau de dessous sa robe,
en disant : "S'il est vrai que je m'absous de la faute et que je fais
la preuve de mon innocence, je ne peux cependant pas me libérer
de mon tourment ni m'exempter du châtiment. Désormais,
aucune femme ne pourra vivre dans la honte et le déshonneur en
invoquant l'exemple de Lucrèce." Ayant dit cela, elle s'enfonça
le couteau dans la poitrine avec une grande force, et s'effondra
aussitôt, morte. Son mari et ses amis, fous de colère, se précipitèrent sur Tarquin. Rome tout entière en fut bouleversée ; les
Romains chassèrent le roi et auraient tué son fils, si on avait pu le
trouver. Par la suite, il n'y eut plus jamais de roi à Rome. Certains
disent qu'à cause de cet outrage fait à Lucrèce, on fit une loi
selon laquelle un homme qui violerait une femme serait
condamné à mort ; cette loi est légitime, juste et éminemment
respectable. »

De ce meismes propos dit de la royne des Gausgrés .XLV.

1 « **B**ien[1] au propos dessus dit fait l'istoire de la noble roine des Gausgrés, femme de Orgiagontes roy. Il avint, ou temps que les Rommains faisoient leurs grans conquestes sur les estranges terres, que cellui roy des Gausgrés fu pris
5 en une bataille et sa femme avec lui, par les dis Rommains. Quant ilz furent au logis, la noble roine, qui moult estoit belle, simple, chaste et bonne, plut moult a un des connestables du dit ost de Romme qui tenoit pris le roy et elle. Si la pria moult et requist par grans offres, mes quant il vit
10 que priere riens n'y valoit, il l'efforça. De fait, de ceste injure ot moult grant dueil la dame et ne finoit de penser comment vengier s'en pourroit. Si atendi et dissimula tant que son point veist. Quant vint que la rençon fut apportee pour delivrer son mari et elle, la dame volt que la finance
15 fust bailliee, elle presente, au susdit connestable qui les tenoit, auquel dist que elle vouloit que il pesast l'or affin de mieulx avoir son compte et que deceu ne fust, et ainsi qu'elle vit que il entendoit [102ᵛ] a peser l'or et qu'il n'y avoit ame de ses gens, la dame, qui fu saisie d'un coutel, le
20 frappa en la gorge et l'occist. Et em prist le chief, et sans nul encombrier le porta a son mari et lui dist tout le fait et comment la vengance en avoit prise. »

---

[1] B *orné sur 2 lignes.*

45. Sur le même sujet, histoire de la reine de Galatie

« L'histoire de la noble reine des Galates[1], femme du roi Orgiago, est bien appropriée au sujet dont nous parlons. Au temps où les Romains entreprenaient leurs grandes conquêtes sur des terres étrangères, ils firent prisonnier au cours d'une bataille ce roi des Galates, et sa femme avec lui. Quand ils furent arrivés au campement, la noble reine, qui était très belle, honnête, chaste et vertueuse, plut beaucoup à l'un des commandants en chef de l'armée romaine, qui les gardait prisonniers, le roi et elle. Il la poursuivit de ses ardeurs et lui offrit de grands présents, mais quand il vit que ses prières ne servaient à rien, il la prit de force. La dame éprouva une grande douleur de cet outrage, et elle ne cessait de penser à la façon dont elle pourrait s'en venger. Elle dissimula ses sentiments et attendit que se présente une occasion favorable. Lorsque l'on apporta la rançon qui devait permettre de les délivrer, son mari et elle, la dame voulut que l'argent fût remis en sa présence à ce commandant qui les détenait, à qui elle dit qu'elle voulait qu'il pesât l'or pour être sûr de bien avoir son compte et de n'être pas trompé. Et quand elle vit qu'il était bien occupé à peser l'or et qu'il n'y avait là aucun de ses gens, la dame, qui s'était munie d'un couteau, le frappa à la gorge et le tua. Elle se saisit de sa tête et l'apporta sans encombre à son mari, à qui elle raconta toute l'affaire, et la vengeance qu'elle en avait prise[2]. »

---

[1] Ce nom désigne depuis l'Antiquité (Polybe, cité par Plutarque) un groupe de populations celtes d'origine gauloise qui s'étaient installées dans le centre de l'Asie Mineure au IIIᵉ siècle av. J.-C., « poussés par la famine et l'appétit du butin [...]. Ces peuples gaulois portent le nom de Galates, ou chez Tite-Live, de *Gallograeci*. » (S. Ratti, « Le viol de Chiomara : sur la signification de Tite-Live 38, 24 », *Dialogues d'histoire ancienne*, vol. 22, n° 1, 1996, p. 95-131, p. 96 ; cet épisode a lieu à la fin de la guerre menée par les Romains contre l'un de ces peuples, les Tectosages). Boccace a emprunté à Tite-Live le nom de *Gallogreci* (*De mulieribus claris*, titre du chap. LXXIII, p. 131 : *De conjuge Oriagontis gallogreci*), repris dans les *Cleres femmes* sous la forme *Gaulxgrecs* ou *Gaugrés* (titre et texte du chapitre LXXIII, p. 168 : « Cy après s'ensuit de la femme Orgiagontes, des Gaulxgrecs roy », puis « des Gaugrés roy »), reprise par Christine. L'ancienne Galatie correspond à une région de l'actuelle Anatolie, autour d'Ankara.

[2] *Cleres femmes*, LXXIII, t. II, p. 68-71. Dans le commentaire qui suit le récit, Boccace rapproche cet exemple de chasteté et de courage de celui de Lucrèce. L'histoire de la reine de Galatie est aussi racontée de façon succincte par Valère Maxime (VI, 1, fol. 245ᵛ) et dans la traduction de Tite-Live (fol. 400ᵛ). Chez Boccace, comme dans les versions de Valère Maxime et de Tite-Live, ce n'est pas la dame qui tue son agresseur mais ses serviteurs. Sur cet épisode et sur cette reine (dont Plutarque donne le nom d'après Polybe), voir S. Ratti, *op. cit.*, p. 95-131.

Encore de ce meismes dit des Sicombres et d'aucunes vierges .XLVI.

1   « Se[1] je te puis donner exemple de femmes mariees, dont assez te conteroie, a qui la douleur d'estre efforciés fut importable, ne t'en diroie pas moins des vierges et des vesves. Sispone fu une femme de Grece ; elle fu prise et
5   ravie des maronniers et escumeurs de mer qui ennemis estoient de la contree. Laquelle femme, comme elle feust de grant beauté, fu par eulx moult requise, et quant elle vit que eschapper ne pourroit sans estre efforcee, elle ot celle chose en si grant orreur et desplaisance que elle ama
10   mieux mourir, et pour ce, se lança en la mer et fu noyee.

    ¶Item les Sicambrius, qui ores sont appellez Franchois, a grant ost et multitude de gens assaillirent, une fois entre les autres, la cité de Rome et en esperance de la destruire, avoient mené avecques eulx leurs femmes et leurs enfans.
15   Avint que la desconfiture tourna sur ceulx de Sicambre. Quant les femmes virent ce, elles se conseillierent entre elles que mieux leur valoit mourir en deffendant leur chasteté, car bien savoient que selon l'usage de guerre toutes seroient efforciees, que estre si faitement deshonno-
20   rees. Si firent environ elles fortereces de leurs charettes et charios, et s'armerent contre les Romains et tant se deffen-dirent comme elles porrent et moult en occirrent. Mais comme au desrain, elles feussent aucques toutes occises, celles qui demourerent requirent a jointes mains [103^r]
25   qu'elles ne feussent touchiees en villenie et que elles peussent user le demourant de leur vie en servant au temple des vierges de la deesse Vesta. Mais pour ce que il

---

[1] S *orné sur 2 lignes.*

46. Toujours sur le même sujet, exemple des Sicambres et d'autres vierges

« Je peux te donner des exemples de femmes mariées pour qui la douleur d'être violées fut insupportable, et je pourrais même t'en raconter beaucoup d'autres ; mais je pourrais t'en citer tout autant de vierges et de veuves. Hippo était une Grecque qui fut capturée et enlevée par des marins écumeurs de mer, ennemis de son pays. Comme elle était d'une grande beauté, ils ne cessaient de lui faire des propositions ; et quand elle vit qu'elle ne pourrait échapper au viol, cette idée lui causa tant de dégoût et d'horreur qu'elle préféra mourir : elle se jeta dans la mer et s'y noya[1].

Ou encore, une des fois où les Sicambres, que l'on appelle aujourd'hui les Français[2], avaient attaqué la cité de Rome avec une grande armée et une multitude de gens, comme ils espéraient la détruire, ils avaient amené avec eux leurs femmes et leurs enfants. Or il arriva que le sort de la bataille leur fut contraire et qu'ils furent mis en déroute. Voyant cela, leurs femmes décidèrent entre elles qu'elles préféraient mourir en défendant leur chasteté, car elles savaient bien que selon les lois de la guerre elles seraient toutes violées, que de subir un si grand déshonneur. Alors elles firent autour d'elles un rempart de leurs charrettes et de leurs chariots et prirent les armes contre les Romains ; elles se défendirent de toutes leurs forces et elles en tuèrent beaucoup. Mais comme à la fin elles avaient presque toutes été tuées, celles qui restaient supplièrent leurs vainqueurs, en joignant les mains, de ne pas les avilir et de leur permettre de finir leurs jours en servant les vierges du temple de la déesse Vesta. Comme cela ne

---

[1] *Cleres femmes*, LIII, t. II, p. 3-4. Christine se contente de reprendre les faits, dans des termes très proches de ceux de sa source, éliminant tout commentaire, de sorte que sa version est très proche de celle de la traduction de Valère Maxime par Simon de Hesdin (*Faits et dits* VI, I, fr. 282, fol. 245ᵛ).

[2] Christine emprunte ce détail, qui ne figure pas dans Boccace, à l'*Histoire ancienne* 1 (CIII, fol. 103ʳ-104ʳ). Dans la traduction de Valère Maxime, les faits sont attribués à des « theutoniques » (*Faits et dits* VI, I, fol. 246ʳ-246ᵛ). Dans *L'Histoire des Francs* de Grégoire de Tours (t. I, II, 31, p. 121), saint Rémi déclare à Clovis au moment de son baptême : « Courbe doucement [ou : humblement] la tête, ô Sicambre » (traduction de l'original latin - *Mitis decole colla, Sigamber* - plus précise que la formule traditionnelle, souvent répétée : « Courbe la tête, fier Sicambre »).

ne leur fu ottroié, elles meismes se vouldrent avant occirre
que estre efforcies.

30   ¶Item des vierges semblablement, si comme de
Virginie la noble pucelle de Romme, que le faux juge
Claudien quida avoir par cautelle et par force quant il ot
veü que priere riens n'y valoit. Mais elle, non obstant feust
elle moult jennette, ot plus chier estre occise que efforciés.

35   ¶Item une cité fu prinse en Lombardie par les ennemis,
qui le seigneur tuerent. Les filles du dit seigneur, qui moult
belles estoient, pour ce que elles se penserent que on les
vouldroit efforcier, y pourveirent d'estrange remede, dont
moult sont a louer, car elles prinsdrent char de pouchins
40   crue et la mirent en leurs sains, si fu tantost corrompue
pour la chaleur, dont il avint que quant ilz en quidierent
appourchiez et ils sentirent la pueur, tantost les laissierent
en disant : "Dieux, que ces Lombardes puent !" Mais celle
pulentise les rendi tres odourans. »

Preuve contre ce que l'en dit de l'inconstance des femmes, parle Cristine, et puis Droiture lui respont de l'inconstance[1] et fragelité d'aucuns empereurs .XLVII.

1   « Dame[2], certes, merveilleuse constance, force et vertu
et fermeté[3] me racontez de femmes ! Que pourroit on plus
dire des plus fors hommes qui oncques furent ? Et toutevoies, sur tous les vices que hommes et meismement les
livres dient estre en femmes, crient tous d'une vois sur

---

    [1] la constance ; corr. d'après D, R.

    [2] D orné sur 2 lignes.

    [3] B, D : constance, fermeté et vertu

leur fut pas accordé, elles préférèrent se tuer elles-mêmes avant d'être violées[1].

Pour ce qui est des vierges, il en alla de même, par exemple, pour Virginie, noble jeune fille romaine, que le fourbe juge Claudius crut pouvoir posséder par la ruse et par la force après avoir vu qu'il ne pouvait rien obtenir par la prière. Mais malgré son extrême jeunesse, elle préféra se faire tuer que d'être violée[2].

Ou encore, une ville de Lombardie avait été prise par des ennemis qui avaient mis à mort le seigneur. Les filles de celui-ci, qui étaient très belles, pensant qu'on voudrait les violer, trouvèrent pour s'en défendre un étrange stratagème, pour lequel elles méritent bien des éloges : elles prirent de la chair de poulet crue et la mirent en leur sein ; bientôt la chaleur la fit pourrir, si bien que quand les soldats voulurent s'approcher d'elles et qu'ils sentirent cette puanteur, ils les laissèrent en s'exclamant : "Dieu, que ces Lombardes puent !". Mais de cette puanteur, en vérité, émanait une odeur très agréable[3]. »

47. Pour contrer ce que l'on dit de l'inconstance des femmes, Christine parle, puis Droiture lui répond en invoquant l'inconstance et la faiblesse de certains empereurs

« Ma Dame, la constance, la force, la vertu et la fermeté des femmes dont vous me parlez sont certes extraordinaires ! Que pourrait-on dire de plus des hommes les plus forts qui ont jamais vécu ? Et pourtant, parmi tous les vices dont les hommes accusent les femmes, en particulier dans les livres, ils leur reprochent tous

[1] *Cleres femmes*, LXXX, t. II, p. 90-93, *Histoire ancienne* 1 (CIII, fol. 103ʳ-104ʳ) et *Histoire ancienne* 2 (fol. 276ʳ-277ʳ). Une nouvelle fois, Christine résume l'histoire, plus développée dans l'*Histoire ancienne*, en mêlant ses sources.

[2] *Cleres femmes*, LVIII, t. II, p. 22-26 Christine ne fait qu'une brève allusion à l'histoire longuement développée par Boccace. Chez Boccace, Virginie est tuée par son père pour lui éviter de subir une injustice, de même que dans la traduction des *Faits et dits* de Simon de Hesdin (VI, 1, fol. 244ʳ-245ʳ) et de Nicolas de Gonesse (IX, 1, add., p. 264-265) mais c'est pour sauver son honneur paternel. En précisant que Virginie « préféra se faire tuer », Christine la rend maîtresse de son destin.

[3] *Grandes Chroniques*, t. II, 24, p. 83-85. Il s'agit des filles de Gisulphe et Romilde. Romilde a livré la cité à son ennemi, le roi d'Esclavonie. L'auteur la condamne pour sa luxure et donne en exemple ses filles qui ont inventé ce stratagème pour échapper au viol.

5   elles que variables et inconstans sont, muables et legiers et
     de fraisle couraige, fleschisans comme enfans, ne qu'il n'y
     a aucune [103ᵛ] fermeté? Sont donc ces hommes si
     constans que varier leur soit comme chose hors de tout
     leur usaige ou pou commun, qui tant accusent femmes de
10   muableté et d'inconstance? Et certes se ilz ne sont bien
     fermes, trop lor est lait d'accuser aultrui de leur meisme
     vice ou d'i demander la vertu que ilz ne scevent avoir.»
         Responce: «Belle doulce amie, n'as tu pas tousjours
     ouy dire que le fol apperchoit trop bien la petite buchete en
15   la face de son voisin, mais il ne se donne de garde d'un
     grant tref qui lui pent a l'ueil? Si te monsterai grant
     contradicion en ce que les hommes dient de la variacion et
     inconstance des femmes. Il est ainsi que tous generaument
     afferment que femmes par nature sont moult fresles. Et
20   puis que ilz accusent de fragelité les femmes, il est a presu-
     poser que ilz se reputent estre constans, ou a tout le moins,
     que les femmes ne le soient pas si comme eulx. Et il est
     voir toutevoies que ilz demandent aux femmes trop plus
     grant constance que ilz mesmes ne scevent avoir, car eulx
25   qui se dient tant estre fors et de noble condicion ne se
     peuent tenir de cheoir en plusieurs tres grans deffaulx et
     pechiez, non mie tous par ingnorence, mais par pure
     malice, ayans congnoissance que ilz mesprennent. Mais de
     tout ce ilz s'excusent et dient que c'est humaine chose de
30   pechier, mais quant il advient que aucunes femmes cheent
     en aucune deffaillance - et dont eulx mesmes sont cause
     par leurs grant pourchas de longue main -, adont c'est
     toute fragilité et inconstance selon leurs dis. Mais comme
     il me semble a droit juger, puisque tant fraisles les reput-
35   tent, ilz deussent aucunement suporter leur fragilité et non
     pas reputer a elles estre grant criesme [104ʳ] ce que ilz
     tiennent a eulx estre petit deffault. Car il n'est tenu en loy
     ne trouvé en aucune escripture que il leur loise a pechier
     ne que aux femmes, ne que vice leur soit plus excusable.
40   Mais de fait, ilz se donnent telle auctorité que ilz ne
     veullent supporter les femmes, ains leur font et dient

d'une seule voix d'être variables et inconstantes, changeantes et légères, d'un caractère faible, se laissant fléchir comme des enfants, et sans aucune fermeté. Ces hommes qui accusent tant les femmes d'être changeantes et inconstantes sont-ils eux-mêmes si constants que le changement soit pour eux une chose tout à fait inconnue ou peu commune ? En vérité, s'ils manquent eux-mêmes de fermeté, c'est bien malhonnête de leur part d'accuser autrui de leurs propres vices ou d'en exiger une vertu qu'ils ne savent pas pratiquer eux-mêmes. »

Elle me répondit : « Ma chère et douce amie, n'as-tu pas toujours entendu dire que le sot voit très bien la paille dans l'œil de son voisin, mais qu'il n'aperçoit pas la poutre qui est dans le sien[1] ? Je vais te montrer la grande contradiction qu'il y a dans le fait que les hommes parlent du caractère variable et de l'inconstance des femmes. C'est un fait qu'ils affirment tous que les femmes sont très faibles par nature. Et puisqu'ils accusent les femmes de fragilité, on peut supposer qu'eux-mêmes pensent être constants, ou à tout le moins, qu'ils pensent que les femmes ne le sont pas autant qu'eux. Toutefois, il est vrai qu'ils exigent des femmes une plus grande constance que celle dont ils sont eux-mêmes capables, car ceux qui se prétendent si forts et d'une nature si noble ne peuvent s'empêcher de tomber en maintes erreurs et fautes, et ce n'est pas toujours par ignorance, mais par pure malice, puisqu'ils savent qu'ils agissent mal. Mais de tout cela ils s'excusent, disant que l'erreur est humaine ; mais quand il arrive que ce soient des femmes qui fassent preuve de quelque faiblesse - une faiblesse dont ils sont eux-mêmes la cause, par les efforts qu'ils déploient depuis longtemps -, alors, selon eux, ce n'est qu'inconstance et légèreté. Il me semble, en bonne justice, que puisqu'ils pensent qu'elles sont si faibles, ils devraient être plus tolérants envers leur faiblesse, et non pas considérer comme un grand crime chez elles ce qu'ils jugent n'être qu'un petit défaut pour eux-mêmes. Car il n'existe aucune loi ou aucun texte disant qu'il leur est permis de pécher davantage que les femmes, ou que le vice est plus excusable chez eux. De fait, ils s'octroient une telle autorité qu'ils ne veulent rien tolérer chez les femmes ; mais

---

[1] Ce proverbe bien connu figure dans l'Évangile (Mat. 7, 3-5).

plusieurs en y a moult d'oultraiges et de griefs, ne ilz ne
les daignent reputer fortes et constans quant elles endurent
leurs durs oultraiges. Et ainsi a tous propos veullent avoir
45   les hommes le droit pour eulx et les deux bous de la
couroie, et de ce as tu assez souffissamment parlé en ton
Epistre du dieu d'Amours.

Mais a ce que tu m'as demandé se les hommes sont
tant fort et tant constant que ilz aient cause de blasmer
50   aultrui d'inconstance, se tu regardes depuis les aages et
temps anciens jusques au jour d'ui, je te di que par les
livres et par ce que tu en as veü en ton aage et tous les
jours peux veoir aux yeulx, non mie es simples hommes
ne de bas estat, mais des plus haulx[1], tu porras veoir et
55   congnoistre la perfeccion, la force et la constance qui y
est voire generaument en la plus grant partie, combien
que il en soit de sages, constans et fors, et il en est bien
besoing. Et se tu veulx que je t'en donne preuve et de
pieça et du temps d'ores, pour ce que, ainsi que se es
60   couraiges des hommes ne eust aucune inconstance ne
varieté, ilz accusent tant les femmes[2], regardez es estas
des plus puissans princes et de greigneurs hommes qui est
chose impartinent plus que aux autres. Que te puis je dire
des imperiaux ? Je te demande : fu oncques couraige de
65   femme tant fraisle, tant paoureux, ne si malostru, ne
moins constant que fu cellui de l'empereur Claudien ? Il
estoit tant variable que tout quanque il ordonnoit a une
heure, il despitoit a l'autre, ne quelconques ferme[104ᵛ]té
n'estoit trouvee en sa parolle. Il s'accordoit a tous
70   conseulx. Il fist occire sa femme par sa folie et cruaulté et
puis au soir, demanda pourquoy elle ne s'aloit couchier, et
ses familiers, a qui il avoit fait trenchier les testes, manda
que ilz venissent jouer avecques lui. Cestui estoit tant de
chetif courage que adez il trembloit, ne de nul ne se fioit.

---

[1] *B, D, R* : grans
[2] *D, R* : de celluy vice

beaucoup d'entre eux leur causent bien des torts et tiennent des propos injurieux à leur sujet, et ils ne daignent même pas les considérer comme fortes et constantes quand elles supportent les durs outrages qu'ils leur font subir. C'est ainsi que les hommes veulent à tous propos avoir le droit pour eux et tenir les deux bouts de la chaîne ; tu en as suffisamment parlé dans ton *Epître du dieu d'Amour*[1].

Tu m'as demandé si les hommes sont si forts et si constants qu'ils aient de bonnes raisons pour critiquer l'inconstance d'autrui ; si tu regardes non pas les hommes simples et de basse condition, mais les plus élevés d'entre eux, depuis l'Antiquité jusqu'à aujourd'hui, dans les livres et par ce que tu en as vu en ton temps, et que tu peux voir tous les jours de tes propres yeux, je te le dis, tu pourras voir et reconnaître la perfection, la force et la constance qui se trouve généralement chez la grande majorité d'entre eux, et combien il en existe de sages, de constants et de forts, et on en a bien besoin. Et si tu veux que je te donne des exemples anciens ou plus récents pour savoir pourquoi ils accusent tant les femmes, comme s'il n'y avait aucune inconstance ni aucun changement dans le cœur des hommes, regarde les mœurs des princes les plus puissants et des plus grands seigneurs, pour qui cela est encore plus inapproprié que pour les autres. Que te dire des empereurs ? Je te le demande : y eut-il jamais un cœur de femme aussi faible, aussi peureux, aussi misérable ou aussi inconstant que ne fut celui de l'empereur Claude ? Il était si versatile que d'une heure à l'autre, il pouvait renier tout ce qu'il avait ordonné auparavant, et qu'on ne pouvait en aucun cas se fier à sa parole. Il était toujours d'accord avec tous les avis qu'on lui donnait. Dans sa folie et sa cruauté, il fit tuer sa femme, et le soir venu, il demanda pourquoi elle ne venait pas se coucher ; et il envoya chercher pour jouer avec lui des familiers à qui il avait fait couper la tête. Il avait si peu de courage qu'il tremblait toujours de peur et n'avait de confiance en personne. Que t'en

---

[1] L'une des premières œuvres de Christine de Pizan (1399), où elle prend déjà la défense des femmes (voir l'introduction). On notera l'emploi de la préposition « du », alors que dans les rubriques des manuscrits contenant cette œuvre, ainsi que dans l'édition de M. Roy, on trouve le titre sous la forme *Epistre au dieu d'Amours*.

75   Que t'en diroie ? Toute maleureté de meurs et de couraige
furent en ce chetif empereur. Mais a quoy te dis je de
cestui ? Fu il seul en l'empire seant plain de tel fragilité ?
Thibere l'empereur, de combien valut il mieux ? Toute
inconstance, toute varieté, toute lubrieté n'estoit il en lui
80   plus que il n'est trouvé de nulle femme ? »

Cy dit de Noiron .XLVIII.

1   « Et[1] Neron, quel fu il ? Puisque nous sommes entrez es
fais des empereurs, de cestui apparu bien la tres grant
fragilité et variance, car au commencement il fu assez
bons et mettoit paine de plaire a tous, mais aprés n'ot nul
5   frain a sa luxure et a sa rapine et cruaulté. Et pour mieux la
excerciter, souventes fois il s'armoit par nuit et aloit avec
les gloutons ses complices es gloutonnies et lieux dissolus,
jouant et foloyant par les rues, faisant tous maux. Et pour
trouver occasion de mal faire, il boutoit ceulx que il encon-
10   troit et se ilz disoient mot, il les navroit et occioit. Il
rompoit tavernes et huis deshonnestes, il prennoit femmes
a force, dont a pou fu une fois occis du mari d'une femme
que efforciee avoit, il faisoit faire bains dissolus et
mengioit toute nuit, il ordonnoit une chose et puis une

---

[1] E *orné sur 2 lignes.*

dire de plus ? Ce misérable empereur avait en lui tout ce qu'il y a
de plus mauvais en matière de mœurs et de caractère. Mais
pourquoi ne te parler que de celui-ci ? Fut-il le seul sur le siège
impérial à avoir manifesté tant de faiblesses ? L'empereur Tibère
valait-il mieux ? N'avait-il pas en lui plus d'inconstance, de
versatilité, de lubricité qu'on n'en trouva jamais chez aucune
femme[1] ? »

48. Où l'on parle de Néron

« Et qu'en est-il de Néron[2] ? Puisque nous en sommes venues
à parler des empereurs, les très grandes faiblesses et la versatilité
de celui-ci furent bien évidentes. Au début il fut plutôt bon, et il
mettait tout son soin à plaire à tous, mais par la suite, sa luxure,
sa cupidité et sa cruauté ne connurent point de limites. Pour
mieux leur donner libre cours, souvent il sortait la nuit tout armé
et se rendait avec ses compagnons de débauche dans des orgies et
des lieux mal famés, jouant et faisant le fou dans les rues et
commettant toutes sortes de méfaits. Cherchant des prétextes
pour faire le mal, il bousculait ceux qu'il rencontrait, et s'ils
disaient un seul mot, il les blessait ou même les tuait. Il forçait les
portes des tavernes et des bordels, il violait les femmes, et il
faillit même une fois être tué par le mari d'une femme qu'il avait
violée ; il organisait des bains licencieux et mangeait toute la

---

[1] Pour Claude, évoqué assez rapidement, la source de Christine est très
probablement le *Miroir historial*, tout comme pour Néron juste après. Même si
elle résume beaucoup, on retrouve quelques expressions similaires (*Miroir
historial*, vol. II, IX, 2 et 3, fol. 7ᵛ, 8ʳ et 8ᵛ). Tibère (empereur avant le précédent
de 14 à 37, suivi par Caligula, que Christine ne cite pas), n'est ici que rapidement
mentionné. Il en a déjà été question plus haut, au chapitre 18 (voir note 1, p. 501).

[2] Il est intéressant de noter que Christine consacre un chapitre à Néron,
comme contre-exemple des faiblesses et des vices dont les hommes accusent
généralement les femmes. Dans le *De mulieribus claris* de Boccace, il y a un
long chapitre consacré à Agrippine (*Cleres femmes*, t. II, XCII, p. 130-135) et un
autre, plus court, à Poppée (*Cleres femmes*, XCV, p. 142-146) ; elle leur
emprunte certains détails. Mais elle suit surtout le début du livre X du *Miroir
historial* (vol. II, fol. 57ᵛ, 59ᵛ- 60ᵛ), 1 (*Des bons commencemens Noiron*), 6 (*Des
chans et des gieux et de la vantance de Noiron*), 7 (*De sa luxure et de sa prodi-
galité*), 8 (*De ses rapines et de sa cruauté*). Elle résume, mais elle reprend
parfois littéralement certains mots ou expressions. Voir aussi la traduction des
Faits et dits (IX, 2, p. 315-317).

15   autre, selon que sa folie lui amonnestoit diverses choses.
        Toutes lecheries, toutes superfluitez, toutes curiositez, tout
        orgueil et folles despences, il excercitoit. Il amoit les
        mauvais [105ʳ] et persecutoit les bons. Il fu consentant de
        la mort de son pere et sa mere fist il depuis mourir. Et
20   quant elle fu morte, il la fist ouvrir pour veoir le lieu ou il
        avoit esté conceux, et dist quant il l'ot veü qu'elle avoit
        esté belle femme. Et occist Octaviene, sa femme, qui estoit
        bonne dame ; une autre prist qu'il ama moult au commen-
        cement, et puis l'occis. Il fist mourir Claudienne, fille de
25   son devancier, pour ce que elle ne le voult prendre a mari.
        Il fist mourir son fillastre desoubz l'aage de VII ans, pour
        ce que on le portoit jouer comme filz de duc.
            Seneque, son maistre, le noble philosophe, fist mourir
        pour ce que il ne se pouoit tenir d'avoir honte de ce qu'il
30   faisoit devant lui. Il empoisonna son prevost en faignant

nuit, il ordonnait une chose, puis une autre, toutes les choses étranges que lui dictait sa folie. Il s'adonnait à toutes les formes de luxure, tous les excès, toutes les bizarreries, tout ce qui flattait son orgueil, toutes les folles dépenses. Il aimait les hommes mauvais et persécutait les bons. Il fut complice de la mort de son père et fit ensuite lui-même périr sa mère. Quand elle fut morte, il lui fit ouvrir le ventre pour voir le lieu où il avait été conçu[1]; et après l'avoir vue, il dit qu'elle avait été une belle femme. Il fit mourir sa femme Octavie[2], qui était une dame vertueuse; il prit alors une autre femme, il l'aima beaucoup au début, puis il la fit périr. Il fit mourir Claudia Antonia[3], la fille de son prédécesseur, parce qu'elle n'avait pas voulu l'épouser. Il fit mourir son beau-fils qui n'avait pas encore sept ans, parce qu'on lui avait rapporté qu'il se donnait dans ses jeux le rôle d'un fils de général.

Il fit périr son maître Sénèque, le grand philosophe, parce qu'il ne pouvait pas s'empêcher d'avoir honte de ce qu'il faisait devant lui. Il empoisonna son préteur[4] sous prétexte de le guérir

---

[1] Christine résume à l'extrême le comportement monstrueux de Néron lors de l'assassinat de sa mère, rapporté de façon parfois sordide par les récits antérieurs (notamment celui de Suétone). Mais elle a repris ce détail, que l'on trouve dans la traduction française de Boccace, ajouté à la fin du chapitre sur Agrippine après le récit de sa mort (*Cleres femmes*, t. II, XCII, p. 134-135): «Aucuns veulent dire que premierement Neron la regarda et la fist ouvrir pour voir la maison ou avoit demouré, et des membres de sa mere, aucuns loa et les aultres blasma, et puis aprés fut en sepulcre mise». Il ne figure pas dans le texte original de Boccace (*De mulieribus claris*, XCII, p. 168). En fait, Christine reprend la formulation de Jean de Meun dans le *Roman de la Rose*: «Et il fist desmenbrer sa mère / Pour ce que par lui fu veüz / Li lieux ou il fu conceüz; / Et puis qu'il la vit desmembree [...] / La biauté des membres juga...» (v. 6190-6195, p. 384) ainsi que dans sa traduction de la *Consolation de Philosophie* de Boèce (voir E. Langlois, «La traduction de Boèce par Jean de Meun», *Romania*, t. 42, n° 167, 1913, p. 331-369, p. 347). Le *Miroir historial* et le *De mulieribus claris* (ainsi que la traduction française des *Cleres femmes*) reprennent par ailleurs l'anecdote célèbre que l'on trouve déjà chez Tacite, selon laquelle Agrippine aurait présenté son ventre au centurion prêt à la tuer en lui criant de la frapper à cet endroit.

[2] Claudia Octavia (vers 42-62), fille de l'empereur Claude. Néron la répudia pour épouser Poppée, puis l'exila et la fit mettre à mort.

[3] Claudia Antonia (30-66), autre fille de l'empereur Claude.

[4] Sur les différents sens du mot *prevost*, voir p. 157, la note 1, p. 729 et le glossaire. Dans ce contexte, c'est «préteur» qui convient (selon Suétone, Néron aurait empoisonné le préfet du prétoire sous le prétexte de le guérir d'un mal de gorge).

que il le gariroit des dens. Les nobles princes et barons
anciens et de grant auctorité qui avoient grant gouvernement, il empoisonna en boires et mengiers. Il fist tuer son
ante et prist ses biens. Il fist destruire tous les plus nobles de
35   Romme et aller en exil et leurs enfans destruit. Il fist acoustumer a un cruel homme d'Egipte a mengier char de homme
crue affin que par cellui il faist mengier hommes tous vis.
Que t'en diroie? On ne pourroit tous raconter les cruelz
maulx que il fist, ne ses grans mauvaistiez. Et en comble de
40   tout, il fist bouter le feu par toute la cité de Romme par sis
jours et par six nuis, et par ceste pestillence moururent
moult de gent. Et il regardoit l'embrasement et la ruine de sa
tour et faisoit grant joie de la beauté de la flamme et
chantoit. Il fist decoller a son disner saint Pierre et saint
45   Paul, et moult d'autres martirs. Et en telz choses faisant,
quant il ot regné l'espasse de XIV ans, les Rommains, qui
trop en avoient souffert, se rebel[105^v]lerent contre lui et il
se desespera et lui meismes se occist. »

De l'empereur Galba et d'aultres .XLIX.

1   « T'[1]ai je dit par grant merveille, comme il te semble
par aventure, de la mauvaistié d'icellui Neron et de ses
fragilités? Mais je te promet que l'empereur qui le suceda,
qui fu nomme Galba, ne fu gaires meilleur, se autant eust
5   vesqu. Sa cruaulté fut desmesuree, et avec ses autres vices,
estoit tant muable qu'il n'y avoit quelconques arrest, ne
point n'estoit en un estat : maintenant cruel et sans mesure,
maintenant trop mol et sans justice, negligent, enuieux et
souspeçonneux, pou amant ses princes et ses chevaliers,
10   chetif et paoureux de courage et convoiteux sur toutes
riens. Ne raigna que six mois car occis fu pour abrigier ses
cruaultez.

Mais Othon, l'empereur qui le suceda, de combien
valut il mieux? Certes, pour ce que on dit que femmes sont
15   curieuses, cestui estoit tant mignot et delicatif de son corps
que oncques chose ne fu plus mole ne de plus chetif
courage. Ne queroit que ses aises, grant rapineux, fol

---

[1] T orné sur 2 lignes.

d'un mal de dents. Il empoisonna la nourriture et les boissons des nobles princes et des vénérables seigneurs, hommes de grand pouvoir dont l'autorité était reconnue. Il fit tuer sa tante et s'empara de ses biens. Il fit mettre à mort ou exiler tous les Romains des plus nobles familles, et il fit périr leurs enfants. Il fit entraîner un cruel Égyptien à manger de la chair humaine crue afin de pouvoir lui faire dévorer vifs des hommes. Que te dire de plus ? On ne pourrait pas raconter toutes les cruautés ou les atrocités qu'il commit. Pour couronner le tout, il fit mettre le feu à toute la ville de Rome, durant six jours et six nuits ; beaucoup de gens périrent par ce fléau. Et lui, du haut de sa tour, il regardait l'incendie et les fumées, il se réjouissait fort de la beauté des flammes et il chantait. Il fit décapiter pendant son dîner saint Pierre et saint Paul et de nombreux autres martyrs. Après quatorze ans de règne où il se comporta ainsi, les Romains, qui avaient trop souffert, se révoltèrent contre lui. Réduit au désespoir, il se donna la mort.»

49. Où l'on parle de Galba et d'autres empereurs

«Peut-être trouves-tu tout à fait extraordinaire ce que je t'ai dit des vices et des faiblesses de ce Néron. Pourtant, je t'assure que l'empereur qui lui succéda, nommé Galba, n'aurait guère valu mieux s'il avait vécu aussi longtemps. Sa cruauté était démesurée ; et en plus de ses autres vices, il était si instable qu'il était incapable de s'arrêter et de demeurer dans un même état d'esprit : tantôt cruel et sans mesure, tantôt trop mou et injuste, négligent, envieux et méfiant, ayant peu d'estime pour ses princes et ses chevaliers, faible et craintif, et par-dessus tout, cupide. Il ne régna que six mois car on le tua pour mettre fin à ses violences.

Quant à Othon, l'empereur qui lui succéda, peut-on dire qu'il valut mieux ? On dit que les femmes prennent trop de soin d'elles-mêmes ; mais celui-ci était d'une telle coquetterie et se comportait avec tant de délicatesse qu'il n'y eut jamais d'être plus faible ni plus dépourvu d'énergie. Il ne se préoccupait que

large, grant glouton, faint, luxurieux, faulx, traitre, plain
de desdaing et de toute maleureté. Et la fin de lui fu que il
20   s'occist aprés ce que il ot raigné trois mois pour ce que ses
ennemis avoient eu victoire sur lui.

¶Vincilien, qui a cestui Othon susceda, ne fu de riens
meilleur mais plain de toute perversité. Ne scay que plus
riens t'en diroie; ne cuide pas que je te mente! Lis les
25   histoires des empereurs et le procés de leurs vies et tu
trouveras que en bien petit nombre de tous quanque ilz
furent en a esté de bons, de droituriers et de constans,
desquelz bons furent Julius Cesar, Othovien, Trajan
l'empereur et Tictus, mais je te promet que contre un de
30   ces bons en [106ʳ] trouveras dis tres mauvais.

¶Et pareillement, je te di des pappes et gens de sainte
Eglise qui plus que autre gent doivent estre parfais et
esleus, mais quoyque au commencement de la cristienté
feussent sains, depuis que Constantin ot douee l'Eglise de
35   grans revenues et de richeces, ne fault[1] que lire en leurs
gestes et croniques; et se tu me veulx dire que ces choses
feussent jadis et que a present soient bons, tu peux veoir au
jour d'ui en tous estas se le monde va en amendant et se
grant fermeté et grant constance a es fais et es consaux,
40   tant de princes temporelz comme des espirituelz. Il apert
assez, plus ne t'en di. Si ne scay a quoy hommes parlent
d'inconstance ne varieté de femmes et comment ilz n'ont
honte d'en ouvrir la bouche quant ilz regardent comment
es grans fais par eulx gouvernez, et non mie par les
45   femmes, a tant de inconstances et varietez que ce semblent
fais d'enfans, et comment bien sont tenus les propos et
accors que ilz font en leurs ordenances[2].

¶Et a tout dire que c'est inconstance ou varieté, autre
chose proprement n'est ne mesfaire contre ce que raison

---

[1] *B, D, R*: la sainteté qui y est ne fault

[2] *B*: parlemens; *mot omis dans D, R*: consaulx

de son confort; c'était un grand voleur, dépensier à l'extrême, très glouton, hypocrite, débauché, déloyal, traître, plein de mépris et causant toutes sortes de maux. Il mit fin à ses jours après avoir régné trois mois[1], parce que ses ennemis avaient remporté la victoire sur lui.

Vitellius, qui succéda à Othon, ne fut en rien meilleur, mais plein de perversité. Je ne sais que t'en dire de plus; mais ne crois pas que je te mente! Lis les histoires des empereurs et les récits de leurs vies, et tu verras que tout autant qu'ils sont, il n'y en eut qu'un bien petit nombre qui furent bons, justes et constants, parmi lesquels on peut compter César, Octave[2], l'empereur Trajan et Titus; mais je t'assure que pour chacun de ces bons empereurs, tu en trouveras dix de très mauvais.

Je peux en dire autant des papes et des hommes de la Sainte Église, qui devraient pourtant plus que tous les autres être parfaits et excellents. Bien que dans les débuts de la chrétienté ils aient été irréprochables, depuis que Constantin[3] a doté l'Église de grands revenus et de richesses, il n'est que de lire les histoires et chroniques qui leur sont consacrées. Et si tu veux me dire que tout ceci est du passé, mais qu'à présent ils sont bons, tu peux voir aujourd'hui dans toutes les catégories de la société si le monde va en s'améliorant, et s'il y a beaucoup de fermeté et de constance dans les actes et les propos des princes, tant spirituels que temporels. On ne le voit que trop; je ne t'en dis pas plus. Je ne sais pas pourquoi les hommes parlent de l'inconstance et de la versatilité des femmes; comment n'ont-ils pas honte d'ouvrir la bouche, quand ils voient comment les affaires importantes dont ils ont la charge, eux et non pas les femmes, sont menées avec tant d'inconstance et de versatilité qu'on pourrait croire que ce sont des enfants qui agissent, et comment ils sont bien respectés, les résolutions et les accords qu'ils établissent dans leurs règlements?

Pour tout dire, l'inconstance ou la versatilité ne sont pas autre chose, à proprement parler, que le fait d'aller à l'encontre de ce

---

[1] Il régna en effet de janvier à avril 69.

[2] Auguste (voir plus haut, le chapitre 18, où il est désigné de la même manière, *Othovien*).

[3] Constantin Ier dit «le grand». Il reconnut le christianisme comme religion officielle.

50   commande, car elle ennorte a bien faire toute creature de
bon entendement. Et quant homme ou femme laisse
veincre a sensualité le regart de raison, c'est fragilité et
inconstance, et de tant comme la personne chiet en plus
grant deffaulte ou pechié, de tant est en lui la fragilité plus
55   grande, car elle est plus loins du regart de[1] raison. Or est il
ainsi selon ce que les histoires accordent, et l'experience,
je croy, ne le contredit, que quoy que philosophes et autres
aucteurs dient [106ᵛ] de la variacion des femmes, que tu ne
trouveras point avoir esté quelconques femmes de si grant
60   perversité que ont esté en grant quantité de hommes. Les
plus mauvaises femmes que tu trouveras en nulle escripture furent Athalis et Jesabel sa mere, roines de Jerusalem,
qui persecuterent le puepple d'Isdrael, Bruneheut, roine de
France, et aucunes autres. Mais avise moy la perversité de
65   Judas qui si cruelment trai son bon maistre, a qui il estoit
apostres et qui tant de biens lui avoit fais, la dureté et
cruaulté des Juifs et du puepple d'Israel, qui n'occirent pas
tant seulement Jhesus Crist par envie mais aussi plusieurs
sains prophetes qui devant lui furent, les uns fierent parmy,
70   les autres asommerent et diversement occirent. Et me
prens aussi Julien l'Apostat, lequel par sa grant perversité
aucuns reputent avoir esté l'un des antecris ; Denis le faux
tirant de Cecille, qui tant estoit detestable que deshonneste
chose est de lire sa vie. Avec ce, tant de mauvais rois ont
75   esté[2] en diverses contrees, de desloyaux empereur, de
pappes hereges et d'autres prelas sans foy, plains de
convoitise, les antecris qui doivent estre ! Et tu trouveras
que hommes se ont beau taire et que femmes doivent
benistre Dieu et louer qui a mis le tresor de leurs ames en
80   vesseaux femmenins.

Si me tairai atant de ce et pour contredire par exemples
aux dis d'iceulx qui si fraisles les appellent, te dirai
d'aucunes femmes tres fortes desquelles les histoires sont
belles a ouir et de bon exemple.»

---

[1] et ; corr. d'après B, D, R.
[2] B, D, R : tant de mauvais rois en diverses contrees

que la raison commande, car celle-ci exhorte toute créature douée de bon sens à bien agir. Et quand un homme ou une femme laisse la sensualité l'emporter sur la considération de la raison, c'est de la faiblesse et de l'inconstance ; et plus la personne tombe dans l'erreur ou le péché, plus sa faiblesse est grande, car elle s'éloigne davantage de la considération de la raison. Or c'est un fait - les récits historiques s'accordent là-dessus, et à ce que je crois, l'expérience ne le contredit pas -, malgré ce que disent les philosophes et d'autres auteurs sur l'inconstance des femmes, tu ne trouveras aucune femme qui ait été aussi perverse que l'ont été un grand nombre d'hommes. Les plus mauvaises femmes dont tu trouveras mention dans des livres sont Athalie[1] et sa mère Jézabel[2], reines de Jérusalem, qui persécutèrent le peuple d'Israël, Brunehaut, reine de France, et quelques autres. Mais considère la perversité de Judas, qui trahit de si cruelle façon son bon Maître dont il était l'apôtre, et qui lui avait fait tant de bien ; ou bien, la dureté et la cruauté des Juifs et du peuple d'Israël, qui ne tuèrent pas seulement Jésus-Christ par jalousie, mais aussi plusieurs saints prophètes qui l'avaient précédé ; ils en lapidèrent certains, frappèrent et tuèrent les autres de diverses manières. Pense aussi à Julien l'Apostat, dont la perversité était si grande qu'il fut considéré par certains comme l'un des antéchrists ; ou bien à Denys, le traître tyran de Sicile, qui était si odieux que l'on a honte de lire sa vie. Outre ceux-là, il y a eu tant de mauvais rois en diverses contrées, d'empereurs déloyaux, de papes hérétiques et d'autres prélats dénués de foi et pleins de cupidité, des futurs antéchrists ! Tu constateras que les hommes feraient mieux de se taire, et que les femmes doivent bénir et louer Dieu d'avoir mis le trésor de leurs âmes dans des corps féminins.

Mais c'est assez sur ce sujet ; et pour réfuter par des exemples les propos de ceux qui accusent les femmes d'être si faibles, je te parlerai de quelques femmes très fortes dont les histoires sont exemplaires et belles à entendre. »

---

[1] Reine de Juda de 841 ou 840 à 834 av. J.-C. Elle massacra toute la descendance royale après la mort de son fils Ochozias puis régna jusqu'à ce qu'elle soit évincée par Joas. Voir II Rois, 11 et II Chron., 22-23.

[2] Reine du IXe s. av. J.-C. Elle est coupable d'avoir massacré des prophètes (I Rois, 18, 13). Elle est maudite par Élisée (II Rois, 9, 10).

**Cy dit de Gliselidis, marquise de Saluces, forte femme
en vertu .L.**

1   « Il[1] est escript que il fu un marchis de Saluces nommé
par [107ʳ] nom Gautier. Sans per cellui estoit, bel de corps
et preudomme assez, mais moult estrange de meurs. Ses
barons souvent l'ammonestoient et prioient que pour avoir

5   lignee marier se voulsist, mais comme par lonc temps
accorder ne s'i voulsist, au desrain leur dist, mais que
promettre lui voulsissent que agreable aroient celle femme
comme il vouldroit prendre, que il s'accorderoit a estre
marié, laquelle chose lui accorderent et jurerent ses

10   barons. Cellui marchis hentoit souvent deduis de chaces et
d'oiseaux. Sy y avoit aucques pres de sa forterece une
petite ville champestre en laquelle, entre les pouvres
laboureurs d'icelle, demouroit un tres pouvre homme
impotent et vieil qui avoit nom Janicola. Bon homme et

15   preudons avoit esté toute sa vie. Cellui preudons avoit une
sienne fille de l'eage de XVIII ans nommee Gliselidis, qui
le servoit par grant dilligence et le gouvernoit du labour de
sa fillasse. Le dit marquis qui souvent par la passoit avoit
bien avisé les bonnes meurs et l'onnesteté d'icelle pucelle

20   qui assez belle de corps et de viaire estoit, dont l'avoit
moult en grace. Avint que le marchis qui avoit accordé a

---

[1] I *orné sur 2 lignes.*

50. Où l'on parle de Grisélidis, marquise de Saluces, une femme forte par sa vertu[1]

« On trouve dans des livres l'histoire d'un marquis de Saluces du nom de Gautier. Il n'avait pas son pareil, car il était beau et doué de bien des qualités, mais son comportement était très inhabituel. Ses vassaux l'exhortaient souvent et le priaient de bien vouloir se marier pour assurer sa descendance. Pendant longtemps il ne voulut pas s'y résoudre ; puis il finit par leur dire qu'il consentirait à se marier, pourvu qu'ils veuillent bien lui promettre d'accueillir favorablement la femme qu'il choisirait d'épouser ; ses vassaux acceptèrent et en firent le serment. Ce marquis pratiquait souvent les plaisirs de la chasse et de la fauconnerie. Il y avait dans la campagne, non loin de son château, un petit village habité par de pauvres paysans, parmi lesquels demeurait un vieil homme très pauvre et infirme appelé Janicole. Il avait été toute sa vie un bon et honnête homme. Ce brave homme avait une fille âgée de dix-huit ans, nommée Grisélidis, qui s'occupait de lui avec beaucoup de soin et le faisait vivre grâce à son travail de filage. Le marquis, qui passait souvent par là, avait remarqué les bonnes manières et la conduite honnête de cette jeune fille, qui était très belle de corps et de visage, et qui lui plaisait beaucoup. Un jour le marquis, qui avait promis à ses vassaux de prendre femme, alla leur dire qu'ils se

---

[1] Comme l'ont signalé tous les commentateurs, la source de Christine semble bien être ici, plutôt que le *Décaméron* de Boccace, auquel elle emprunte par ailleurs trois autres récits (voir les chapitres 52, 59 et 60), et où on trouve l'histoire de Griselda au tout dernier chapitre (*Décaméron*, X, 10), la traduction faite par Philippe de Mézières d'un récit latin de Pétrarque figurant dans la dernière de ses lettres, qui est une réécriture de la nouvelle de Boccace, une vingtaine d'années après (en 1373, le Décaméron étant daté de 1350), et qui connut un certain succès. Voir E. Golenistcheff-Koutouzoff, *L'Histoire de Griselda en France aux XIVᵉ et XVᵉ siècles*, *op. cit.*, p. 126-130 ; et *L'Histoire de Griselda : Une femme exemplaire dans les littératures européennes*, *op. cit.*, t. I ; on y trouve en particulier les versions de Boccace (*Décaméron*, X, 10, daté de 1350, éd., trad. et intro. J.-L. Nardone), p. 29-57 ; de Pétrarque (*De oboentia et fide uxoria*, dans *Seniles*, XVII, 3, daté de 1373, éd, trad. et intro. H. Lamarque), p. 59-103 ; et de Philippe de Mézières (*Le Miroir des dames mariées*, vers 1384, éd. R. Esclapez), p. 141-175. Ce chapitre de la *Cité des dames* n'est pas repris dans cette anthologie (où il n'est que rapidement mentionné). Voir aussi A. Loba, *Le Réconfort des dames mariées. Mariage dans les écrits didactiques adressés aux femmes à la fin du Moyen Âge*, Poznan, Uniwersytet im. Adama Mickiewicza, 2013, p. 195-198.

ses barons qu'il prendroit femme leur va dire que a certain
jour feussent assemblez pour ses noces et ordonna que
toutes les dames y feussent. Si fist faire grant appareil et au
25 dit jour, comme tous et toutes feussent assemblees devers
lui, fist toute la route monter a cheval pour aller avec lui
querir l'espousee. Si s'en ala droit a la maison Janicola et
encontra Gliselidis, atout une cruche de eaue sur son chief,
qui de la fontaine venoit. Il lui demanda ou estoit son pere
30 et Gliselidis s'agenoulla et lui dist que il estoit a l'ostel.
"Va le querre!" dist il, et le bon homme venu, le [107ᵛ]
marchis lui dist que il vouloit prendre sa fille par mariage,
et Janicola lui respondi que il faist son plaisir. Si entrerent
les dames dedens la petite maisonnette et vestirent et
35 parerent l'espousee moult noblement, si comme a l'estat
du marchis appertenoit, de robes et de joyaux que il avoit
fait apporter. Si l'en amena et espousa en son palais, et a
faire le conte brief, ceste dame tant bien se porta vers toute
personne que les nobles et grans, petis et tout le peuple
40 moult l'amoit, et tant bien se savoit avoir avec chascun que
tous s'en tenoient tres pour content, et son seigneur servoit
et cherissoit si qu'elle devoit.

Celle annee la marchise ot une fille qui a grant joie fu
receue, mes quant elle fu en eage qu'elle feust sevree, le
45 marcis, pour esprouver la constance et pacience de Gliselidis, lui fist acroire que il desplaisoit aux barons que la
lignee d'elle seigneurisist sur eulx, et pour ce vouloit que
l'enfant feust occis. A ceste chose, qui dure deust estre a
toute mere, respondi Gliselidis que la fille estoit sienne et
50 que faire en pouoit son plaisir. Si la fist baillier a un sien
escuier, lequel en faisant semblant que il venist querir pour
occirre, l'apporta secretement a Boulongne la Grasse a la
contesse de Panigo, qui estoit seur du marchis, pour la
garder et nourrir. Mais de tout ce ne faisoit quelconque
55 semblant de tristece Gliselidis, qui quidoit sa fille estre
occise.

rassemblent pour ses noces à une certaine date, et il ordonna que toutes les dames s'y trouvent aussi. Il fit faire de grands préparatifs, et au jour dit, alors que tous et toutes s'étaient rassemblés autour de lui, il fit monter à cheval le cortège qui devait aller avec lui chercher l'épousée. Il s'en alla tout droit à la maison de Janicole et rencontra Grisélidis, qui revenait de la fontaine en portant une cruche d'eau sur la tête. Il lui demanda où était son père ; Grisélidis s'agenouilla et lui répondit qu'il était à la maison. "Va le chercher !", dit-il. Quand le bon vieillard fut arrivé, le marquis lui dit qu'il voulait prendre sa fille pour épouse, et Janicole lui répondit qu'il fasse selon son bon plaisir. Alors les dames entrèrent dans la petite maisonnette et elles habillèrent et parèrent l'épousée de façon magnifique, comme il convenait selon le rang du marquis, avec les vêtements et les joyaux qu'il avait fait apporter. C'est ainsi qu'il l'emmena pour l'épouser dans son palais. Pour le dire en bref, cette dame se comporta si bien avec tous que tout le monde l'aimait beaucoup, les nobles et les grands, mais aussi les petites gens, et tout le peuple ; et elle savait si bien se conduire avec chacun que tous en étaient très contents. Quant à son seigneur et mari, elle le servait et le chérissait comme c'était son devoir.

Cette année-là, la marquise mit au monde une fille dont la naissance fut accueillie avec une grande joie. Mais dès qu'elle fut en âge d'être sevrée, le marquis, pour mettre à l'épreuve la constance et la patience de Grisélidis, lui fit croire qu'il déplaisait à ses vassaux de savoir que des descendants issus d'elle seraient leurs seigneurs, et que pour cette raison il voulait que l'enfant soit tué. À cette annonce, qui aurait dû être terrible pour toute mère, Grisélidis répondit que sa fille lui appartenait et qu'il pouvait en faire ce qu'il désirait. Il la fit alors confier à un de ses écuyers, qui fit semblant de venir la chercher pour la tuer, mais l'apporta en secret à Bologne la Riche[1] à la comtesse de Panice, qui était la sœur du marquis, pour qu'elle la garde auprès d'elle et l'élève. Cependant Grisélidis ne laissa paraître aucun signe de tristesse, alors qu'elle croyait que sa fille avait été tuée.

---

[1] L'épithète «la Grasse», la riche, est souvent associée au nom de Bologne à la fin du Moyen Âge en raison de la richesse proverbiale de son sol. Voir le récit de sa naissance par Christine dans l'*Advision*, III, 3 («mon pere, né de Boulongne la Grasse ou je fus puis nourrie», p. 95 et note p. 176).

Au chief d'un an aprés, la marquise fu enchainte et se
delivra d'un tres beau filz, a grant joie receux. Volt[1] le
marchis essaier comme devant sa femme et lui dist que il
60   convenoit que il feust occis pour contempter les barons et
ses hommes, [108ʳ] et la dame respondi que se il ne
souffissoit que son filz mourust, que elle estoit preste de
mourir, se il lui plaisoit. Si le bailla a l'escuier semblablement que ot fait la fille, sans que nul semblent de tristece
65   feist ne autre chose ne dist, fors tant qu'elle pria a l'escuier
que quant il avoit l'enfant occis, que il le voulsist enterrer
affin que la tendre char de l'enfant ne feust pas mengié des
bestes sauvaiges ne des oiseaux. De ceste grant dureté
n'apparut oncques chiere muee a Gliselidis. Mais ne se
70   passa mie a tant le marchis encores le vost plus essaier.
Ja avoient esté XII ans ensemble, ou quel temps la
bonne dame tant s'estoit bien portee que assez deust
souffire l'espreuve de sa vertu, quant un jour, le marchis
l'appella en sa chambre et li dist que il estoit mal de ses
75   subgez et de sa gent et em peril de perdre sa seignourie
pour elle, car trop avoient grant desdaing de tenir pour
dame et maistrece la fille de Janicola. Si convenoit, se il
les vouloit apaisier, qu'elle s'en ralast cheux son pere ainsi
comme elle estoit venue et que il en espousast une autre
80   plus gentil femme. A ceste chose qui moult grief et dure lui
dot estre, respondi Gliselidis: "Mon seigneur, je savoie
bien tousjours et souvent le pensoie qu'entre ta noblece et
magnificence et ma prouvreté en pouoit avoir aucune
preposicion, ne oncques ne me reputai non pas tant seulle
85   digne d'estre ton espouse mais d'estre ta meschine. Et des
maintenant, je sui appareillie de retourner a la maison de
mon pere, ouquel lieu je userai ma vieillesse. Et quant est
du douaire que tu as ordonné que je doye avoir[2], je le voy,

---

[1] B, D, R : Mais de rechef volt
[2] B, D, R : emporter

Un an plus tard, la marquise fut de nouveau enceinte et accoucha d'un très beau fils, dont la naissance fut à nouveau accueillie avec une grande joie. Le marquis décida de mettre sa femme à l'épreuve comme auparavant, et il lui dit qu'il fallait qu'on le fasse tuer, pour contenter les seigneurs et ses vassaux ; la dame lui répondit que si la mort de son fils ne leur suffisait pas, elle était prête à mourir elle aussi, s'il lui plaisait. Elle remit l'enfant à l'écuyer, comme elle l'avait fait pour sa fille, sans aucun signe de tristesse et sans rien lui dire d'autre, sinon qu'elle le pria de bien vouloir enterrer l'enfant après l'avoir tué, pour éviter que sa tendre chair ne soit dévorée par les bêtes sauvages et les oiseaux. Dans une situation si cruelle, le visage de Grisélidis ne laissa paraître aucune émotion. Mais il ne se passa pas longtemps avant que le marquis ne veuille la mettre encore une fois à l'épreuve.

Ils vivaient déjà ensemble depuis douze ans, et durant tout ce temps cette excellente femme s'était si bien conduite que cela aurait été plus que suffisant pour faire la preuve de sa vertu. Et pourtant un jour, le marquis la fit venir dans sa chambre et lui dit qu'à cause d'elle il était en mauvais termes avec ses sujets et avec ses gens et qu'il risquait de perdre son autorité, car ils éprouvaient beaucoup de répugnance d'avoir à considérer comme leur dame et maîtresse la fille de Janicole. S'il voulait les apaiser, il fallait donc qu'elle retourne chez son père comme elle était venue, et qu'il épouse une autre femme de plus grande noblesse. À cette déclaration qui dut être très pénible et douloureuse pour elle, Grisélidis répondit ainsi : "Monseigneur, j'ai toujours su et j'ai souvent pensé qu'il ne pouvait y avoir aucune commune mesure[1] entre ta noblesse et ta magnificence et ma pauvreté ; et jamais je ne me suis jugée digne, non pas seulement d'être ton épouse, mais même d'être ta servante. Dès maintenant, je suis prête à retourner dans la maison de mon père, et c'est là que je passerai mes vieux jours. Quant au douaire que tu m'as ordonné d'emporter, je vois, et tu le

---

[1] Christine emploie ici le mot *preposicion* (proposition) dans un sens inhabituel (le mot semble comporter l'idée de proportion et de comparaison), là où sa source (Philippe de Mézières, p. 167) disait *proportion ne comparation* ; elle semble avoir hésité entre les deux termes et les avoir en quelque sorte combinés (on trouve *proportionem* seulement dans le texte de Pétrarque, *ibid.* p. 88 ; traduit par *comparaison* dans la traduction anonyme en prose du XVe s., E. Golenistcheff-Koutouzoff, p. 208). D'où la traduction proposée ici.

tu scez bien que quant tu me preist a l'issue de [108ᵛ]
l'ostel de mon pere, tu me fais despouillier toute nue et
revestir des robes avecques lesquelles je vins avec toy, ne
du mien autre chose¹ n'aportai fors que foy, meureté,
amour, reverence et pouvreté. Si est raison que je te
restitue l'anel² dont tu m'espousas et te rens tous les autrez
joyaulx, aneaulx, vestemens et atours par lesquelz j'estoie
aournee et enrichie en ta chambre. Toute nue de la maison
mon pere je issi, et toute nue je i retournerai, sauf que ce
me semble inconvenable chose que cestui ventre ouquel
furent les enfans que tu as engendrez deust apparoir tout
nu devant le puepple ; par quoy s'il te plaist, et non autrement, je te pri que pour recompensacion de ma virginité
que j'aportai en ton palais, laquelle je n'en rapporte pas,
que il te plaise que une seulle chemise me soit laissiee, de
laquelle je couverai le ventre de ta femme, jadis
marchise."

Adont le marchis ne se pot plus tenir de plourez de
compassion, et toutevoies vainqui son courage, et partant
de la chambre, ordonna que une chemise lui feust baillié.
Adont en la presence de tous les chevaliers et dames,
Gliselidis se despoulla et deschauça, osta tous ses aournemens et ne lui remaint que la seulle chemise. Ja estoit
respandue la renommee partout que le marchis se vouloit
departir de sa femme, et tous et toutes estoient venus au
palais moult doulens de ceste chose. Et Gliselidis, toute
nue en sa chemise, nue teste et deschaucee, fu montee a
cheval et compaignee des barons, chevaliers et dames qui
tous et toutes plouroient, maudissant le marchis et regraitant la bonté de la dame. Mes oncques Gliselidis lerme
n'en gitta. Fu convoyé en la maison de son pere, [109ʳ]
lequel vieillart avoit toujours de ce esté en doubte, pensant
que son seigneur seroit quelque jour saoulé de si pouvre
mariage. Adont cellui, oyant le bruit, ala a l'encontre de sa
fille et lui porta sa vieille cote toute derouté qu'il avoit

---

¹ *B* : douaire ; *D* : doubte ; *R* : dotte
² *B, D, R* : je te restitue ton meuble et voycy ta robe dont je me
despoulle et si te restitue l'anel

sais bien, que quand tu me pris pour m'emmener au sortir de la maison de mon père, tu me fis déshabiller et mettre toute nue, puis tu me fis revêtir les vêtements avec lesquels je partis avec toi; comme biens propres, je n'apportai rien d'autre que ma fidélité, ma sagesse, mon amour, mon respect, et ma pauvreté. Il est donc juste que je te rende l'anneau que tu me donnas pour m'épouser; je te rends aussi tous les autres bijoux, bagues, vêtements et atours dont j'étais parée et embellie dans ta chambre. Toute nue je sortis de la maison de mon père, et toute nue j'y retournerai, si ce n'est qu'il me semble inconvenant que ce ventre dans lequel tu as engendré tes enfants apparaisse tout nu devant le peuple. C'est pourquoi je te prie, si tel est ton bon plaisir et non pas autrement, de bien vouloir qu'on me laisse une simple chemise, en compensation de la virginité que j'ai apportée dans ton palais et que je ne remporterai pas, et pour couvrir le ventre de ta femme qui fut jadis marquise."

Alors le marquis ne put plus se retenir de pleurer de compassion; toutefois il parvint à se dominer, sortit de la chambre et ordonna qu'on lui donne une chemise. Puis en présence de tous les chevaliers et de toutes les dames, Grisélidis se déshabilla et se déchaussa, ôta toutes ses parures, et il ne lui resta que sa chemise. Déjà le bruit s'était répandu partout que le marquis voulait se séparer de sa femme, et tous, hommes et femmes, étaient accourus au palais, très affligés par cette nouvelle. Et Grisélidis, toute nue en sa chemise, la tête et les pieds nus, monta à cheval, en compagnie des seigneurs, des chevaliers et des dames qui tous et toutes pleuraient, maudissant le marquis et regrettant la bonté de leur dame. Mais Grisélidis ne versa pas une larme. On l'escorta jusqu'à la maison de son père. Le vieil homme avait toujours gardé quelque inquiétude à ce sujet, pensant que son seigneur risquait de se lasser un jour d'avoir fait un si pauvre mariage. Alors dès qu'il entendit le bruit, il alla à la rencontre de sa fille et lui apporta sa vieille robe toute usée qu'il avait gardée,

gardee, si l'en revesti sans moustrer semblant d'aucune
125   douleur. Et ainsi demoura Gliselidis avec son pere une
piece de temps, en telle humilité et pouvreté, et en servant
son pere comme faire souloit, sans demoustrer semblant
d'aucune douleur[1] ou d'aucun regrait qui feust veus en lui,
ains reconfortoit son pere de la tristece qu'il pouoit avoir
130   de veoir sa fille cheoite de si grant haultece en si grant
pouvreté.

Quant[2] au marchis ot assez semblé que souffisamment
avoit esprouvee sa loialle espouse, il manda a sa seur que
elle venist vers lui, tres noblement acompaignie de
135   seigneurs et de dames, et amenast ses deux enfans sans
faire nul semblant que siens feussent. Et il fist entendant a
ses barons et subgés que il vouloit prendre nouvelle
femme et espouser une moult noble pucelle que sa suer
avoit en gouvernement. Si fist assembler moult belle
140   compaignie de chevaliers et de dames et de tous jentilz
hommes en son palais au jour que sa suer ariver devoit, et
moult y avoit belle feste fait aprester. Si manda Gliselidis
et lui dist en tel maniere: "Gliselidis, la pucelle que je
vueil espouser serra demain ycy. Et pour ce que je desire
145   que ma seur et toute sa noble compaignie soient grandement receux, pour ce que tu congnois mes meurs et scez
comment on doit recepvoir seigneurs et dames et scez les
chambres et les lieux affin que chascun soit receu selon
son [109ᵛ] estat, et par especial m'espousee qui serra, je
150   vueil que tu en aies la charge, et tous les offices t'obeiront.
Si penses que tout soit bien ordonné." Gliselidis respondi
que ce feroit elle tres voulentiers. Et lendemain que la
compaignie fu arivee, grant fu la feste et Gliselidis ne
laissa pas pour sa mauvaise robe qu'elle n'alast a lie face a
155   l'encontre de la pucelle nouvelle espousee, comme elle
quidoit, lui faire la reverence, humblement disant: "Ma
dame, vous soiez la bien venue", et ainsi au filz et a tous et
a toutes de la compaignie, chascun selon lui rechut joieusement. Et combien qu'elle feust en habit d'une tres pouvre

---

[1] B, D, R: sans que nul semblant d'aucune tristece
[2] Q orné sur deux lignes.

et il l'en revêtit, sans manifester la moindre douleur. C'est ainsi que Grisélidis demeura quelque temps avec son père, vivant dans l'humilité et dans la pauvreté, servant son père comme elle avait eu l'habitude de le faire, sans laisser paraître aucune trace de douleur ou de regret ; bien au contraire, elle réconfortait son père de la tristesse qu'il pouvait avoir de voir sa fille retomber dans une grande pauvreté après être montée si haut.

Quand le marquis jugea qu'il avait suffisamment mis à l'épreuve sa loyale épouse, il fit dire à sa sœur de venir auprès de lui avec une très noble compagnie de seigneurs et de dames, et d'amener avec elle ses deux enfants, sans montrer en rien qu'ils étaient les siens. Et il fit savoir à ses seigneurs et à ses sujets qu'il voulait à nouveau se marier, et prendre pour épouse une jeune fille très noble que sa sœur avait en tutelle. Le jour où sa sœur devait arriver, il réunit en son palais une très belle assemblée de chevaliers, de dames et de gentilshommes, et il avait fait préparer une très belle fête. Il fit venir Grisélidis et s'adressa à elle en ces termes : "Grisélidis, la jeune fille que je veux épouser sera ici demain. Je désire que ma sœur et sa noble compagnie soient reçues magnifiquement. Tu connais mes habitudes, tu sais comment on doit recevoir les seigneurs et les dames et tu connais bien les chambres et les lieux, pour faire en sorte que chacun soit reçu selon son rang, tout spécialement ma future épouse ; c'est pourquoi je veux que tu en aies la charge, et tous les domestiques t'obéiront. Fais donc en sorte que tout soit bien organisé." Grisélidis répondit qu'elle le ferait très volontiers. Le lendemain, à l'arrivée des invités, la fête fut magnifique, et ses pauvres vêtements n'empêchèrent pas Grisélidis de s'avancer avec un visage joyeux à la rencontre de la jeune fille, la future épousée, et de lui faire la révérence ainsi qu'elle en avait l'habitude, en disant humblement : "Ma dame, soyez la bienvenue" ; elle fit de même avec le fils et avec tous ceux de la compagnie, hommes et femmes, qu'elle reçut joyeusement, chacun selon son rang. Et bien qu'elle fût vêtue comme une très pauvre femme, il semblait

160 femme, si sembloit il bien a son maintieng qu'elle estoit
femme de tres grant honneur et mervilleuse prudence, tant
que les estranges s'esmervilloient comment tel faconde et
tel honneur pouoit estre soubz si pouvre habit.

Gliselidis avoit fait si bien ordonner toutes choses que
165 riens n'y avoit mal a point. Mais se tiroit si voulentiers
vers la pucelle et vers le filz que partir ne s'en pouoit et
regardoit ententivement leur beauté que elle moult louoit.
Le marquis avoit fait aprester toutes choses comme pour
espouser la pucelle. Et quant vint a l'eure de chanter la
170 messe, adont vint le marquis et presens tous appella Gliselidis et lui dist devant tous : "Que te semble, Gliselidis, de
ma nouvelle espouse? N'est elle belle et honneste?" Et
celle respont haultement : "Certainement, mon seigneur,
plus belle ne plus honneste ne pourroit estre trouvee. Mais
175 d'une chose par bonne foy je te vueil prier et admonnester,
c'est que tu ne la vueilles pas molester ne aguillonner des
aguillons dont tu as l'autre si fort esperonnee, [110ʳ] car
ceste est plus jene et plus souef nourrie, si ne pourroit
souffrir par aventure comme l'autre a fait." Adont le
180 marquis, oyant les parolles de Gliselidis, considerant sa
grant fermeté, force et constance, ot grant admiracion de
sa vertu, et pitié lui prist de ce que tant et si longuement lui
avoit donné et donnoit a souffrir sans aucune deserte
d'elle, si prist adont en presence de tous ainsi a dire :
185 "Gliselidis[1], il doit assez souffire l'espreuve de ta
constance et de la vraie foy, loyauté et grant amour, obeis-
sance et humilité bien esprouvee que tu as vers moy. Et
croy qu'il n'a homme soubz les cieulx qui par tant
d'espreuves ait congneue l'amour de mariage comme j'ay
190 faite en toy." Et lors le marquis s'approcha d'elle, si
l'embraça estroitement et baisa, en disant : "Tu seule est
mon espouse, autre ne vueil, ne jamais n'arai. Ceste
pucelle que tu penses qui deust estre m'espouse est ta fille
et la moie, et cestui enfant est ton filz. Si sachent tous
195 ceulx qui cy sont que tout ce que j'ay fait a esté pour
espruver ma loyal espouse et non pas condempner. Et mes

---

[1] G orné sur 2 lignes.

bien, à voir ses manières, qu'elle était une femme de très noble condition et douée du plus grand discernement, au point que les étrangers s'étonnaient fort de voir tant d'aisance et de dignité sous d'aussi pauvres vêtements.

Grisélidis avait si bien organisé toutes choses que rien ne laissait à désirer. Mais elle se sentait très attirée par la jeune fille et le jeune garçon, au point qu'elle avait du mal à se détacher d'eux, et elle les regardait avec beaucoup d'attention, tout en louant fort leur beauté. Le marquis avait fait tout préparer comme s'il allait épouser la jeune fille. Et quand vint le moment de célébrer la messe, le marquis s'avança, fit venir Grisélidis en présence de toute l'assemblée et lui dit devant tout le monde : "Que te semble, Grisélidis, de ma nouvelle fiancée? N'est-elle pas belle et honnête?" Elle lui répondit d'une voix ferme : "Certainement, Monseigneur, on ne pourrait trouver plus belle ni plus honnête. Mais en toute bonne foi je voudrais vous adresser une prière et vous faire une recommandation : veuillez ne pas la tourmenter ni lui faire subir les tortures que vous avez infligées à l'autre, car celle-ci est plus jeune et elle a été élevée dans la douceur, et elle ne pourrait probablement pas les supporter comme l'autre l'a fait." Alors le marquis, en entendant ces paroles de Grisélidis et en considérant sa grande fermeté, sa force et sa constance, fut empli d'une grande admiration pour sa vertu; il fut saisi de pitié en songeant à tout ce qu'il lui avait fait souffrir pendant si longtemps, et qu'il lui faisait encore souffrir, sans qu'elle l'ait aucunement mérité. En présence de tous, il prononça donc ces mots : "Grisé-lidis, tu as suffisamment prouvé ta constance, ainsi que la véritable fidélité, la loyauté, le grand amour, l'obéissance et l'humilité que tu as manifestés envers moi. Je crois que nul homme sur terre n'a reçu autant de preuves d'amour conjugal que je n'en ai reçues de toi." Le marquis s'approcha d'elle, la serra fort dans ses bras et l'embrassa, tout en lui disant : "Toi seule, tu es mon épouse, je n'en veux pas d'autre et n'en aurai jamais d'autre. Cette jeune fille dont tu penses qu'elle devait être mon épouse est ta fille et la mienne, et ce garçon est ton fils. Que tous ceux qui sont ici sachent bien que tout ce que j'ai fait a été pour mettre à l'épreuve ma loyale épouse, et non pas pour la condamner. Mes enfants, je les ai

enfans ay fait nourrir a Boulongne la Grasce avecques ma
suer et non pas occirre, et veez les ycy." Adont la
marquise, oyant les parolles de son seigneur, fu de joie
200   comme pasmee, et quant elle revint a soy, les enfans prist
entre ses bras et de joieuses lermes tous les arousoit. Et
n'est pas doubte que son cuer avoit mervilleuse joie, et
tous et toutes qui ce veoient plouroient de joie et de pitié.
La fu auctorisiee Gliselidis plus que oncques mais. Si fu
205   revestue et paree moult richement, et la feste fu grande et
moult joieuse, ou tous tenoient grant parolle de la louenge
[110ᵛ] de celle dame. Et vesquirent depuis ensemble XX
ans en joie et pais, et le marquis fist Janicola, pere d'elle,
dont il n'avoit les temps passez fait compte, venir ou
210   palais et le tint en grant honneur. Ses enfans maria haultement et aprés sa fin, son filz le suceda par bon vouloir des
barons. »

Item de Florence de Romme .LI.

1   « Se[1] Gliselidis, marquise de Salusce, ot vertueuse
force et constance, assez l'en retray la noble Flourence,
empereïs de Romme, qui par mervilleuse pascience porta
grant adversité, si que il est escript d'elle es *Miracles de*
5   *Notre Dame*. Ceste dame estoit de mervilleuse beauté,
mais encore plus chaste et vertueuse. Avint que son mari
dot aller en une longue guerre, en voyage assez loings. Si
laissa garde de son païs et de sa femme un frere que il
avoit, lequel tempté de l'ennemi, aprés la departie de
10   l'empereur, convoita follemen sa serouge Flourence. Et a

---

[1] S *orné sur 2 lignes.*

fait élever chez ma sœur à Bologne la Riche, et je ne les ai pas fait mourir. Vous les voyez ici devant vous!" En entendant les paroles de son mari, la marquise se pâma presque de joie; et quand elle revint à elle, elle prit les enfants dans ses bras et les inonda de larmes de joie. Elle éprouvait sans aucun doute en son cœur un bonheur extraordinaire, et tous ceux et celles qui voyaient ce spectacle pleuraient de joie et d'attendrissement. Grisélidis fut alors plus respectée qu'elle ne l'avait jamais été. Elle fut vêtue et parée de très riches atours, et l'on fit une grande et joyeuse fête; tous ne pensaient qu'à célébrer les louanges de cette dame. Ils vécurent ensemble durant encore vingt ans dans la paix et dans la joie; le marquis fit venir au palais Janicole, le père de la dame, dont il ne s'était pas soucié auparavant, et il le traita avec les plus grands honneurs. Il fit faire à ses enfants de beaux mariages, et après sa mort, son fils lui succéda, avec l'approbation des barons.»

51. À propos de Florence de Rome

«Si Grisélidis, marquise de Saluces, fut remarquable par sa force et par sa constance, la noble Florence, impératrice de Rome, lui fut bien comparable, elle qui supporta de si grands malheurs avec une patience extraordinaire, comme cela est écrit dans les *Miracles de Notre-Dame*[1]. Cette dame était d'une beauté éblouissante, mais sa chasteté et sa vertu étaient encore plus grandes. Il arriva que son mari dut partir en voyage pour une longue guerre en un pays lointain. Il confia à l'un de ses frères la garde de sa terre et de sa femme. Celui-ci, tenté par le diable, après le départ de l'empereur, fut pris d'une folle passion pour sa belle-sœur

---

[1] La source principale de cet épisode est en effet l'un des *Miracles de Notre Dame* de Gautier de Coincy, *De l'empeeris qui garda sa chasteté contre mout de temptations* (*op. cit.*, t. III, p. 303-459). On a répertorié plusieurs versions de cette légende bien connue au Moyen Âge, dont la plus ancienne figure dans le *Speculum historiale* de Vincent de Beauvais (et dans la traduction française de Jean de Vignay, le *Miroir historial*, vol. I, VIII, 90-92, fol. 331ʳ - 332ʳ). Voir *Florence de Rome, chanson d'aventure du premier quart du XIIIᵉ siècle*, éd. A. Wallensköld, Paris, Firmin-Didot, 1907-1909, 2 vol. (sur les différentes versions européennes, introduction p. 114 *sq.*). L'héroïne n'est pas nommée dans les *Miracles*, non plus que dans le *Miroir historial*. Christine connaissait son nom par une autre source (la chanson du XIIIᵉ s. ou un des textes qui en sont dérivés, comme le *Dit de Flourence de Rome* du début du XIVᵉ siècle).

brief parler, tant la tint court qu'elle s'accordast a sa
voulenté, que de paour, aprés les prieres, que il voulsist
user de force, le fist la dame emprisonner en une tour et la
fu jusques a la venue de l'empereur.

15   Quant vint que nouvelles furent apportees que le dit
empereur s'en retournoit, la dame, qui jamais ne cuidast
que a tort il mesdeist d'elle, le fist mettre dehors affin que
l'empereur ne sceust la faulseté de son frere et que il lui
alast a l'encontre. Mais quant il fu arivé devers l'empereur,
20   dist de la dame tous les maulx que dire se pourroit de la pire
qui soit, et pour sa mauvaistié faire plus a son loisir, l'avoit
tenu en prison. L'empereur, qui l'en crut, envoia ses gens et
ordonna que, avant [111ʳ] qu'il arrivast, sans faire de ce
nulle mencion, qu'elle fust occise, car veoir ne la vouloit ne
25   trouver vive. Mais elle, moult esmerveillee de ces
nouvelles, pria tant a ceulx qui a ce faire estoient commis
que vive l'en laissierent aller en habit mescongneu.

Si ala tant ceste noble dame par estrange aventure que
lui avint qu'elle fu commise a garder l'enfant d'un grant
30   prince. Si avint que le frere de cellui fu espris de l'amour
d'elle, et tant que aprés ce que il l'ot assez requise, par
despit de ce que accorder ne le vouloit, il occist le petit
enfant coste elle, ainsi comme elle dormoit, affin de la
faire destruire. Toutes ces aversitez qui ne furent pas
35   petites passa[1] celle noble dame[2] tres paciemment et par
tres fort et constant courage. Et quant elle dot estre menee
au lieu pour estre destruite, comme celle que on cuidoit
que l'enfant eust occis, tel pitié prist d'elle au seigneur et a
la dame, pour la belle vie et grans vertus que ilz avoient
40   veus en elle, que cuer n'orent de la faire mourir. Ains
l'envoyerent en excil, ou quel lieu, comme elle feust en
tres grant pouvreté et tres paciente[3] vers Dieu et sa doulce
Mere, une fois s'endormi aprés ses oroisons dites en un
vergier, la ot en advision de la Vierge qu'elle cuiellist une
45   certaine herbe qui estoit soubz sa teste et de ce gaigneroit

---

[1] *B, D, R* : porta

[2] *B, D* : empereris

[3] paciente vers ; *corr. d'après B, D, R.*

Florence. Pour le dire en bref, il la pressait tant de céder à son désir que de peur qu'il ne veuille user de la force après avoir échoué par ses prières, elle le fit emprisonner dans une tour où il resta jusqu'au retour de l'empereur.

Quand il fut annoncé que l'empereur était sur le chemin du retour, la dame, qui n'aurait jamais pensé qu'il pût la calomnier à tort, le fit sortir de prison, pour que l'empereur ne sache rien de la déloyauté de son frère et pour que celui-ci puisse aller à sa rencontre. Mais arrivé auprès de l'empereur, il lui dit de la dame tout le mal qu'on puisse dire de la pire des femmes, et ajouta qu'elle l'avait maintenu en prison pour mieux pouvoir se livrer à ses turpitudes. L'empereur, qui le crut, envoya ses gens en avant, et donna l'ordre de la faire tuer avant son arrivée, sans aucune explication, car il ne voulait pas la voir ni la trouver vivante. Mais elle, stupéfaite de ces nouvelles, supplia ceux qui devaient la tuer, si bien qu'ils la laissèrent en vie et lui permirent de partir sous un déguisement.

Par un étrange hasard, il arriva au cours de son errance que cette noble dame se vit confier la garde de l'enfant d'un grand prince. Et voici que le frère de ce prince s'éprit d'elle. Après avoir sollicité son amour à maintes reprises, dépité de son refus de le lui accorder, il tua le petit enfant qui se trouvait à son côté alors qu'elle dormait, afin de causer sa perte. La noble dame traversa toutes ces épreuves, qui n'étaient pas des moindres, avec beaucoup d'endurance, de force d'âme et de courage. Alors qu'on la conduisait vers le lieu où elle devait être mise à mort, puisqu'on pensait qu'elle avait tué l'enfant, le seigneur et la dame furent saisis de pitié, en raison de sa belle vie et des grandes qualités qu'ils avaient vues en elle, et ils n'eurent pas le cœur de la faire mourir. Ils l'envoyèrent donc en exil ; et là, se trouvant dans une très grande pauvreté mais ayant conservé sa patience et sa dévotion envers Dieu et sa douce Mère, un jour, elle s'endormit dans un verger après avoir dit ses prières. Alors la Vierge lui apparut en songe, et lui dit de cueillir une certaine herbe qui se trouvait sous sa tête, grâce à laquelle elle pourrait gagner sa vie en

sa vie en garissant de toutes maladies. Et comme un temps
aprés, par la dite herbe, la dame eust ja gari tant de
malades que partout en estoit renommee, avint, si que
Dieux le vost, que le frere du prince qui avoit occis [111ᵛ]
50   le dit enfant fu malade du grant mal moult orriblement, par
quoy fu envoyé querre ceste femme pour le garir. Et
comme elle fust venue en sa presence, elle lui dist qu'il
pouoit bien veoir que Dieux le batoit de ses verges et que il
recongneust son pechié publiquement et il seroit garis, car
55   autrement garir ne le pourroit. Et adont cellui, meu de
grant contricion, confessa son orrible mauvaistié et
comment lui mesmes avoit occis l'enfant dont il avoit
encouppé la bonne dame qui en garde l'avoit. De ceste
chose fu moult ayrez le prince et vouloit a toutes fins faire
60   justice de son frere, mais la noble dame tant l'en pria que
elle l'apaisa vers lui et le gari, et ainsi li rendi bien pour
mal selon le commandement de Dieu.

Advint semblablement, ne demoura pas moult, que le
frere de l'empereur par qui Flourence avoit esté exillee
65   cheut en si orrible meselerie que il estoit comme tous
pouris. Et comme la voix feust ja par tout le monde
comment une femme estoit qui garissoit de toutes
maladies, fu envoyé querre de par l'empereur sans qu'il
eust congnoissance qui elle estoit, car pieça quidoit sa
70   femme morte. Et si que elle fu venue devant lui, elle lui
dist qu'il convenoit que il se confessast publiquement,
autrement elle ne le porroit garir. Mais comme il le
refusast longuement, au desrain regehi toute la mauvaistié
que sans cause et sans raison avoit faite et bastie a l'empe-
75   reïs, pour lequel pechié bien savoit que Dieux le pugnis-
soit. Ceste chose par l'empereur ouye, lui, comme
enragiez de ce que ainsi [112ʳ] cuidoit avoir fait mourir sa
loyal espouse que tant amoit, vouloit faire occirre son
frere. Mais la bonne dame se magnifesta et apaisa[1] l'empe-
80   reur vers son frere, et ainsi recouvra Flourence, par le
merite de sa sapience, son estat et sa felicité, a grant joie de
l'empereur et de toutes gens. »

---

[1] *B, D, R* : pacifia

guérissant toutes sortes de maladies. Quelque temps après, grâce à cette herbe, la dame avait guéri tant de malades que sa renommée s'était répandue partout. Or Dieu voulut que le frère du prince, celui-là même qui avait tué l'enfant, tomba très gravement malade d'une horrible maladie[1], et l'on envoya chercher cette femme pour le guérir. Arrivée en sa présence, elle lui dit qu'il pouvait bien voir que c'était Dieu qui le frappait ainsi pour le châtier, et que s'il reconnaissait publiquement son péché, il serait guéri ; sinon, elle ne pourrait pas le guérir. Alors, pris d'un grand remords, l'homme confessa son horrible forfait, et avoua comment il avait lui-même tué l'enfant et en avait fait accuser la bonne dame qui l'avait sous sa garde. Le prince fut pris d'une grande colère, et voulait à tout prix punir son frère comme il le méritait ; mais la noble dame le supplia de n'en rien faire et apaisa sa colère contre lui, puis elle le guérit, rendant ainsi le bien pour le mal selon le commandement de Dieu.

De la même manière, peu de temps après, le frère de l'empereur à cause duquel Florence avait été exilée fut atteint de la lèpre de façon si horrible qu'il en était comme tout pourri. Comme le bruit s'était répandu dans le monde entier qu'il existait une femme qui guérissait toutes les maladies, l'empereur l'envoya chercher, sans savoir qui elle était, car il pensait que sa femme était morte depuis longtemps. Dès qu'elle fut devant le malade, elle lui dit qu'il lui fallait se confesser publiquement, sans quoi elle ne pourrait pas le guérir. Il refusa pendant longtemps, mais il finit par avouer tout le mal qu'il avait commis et l'accusation montée de toutes pièces contre l'impératrice, sans cause et sans raison ; il savait bien que c'était pour ce péché que Dieu le punissait. En entendant cela, l'empereur, devenu comme fou à l'idée qu'il avait ainsi fait mourir sa loyale épouse qu'il aimait tant, voulut tuer son frère. Mais la bonne dame se fit reconnaître ; elle apaisa la colère de l'empereur envers son frère ; et c'est ainsi que Florence retrouva son rang et son bonheur par la vertu de sa sagesse, pour la grande joie de l'empereur et de tout le peuple. »

---

[1] L'expression « le grand mal » désigne-t-elle une maladie particulière ? On sait que « le haut mal » (ou « le beau mal », « le gros mal », « le mal caduc ») désigne l'épilepsie. Est-ce le cas aussi pour « le grand mal » ? Nous n'en avons pas trouvé d'attestation précise.

Item de la femme Bernabo le Genevois[1] .LII.

1   « Encores[2] a propos de femmes constans et saiges[3],
peut bien estre ramenee l'istoire que Bocace racompte en
son *Livre des Cent Nouvelles* comme une fois avint a Paris
que plusieurs marcheans lombars et ytaliens se trouverent
5   ensemble a un soupper auquel, comme ilz parlaissent de
maintes choses, churent a parler de leurs femmes tant
qu'entre les autres, un Jennevois qui avoit nom Bernabo
prist moult a louer sa femme de beauté, de scens, de
chasteté sur toutes riens, et toutes vertus. Si y ot un outra-
10 geux en la compagnie nommé Ambroise, qui va dire que il
estoit un fol de tant louer sa femme, par especial de
chasteté, et que il n'en estoit nulle, tant feust forte, que qui
bien la presseroit par dons, promesses et belles parolles,
que on n'en finast bien. De ceste chose commença grant
15 estrif entre eulx deux, et atant vint que ilz gagierent la
somme de V mille florins. Bernabo mettoit que l'autre ne
coucheroit mie avec sa femme pour toute sa puissance, et
Ambroise gaigoit que si feroit, et que si bonnes enseignes
lui en apporteroit que il lui souffiroit. Grant paine mirent
20 les autres de deffaire ce debat, mais riens n'y valu.

Ambroise s'en parti au plus tost qu'il pot et a Jennes
s'en alla. Lui venu celle part, moult enquist de la vie et de
l'ordonnance de la femme de Bernabo, mais a brief dire,

[1] Bernabo Genevois ; *corr. d'après B et R.*
[2] E *orné sur 2 lignes.*
[3] *B* : fermes

52. À propos de la femme de Bernabo le Génois

« Encore au sujet des femmes constantes et sages, on peut rapporter l'histoire que raconte Boccace dans son *Livre des Cent Nouvelles*[1] : il arriva un jour à Paris que plusieurs marchands lombards et italiens se trouvèrent réunis lors d'un souper. En discutant de choses et d'autres, ils en vinrent à parler de leurs femmes ; si bien que l'un d'entre eux, un Génois nommé Bernabo, se mit à faire longuement l'éloge de sa femme pour sa beauté, son intelligence, et par-dessus tout, pour sa chasteté, ainsi que pour toutes ses vertus. Or il y avait dans le groupe un arrogant nommé Ambroise, qui s'avisa de dire qu'il était fou de tant louer sa femme, en particulier pour sa chasteté, et qu'il n'existait pas de femme, si vertueuse soit-elle, dont on ne puisse venir à bout avec un peu d'insistance, à force de dons, de promesses et de belles paroles. Une grande dispute commença alors entre eux deux à ce sujet, et ils finirent par gager la somme de cinq mille florins. Bernabo paria que l'autre, malgré toute son habileté, ne parviendrait pas à coucher avec sa femme ; Ambroise paria qu'il le ferait, et qu'il lui en fournirait de telles preuves qu'il serait convaincu. Les autres se donnèrent beaucoup de mal pour les pousser à renoncer à ce pari, mais il n'y eut rien à faire.

Ambroise partit dès qu'il le put et se rendit à Gênes. Une fois là-bas, il fit une enquête approfondie sur la vie et les mœurs de la femme de Bernabo, mais pour faire bref, il en entendit dire tant de

---

[1] Le *Décaméron* est mentionné ici explicitement, de même que dans l'introduction des deux autres récits également empruntés à cette œuvre, racontés un peu plus loin, ch. 59 et 60 (*Décaméron* IV, 1 et IV, 5). L'histoire de la femme de Bernabo est la neuvième nouvelle de la deuxième journée (II, 9 ; Giovanni Boccaccio, *Decameron, op. cit.*, p. 457-477). C. Bozzolo montre que Christine a travaillé directement à partir du texte italien, bien diffusé en France à partir de la fin du XIIIe s., et dont il n'existe pas de traduction avant celle de Laurent de Premierfait, achevée en 1414 (« Il *Decameron* come fonte del *Livre de la Cité des dames* di Christine de Pisan », *op. cit.*). Voir notre introduction, p. 73-74. C. Bozzolo étudie précisément, pour chacun de ces trois cas, les transformations apportées par Christine à son modèle. Voir aussi les articles cités de K. Brownlee, « Il *Decameron* di Boccaccio e la *Cité des dames* di Christine de Pizan : modelli e contro-modelli » ; P. Caraffi, « Silence des femmes e cruauté des hommes : Christine de Pizan et Boccaccio », ; et J.-C. Mühlethaler, « Du *Decameron* à la *Cité des dames* de Christine de Pizan : modèle hagiographique et réécriture au féminin » (il porte plus particulièrement sur ce chapitre 52, l'histoire de la femme de Bernabo).

tant en ouoit [112ᵛ] recorder de grans biens que il perdi
25 toute l'esperance de jamais y advenir, dont moult se trouva
esbahi et repentant de sa folie et s'avisa de grant malice,
car moult lui douloit le cuer de ainsi perdre V mille florins.
Et fist tant que il parla a une vieille pouvre femme qui
repairoit a l'ostel de celle dame, et tant lui donna et
30 promist que en une huche ou il se mist fu porté en la
chambre de la dite dame, a qui la vieille avoit fait entendant que en celle huche avoit de moult bonnes choses qui
lui avoient este bailliés en garde et que les larons l'avoient
voulu desrober, et pour ce lui priot que en sa chambre lui
35 voulsist un pou de temps garder tant que ceulx a qui les
choses estoient feussent revenus, laquelle chose la dame
lui avoit voulentiers accordee. Ambroise, qui en la huche
estoit, tant agaita la dame par nuit que il la vid toute nue et
40 avec ce, print une boursette et une chainture faite a
l'eguile, laquelle avoit faite moult bien ouvree, puis s'en
rentra en sa huche si quoyement que la dame qui dormoit,
et une petite fillette qu'elle avoit avec lui, riens n'en sentirent. Et quant ainsi y ot esté III jours, la vieille revint
45 querre sa huche.

Ambroise, qui grant joie avoit et qui bien lui sembloit
avoir exploitié, rapporta au mari tout devant la belle
compaignie que sans faille, il avoit couchié tout a son aise
avec sa femme. Et tout premierement lui dit l'enseigne de
50 la chambre et des paintures qui y estoient. Aprés lui
monstra la boursse et la chainture que il bien congnoissoit,
et dit que elle lui avoit esté donnee, et ensurquetout, quant
il ot dit la façon du corps tout nu de la dame, il [113ʳ] dit
qu'elle avoit un seing comme un petit porel vermeil soubz
55 sa mamelle senestre. Le mari crut fermement par les
enseignes les parolles d'Ambroise, dont s'il fu dolent, nul
ne le demant. Et toutevoies lui paia tous contans les V
mille florins, et au plus tost que il pot s'en ala a Jennes.
Mais avant qu'il y arivast, manda expressement a un sien
60 facteur qui gouvernoit son fait et en qui il se fioit de toutes

bien qu'il finit par perdre tout espoir de jamais parvenir à ses fins, ce qui le laissa tout désemparé, se repentant de sa folie. Il eut alors l'idée d'un bien mauvais tour, car cela lui fendait le cœur de perdre ainsi cinq mille florins. Il réussit à approcher une pauvre vieille femme qui habitait dans la maison de cette dame, et il lui donna et lui promit tant d'argent qu'elle accepta de le faire transporter, caché dans un coffre, dans la chambre de la dame. La vieille avait fait croire à celle-ci que dans ce coffre se trouvaient des objets de grande valeur qu'on lui avait confiés, que des voleurs avaient voulu le dérober, et que pour cette raison elle la priait de bien vouloir garder quelque temps le coffre dans sa chambre, jusqu'au retour de ceux à qui ils appartenaient ; et la dame le lui avait volontiers accordé. Ambroise, qui se trouvait dans le coffre, épia la dame durant la nuit jusqu'à ce qu'il réussisse à la voir toute nue ; de plus, il s'empara d'une petite bourse et d'une ceinture qu'elle avait elle-même brodées à la main très joliment ; puis il s'en retourna dans son coffre sans faire aucun bruit, de sorte que la dame, qui dormait, et la petite fille qu'elle avait avec elle, ne se rendirent compte de rien. Et au bout de trois jours, la vieille revint chercher son coffre.

Ambroise, qui était très content et pensait avoir bien réussi son affaire, raconta au mari en présence de toute la compagnie que sans faute, il avait couché tout à loisir avec sa femme. Il commença par lui décrire les caractéristiques de la chambre, les peintures qui s'y trouvaient ; ensuite, il lui montra la bourse et la ceinture que le mari connaissait bien, et dit qu'elles lui avaient été données. Et surtout, après avoir décrit le corps nu de la dame, il ajouta qu'elle avait un grain de beauté, comme une petite verrue vermeille sous le sein gauche[1]. Devant de telles preuves, le mari crut fermement ce que disait Ambroise ; inutile de demander s'il en éprouva de la peine. Toutefois il lui paya comptant les cinq mille florins, et partit pour Gênes le plus vite possible. Mais avant d'y arriver, il envoya un message à l'un de ses employés qui gérait

---

[1] Motif caractéristique de récits appartenant à ce que l'on a appelé le « cycle de la gageure » (tels que le *Guillaume de Dole* de Jean Renart ou *Le Roman de la violette* de Gerbert de Montreuil) : une femme est faussement accusée par un fourbe qui l'a épiée dans sa chambre et prétend avoir eu des relations avec elle en donnant pour preuve la révélation d'un signe particulier qu'elle a sur le corps.

choses que il vouloit, comment qu'il feust, il occisist sa
femme et la maniere comment il l'occiroit, lequel, veü le
commandement, fist ycelle monter a cheval et lui fist
acroire que au devant de son mari la vouloit mener. Et la
65   dame qui l'en crut voulentiers et a grant joie, avecques lui
alla. Mais comme il feussent arivez en un bois, lui dist
comment il convenoit qu'il l'occisist par le commandement de son mari. Et a brief dire, tant fist icelle dame, qui
belle et bonne estoit, et tant le sot prescher que cellui l'en
70   laissa aller, par si que elle lui promist que hors du païs yroit.

Celle qui fu eschappee ala en une vilette et fist tant a une
bonne femme que elle lui acheta robes d'omne, si rongna
ses cheveux et en guise d'une jouvencel se mist. Et tant alla
qu'elle print a servir un riche homme de Catellongne que on
75   nommoit Seignir Ferrant, qui estoit de sa nef dessendu a un
port pour se refreschir. Si le servi tant bien que a merveilles
s'en tenoit pour content, ne oncques n'avoit trouvé, ce
disoit, si bon serviteur. Et se faisoit ceste dame appeller
Sagurat d'Affinoli[1]. Cellui Signir Ferrent, qui fu rentré en sa
80   nef, Sagurant avecques lui, ala tant par mer que il vint en
Alexandrie, et la acheta faucons moult beaux et chevaulx et
atout ala devers [113ᵛ] le soubdan de Babilonie a qui avoit
grant amistié. Et comme il feust ja la demouré un temps et le
soubdan advisast Sagurant, qui servoit tant dilligemment
85   son maistre et qui tant lui sembloit bel et gracieux, lui plut a
merveilles, tant que il pria a Signir Ferrant que il lui voulsist
donner, et il le feroit grant maistre. Et cellui, quoy que il le
feist envis, lui ottroia.

¶A brief dire, tant et si bien servi Sagurat le soubdan
90   que il ne se fioit qu'en lui, et estoit si grant maistre entour
lui que il gouvernoit comme tout. Avint que en une ville du
soubdan, devoit avoir une tres grant foire ou marchans
venoient de toutes pars. Le soubdan ordonna a Sagurat que

---

[1] *B :* Sagurat de Finoli

ses affaires et en qui il avait toute confiance, pour lui dire qu'il voulait tuer sa femme, quoi qu'il advienne, et il lui indiqua la manière de le faire. Celui-ci, suivant l'ordre qu'il avait reçu, la fit monter à cheval et lui fit croire qu'il voulait l'amener à la rencontre de son mari. La dame, qui le crut volontiers et en eut une grande joie, partit avec lui. Mais quand ils se trouvèrent dans un bois, il lui dit qu'il lui fallait la tuer, sur l'ordre de son mari. Pour abréger, cette dame, qui était bonne et belle, fit tant d'efforts pour le convaincre, par ses actes et ses discours, que l'homme la laissa partir, pourvu qu'elle lui promît de quitter le pays.

La rescapée se rendit dans une petite ville et réussit à convaincre une brave femme de lui vendre des vêtements d'homme, se coupa les cheveux et se déguisa en un jeune homme. Elle se mit en route, et finit par se mettre au service d'un riche gentilhomme de Catalogne que l'on appelait le Segnor[1] Ferrant, qui était descendu de son bateau dans un port pour se rafraîchir. Elle le servit si bien qu'il en était extrêmement content, et disait qu'il n'avait jamais trouvé un aussi bon serviteur. Cette dame se faisait appeler Sagurat de Finoli. Le Segnor Ferrant était remonté à bord de son bateau, emmenant Sagurat avec lui ; il navigua jusqu'à Alexandrie, où il acheta de très beaux faucons et des chevaux, puis il se rendit avec ces présents auprès du sultan de Babylone[2], pour lequel il avait une grande amitié. Il s'y trouvait déjà depuis un certain temps, et le sultan remarqua Sagurat, qui servait son maître avec tant de diligence et qui lui semblait très beau et très gracieux ; il lui plut énormément, au point qu'il pria le Segnor Ferrant de bien vouloir le lui donner, ajoutant qu'il ferait de lui son grand intendant. Et bien qu'il le fît à contrecœur, ce dernier y consentit.

Bref, Sagurat servit si bien le sultan que celui-ci ne se fiait plus qu'en lui ; il occupait une place si importante auprès de lui que c'était comme s'il dirigeait tout. Il se trouva un jour qu'une très grande foire devait avoir lieu dans une des villes du sultan, et que des marchands y affluaient de toutes parts. Le sultan ordonna

---

[1] Christine a légèrement modifié la graphie par rapport aux graphies usuelles pour donner au mot une consonance un peu exotique.

[2] Comme c'est souvent le cas au Moyen Âge, Babylone désigne ici Le Caire (du nom d'une ancienne forteresse dont il subsiste encore des ruines, la forteresse de Babylone du Caire).

il alast en celle ville pour garder la foire et se prendre garde
95   de son droit. Et comme il avenist, si que Dieux le volt, que
avecques autres Ytaliens qui avoient portez joyaux, icellui
faulx Ambroise dessus dit vint, qui moult estoit enrichis de
l'avoir de Barnabo, Sagurat, qui est[oi]t[1] en la ville lieute-
nant du soubdan, estoit de tous moult honnorez, et pour ce
100   que il estoit grant seigneur et grant maistre, les marchans
lui apportoient tous joyaux estranges[2], tant que entre les
autres vint vers lui cellui Ambroise. Et si comme il ot
ouvert un petit escrinet plain de joyaux devant Sagurat
affin que il les veist, en cellui escrinet avoit la petite
105   boursette et la chainture dessus dite, par quoy aussi tost que
Sagurat la vit, il la recongneut et la prist en sa main, et fort
le regarda en s'esmervuillant comment la pouoit estre
venue. Et Embroise, qui a piece ne pensast l'aventure, se
prist fort a soubzrire. Et Sagurant, qui le vit ri[114ʳ]re, lui
110   dit : "Amis, je croy que vous riés pour ce que je me suis
amusez a ceste boursette qui est chose femmenine, mais
elle est moult belle." Ambroise respondi : "Mon seigneur,
elle est bien en votre commandement, mais je me rioie pour
ce que il me souvient de la maniere comment je l'oz." "Se
115   Dieux te doint joie", dit Sagurat, "di moy comment tu
l'oz !" "Par ma foy, dit Ambroise, je l'oz d'une moult belle
femme qui la me donna avecques laquelle je couchai une
nuit. Et avec ce, gaignay V mille florins pour une gaigeure
que je fis au fol mari d'elle qui a nom Bernabo, qui osa
120   mettre a moy que je n'y coucheroie mie. Et le maleureux[3]
en occist sa femme, mais il avoit mieulx deservie pugnicion qu'elle, car homme doit savoir que toute femme est
fraisle et de legier vaincue, si n'i doit avoir tel fiance !"
     Adont congneu la dame la cause de l'ire son mari
125   qu'elle n'avoit oncques mais sceue. Mais comme tres
prudent et ferme qu'elle estoit, sagement le volt dissimuler
jusques en temps et en lieu. Si fist semblant d'avoir de
ceste chose moult grant soulas, et lui dist que il estoit un

---

[1] estat
[2] B, D : joyeaulx estranges a vendre ; R : joyaux estranges vendre
[3] B, D : malereux homme

à Sagurat de se rendre dans cette ville pour surveiller la foire et veiller sur ses intérêts. Or il arriva, selon la volonté de Dieu, que le déloyal Ambroise dont on a parlé plus haut, qui s'était beaucoup enrichi grâce à l'argent de Bernabo, se rendit à cette foire, avec d'autres Italiens venus vendre des bijoux. Sagurat, qui était le représentant du sultan dans la ville, était très honoré par tous, et parce qu'il était un grand seigneur dans une position de haute autorité, les marchands lui apportaient toutes sortes de bijoux venus de l'étranger, tant et si bien qu'un jour Ambroise se présenta devant lui. Il ouvrit un petit coffret plein de bijoux devant Sagurat pour qu'il puisse les regarder ; et voici que dans ce petit coffret se trouvaient la petite bourse et la ceinture mentionnées plus haut. Dès que Sagurat les vit, il prit la petite bourse et l'examina attentivement, en se demandant avec un grand étonnement comment elle pouvait être arrivée là. Et Ambroise, qui n'avait pas pensé à cette aventure depuis longtemps, se mit à sourire. Sagurat, le voyant sourire, lui dit : "Mon ami, je crois que vous souriez parce que je m'attarde à regarder cette petite bourse, qui est un objet féminin, mais elle est très belle." Ambroise lui répondit : "Monseigneur, elle est toute à votre disposition, mais je souriais en me souvenant de la manière dont je l'ai obtenue". "Que Dieu te garde, dit Sagurat, dis-moi comment tu l'as eue !" "Ma foi, dit Ambroise, je l'ai reçue d'une très belle femme qui me l'a donnée, après une nuit où j'ai couché avec elle. Et de plus, j'ai gagné cinq mille florins à cause d'un pari que j'avais fait avec son mari, un sot appelé Bernabo, qui avait osé me parier que je ne coucherais pas avec elle. Le malheureux fit mourir sa femme pour cette raison, mais il aurait mieux mérité qu'elle d'être puni, car les hommes doivent bien savoir que toutes les femmes sont faibles et facile à conquérir, et que l'on ne doit pas leur faire une telle confiance !"

C'est ainsi que la dame apprit quelle était la cause de la colère de son mari, ce qu'elle avait ignoré jusqu'à ce jour. Mais en femme très prudente et avisée, elle décida avec sagesse de cacher le fond de sa pensée jusqu'à ce que le moment soit venu. Elle fit donc semblant de prendre grand plaisir à ce récit et lui dit qu'il

tres bon compaignon et que a lui il vouloit avoir singuliere
130   amistié et que il vouloit que il demourast ou païs et
marchandast fort pour eulx deulx et que il lui bailleroit
assez d'argent entre mains pour eulx deux. De ce[1] ot moult
grant joie Ambroise, et de fait Sagurat lui fist baillier un
hostel et pour le decevoir mieux lui mist argent entre
135   mains et lui moustroit si grant signe d'amour que il estoit
tous les jours avecques lui. Et la truffe lui fist compter
devant le soubdan, si comme pour [114ᵛ] le faire rire. A
dire en brief comment la chose fu terminé, tant fist et tant
pourchaca Sagurat que il fist tant a Jennevois qui estoient
140   en cellui païs, aprés ce que il ot sceu de l'estat de Bernabo,
qui estoit cheu en pouvreté, tant pour grant finance qu'il
avoit perdue[2] comme pour le couroux qu'il avoit eu, que le
dit Bernabo se transportai en cellui païs par le mandement
du soubdan. Et quant il fu venu devant le dit soubdan,
145   tantost Sagurat envoia querre Ambroise, mais il avoit
ainçois bien infourmé le soubdan que Ambroise mentoit
de la vantance que il faisoit de la dame, et lui avoit prié
que, ou cas que la verité lui en vendroit a congnoissance,
que il voulsist pugnir justement selon le cas le dit
150   Ambroise, laquelle chose le soubdan lui avoit accordee.
      ¶Quant Bernabo et Ambroise furent devant le soubdan,
Sagurat print a dire en tele manière: "Ambroise, il plaist a
nostre sire le soubdan qui cy est que tu contes la truffe tout
au lonc comment tu gaignas a Bernabo que vois cy le V
155   mille florins dont tu lui a compté et par quelle maniere tu
couchas avec sa femme." Adont Ambroise changia couleur
comme cellui a qui verité souffroit a peines vaincre si
desloial fraude, car trop lui fu la chose soubdaine, de
laquelle garde ne se donnoit. Toutevoies il reprist un pou sa
160   maniere et respondi: "Mon seigneur, il ne peut chaloir que
je le die, Bernabo le scet assez. J'ai grant honte de sa
honte." Et adont Bernabo, plain de douleur et de honte,
supplia que il n'en ouist jamais parler et que il en feust
laissié aller. Mais Sagurant res[115ʳ]pondi ainsi comme en

---

[1] *B, D*: entre mains. Et de ce
[2] *B, D, R*: qu'il avoit baillee

était un très joyeux compagnon, et qu'il voulait faire de lui un ami proche ; il souhaitait qu'il reste dans le pays et qu'il y fasse du commerce à grande échelle en devenant son partenaire ; il lui confierait des sommes d'argent conséquentes pour eux deux. Ambroise en fut très heureux, et Sagurat lui fit donner une maison, et pour mieux le tromper, il lui confia de l'argent et lui manifestait tant d'amitié qu'il était avec lui tous les jours. Il lui fit raconter son bon tour devant le sultan, comme pour le faire rire. Pour en venir rapidement à la fin de l'histoire, Sagurat s'activa si bien auprès des Génois qui se trouvaient dans le pays qu'il fit en sorte que Bernabo, dont il avait appris qu'il était tombé dans la pauvreté, tant à cause de tout l'argent qu'il avait perdu que pour le chagrin qu'il avait éprouvé, se rendît lui-même dans le pays, à l'invitation du sultan. Dès qu'il fut venu devant le sultan, Sagurat envoya chercher Ambroise ; mais auparavant, il avait bien informé le sultan qu'Ambroise mentait en se vantant d'avoir obtenu les faveurs de la dame, et il l'avait prié, si la vérité lui était révélée, de bien vouloir punir ledit Ambroise comme il le méritait, chose que le sultan lui avait accordée.

Quand Bernabo et Ambroise furent devant le sultan, Sagurat se mit à parler en ces termes : "Ambroise, il plaît à notre seigneur le sultan ici présent que tu racontes à nouveau tout au long le bon tour que tu as joué à Bernabo que tu vois ici et comment tu as gagné les cinq mille florins dont tu lui as parlé, et de quelle façon tu as couché avec sa femme." Alors Ambroise changea de couleur, comme si en lui la vérité livrait un combat difficile contre la tromperie et le mensonge, car il fut pris au dépourvu et il ne s'y attendait pas. Toutefois il reprit contenance tant bien que mal et répondit : "Seigneur, il importe peu que je le dise, Bernabo le sait très bien. J'ai grand honte de sa honte." Alors Bernabo, plein de douleur et de honte, supplia qu'on lui permette de ne plus jamais en entendre parler et qu'on le laisse partir. Mais Sagurat répondit

165   sousriant que il ne s'en iroit mie et que il convenoit qu'il
ouist la chose. Adont Ambroise, qui vit que il en estoit
contraint, commença a dire et a compter tout a voix
tremblant la chose ainsi comme il l'avoit doné a entendre a
Bernabo et comme il leur avoit compté. Et quant il ot finee
170   sa raison, Sagurat demanda a Bernabo se ce estoit voir que
Ambroise avoit dit et il respondi que ouil sans faille. "Et
comment", ce dit Sagurat, "estes vous bien certain que cest
homme cy couchast avec vostre femme? Pourtant se il
vous rapporta aucunes enseignes, estes vous si bestes que
175   vous ne devez savoir que par assez de voies frauduleuse-
ment il pouoit savoir la façon du corps d'elle sans y avoir
couchié? Et l'avez pour celle cause fait mourir? Vous estes
digne de mort car vous n'aviez mie preuve souffisant."
Adont ot Bernabo grant paour, et lors Sagurat, qui plus ne
180   volt tarder ce qui lui sembloit temps de dire, dist a
Ambroise: "Faux traitre desloyal! Dis la verité sans ce que
pour la dire tu te faces tourmenter, car dire la te couvient.
Car c'est chose certaine que de ce que tu as dit mens par ta
faulce gorge. Et vueil que tu saches que la femme dont tu te
185   vantes n'est pas morte, ains est assez prouchaine de toy,
pour contredire tes desloyaux menconges. Car oncques ne
la touchast et c'est chose certaine!"

      La estoit grande lui assemblee, tant des barons du
soubdan comme de tres grant foison de Lombars, qui a
190   merveilles escoutoient celle chose. Et a le faire brief, atant
fu menez Ambroises que, devant le soubdan et present tous,
confessa tou[115ᵛ]te la fraude, comment il avoit ouvré par
couvoitise de gaangner les V mille florins. Quant Bernabo
ouy ceste chose, a pou que il ne devint comme tous
195   forcenez de ce que il cuidoit sa femme estre occise. Mais la
bonne dame vint a lui et lui dist: "Que donroies tu,
Bernabo, qui te rendroit ta femme vive, entiere et chaste?"
Bernabo dit que il donroit tout quanque finer pourroit.
Adont lui dist celle: "Comment, Bernabo, frere et ami, ne la
200   congnois tu mie?" Et comme cellui feust tant esbahi que il
ne savoit que il faisoit, elle se desboutonna sa poitrine et lui
dist: "Regardes, Bernabo, je sui ta loyal compaigne que tu,
sans cause, avoies condempnee a mort!" Adont s'entreem-

en faisant semblant d'en sourire qu'il ne s'en irait pas, et qu'il fallait qu'il entende la chose. Alors Ambroise, voyant qu'il n'avait pas le choix, commença à raconter la chose d'une voix tremblante, ainsi qu'il l'avait laissée entendre à Bernabo, et de la même manière qu'il la leur avait racontée. Quand il eut terminé son histoire, Sagurat demanda à Bernabo si ce qu'Ambroise avait dit était vrai, et il répondit que oui, assurément. Sagurat reprit : "Et comment pouvez-vous être bien sûr que cet homme a couché avec votre femme ? Même s'il vous en a apporté des preuves, êtes-vous si bête que vous ne sachiez pas qu'il y avait suffisamment de moyens frauduleux pour qu'il puisse savoir comment était son corps sans avoir couché avec elle ? Et l'avez-vous fait mourir à cause de cela ? C'est vous qui méritez la mort, car vous n'aviez pas de preuve suffisante." Alors Bernabo eut grand peur, et Sagurat, qui ne voulait plus tarder et qui pensait qu'il était temps de parler, dit à Ambroise : "Traître fourbe et déloyal ! Dis la vérité sans qu'il soit nécessaire de te faire avouer sous la torture, car il faut que tu parles. Car il est certain que dans ce que tu as dit, tu mens, par ta langue déloyale. Et je veux que tu saches que la femme dont tu te vantes d'avoir obtenu les faveurs n'est pas morte, mais qu'elle se trouve tout près de toi, pour contredire tes fourbes mensonges. Car jamais tu ne l'as touchée, c'est chose assurée !"

Il y avait là une nombreuse assemblée, comptant aussi bien des dignitaires du sultan qu'un grand nombre de Lombards, qui écoutaient tout cela avec le plus grand étonnement. Pour le dire en bref, Ambroise fut finalement amené à confesser sa tromperie devant le sultan et en présence de tous, et d'avouer comment il s'y était pris, poussé par la cupidité et le désir de gagner les cinq mille florins. Quand Bernabo entendit cela, il devint comme fou furieux, car il pensait que sa femme avait été tuée. Mais cette bonne dame s'approcha de lui et lui dit : "Que donnerais-tu, Bernabo, à qui te rendrait ta femme vivante, chaste et intacte ?" Bernabo dit qu'il serait prêt à donner tout ce dont il pourrait disposer. Alors celle-ci lui dit : "Comment, Bernabo, mon frère, mon bien-aimé, tu ne la reconnais donc pas ?" Tandis que celui-ci, frappé de stupeur, ne savait plus ce qu'il faisait, elle déboutonna son vêtement et découvrit sa poitrine, en lui disant : "Regarde, Bernabo, je suis ta loyale épouse, celle que tu avais sans aucune raison condamnée à mort !" Alors ils tombèrent dans les bras l'un

bracierent¹. Et le soubdan et tous furent tous esmervilliez de
205　ceste chose et moult grandement louerent la vertu de celle
dame. Et grans dons lui furent donnez, et tout l'avoir de
Ambroise fu sien, que le soubdan fist mourir a grant
douleur. Et ainsi s'en retournerent en leur païs.»

**Item a ce propos que² Droiture a compté des dames
constantes, Cristine lui demande pour quoy tant³ de
vaillant femmes qui ont esté n'ont contredit aux livres
et aux hommes qui mesdisoient d'elles, et les responces
que Droiture lui fait .LIII.**

1　　　Quant⁴ toutes ces choses m'ot Dame Droiture
racompté et assez d'autres que je laisse pour briefté, si
comme de Leonce, qui fu femme greque, laquelle ne volt
oncques pour tourment que on lui feist encuser deux
5　hommes [116ʳ] dont elle estoit accointe, ains coppa sa
langhe a ses dens devant le juge affin qu'il n'eust
esperance que par force de tourmens lui feist dire; et
d'assés d'autres dames aussi me dist, qui tant furent de
constant couraige que elles amerent mieulx a boire venin
10　et mourir que flechir contre droiture et verité; et je lui dis
aprés ces choses: «Dame, assez m'avez demoustré grant
constance en couraige de femmes et toutes autres vertus, et
tant que vraiement plus grant ne se pourroit dire de nul
homme. Si me mervueil trop comment tant de vaillans
15　dames qui ont esté, et de si saiges et de si lettrees et qui le
beau stille ont eu de diter et de faire beaux livres, ont
souffert si longuement sans contredire tant de orreurs estre

---

¹ *B, D, R*: s'entreembracierent par merveilleuse joye
² *B, D, R*: Aprés ce que
³ *B, D, R*: pour quoy c'est que
⁴ Q *orné sur 2 lignes.*

de l'autre. Et le sultan et tous ceux qui étaient là furent émerveillés par cette aventure; ils louèrent beaucoup la force de caractère de cette dame. On la combla de dons, et toute la richesse d'Ambroise lui revint, car le sultan le fit mourir dans d'atroces souffrances. Ensuite ils s'en retournèrent dans leur pays.»

53. Suite aux histoires que Droiture lui a racontées sur des dames remarquables par leur constance, Christine lui demande pourquoi toutes ces dames de valeur qui ont existé n'ont pas réfuté les livres et les hommes qui disaient du mal d'elles. La réponse de Droiture
Après que Dame Droiture m'eut raconté toutes ces choses, ainsi que beaucoup d'autres que je laisse de côté par souci de brièveté, comme l'histoire de Leaena, une Grecque, qui ne voulut jamais dénoncer deux hommes auxquels elle était intimement liée, malgré les tortures qu'on lui fit subir, mais coupa sa langue avec ses dents devant le juge, afin qu'il n'ait plus d'espoir de la faire avouer à force de la torturer[1]; elle me parla aussi de bien d'autres dames qui eurent tant de courage et de fermeté qu'elles préférèrent s'empoisonner et mourir plutôt que de céder et d'agir à l'encontre de la vérité et de la justice. Je lui dis alors ceci: «Ma Dame, vous m'avez bien montré la grande fermeté et la force de caractère que des femmes ont manifestées, ainsi que toutes sortes d'autres vertus, si bien qu'on ne pourrait mieux dire à propos d'aucun homme. Je suis donc extrêmement étonnée que tant de femmes de valeur qui ont vécu, dont certaines étaient si savantes et lettrées, habiles à composer de la manière la plus noble et à écrire de beaux livres, ont pu supporter si longtemps et sans les réfuter toutes les horreurs écrites contre elles par des hommes qui

---

[1] L'histoire de Leaena est racontée plus longuement par Boccace qui lui consacre un chapitre (*Cleres femmes*, L, t. I, p. 165-168, «De Leaena folle femme»). Il la présente clairement comme une prostituée dont il condamne les mœurs, et insiste même sur ce fait, qui rend ses vertus d'autant plus remarquables. Christine ne mentionne pas qu'il s'agit d'une prostituée. Leaena est arrêtée et torturée comme complice supposée des assassins du tyran Hipparque, et elle agit ainsi au nom de l'amitié, pour ne pas risquer de dénoncer les deux nobles jeunes gens qui l'ont tué. Le mot *acointe* en ancien français est ambigu, il peut désigner différents types de relations (ici, amie, intime, familière, ou maîtresse); d'où la traduction proposée, qui garde une certaine ambiguïté.

tesmoignees contre elles par divers hommes, quant bien savoient que a grant tort estoit. »

20   Responce : « Amie chiere, ceste question est assez legiere a souldre. Tu peux veoir par ce que devant est dit comment les dames dont je t'ay raconté cy dessus leurs grans vertus occuppoient en diverses oeuvres, differen-ciees l'une de l'autre, leur entendement, et non mie toutes
25   en une meisme chose. Ceste oeuvre a bastir estoit a toi reservee et non mie a elles, car par leurs oeuvres estoient assez les femmes louees aux gens de bon entendement et de consideracion vraie sans ce que autre escript elles en feissent. Et quant a la longueur du temps passé sans estre
30   contredis leurs accuseurs et medisans, je te di que toutes choses viennent bien a point et assez a heure au regart du lonc siecle. Car comment souffri Dieux si longuement estre les heresies ou monde contre sa sainte loy, qui a si grant peine en furent estirpees et encores durassent, qui ne
35   les eust [116ᵛ] contredites et convaincues ? Ainsi est il de maintes autrez choses qui longuement sont souffertes qui puis sont debatues et redarguees. »

¶ De rechief dis[1] a elle : « Dame, moult bien dites, mais je me rens certaine que maintes murmures naisteront entre
40   les mesdisans de ceste present oeuvre, car ilz diroient[2] que, supposé qu'il soit voir que aucunes femmes aient esté ou soient bonnes, que toutevoies ne le sont elles toutes, ne meismes la plus grant partie. »

Responce : « Que la plus grant partie ne le soient, c'est
45   faulx. Et par ce que devant t'ai dit de l'experience que on peut chascun jour veoir de leurs devocions et autrez chari-tables biens et vertus, et que par elles ne viennent pas les grans orreurs et maulx que on fait ou monde continuelle-ment, est assez prouvé. Mais que toutes ne soient pas
50   bonnes, quel merveille ! En toute la cité de Ninive, qui tant estoit grande[3], ne fu pas trouvé un bon homme, quant Jonas le prophete y ala de par Nostre Seigneur pour la confondre,

---

[1] *B, D, R* : je Cristine dis
[2] *B, D, R* : diront
[3] *B, D* : et bien peuplee

leur étaient hostiles, alors qu'elles savaient bien que c'étaient des choses tout à fait fausses. »

Elle me dit alors : « Ma chère amie, il est assez facile de répondre à cette question. Tu peux voir par tout ce qui t'a été dit précédemment comment les dames dont je t'ai exposé plus haut les grands mérites appliquaient leur intelligence à des tâches diverses, différentes les unes des autres, et non pas toutes à une même activité. C'est à toi, et non à elles, qu'il était réservé de bâtir cette œuvre ; car ces femmes étaient suffisamment louées pour leurs actions par les gens intelligents et de bonne foi pour n'avoir pas besoin de l'écrire elles-mêmes dans des livres. Quant à la longueur du temps qui s'est écoulé sans que leurs accusateurs et les médisants ne soient contredits, je te dis que chaque chose vient en son temps et à son heure au regard de la durée du monde. Comment Dieu a-t-il pu supporter aussi longtemps l'existence dans le monde des hérésies qui allaient à l'encontre de sa sainte loi, que l'on a eu tant de peine à extirper et qui existeraient encore, si on ne les avait contredites et qu'on n'en avait démontré la fausseté ? Il en va de même pour bien d'autres choses, que l'on tolère pendant longtemps et qui finissent par être discutées et réfutées. »

Je repris la parole et je lui dis : « Dame, vous parlez fort bien, mais je suis sûre que cette présente œuvre suscitera bien des murmures parmi les médisants, car ils diront qu'à supposer qu'il soit vrai qu'il ait existé ou qu'il existe encore des femmes bonnes, elles ne le sont cependant pas toutes, ni même la plus grande partie d'entre elles. »

Elle me répondit : « Il est faux de dire que la plus grande partie d'entre elles ne l'est pas. On en voit bien la preuve dans tout ce que je t'ai dit auparavant de l'expérience que l'on peut avoir chaque jour de leur dévotion, de leur charité et de leurs autres qualités ; et l'on sait bien que ce n'est pas d'elles que viennent toutes les horreurs et les grands crimes qui sont continuellement commis dans le monde. Mais que toutes ne soient pas bonnes, quoi d'extra-ordinaire ? Dans toute la cité de Ninive, qui était si grande, il ne fut pas possible de trouver un seul juste, quand le prophète Jonas s'y rendit de la part de Notre-Seigneur pour la détruire si elle ne se

se convertie ne se feust. Non fu il encore moins en celle de
Sodome, comme il paru quant Loth la delaissa que le feu du
55   ciel l'ardi. Et nottes qui plus est qu'en la compaignie de
Jesus Crist, ou n'estoient que XII hommes, si en y ot il un
tres mauvais. Et les hommes oseroient dire que toutes les
femmes deussent estre bonnes, ou celles qui ne le sont, on
les doie tant lapider! Mais je leur prie que ilz regardent en
60   eulx mesmes, et cellui seul qui serra sans pechié, si gette la
premiere pierre! Mais ilz mesmes, que deveroient ilz
estre? Certes, je tiens que quant il seroient parfais, que les
femmes les ensuivront.»

**Cy dit comment Crestine demande[1] a Droiture se c'est
voir ce que plusieurs hommes dient, que si [117ʳ] pou
soit de femmes loyales en la vie amoureuse. Et la
responce de Droiture .LIV.**

1   En[2] procedant oultre je Cristine dis de rechief ainsi:
«Dame, or passons oultre ycestes questions, et yssant un
petit hors des termes continués jusques icy, moult voulentiers vous feroie aucune demande, se je savoie que
5   ennuyer ne vous en deust, pour ce que la matiere sur quoy
je parleroie, quoy que la chose soit fondee sur loy de
nature, yst aucunement hors de l'atrempement de raison.»
Et celle a moy respondi: «Amie, dis ce qu'il te plaira, car
le disciple qui pour apprendre demande au maistre ne doit
10   estre repris se il enquiert de toutes choses.» «Dame, il

---

[1] *B, D, R*: Demande Cristine
[2] E *orné sur 2 lignes.*

convertissait pas[1]. Ce le fut encore moins dans celle de Sodome, comme cela apparut quand Lot la quitta pour que le feu du ciel pût la consumer[2]. Qui plus est, tu noteras que même parmi les compagnons de Jésus-Christ, qui n'étaient que douze, il y en eut un de très mauvais. Et les hommes oseraient dire que toutes les femmes devraient être bonnes, ou qu'on devrait lapider celles qui ne le sont pas! Mais je les prie de regarder en eux-mêmes, et que celui qui n'a pas péché jette ensuite la première pierre[3]! Et eux-mêmes, comment devraient-ils être? En vérité, je soutiens que lorsqu'ils seront parfaits, les femmes les imiteront.»

54. Où Christine demande à Droiture s'il est vrai, comme beaucoup d'hommes le disent, qu'il y a très peu de femmes fidèles dans la vie amoureuse. Et la réponse de Droiture

Pour continuer notre propos, moi, Christine, je repris la parole en ces termes: «Ma Dame, laissons là ces questions; en m'éloignant un peu des sujets abordés jusqu'ici, j'aimerais bien vous poser une question, si j'étais sûre que cela ne vous contrarierait pas, parce que les choses dont je voudrais vous parler, bien qu'elles soient fondées sur une loi de la nature[4], s'éloignent quelque peu de la modération propre à la raison.» Elle me répondit: «Chère amie, dis ce qu'il te plaira, car le maître ne doit pas faire des reproches à son disciple qui l'interroge pour apprendre, lorsqu'il pose des

---

[1] Jon. 3, 1-10

[2] Gen. 19, 12-29

[3] Jn 8.

[4] La notion de *loi naturelle* ou de *loi de nature* est importante dans la pensée philosophique de saint Thomas d'Aquin (voir en particulier *Somme Théologique* Ia-IIae, questions 90 et 94). Voir E. J. Richards, «Justice in the *Summa* of St. Thomas Aquinas, in Late Medieval Marian Devotionnal Writings and in the Works of Christine de Pizan», dans *Christine de Pizan : une femme de science, une femme de lettres*, *op. cit*, p. 95-114. Elle est liée ici à celle d'*inclinacion* (traduit par «attirance»), parfois *inclinacion naturelle* (voir plus haut, II, 36). Christine se souvient peut-être du discours de Raison dans le *Roman de la Rose*, où celle-ci fait référence à un *amour naturel* (par opposition à la *fole amor* contre laquelle elle veut mettre en garde l'amant, v. 5729-5730), qui est un *naturels enclinemenz* des animaux et des hommes qui les pousse à nourrir leurs petits et à les engendrer, ce qui permet la préservation de l'espèce – ce dont il n'est nullement question ici, mais le vocabulaire utilisé par Christine peut y faire penser, d'autant qu'elle y associe la *fole amor* condamnée par Raison juste avant dans le passage cité du *Roman de la Rose* (*op. cit.*, v. 5759-5780, p. 328-329).

cuert ou monde une loy naturelle des hommes aux femmes
et des femmes aux hommes, non mie loy faite par establis-
sement de gens mais par inclinacion charnelle, par laquelle
ilz s'entreaiment de tres grant et enforciee amour par une
15   fole plaisance, et si ne scevent a quel cause ne pourquoy
telle amour l'un de l'autre en eulx se fiche. Et en icelle
amour, qui est assez commune et que on appelle la vie
amoureuse, dient communement les hommes que femmes,
quoy qu'elles promettent, y sont moult pou arrestees en un
20   lieu et de pou d'amour et a merveilles faulces et faintes, et
que tout ce leur vient de la legiereté de leur couraige. Et
entre les autres aucteurs qui de ce les accusent, Ovide, en
son *Livre de l'art d'amours*, leur donne moult grant
charge. Et dit cellui Ovide, et semblablement les autrez,
25   quant assez ont blasmees sur celle chose les femmes, que
ce qu'ilz en mettent en leur livres, tant des meurs
decevables d'elles comme de leurs mauvaistiez [117ᵛ], que
ilz le font pour le bien commun et publique afin de aviser
les hommes de leurs cautelles pour mieux les eschever, si
30   comme du serpent mucie soubz l'erbe. Si vous plaise,
chiere Dame, m'aprendre de ceste chose le vrai. »

    Responce : « Amie chiere, quant est a ce qu'ilz dient
que si decevables soient, ne scay a quoy plus tendroie, car

questions sur tout». «Ma Dame, il existe une loi naturelle répandue partout dans le monde qui lie les hommes aux femmes et les femmes aux hommes; il ne s'agit pas d'une loi établie par les institutions sociales, mais d'une attirance charnelle, par laquelle ils s'aiment mutuellement d'un amour passionné, renforcé par un plaisir immodéré[1], et pourtant ils ne savent pas quelle en est la cause, ni pourquoi un tel amour mutuel s'implante en eux. Et dans cette sorte d'amour, qui est assez courante et qu'on appelle la vie amoureuse, les hommes ont coutume de dire que les femmes, malgré toutes leurs promesses, y sont très peu constantes, peu aimantes et extrêmement fausses et dissimulatrices, et que tout ceci tient à leur légèreté de caractère. Parmi tous les auteurs qui les accusent de la sorte, Ovide, dans son *Art d'aimer*, les attaque avec une grande virulence. Et cet Ovide, ainsi que tous les autres, une fois qu'ils ont bien blâmé les femmes sur ce sujet, prétendent que tout ce qu'ils écrivent dans leurs livres contre les tromperies des femmes et leur malignité, ils le font pour le bien commun et public, afin d'avertir les hommes de leurs ruses, et que ceux-ci puissent mieux les éviter, comme le serpent caché sous les herbes[2]. Veuillez donc, ma chère Dame, me dire ce qu'il en est.»

Elle me répondit: «Ma chère amie, pour ce qui est du reproche qu'ils leur font d'être trompeuses, je ne sais ce que je

---

[1] Si l'idée est assez évidente, l'expression *fole plaisance* n'est pas aisée à traduire. Dans le *Livre du duc des vrais amants*, dont la date de composition est très proche de celle de la *Cité*, elle est employée à deux reprises dans la lettre envoyée par Sebille de la Tour à la jeune duchesse que son ancienne gouvernante met en garde contre les dangers de la *fole amour* (traduit par «amour déraisonnable»), p. 336 (traduction «un plaisir futile») et p. 346 (traduction «plaisir déraisonnable»). Cette lettre a été reprise ensuite presque telle quelle dans le *Livre des trois Vertus*, qui prend la suite de la *Cité des dames*; *aucune fole plaisance* (p. 113) est traduit par L. Dulac (*Voix de femmes au Moyen Âge*, p. 625), par «quelque plaisir frivole»; *la dame qui aura esté aveuglee par l'envelopement de fole plaisance* (p. 118) est traduit par «les plaisirs insensés qui l'auront absorbée» (L. Dulac, p. 629). On voit combien la tonalité de ce passage et le vocabulaire employé ici directement par «Christine» sont très proches de ceux de la sage gouvernante qui dans les deux textes met en garde sa protégée contre les dangers de l'amour. É. Hicks et T. Moreau ont choisi de moderniser radicalement le ton de ce passage, traduisant *fole plaisance* par «poussés par le désir sexuel» et faisant référence ensuite aux «feux de la passion»; si c'est bien un équivalent moderne de ce que Christine décrit ici, le vocabulaire est toutefois bien éloigné de celui du texte original.

[2] Voir la note 1 p. 669.

35   toy mesmes as assez souffissamment traittié la matiere tant
     contre cellui Ovide, comme contre aultres, en ton *Epistre du
     dieu d'Amours* et es *Epistres contre le Rommant de la Rose*[1].
     Mais sur le point que tu m'as touchié, que ilz dient que pour
     le bien commun le firent, je monstrerai que pour ce ne fu ce
     mie, et voy cy la raison : autre chose n'est bien commun ou
40   publique en une cité ou païs ou communité de peuple fors
     un profit et bien general ou quel chascun, tant femmes
     comme hommes, participent ou ont part. Mais la chose qui
     seroit faite en cuidant pourfiter aux uns et non aux autres
     seroit appellez bien privé ou propre, et non mie publique. Et
45   encore moins le seroit le bien que on touldroit aux uns pour
     donner aux autrez, et telle chose doit estre appellé non mie
     seulement bien propre ou privé, mais droite extorcion faite a
     aultrui en faveur de partie et a son grief pour soustenir
     l'autre. Car ilz ne parlent point aux femmes en elles avisant
50   que elles se gardent des agais des hommes, et toutevoies est
     ce chose certaine que tres souvent et menu, ilz deçoivent les
     femmes par leurs cautelles et faulx semblans. Et n'est mie
     doubte que les femmes sont aussi bien au nombre du
     puepple de Dieu et de creature humaine que sont les
55   hommes, et non mie une [118ʳ] autre espece ne dessem-
     blable generacion par quoy elles doient estre fourcloses des
     enseignemens moraux. Doncques je conclus que se pour le
     bien commun le feissent, c'est assavoir des deux parties, ilz
     eussent aussi bien parlé aux femmes que elles se gardassent
60   de l'agait des hommes comme ilz ont fait aux hommes que
     ilz se gardassent des femmes.

     Mais a laissier aller icestes questions et en suivant
     l'autre, c'est assavoir que femmes ne soient mie de si pou
     d'amour la ou leur cuer s'applicque et que plus y sont
65   arrestez que ilz ne dient, me souffira de le te prouver par
     exemple, par deduisant en tesmoing partie de celles qui
     jusques a la mort y ont perseveré. Et premierement te dirai
     de la noble Dido, roine de Cartaige, dont cy dessus a esté
     parlé de sa grant valeur, quoy que toy meismes en tes
70   dictiez aucune fois en aies parlé. »

---

[1]   *B, D, R : Epistre sus le Romant de la Rose*

pourrais te dire de plus, car tu as toi-même suffisamment traité le sujet et réfuté Ovide et d'autres auteurs dans ton *Epître du dieu d'Amour*[1] et dans tes *Epîtres contre le Roman de la Rose*[2]. Mais sur le point que tu viens de mentionner, à savoir qu'ils prétendent l'avoir fait pour le bien public, je vais te montrer que c'est faux, et voici pourquoi : le bien commun ou le bien public n'est rien d'autre, dans une cité, un pays ou une communauté, qu'un profit ou un bien général auquel chacun, homme ou femme, prend part ou participe. Mais une chose qui serait faite avec l'intention de profiter aux uns, mais pas aux autres, devrait être appelée bien privé ou bien propre, et non pas bien public. Et ce serait encore moins le cas pour un bien que l'on enlèverait aux uns pour le donner aux autres ; cela devrait être appelé non pas seulement bien privé ou bien propre, mais une véritable extorsion, faite au détriment des uns en faveur de la partie adverse. Car ces auteurs ne s'adressent pas aux femmes pour les mettre en garde contre les pièges que leur tendent les hommes, et cependant il est certain que de très nombreuses fois, ils trompent les femmes par leur ruse et leurs faux-semblants. Et il ne fait aucun doute que les femmes font partie du peuple de Dieu et qu'elles sont des créatures humaines aussi bien que les hommes, qu'elles n'appartiennent pas à une autre espèce ou à une race différente qui justifierait qu'on leur interdise l'accès aux leçons morales. J'en conclus donc que s'ils avaient agi pour le bien commun, à savoir celui des deux parties concernées, ils se seraient aussi bien adressés aux femmes pour qu'elles se gardent des pièges des hommes, qu'ils l'ont fait pour les hommes, afin qu'ils se gardent des femmes.

Mais laissons là cette question pour revenir à l'autre : pour te montrer que les femmes n'ont pas si peu d'amour là où leur cœur s'attache, et qu'elles sont capables de s'y fixer plus qu'ils ne le disent, il me suffira de t'en donner la preuve par des exemples, en invoquant le témoignage de quelques-unes qui ont persévéré dans leur amour jusqu'à la mort. Je te parlerai premièrement de la noble Didon, reine de Carthage, dont on a déjà évoqué plus haut les grandes qualités, et dont tu as toi-même parfois parlé dans tes poèmes. »

---

[1] Voir I, 8, note 1, p. 235 et II, 47.
[2] Voir I, 8, note 1, p. 235.

De Dido, royne de Cartaige, a propos d'amour ferme en femme .LV.

1   « Si[1] comme cy devant est dit, Dido, royne de Cartaige,
      estant en sa cité en joie et paix, regnant glorieusement, vint
      par fortune Eneas, fuitif de Troie aprés la destruccion
      d'icelle, duc et chevetaine de grant foison Troiens, degetté
5   par diverses tempestes, ses nefs cassees, ses vivres faillis,
      a grant perte des siens, souffraiteux de repos, diseteux de
      peccune, las de errer par mer, besongneux de heberge,
      ariva au port de Cartaige. Et adont pour doubtance de
      mesprendre se a terre descendist sans licence, il[2] envoya
10   devers la roine savoir s'il lui plairoit que port preist. La
      noble dame plaine d'onneur et de vaillance, qui savoit bien
      que les Troiens estoient plus que nacions du monde pour le
      temps [118ᵛ] en grant reputacion, et que cellui duc Eneas
      estoit de la lignee roial de Troie, ne donna pas seullement
15   le congié de descendre, ains elle meismes, a tres grant[3]
      compagnie de barons, de dames et de pucelles, lui vint au
      devant[4] jusques a la marine. Et a tres grant honneur receut
      lui et toute sa compaignie, le mena en sa cité et tres
      grandement l'onnora, festoia et aysa. Que t'en feroie lonc
20   compte ? Tant fu Eneas la a sejour aisé et a repos que mais
      lui souvenoit petit de tous les tourmens que eux avoit, et a
      tant vint la frequentacion que Amours, qui soubtillement
      scet cuers soubtraire, les fist enamer l'un de l'autre. Mais
      selon ce que l'experience se monstra, moult fu plus grande
25   l'amour de Dido vers Eneas que celle de lui vers elle. Car
      non obstant que il lui eust sa foy baillié que jamais autre
      femme qu'elle ne prenderoit et que a toujours mais si en
      seroit, il se parti aprés ce que elle l'ot tout refait et enrichy
      d'avoir et d'aise, ses nefs refreschies, refaites et ordon-
30   nees, plain de tresor et de biens, comme celle qui n'avoit
      espargnié l'avoir la ou le cuer estoit mis[5]. S'en ala sans

---

[1] S orné sur 2 lignes.
[2] B, D : comme il
[3] B, D, R : noble
[4] B, D, R : a l'encontre
[5] B, D : la ou son cuer estoit tout mis

55. À propos de Didon, reine de Carthage, et de la constance en amour chez une femme

«Comme cela a été dit plus haut, alors que Didon, reine de Carthage, régnait glorieusement dans sa cité, dans le bonheur et la paix, le sort voulut qu'Énée, fuyant la ville de Troie après sa destruction, chef et capitaine d'une grande troupe de Troyens, ballotté sur les mers par de terribles tempêtes, ses navires brisés, à court de vivres, ayant perdu beaucoup des siens, ayant grand besoin de repos, manquant d'argent, las d'errer sur la mer, poussé par la nécessité de trouver un asile, aborda au port de Carthage. Dans la crainte de commettre une faute s'il descendait à terre sans permission, il envoya des messagers à la reine pour savoir si elle accepterait qu'il débarque au port. Cette noble dame, pleine d'honneur et de valeur, connaissait bien l'excellente réputation des Troyens, qui surpassait à cette époque celle de toutes les nations du monde ; elle savait aussi que ce seigneur Énée appartenait à la lignée royale de Troie. Elle ne se contenta pas de lui donner la permission d'accoster, mais elle se rendit elle-même à sa rencontre jusqu'au rivage, accompagnée d'un grand nombre de seigneurs, de dames et de demoiselles. Elle les reçut, lui et tous ses compagnons, avec les plus grands honneurs, les conduisit dans sa ville et elle organisa en l'honneur d'Énée et pour son plaisir une très grande fête. Mais à quoi bon te faire un long récit ? Énée y fit un séjour si paisible et si agréable qu'il ne se souvenait presque plus de tous les tourments qu'il avait subis. Et Didon et lui se virent si souvent qu'Amour, qui sait s'emparer des cœurs d'une façon subtile, les fit tomber amoureux l'un de l'autre. Mais comme l'expérience le démontra, l'amour de Didon pour Énée était plus grand que celui qu'il lui portait en retour. Car bien qu'il lui eût juré sa foi qu'il n'aurait jamais d'autre épouse qu'elle, et qu'il en serait ainsi pour toujours et à jamais, il la quitta, après qu'elle l'eut aidé à retrouver ses forces, qu'elle l'eut comblé de richesses et de confort, qu'elle eut fait remettre en état ses navires, qu'elle les eut fait réparer et réaménager, et qu'il fut devenu riche de trésors et de biens ; en effet elle n'avait rien épargné pour celui à qui elle avait livré son cœur. Il s'en alla sans prendre congé, de

congié prendre, de nuit, en recelee, traiteusement, sans le
sceu d'elle. Et ainsi paia son oste, laquelle departie fu si
grant douleur a la lasse Dido qui trop amoit que elle voult
35　renoncier a joie et vie. Et de fait, aprés ce qu'elle ot fait
assez de regrais, se getta en un grant feu que fait alumer
avoit. Et autres dient que elle s'occist de la mesmes espee
de Eneas. Et ainsi piteusement fina la noble roine Dido,
qui tant honnoree avoit esté que elle passoit en renommee
40　toutes les femmes de son temps.»

De Medee amante .LVI.

1　　　　«Medee[1], fille du roy de Colcos, qui tant avoit de
savoir, ama de trop grant amour Jason [119ʳ]. Cellui Jason
estoit un chevalier de Grece moult preux aux armes. Il ouy
parler que en l'isle de Colcos, qui estoit ou païs dont le
5　pere de Medee estoit roy[2], avoit un mouton d'or mervilleux gardé par divers enchantemens, et que non obstant
que la toison d'icellui mouton semblast comme imposible
a conquerre, toutevoies estoit prophetisié que par un
chevalier devoit estre conquise. Jason, qui ceste chose
10　entendi, lui comme desireux d'acroistre de mieux en

---

[1] M *orné sur 2 lignes.*
[2] le pere de Medee estoit; *corr. d'après B, D, R.*

nuit, en cachette, comme un traître, et à son insu. C'est ainsi qu'il récompensa son hospitalité. Et cette rupture causa une si grande douleur à la malheureuse Didon, qui l'aimait d'un trop grand amour, qu'elle voulut renoncer au bonheur et à la vie. En effet, après de longues lamentations, elle se jeta dans un bûcher qu'elle avait fait allumer. D'autres disent qu'elle se tua avec la propre épée d'Énée[1]. Telle fut la pitoyable fin de la noble reine Didon, qui avait été si honorée que sa renommée dépassait celle de toutes les femmes de son temps. »

56. À propos de Médée amoureuse

« Médée, fille du roi de Colchide, qui était si savante, aima Jason d'un amour excessif. Ce Jason était un noble guerrier grec d'une très grande vaillance aux armes. Il avait entendu dire que dans l'île de Colchide, qui faisait partie du pays où régnait le père de Médée, se trouvait un merveilleux bélier d'or, gardé par de redoutables sortilèges. La toison de ce mouton semblait quasiment impossible à conquérir, et pourtant une prophétie avait prédit qu'elle serait conquise par un noble guerrier. Jason, qui en avait entendu parler, désireux d'accroître toujours plus sa

---

[1] C'est la version que l'on trouve dans l'*Énéide* de Virgile. Dans le *Roman d'Eneas*, Didon fait les deux - elle se transperce de l'épée qu'Eneas lui avait laissée, puis se jette dans le bûcher qu'elle avait fait préparer (p. 166, v. 2110 *sq.*). Dans l'*Histoire ancienne* 1 (LX, fr. 264, fol. 60ᵛ-61ʳ), il n'est pas précisé comment elle se tue, alors que dans l'*Histoire ancienne* 2 (fol. 169ᵛ-170ʳ), l'arme utilisée est bien l'épée d'Énée. La version donnée par Boccace (*Cleres femmes*, XLII, t. I, p. 134-146), que Christine suit pourtant pour le début de l'histoire de Didon, racontée plus haut (I, 46), est tout à fait différente : Didon, modèle de la veuve chaste et fidèle à son mari mort, fait dresser une statue du dieu de son mari pour échapper à un roi africain poussé par la luxure (« le roy sans loy de gens bestiaux », p. 139) qui veut l'épouser de force et menace de détruire la cité (dans le *De mulieribus claris*, XLII, p. 76, il n'y a pas de statue, mais un énorme bûcher qu'elle a fait édifier sur la hauteur pour y accomplir des sacrifices). Elle se tue avec un couteau aux pieds de cette statue en invoquant le nom de son époux Sychée, et meurt sans même avoir rencontré Énée, qui arrive justement à Carthage. Boccace loue longuement son comportement. Christine s'inspire plutôt de l'*Ovide moralisé* (XIV, v. 302- 602, t. V, p. 18-26) qui raconte l'histoire des amours d'Énée et de Didon et introduit une longue lamentation de la dame qui finit par se tuer avec l'épée de son amant avant de se jeter dans le bûcher qu'elle avait fait allumer. Christine en donne déjà une version raccourcie dans la *Mutacion de Fortune*, VII, 1 (t. III, v. 18258-18296, p. 172-173).

mieux sa renommee, se parti de Grece a grant compaignie
en entencion de s'esprouver a ceste conqueste. Et comme
il feust arivez ou dit païs de Colcos, le roy de la terre lui
dist que impossible seroit[1] que par armes ne par proece
15   d'omme feust conquise la Toison d'or, car c'estoit chose
faee, et que plusieurs chevaliers qui asseyés s'i estoient y
avoient esté perilz. Si ne voulsist pas perdre la vie en telle
maniere brief et court. Jason dist que puisque entrepris
l'avoit, ne le lairoit pour mourir. Medee, la fille du roy, qui
20   vid Jason de telle beauté, de lignee roial et de si grant
renommee que il lui sembla que bon mariage seroit pour
elle et que mieux ne pourroit emploier s'amour, le volt
garder de mort, car trop grant pitié lui prist que tel chevalier deust ainsi mourir[2]. Si parla a lui longuement et a loisir
25   et a brief dire, elle lui bailla charmes et enchantemens,
comme celle qui tous les savoit, et lui apprist toute la
maniere comment et par quel voie il conquerroit la Toison
d'or par si que Jason lui promist la prendre a femme sans
jamais autre avoir et que loyale foy et amour a tousjours
30   lui porteroit. Mais de ceste promesse lui menti Jason, car
aprés [119ᵛ] ce qu'il fu du tout avenu a son entente, il la
laissa pour une autre, dont elle, qui plus tost se laissast
detraire que lui avoir fait ce tour, fu comme desesperee, ne
oncques puis bien ne joie son cuer n'ot. »

---

[1] B, D : estoit
[2] B, D, R : perir

renommée, quitta la Grèce avec un grand nombre de compagnons dans l'intention de tenter cette conquête. Quand il fut arrivé dans cette terre de Colchide, le roi du pays lui dit qu'il serait impossible de conquérir la Toison d'or par les armes et par la prouesse guerrière, car elle était enchantée, et que de nombreux guerriers qui s'y étaient essayés avaient péri. Il ne voudrait pas perdre la vie d'une manière aussi rapide. Jason lui répondit que puisqu'il avait entrepris cette conquête, il ne l'abandonnerait pas, dût-il en mourir. Médée, la fille du roi, considérant la beauté de Jason, sa lignée royale et sa très grande renommée, jugeant qu'il serait un bon parti pour elle et qu'elle ne saurait mieux placer son amour, voulut le protéger de la mort, car elle fut prise d'une grande pitié à l'idée qu'un tel guerrier dût ainsi mourir. Elle s'entretint longuement avec lui et tout à loisir; en bref, elle lui confia des charmes et des enchantements, elle qui les connaissait tous, et lui apprit comment s'y prendre pour conquérir la Toison d'or; en échange de quoi Jason lui promit de la prendre pour femme, de ne jamais en avoir d'autre qu'elle, et de lui garder pour toujours son amour et sa fidélité. Mais Jason trahit sa promesse, car après être parvenu en tous points à ce qu'il désirait, il l'abandonna pour une autre; et Médée, qui se serait laissé torturer plutôt que de lui faire une chose pareille, en fut désespérée, et son cœur ne connut plus jamais le bonheur[1]. »

---

[1] Sur l'histoire de Médée, la source la plus directe semble bien être là encore l'*Histoire ancienne* 2 (fol. 28ᵛ-31ᵛ, éd. Y. Otaka, t. II, p. 222-229), même si le récit ne mentionne pas la tristesse de la dame. Mais comme les deux suivantes (celles de Thisbé et d'Hero), on la trouve aussi dans l'*Ovide moralisé* (VII, v. 158-1504, t. III, p. 18-50). Sur ces trois «héroïnes ovidiennes» que Christine «enrôle dans les troupes de la constance féminine», voir M. Quilligan, *The Allegory of Female Authority, op. cit.*, p. 174-178 (citation p. 174). La transformation la plus remarquable est le fait que Christine passe sous silence la fin terrible de l'histoire, avec la vengeance que Médée exerce sur Jason en tuant les enfants qu'elle a eus de lui (épisode présent dans la *Mutacion*, où elle tue également Jason). Ne retenant que ce qui importe à sa démonstration (Médée est comme Didon un exemple de constance féminine en amour), Droiture achève son récit sur l'évocation de la trahison de Jason et du désespoir de Médée. Voir aussi *Mutacion*, VI, 5, t. III, p. 33-48, v. 14301-14786 et *Othea*, LIV, p. 275-276.

Cy dit de Thisbé[1] .LVII.

1　　　«Ovide[2] racompte en son *Livre de Methamorphoseos*,
si que tu le scez, que en la cité de Babiloine ot II riches
citoiens et nobles hommes, si prouchains voisins que les
paroirs des palais ou ilz demouroient s'entrejoignoient.
5　　Iceulx avoient II enfans sur tous autres beaux et avenans,
l'un un filz qui avoit nom Piramus et l'autre une fille qui
nommee estoit Thisbé. Ces deux enfans, qui encores
estoient sans malice comme de l'aage de VII ans, s'entrea-
moient desja si parfaitement que durer ne pouoient l'un
10　sans l'autre, et tart leur estoit tous les jours de lever matin
ou de prendre leur refeccion en leurs maisons, afin que ilz
alassent jouer avec les autres enfans et que ilz s'entretrou-
vassent, et tousjours, a tous leurs gieux, veist on ces II
enfans ensemble. Et ainsi dura si longuement que ja furent
15　grandelés, et au feur que leur aage croissoit, multiplioit la
flame de leur amour en leur couraige, et tant que pour la
grant frequentacion d'entre eulx qui fu d'aucuns apperceue, nasqui souspecon, par quoy rapporté fu a la mere de
Thisbé, qui l'enferma en ses chambres et dit ireement que
20　bien garderoit sa fille de la hantise de Piramus. De ceste
prison furent tant doulent les deux enfans que moult piteux
estoient leurs plains et pleurs, et trop leur estoit la douleur
dure de ce que veoir ne s'entre pouoient. Longuement dura
celle destrece, laquelle point n'apetisoit ne n'amendrissoit
25　leur amour; pour tant se ilz ne s'entreveoient, ains
tousjours avivoit[3] au feur de leurs ans, tant que ja furent
venus en l'aage de XV ans.
　　　[120r]Advint un jour, si que Fortune le volt, que Thisbé
qui ailleurs ne pensoit, regardant toute esplouree seulle en

---

[1] *B, D, R, table des rubriques* : De Thisbé
[2] O *orné sur 2 lignes.*
[3] *B* : croissoit

57. Où l'on parle de Thisbé

«Ovide, comme tu le sais, raconte dans son livre des *Métamorphoses*[1] qu'il y avait dans la cité de Babylone deux nobles et puissants personnages qui étaient si proches voisins que les murs des palais où ils vivaient étaient mitoyens. Ces deux hommes avaient deux enfants, les plus beaux et les plus gracieux du monde; l'un avait un garçon nommé Pyrame, et l'autre une fille que l'on appelait Thisbé. À sept ans, ces deux enfants, qui étaient encore innocents comme on l'est à cet âge, s'aimaient déjà si intensément qu'ils ne pouvaient supporter de rester l'un sans l'autre, et tous les matins il leur tardait de se lever et de prendre leur déjeuner dans leur maison pour pouvoir aller jouer avec les autres enfants et se retrouver. Et tous les jours, dans tous leurs jeux, on voyait ces deux enfants ensemble. Cela dura longtemps, jusqu'au moment où ils commencèrent à devenir grands, et plus ils croissaient en âge, plus la flamme de l'amour grandissait dans leurs cœurs, si bien que comme certains avaient remarqué qu'ils passaient beaucoup de temps ensemble, cela fit naître des soupçons. On le rapporta à la mère de Thisbé, qui l'enferma dans ses appartements et dit, fort en colère, qu'elle saurait bien protéger sa fille et l'empêcher de fréquenter Pyrame. Les deux enfants souffraient tant de cet enfermement que leurs plaintes et leurs pleurs étaient à fendre le cœur, et la souffrance qu'ils éprouvaient ne pas pouvoir se voir leur était très pénible. Ce tourment dura longtemps, sans que leur amour n'en fût aucunement diminué ni amoindri; même s'ils ne se voyaient pas, leur amour ne faisait que s'aviver au fur et à mesure que les années passaient, jusqu'à ce qu'ils eussent atteint l'âge de quinze ans.

Un jour, le sort voulut que Thisbé, qui ne pensait à rien d'autre, seule dans sa chambre et en larmes, regardant le mur

---

[1] Ovide, *Métamorphoses*, t. I, l. IV, p. 98-101. Comme pour l'histoire d'Hero et de Léandre dans le chapitre suivant, Christine utilise l'*Ovide moralisé*, ou plus précisément, dans ce cas, la version française du XIIe siècle qui y est insérée, à laquelle elle emprunte plusieurs détails, notamment au début de l'histoire (*Ovide moralisé*, IV, t. II, v. 229-1149, p. 18-36; Christine suit d'assez près sa source, tout en la résumant). Voir C. Lucken, «Thisbé dans la *Cité des dames*», *Cahiers de Recherches Médiévales et Humanistes*, n° 20, 2010, p. 303-320. Voir également l'*Epistre Othea*, XXXVIII, p. 253-255.

30 sa chambre la paroit qui estoit moienne entre les deux
palais, disoit[1] : "Ha ! Paroi de pierre dure qui fais la
decevrance de mon ami et de moy, se il avoit en toy aucune
pitié, tu fenderoies affin que je peusse veoir cellui que je
tant desire !" Et si comme elle disoit ces paroles, elle vit

35 d'aventure en un quignet, la paroit crevee par ou la lueur
de l'autre part appercevoit. Adont elle fuy a la creveure et
a tout le mordant de sa çainture, car autre outil n'avoit,
crut aucunement le pertuis, tant que le mordant ficha tout
oultre, affin que Piramus le peust appercevoir. Laquelle

40 chose advint, et comme par celle enseigne les deux amans
moult souvent s'assemblassent a parler ensemble au dit
pertuis ou leurs piteux complains faisoient, a la parfin,
contrains par trop grant amour, prinrent complot de eux
embler de leurs parens, par nuit, en recelee et de eux entre-

45 trouver dehors la cité, sus une fontaine, soubz un murier
blanc, ou en leur enfance aler jouer souloient. Et comme
Thisbé, qui plus amoit, fust la premiere venue a la
fontaine, atendant son ami, elle, espouentee d'un lyon
qu'elle ouy venir bruiant pour boire a la fontaine, s'enfuy

50 cacher en un busson la pres, et en alant, laissa cheoir un
blanc cuevrechief que elle avoit, lequel le lion trouva et
vomi dessus l'entraille des bestes que devourees avoit.
Piramus vint ains que Thisbee s'osast bougier du buisson,
et pour ce que il trouva le cuevrechief Thisbee, que il

55 apperceut a la lumiere de la lune chargié des entrailles,
quida fermement que s'amie feust devouree. Si ot si grant
douleur que il[2] s'oc[120ᵛ]cist de s'espee. Et si comme il
mouroit, Thisbee vint, qui en ce point le trouva et par
l'enseigne du cuevrechief qu'elle lui vit tenir embracié,

60 elle sot la cause de celle malle aventure, dont elle ot tel
douleur que plus vivre ne volt. Et quant elle vit que
l'esperi de son ami estoit hors, aprés moult piteux regrais
que elle fist, s'occist de la mesme espee.»

---

[1] *B, D, R* : en disant piteusement
[2] *B, D, R* : il meismes

mitoyen entre les deux palais, s'exclama : "Ah ! Mur de pierre dure, toi qui me sépares de mon ami, si tu avais en toi quelque pitié, tu te fendrais afin que je puisse voir celui que je désire tant voir !" Et comme elle disait ces mots, elle vit par hasard dans un petit angle du mur une fente par où elle put apercevoir de la lumière provenant de l'autre côté. Alors elle se précipita vers cette fente et s'efforça de l'élargir un peu à l'aide du mordant de sa ceinture, car elle n'avait pas d'autre outil, si bien qu'elle réussit à faire passer le mordant à travers le mur, afin que Pyrame puisse l'apercevoir. C'est en effet ce qui arriva. Et grâce à ce signal les deux amants se retrouvèrent souvent pour parler ensemble à travers la fente et échanger leurs pitoyables complaintes. À la fin, poussés par leur trop grand amour, ils prirent l'engagement de s'enfuir de chez leurs parents, de nuit, en cachette, et de se retrouver en-dehors de la ville, près d'une source, sous un mûrier blanc, où ils avaient coutume d'aller jouer ensemble quand ils étaient enfants. Thisbé, dont l'amour était plus grand, arriva la première à la source ; et tandis qu'elle attendait son ami, elle fut épouvantée en entendant rugir un lion qui y venait boire, et elle s'enfuit pour se cacher dans un buisson tout proche ; mais en s'enfuyant, elle laissa tomber un voile blanc qu'elle portait sur la tête ; le lion le trouva, et vomit dessus les entrailles des bêtes qu'il avait dévorées. Pyrame arriva avant que Thisbé n'ait osé bouger du buisson, et trouvant le voile de Thisbé qu'il aperçut à la lumière de la lune souillé par les entrailles d'animaux, il fut persuadé que son amie avait été dévorée. Il en éprouva une si vive douleur qu'il se tua de son épée. Il se mourait lorsque Thisbé arriva et le trouva dans cet état ; en voyant le voile qu'il tenait embrassé contre lui, elle comprit la cause de ce malheureux événement, et elle en éprouva une telle douleur qu'elle ne voulut plus vivre. Quand elle vit que son ami avait rendu l'âme, après avoir longuement exprimé des regrets déchirants, elle se tua avec la même épée. »

Cy dit de Hero .LVIII.

« Hero[1], la noble jouvencelle, n'ama pas moins
Lehander que fist Thisbé Piramus. Car comme cellui
Lehander, pour garder l'onneur d'elle, amat mieux se
exposer a grant peril affin que leur amour feust cellee que
ce que baudement et a la veue des gens allast vers elle,
avoit pris une telle maniere de veoir sa dame que souvent
et menu, il se levoit par nuit[2] affin que personne ne le
sceust et tout seul, s'en aloit a un bras de mer assez large
que on nomme Herles, et tout a no le passoit tant que il
venoit a un chastel que on apppelloit Abidon, qui seoit sur
la rive de l'autre part, ouquel Hero demouroit, qui l'aten-
doit a une fenestre. Et es longues nuis d'iver obscures, elle
tenoit un bran[d] de feu a une fenestre affin que elle lui
donnast adrece d'aler droit celle part.

Par plusieurs annees continuerent les deux amans
celle voie tant que Fortune ot envie de leur vie solacieuse
et destourner les en volt. Car comme il avenist une fois ou
dit temps[3] que par orage de temps, la mer feust moult
tempesteuse, grosse, enflee et perilleuse, laquelle
tempeste durast par tant de jours sans cesser que moult fu
ennuieuse la longue atente de veoir l'un l'autre aux deux
amans et moult fort se complaignoient du vent [121ʳ] et
du temps qui tant duroit, a la parfin Lehander, que grant
desir trop chaçoit, pour ce que il vit une nuit le brandon a
la fenestre que Hero tenoit, lui sembla que par ce signe
elle l'appelloit et que a grant recreandise lui devroit
tourner, en quelque peril que il se meist, se il n'y aloit.
Helas ! Et la lasse qui se doubtoit et qui voulentiers lui
deffendist qu'il n'y alast pour se mettre en tel peril, se elle
peust, tenoit le brandon a l'aventure pour lui donner
adresce ou cas que il s'i seroit mis. Si advint tellement la
male fortune que Lehander, qui se fu mis a no, ne pot
estriver contre les floz de la mer qui le porterent si loings

---

[1] H *orné sur 2 lignes.*

[2] *B, D, R* : de son lit

[3] *B, D, R* : ou dit temps d'iver

58. Où l'on parle d'Héro[1]

« L'amour de la noble jeune fille Héro pour Léandre ne fut pas moindre que celui de Thisbé pour Pyrame. Pour préserver l'honneur de celle-ci, Léandre préféra s'exposer à de grands dangers afin que leur amour reste caché, plutôt que de se rendre vers elle effrontément à la vue de tous. Il avait donc choisi le moyen suivant pour voir sa dame : très souvent il se levait la nuit, afin que personne ne le sût, et s'en allait tout seul vers un large bras de mer que l'on appelle l'Hellespont, et il le traversait à la nage jusqu'à un château nommé Abydos, qui se trouvait sur l'autre rive ; c'est là que demeurait Héro, qui l'attendait à une fenêtre. Durant les longues nuits obscures de l'hiver, elle tenait une torche devant la fenêtre pour lui indiquer la bonne direction pour arriver tout droit jusque-là.

Les deux amants continuèrent de cette manière pendant de nombreuses années, jusqu'à ce que Fortune, jalouse de leur vie plaisante, voulut les en priver. Un jour, pendant cette période de l'hiver, le temps orageux avait rendu la mer tempétueuse, grosse, agitée et dangereuse ; cette tempête dura plusieurs jours sans cesser, au point que la longue attente qui leur était imposée avant de se revoir fut très pénible pour les deux amants, et ils se plaignaient fort du vent et du mauvais temps qui n'en finissaient pas. Finalement Léandre, aiguillonné par un trop grand désir, voyant une nuit la torche tenue par Héro à la fenêtre, crut qu'elle faisait ce signal pour l'appeler, et que s'il n'y allait pas, quel que fût le danger, ce serait faire preuve d'une grande lâcheté. Hélas ! La malheureuse, qui redoutait de le voir s'exposer à un tel danger et lui eût volontiers interdit d'y aller, si elle l'avait pu, tenait la torche à tout hasard pour lui indiquer la direction au cas où il aurait décidé de le faire. Le mauvais sort s'acharna contre Léandre, qui s'était mis à nager, mais ne parvint pas à lutter contre la violence des flots, qui l'entraînèrent si loin qu'il finit

---

[1] *Ovide moralisé*, v. 3150-3587, livre IV, t. II, p. 78-87. Mais ce récit ne provient pas des *Métamorphoses* ; l'auteur anonyme s'inspire ici d'une autre œuvre d'Ovide, les *Héroïdes*, les lettres XVIII et XIX (Ovide, *Héroïdes*, éd. H. Bornecque, trad. M. Prévost, Paris, Les Belles Lettres, 1928). Voir D. Lechat, « Héro et Léandre dans l'*Ovide Moralisé* », *Cahiers de Recherches Médiévales et Humanistes*, n° 9, 2002, p. 25-37 (il commente aussi brièvement l'utilisation de ce récit par Christine de Pizan).

que noier lui couvint. La povre Hero, a qui le cuer disoit
ce que avenu estoit, ne cessoit de plourer. Et quant le cler
35   jour apparut, comme celle qui point ne dormoit ne
reposoit, se mist de rechief a la fenestre ou toute nuit avoit
esté. Et si comme elle vid le corps mort de son amy floter
par dessus la marine, adont comme celle qui aprés lui plus
ne vouloit vivre, se jetta en mer et tant fist que elle l'ala
40   embracier. Et ainsi par trop amer fu perie. »

Cy dit de Sismonde, fille du prince de Salerne .LIX.

1   « Bocace[1] raconte ou *Livre des Cent Nouvelles* que un
prince de Salerne fu, qui nommez estoit Tancré. Cellui
avoit une moult belle fille courtoise, saige et bien
moriginee, laquelle avoit nom Sismonde. Le pere amoit
5   celle fille de si grant amour que durer ne pouoit se il ne la
veoit et a moult grant paine, quoy que il en feust moult
pressez, se voult accorder a la marier. Toutevoies fu
donnee au conte de Campaigne, mais comme elle ne
demourast gueres en mariage, le dit conte mort, le pere la
10   reprist devers soy, deliberant de jamais plus ne la marier
[121ᵛ]. La dame, qui estoit toute la joie de la vieillece du
pere, se sentoit belle, et en la fleur de sa jennesce, souevement nourrie. Croy bien que n'avoit pas moult agreable
d'ainsi user sa jeunesce sans mari, mais au vouloir son
15   pere contredire n'osoit icelle dame.

---

[1] B *orné sur 2 lignes.*

par se noyer. La pauvre Héro, pressentant en son cœur ce qui était arrivé, ne cessait de pleurer. À la première lueur de l'aube, elle se remit à la fenêtre, où elle était restée toute la nuit car elle ne pouvait ni dormir ni se reposer. Et dès qu'elle vit le cadavre de son amant flottant sur la mer, elle ne voulut pas lui survivre ; elle se jeta dans la mer et parvint à le rejoindre et à le prendre dans ses bras[1]. C'est ainsi qu'elle mourut pour avoir trop aimé. »

59. Où l'on parle de Gismonde, fille du prince de Salerne[2]

« Boccace raconte dans son *Livre des Cent Nouvelles* qu'il y avait un prince de Salerne nommé Tancrède. Celui-ci avait une fille très belle, courtoise, sage et bien éduquée du nom de Gismonde. Le père aimait sa fille d'un si grand amour qu'il ne pouvait supporter qu'elle se trouve loin de ses yeux, et bien qu'il en fût instamment pressé, il eut beaucoup de peine à accepter de la marier. Il finit cependant par la donner en mariage au comte de Campanie[3], mais elle ne resta mariée que peu de temps, et après la mort du comte, le père la reprit chez lui, bien décidé à ne jamais la remarier. La dame était toute la joie de la vieillesse de son père, mais elle se sentait belle, dans la fleur de sa jeunesse, et elle vivait dans la douceur des plaisirs. Crois bien que cela ne lui était pas très agréable d'user ainsi sa jeunesse sans avoir de mari ; mais cette dame n'osait pas contrevenir aux volontés de son père.

---

[1] Ce récit de la mort d'Héro, qui semble se jeter dans la mer du haut de sa tour, n'est pas conforme à celui de l'*Ovide moralisé*, ainsi que le remarque D. Lechat (*ibid.*, p. 35). Christine se souvient sans doute d'une autre tradition concernant cette mort, très répandue également depuis l'Antiquité, comme l'écrit P. Grimal dans son *Dictionnaire de la mythologie* ; voir notamment le poème de Musée le Grammairien, un poète de la période hellénistique (IVe-Ve s.), sur « Les Amours de Léandre et de Héro » (Musée, *Héro et Léandre*, éd. et trad. P. Orsini, Paris, Les Belles Lettres, 1968).

[2] La source de ce chapitre est une fois encore le *Décaméron* de Boccace, cité au début (Boccacio, *Decameron, op. cit.*, IV, 1, p. 699-714). Outre les études de C. Bozzolo et K. Brownlee citées plus haut (II, 52, note 1, p. 623), qui portent sur les trois récits tirés du *Décaméron*, pour une analyse détaillée des différences entre le texte de Christine et son modèle, voir J.-C. Mühlethaler, « Problèmes de réécriture : amour et mort de la princesse de Salerne dans le *Decameron* (IV, 1) et dans la *Cité des dames* (II, 59) », *op. cit.* Voir introduction, p. 73-74.

[3] Chez Boccace, le duc de Capoue. La Campanie désignait à l'époque la région autour de Capoue.

Si que elle estoit souvent en sale avecques son pere, va
aviser entre les gentilzhommes de la cour, un escuier,
lequel sur tous les autres, quoyque grant foison de chevaliers et de nobles gens y eust, lui sembla bel et encore
20   mieux condicionné et en toutes choses bien digne d'estre
amé. Et a brief dire, tant se prist garde de ses manieres que
elle delibera pour passer sa jennesce plus liement et
apaisier la gaieté de son jolis couraige que elle prenderoit
sa plaisance en cellui. Et toutevoies par longue piece, ains
25   que ceste chose descouvrist, regardoit par chascun jour, si
que elle se seoit a la table[1], bien les meurs et contenances
d'icellui qui nommez Guissart estoit. Mais plus s'en
prenoit garde, tant plus de jour en jour lui sembloit estre
plus parfait en toutes choses, pour quoy quant assez y ot
30   avisé, le manda un jour vers elle et lui dist en telle
maniere : "Guiscart, beaux amis, la fiance que j'ay en
votre bonté, loyauté et preudommie m'emeut et admonneste a me descouvrir a vous d'aucunes choses qui me
touchent moult secretes, lesquelles je ne diroie a nul autre.
35   Mais je vueil avant que le[2] vous die avoir votre serment
que jamais par vous ne sera revelé ne sceu." Guiscart
respondi : "Ma dame, ne vous fault ja doubter que ja par
moy ne serra revelé chose que me disiés. Et de ce par ma
loyauté[122ʳ] je vous asseure." Adont lui dist Sismonde :
40   "Guiscart, je vueil que tu saches que ma plaisance est en
un jentilhomme que j'aime et vueil amer, et pour ce que je
ne puis pas bien parler a lui, ne n'ai par qui mander mes
vouloirs, je vueil que tu soies moien de noz amours. Or
regardes, Guiscart, se j'ai fiance en toy plus que en nul
45   autre quant je vueil mon honneur mettre entre tes mains et
baillie." Adont cellui se mist a genoux et dist : "Ma Dame,
je sçay bien que en vous a tant de scens et de vaillance que
ne vouldriez faire chose desconvenable. Si vous merci tres
humblement de ce que en moy plus qu'en nul autre avez
50   tel fiance que descouvrir me voulez le secret de votre
pensee. Si me pouez commander, tres chiere dame, tous

---

[1]   *B, D :* a la table de son pere
[2]   *B* : encore ainçois que les ; *D, R* : ainçois que les

Comme elle se trouvait souvent dans la grande salle avec son père, elle remarqua, parmi les gentilshommes de la cour, un écuyer qui lui parut surpasser tous les autres - il y avait là pourtant un grand nombre de chevaliers et de nobles seigneurs - par sa beauté et plus encore par ses bonnes manières, et qui lui sembla en tous points bien digne d'être aimé. Bref, après avoir attentivement observé ses manières, elle décida de le prendre pour amant, pour passer plus joyeusement sa jeunesse et satisfaire les ardeurs galantes de son cœur. Cependant, pendant longtemps, avant de révéler ses intentions, pendant qu'elle était assise à la table de son père, elle observa tous les jours les manières et le comportement du jeune homme, qui s'appelait Guiscard. Mais plus elle faisait attention à lui, plus il lui semblait de jour en jour plus parfait en toutes choses; c'est pourquoi, quand elle y eut assez réfléchi, elle le fit un jour venir auprès d'elle et lui parla ainsi[1] : "Guiscard, mon cher ami, la confiance que j'ai en votre bonté, votre fidélité et votre honnêteté me pousse et m'encourage à vous confier certaines choses très secrètes qui me concernent et que je ne dirais à nul autre. Mais avant de vous les dire, je veux que vous me fassiez la promesse solennelle de ne jamais les révéler." Guiscard lui répondit : "Ma Dame, n'ayez aucun doute, je ne révèlerai jamais aucune chose que vous me direz. Je vous l'assure avec toute ma loyauté." Alors Gismonde lui dit : "Guiscard, je veux que tu saches que je suis éprise d'un gentilhomme que j'aime et que je veux aimer; mais comme il ne m'est pas possible de lui parler, et que je n'ai personne qui puisse lui faire part de mes sentiments, je veux que tu sois le messager de nos amours. Vois, Guiscard, combien je me fie en toi plus qu'en nul autre puisque je te confie mon honneur et le remets entre tes mains." Celui-ci se mit alors à genoux et lui dit : "Ma Dame, je connais votre sagesse et votre valeur et je sais bien que vous ne voudriez rien faire qui soit déshonorant. Je vous remercie très humblement d'avoir en moi plus qu'en nul autre une telle confiance que vous voulez me découvrir le secret de votre cœur. Ma chère Dame, vous pouvez

---

[1] Ce dialogue teinté de courtoisie est un ajout de Christine.

voz bons plaisirs sans nulle doubtance comme a cellui qui cuer et corps offre a obeir a tous voz bons commandemens de toute ma puissance. Et avec ce, je m'offre a estre tres
55 humble serviteur a cellui qui tant est eureux qui a l'amour de dame de si noble[1] value comme vous estes. Car vraiement il n'a mie failli a haulte et tres noble amour." Quant Sismonde, qui l'ot voulu esprouver, l'ot ouy si sagement parler, adont le prist par la main et lui dist : "Ami Guiscart,
60 saches que tu es cellui que j'ai choisi pour seul ami et en qui prendre vueil toute ma plaisance, car il me semble que la noblece de ton couraige et les bonnes meurs dont tu es plain te rendent digne d'avoir haulte amour." De ceste chose ot moult grant joie le jouvencel et humblement l'en
65 mercia. Et a brief dire, longue piece continuerent leurs amours sans ce que nouvelle aucune en feust sceue[2].

Mais Fortune envieuse de leur soulas ne volt plus souffrir vivre [122ᵛ] en joie les deux amans, ains tourna leurs deduis en moult amere tristece, et par mervilleuse
70 aventure. Il advint que a un jour d'esté que Sismonde s'esbatoit en un jardin avec ses damoiselles. A celle heure, son pere, qui n'avoit bien fors quant il la veoit, ala tout seul en la chambre d'elle pour deviser et s'esbatre. Mais comme il trouvast les fenestes closes et les courtines
75 tirees, et que ame n'y estoit, cuida que elle se dormist a remontee, si ne la voult mie esveiller, ains se coucha sur une couche et la moult fort s'endormi. Sismonde, quant assez lui sembla avoir demouré ou jardin, s'en vint en sa chambre. Sur son lit se coucha comme pour dormir, toutes
80 ses femmes fist vuidier et clore l'uis sur elle sans ce que son pere fust d'elle ne d'autre apperceu. Quant elle se vit toute seulle, se leva de son lit et querir ala Guissart qui en une de ses gardes robes estoit enclos, et en sa chambre le mena. Et si comme ilz devisoient entre eulx deux entre les
85 courtines comme ceulx qui se quidoient tous seulz, le prince s'esveilla et entendi que homme estoit avec sa fille.

---

[1] B, D, R : digne
[2] B, D, R : sentie

me confier toutes vos volontés sans aucune crainte, car je me donne à vous corps et âme pour obéir autant qu'il me sera possible à tous vos commandements. En outre, je m'offre à être le très humble serviteur de celui qui a le bonheur d'être aimé d'une dame de si haute valeur. Car en vérité, il est parvenu à atteindre un amour très noble et très élevé." Quand Gismonde, qui avait voulu le mettre à l'épreuve, l'entendit parler si sagement, elle le prit par la main et lui dit : "Guiscard, mon cher ami, sache que c'est toi seul qui es l'élu de mon cœur et l'objet de tout mon désir, car il me semble que la noblesse de tes sentiments et tes excellentes manières te rendent digne d'un amour placé en haut lieu." Le jeune homme en éprouva une très grande joie et la remercia humblement. Bref, leurs amours durèrent longtemps sans que personne n'en sache rien.

Mais Fortune, jalouse de leur bonheur, ne voulut plus supporter que les deux amants vécussent dans la joie, et elle transforma leurs plaisirs en une tristesse très amère, à la suite d'une terrible mésaventure. Un jour d'été, Gismonde était allée se divertir dans un jardin avec ses demoiselles. À ce moment-là, son père, qui ne se sentait bien que quand il la voyait, se rendit tout seul dans la chambre de sa fille pour bavarder et se distraire. Mais comme il trouva les fenêtres fermées et les rideaux tirés, et qu'il n'y avait personne, il crut qu'elle faisait une sieste ; il ne voulut pas la réveiller, s'allongea sur une couche et s'endormit profondément. Quand Gismonde jugea qu'elle était restée assez longtemps dans le jardin, elle revint dans sa chambre. Elle se coucha sur son lit comme pour dormir, fit sortir toutes ses femmes et leur fit refermer la porte derrière elle, sans que ni elle ni personne d'autre ne s'aperçoive de la présence de son père. Quand elle se vit toute seule, elle se leva de son lit et alla chercher Guiscard qui était enfermé dans une de ses garde-robes et elle le conduisit dans sa chambre. Et comme ils s'entretenaient tous les deux derrière les rideaux du lit en se croyant tout seuls, le prince s'éveilla et entendit qu'un homme se trouvait avec sa fille.

De ceste chose ot si grant douleur que a paine le¹ pot
garder la consideracion qu'il deshonnoroit sa fille que il ne
lui courust sus, toutevoies se souffri et bien entendi qui
90   estoit cellui. Si fist tant que il sailli de la chambre sans ce
que il le sentissent. Quant les deux amans orent ensemble
assez esté, Guissart se parti, mais le prince qui l'ot fait
agaitier tantost le fist prendre et emprisonner. Puis vint
devers sa fille et seul a seul en sa chambre, a yeux plains
95   de lermes et a triste visaige, lui prist a dire en telle
maniere : "Sismonde, je cuidoie [123ʳ] avoir en toy fille
sur toutes femmes belle, chaste et saige, mais de tant suis
je convaincus d'ire comme plus envis le contraire
cuidasse, car se a mes yeulx veü ne l'eusse, riens ne feust
100   qui a croire me feist que d'amour d'omme, se ton mari ne
feust, peusses estre surprise. Mais comme de ce qui en est,
je soie certain, la tristece en serra le tourment de ma
vieillece et de ce pou de temps que j'ay a vivre. Et ce qui
plus encores engrige mon yre, c'est que je te cuidoie estre
105   du plus noble couraige que femme nee, et je voy le
contraire par ce que tu t'es prise a un des mendres de mon
hostel. Car se telle chose vouloies faire, trop de plus
nobles trouvasses a ma court, sans te estre prise a Guiscart,
auquel bien cuide vendre chier la douleur que j'ay par sa
110   cause, car je vueil que tu saches que mourir le feray, et
semblablement de toy feisse se je peusse deffaire de mon
cuer la folle amour que j'ai a toy, trop plus grande que pere
n'ot oncques a fille, qui le me destourne."

Quant Sismonde entendi que son pere avoit congnois-
115   sance de la chose que tant celer voulsist, se elle ot douleur
nul ne le demant, mais encore surtout le comble de sa
pesance lui destraignoit le cuer de ce que il menaçoit de
mort cellui que elle tant amoit, si voulsist bien mourir en
l'eure. Toutevoies par tres afermé couraige et constante
120   chiere, sans getter lerme, quoyqu'elle se disposast de non
plus vivre, respondi ainsi : "Pere, puisque ainsi est que
Fortune a voulu consentir que vous sachiés ce que tant

---

¹ a peine s'en pot garder; *corr. d'après B, D, R.*

Il en éprouva une douleur si grande que la pensée qu'il allait déshonorer sa fille suffit à peine à l'empêcher de se précipiter sur lui ;
cependant il se contint, et entendit bien de qui il s'agissait. Puis il fit
en sorte de quitter la chambre sans qu'ils s'en rendent compte.
Quand les deux amants eurent passé suffisamment de temps
ensemble, Guiscard partit, mais le prince, qui l'avait fait guetter, le
fit aussitôt arrêter et jeter en prison. Puis il se rendit auprès de sa fille
et, seul à seul avec elle dans sa chambre, les yeux pleins de larmes et
le visage marqué par la tristesse, il lui parla ainsi : "Gismonde, je
croyais avoir en toi une fille plus belle, plus chaste et plus sage que
toutes les autres femmes, mais je suis d'autant plus abattu par le
chagrin que c'est bien malgré moi que j'aurais pensé le contraire, car
si je ne l'avais pas vu de mes propres yeux, rien n'aurait pu me faire
croire que tu puisses te laisser prendre par l'amour d'un homme qui
ne fût pas ton mari. Mais comme je sais de façon certaine ce qu'il en
est, je serai tourmenté par la tristesse pendant ma vieillesse et durant
le peu de temps qu'il me reste à vivre. Et ce qui aggrave encore mon
chagrin, c'est que je te croyais plus noble de cœur qu'aucune autre,
et je vois que c'est tout le contraire, puisque tu t'es unie à l'un des
gentilshommes de moindre rang de ma maison. Car si tu voulais
faire une chose pareille, tu aurais pu en trouver de beaucoup plus
nobles à ma cour, sans t'unir à un Guiscard, à qui je compte bien
faire payer cher la douleur que j'éprouve à cause de lui, car je veux
que tu saches que je le ferai mourir, et que j'en ferais autant pour toi,
si j'avais pu chasser de mon cœur le fol amour que j'éprouve pour
toi, bien plus grand que celui qu'aucun père n'eut jamais pour sa
fille, qui m'empêche de le faire."

Quand Gismonde entendit que son père avait appris ce qu'elle
avait tant voulu cacher, inutile de demander si elle en eut de la
peine ; mais ce qui portait à son comble la douleur qui lui étrei-
gnait le cœur était qu'il menaçait de mort celui qu'elle aimait tant,
au point qu'elle aurait bien voulu mourir sur l'heure. Cependant,
affermissant son courage et montrant un visage impassible, sans
verser une larme, alors qu'elle se préparait à ne plus vivre, elle lui
répondit ainsi[1] : "Mon père, puisque Fortune a voulu faire en sorte

---

[1] Tout ce discours de Gismonde, quoique plus court que son modèle, suit
d'assez près celui que l'on trouve dans le *Décaméron*, dont certaines expressions
sont reprises.

vouloye tenir secret, je n'ay mestier de vous faire aucune
requeste, excepté se je cuidoie em[123ᵛ]pettrer de vous

125   remission et vie cellui que vous tant menaciés de mort par
me offrir en lieu, je vous suppliroie que la mienne prenis-
siez pour laissier la sienne. Car quant est que je vous
demande pardon ou cas que ferez de lui ce que vous dites,
je ne quier, car je ne vueil plus vivre, et de tant vous fais je

130   certain que par sa mort mettrez vous a fin ma vie. Mais de
ceste chose qui vous meut a si grant yre contre nous,
n'avez cause de vous prendre que a votre mesmes coulpe,
car vous qui estes de char, ne pensiés vous avoir engendré
fille de char et non pas de pierre ou de fer? Et souvenir

135   vous devoit, tout soiés vous envieilli, quelle et comment
grande est la molesce de jeunece vivant en delices et aises,
et les aguillons fors a passer qui y sont. Et puis que je vi
que vous aviez deliberé de jamais ne me marier et me
sentant jeune et stimulee de ma joliveté m'enamourai de

140   cestui, et non mie sans cause ne sans grant deliberacion,
consenti et accordai a mon cuer ce qu'il vouloit. Ains tout
avant bien avisai les meurs de lui, parfait en toutes vertus
plus que nul autre de votre court, et ce pouez savoir vous
mesmes qui l'avez nourri. Et qui est doncques noblece

145   autre chose fors vertus? Car du sanc et de la char ne vient
elle mie. Si n'avez cause de dire que prise me soie au
moins noble de votre court, et n'avez achoison de si grant
yre vers nous que vous dites, consideree votre coulpe.
Mais au fort, se si grant punicion de ce voulez prendre,

150   pourtant n'affiert elle mie sur sa personne estre prise, ains
serra a tort [124ʳ] et a pechié, mais sur moy affiert mieulx,
qui de ce admonnestai lui qui n'y pensoit. Et que deust il
doncques avoir fait? Certes, trop eust eu le cuer villain de
refuser dame de tel parage! Si devez suppleer ce meffait

155   sur lui et non pas sur moy."

Le marchis se parti atant de Si[s]monde, mais non pas
pour ce apaisié vers Guiscart. Ains lendemain le fist
occirre et commanda que le cuer du ventre lui feust
esraciez. Lequel cuer le pere mist en une couppe d'or et

que vous sachiez ce que je voulais tant garder secret, je n'ai aucune requête à vous faire, sinon que si je pensais pouvoir obtenir de vous le pardon et la vie de celui que vous menacez de mort si violemment en m'offrant à sa place, je vous supplierais de prendre ma vie pour lui laisser la sienne. Car pour ce qui est de vous demander pardon au cas où vous feriez de lui ce que vous dites, je n'y pense même pas, car je n'ai plus envie de vivre, et vous pouvez être certain que par sa mort, vous mettrez fin à ma vie. Mais pour ce qui vous pousse à une si grande colère contre nous, vous ne pouvez vous en prendre qu'à vous-même ; car vous qui êtes fait de chair, ne pensiez-vous pas avoir engendré une fille faite de chair, et non pas de pierre ou de bois ? Tout vieux que vous êtes, vous auriez dû vous rappeler combien la chair est faible quand on est jeune et que l'on vit dans le bien-être et dans les délices, et combien il est difficile de résister aux aiguillons de la tentation. Et après que j'ai vu que vous aviez décidé de ne jamais me remarier, me sentant jeune et poussée par ma sensualité, je tombai amoureuse de ce jeune homme ; non sans raison, et non sans y voir mûrement réfléchi, je cédai à l'inclination de mon cœur et me rendis à ses désirs. Mais avant cela, j'observai bien ses manières, et le trouvai parfait et doté de toutes les vertus, bien plus qu'aucun autre homme de votre cour ; et vous le savez bien vous-même, puisque vous l'avez élevé. Qu'est-ce donc que la noblesse, si ce n'est la vertu ? Car elle ne vient pas du sang ni de la chair. Vous n'avez donc aucune raison de dire que je me suis unie au moins noble de votre cour, et nous ne méritons pas votre colère autant que vous le dites, si l'on considère les torts que vous avez vous-même. Mais pour finir, si vous voulez nous infliger une si grande punition pour nos actions, ce n'est pas lui qu'il faut punir, car ce serait une faute et un péché ; il convient mieux que je sois punie, car c'est moi qui l'y ai incité, alors que lui n'y pensait même pas. Qu'aurait-il donc dû faire ? En vérité, il aurait eu le cœur bien vil s'il avait refusé une dame de mon rang ! Ce n'est donc pas à lui que vous devez tenir rigueur de cette faute, mais plutôt à moi."

Sur ce, le marquis quitta Gismonde, mais sa colère contre Guiscard n'était pas apaisée pour autant, bien au contraire. Le lendemain, il le fit tuer et il ordonna qu'on lui arrachât le cœur de la poitrine. Le père mit ce cœur dans une coupe d'or et le fit porter

160   par un sien secret mesage l'envoia a sa fille et lui manda
      qu'il li envoioit ce present pour lui faire joie de la riens que
      elle plus amoit, ainsi que elle l'avoit fait joieux de la riens
      que plus tenoit chiere. Le message venu devant Sismonde,
      fait son present et dit ce que enchargié lui estoit, elle prist
165   la coupe et l'ouvri, et tantost apperceut ce qui estoit fait,
      mais quoy que elle eust douleur inextimable, de riens ne fu
      desmeue de son hautain courage qui la fist respondre sans
      muer chiere, disant: "Mon ami, dites au marchis que en
      aucune chose l'appercoy je sage, c'est que a si noble cuer
170   a baillié sepulcre tel qu'il lui appertenoit. Car autre que
      d'or et de pierres precieuses ne doit il avoir." Puis se baissa
      sur la couppe et baisa le cuer en disant piteusement: "Ha!
      Tres doulx cuer, herberge de tous mes plaisirs, maudite
      soit la cruaulté de cellui qui a mes yeulx te fait veoir!
175   Assez m'estoies present es yeulx de ma pensee. Or as tu
      par diverse fortune passé le cours de ta noble vie, mais
      malgré de la faulce Fortune, tu as receu mesmes de ton
      ennemi tel sepulcre que ta valeur a merité. Si appertient
      [124ᵛ] bien, mon doulx cuer, que pour derrenier office, tu
180   soies lavé et baignié des lermes de celle que tant amoies, et
      tu n'y fauldras mie. Et avec ce ne serra pas ton ame sans la
      sienne, car ce n'est point raison, ains lui fera en brief terme
      compaignie. Mais encore en despit d'icelle desloyal
      Fortune, qui tant t'a nuit, t'est encore en tant bien venu a
185   point que mon cruel pere t'a a moy envoyé, affin que plus
      soies honnorez et que je parle a toy ains que je parte de ce
      monde et que mon ame voise avec la tienne, dont je desire
      la compagnie. Car je scay bien que ton esperit demande et
      desire le mien!"
190   Telz parolles et assez d'autres disoit Sismonde tant
      piteuses que personne ne l'ouyst qui fondre en larmes ne
      deust. Et si fondemment plouroit que il sembloit que deux
      fontaines eust au chief qui sans cesser en celle couppe
      decourussent sans menez noise ne cry, mais a base voix en
195   baisant le cuer. Les dames et les damoiselles qui entour
      elle estoient moult avoient grant merveille de ceste chose,
      car ne savoient riens de l'aventure, ne quelle pouoit estre
      la cause de ce tres grant dueil. Si plouroient toutes pour la

en secret à sa fille par un messager, en lui faisant dire qu'il lui envoyait ce cadeau pour lui donner de la joie avec ce qu'elle aimait le plus au monde, de même qu'elle lui avait elle-même donné de la joie avec ce qu'il aimait le plus au monde. Le messager arriva devant Gismonde, remit son cadeau et dit ce qu'on l'avait chargé de dire ; elle prit la coupe, ouvrit le couvercle, et comprit tout de suite ce qui avait été fait ; mais bien qu'elle éprouvât une douleur au-delà de toute expression, elle ne se départit en rien de son noble courage, et répondit sans laisser paraître aucune émotion : "Mon ami, dites au marquis que je reconnais qu'il a agi judicieusement sur un point, c'est qu'il a donné à un cœur aussi noble une sépulture digne de lui, car seuls l'or et les pierres précieuses lui conviennent." Puis elle s'inclina sur la coupe et embrassa le cœur, en prononçant ces paroles émouvantes : "Ah ! Très cher cœur, siège de tous mes plaisirs, maudite soit la cruauté de celui qui a fait que je te voie de mes yeux. Tu étais déjà bien présent aux yeux de mon âme. Voici que par un sort malheureux tu as achevé le cours de ta noble vie, mais en dépit de Fortune la déloyale, tu as reçu de ton ennemi lui-même la sépulture que ta valeur méritait. Il est bien légitime, mon très doux cœur, que celle que tu as tant aimée te rende les derniers devoirs en te lavant et en te baignant de ses larmes, et tu n'en seras pas privé. En outre, ton âme ne restera pas sans la mienne, car ce ne serait pas juste, mais la mienne ira très vite la rejoindre. Mais pour contrarier encore cette déloyale Fortune qui a tant voulu te nuire, cela tombe bien pour toi que mon cruel père t'ait envoyé à moi, pour que je puisse t'honorer davantage et te parler avant que je ne quitte ce monde et que mon âme rejoigne la tienne, dont je désire la compagnie. Car je sais bien que ton esprit appelle et désire le mien !"

Telles étaient les paroles que prononçait Gismonde, avec encore beaucoup d'autres, si émouvantes que personne ne pouvait les entendre sans fondre en larmes. Elle pleurait si abondamment que ses yeux semblaient deux sources qui s'écoulaient sans cesse dans la coupe ; mais elle le faisait sans bruit et sans cris, à voix basse, tout en embrassant le cœur. Les dames et demoiselles qui étaient auprès d'elle étaient fort étonnées car elles ne savaient rien de ce qui était arrivé ni de ce qui pouvait causer une si grande douleur. Pourtant elles pleuraient toutes,

pitié de leur maistrece et se penoient de la reconforter, car
200   riens n'y valoit, et en vain lui demandoient ses plus
privees la cause de son dueil. Et celle qui fu vaincue de
mervilleuse douleur, quant assez ot plouré, dist : "O tres
amé cuer, tout mon office ay fait vers toy ! Plus ne reste a
faire fors d'envoier mon ame faire compaignie a la
205   tienne." Et ces paroles dites, elle se leva et ala ouvrir une
armoire, et prist une burette ou elle avoit mis dissoudre
herbes venimeuses en eaue pour trouver [125ʳ] prestes
quant le cas seroit avenu. Si versa de l'eaue en la couppe
ou le cuer estoit, et sans quelconques paour, toute la but et
210   sur son lit se getta atendant la mort, tenant tousjours la
couppe entre ses bras trez estroitement. Quant les damoiselles virent son corps tresmuer par signes de mort,
doulentes a merveilles, manderent le pere qui un pou se
estout pour oublier sa merencolie alé esbatre. Ariva a
215   l'eure que ja le venin s'espandoit par les vaines et lui,
plain de douleur du cas avenu et repentant de ce que fait
avoit, prist a parler a elle par doulces parolles en menant
moult grant dueil et reconforter la cuidoit. Et sa fille, si
que elle pot parler, li respondi : "Tancré, reserve tes
220   larmes autre part, car cy n'ont elles mestier, ne je ne les
desire ne vueil. Tu ressembles un serpent qui occist
l'omme et puis le pleure. Ne te venist[1] il pas mieux que ta
lasse fille vesquist a sa plaisance secretement, amant un
bon homme, que veoir par ta cruaulté si dure mort a ta
225   grant douleur, laquelle mort fera la chose, qui secrete
estoit, apparoir magnifeste ?" Et atant plus ne pot parler.
Le cuer lui creva, tenant la couppe, et le las vieillart de

---

¹ *B, D, R* : Ne te vaulsist

prises de compassion pour leur maîtresse, et s'efforçaient de la réconforter, car rien n'y faisait, et c'était en vain que les plus intimes lui demandaient la cause de son chagrin. Abattue par cette douleur immense, quand elle eut assez pleuré, elle dit : "Ô cœur bien aimé, je t'ai rendu les derniers devoirs. Il ne me reste plus qu'à envoyer mon âme tenir compagnie à la tienne." Ayant dit ces mots, elle se leva et alla ouvrir une armoire, où elle prit une petite fiole dans laquelle elle avait fait macérer des herbes vénéneuses dans de l'eau, pour les trouver prêtes en cas de besoin. Elle versa l'eau dans la coupe où était le cœur, et sans frayeur aucune elle la but entièrement, puis se jeta sur son lit, attendant la mort et tenant toujours la coupe étroitement serrée entre ses bras. Quand les demoiselles virent son corps tressaillir et donner les premiers signes de la mort, affolées de douleur, elles envoyèrent chercher le père, qui était allé se divertir un peu pour oublier sa tristesse. Il arriva au moment où le poison commençait à se répandre dans les veines de sa fille ; désespéré de ce qui était arrivé et se repentant de ce qu'il avait fait, il se mit à lui parler très doucement, manifestant tout son chagrin et espérant la réconforter. Mais sa fille, dès qu'elle put parler, lui dit ces mots : "Tancrède, garde tes larmes pour une autre occasion, car ici elles ne servent à rien, je n'en veux pas et ne les désire pas. Tu ressembles au serpent qui pleure sur l'homme qu'il vient de tuer[1]. N'aurait-il pas mieux valu pour toi que ta malheureuse fille vécût heureuse, aimant en secret un homme de bien, que de la voir mourir si terriblement par ta propre cruauté et pour ta plus grande douleur, d'autant que cette mort fera apparaître au grand jour ce qui était resté secret ?". Elle ne put pas en dire davantage. Son cœur se brisa, alors qu'elle tenait encore la coupe, et son

---

[1] Alors que le début de cette dernière intervention de Gismonde reprend presque exactement les mots du *Décaméron*, Christine ajoute cette comparaison avec le serpent, ainsi que le fait observer K. Brownlee (note 24, p. 250), qui y voit un renversement ironique de l'image utilisée par Ovide pour mettre en garde contre les femmes, rappelée un peu plus haut par Christine, dans le chapitre 54. Cette image ovidienne (la femme est présentée comme un serpent caché sous les herbes dont il faut se méfier et qu'il faut fuir) est reprise par Jean de Meun dans un passage célèbre du *Roman de la Rose* (p. 868-870, v. 16581-16620) que Christine se plaira à inverser d'une autre manière dans la conclusion de la *Cité* (voir plus loin).

pere mouru de dueil. Et ainsi fina Sismonde, fille du
prince de Salerne.»

Cy dit de Lisabeth[1] et d'autres dames amantes .LX.

1   «**De** rechief[2] compte Bocace *au Livre des Cent*
nouvelles que en la cité de Messine en Ytalie ot une jeune
fille nommee Lisabeth, laquelle trois freres que elle avoit
par leur escharceté retardoient de la marier. Et comme
5   iceulx eussent un leur facteur et gouverneur [125ᵛ] de
toutes leurs besongnes, moult bel et avenans jennes homs
estoit, lequel leur pere avoit norri dés son enfance, advint
par la continuelle frequentation ensemble d'icellui et de
Lisabeth que ilz s'enamourerent li uns de l'autre. Et celle
10   amour continuerent un temps assez joyeusement, mais a la
parfin, comme les freres s'en apperceussent, comme ceulx
qui a grant injure le tindrent, non obstant que grant noise
n'en voulsissent faire pour non deshonnorer leur suer,
delibererent de l'occirre. Et de fait, menerent cellui jennes
15   homs, qui Leurens avoit nom, avecques eulx en un leur
manoir, et quant la furent venus, ilz l'occirrent en leur
jardin et entre arbres l'enterrerent. Et eulx retournez a
Messine firent a croire a leurs gens que Laurens avoient
envoié loins en leurs besongnes. Lisabeth, qui amoit le
20   jouvencel de grant amour, n'estoit pas aise de ce que elle
avoit perdue la presence de son ami, et le cuer lui disoit
mal, tant que une fois, comme constrainte de grant amour,
ne se pot tenir de demander a un de ses freres ou ilz
avoient envoié Laurens, par quoy le frere lui respondi par
25   grant fierté: "A toy qu'appertient le savoir? Se plus tu
parles de lui, mal pour toy!"
       Adont apperceu Lisabeth certainement que ses freres
avoient apperceu la chose, si crut tout fermement que
Laurens avoient occis, par quoy mervilleux dueil menoit
30   quant seulette se trouvoit. Et par nuit, sans prendre nul
repos, plouroit parfondement en regretant cellui que elle

---

¹ *B*: Elisabet
² D *orné sur 2 lignes.*

malheureux vieillard de père en mourut de douleur. Telle fut la fin de Gismonde, fille du prince de Salerne[1].»

60. Où l'on parle d'Élisabeth

«Boccace raconte également dans son *Livre des Cent Nouvelles*[2] qu'il y avait dans la ville de Messine en Italie une jeune fille nommée Élisabeth, dont les trois frères retardaient le mariage par leur avarice. Ils avaient un intendant qui gérait toutes leurs affaires, un jeune homme très beau et très aimable que leur père avait élevé dès son enfance. Comme Élisabeth et ce jeune homme se voyaient continuellement, ils tombèrent amoureux l'un de l'autre. Ils menèrent joyeusement leurs amours durant un certain temps, mais finalement les frères s'en aperçurent; ils prirent cela comme un grand affront, et tout en souhaitant éviter le scandale pour ne pas déshonorer leur sœur, ils décidèrent de le tuer. Un jour, ils emmenèrent avec eux le jeune homme, qui s'appelait Laurent, dans une propriété qui leur appartenait, et arrivés là, ils le tuèrent dans leur jardin et l'enterrèrent. De retour à Messine, ils firent croire à leurs gens qu'ils avaient envoyé Laurent au loin pour leurs affaires. Élisabeth, qui aimait le jeune homme d'un grand amour, était malheureuse d'avoir perdu la présence de son ami, et son cœur lui disait que quelque chose n'allait pas, si bien qu'un jour, poussée par la force de son amour, elle ne put s'empêcher de demander à l'un de ses frères où ils avaient envoyé Laurent, ce à quoi son frère répondit rudement: "Quel besoin as-tu de le savoir? Si tu parles encore de lui, les choses iront mal pour toi!"

Alors Élisabeth comprit que ses frères avaient appris leur liaison et elle fut persuadée qu'ils avaient tué Laurent; c'est pourquoi elle se laissait aller à un violent chagrin quand elle se trouvait toute seule. Et la nuit, sans parvenir à dormir, elle pleurait

---

[1] Dans le récit de Boccace, la jeune femme ne prononce pas de paroles aussi fortes et le père ne meurt pas de douleur.

[2] G. Boccacio, *Decameron, op. cit.*, IV, 5 (p. 747-752). Voir les études de C. Bozzolo et K. Brownlee citées plus haut (II, 52, note 1, p. 623).

amoit, tant que malade devint, ou quel mal resquist a ses
freres que un petit le laissassent aler esbatre en leur
heritaige hors de la cité [126ʳ]. Et comme ilz lui eussent
35   ottroié et celle, a qui le cuer disoit toute l'aventure, se
trouvast seule ou jardin ou Laurens gisoit mort, en regardant partout, vit la terre soubzlevee de nouvel la ou le
corps estoit. Adont atout un pic qu'elle avoit apporté fouy
la terre et fist tant que le corps trouva. Adont le embrassant
40   par grant destrece, fist dueil oultre mesure. Mais pour ce
que bien savoit que la ne pouoit mie estre longuement, de
paour que apperceue feust, le corps recouvri de la terre et
prist la teste de son ami que ses freres avoient trenchié, et
quant assez l'ot baisee, la mist en un beau cueuvrechief et
45   l'enterra dedans un de ces grans pos ou l'en plante ces
violiers, et dessus planta de trop belles plantes d'une herbe
belle et souef flairant que on nomme baselic, et atout ce
pot s'en retourna en la cité. Mais tant avoit chier ce pot que
ne se partoit d'une fenestre jour et nuit la ou mis l'avoit et
50   ne l'arousoit d'autre eau ne mais de ses larmes. Et ne dura
pas par briefs jours ceste chose, si que hommes dient que
femmes oublient de legier, ains sembloit que son deul
creust de jour en jour.

amèrement, en regrettant celui qu'elle aimait. Elle finit par tomber malade, et à cause de cette maladie, elle pria ses frères de la laisser aller se reposer dans leur domaine en-dehors de la ville. Ils le lui accordèrent. Et elle, à qui son cœur avait fait deviner ce qui était arrivé, se trouva seule dans le jardin où Laurent était enterré ; en regardant partout, elle remarqua que la terre avait été récemment retournée à l'endroit où se trouvait le corps. Alors elle creusa le sol avec une pioche qu'elle avait apportée, jusqu'à ce qu'elle découvrît le corps. L'embrassant avec un grand désespoir, elle s'abandonna sans réserve aux manifestations les plus extrêmes de sa douleur. Mais bien consciente de ne pas pouvoir rester longtemps à cet endroit, craignant d'être vue, elle recouvrit le corps de terre et prit la tête de son ami que ses frères avaient tranchée[1]. Après l'avoir longuement embrassée, elle l'enveloppa dans un beau voile et l'enterra dans l'un de ces grands pots où l'on plante des touffes de giroflées[2]; elle planta au-dessus de très beaux plants de cette herbe aromatique au doux parfum qu'on appelle basilic, et elle retourna en ville en emportant ce pot. Mais elle était si attachée à ce pot qu'elle ne quittait pas la fenêtre où elle l'avait placé, de jour comme de nuit, et ne l'arrosait jamais que de ses larmes. Cela ne dura pas seulement quelques jours, conformément à ce que disent les hommes pour qui les femmes oublient facilement ; il semblait au contraire que sa douleur croissait de jour en jour.

---

[1] Dans le récit de Boccace, c'est la jeune fille elle-même qui coupe la tête de son amant. Un détail parmi d'autres, caractéristique des transformations que Christine opère par rapport à son modèle. Elle évite à la jeune fille ce «geste macabre» (qui est par ailleurs, chez Boccace, un geste de courage extraordinaire), conservant ainsi l'atmosphère élégiaque qui domine dans ce récit et ôtant tout ce qui pourrait gâter quelque peu l'image idéalisée, exemplaire de l'héroïne (C. Bozzolo, *ibid.*, p. 12-13). De même elle supprime, peu après, le détail d'un réalisme également macabre des frères découvrant dans le pot la tête décomposée identifiée grâce à ses cheveux bouclés.

[2] *Violier* désigne d'abord des touffes ou bouquets de violettes, mais est attesté aussi au Moyen Âge dans le sens de giroflées (*DMF*) – fleurs plus grandes, qui semblent mieux convenir pour un pot de cette taille (pour certaines variétés de giroflées, le nom de «violier» est encore utilisé de nos jours). Dans le *Décaméron*, il s'agit d'«un de ces grands et beaux vases qu'on réserve à la marjolaine ou au basilic», d'où la traduction proposée par É. Hicks et T. Moreau, «marjolaine».

Si fu ja le baselic bel et grant pour la greffe de la teste[1].
55   Et a brief dire, tant mena celle vie sur ce pot que il avint
que aucuns voisins apperceurent comment sans cesser elle
sur ce pot plouroit a sa fenestre, et aux freres le dirent, qui
l'espierent et virent la merveille de son dueil. Si furent
moult esbahis que ce pouoit estre et par nuit lui emblerent.
60   Dont lendemain lui sourdi nouvel ennuy quant ne le
trouva, et pour toute grace requeroit que rendu lui feust, et
que elle leur quittoit, mais qu'elle le reust, [126ᵛ] sa part de
tous autres biens. Et piteusement disoit en se complain-
gnant : "Helas ! De quelle heure m'enfanta ma mere avec
65   si crueulx freres qui tant heent ma meseuree plaisance que
un povre pot de baselic qui riens ne leur coustoit ne m'ont
pas voulu laissier, ne rendre ne le me veullent, et si leur
demande pour tout douaire. Halas, envis grant chose me
donnassent !" Ainsi la lasse ne finoit son dueil, tant que au
70   lit s'agista et moult malade fu, en laquelle maladie quoy
que on lui offrist[2], elle, pour toute joie, ne requeroit que
son pot. Et en cela mourut piteusement. Et ne croy mie que
ceste chose soit mençonge, car par de la firent de la
complainte de ceste et de son pot une chançon que ancore
75   ilz chantent.

¶Que t'en diroie ? Tousjours te pourroie raconter des
histoires de femmes en telle folle amour surprises qui trop
ont amé de grant amour sans varier.

¶D'une autre raconte Bocace, a qui son mari fist
80   mengier le cuer de son ami, qui oncques puis ne menga.

---

[1] B, D, R : terre
[2] B, D : offrist et presentast

Le basilic était déjà beau et grand, fortifié par l'engrais fourni par la tête. Bref, elle continua si longtemps à se comporter ainsi que des voisins remarquèrent la façon dont elle pleurait sans cesse sur ce pot à sa fenêtre ; ils le dirent à ses frères, qui l'épièrent et virent la douleur extraordinaire qu'elle manifestait. Ils furent très étonnés, se demandant ce que cela pouvait être, et à la faveur de la nuit, ils lui dérobèrent le pot. Le lendemain, elle éprouva un surcroît de souffrance quand elle ne le trouva plus ; elle suppliait qu'on le lui rendît, et ajoutait qu'elle voulait bien leur abandonner sa part d'héritage pourvu qu'elle puisse l'avoir. Elle disait, en se plaignant d'une façon pitoyable : "Hélas ! Sous quelle mauvaise étoile ma mère m'a-t-elle fait naître, avec des frères si cruels, qui détestent tant tout ce qui pourrait m'apporter le moindre plaisir qu'ils n'ont même pas voulu me laisser un pauvre pot de basilic qui ne leur avait rien coûté, et qu'ils ne veulent même pas me le rendre, alors que je ne leur demande rien d'autre comme douaire ! Hélas ! C'est bien malgré eux qu'ils me donneraient quoi que ce soit." C'est ainsi que la malheureuse ne cessait de se lamenter, tant et si bien qu'elle dut s'aliter et tomba très gravement malade ; et durant sa maladie, quoi qu'on pût lui offrir, elle ne réclamait que son pot de basilic pour tout plaisir. C'est ainsi qu'elle mourut d'une mort pitoyable. Et ne crois pas que cette histoire soit inventée, car on a fait là-bas, sur la complainte de cette jeune femme et sur son pot de basilic, une chanson que l'on chante encore aujourd'hui.

Que te dire d'autre ? Je pourrais te raconter un nombre infini d'histoires de femmes saisies par une folle passion et qui ont aimé jusqu'à l'excès d'un grand amour, avec la plus grande constance.

Boccace raconte l'histoire d'une autre femme à qui son mari fit manger le cœur de son ami, et qui ne mangea plus rien d'autre par la suite.

¶Autresi le fist la dame du Faiel qui ama le chastellain de Coucy.

¶La chastellelaine du Vergi mouru par trop amer.

¶Si fist Yseult qui trop ama Tristan.

C'est ce que fit aussi la Dame de Fayel qui aima le Châtelain de Coucy[1].

La Châtelaine de Vergy mourut elle aussi pour avoir trop aimé, ainsi qu'Yseut, pour avoir trop aimé Tristan[2].

---

[1] Boccace, *Décaméron*, IV, 9 (p. 778-783). Il y développe l'histoire du «cœur mangé» telle qu'on la trouve dans la *vida* du troubadour Guilhem de Cabestanh (ou Guillem de Cabestaing; *Les Vies des Troubadours*, éd. et trad. M. Egan, Paris, UGE, 1985, p. 102-107). Le Châtelain de Coucy (châtelain entre 1170 et 1203, date de sa mort lors de la quatrième croisade) est un célèbre trouvère qui devint après sa mort le héros d'une légende qui se rattache au thème du «cœur mangé», rapportée dans un roman composé par un certain Jakemes (ou Jakemés) autour de 1290 (Jakemés, *Le Roman du Châtelain de Coucy et de la Dame de Fayel*, éd. et trad. C. Gaullier-Bougassas, Paris, Champion, 2009). Sur le développement de la légende (déjà connue au XIIᵉ siècle comme l'atteste l'allusion au «lai de Guiron» dans le *Tristan* de Thomas) et sa postérité, voir la mise au point récente et très complète de C. Gaullier-Bougassas dans l'introduction de ce volume (p. 63-82). Elle rappelle en particulier que nombreux sont les auteurs des XIVᵉ et XVᵉ siècles, tels Jean Froissart et Eustache Deschamps, qui associent les couples d'amants cités ici, devenus mythiques. Ainsi Froissart, dans le prologue de la *Prison amoureuse* (1371-1373), évoque successivement Tristan et Yseut, la Châtelaine de Vergy, et enfin le Châtelain de Coucy et la Dame de Fayel dont il résume l'histoire. Christine elle-même les a déjà associés dans son *Débat de deux amants* (*Œuvres poétiques, op. cit.*, t. II, p. 71-72, v. 746-774), où le chevalier, qui a pris le parti de développer l'idée qu'il y a en amour plus de douleur que de joie, énumère des exemples d'amants célèbres victimes de l'amour; après l'Antiquité, comme exemples «de temps plus nouveaux», il mentionne successivement Tristan, Yseut et Kaherdin, puis le Châtelain de Coucy et la Dame de Fayel, et en dernier lieu la Châtelaine de Vergy.

[2] *La Châtelaine de Vergy* est un bref récit courtois (ou une nouvelle courtoise) anonyme du milieu du XIIIᵉ siècle (éd. et trad. J. Dufournet et L. Dulac, Paris, Gallimard, 1994), très célèbre dès le Moyen Âge, dont l'héroïne a très tôt rejoint le panthéon des amants malheureux morts par amour (voir la note précédente). Quant à la mort de Tristan et Iseut, le lecteur moderne connaît la version du récit de Thomas (XIIᵉ s.), transmise ensuite jusqu'à nos jours par de nombreuses réécritures, selon laquelle Iseut, qui a rejoint après une traversée en mer Tristan blessé à mort et découvre à son arrivée qu'il est déjà mort, s'allonge auprès de lui et meurt par amour pour lui. Mais à l'époque de Christine, la légende était connue essentiellement par le *Tristan en Prose* du milieu du XIIIᵉ s., dont la notoriété avait éclipsé celle des anciennes versions en vers, qui ne nous sont parvenues que sous forme de fragments. Les circonstances de la mort des amants sont très différentes (c'est le roi Marc qui tue son neveu d'une lance empoisonnée, Yseut rejoint Tristan mourant). Ils meurent ensemble, dans une violente étreinte. L'allusion faite ici est vague, mais dans le *Débat de deux amants* cité à la note précédente, la mention de la mort de Kaherdin montre qu'il s'agit bien du *Tristan en Prose*.

85   ¶Diamire que Hercules amoit se occist quant il fu mort.
Si n'est mie doubte que trop est grande l'amour d'une
constant femme ou elle se assiet, quoyque il soit des
femmes legieres.

        ¶Mais ces piteux exemples, et assez d'autres, que dire
90   te pourroie, ne doivent mie estre cause d'esmouvoir les
couraiges des femmes de eulx fichier en celle mer tres
perilleuse et dampnable de fole amour, car toujours en est
la fin a leur grant prejudice et grief en corps, en biens et en
honneur, [127ʳ] et a l'ame qui plus est. Si feront que sages
95   celles qui par bon scens la saront eschever et non donner
audience a ceulx qui sans cesser se traveillent d'elles
decevoir en tel cas. »

Déjanire, aimée d'Hercule, se suicida après sa mort[1]. Il n'y a donc pas de doute que quand une femme constante a accordé son amour, cet amour est extrêmement fort, même s'il existe par ailleurs des femmes légères.

Mais ces exemples pitoyables, et bien d'autres encore que je pourrais te donner, ne doivent pas émouvoir le cœur des femmes et les encourager à se lancer sur la mer très périlleuse et condamnable de la passion, car cela se termine toujours mal pour elles, en causant des dommages et du tort à leur corps, à leurs biens, à leur honneur, et qui plus est, à leur âme. Elles seront donc sages, celles qui auront le bon sens de l'éviter et de ne pas accepter d'écouter ceux qui ne cessent de chercher à les tromper dans ce domaine[2]. »

---

[1] Boccace lui consacre un chapitre (*Cleres femmes*, XXIV, t. I, p. 77). Christine cite aussi cette histoire dans la *Mutacion* (VI, 3, t. III, p. 22-25, v. 13983-14058).

[2] Cette diatribe contre la « folle amour » annonce celle de la fin de la *Cité des dames* et sera reprise dans le *Livre du duc des vrais amants*, ainsi que dans le *Livre des trois Vertus*. Notons aussi que les termes employés, ainsi que la métaphore de la « mer périlleuse », sont très proches de ce que l'on trouve dans la moralisation qui suit l'histoire d'Héro et de Léandre dans le livre IV de l'*Ovide moralisé* (IV, v. 3150-3731, t. II, p. 78-90, voir plus précisément v. 3592-93 : « En fole amor, en fole arsure / Amoit Hero, ce fut luxure » ; comparaison des *perilz et tribulations* des amants avec les *perilz de mer* affrontés par Léandre, v. 3603-11 ; conclusion de cette première moralisation, v. 3661-63 : « Foulz est qui fole amour maintient, / Qui robe et despouille home et fame / D'onor, d'avoir, de cors et d'ame »). D'une façon générale, l'expression « folle amour » est employée dans plusieurs textes des XIIe et XIIIe s. (comme le *Tristan* de Béroul ou *La Mort le Roi Artu*, au début de ces deux œuvres) de façon péjorative pour désigner l'amour déshonorant, excessif, sans mesure, laissant libre cours au désir, par opposition à la *fin'amor*. Dans le *Roman de la Rose* (partie de Guillaume de Lorris), Raison souligne qu'Amour est une folie et que l'amant qui l'écoute *foloie* (v. 2996-3070, p. 204-208) : *fol* a ici le sens de « déraisonnable », qui ne peut que causer du tort à l'amant. Pour Christine, tout comme pour l'auteur de l'*Ovide moralisé*, s'y ajoute l'idée d'une condamnation morale : la *fole amour* est à la fois sans mesure et sans raison, déraisonnable, mais aussi, déshonorante ; les deux auteurs vont même plus loin en parlant de l'âme – elle peut entraîner jusqu'à la damnation.

Cy dit de Juno et de plusieurs dames renommees .LXI.

1   « Or¹ t'ai dit dit de grant foison dames desquelles les histoires font mencion, mais comme de toutes dire entrepris n'aie et serroit infini procés, me souffist sans plus que je produise en tesmoignage pour contredit a ce que tu m'as

5   proposé que aucuns hommes dient. Te vueil dire en conclusion d'aucunes qui ont esté au monde moult renommees par divers accidens plus que par grans vertus.

   ¶²Juno, fille de Saturnus et de Opis, selon les dittiez des poetes et l'erreur des payens, fu tres renommee sur

10   toutes autres femmes d'icelle loy plus par sa bonne fortune que par autre excellence. Elle fu suer de Jupiter et mariee a lui, que on clamoit souverain dieu. Et pour la grant richece et fortune propice en quoy elle vesqui et habonda avec son mari fu reputee deesse d'avoir. Et les Samiens creoient que

15   pour son ymaige que ilz avoient aprés sa mort que ilz en estoient mieulx fortunez et lui atribuerent aussi les confors des drois de mariage, et a son aide recouroient les femmes en oroisons. Et de toutes pars firent temples, autieux, prestres, gieux et sacrifices. Et ainsi fu longuement

20   honnoree des Grieux et de ceulx de Cartaige, et avec ce fu aprés portee a Romme et mise ou Capitole en la cele de Jupiter coste son mari. Et la fu des Rommains, qui estoient seigneurs du monde, honnoree de plusieurs et diverses serimonies par lonc temps.

25   Item Europa, qui [127ᵛ] fu fille de Agenor de Phenice, fu autresi moult renommee pource que Jupiter, qui l'ama, nomma la tierce partie de la terre de son nom. Et est assavoir que des noms de plusieurs femmes ont esté diverses terres, citez et villes nommees, si comme

---

¹ O *orné sur 2 lignes.*
² *Ce pied de mouche n'est pas peint.*

61. Où l'on parle de Junon et de plusieurs dames renommées

«Je t'ai parlé d'un grand nombre de femmes dont il est question dans les récits historiques, mais comme je n'ai pas entrepris de te parler de toutes, et que l'exposé en serait sans fin, je me contenterai, sans aller plus loin, des exemples que j'ai avancés comme preuves pour contredire les opinions de certains hommes, que tu m'as présentées. Je vais te parler pour conclure de certaines femmes qui ont été très célèbres en raison d'événements fortuits et singuliers plus que pour leurs grandes vertus.

Junon[1], fille de Saturne et d'Ops, selon les écrits des poètes et l'erreur des païens, fut très renommée entre toutes les femmes de cette religion, mais ce fut davantage en raison de sa bonne fortune que par quelque qualité supérieure[2]. Elle était la sœur et l'épouse de Jupiter, proclamé souverain des dieux. Et en raison de la grande richesse et du sort favorable dont elle bénéficiait en abondance avec son mari, elle fut considérée comme la déesse des richesses. Les Samiens croyaient qu'ils étaient favorisés par la chance grâce à la statue d'elle qu'ils avaient eue après sa mort, et ils lui attribuèrent aussi le renforcement des lois relatives au mariage; c'est à elle que les femmes s'adressaient dans leurs prières pour lui demander son aide. On établit un peu partout pour elle des temples, des autels, des prêtres, des jeux et des sacrifices. Elle fut ainsi longtemps vénérée par les Grecs et par les Carthaginois, et par la suite, de surcroît, sa statue fut transportée à Rome et placée au Capitole dans le temple de Jupiter, à côté de celle de son mari. Elle y fut honorée pendant longtemps dans de nombreuses et diverses cérémonies par les Romains, qui étaient les maîtres du monde.

Quant à Europe[3], fille d'Agénor, roi de Phénicie, elle fut également très renommée parce que Jupiter, qui était amoureux d'elle, donna son nom à la troisième partie du monde. Il faut savoir en effet que diverses terres, cités et villes ont été nommées d'après le nom de plusieurs femmes, comme

---

[1] Christine résume le chapitre VI des *Cleres femmes* (t. I, p. 26-27).

[2] Voir I, 4, note 2, p. 219.

[3] Christine garde quelques idées du chapitre XI des *Cleres femmes* (t. I, p. 40-41).

30   Angleterre d'une femme qui fu nommee Angle, et aussi
autres.

Item Yocaste fu royne de Thebes, renommee pour sa
tres grant infortune, car par mesaventure elle ot espousé
son filz aprés ce que il ot ocis son pere, dont elle et lui
35   riens ne savoient et vit que il se desespera quant il scot
l'aventure, et puis vit encore entreoccire II filz qu'elle en
avoit eu.

¶Item Meduse ou Gorgon fu renomee pour sa tresgrant
beauté. Elle estoit fille du tres riche roy Porce, duquel le
40   royaume tres abondant estoit encloz de mer. Ceste
Meduse, si que dient les anciennes histoires, estoit de si
mervilleuse beauté que non pas seullement passoit les
autres femmes mais, qui estoit tres mervilleuse chose et
sur nature, elle avoit le regart tant plaisant, avec l'autre
45   beauté du corps et du viaire et des blons cheveulx comme
fil d'or, loncs et crepés, que elle atraioit toute mortelle
creature que elle regardoit si a soy que elle rendoit les gens
comme immouvables, et pour ce faigni la fable que de
pierre devenoient.

l'Angleterre, d'après une femme nommée Angle[1], et bien d'autres encore.

Jocaste, reine de Thèbes, est célèbre pour sa très grande infortune, car elle eut le malheur d'épouser son fils après que celui-ci eut tué son père, sans que ni l'un ni l'autre ne le sachent ; elle vit celui-ci sombrer dans le désespoir quand il sut ce qui s'était passé ; par la suite, elle vit aussi s'entretuer les deux fils qu'elle avait eus de lui.

Méduse[2] ou la Gorgone était célèbre pour sa très grande beauté. Elle était la fille du très puissant roi Phorcys, dont le royaume très riche était entouré par les mers. D'après les récits antiques, cette Méduse était d'une si merveilleuse beauté qu'elle surpassait toutes les autres femmes ; mais de plus, chose extraordinaire et même surnaturelle, son regard était si plaisant, outre la beauté de son corps, de son visage et de ses longs cheveux bouclés, blonds comme des fils d'or, qu'elle attirait à elle tous les mortels qu'elle regardait au point de les rendre totalement immobiles ; d'où l'invention de la légende selon laquelle ils étaient transformés en pierre.

---

[1] On peut s'étonner de cette curieuse étymologie, le nom de l'Angleterre étant dérivé de celui des Angles, une tribu germanique installée dans le pays aux Ve-VIe siècles. Selon une tradition ancienne, avant que Brutus, le descendant d'Énée, fondateur mythique de la Bretagne, ne lui donne ce nom dérivé du sien, la Grande-Bretagne s'appelait Albion. Ce nom lui aurait été donné par Albine, une des trente filles du roi de Grèce envoyées sur la mer après avoir tué leurs maris ; elle-même et ses sœurs se seraient unies à des démons, donnant naissance aux Géants, les premiers habitants de l'île avant l'arrivée de Brutus et de ses compagnons troyens (*Des Grantz Geanz*, poème anglo-normand de la première moitié du XIIIe siècle ; éd. G. E. Brereton, Oxford, B. Blackwell, 1937). Le premier nom de la Bretagne lui aurait donc bien été donné par une femme d'après son propre nom, comme le dit Christine. Le glissement d'Albine - Albion à Angle-Angleterre aurait-il pu être favorisé par la forme *Anglia*, nom parfois donné à la «terre des Angles», qui peut être confondue avec celle d'un prénom féminin ? Dans l'un des manuscrits des *Grantz Geanz*, on la trouve dans le titre latin donné à la première partie : *Incipit tractatus de terra Anglie, a quibus inhabitabatur in principio, ante adventum Bruti. Que terra primo vocabatur Albion et postea a Bruto Britanniae. Deinde Anglia nuncupata est.* (éd. cit., p. 4 ; «Où il est question de la terre des Angles, quels étaient ses premiers habitants, avant l'arrivée de Brutus. Cette terre fut d'abord appelée Albion et ensuite par Brutus Bretagne, puis elle fut nommée "Anglia"»).

[2] Christine résume à l'extrême le chapitre XXII des *Cleres femmes* (t. I, p. 69-71).

50   Helaine, femme de Menelaus[1], roy de Lacedemone,
fille de Cindarus, roy de Cebale et de Leyda sa femme, fu
moult renommee pour sa grant beauté, et pour ce que il en
advint du ravissement que Paris fist d'elle, qui fu
l'achoison par quoy Troie fu destruite. De ceste, quoy qu'il
55 soit dit de la beauté des autres, afferment les histoires que
elle fu la plus belle femme qui oncques [128ʳ] nasquist de
mere, et pour ce dient les poetes que elle estoit engendree
du dieu Jupiter.

¶Item Policene, qui fu la mainsnee fille du roy Priant,
60 fu aussi la plus belle pucelle de quoy il soit mencion en
nulle histoire. Et avec ce fu de tres ferme et constant
courage, si comme bien le demonstra en rechevant la mort
sans changier visaige ne chiere quant on la decola sus la
tumbe de Achilles, lorsque elle dit que plus lui venoit a gré
65 mourir que d'estre menee en servaige.

D'autres assez te pourroie dire que je laisse pour
briefté.»

Cy dit Cristine et Droiture lui respont contre ceulx qui dient que femmes attraient les hommes par leurs jolivetez .LXII.

1   Je[2], Cristine, dis ainsi : «Dame, vraiement, au propos
devant dit, la perilleuse vie amoureuse, a ce que je voy, fait
moult a eschever aux femmes qui ont aucun savoir,
comme elle leur soit prejudiciable[3]. Mais grant blasme est
5   donné a celles qui se delitent en estre jolies en leurs vestemens et atours, et dist on que pour atraire les hommes a
leur amour le font.»

Response : «Amie chiere, il ne m'appertient a excuser
celles qui trop curieuses et cointes de leurs abillemens
10 sont, car sans faille, c'est vice et non mie petit, ne nulle
cointerie hors l'estat qui appertient a chascune a porter
n'est sans blasme. Mais neantmoins, non mie pour excuser
le mal, mais affin que nul ne se charge de donner plus

---

[1] Melaus ; corr. d'après B, D, R.
[2] I orné sur 2 lignes.
[3] B, D, R : tres prejudiciable

Hélène[1], femme de Ménélas, roi de Lacédémone, fille de Tyndare, roi de Sparte, et de Léda, son épouse, fut très célèbre pour sa grande beauté, et en raison des conséquences qu'eut son enlèvement par Pâris, puisqu'il fut la cause de la destruction de Troie. Quoi qu'on puisse dire de la beauté des autres, les récits historiques affirment qu'elle fut la plus belle femme jamais née d'une mère, raison pour laquelle les poètes disent qu'elle avait été engendrée par le dieu Jupiter.

Quant à Polyxène[2], la plus jeune fille du roi Priam, elle fut aussi la plus belle jeune fille dont fassent mention les récits. En outre elle fit la preuve d'un courage très ferme et constant, comme elle le montra bien en recevant la mort sans rien laisser paraître sur son visage quand on la décapita sur la tombe d'Achille, et qu'elle dit qu'elle préférait mourir que d'être emmenée en esclavage.

Je pourrais te parler encore de beaucoup d'autres, mais je m'arrête là par souci de brièveté.»

62. Contre ceux qui disent que les femmes attirent les hommes par leurs coquetteries: Christine parle et Droiture lui répond

Moi, Christine, je repris la parole et lui dis: «Vraiment ma Dame, à propos de ce qui vient d'être dit, je vois bien que les femmes un tant soit peu avisées ont tout intérêt à éviter les périls de la passion amoureuse, car elle leur fait beaucoup de tort. Mais par ailleurs, on critique beaucoup celles qui prennent plaisir à se parer de beaux vêtements et d'élégants atours, car on dit qu'elles le font pour attirer les hommes et les séduire.»

Elle me répondit: «Ma chère amie, ce n'est pas moi qui vais chercher des excuses à celles qui mettent trop de recherche et d'élégance dans leurs façons de s'habiller, car c'est assurément un vice, et non des moindres; et toute élégance excessive qui dépasse ce qui convient à sa condition sociale est à blâmer chez une femme[3]. Néanmoins, sans vouloir excuser le mal, mais pour éviter

---

[1] Même procédé pour le chapitre XXXVII des *Cleres femmes* (t. I, p. 111-118).

[2] Sans entrer dans les détails de l'histoire, Christine loue, comme sa source, le courage de Polyxène devant la mort (*Cleres femmes,* XXXIII, t. I, p. 103-104).

[3] Christine reviendra abondamment sur ce thème dans les conseils pratiques qu'elle donne aux femmes dans le *Livre des trois Vertus* (II, 11, p. 157 *sq.*: «Ci devise de celles qui sont oultrageuses en leurs abiz, atours et abillemens»).

grant blasme ne aultre qu'il n'y affiert a de telles que on
15 voit jolies, je te dis certainement que il ne vient mie a
toutes pour cause d'amours qui leur face faire, ains vient a
plusieurs, tant hommes comme femmes, par droite condicion et inclination [128ᵛ] naturelle, que ilz se delitent en
jolivetez ou en beaux abis et riches, neteté ou en choses
20 pontificales. Et se il est ainsi que de nature leur viengne,
fort leur seroit a eschever, combien que grant vertu seroit.
N'est-il pas escript de l'apostre saint Berthelemi, qui fu
gentil homme, que non obstant que Nostre Seigneur
preschast pouvreté et simplece en toutes choses, toute-
25 voies le benoit apostre fu toute sa vie vestu de drap de soie
frangé et ouvré[1] de pierres precieuses ? Et par nature lui
venoit d'estre richement vestu, qui est communement
chose curieuse et pompeuse, et toutevoies ne pecha il pas
en ce. Et veullent dire aucuns que pour celle cause souffri
30 Notre Seigneur que en son martir il y laissast la pel et feust
escorchés. Et pour ce je te di[2] pour monstrer que nul ne
doit jugier de conscience d'aultrui[3] pour abis ou vestemens, car a seul Dieu appertient jugier de creatures, et
dirai sur ce aucuns exemples. »

Cy dit de Claudine[4], femme rommaine .LXIII.

1 « Bocace[5] raconte, et pareillement le dit Valere, que
Claudine, qui fu noble dame de Rome, moult se delittoit en
beaux vestemens et curieux et en jolis atours. Et pour ce
que en ce elle estoit aucunement plus delicative que les
5 autres dames de Rome, aucuns presumerent mal contre
elle et contre sa chasteté au prejudice de sa renommee. Si
advint en l'annee XVᵉ de la bataille seconde de Auffrique,
Pisismunde, mere des dieux selon leur oppinion, dot estre
apportee a Rome. La furent assemblees toutes les nobles

---

[1] *B* : frangé desoubz et ourlé ; *D* : frangié dessolx ourlé ; *R* : frangé
et ourlé

[2] Et pour ce ; *B, D, R :* et ces choses je te di

[3] d'aultrui *omis dans B et D.*

[4] *B, D, R et table des rubriques :* De Claudine

[5] B *orné sur 2 lignes.*

que quiconque ne blâme outre mesure ou à tort certaines que l'on voit se faire belles, je te dis qu'assurément toutes ne le font pas pour séduire; pour beaucoup de gens, hommes ou femmes, il est conforme à leur condition et à leur penchant naturel de prendre plaisir à être élégant et soigné, à porter de beaux et riches vêtements, et d'apprécier un certain faste. Et si c'est une disposition naturelle chez eux, il leur serait très difficile de l'éviter, encore que ce serait une grande marque de vertu. N'a-t-on pas écrit du saint apôtre Barthélémy[1], qui était un gentilhomme, que bien que Notre-Seigneur eût prêché la pauvreté et la simplicité en toutes choses, ce saint homme fut toute sa vie vêtu de drap de soie à franges orné de pierres précieuses? C'était naturel pour lui d'être richement vêtu, alors que pour le commun des mortels cela serait affecté et pompeux; mais pour lui ce n'était pas un péché. Certains disent pourtant que c'est pour cette raison que Notre-Seigneur consentit qu'il laissât sa peau dans son martyre et qu'il fût écorché vif. Je te dis cela pour montrer que nul ne doit juger de la conscience morale d'autrui selon ses habits ou ses vêtements, car il appartient à Dieu seul de juger les créatures; et je vais te donner quelques exemples sur ce sujet.»

63. Où l'on parle de Claudia, une Romaine

«Boccace ainsi que Valère Maxime racontent que Claudia, une noble dame romaine, prenait beaucoup de plaisir aux beaux vêtements à l'élégance recherchée et aux jolies parures. Et comme elle y mettait beaucoup plus de raffinement que les autres dames de Rome, certains en tirèrent des conclusions négatives quant à sa chasteté, ce qui fit du tort à sa réputation. En la quinzième année de la seconde guerre punique, il arriva qu'on dut faire transporter à Rome une statue de la déesse de Pessinonte, qui

---

[1] L'histoire de saint Barthélemy est longuement racontée dans la *Légende dorée* de Jacques de Voragine (trad. J. de Vignay, p. 786-796; *Lég. dor.*, 119, p. 672-681). Un démon caché dans une idole appelé Berith décrit ainsi Barthélemy, chargé de convertir les Indiens: «[...] il est de taille moyenne, porte une tunique sans manches à bordures de pourpre, il porte aussi un manteau blanc garni de pierres pourpres à chaque coin. Depuis vingt-six ans qu'il les porte, ses vêtements et ses sandales ne se sont ni usés ni salis» (trad. J. de Vignay, p. 787; *Lég. dor.*, p. 673).

10   dames de Rome pour aler a l'encontre, et fu mis l'image
       [129ʳ] en une nef sus le Tibre. Mais les mariniers ne
       pouoient de toute leur force ariver a port. Adont Claudine,
       qui bien savoit que elle estoit mescreue a tort pour cause
       de sa joliveté, s'ajenoullia devant l'imaige et fist sa priere
15   tout hault, en disant a la deesse que aussi vraiement qu'elle
       savoit que sa chasteté estoit entiere et neant corrompue, lui
       voulsist donner grace que elle seulle peust tirer la nef. Et
       adont, se confiant en sa pureté, prist sa çainture et fist lier
       au bort de la nef, et puis la tira a rive aussi legierement que
20   se tous les mariniers du monde y eussent esté, dont chacun
       fu esmervilliez.
            Cest exemple ne t'ai pas dit pour chose que je cuide
       que cel ymaige, que ilz, comme folz mescreans, appel-
       loient deesse, eust puissance de exaussier la priere de
25   Claudine, mais l'ai dit pour monstrer que celle qui tant
       estoit jolie ne laissoit point pourtant a estre chaste. Et par
       ce le demonstra qu'elle ot fiance que la verité de sa
       chasteté lui feust secourable, laquelle chose lui aida, et non
       autre deesse. »

était selon eux la mère des dieux[1]. Toutes les nobles dames de Rome se rassemblèrent pour aller à la rencontre de la statue, qui avait été placée dans un navire qui se trouvait sur le Tibre. Mais malgré tous leurs efforts, les marins ne parvenaient pas à arriver jusqu'au port. Alors Claudia, qui savait bien qu'on la soupçonnait à tort à cause de sa coquetterie, s'agenouilla devant la statue et fit sa prière à voix haute, demandant à la déesse, pour aussi vrai qu'elle savait que sa chasteté était totale et qu'elle n'était en rien corrompue, de bien vouloir lui accorder la grâce d'être capable à elle seule de tirer le navire jusqu'au port. Alors, confiante en sa pureté, elle prit sa ceinture et la fit attacher au contour extérieur du navire, puis elle le tira vers la rive aussi facilement que si tous les marins du monde s'y étaient mis. Tous en furent émerveillés.

Si je t'ai cité cet exemple, ce n'est pas que je croie en aucune manière que cette statue, que ces mécréants dans leur sottise appelaient déesse, ait eu le pouvoir d'exaucer la prière de Claudia, mais c'est pour montrer que cette femme si coquette n'en était pas moins chaste pour autant. Et elle le prouva en étant confiante dans le fait que le caractère véritable de sa chasteté pourrait lui être secourable. C'est cela qui l'aida, sans l'intervention de nulle déesse[2]. »

---

[1] Pessinonte était une ville de Galatie célèbre par son temple de Cybèle, connue aussi sous le surnom de *Pessinuntica*, « la déesse de Pessinonte » (Dictionnaire Gaffiot). L'expression de Christine (« Pisismunde mere des dieux »), qui suit d'assez près le texte des *Cleres femmes* (« l'ymage de Pissimunde, mere des dieux selon l'erreur des anciens Rommains »), reproduit-elle une erreur faite par le traducteur, qui aurait confondu le nom du lieu d'origine de la statue et celui de la déesse, comme le dit M. Curnow (*Cité*, note 237-238, p. 1110)? L'original indique en effet: *factum est ut e Pesimunte deum mater Romam* [...] *applicaret*, « il arriva que la statue de la mère des dieux quitta Pessinonte et fit route vers Rome » (*De mulieribus claris*, LXXVII, p. 137). Il peut s'agir aussi d'un simple raccourci, le terme *Pisismunde* correspondant alors à *Pessinuntica*, « la déesse de Pessinonte », comme nous avons choisi de le traduire.

[2] *Cleres femmes*, LXXVII, t. II, p. 79-81. Le texte de Christine est très fidèle à sa source, mais elle a pu aussi s'inspirer de Valère Maxime, comme elle le signale au début du chapitre, les versions étant très proches. L'histoire de « Claudienne » figure dans la traduction de Nicolas de Gonesse (VIII, 1, damn. 4, p. 86-88). Le traducteur cite les *Cleres femmes*.

Cy dit Droiture comment[1] plusieurs femmes sont amees pour leurs vertus plus que autres pour leurs jolivetez .LXIV.

« Et[2] que femmes, posons que elles voulsissent estre amees, se penassent pour celle cause d'estre jolies, baudes, et mignotes et curieuses, je te prouverai que celle achoison ne les fait pas plus tost ne mieux amer de hommes saiges et de value, et que plus tost et mieulx amees sont de ceulx qui aiment honneur les vertueuses, honnestes et simples que les plus cointes, poson que moins feussent belles. Si me pourroit doncques estre res[129ᵛ]pondu, puis que femmes atraient les hommes par leur vertu et honnesteté, puisque c'est mal que ilz soient atrais, mieux vauldroit que moins bonnes feussent. Mais cest arguement riens ne vauldroit, car les bonnes et proufitables choses ne doivent point estre laissees a cultiver et acroistre, pour tant se les folz mal en usent. Et chacun doit faire son devoir en bien faisant, quoy que advenir doie. Et qu'il soit ainsi que maintes soient amees pour leurs vertus et honnesteté, je t'en dirai exemple. Premierement te pourroie dire de plusieurs saintes de paradis qui furent convoitees d'ommes pour leur honnesteté.

¶Item Lucrece, de laquelle cy dessus t'ai parlé, qui fu efforcee, la grant honnesteté d'elle fu cause d'enamourer Tarquin plus que ne feust sa beauté, car comme le mari d'elle feust une fois a un souupper la ou estoit cellui Tarquin, qui puis l'enforca, et d'autres plusieurs chevaliers pristrent a parler de leurs femmes. Et chascun disoit que la sienne estoit la meilleur. Mais pour savoir la verité et esprouver laquelle de leurs femmes estoit digne de plus grant louenge, monterent a cheval et allerent en leurs maisons ; et celles que ilz trouverent occuppees en plus honneste office et oevre feurent les plus reputees et honno- rees, dont il advint que Lucrece en toutes les autres femmes fu trouvee la plus honnestement occuppee comme

---

¹ B, D, R et table des rubriques : que

² E orné sur 2 lignes.

64. Où Droiture dit comment de nombreuses femmes sont aimées pour leurs vertus plus que d'autres pour leur belle apparence

« Si des femmes, en supposant qu'elles veuillent être aimées, se donnent la peine, pour y parvenir, de se faire belles, galantes, coquettes et aguicheuses, je te prouverai que cela ne les aide pas à se faire aimer plus vite ou mieux par des hommes sages et de quelque mérite. Ceux qui sont attachés à l'honneur aimeront mieux et plus vite des femmes vertueuses, honnêtes et simples, fussent-elles même moins belles, que les plus élégantes. On pourrait alors me répondre que puisque les femmes attirent les hommes par leur vertu et leur honnêteté, comme c'est un mal qu'ils soient attirés, il vaudrait mieux qu'elles soient moins vertueuses. Mais cet argument ne vaudrait rien ; car on ne doit pas renoncer à cultiver et à développer ce qui est bon et profitable, sous prétexte que les sots en usent mal. Chacun doit faire son devoir en agissant bien, quoi qu'il puisse arriver. Pour te montrer qu'il est bien vrai que beaucoup de femmes sont aimées pour leurs vertus et leur honnêteté, je vais te donner des exemples. Je pourrais te parler en premier lieu de nombreuses saintes du paradis que des hommes convoitèrent à cause de leur vertu.

Ainsi Lucrèce, dont je t'ai parlé précédemment, et qui fut violée : si Tarquin tomba amoureux d'elle, ce fut à cause de sa grande vertu plus que de sa beauté ; car un jour son mari se trouvait à un souper avec ce Tarquin, qui devait la violer par la suite, et plusieurs autres chevaliers, et ils se mirent à parler de leurs femmes. Chacun disait que la sienne était la meilleure. Pour savoir ce qu'il en était et voir laquelle de leurs femmes méritait les plus grandes louanges, ils montèrent à cheval et se rendirent dans leurs maisons. Celles qu'ils trouvèrent occupées aux tâches les plus honnêtes furent réputées les plus honorables. Or ce fut Lucrèce qu'ils trouvèrent occupée de la façon la plus honnête, plus encore que toutes les autres femmes ; comme une très sage et

tres saige et tres preudefemme, vestue d'une simple robe
parmi son ostel entre ses femmes, ouvrant de laine et
35 parlant de vertueuses choses. La fu venu le dit Tarquin, filz
du roy, avec le mari d'elle, qui regarda sa tres grant
honnesteté, son simple et bel [130ʳ] maintieng et sa
maniere quoye. Fu tant enamourez d'elle que il se mist a
faire la folie que il fist puis. »

**Cy dit de la royne Blanche, mere de Saint Louys, et
d'autres dames bonnes et sages, amees pour leurs
vertus .LXV.**

1 « Semblablement¹ fu amee pour son trez grant savoir,
prudence, vertus et bonté la tres noble royne Blanche de
France², mere de Saint Loys, du conte de Champaigne,
non obstant eust elle ja passé la fleur de sa jennesce. Mais
5 icellui noble conte, escoutant la sage et bonne royne
parlant a lui par si saiges parolles, lors qu'il avoit entrepris
guerre contre le dit roy Saint Loys et la vaillant dame le
reprenoit sagement, en disant que ce ne deust il mie faire,
consideré les biens que son filz lui avoit fais, le conte le
10 regardoit a grant entente, s'esmerveillant du grant bien et
vertu d'elle, par quoy il fu si fort surpris de l'amour d'elle
que il ne savoit que faire, et ne lui osast dire pour mourir,
car bien savoit qu'elle avoit tant de bonté que jamais ne s'i
accordast. Si en souffri depuis celle heure moult de maux
15 par fol desir qui le contraignoit. Toutevoies lui respondi
adont qu'elle ne se doubtast et que jamais guerre ne feroit
au roy, ains vouloit estre tout sien et que elle feust certaine
que cuer et corps, et quanque il avoit, estoit tout soubzmis
au commandement d'elle. Si l'ama toute sa vie depuis
20 celle heure et ne laissa pour peu d'esperance que il eust
de avenir a s'amour. Et faisoit ses complaintes a Amours
en ses dittiés en louant moult gracieusement³ sa dame,

---

¹ S *orné sur 2 lignes.*
² *R* : royne de France Blanche
³ *B, D* : grandement

très honnête femme, vêtue d'un vêtement simple, elle était dans sa maison au milieu de ses femmes, travaillant la laine et échangeant avec elles de sages propos. Tarquin, le fils du roi, se trouvait là avec le mari de Lucrèce, et vit sa très grande vertu, ses manières simples et belles et son attitude pleine de réserve. Il fut si séduit par elle qu'il eut l'idée de commettre la folie qu'il fit par la suite[1]. »

65. Où l'on parle de la reine Blanche, mère de Saint Louis, et d'autres dames bonnes et sages, qui furent aimées pour leurs vertus

« De même, c'est pour sa très grande sagesse, sa prudence, ses vertus et sa bonté que la très noble reine Blanche de France, mère de Saint Louis, fut aimée du comte de Champagne[2], bien qu'elle ne fût déjà plus en la fleur de sa jeunesse. Ce noble comte, en écoutant la sage et bonne reine lui parler de façon si judicieuse - alors qu'il avait entrepris une guerre contre le roi Saint Louis, cette noble dame le reprenait avec raison, lui disant qu'il n'aurait jamais dû faire cela, eu égard à tous les bienfaits qu'il avait reçus de son fils -, la regardait avec une grande attention, fort étonné de sa grande sagesse et de sa vertu, et il tomba amoureux d'elle d'une façon si forte et si soudaine qu'il ne savait plus que faire; il n'aurait jamais osé le lui dire, dût-il en mourir, car il savait bien qu'elle était si vertueuse que jamais elle n'eût accepté son amour. Dès ce moment, il souffrit bien des tourments, en proie à un désir fou. Toutefois il lui répondit alors qu'elle n'avait rien à craindre et que jamais il ne ferait la guerre au roi, mais qu'il voulait être tout à elle, et qu'elle pouvait être certaine qu'il était entièrement soumis à son commandement, de tout son cœur, de toute sa personne et avec tout ce qu'il possédait. Depuis ce moment-là il l'aima durant toute sa vie, sans se laisser décourager par le peu d'espoir qu'il avait de voir jamais son amour récompensé. Il composait des complaintes amoureuses dans lesquelles il louait sa

---

[1] Voir chapitre II, 44, et note 1, p. 581.

[2] Thibaut IV de Champagne (1201-1253), comte de Champagne et roi de Navarre, l'un des plus célèbres des trouvères, auteur de 71 poèmes (chansons et jeux-partis); voir *Chansons de Thibaut de Champagne*, éd. C. Callahan, M.-G. Grossel et D. E. O'Sullivan, Paris, Champion, 2018.

lesquelz moult beaux dittiez que il fist furent mis en chans
moult delictables, et les fist escripre en sa [130ᵛ] sale a
Prouvins et aussi a Trois, et encores y apperent. Et ainsi te
25   pourroie dire d'assez d'autres.»

Et je Cristine respondis adont: «Certainement je suis a
votre propos[1]. Car aucques pareus ai veü par experience,
car je congnois de femmes vertueuses et sages, lesquelles,
pour ce que elles m'ont confessé en elles complaignant a
30   moy de la desplaisance que elles y prenoient, ont esté plus
requises puis le temps que leur plus grant beauté et jennece
a esté passé que elles n'estoient en leur plus grant fleur,
dont elles me disoient: "Dieux! Et que veult ce dire?
Voient ces hommes en moy aucune contenance folle par
35   quoy ilz aient couleur et cause de penser que je feusse
d'accord de faire si grant folie?" Mais j'apercoy maintenant par ce que vous dites que le grant bien d'elles estoit
cause de les faire amer. Et est bien contre l'oppinion de
plusieurs gens qui dient que une preude femme qui veult
40   estre chaste ne sera ja, se elle ne veult, convoitié ne
requise.»

**Cy dit Cristine et Droiture lui respont contre ceulx qui
dient que femmes par nature sont escharces .LXVI.**

1   «Ne[2] vous sçay plus que replicquier, chere Dame!
Toutes mes questions sont solues et m'est bien advis que
assez avez prové estre faulx les mesdis que tant d'ommes
dient sur femmes. Et mesmement n'appert pas ce que ilz

---

[1] *B, D, R*: Certainement, dame, a vostre propos
[2] N *orné sur 2 lignes.*

dame avec beaucoup de grâce ; les très beaux poèmes qu'il composa furent mis en musique en de très plaisantes chansons ; il les fit inscrire dans la grande salle de son château de Provins ainsi qu'à Troyes, et on peut encore les y voir. Je pourrais t'en dire autant de beaucoup d'autres[1]. »

Et moi, Christine, je lui répondis alors : « Assurément, je suis de votre avis. Mon expérience m'a fait voir des cas assez semblables, car je connais des femmes vertueuses et sages qui, d'après ce qu'elles m'ont confié en se plaignant à moi du déplaisir qu'elles en éprouvaient, ont été davantage sollicitées depuis que leur jeunesse est passée, et avec elle leur plus grande beauté, qu'elles ne l'étaient en la plus belle fleur de leur âge. Elles me disaient : "Mon Dieu ! Qu'est-ce que cela veut dire ? Ces hommes voient-ils chez moi quelque comportement inconvenant qui puisse leur donner un motif ou une raison de croire que je pourrais consentir à faire une si grande folie ?" Mais je vois maintenant, d'après ce que vous dites, que c'était leur grande vertu qui était la cause de l'amour qu'on leur portait. Et cela va bien à l'encontre de l'opinion de tous ceux qui disent qu'une femme vertueuse qui veut rester chaste ne sera jamais convoitée ou sollicitée, si elle ne le veut pas. »

66. Contre ceux qui disent que les femmes sont avares de nature : Christine parle et Droiture lui répond

« Je ne sais plus quoi vous dire, ma chère Dame ! Car vous avez répondu à toutes mes questions, et il me semble bien que vous avez tout à fait prouvé qu'elles sont fausses, les médisances rapportées par tant d'hommes à propos des femmes. En particulier,

---

[1] La légende dit que les chansons d'amour composées par Thibaut de Champagne ont été inspirées par la passion amoureuse qu'il éprouvait pour la régente Blanche de Castille et qui expliquerait son parti pris soudain pour la reine alors qu'il s'était engagé contre elle en 1227. Cette rumeur a été propagée par les ennemis de la reine et du comte pour les calomnier (Voir « Thibaut de Champagne », *Dictionnaire des Lettres françaises : le Moyen Âge*, p. 1424-1425). La source utilisée par Christine est les *Grandes Chroniques* (t. VII, 17, p. 65-68). Le chapitre consacré au comte de Champagne raconte comment il est tombé amoureux de la reine qui le convainc de rallier la cause de son fils. La fin du chapitre est très proche dans ses termes de la conclusion de Christine : « Et les fist escrire en sa sale à Prouvins, et en cele de Troies, et sont apelées *les chançons au roy de Navarre* ».

5   tesmoignent tant communement que entre les vices
femmenins, avarice leur soit chose si naturelle. »

Responce : « Amie chiere, je te dis certainement que
avarice n'est point plus naturelle es femmes que es
hommes, et se moins y est, ce scet Dieux et ce peux tu

10   veoir, parce [131ʳ] que trop plus de maux se font au monde
et encueurent par la grant avarice des divers hommes que
par celle des femmes. Mes si que devant t'ai dit[1] : "Trop
bien congnoist le fol le petit meffait de son voisin, mais
son grant crisme, il n'apperçoit." Et parce que on voit

15   communement que femmes se delictent en amasser toilles
et fillez et telz chosettes qui sont propices a mesnaige, on
les repute averes. Mais je te promet que il est assez de
femmes, et a grant foison, que se elles avoient de quoy, ne
seroient point escharces ne averes en honneurs faire et

20   donner largement, ou bien seroit emploié. Mais qu'en puet
mais pouvre personne se elle est escharce ? On les tient
communement si a destroit d'argent que ce pou que elles
peuent avoir, le gardent, pour ce que bien scevent que a
grant paine en peuent recouvrer. Et si sont aucunes gens

25   qui les reputent escharces pour ce que les aucunes d'elles
ont maris folz, larges, gasteurs de biens et gourmans, et les
pouvres femmes qui scevent bien que le mesnaige de
l'ostel a disette de ce que follement est despendu et que
elles et leurs las d'enfans le pourront comparer, ne se

30   peuvent tenir d'en parler a leurs maris et de les admonnester de mendre despence. Si n'est mie telle chose
avarice ne escharceté, ains est signe de tres grant
prudence. Voire, j'entens de celles qui le font discrete-
ment, et tel debat voit on souvent es mariages parce que

---

[1] *B, D, R* : t'est dit

il n'apparaît pas évident que l'avarice soit, comme ils l'attestent si couramment, une caractéristique naturelle des femmes[1]. »

Elle me répondit : « Ma chère amie, je peux t'affirmer avec certitude que l'avarice n'est pas plus naturelle aux femmes qu'aux hommes ; elle le serait plutôt moins, Dieu le sait et tu peux le constater par toi-même, car beaucoup plus de maux arrivent et sont provoqués dans le monde à cause de la grande avarice de divers hommes qu'à cause de celle des femmes. Mais comme je te l'ai déjà dit plus haut[2], "Le sot distingue très bien le petit méfait commis par son voisin, mais il ne voit pas le grand crime qu'il commet lui-même." Et parce que l'on voit couramment les femmes prendre plaisir à accumuler des pièces de tissu, du fil et différentes petites choses utiles dans leur ménage, on les considère comme avares. Mais je t'assure que beaucoup de femmes, et même un très grand nombre d'entre elles, si elles en avaient les moyens, ne seraient ni avares ni chiches pour se montrer libérales et faire des dons généreux, là où ils seraient bien employés. Mais une personne pauvre, qu'y peut-elle si elle se montre chiche ? En général, on leur compte l'argent de façon si stricte qu'elles gardent le peu d'argent qu'elles peuvent avoir, car elles savent bien qu'elles auront beaucoup de mal à en obtenir à nouveau. Il y a aussi des gens qui les considèrent comme avares parce que certaines d'entre elles ont des maris insensés, prodigues, dépensiers et gourmands ; et ces pauvres femmes, qui savent bien que le ménage est privé de tout ce qu'ils dépensent ainsi de façon inconsidérée et qu'elles-mêmes et leurs pauvres enfants le paieront cher, ne peuvent s'empêcher d'en parler à leurs maris et de les exhorter à limiter leurs dépenses. Ce n'est certes pas de l'avarice ni de la mesquinerie, mais c'est le signe d'une très grande prévoyance ; je le dis du moins pour celles qui le font discrètement, car on voit souvent des disputes dans les

---

[1] Voir par exemple ce qu'en dit Boccace dans son *De casibus*, I, 18, 18 : *Avarissimum* [...] *animal est femina* (cité dans le *De mulieribus claris*, p. 123, note). Il revient sur cette idée dans le chapitre LXIX du *De mulieribus claris* cité plus loin, à propos de l'histoire de Busa (voir plus loin, II, 67 et note).

[2] Voir II, 47 (où le proverbe se trouve sous sa forme la plus courante, celle de Mat. 7, 3-5 : « Qu'as-tu à regarder la paille qui est dans l'œil de ton frère ? Et la poutre qui est dans ton œil à toi, tu ne la remarques pas ! »).

35   aux hommes ne plaist pas tel admonnestement, et par ce
      donnent blasme aux femmes de ce de quoy louer les
      deussent. Mais qu'il soit vrai que cellui vice d'avarice ne
      soit pas si en elles comme aucuns vuellent dire, il appert
      aux aumosnes que tres voulentiers elles font. Et Dieux scet
40   quans [131ᵛ] prisonniers, mesmes en terres de Sarasins,
      quans diseteux et quans besongneux gentilz hommes et
      autres ont esté et sont tous les jours avo le monde[1]
      confortez et secourus par les femmes et par leur avoir.»
          ¶Et je Cristine dis adont: «Certes, Dame, a votre
45   propos, il me souvient avoir veü de femmes moult honno-
      rables en discrete largece de ce que elles pouoient. Et scez
      et congnois au jour d'ui de telles qui plus grant joie ont
      quant elles peuent dire "Tien!" la ou il est bien emploié
      que nul aver ne pourroit avoir de tirer a soy et mettre en
50   coffre. Mais je ne scay a quoy hommes vont tant disant
      que femmes soient escharces. Car quoy que on die que
      Alixandre feu, je vous di bien que oncques n'en vi point.»
          Droiture se prist adont a rire et dit: «Amie, certes ne
      furent mie escharces les dames de Romme quant ou temps
55   que la cité estoit moult grevee de guerres, par quoy tout le
      commun tresor de la ville estoit despendu es gens d'armes,
      dont a grant douleur et souci estoient les Rommains de
      trouver voie d'avoir argent pour mettre sus une grant
      armee qui a faire leur estoit neccessaire; mais les dames

---

[1] de redoublé

couples à ce sujet, parce que les hommes n'apprécient pas ce genre de remontrances, et ils blâment les femmes pour ce qui devrait leur valoir des louanges. Mais la preuve que ce défaut d'avarice n'est pas si commun chez les femmes que certains veulent bien le dire, on peut la voir dans les aumônes qu'elles font très volontiers. Dieu sait combien de prisonniers, même en terre sarrasine, combien de pauvres, combien de gentilshommes et d'autres personnes dans le besoin ont été et sont réconfortés et secourus tous les jours, de par le monde, par les femmes et par leurs dons ! »

Et moi, Christine, je lui dis alors : « Certes, Madame, pour rester dans le même sujet, je me souviens d'avoir vu des femmes très honorables se montrer généreuses avec discrétion en donnant ce qu'elles pouvaient. Et j'en connais même certaines aujourd'hui qui ont plus de joie quand elles peuvent dire "Tiens !" et qu'elles savent que leur don sera bien employé qu'aucun avare ne pourrait en avoir en amassant et entassant des biens dans ses coffres. Mais je ne sais pourquoi les hommes répètent autant que les femmes sont avares. Car avec tout ce que l'on dit de la largesse d'Alexandre[1], je peux bien vous dire que je n'ai jamais rien vu de tel. »

Droiture se mit alors à rire, puis elle dit : « En vérité, mon amie, elles ne furent pas avares, les dames de Rome, au temps où les guerres faisaient peser sur la cité de lourdes charges, et que tout le trésor de la ville avait été utilisé pour payer les soldats ; les Romains désespéraient de trouver le moyen d'avoir assez d'argent pour lever la grande armée dont ils avaient besoin ; mais

---

[1] Nous explicitons dans la traduction l'allusion implicite dans le texte (littéralement, « quoi que l'on dise de ce qu'était Alexandre »), évidente pour un lecteur médiéval, le topos de la largesse d'Alexandre, très souvent mentionné dans les textes (dès le XIIe s., voir par exemple le prologue du *Conte du Graal* de Chrétien de Troyes) étant devenu proverbial. La largesse d'Alexandre est ainsi longuement évoquée par Boccace comme point de comparaison à propos de l'exemple de Busa ou Pauline, développé juste après, et Christine avait très certainement sous les yeux le chapitre correspondant des *Cleres femmes* (LXIX) en rédigeant ce passage. Mais tout en faisant l'éloge de Busa, dont le mérite était encore plus grand que celui d'Alexandre, Boccace l'admire d'autant plus qu'il ne manque pas de rappeler que les femmes sont par nature avares et peu courageuses (voir ci-dessus note 1, p. 697).

60   par leur franche liberalité, et mesmement les vesves,
        s'assemblerent, et tous leurs joyaux et ce qu'elles avoient
        sans riens espargnier porterent aux princes de Romme et
        franchement leur baillierent. De laquelle chose moult
        furent les dames louees et depuis leur furent rendus leurs
65   joyaux et a bon droit, car cause avoient esté du recouvre-
        ment de Romme. »

Cy dit de la riche dame liberale nommee Buse .LXVII.

1   « De[1] liberalité de femme autresi est escript [132ʳ] es
        Fais des Rommains de la vaillant riche preudefemme Buse
        ou Pauline, qui estoit en la terre de Puille ou temps que
        Hanibal grevoit tant les Rommains par feu et par fer que
5   aucques toute Ytalie despoullia d'ommes et de biens.
        Advint que de la grant desconfiture de Cannes, dont
        Hanibal ot si noble victoire, plusieurs Rommains s'en
        fuirent qui eschaperent de la bataille navrez et bleciez.
        Mais celle vaillant dame Buse recevoit tous ceulx que elle
10   pouoit avoir, tant que jusques au nombre de dix mille en
        recueilli en ses maisons, car moult estoit de grant richece.
        Si les fist garir a ses despens et tous secourir de son avoir,
        tant que par l'aide et reconfort que elle leur fist s'en
        porrent retourner a Romme et remettre sus leur armee, de
15   laquelle chose elle fu moult grandement louee. Si ne
        doubtez pas, amie chiere, que de infinies largeces, courtoi-
        sies et liberalitez de femmes te pourroie dire.
            ¶Et mesmement sans aler plus loing querre histoires,
        combien que d'assez d'autres largeces de dames en ton

---

[1] D *orné sur 2 lignes.*

les dames, et même les veuves, avec une noble générosité, se réunirent et apportèrent tous leurs bijoux et tout ce qu'elles possédaient, sans rien épargner, aux dirigeants de Rome pour les leur donner sans rien demander en retour. Cela leur valut de grandes louanges, et par la suite, leurs bijoux leur furent rendus, comme il était juste, car c'était grâce à elles que Rome avait pu se redresser[1]. »

67. Où l'on parle de la générosité d'une puissante dame nommée Busa[2]

« Toujours à propos de générosité féminine, on trouve dans les *Faits des Romains* l'histoire de la puissante, noble et vaillante femme appelée Busa ou Pauline. Elle vivait dans la terre d'Apulie à l'époque où Hannibal menait une guerre si rude contre les Romains par le feu et par le fer qu'il ravagea presque toute l'Italie, tuant ses hommes et pillant ses biens. À la suite de la grande déroute de Cannes, où Hannibal remporta une victoire éclatante, de nombreux Romains rescapés de la bataille, blessés ou meurtris, prirent la fuite. Mais cette valeureuse dame Busa accueillait tous ceux qu'elle pouvait ; elle en hébergea jusqu'à dix mille, car elle était extrêmement riche. Elle les fit soigner à ses frais et leur fournit à tous une aide matérielle, si bien qu'ils purent retourner à Rome et remettre sur pied leur armée grâce à son aide et à son secours, ce qui lui valut de très grandes louanges. N'aie aucun doute à ce sujet, ma chère amie : je pourrais te citer une infinité de cas de largesses et d'actions généreuses et nobles accomplies par des femmes.

Et même sans aller chercher plus loin dans les récits historiques, combien d'exemples d'actions généreuses de dames de

---

[1] Voir la traduction de Valère Maxime par Nicolas de Gonesse (IX, 1, 3, p. 241-242).

[2] Si Christine cite comme source *Les Faits des Romains*, il n'est pas question de Busa dans les chapitres consacrés à la bataille de Cannes (*Histoire ancienne* 1, LXXXVII, fol. 121^v ; *Histoire ancienne* 2, fol. 232^{r-v}). Elle s'inspire du chapitre LXIX des *Cleres femmes* (t. II, p. 53-55). Christine résume une nouvelle fois le récit de Boccace en ne gardant que l'essentiel. L'histoire de Busa figure aussi dans la traduction de Valère Maxime par Simon de Hesdin (IV, 8, fol. 206^r). Elle y a peut-être trouvé le nombre de Romains secourus (dix), qu'elle transforme en dix mille.

20   temps se pourront dire ! Ne fu ce pas grant liberailité que la
dame de la Riviere nommee Marguerite, qui encores est en
vie et femme fu jadis de messire Bureau de la Riviere,
premier chambellan du saige roy Charles ? Celle dame,
comme elle ait tousjours esté saige, vaillant et bien
25   moriginee, advint une fois entre les autres qu'elle estoit en
une moult belle feste que faisoit a Paris le duc d'Angio,
qui puis fu roy de Cecile, en laquelle feste avoit moult
grant foison de nobles dames et de chevaliers et gentilz
hommes en grans paremens. Adont celle dame, qui belle et
30   jeune estoit, comme elle regardast la noble chevalerie
[132ᵛ] qui la estoit, avisa que point n'y estoit entre les
autres un moult notable chevalier et de grant renommee
pour lors vivant que on nommoit messire Emenion de
Pommiers. Elle ne laissa pas, pourtant se cellui messire
35   Emenion[1] estoit moult vieulx, a avoir memoire de lui, ains
la bonté et vaillance dont il estoit en fist avoir souvenance
a la dame, a qui bien sembla que plus bel parement ne peut
estre en une assemblee que hommes notables et de
renommee, tout soient ilz vieulx. Si va moult demander ou
40   estoit cellui chevalier que il n'estoit a l'assemblee ; il lui fu
dit que il estoit en prison ou chastelet de Paris pour V cents
frans en quoy il estoit obligiez a cause des voiages que

---

[1] *B, D, R* : Emenion de Pommiers

ton temps peut-on évoquer? Quelle ne fut pas la grande générosité de Marguerite, dame de La Rivière, qui vit encore, et qui fut jadis l'épouse de feu monseigneur Bureau de La Rivière, premier chambellan du sage roi Charles V[1]? Cette dame, qui a toujours été réputée pour sa sagesse, ses qualités et ses bonnes manières, participait un jour à une très belle fête donnée à Paris par le duc d'Anjou, qui devint ensuite roi de Sicile[2]; il y avait à cette fête un très grand nombre de nobles dames, de chevaliers et de gentilshommes en tenue d'apparat. Cette dame, qui était jeune et belle, en regardant la noble assemblée de chevaliers qui se trouvait là, s'avisa qu'elle n'y voyait pas parmi les autres un chevalier très remarquable et de très grande réputation, qui était alors encore en vie, appelé monseigneur Amanieu de Pommiers[3]. Elle ne manqua pas de se souvenir de lui, bien qu'il fût pourtant très âgé; car la valeur et le courage passés de ce seigneur Amanieu lui revinrent en mémoire, et il lui sembla qu'il ne pouvait pas y avoir de plus bel ornement dans une réunion festive que des hommes réputés et de bonne renommée, si vieux soient-ils. Elle alla donc demander avec insistance où était ce chevalier et pourquoi il n'était pas à la

---

[1] Proche conseiller de Charles V, considéré comme son ami intime, grand chambellan de ce roi et de Charles VI, il meurt en 1400. Il a dû bien connaître le père de Christine, qui l'a elle-même connu ainsi que sa veuve. Elle les mentionne tous deux de façon assez précise et très élogieuse dans le *Charles V* à plusieurs reprises. Voir notamment I, 35 (t. I, p. 101) où Christine parle de la confiance que le roi avait en lui; III, 23 (t. II, p. 67) sur les prières faites par sa femme et lui à une sainte femme invitée par le roi pour obtenir un enfant; II, 32 (t. II, p. 88-89) sur l'élégance des manières du chambellan et les belles réceptions qu'il donnait avec sa femme; III, 71 (t. III, p. 191-192) sur la place tenue par Bureau de La Rivière au moment de la mort de Charles V, qui rend l'esprit «entre les bras du seigneur de La Riviere, que moult chierement il amoit» (p. 192).

[2] Il s'agit ici de Louis II d'Anjou, cousin germain du roi Charles VI, couronné roi de Sicile en 1389.

[3] Un noble gascon connu pour ses exploits militaires durant la guerre de Cent Ans (voir P. Barnabé, «Guerre et mortalité au début de la guerre de Cent Ans: l'exemple des combattants gascons (1337-1367)», *Annales du midi. Revue de la France méridionale*, 2001, vol. 113, n° 235, p. 273-305; sur ce personnage, p. 293-296). Il est cité par Jean Froissart au livre III de ses *Chroniques* (Jean Froissart, *Chroniques*, éd. P. F. Ainsworth, Genève, Droz, 2007, livre III, t. 1, p. 219; il est simplement mentionné par un personnage appelé le Bascot de Maulion ou Mauléon, comme étant le capitaine de son cousin Bernard).

souvent il faisoit en armes. "Ha!" dit la noble dame, "quel
grant honte a ce royaume souffrir une seulle heure un tel
45   homme estre pour debte emprisonnez!" Adont celle prist
le chappel d'or que elle avoit sur son chief, riche et bel, et
sur ses blons cheveulx mist en lieu un chappel de
parvanche. Si le bailla a certains messaiges et dist: "Alez,
se mettez ce chappel en gage pour ce que il doit, et que
50   tantost soit delivré et viengne cy." Laquelle chose fu faite,
dont grandement elle fu louee.»

Cy dit des princesses[1] et dames de France .LXVIII.

1   Encore[2] moy Cristine dis ainsi: «Dame, puisque vous
avez ramenteu ceste dame qui est en mon temps et que
entree estes ou procés des dames de France ou qui y sont
demourantes, je vous prie que il vous plaise a me dire
d'elles ce que il vous en semble et s'il vous est advis que
5   bon soit qu'il en y ait de hebergiés en notre cité, car pou
doivent elles estre oubliees[3] ne que les estranges.»

Responce: «Certainement, Cristine, je te respons que
moult en y de tres vertueuses et [133r] bien me plaist que
elles soient de noz citoiennes.

10   ¶Et tout premierement, ne sera pas refusee la noble
roine de France Ysabel de Baviere, a present par grace de
Dieu regnant, en laquelle n'a raim de cruaulte, extorcion,

---

[1] princes; *corr. d'après B, D, R.*

[2] E *orné sur 2 lignes.*

[3] *B, D, R:* car pourquoy doivent elles estre oubliees

fête ; on lui dit qu'il était en prison au Châtelet à Paris, à cause d'une dette de cinq cents francs qu'il avait contractée à cause de ses fréquents déplacements militaires[1]. "Ah ! dit cette noble dame, quelle grande honte pour ce royaume de supporter qu'un tel homme soit emprisonné pour dettes ne serait-ce qu'une seule heure !" Alors elle ôta de sa tête le diadème d'or riche et beau qu'elle portait et mit à la place sur ses blonds cheveux une couronne de pervenches. Elle confia le diadème à des messagers et leur dit : "Allez porter ce diadème en gage pour ce qu'il doit, et qu'on le délivre aussitôt pour qu'il vienne ici." Ce qui fut fait, et cela valut de grandes louanges à cette dame[2]. »

68. Où l'on parle des princesses et des dames de France

Moi, Christine, je lui dis encore : « Ma Dame, puisque vous avez rappelé l'exemple de cette dame de mon époque et que vous avez commencé à développer l'exemple des dames de France et de celles qui y vivent, je vous prie de bien vouloir me donner votre avis à leur sujet et me dire si vous pensez qu'il serait bien que certaines d'entre elles soient hébergées dans notre cité ; car il ne faudrait pas les oublier et ne retenir que les étrangères. »

Elle me dit alors : « Christine, je peux te répondre qu'assurément il y a parmi elles beaucoup de femmes vertueuses, et il me plaît bien qu'elles soient au nombre de nos citoyennes.

En tout premier lieu, nous ne refuserons pas la noble reine de France Isabelle de Bavière[3], qui règne à présent par la grâce de Dieu, et en qui on ne saurait trouver nul soupçon de cruauté, de

---

[1] Il n'est pas précisé s'il s'agit de tournois (comme le traduisent É. Hicks et T. Moreau) ou d'engagements au service de divers seigneurs, comme ceux mentionnés dans l'article cité (voir note précédente).

[2] Christine raconte ici une anecdote qui reprend la trame d'un *exemplum* témoignant de la largesse d'Alexandre dans les *Faits et dits* (V, 1, ext. 1, p. 26) : voyant un vieux chevalier tremblant de froid, Alexandre lui laissa sa place sur le trône près du feu et le couvrit de dons. Il fit ainsi preuve d'humanité face la vieillesse et à la pauvreté du soldat.

[3] Dite Isabeau, épouse de Charles VI et reine de France (1371-1435). Christine lui a adressé l'*Epistre à la reine*, elle la cite dans la *Lamentacion sur les maux de la France* et a supervisé à son intention la réalisation du manuscrit Harley 4431, dans lequel figure la *Cité des dames* (notre ms R).

ne quelconques mal vice, ¶mais toute bonne amour et
benignité vers ses subgiez.

15   ¶Ne fait aussi tres grandement a louer la belle, jenne,
bonne et saige duchece de Berri, femme du duc Jehan,
jadis filz du roy Jehan de France et frere du saige roy
Charles? Laquelle noble duchece tant chastement et tant
bien et saigement se porte[1] en la fleur de si grant jennece
20   que tout le monde la loe et la renomme de moult grant
vertu.

      ¶Que t'en diroie la duchece d'Orliens, femme du duc
Loys, filz de Charles le saige, roy de France, jadis fille du
duc de Millan? De quelle plus prudente dame se pourroit
25   dire, forte et constant en couraige, de grant amour a son
seigneur, de bonne dottrine a sez enfans, avisee en

---

[1] *B, D*: se gouverne

désir de nuire ou d'un quelconque vice mauvais, mais qui est toute bonté et bienveillance envers ses sujets[1].

Ne mérite-t-elle pas également de très grandes louanges, la belle, jeune, bonne et sage duchesse de Berry[2], femme du duc Jean[3], fils du défunt roi Jean de France et frère du sage roi Charles ? Cette noble duchesse se comporte de manière si chaste et si sage, malgré sa très grande jeunesse, que tout le monde chante ses louanges et célèbre sa réputation de très grande vertu.

Que te dirais-je de la duchesse d'Orléans[4], fille de feu le duc de Milan[5], femme du duc Louis[6], fils de Charles le sage, roi de France ? Où pourrait-on trouver dame plus sage, forte et ferme dans ses sentiments, aimant son mari d'un grand amour, élevant bien ses enfants, se comportant toujours de manière avisée, juste

---

[1] Certains commentateurs (comme G. M. Cropp, dans l'article cité dans la note suivante) soulignent la relative tiédeur de cette présentation de la reine Isabelle, effectuée à travers des tournures négatives, surtout si on la compare avec les présentations faites ensuite d'autres « dames de France ». T. Adams n'est pas de cet avis et dit au contraire que la reine figure ici à la place qui lui revient dans l'énumération des dames (« Isabeau de Bavière dans l'œuvre de Christine de Pizan : une réévaluation du personnage », *Christine de Pizan. Une femme de sciences, une femme de lettres, op. cit.*, Paris, Champion, 2008, p. 133-146 ; voir p. 141-142). Il faut noter l'absence de toute mention de Charles VI ; c'est la reine qui règne ici.

[2] Dans son article « Les personnages féminins tirés de l'histoire de la France dans le *Livre de la Cité des dames* » (*Une femme de Lettres au Moyen Age, op. cit.*, p. 195-208), G. M. Cropp a identifié les personnages cités dans ce chapitre. Il s'agit ici de Jeanne d'Auvergne (1378-1424 ou 1442), qui épouse Jean de Berry en 1389. Les détails biographiques sur cette princesse et les personnages qui suivent proviennent de l'ouvrage de M. Ornato, *Répertoire prosopographique de personnages apparentés à la couronne de France aux XIVᵉ et XVᵉ siècles*, Paris, Publications de la Sorbonne, 2001.

[3] Jean de Berry (1340-1416), fils de Jean le Bon, frère de Charles V et oncle de Charles VI. Il est l'un des mécènes de Christine de Pizan et il lui a peut-être donné accès à sa bibliothèque aux collections très riches (voir introduction, p. 65-66). De ce fait, il est logique de trouver cette princesse en seconde position dans la liste des dames contemporaines : c'est sa place protocolaire en tant que femme d'un fils et oncle de rois ainsi qu'une façon de rendre hommage à un protecteur puissant.

[4] Valentine Visconti (1366-1408), mariée à Louis d'Orléans.

[5] Jean-Galéas Visconti (1347-1402), duc de Milan de 1395 à 1402.

[6] Louis d'Orléans (1392-1407), frère du roi Charles VI, autre mécène de Christine de Pizan.

gouvernement, juste envers tous, de maintien sage et en
toutes chose tres vertueuse, et c'est chose nottoire?

30 ¶En la duchesse de Bourgoingne, femme du duc Jehan,
filz de Phelippe, jadis filz du roy Jehan de France, que a il
a redire? N'est elle tres vertueuse, loialle a son seigneur,
benigne en cuer et en maintien, bonne en meurs et sans
quelconques vice?

35 ¶La contesse de Clermont, fille du susdit Jehan, duc de
Berri, de sa premiere femme, et mariee au conte Jehan de
Clermont, filz du duc de Bourbon atendant la duchié, n'est
elle toute telle que a estre appertient a toute haulte
princece, de grant amour a son seigneur et bien moriginee
en toutes choses, belle, sage et bonne? Et a tout dire, a son
40 bel maintien et port honnorable apperent ses vertus.

¶Et celle [133ᵛ] entre les autres que singulierement tu
aimes, tant pour le bien de ses vertus comme pour ce que
en recevant benefices d'elle a toy estendus par charité et
bonne amour tu es tenue, c'est la noble duchece de
45 Hollande et contesse de Henaut, fille du susdit feu
Phelippe duc de Bourgoingne et seur de cellui qui a
present est, ne doit celle dame estre mise entre les plus
parfaites, loialle en couraige, tres prudent et saige en
gouvernement, charitable et devote souverainement
50 envers Dieu, et a brief dire toute bonne?

envers tous, sage dans sa conduite et en toutes choses pleine de vertus ? Ce sont là choses notoires.

Que pourrait-on trouver à redire chez la duchesse de Bourgogne[1], femme du duc Jean[2], fils de Philippe[3], lui-même fils du feu roi Jean de France ? N'est-elle pas très vertueuse, loyale envers son époux, pleine de bonté en son cœur et dans ses manières, de bonnes mœurs et dépourvue de tout vice ?

La comtesse de Clermont[4], fille du duc Jean de Berry déjà nommé et de sa première femme, épouse du comte Jean de Clermont, fils et héritier du duc de Bourbon, n'a-t-elle pas toutes les qualités que l'on peut attendre d'une grande princesse, portant un grand amour à son mari, très bien éduquée en toutes choses, belle, sage et bonne ? Pour tout dire, ses vertus sont manifestes dans la noblesse de son maintien et la dignité de sa tenue.

Et celle que tu aimes entre toutes tout particulièrement, tant pour ses vertus remarquables que parce que tu lui es redevable des bienfaits que tu as reçus d'elle, de sa bonté et de son affection pour toi, la noble duchesse de Hollande et comtesse de Hainaut[5], fille du feu duc Philippe de Bourgogne déjà nommé et sœur de l'actuel duc de Bourgogne, cette dame ne doit-elle pas être comptée entre les plus parfaites ? N'est-elle pas loyale de cœur, d'une grande clairvoyance et d'une grande sagesse dans sa façon de se conduire, charitable et d'une dévotion profonde envers Dieu, bref, excellente en toutes choses ?

---

[1] Marguerite de Bavière (date de naissance inconnue-1424), épouse de Jean de Bourgogne.

[2] Jean de Bourgogne (1371-1419), dit Jean sans Peur, duc de Bourgogne, fils de Philippe le Hardi. Christine écrira le *Livre des trois Vertus* pour sa fille Marguerite destinée à devenir reine de France par son mariage avec Louis de Guyenne, mort avant d'accéder au trône.

[3] Philippe le Hardi (1342-1404), fils de Jean le Bon, frère de Charles V et oncle de Charles VI. Il est aussi un des grands mécènes de Christine. Il lui commande en 1404 le *Charles V.*

[4] Marie de Berry (1381-1434). Elle se marie avec Jean de Bourbon en 1400. Christine lui destinera une de ses dernières œuvres, l'*Epistre de la prison de vie humaine* (1418) afin de la consoler des pertes qu'elle a subies lors de la bataille d'Azincourt.

[5] Marguerite de Bourgogne (1374-1441), mariée à Guillaume de Bavière en 1385. Elle est duchesse de Bavière, comtesse de Hainaut et comtesse de Hollande de 1385 à 1441.

¶La duchece de Bourbon ne doit elle estre ramenteue entre les princeces renommees comme tres honnoree et digne de loz en toutes choses?

¶Que t'en diroie? Lonc temps emploier m'y conven-
55 droit a de toutes dire les grant bontez.

¶La bonne, belle, noble preudefemme, contesse[1] de Saint Paul, fille du duc de Bar, cousine germaine du roy de France, bien doit venir en place entre les places[2].

¶Autresi celle que tu aimes, Anne, fille jadis du conte
60 de La Marche et seur de cellui qui est a present, qui est mariee au frere de la royne de France, Louys de Baviere, n'empire pas la compaignie de celles qui ont grace et sont dignes de louenge, car vers Dieu et vers le monde sont aceptees ses bonnes vertus.

65 ¶D'autres contesses, baronnesses, dames, damoiselles, bourgoises et de tous estat, y a tant de bonnes et belles, malgré les mesdisans, que Dieux en soit louez qui les y maintiengne! Et celles qui sont deffaillants vueille amender. Et de ceste chose ne doubtez du contraire, car
70 pour voir le t'afferme, quoyque maintes gens comme mes[134ʳ]disans et enuieux disent le contraire.»

Et je Cristine atant respondis: «Certes Dame, ceste nouvelle de vous oyr m'est souveraine joie.» Et elle a moy respont: «Amie chiere, ¶or ay assez souffissamment
75 comme il me semble fait mon office en la Cité des dames: l'ay bastie de beaux palais et de maintes belles heberges et mansions, le t'ai peupplee de nobles dames tant et a si grans routes de tous estas que ja est toute raemplie. Or viengne ma suer Justice qui le surplus perface, et atant te
80 souffise.»

---

[1] conte; *corr. d'après B, D, R.*

[2] *B, D*: entre les bonnes

Ne doit-on pas rappeler aussi, parmi les princesses renommées, la duchesse de Bourbon[1], très honorée et digne de louanges en toutes choses? Que te dire encore? Il me faudrait bien longtemps pour dire les grands mérites de toutes ces dames.

La bonne, belle et noble femme de valeur, la comtesse de Saint-Pol[2], fille du duc de Bar, cousine germaine du roi de France, mérite bien de venir en bonne place. Il en va de même pour celle que tu aimes, Anne[3], fille de feu le comte de La Marche et sœur du comte actuel, mariée au frère de la reine de France, Louis de Bavière; elle n'amoindrit nullement le mérite du groupe des dames estimées et dignes de louange, car ses vertus accomplies trouvent grâce aux yeux de Dieu et aux yeux du monde.

Il y a un si grand nombre d'autres femmes belles et bonnes, qu'elles soient comtesses, baronnes, dames, demoiselles, bourgeoises ou femmes de toutes conditions, n'en déplaise aux médisants! Que Dieu en soit loué et qu'il les garde ainsi! Et qu'il veuille bien rendre meilleures celles qui ont des défauts. Ce que je t'ai dit, ne le mets pas en doute, car je t'affirme que c'est la vérité, même si beaucoup de gens, médisants et envieux, disent le contraire.»

Alors moi, Christine, je répondis: «Ma Dame, entendre cela de votre part m'apporte en vérité une joie extrême.» Et elle me dit: «Ma chère amie, il me semble que j'ai bien accompli ma tâche dans la Cité des dames: j'y ai bâti de beaux palais et maintes belles demeures et maisons, et je te l'ai peuplée d'un si grand nombre de nobles dames et de grands groupes de femmes de toutes conditions qu'elle est déjà toute pleine. Que cela te suffise, et que vienne ma sœur Justice pour parachever l'ouvrage.»

---

[1] Anne d'Auvergne (1358-1417), épouse Louis II de Bourbon (1337-1410) en 1371. Elle est la mère de Jean de Bourbon, mari de Marie de Berry citée plus haut.

[2] Bonne de Bar (date de naissance inconnue-morte vraisemblablement en 1419), épouse Waléran de Luxembourg en 1393 ou 1400. Elle est la fille de Marie de France, la sœur du roi Charles V.

[3] Anne de Bourbon (date de naissance inconnue-1408). Elle épouse Louis de Bavière en 1402, après avoir été mariée un an à Jean, comte de Montpensier, fils de Jean de Berry, mort en 1401 ou 1402.

Parle Cristine aux princesses et a toutes femmes .LXIX.

1   « Tres[1] redoubtees et excellens princeces honnorees de
France et de tous pays, et toutes dames, damoiselles et
generalment toutes femmes qui amastes, amez et amerez
vertus et bonnes meurs, tant celles qui sont trespassees
5 commes les presentes et celles advenir, eslessiez vous
toutes et menez joie en notre nouvelle Cité qui ja, Dieu
mercy, est toute ou la plus grant partie bastie ou maisonnee
et presque peupplee. Rendez graces a Dieu qui m'a
conduite a grant labour et estude, desireuse que herberge
10 honnorable pour demeure perpetuelle tant que le monde
durera vous soit par moy en la closture de une cité establie.
Suis venue jusques cy esperant de aler oultre a la conclusion de mon oeuvre par l'aide et le reconfort de Dame
Justice qui, selon sa promesse, me sera aidable sans delais-
15 sier jusques elle soit close et toute parfaite. Or priés pour
moy, mes tres redoubtees. »

Explicit la IIe partie du *Livre de la Cité des dames*.

---

[1] T *orné sur 2 lignes.*

69. Christine s'adresse aux princesses et à toutes les femmes

«Très vénérées, excellentes et honorables princesses de France et de tous les pays, et vous, toutes les dames, demoiselles, et plus généralement, toutes les femmes qui avez aimé, qui aiment et qui aimeront la vertu et les bonnes mœurs, celles qui sont mortes aussi bien que celles du présent ou celles qui viendront plus tard, réjouissez-vous toutes et soyez heureuses de notre nouvelle Cité qui, Dieu merci, est déjà toute construite, au moins en grande partie, garnie de maisons et presque entièrement peuplée. Rendez grâce à Dieu qui m'a guidée dans ce grand travail et dans mon étude, moi qui voulais établir pour vous dans une cité enclose de murs un lieu de résidence honorable qui puisse vous servir de demeure perpétuelle tant que le monde durera. Je suis arrivée jusqu'ici avec l'espoir de poursuivre jusqu'à la conclusion de mon œuvre, grâce à l'aide et au soutien de Dame Justice qui, selon sa promesse, m'aidera sans répit jusqu'à ce que la Cité soit fermée et entièrement achevée. Priez donc pour moi, dames très vénérées!»

Ici finit la deuxième partie du *Livre de la Cité des dames*.

---

[1] *Deux chapitres sont omis :* XI. Cy dit de plusieurs saintes qui virent martirer leurs enfans devant elles, *et* XII. Cy dit de sainte Marine vierge. *Ce chapitre sur Euphrosine porte dans le texte le numéro XIII. Il y a un décalage de deux chiffres pour toute la fin de la table des rubriques. On observe les mêmes erreurs dans R, ainsi que celle qui est signalée à la note suivante (voir l'introduction, p. 144-145). Le titre de ce chapitre XIII est aussi légèrement différent de celui qu'on trouve dans le texte, le mot* vierge *qui figure à la fin est omis : Voir l'annexe.*

[2] *Le N est omis. C'est également le cas dans B, D, R. Il faut lire* Nathalie, *comme dans le titre du chapitre XVI.*

[3] .V. ; *corr. d'après le titre du chapitre.*

Ici commence la table des rubriques de la troisième partie de ce livre, qui dit comment et par qui les parties supérieures de la Cité des dames furent achevés et quelles nobles dames furent choisies pour demeurer dans les grands palais et les hautes tours.

Ici s'achève la table de la troisième partie de ce livre.

---

[1] Comme il est indiqué ci-contre, ce chapitre porte dans le texte le n°13, les deux chapitres 11 et 12 ayant été omis dans la table des matières.

[135ʳ]

Cy commence la tierce partie du *Livre de la Cité des dames*, laquelle parle comment et par qui les haulx combles des tours furent parfais et quelles nobles dames furent eslites pour demourer es grans palais et es haulx dongions.
Le premier chapitre parle comment[1] Justice amena la Royne du Ciel pour abiter en la Cité des dames .I.

1   Atant[2] se tira vers moy dame Justice a sa haulte maniere et dist ainsi [135ᵛ]: «Cristine, a droit voir dire,

---

¹ *B, D*: Premier chapitre comment
² A *orné sur 4 lignes.*

Ici commence la troisième partie du *Livre de la Cité des dames*, qui dit comment et par qui les parties supérieures des tours furent achevées et quelles nobles dames furent élues pour demeurer dans les grands palais et les hautes tours.

1. Le premier chapitre dit comment Justice amena la Reine du Ciel pour habiter la Cité des dames

Alors dame Justice à l'allure altière[1] se dirigea vers moi et me parla ainsi : «Christine, en vérité, il m'apparaît que tu as

---

[1] Voir la présentation de la troisième des dames au début du livre (I, 3), où il est déjà dit qu'elle se distingue des deux autres dames par sa *chiere si fiere*.

bien me semble que, selon ta posibilité, a l'aide de mes
seurs, si que tu l'as sceu mettre en oeuvre, bien et bel as
ouvré ou bastissement de la Cité des dames. Et desormais
5   est temps que je m'entremette du surplus si comme je te
promis, c'est assavoir d'amener et y logier la royne tres
excellente, beneuree entre les femmes, avec sa tres noble
compaignie, si que la cité puisse estre dominee et
seigneurie par elle et abitee de grant multitude de dames
10   nobles de sa court et de sa mesgnee. Car je voi les palais et
les haultes mancions prestes et parees, toutes les rues
couvertes de fleurs[1] pour recevoir elle et sa tres honorable
et excellente route et assemblee. Or viengnent doncques
princeces, dames et toutes femmes au devant recevoir a
15   grant honneur et reverence celle qui est non pas seulement
leur royne, mais qui [a] administracion et seigneurie sur
toutes puissances creés, aprés un seul filz que elle porta et
conceut du Saint Esperit, qui est filz de Dieu le Pere. Mais
c'est bonne[2] raison que ceste tres haulte, excellent et
20   souveraine princesse soit suppliee par l'assemblee de
toutes femmes que de son humilité lui plaise abiter ça
embas entre elles, en leur Cité et congregacion, sans
l'avoir en desdaing ne despris pour le regart de sa haultece
envers leur petitece. Mais ne fault point avoir de doubte
25   que son humilité qui toutes autres passe et sa benignité
plus que angelique ne lui souffera faire refus de demourer
et abiter en la Cité des dames, voire par dessus toutes ou
palais que ma seur Droiture lui a ja apareillié, qui tout est
fait de gloire et de louenge.
30   ¶Or viengnent doncques avant toutes femmes et lui
disons ainsy:
         ¶"Nous te saluons, [136ʳ] Royne des cieulx, du salu
que l'Ange t'apporta, lequel tu as agreable sur tous
salus, te disant "Ave Maria". Supplie humblement a[3] toy
35   tout le devot sexe des femmes que en orreur ne te soit
d'abiter entre elles, par grace et par pitié, comme leur

---

[1] de fleurs *ajouté d'après B et D.*
[2] *B, R*: bien; *omis dans D.*
[3] vers; *corr. d'après B, D, R.*

fort bien travaillé, selon tes moyens et avec l'aide de mes sœurs, pour mettre en œuvre et réaliser la construction de la Cité des dames. Il est temps désormais que j'intervienne pour me charger de ce qu'il reste à faire, comme je te l'ai promis, c'est-à-dire y amener et y installer la très excellente Reine, bénie entre toutes les femmes, avec sa très noble compagnie, pour qu'elle puisse y régner et gouverner cette cité où demeurera une multitude de nobles dames de sa cour et de sa maison. Car je vois les palais et les vastes demeures bien préparés et décorés et toutes les rues jonchées de fleurs pour la recevoir avec son très vénérable et éminent cortège. Qu'elles s'avancent donc à sa rencontre, princesses, dames et femmes de toutes conditions, pour recevoir avec grand honneur et grand respect celle qui n'est pas seulement leur reine, mais qui a pouvoir et autorité sur toutes les puissances du monde, après le Fils unique qu'elle a porté, conçu du Saint-Esprit, et qui est le Fils de Dieu le Père. Et il est bien juste que cette assemblée de toutes les femmes supplie la très haute, excellente et souveraine princesse de bien vouloir, avec l'humilité qui est la sienne, s'abaisser à demeurer ici-bas parmi elles, dans leur Cité et dans leur communauté, sans mépris ni dédain envers leur petitesse en comparaison de sa grandeur. Mais il ne fait aucun doute que son humilité, qui surpasse toutes les autres, et sa bonté plus qu'angélique ne lui permettront pas de refuser de venir résider dans la Cité des dames, et même d'y demeurer au-dessus de toutes les autres, dans le palais que ma sœur Droiture a déjà préparé pour elle, et qui est fait tout entier de gloire et de louange.

Que s'avancent donc toutes les femmes, et adressons-nous à elle avec ces mots :

Nous te saluons, Reine des Cieux, de la même façon que le fit l'Ange, en te disant *Ave Maria,* la salutation qui t'est agréable entre toutes[1]. La pieuse assemblée de toutes les femmes te supplie humblement de ne pas répugner à habiter parmi elles. Accorde-leur ta grâce et ta pitié, sois leur

---

[1] «Je vous salue Marie», référence à l'Annonciation, Lc 1, 26-38 (salutation de l'ange, I, 28).

deffendaresse, protectaresse et garde contre tous assaulx
d'ennemis et du monde, et que de la fontaine de vertu qui
de toy fleue, elles puissent boire, et estre si rassadiees que
40   pechié et tout vice leur soit abhominable. ¶Or viens
doncques a nous, Royne celeste, Temple de Dieu, Cele et
Cloistre du Saint Esperit, Abitacle de la Trinité, Joye des
Anges, Estoille et Radresse des desvoiez, Esperance des
vrais creans! O Dame, qui est cellui tant oultrageux qui
45   jamais ose penser ne gitter hors de sa bouche que le sexe
femmenin soit vil, consideree[1] ta dignité? Car se tout le
demourant des femmes estoit mauvais, si passe et
surmonte la lueur de ta bonté a plus grant comble que autre
mauvaistié ne pourroit estre. Et quant Dieux volt en cestui
50   sexe eslire son espouse, Dame tres excellente, pour
l'onneur de toy, tous hommes se doivent garder non pas
seullement de blasmer femmes mais aussi les avoir en
grant reverence."»

    ¶La responce de la Vierge est telle: «Justice, la tres
55   amee de mon filz, tres voulentiers je abiterai et demourerai
entre mes suers et amies les femmes et avecques elles, car

---

[1] consideré; *corr. d'après B, D, R.*

défenseure[1], leur protectrice et leur rempart contre tous les assauts de leurs ennemis et du monde ; fais qu'elles puissent boire à la fontaine de vertu dont tu es la source, et s'y désaltérer au point de prendre en horreur tout péché et tout vice. Viens donc à nous, Reine céleste, Temple de Dieu, Chambre et Cloître du Saint-Esprit, Habitacle de la Trinité, Joie des Anges, Étoile qui remets sur la voie les égarés, Espérance des vrais croyants[2] ! O Dame, quel homme serait assez téméraire pour oser jamais penser ou exprimer de sa bouche l'idée que le sexe féminin soit vil, en considérant ta haute dignité ? Car même si toutes les autres femmes étaient mauvaises, l'éclat de ta bonté les dépasse et les domine à tel point qu'aucune forme de mal ne pourrait plus exister en face d'elle. Et puisque Dieu a voulu choisir son épouse dans ce sexe féminin, très excellente Dame, en ton honneur, tous les hommes ne doivent pas seulement se garder de blâmer les femmes, mais ils doivent aussi avoir pour elles le plus grand respect. »

Telle fut la réponse de la Vierge : « Justice, toi qui es la bien-aimée de mon fils, c'est très volontiers que je demeurerai et que je séjournerai parmi mes sœurs et amies les femmes, car Raison,

---

[1] Nous employons ici volontairement une forme féminisée pour rendre l'insistance de ce trait dans la phrase de Christine. On peut remarquer par ailleurs la présence relativement fréquente de formes féminisées du même genre dans d'autres textes de la fin du XIVᵉ ou du début du XVᵉ siècle. Pour *defenderesse*, voir notamment Eustache Deschamps dans son *Miroir de Mariage* (à propos d'une abbesse de Cîteaux) : « La a abbesse et mainte suer / De Cisteaux, qui est ordre grise, / Qui lui rendent digne servise, / Chascun jour, comme fonderesse / Du lieu, dame et deffenderesse » (Eustache Deschamps, *Œuvres complètes*, éd. Marquis de Queux de Saint-Hilaire et G. Raynaud, Paris, Firmin-Didot, SATF, 1878-1903, vol. 9, p. 311) ; et le *Ménagier de Paris*, également dans une prière à la Vierge : « S'ensuit l'autre oroison de Nostre Dame en françoiz : O tres certaine esperance, Dame deffenderesse de tous ceulx qui s'i attendent ! » (*Le Mesnagier de Paris*, éd. G. E. Brereton et J. M. Ferrier, trad. K. Ueltschi, Paris, LGF, 1994, p. 38). Ces deux exemples sont cités dans le *DMF*. En revanche pour *protecta-resse*, ce passage de la *Cité* est le seul exemple cité.

[2] Cette salutation à la Vierge fait écho à celle de l'*Oroison Notre-Dame* de Christine de Pizan. On peut relever quelques termes communs, comme dans la strophe XVII, où elle demande à la Vierge de prier pour les femmes et de les défendre : « Vierge mere, de Dieu ancelle, / De la Trinité temple et celle, / [...] Pour le devot sexe des femmes / Te pri que leur corps et leur ames / Tu ayes en ta saintte garde, / Soient damoiseles ou dames / Ou autres, gard les de diffame » (*Œuvres poétiques, op. cit.*, t. III, p. 8, v. 193-205).

Raison, Droiture, toy et aussi Nature m'i encline. Elles me
servent, loent et honneurent sans cesser. Si sui et serai a
tousjours chief du sexe femmenin, car ceste chose fu dés
60 oncques en la pensee de Dieu le Pere, preparlee et
ordonnee ou conseil de la Trinité.»

Adont respondi Justice, avec toutes femmes, genoulx
flechis et les [136ᵛ] chiefs enclins: «Dame, graces et
louenges te soient donnees par infinis siecles. Sauve-nous,
65 Dame, et pour nous prie ton Filz qui riens ne te refuse.»

Des suers Nostre Dame et de la Madelaine .II.

1   «**Or**[1] est logee avecques nous l'Empereris non pareille,
vueillent ou non les medisans gengleurs. Si doivent bien
estre mises avecques elle ses benoites seurs et Marie

---

[1] O _orné sur 2 lignes._

Droiture et toi, Justice, ainsi que Nature m'y inclinent. Elles me servent, me louent et m'honorent sans cesse. Je suis et serai à jamais à la tête de toutes les femmes, car cette idée a été depuis toujours dans la pensée de Dieu le Père, prévue et décidée à l'avance au sein de la Trinité.»

Alors Justice lui répondit, et avec elle toutes les femmes, agenouillées et têtes inclinées: «Dame, grâce et louanges te soient rendues par tous les siècles à l'infini. Sauve-nous, Dame, et prie pour nous ton Fils, lui qui ne te refuse rien.»

2. Les sœurs de Notre-Dame et Marie-Madeleine[1]

«Voici qu'est maintenant logée avec nous l'Impératrice sans pareille, que cela plaise ou non aux médisants et aux calomniateurs. Et l'on doit bien placer auprès d'elle ses sœurs bénies ainsi

---

[1] Les Évangiles mentionnent tous la présence de saintes femmes au pied de la croix et lors de la résurrection (découverte du tombeau vide); si Marie-Madeleine (Marie de Magdala ou Marie la Magdaléenne) est toujours présente, les autres noms varient quelque peu. Matthieu nomme «entre autres Marie de Magdala, Marie, mère de Jacques et de Joseph, et la mère des fils de Zébédée» (Mt 27, 55). Marc est le plus complet: «Il y avait aussi des femmes qui se tenaient à distance, entre autres Marie de Magdala, Marie, mère de Jacques le petit et de Joset, et Salomé qui le suivaient et le servaient lorsqu'il était en Galilée» (Mc 15, 40-41); un peu plus loin il mentionne les trois femmes qui se rendent au tombeau avec des aromates et sont donc les premières à constater la résurrection, et il les nomme à nouveau: «Marie de Magdala, Marie, mère de Jacques, et Salomé» (16,1). Luc mentionne des femmes venues de Galilée avec le Christ qui sont présentes lors de la mise au tombeau et sont les premiers témoins de la résurrection; il nomme «Marie la Magdaléenne, Jeanne et Marie, mère de Jacques» (Lc 23, 55-56 et 24, 1-11; citation, 24, 10). Seul Jean parle d'une sœur de la Vierge: «Or près de la croix de Jésus se tenaient sa mère et la sœur de sa mère, Marie, femme de Clopas, et Marie de Magdala» (Jn, 19, 25); celle-ci est la première à trouver le tombeau vide. Des traditions plus tardives se rapportent aux «Trois Marie» (Marie-Madeleine, Marie Salomé et Marie Jacobé), les deux dernières étant parfois désignées comme filles de sainte Anne, donc demi-sœurs de la Vierge Marie. C'est le cas notamment dans la *Légende dorée* (127, p. 730). Voir aussi la note de L. Dulac, R. Stuip et E. J. Richards dans leur édition critique des *Heures de contemplacion sur la Passion de Nostre Seigneur Jhesucrist* (Paris, Champion, 2017, p. 78). Dans le chapitre intitulé «De la resurrection Nostre Seigneur et de la venue des femmes au sepulchre», le *Miroir historial* (vol. I, VIII, 50, fol. 312^r) mentionne également trois Marie d'après l'évangile de Marc (la dernière étant nommée «Marie Salomé»): «Et Marc si met Marie Magdalene et Marie Jacob et Marie Salomé»), mais il ne parle pas de sœurs de la Vierge. Voir aussi les légendes relatives aux «saintes Maries de la mer», bien connues encore de nos jours dans le Sud de la France.

Madalaine, qui compaignie lui firent sans delaissier a la
5   Passion de son Filz coste la Croix. O grant foy de femmes
et grant amour qui oncques le Filz de Dieu, qui de tous ses
apostres avoit esté abandonné et relenqui, ne le laissierent
mort ne vif ! Et parut bien que Dieux ne reprouvoit mie
tant amour de femme si que ce feust chose fraisle, comme
10   aucuns font et que ilz veullent dire, quant ou cuer de la
benoite Magdelaine et des autres dames mist etincelles de
si fervant amour comme il y paru et que il tant aprouva. »

De sainte Katherine .III.

1   « Pour[1] faire compaignie a la benoite Royne du ciel,
Empereris et Princece de la Cité des dames, nous fault
logier avec elle les benoites vierges et saintes dames, en
demoustrant comment Dieu a approuvé le sexe femmenin
5   parce que, semblablement que aux hommes, a donné aux
femmes tendres et de jeune aage constance et force de
souffrir[2] pour sa sainte loy orribles martires, et qui couronnees sont en gloire, desquelles les belles vies sont a ouir de
bon exemple a toute femme sur toute autre sagece. Et pour
10   ce icestes seront les supperlatives de nostre cité.

¶Et premierement, comme tres excellente, la benoite
Katherine, qui fu fille du roy Coste d'Alexandrie. Ceste
beneuree pucelle estoit demouree heritiere de [137ʳ] son
pere en l'aage de XVIII ans et noblement gouvernoit elle
15   et son heritaige. Crestienne estoit et toute donnee a Dieu,
refusante tous autres mariages. Advint que en la cité
d'Alixandrie fu venu l'empereur Maxence, lequel, a un
jour d'une grant sollempnité de leurs dieux, avoit fait
aprester grant apareil pour faire solempnel sacrifice.
20   Katerine estoit en son palais, si ouy la noise des bestes que
on appareilloit pour sacrifier et grant retentissement de
instrumens. Et comme elle eust envoyé savoir que c'estoit
et lui feust rapporté que l'empereur estoit ja au temple
pour faire sacrifice, tantost y ala, et l'empereur prist a

---

[1] P *orné sur 2 lignes.*
[2] *D* : soustenir

que Marie-Madeleine, elles qui lui tinrent compagnie auprès de la Croix et ne l'abandonnèrent pas lors de la Passion de son Fils. Oh comme elle fut grande, la foi de ces femmes, et quel grand amour de celles qui ne délaissèrent jamais le Fils de Dieu, ni mort ni vivant, lui que tous ses apôtres avaient renié et abandonné ! On put bien voir que Dieu ne méprisait pas l'amour des femmes comme si c'était une chose fragile, comme le font certains, ou comme ils veulent bien le dire, puisqu'il mit au cœur de la bienheureuse Marie-Madeleine et des autres femmes les étincelles d'un amour qui se révéla si fervent, et dont il reconnut pleinement le mérite. »

3. De sainte Catherine

« Pour tenir compagnie à la glorieuse Reine du Ciel, impératrice et princesse de la Cité des dames, il nous faut loger auprès d'elle les vierges bénies et les saintes dames ; nous montrerons ainsi comment Dieu a reconnu le mérite du sexe féminin, en donnant à de tendres et jeunes femmes, tout comme à des hommes, la force et la constance de supporter d'horribles martyres à cause de leur foi en sa sainte loi. Elles sont couronnées de gloire, et leurs belles vies sont de bons exemples à faire entendre à toutes les femmes, plus qu'aucun autre enseignement. C'est pourquoi elles occuperont les places les plus élevées dans notre Cité.

Plaçons en tout premier lieu, pour son excellence supérieure, la glorieuse Catherine, qui était la fille du roi Costus d'Alexandrie. Cette bienheureuse jeune fille était restée seule héritière de son père à l'âge de dix-huit ans, et elle se conduisait et administrait son héritage de façon admirable. Elle était chrétienne et s'était entièrement consacrée à Dieu, refusant tout autre mariage. Or il arriva qu'un jour où l'on célébrait de grandes fêtes solennelles en l'honneur de leurs dieux, l'empereur Maxence se rendit dans la ville d'Alexandrie. Il avait fait faire de grands préparatifs pour offrir un sacrifice solennel. Catherine, qui était dans son palais, entendit le bruit que faisaient les bêtes que l'on préparait pour le sacrifice et les nombreux instruments qui retentissaient. Elle envoya ses gens pour savoir ce que c'était, et on lui rapporta que l'empereur se trouvait déjà au temple pour faire son sacrifice. Elle s'y rendit aussitôt et entreprit de corriger l'empereur de

25   corigier de celle erreur. Par moult saiges parolles, comme
      grant clergece et aprise es sciences que elle estoit, prist a
      prouver par raisons philosophiques que il n'est que un seul
      Dieu createur de toutes choses et que cellui doit estre
      aouré et non autre. Quant l'empereur ouy celle pucelle qui
30   tant estoit belle, noble et de grant auctorité ainsi parler, il
      fu tout esmerveilliez et ne lui sceut que dire, mais moult
      entendoit a la regarder. Si envoya partout querre les plus
      sages philosophes que on sceust par la terre d'Egipte, qui
      de philosophie adont moult estoient renommee, tant que
35   devers lui furent assemblez bien L, qui se tindrent malcon-
      tens quant ilz sorent la cause pourquoy mandez estoient, et
      dirent que pou de scens l'avoit meu de les traveillier de si
      lontaines terres pour desputer a une pucelle.
          A brief dire, quant le jour de la desputoison fu venus,
40   la benoite Katerine les pourmena tellement par
      argumens que tous furent convaincus, ne souldre ne
      savoient ses questions. De laquelle chose l'empereur
      force[137ᵛ]noit sur eulx, mais tout ce ne valoit rien. Car
      par grace divine, aux saintes parolles de la vierge, tous
45   se convertirent et confesserent le nom de Jhesu Crist,
      pour lequel despit l'empereur les fist ardoir. Et la sainte
      vierge les reconfortoit en leur martire et asseuroit d'estre
      receus en la glore pardurable, et Dieu priot qu'il les
      tenist en vraie foy. Et ainsi furent iceulx par elle mis ou
50   nombre des benois martirs, et tel miracle monstra Dieu
      en eulx que oncques le feu ne corrompi leurs corps ne
      leurs vestemens, ains demourerent aprés le feu tous
      entiers sans perdre poil, et de tel chiere que il sembloit
      que tous feussent en vie.
55   Le tirant Maxence, qui moult convoitoit la benoite
      Katherine pour sa beauté, la prist moult a blandir affin que
      il la tournast a sa voulenté, mais quant il vit que riens ne lui
      valoit, il se tourna aux menaces et puis aux tourmens et la
      fist batre moult durement et puis mettre en chartre sans
60   estre de nul visetee par douze jours, et la cuidoit faire
      deffaillir de fain. Mais les anges de Nostre Seigneur
      estoient avecques elle qui la reconfortoient, et quant aprés
      les XII jours, elle fut menee devant l'empereur et elle fu

son erreur. Avec des propos d'une grande sagesse, en femme très érudite et savante, elle entreprit de lui prouver par des raisonnements philosophiques qu'il n'y a qu'un seul Dieu créateur de toutes choses, et que celui-là seul doit être adoré. Quand l'empereur entendit cette jeune fille si belle et si noble parler ainsi avec une telle autorité, il en fut tout ébahi et ne sut que lui répondre ; mais il la regardait avec la plus grande attention. Il envoya chercher partout les plus savants philosophes que l'on pût trouver dans toute l'Égypte, alors très renommée en matière de philosophie. On en rassembla bien cinquante, qui furent très mécontents d'apprendre la cause pour laquelle on les avait convoqués, et dirent qu'il avait manqué de jugement de les déranger et de les faire venir de contrées aussi lointaines pour débattre avec une jeune fille.

Bref, quand fut venu le jour du débat, la bienheureuse Catherine les harcela avec tant d'arguments qu'ils furent tous vaincus et ne savaient que répondre à ses questions. L'empereur en était furieux contre eux, mais cela ne servit à rien. Car par la grâce de Dieu, en entendant les saintes paroles de cette vierge, tous se convertirent et proclamèrent leur foi en Jésus-Christ. Pour cet outrage, l'empereur les fit brûler. Cependant cette sainte vierge les réconfortait dans leur martyre et les assurait qu'ils seraient reçus dans la gloire éternelle, tout en priant Dieu de les garder dans la vraie foi. C'est ainsi que grâce à elle, ils furent mis au nombre des bienheureux martyrs. Dieu manifesta à travers eux un miracle : ni leurs corps ni leurs vêtements ne furent touchés par le feu ; une fois le feu éteint, on vit qu'ils étaient restés intacts, sans avoir perdu même un poil, et leurs visages étaient tels qu'ils semblaient être tous encore en vie.

Le tyran Maxence, qui convoitait fort la bienheureuse Catherine pour sa beauté, commença à lui prodiguer des flatteries pour tenter de la soumettre à son désir, mais quand il vit que rien n'y faisait, il en vint aux menaces, puis aux tortures. Il la fit battre très cruellement, puis il la fit mettre en prison pendant douze jours sans voir personne, pensant la faire dépérir de faim. Mais les anges de Notre-Seigneur étaient avec elle et la réconfortaient, et quand au bout de douze jours, on la conduisit devant l'empereur,

plus freche[1] que devant, cuida que visetee eust esté. Si
65   commanda estre tourmentees les gardes de la chartre mais
Katherine, qui en ot pitié, afferma que n'avoit eu confort
fors du Ciel. L'empereur ne savoit quieulx tourmens pour
la tourmenter plus durs faire, si fist par le conseil de son
prevost faire roes plaines de rasouers qui tournoient l'une
70   contre l'autre, et quanque estoit ou mi[138ʳ]lieu estoit
detranchié. Entre ces roes fist mettre toute nue Katherine,
qui tousjours les mains jointes aouroit Dieu. Adont
descendirent les anges, qui par si grant force despecerent[2]
les roes que les tourmenteurs furent occis.

75   ¶Quant la femme de l'empereur sceut les merveilles
que Dieu faisoit pour Katherine, elle fu convertie et
blasma l'empereur de ce que il faisoit, ala viseter la sainte
vierge en la chartre et lui requist que Dieu priast pour elle,
pour laquelle chose l'empereur fist tourmenter sa femme
80   et lui traire les mamelles, et la vierge lui disoit: "Ne
doubtez point les tourmens, tres noble royne, car au jour
d'ui seras receue en la joie sans fin." Le tirant fist decoler
sa femme et grant multitude de gens qui convertis
s'estoient. L'empereur requist Katherine que elle feust sa
85   femme, et quant il vit qu'elle estoit refusante a toutes ses
peticions, a la parfin donna sa sentence que elle feust
decollee. Et elle fist son oroison, priant pour tous ceulx qui
aroient ramembrance de sa passion et pour tous ceulx qui
son nom appelleroient en leurs tribulacions. Et la voix vint
90   du ciel qui dit que sa priere estoit essauciee. Si parfist son
martire et de son corps decouroit lait en lieu de sanc. Et les
angres pristrent son saint corps et l'emporterent au mont
de Sinay, qui est vint journees loins de la, et l'ensevelirent,
ouquel tumbel Dieux a fait moult de miracles que je laisse
95   pour briefté. Et de celle tumbe decuert huille qui garist de

---

[1] *D*: il la vid plus saine et plus fresche; *R*: il la vid plus freche et
plus saine
[2] dessendirent; *corr. d'après B, D, R.*

plus fraîche qu'auparavant, celui-ci pensa qu'elle avait reçu des visites. Il fit donc torturer les gardiens de la prison. Mais Catherine, qui eut pitié d'eux, affirma qu'elle n'avait reçu de réconfort que du Ciel. L'empereur ne savait quels supplices inventer pour la torturer encore plus violemment; sur le conseil de son gouverneur[1], il fit faire deux roues entièrement garnies de rasoirs qui tournaient l'une contre l'autre, de façon à déchiqueter tout ce qui se trouvait au milieu. Il fit placer Catherine toute nue entre ces deux roues; et elle, les mains jointes, continuait à adorer Dieu. Alors des anges descendirent du ciel, et ils mirent en pièces les roues avec tant de force que les tortionnaires furent tués.

Quand la femme de l'empereur apprit les prodiges que Dieu faisait pour Catherine, elle fut convertie, et fit des reproches à l'empereur pour ce qu'il faisait; elle alla rendre visite à cette sainte vierge dans sa prison et lui demanda de prier Dieu pour elle. L'ayant appris, l'empereur fit torturer sa femme et lui fit arracher les seins. Mais cette vierge lui disait: "Ne redoute point les tortures, très noble reine, car aujourd'hui même tu seras admise dans la joie éternelle." Le tyran fit décapiter sa femme, ainsi qu'une grande foule de gens qui s'étaient convertis. L'empereur demanda à Catherine de devenir sa femme. Voyant qu'elle refusait toutes ses requêtes, il finit par la condamner à la décapitation. Elle adressa à Dieu ses prières, pour tous ceux qui se souviendraient de sa passion et pour tous ceux qui invoqueraient son nom dans leurs épreuves. Et une voix venue du ciel dit que sa prière était exaucée. Elle subit jusqu'au bout son martyre, et en lieu de sang, ce fut du lait qui s'écoula de son corps. Et les anges prirent son saint corps et l'emportèrent au mont Sinaï, à vingt jours de voyage de là, et ce fut là qu'ils l'ensevelirent. Sur sa tombe, Dieu fit de nombreux miracles, dont je ne parlerai pas par souci de brièveté. De son tombeau s'écoule une huile qui guérit de

---

[1] Le mot *prevost*, employé plusieurs fois dans toute cette partie, peut désigner soit un officier de justice (juge, magistrat) soit un magistrat civil (intendant, administrateur, gouverneur). Nous l'avons systématiquement traduit car il n'est plus compris dans ce sens en français moderne. Ici il s'agit plutôt d'un magistrat civil, car le *Miroir* le désigne comme *le prevost de la Cité*. Dans d'autres passages c'est plutôt un juge (désigné ainsi pour certains des récits de martyres, comme celui de sainte Christine, lors duquel, après son propre père, trois juges différents interviennent).

moult de maladies. Et l'empereur Maxence Dieu pugny
orriblement.»

[138ᵛ] **De sainte Marguerite .IV.**

1   «N'oublierons[1] pas aussi la benoite vierge sainte
Marguerite, dont la legende est assez sceue, comment
elle, nee de Anthioce de nobles parens, fu introduite en la
foy jeunette pucelle par sa norrice, de laquelle tres
5   humblement elle aloit par chascun jour garder les brebis.
Dont il advint que Olibrius, qui estoit seneschal de
l'empereur, la vid en passant et la couvoita. Si l'envoia
querre, et a brief dire, pour ce que elle ne se vouloit
consentir a sa voulenté et que elle regehi qu'elle estoit
10   crestienne, il la fist durement tourmenter, batre et enchar-
trer, en laquelle chartre, pour ce que temptee se sentoit,
elle requist Dieu que veoir peust visiblement cellui qui
tant de mal lui pourchaçoit. Et dont vint un serpent orrible
qui durement l'espouenta et la tranglouti, mais faisant le
15   signe de la croix, creva le serpent. Et aprés vit a un cornet
de la chartre une figure noire comme d'un Ethipien, et
adont Marguerite l'ala hardiement requerre et le coucha
soubz elle, le pié lui mist sus la gorge, et il crioit a haulte
voix mercy. La chartre raemplie de clarté, fu reconfortee
20   des anges Marguerite, si fu de rechief ramenee devant le
juge, lequel, quant il vit que ses admonicions riens ne lui
valoient, la fist plus que devant tourmenter. Mais l'ange
de Dieu vint derompre les tourmens, et s'en sailli la vierge
toute saine, et grant foison de puepple fu converti. Et
25   quant le faux tirant vid ce, il ordonna que elle feust
decollee. Mais elle fist premierement son oroison et pria
pour tous ceulx qui rememberoient sa [139ʳ] passion et
qui la requerroient en leurs tribulacions, pour les femmes

---

[1] N *orné sur 2 lignes.*

nombreuses maladies. Quant à l'empereur Maxence, Dieu lui
réserva un horrible châtiment[1]. »

4. De sainte Marguerite

« Nous n'oublierons pas non plus la bienheureuse vierge
sainte Marguerite, dont la légende est bien connue. On sait
comment, née à Antioche de nobles parents, elle fut instruite dans
la foi chrétienne alors qu'elle était encore une toute jeune fille, par
sa nourrice, dont elle allait chaque jour très humblement garder
les brebis. C'est ainsi qu'Olibrius, qui était sénéchal de l'empereur, la vit un jour en passant et la désira. Il l'envoya chercher ; et
pour le dire en bref, comme elle ne voulait pas céder à son désir et
qu'elle avoua qu'elle était chrétienne, il la fit cruellement torturer,
la fit battre et jeter en prison. Dans cette prison, se sentant
soumise à la tentation, elle demanda à Dieu de lui accorder qu'elle
pût voir de ses yeux celui qui cherchait à lui faire tant de mal.
Alors apparut un horrible dragon qui lui causa une terrible
épouvante et qui l'engloutit ; mais en faisant le signe de la croix,
elle le fit éclater. Ensuite, elle vit dans un coin de la prison la
forme d'un homme aussi noir qu'un Éthiopien ; Marguerite
l'attaqua hardiment et le terrassa ; elle lui mit le pied sur la gorge,
tandis qu'il implorait à haute voix sa pitié. La prison fut emplie de
lumière, Marguerite fut réconfortée par les anges, puis elle fut à
nouveau amenée devant le juge. Quand il vit que ses avertisse-
ments ne servaient à rien, il la fit torturer plus encore qu'auparavant. Mais l'ange de Dieu vint briser les instruments de torture et
la vierge en sortit indemne. Alors une grande foule de gens se
convertirent. Quand le perfide tyran vit cela, il donna l'ordre de
lui couper la tête. Mais elle fit d'abord ses prières, priant pour tous
ceux qui se souviendraient de sa passion et pour tous ceux qui
invoqueraient son nom dans leurs épreuves, pour les femmes

---

[1] Comme pour toute la suite, la source de ce chapitre semble être surtout le
Miroir historial (vol. II, XIV, 5-9, fol. 266ʳ-267ᵛ). Voir introduction, p. 72-73.
Christine le cite explicitement un peu plus loin, à la fin du chapitre 10. Cependant, le nom donné au père de Catherine est le même que dans la *Légende dorée*,
trad. J. de Vignay, (« Costi », p. 1106, alors que le *Miroir* l'appelle « Costidien »).
Comme indiqué plus haut (note 2, p. 229), nous donnons systématiquement les
références à la traduction médiévale et à l'édition moderne : trad. J. de Vignay,
p. 1105-1116 ; *Lég. dor.*, 168, p. 975-985.

ençaintes et pour leurs enfans[1]. Et l'ange de Dieu vint, qui
30 lui dist que sa priere[2] estoit exaussee et que elle alast ou
nom de Dieu recevoir sa palme de victoire. Et adont
estendi le col, decollee fu, et les anges son ame emporterent.

¶Cellui faux Olibrius semblablement fist tourmenter et
35 decoller la sainte vierge nommee Regine, jeunette de
l'aage de XV ans, pour ce que elle ne se voult accorder a
lui et converti moult de gens a sa predicacion. »

Ci dit de sainte Luce .V.

1 « La[3] benoite sainte Luce, vierge qui fu nee de Romme,
ne doit pas estre oubliee en nostre letanie. Ceste vierge fu
ravie et prise du roy Aceya de Barbarie. Et quant il fu en
son païs et il lui cuida faire force, adont celle le commença
5 a prescher tant que par la vertu divine, il fu tout hors de son
mauvais propos. Et moult s'esmervilla de son scens et dit
que c'estoit une deesse et la tint en grant honneur et
reverence en son palais. Et moult honnorablement lui fist
establir sa demeure a elle et a sa mesgnie, et ordonna que
10 nul homme n'y repairast pour l'empescher. Et celle sans
cesser estoit en jeunes et en oroisons et menoit sainte vie,
priant Dieu pour son hoste que il le voulsist enluminer. Et
il se conseilloit a elle de tous ses affaires, et bien lui
prenoit de tout quanque elle lui conseilloit. Et quant il aloit
15 en guerre, il lui prioit que elle priast son Dieu pour lui, et
elle le beneissoit et il s'en retournoit vainqueur, par quoy il
la vouloit aourer comme deesse et lui faire ediffier
temples. Mais elle lui disoit que de ce se gar[139ᵛ]dast
bien, et que il n'estoit que un seul Dieu que on devoit
20 aourer, et que elle estoit une simple pecharesse.

---

1   *B, D*: et pour les enfantans
2   *B, D, R*: peticion
3   L *orné sur 2 lignes.*

enceintes et pour leurs enfants. Et l'ange de Dieu vint lui dire que sa prière était exaucée, et qu'elle pouvait aller au nom de Dieu recevoir la palme de la victoire. Alors elle étendit le cou, elle fut décapitée, et les anges emportèrent son âme.

Le perfide Olibrius fit également torturer et décapiter la sainte vierge nommée Reine, une petite jeune fille de l'âge de quinze ans, parce qu'elle ne voulait pas se donner à lui et qu'elle avait converti beaucoup de gens par sa prédication[1]. »

5. Où l'on parle de sainte Luce

« Il ne faut pas oublier dans notre litanie la bienheureuse sainte Luce, une vierge née à Rome. Elle fut enlevée et capturée par le roi berbère[2] Aucejas. Quand il fut arrivé dans son pays, il voulut la violer ; alors elle commença à prêcher tant et si bien que par la puissance de Dieu, elle l'amena à renoncer à son mauvais dessein. Ébloui par son intelligence, il dit qu'elle était une déesse et l'installa dans son palais, l'entourant d'honneurs et de respect. Il la fit magnifiquement loger avec sa maisonnée, et interdit à quiconque de séjourner en cet endroit pour ne pas la déranger. Luce menait une sainte vie, sans cesse occupée en jeûnes et en oraisons, priant Dieu qu'il veuille bien éclairer son hôte de sa lumière. Celui-ci lui demandait son avis pour toutes ses affaires, et bien lui en prenait de tout ce qu'elle lui conseillait. Quand il allait à la guerre, il lui demandait de prier son Dieu pour lui, elle le bénissait, et il revenait vainqueur. C'est pourquoi il voulait l'adorer comme une déesse et lui élever des temples. Mais elle lui disait de bien se garder d'en rien faire, qu'il n'y avait qu'un seul Dieu qu'on devait adorer, et qu'elle-même n'était qu'une simple pécheresse.

---

[1] *Miroir historial* vol. II, XIV, 27-28, fol. 273^r-273^v. Christine a pu s'inspirer à la fois du *Miroir historial* et de la *Légende dorée* (trad. J. de Vignay, p. 605-608 ; *Lég. dor.*, 89, p. 500-504). Les trois récits suivent les mêmes étapes. Les épisodes du dragon et du diable à forme humaine semblent s'inspirer davantage de la *Légende dorée*, alors que la mention rapide de sainte Reine résume les deux chapitres qui lui sont consacrés dans le *Miroir* à la suite de ceux traitant de sainte Marguerite (vol. II, XIV, 29-30, fol. 273^r-274^v). Sainte Reine ne figure pas dans la *Légende dorée*.

[2] La « Barbarie » désigne la terre des Berbères. Le terme peut renvoyer à l'ensemble des pays de l'Afrique du Nord, ou à n'importe quelle contrée étrangère et lointaine (*DMF*).

Et ainsi fu l'espace de vingt ans perseverant en sainte
vie. Si lui fu revellé de par Nostre Seigneur que elle s'en
retournast a Romme et que la acompliroit par martire le
terme de sa vie. Et elle le dist au roy, lequel fu de ce moult
25   doulent. Et il lui respondi : "Las, se tu te pars de moy, mes
ennemis m'assaudront et perdrai ma bonne fortune quant
je ne t'arai !" Et elle lui dist : "Roy, vieng avecques moy et
laisse ce regne terrien, car Dieu t'a esleu a posseder plus
noble regne et qui est sans fin !" Et cellui tantost laissa tout
30   et s'en ala avec la sainte vierge, non pas comme seigneur
mais comme sergent. Et quant a Romme furent arivez et
elle se fu magnifestee cristianne, prise fu¹ et menee au
martire, de laquelle chose le roy Aceya fu moult doulent et
acouru celle part, et voulentiers eust couru sus a ceulx qui
35   la tourmentoient, mais elle lui deffendoit que bien s'en
gardast. Si plouroit tendrement et crioit que mauvaise gent
estoient de faire mal a la vierge de Dieu. Et quant vint que
on devoit copper la teste a la sainte vierge de Dieu, le roy
ala mettre son chief coste le sien, criant : "Je sui crestien et
40   offre mon chief a Jhesu Crist Dieu le vif, que aoure Luce !"
Et ainsi furent tous deux ensemble decollez et couronnez
en gloire et douze autres avec eulx, convertis par la benoite
Luce, dont la feste de tous ensemble est celebree en la VIIᵉ
kalande de jullet. »

Cy dit de la benoite² Martine, vierge .VI.

1   « La³ benoite Martine, vierge, ne fait mie a oublier.
Ceste beneuree fu nee de Romme [140ʳ] de moult nobles
parens et tres belle estoit. L'empereur la voult contraindre

---

¹ fu *omis* ; *corr. d'après B, D, R.*

² de benoite ; *corr. d'après B, D, R.*

³ L *orné sur 2 lignes.*

Elle persévéra ainsi dans cette sainte vie durant vingt ans. Alors une révélation lui vint de Notre-Seigneur : il lui fallait retourner à Rome, et c'est là que s'accomplirait dans le martyre la fin de sa vie. Elle le dit au roi, qui en fut empli de douleur. Il lui répondit : "Hélas, si tu me quittes, mes ennemis m'assailliront, et je perdrai ma bonne fortune si je ne t'ai plus avec moi !" Elle lui dit alors : "Roi, viens avec moi et abandonne ce royaume terrestre, car Dieu t'a élu pour avoir part à un royaume plus noble et qui n'aura pas de fin !" Il abandonna aussitôt toutes ses possessions et s'en alla avec la vierge sainte, non pas comme un maître mais comme un serviteur. Quand ils furent arrivés à Rome et qu'elle eut révélé qu'elle était chrétienne, elle fut arrêtée et conduite au martyre. Le roi Aucejas, plein de douleur, accourut alors, et se serait volontiers jeté sur ceux qui la torturaient, mais elle le lui interdit et le pria de n'en rien faire. Il pleurait à chaudes larmes et criait qu'ils étaient de bien mauvaises gens de faire souffrir la vierge de Dieu. Quand vint le moment où l'on allait couper la tête de la sainte vierge de Dieu, le roi vint placer sa propre tête à côté de la sienne, s'écriant : "Je suis chrétien et j'offre ma tête à Jésus-Christ, ce Dieu vivant que Luce adore !" C'est ainsi qu'ils furent tous les deux décapités et qu'ils reçurent la couronne de gloire, en même temps que douze autres martyrs, qui avaient été convertis par la bienheureuse Luce[1]. On les fête tous ensemble, le septième jour des calendes de juillet[2]. »

6. Où l'on parle de la bienheureuse vierge Martine

« Il ne faut pas oublier la bienheureuse vierge Martine. Cette femme bénie du ciel était née à Rome de parents très nobles, et elle était très belle. L'empereur voulut la contraindre à être sa

---

[1] Cette sainte Luce (Lucée, dans le *Miroir*) ou Lucie romaine est à distinguer de celle qui est la plus connue, sainte Lucie de Syracuse, mentionnée un peu plus loin (chapitre 7). La source est ici encore le *Miroir historial* vol. II, XIII, 97, fol. 240ᵛ-241ʳ, « La passion sainte Lucee, vierge, et de Anceje avec douze autres ». Les termes employés sont ici très proches de ceux du *Miroir*.

[2] Dans le calendrier romain, les calendes renvoyaient au premier jour de chaque mois. Le décompte des jours correspondait au nombre de jours avant les calendes, la veille étant comptée comme « le second jour avant les calendes », etc. La date indiquée ici correspondrait donc au 25 juin. L'usage du calendrier romain s'est poursuivi tout au long du Moyen Âge.

que elle feust sa femme et elle respondi : "Je sui cristienne,
5   offerte a Dieu le vif, qui se delite en corps chaste et en cuer
net ; a cellui je sacrefie et m'i recommande." L'empereur,
pour despit de ces paroles, la fist mener au temple pour la
contraindre de aourer les ydolles. Et la, celle s'agenoulla,
les yeulx levez vers le ciel et les mains jointes, fist a Dieu
10   son oroison, et tantost les ydolles froissierent et trebuchie-
rent, le temple rompi et furent les prestres des ydoles
occis. Et le diable, qui estoit en la maistre ydolle, crioit et
conffessoit Martine estre serve de Dieu. Le tirant
empereur, pour revencher ses dieux, fist livrer Martine a
15   cruel martire, ouquel Dieu s'apparut a elle et la reconforta.
Et elle pria pour ceulx qui la tourmentoient, tant que ilz
furent convertis par ses merites et grant foison puepple. De
laquelle chose l'empereur fu plus obstiné que devant et la
fist de plus en plus tourmenter de divers crueulx tourmens,
20   mais ceulx qui la tourmentoient s'escrierent[1] que ilz
veoient Dieu et ses sains devant elle et demanderent
mercy. Convertis furent, et si comme elle estoit en oroison,
priant Dieu pour eulx, une lumiere avironna iceulx et fu
une voys ouye du ciel qui dist : "Je vous espargne pour
25   l'amour de ma tres amee Martine." Adont leur cria le
prevost, pour ce que convertis estoient : ¶"O folz, vous
estes deceus par celle enchanteresse Martine !" Et iceulx
respondirent sans nulle paour : "Mais tu es deceux par le
deable qui abite en toy, car tu ne congnois cellui qui te
30   fist." [140ᵛ] Et l'empereur forcené les commanda a estre
pendus et a desrompre la char de eulx, et ilz rechurent
martire joieusement, louant Dieu.

De rechief l'empereur fist despoullier Martine toute
nue et la char d'elle estoit blanche comme lis, qui faisoit
35   esbahir les voians pour sa grant beauté. Et quant l'empereur qui la convoitoit l'ot longue piece admonnestee et vit
que obeir n'y vouloit, il la fist toute detrencher, et de ses
plaies yssoit laict pour sanc et odeur grande rendoit.

---

[1] s'escrioient; *corr. d'après B, D, R.*

femme, et elle lui répondit : "Je suis chrétienne et consacrée au Dieu vivant, qui aime les corps chastes et les cœurs purs. C'est à lui que je m'offre en sacrifice, à lui que je me recommande." L'empereur, mis en colère par ses paroles, la fit conduire au temple pour la contraindre à adorer les idoles. Mais arrivée là, Martine se mit à genoux, les yeux levés vers le ciel et les mains jointes, et elle adressa sa prière à Dieu ; aussitôt, les idoles furent fracassées et renversées, le temple se brisa et les prêtres des idoles furent tués. Le diable, qui se trouvait dans la plus importante des idoles, se mit à crier et à proclamer que Martine était la servante de Dieu. Pour venger ses dieux, l'empereur tyrannique ordonna de livrer Martine à un cruel martyre, mais pendant son supplice, Dieu lui apparut et vint la réconforter. Et elle pria pour ceux qui la torturaient, tant et si bien qu'ils furent convertis par ses mérites, et un très grand nombre de gens avec eux. Cela rendit l'empereur encore plus acharné qu'auparavant, et il lui fit subir diverses tortures de plus en plus cruelles, mais ses tortionnaires criaient qu'ils voyaient devant elle Dieu et ses saints et ils demandèrent sa grâce. Ils furent convertis, et tandis qu'elle priait Dieu pour eux, une lumière les environna et l'on entendit une voix venue du ciel qui disait : "Je vous épargne pour l'amour de ma bien-aimée Martine." Voyant qu'ils s'étaient convertis, le magistrat leur cria : "Fous que vous êtes, vous êtes trompés par cette magicienne, Martine !" Mais ceux-ci répondirent sans aucune crainte : "C'est toi qui es trompé par le diable qui habite en toi, car tu ne reconnais pas celui qui t'a créé !" L'empereur, fou de rage, commanda qu'on les pende et que leurs corps soient déchiquetés, et ils reçurent le martyre joyeusement, en louant Dieu.

À nouveau, l'empereur fit mettre Martine toute nue ; son corps était blanc comme lys, et tous ceux qui la voyaient étaient ébahis par sa grande beauté. L'empereur, qui la convoitait, l'exhorta longuement à obéir, et quand il vit qu'elle ne voulait pas le faire, il lui fit taillader le corps de toutes parts ; mais de ses blessures il sortait du lait à la place du sang, et il exhalait une odeur extraordinaire.

Encore plus forcené sur elle, la fist estendre et atachier a
40   pieux et lui desrompre tout le corps tant que ceulx qui la
martiroient estoient tous lassez, et Dieu la gardoit que elle
si tost ne mourust, affin que les tourmenteurs et le peuple
eussent cause de eulx convertir, lesquelz commencierent a
crier : "Empereur, nous n'en ferons plus car les anges nous
45   batent de chayennes." Et nouveaux boureaux vindrent
pour la tourmenter et tantost furent mors, et l'empereur
confus ne savoit que faire. Il la fist estendre et flamer de
graisse ardant et celle tousjours glorifioit Dieu et de sa
bouche yssoit tres grant odeur. Et quant les tirans l'orent
50   tant tourmentee que recreu furent, ilz la getterent en une
chartre obscure. Et Esmenien, le cousin de l'empereur, ala
gaitier en la chartre et vit Martine avironnee d'anges,
assise en un trosne, tres bien paree, a moult grant clarté et
a chans melodieux, et elle tenoit une table d'or en laquelle
55   avoit escript : "Sire Dieux[1] Jhesu Crist, tant sont louees tes
oeuvres en tes benois sains !"

     ¶Cellui Esmenien, moult esmerveillié de ceste chose,
l'ala dire a l'empereur, qui respondi que il estoit deceu par
les [141ʳ] enchantemens d'elle. Lendemain la fist le tirant
60   mettre hors et chascun s'esmervilloit de ce que toute garie
estoit, dont moult en y ot de convertis. Et la fist de rechief
mener au temple pour la contraindre de sacrifier aux faulx
dieux. Adont le deable qui estoit en l'idole commença a
braire : "Las ! Las ! Je sui convaincus !" Et la vierge lui
65   commanda que il s'en issist et se monstrast en sa laidure,
et tantost vint un grant tonnoire avecques fouldre qui
trebucha l'idole[2] et les prestres ardi. Adont plus forcena
l'empereur sur elle et la fist estendre et[3] esracher toute la
char a pignes de fer. Et celle toujours aouroit Dieu. Et
70   quant il vid que elle ne mouroit, il la fist bailler aux bestes
sauvaiges pour devourer, et un grant lyon qui n'avoit
mengié de trois jours vint vers elle et l'enclina, et coste
elle se coucha comme se feust un petit chien, et lui lechoit

---

[1] B, D, R : doulx

[2] B, D, R : chay du ciel et trebucha l'idole

[3] B, D, R : et lui

Encore plus acharné contre elle, il ordonna de l'étendre et de l'attacher à des pieux et de lui rompre tout le corps, si bien que ceux qui la martyrisaient en étaient épuisés ; mais Dieu l'empêchait de mourir trop vite pour donner au peuple et à ses tortionnaires l'occasion de se convertir ; et en effet, ceux-ci se mirent à crier : "Sire, nous n'en ferons pas plus car les anges nous frappent avec des chaînes." On fit venir de nouveaux bourreaux pour la torturer, mais aussitôt ils tombèrent morts ; confondu, l'empereur ne savait plus que faire. Il ordonna de l'étendre et de répandre sur elle de la graisse brûlante et enflammée, et elle ne cessait de rendre gloire à Dieu, tandis qu'une odeur extraordinaire sortait de sa bouche. Quand les bourreaux l'eurent tant torturée qu'ils en furent recrus de fatigue, ils la jetèrent au fond d'un cachot obscur. Éménien, le cousin de l'empereur, alla l'épier dans sa prison, et il vit Martine entourée d'anges, assise sur un trône, toute parée, environnée d'une grande clarté, tandis que se faisaient entendre des chants mélodieux ; et elle tenait une tablette d'or sur laquelle il était écrit : "Seigneur Dieu Jésus-Christ, que tes œuvres sont louées en tes bienheureux saints !"

Éménien, tout émerveillé de ce spectacle, alla le raconter à l'empereur, qui lui répondit qu'il avait été trompé par les sortilèges de cette femme. Le lendemain, le tyran la fit sortir de sa prison, et tous furent ébahis de voir qu'elle était toute guérie ; beaucoup d'entre eux se convertirent. L'empereur la fit à nouveau conduire au temple pour la contraindre à sacrifier aux faux dieux. Alors le diable qui était dans l'idole se mit à hurler : "Hélas ! Hélas ! Je suis démasqué !" La vierge lui donna l'ordre de sortir et d'apparaître dans toute sa laideur ; aussitôt il y eut un grand bruit de tonnerre et la foudre tomba, renversant l'idole et brûlant les prêtres. Alors l'empereur s'acharna encore davantage contre elle, il ordonna de l'étendre et de lui arracher toute la chair avec des peignes de fer. Mais elle continuait à adorer Dieu. Et quand il vit qu'elle ne mourait pas, il la fit jeter aux bêtes sauvages pour qu'elle soit dévorée. Un grand lion qui n'avait pas mangé depuis trois jours s'avança vers elle et s'inclina devant elle, il se coucha à ses côtés comme un petit chien et se mit à lécher ses plaies ; et elle

les plaies, et celle beneissoit Nostre Seigneur en disant :
75   "Dieux, tu soies loué, qui par ta vertu amoderes la
        cruaulté des felonnesses bestes !" Le tirant, aÿré de ceste
        chose, commanda que le lyon feust remis en sa fosse. Et
        le lion se esdreça par grant yre et fist un sault et occist
        Esmenien, le cousin l'empereur, de laquel chose il fu
80   moult doulent et la commanda a gitter en un grant feu. Et
        si que elle estoit dedens a joieuse chiere, Dieu envoya un
        grant vent qui espardi le feu d'environ elle et ardi ceulx
        qui la tourmentoient. L'empereur commanda que sa
        cheveleure, qui longue et belle estoit, lui feust ostee,
85   disant que ses enchantemens estoient en ses cheveulx, et
        la vierge lui dist : "Tu ostes la cheveleure qui est l'aourne-
        ment de femme, si que dit l'appostre, et Dieu [141ᵛ]
        t'ostera ton regne, te persecutera et tu atendras la mort a
        tres grant douleur." Et il la commanda a estre enclose en
90   un temple ou estoient ses dieux, et clouy et saella lui
        mesmes[1] la porte et seella lui mesmes de son seel. Au
        chief de trois jours, revint et trouva ses dieux tresbuchiés
        et la vierge jouant avecques les anges, saine et entiere.
        L'empereur lui demanda que elle avoit fait de ses dieux et
95   elle respondi : "La vertu de Jhesu Crist les a confondus."
        Adont commanda que on lui copast la gorge. Lors fu ouye
        une vois qui dit : "Martine vierge, pour ce que tu t'es
        combatue pour mon nom, entre avec les sains en mon
        regne et te esjoÿs en pardurableté avec moy !" Et ainsi
100   fina la benoite Martine. Et adont vindrent l'evesque de
        Romme atout le clergié et ensevelirent le corps en l'eglise
        honnorablement. Et ce mesmes jour cellui empereur, qui
        Alixandre avoit nom, fu feru de tel douleur que il
        mengioit sa char[2]. »

---

[1] mesmes (lui *omis*) ; *corr. d'après B, D, R.*
[2] *B, D* : mengoit sa char et se mordoit engoisseusement

bénissait Notre- Seigneur en disant : "Loué sois-tu, ô Dieu, toi qui
par ta puissance apaises la cruauté des bêtes féroces !" Le tyran,
furieux de ce qui se passait, ordonna que le lion fût remis dans sa
fosse. Mais le lion se dressa, poussé par la colère, il bondit et tua
Éménien, le cousin de l'empereur ; ce dernier, accablé de douleur,
ordonna que l'on jette Martine dans un grand bûcher. Tandis
qu'elle était dedans, le visage joyeux, Dieu fit souffler un grand
vent qui dispersa les flammes autour d'elle et brûla ceux qui la
torturaient. L'empereur ordonna de la dépouiller de sa chevelure,
qui était longue et belle, disant que ses pouvoirs magiques
résidaient dans ses cheveux, et la vierge lui dit : "Tu enlèves la
chevelure qui est, selon les paroles de l'apôtre, l'ornement de la
femme ; à son tour, Dieu t'enlèvera ton royaume, te persécutera, et
tu n'auras plus qu'à attendre la mort au milieu des pires
souffrances." Il donna l'ordre de l'enfermer dans un temple où se
trouvaient ses dieux et ferma lui-même la porte, qu'il scella de
son propre sceau. Il revint au bout de trois jours, et il trouva ses
dieux renversés et la vierge saine et intacte, qui jouait avec les
anges. L'empereur lui demanda ce qu'elle avait fait de ses dieux,
et elle lui répondit : "La puissance de Jésus-Christ les a
confondus." Alors il commanda qu'on lui coupe la gorge. À ce
moment-là on entendit une voix qui disait : "Vierge Martine,
parce que tu as combattu en mon nom, entre avec les saints en
mon royaume et viens te réjouir avec moi pour l'éternité !" C'est
ainsi que mourut la bienheureuse Martine. Alors l'évêque de
Rome vint avec tout le clergé pour ensevelir le corps dans l'église
avec tous les honneurs. Ce même jour, l'empereur, qui s'appelait
Alexandre, fut frappé de telles douleurs qu'il mangeait sa propre
chair[1]. »

---

[1] *Miroir historial* vol. II, XII, 27-28, fol. 167^v-169^r. Christine fait un résumé
très fidèle de sa source.

Cy dit d'une autre sainte Luce[1] et de plusieurs autres vierges martires .VII.

1 « Une[2] autre sainte Luce fu de la cité de Siracuse. Cell[e], ainsi comme elle prioit au sepulcre de sainte Agate pour sa mere qui estoit malade, elle vit en avision sainte Agate ou milieu des anges, aournee de pierres precieuses, 5 qui lui dist : "Luce, ma suer, vierge devote a Dieu, a quoy requiers tu de moy ce que tu mesmes pués donner a ta mere ? Je te nonce que si que la cité de Cachanays est surhauciee par moy, aussi sera par toy celle de Siracuse, car tu as a Jhesu Crist apareillié joyaux delictables en ta 10 purté." Luce se leva, sa mere garie ; elle donna quanque elle avoit pour Dieu, puis fina sa vie par martire. Et entre [142ʳ] les autres martires qu'elle ot, le juge le menaça de faire mener en la place des folles femmes et que la, en despit de son espoux, seroit violee, et elle respondi : 15 "L'ame[3] ne sera ja souliee se la pensee ne s'i consent, car se tu me fais corrompre a force, ma chasteté en serra doublee et ma victoire." Et si comme on la vouloit mener en la dite place, elle fu si pesante que pour toreaulx, ne pour diverses bestes que ilz i atachassent, ne pot estre 20 remuee. Et lui mistrent cordes aux piés pour elle traisner, mais elle estoit aussi ferme comme une montaigne. Et a son trespassement, elle prophetisa ce qui estoit a avenir a l'empire.

¶Item, digne de grant reverence est la glorieuse vierge 25 sainte Benoite, nee de Romme. Celle avoit avec elle XII vierges converties a sa predicacion. Elle desira povoir accroistre par prescher la religion cristianne. Si se parti, elle et sa compaignie, et traverserent ces benoites vierges

---

[1] *B, D* : Luce vierge
[2] U *orné sur 2 lignes.*
[3] *D* : Mon

7. Où l'on parle d'une autre sainte Lucie et de plusieurs autres vierges martyres

«Il y eut une autre sainte Lucie, originaire de la ville de Syracuse. Un jour qu'elle priait auprès du tombeau de sainte Agathe pour sa mère qui était malade, elle eut une vision: sainte Agathe lui apparut au milieu des anges, toute parée de pierres précieuses, et lui dit: "Lucie, ma sœur, vierge vouée à Dieu, pourquoi me demandes-tu ce que tu peux donner toi-même à ta mère? Je t'annonce que de même que la ville de Catane a été glorifiée par moi, celle de Syracuse le sera par toi, car par ta pureté tu as offert à Jésus-Christ des biens précieux et délectables." Lucie se releva, sa mère était guérie. Au nom de Dieu, elle donna tout ce qu'elle possédait, puis elle acheva sa vie dans le martyre. Parmi les supplices qu'on lui fit subir, le juge la menaça de la faire conduire en un lieu de prostitution où, en dépit de son époux[1], elle serait violée. Elle lui répondit: "L'âme ne sera jamais souillée si l'esprit n'y consent; si tu me fais souiller en usant de la force, ma chasteté en sera redoublée, ainsi que ma victoire." Et comme on voulait la conduire à cet endroit, elle devint si lourde que ni les taureaux ni aucune des autres bêtes qu'on attacha à son corps ne purent la faire bouger. Ils lui fixèrent des cordes aux pieds pour la traîner, mais elle était aussi inébranlable qu'une montagne. Au moment de sa mort, elle prophétisa ce qui arriverait dans l'empire[2].

Elle est tout aussi digne d'une grande vénération, la glorieuse vierge sainte Benoîte, née à Rome. Elle avait avec elle douze vierges converties par sa prédication. Elle eut le désir d'accroître le développement de la religion chrétienne en la prêchant. Elle partit donc avec ses compagnes, et ces vierges bénies traversèrent de

---

[1] Il s'agit vraisemblablement ici de son époux céleste, Dieu ou le Christ (voir quelques lignes plus haut, «vierge vouée à Dieu»). Dans le *Miroir* et dans la *Légende dorée*, Lucie a été promise par sa mère à un «futur époux» (un fiancé), mais le texte de Christine ne le mentionne pas.

[2] *Miroir historial* vol. II, XIV, 2-3, fol. 265ʳ-265ᵛ; trad. J. de Vignay, p. 129-132; *Lég. dor.*, 4, p. 37-40; Le *Miroir historial* et la *Légende dorée* proposent des versions très proches de l'histoire de Lucie. Christine en fait un résumé fidèle. Mais les prophéties de la sainte ne sont pas mentionnées dans le *Miroir*, elles ne figurent que dans la *Légende dorée*. Son nom (de *lux*, la lumière), glosé au début du chapitre de la *Légende dorée*, lui vaut d'être associée à la fête de la lumière (célébrée le 13 décembre, encore très vivante notamment dans les pays nordiques) et d'être invoquée pour les maladies des yeux.

maintes terres sans avoir nulle paour, car Dieux estoit
30   avecques elles. Et par la voulenté de Nostre Seigneur
furent separees de ensemble et s'espandirent en diverses
contrees, affin que chascune peust proufiter. Et comme la
vierge sainte Benoite eust plusieurs pays convertis a la foy
de Jhesu Crist, elle fina sa vie par palme de martire, et
35   semblablement le firent ses saintes compaignes.

    ¶Item, ne fu pas de maindre perfeccion sainte Foste,
vierge de l'eage de XIV ans, laquelle, pour ce que elle ne
vouloit sacrifier aux idolles, l'empereur Maximien la fist
sier d'une sie de fer. Mais comme les sieurs ne finassent de
40   sier depuis l'eure de tierce jusques a l'eure de nonne et ne
[142ᵛ] la peussent entamer, lui dirent: "Par quel vertu nous
as tu tenus a telz[1] enchantemens si longuement cy sans
riens faire?" Et Fauste les commença a prescher de Jhesu
Crist et de sa loy et les converti. L'empereur, de ce moult
45   indignez, la[2] fist tourmenter de divers tourmens, et entre
les autres, lui fist cloer le chief de mille cloux si comme le
heaume d'un chevalier. Et celle prioit pour ceulx qui la
persecutoient, et le prevost fu converti par ce que il vit les
cieux ouvers et Dieu seant avecques ses anges. Et quant
50   Fauste fu mise en la chaudiere d'eaue boulant, le dit
prevost s'escria: "Sainte serve de Dieu, ne t'en va pas sans
moy!" Et sailli dedens la chaudiere dont l'eaue bouloit a
grant onde. Quant les autres deux qui aussi se sçoyent
convertiz vyrent ce[3], ilz saillirent aussi dedens la
55   chaudiere dont l'eaue bouloit a tres grant onde, et Fauste
les touchoit et ilz ne sentoient nul mal et elle disoit: "Je sui
ou milieu si comme la vigne portant fruit, si comme Notre
Seigneur dit: 'La ou plusieurs sont assemblez en mon nom,

---

[1] *B, D, R*: tes

[2] les; *corr. d'après B, D, R.*

[3] *B, D, R*: Quant les deux autres que elle avoit convertiz virent ce

nombreuses terres sans nulle crainte, car Dieu était avec elles. Selon la volonté de Notre-Seigneur, elles se séparèrent et se dispersèrent dans différentes contrées, afin que chacune puisse faire prospérer la foi. Après que la sainte vierge Benoîte eut converti plusieurs pays à la foi en Jésus-Christ, elle acheva sa vie en obtenant la palme du martyre, et il en fut de même pour ses saintes compagnes[1].

Pour ce qui est de sainte Fauste, une vierge âgée de quatorze ans, sa perfection ne fut pas moins grande. Comme elle ne voulait pas sacrifier aux idoles, l'empereur Maximien ordonna de la scier avec une scie de fer. Mais les bourreaux, qui n'avaient cessé de scier depuis l'heure de tierce jusqu'à l'heure de none[2] et n'avaient pas pu l'entamer, lui dirent: "Par quel pouvoir et avec quels enchantements as-tu pu nous retenir ici aussi longtemps, sans que nous puissions rien faire?" Et Fauste commença à leur parler de Jésus-Christ et à leur prêcher la foi chrétienne, et elle les convertit. L'empereur en fut très indigné et la fit torturer de diverses manières; entre autres supplices, il lui fit enfoncer mille clous dans la tête, la rendant semblable au heaume d'un chevalier. Mais elle priait pour ceux qui la persécutaient, et le juge fut converti lorsqu'il vit les cieux s'ouvrir, laissant apparaître Dieu trônant avec ses anges. Et quand Fauste fut plongée dans une marmite d'eau bouillante, le juge s'écria: "Sainte servante de Dieu, ne t'en va pas sans moi!" Et il sauta dans la marmite, dont l'eau bouillait à gros bouillons. Les deux autres qu'elle avait convertis, voyant cela, sautèrent à leur tour dans la marmite, qui bouillait de plus belle; mais quand Fauste les touchait, ils ne sentaient aucun mal, et elle disait: "Je suis au milieu de vous comme la vigne qui porte du fruit, selon la parole de Notre-Seigneur: 'Là où plusieurs d'entre vous sont réunis en mon nom,

---

[1] *Miroir historial* vol. II, XIII, 156-157, fol. 261^r-261^v.

[2] D'environ neuf heures du matin jusque vers trois heures de l'après-midi. Au Moyen Âge la journée est découpée en tranches horaires de durée variable selon les saisons, issues des heures romaines: ce sont les heures canoniales qui correspondent aux offices monastiques, mais qui rythment aussi la vie des laïcs par la sonnerie des cloches (matines, dans la nuit; laudes, au lever du jour; prime, la première heure du jour, vers 6h; tierce, vers 9h; sexte, vers 12h; none, vers 15h; vêpres, le soir; complies, juste après le coucher du soleil). Dans les textes profanes médiévaux, ce sont celles de la journée (de prime à vêpres) qui sont le plus souvent mentionnées et qui servent de repères temporels.

60 je sui ou milieu d'eulx.'" Et adont fu ouie une vois qui
dist: "Venez ames beneurees, venez[1], le Pere vous
mande!" Et iceulx, oyant ceste chose, rendirent les esperis
joieusement.»

Cy dit de sainte Justine et d'autrez vierges .VIII.

1 «Justine[2], sainte vierge nee d'Anthioche, jeunete et de
souveraine beauté, surmonta le deable, qui se estoit vanté
a l'invocacion d'un nigromancien que il feroit tant que
elle feroit la voulenté d'un homme qui fort estoit espris de
5 s'amour et ne la laissoit en paix. Mais pour ce que par
promesses ne prieres riens n'y faisoit, il se cuida aidier de
l'Ennemi, mais riens n'y valu. Car la glori[143ʳ]euse
Justine enchaça l'Ennemi par plusieurs fois, qui se
mettoit en diverses fourmes pour la tempter, mais il fu
10 vaincu d'elle et s'en ala confus. Elle converti par sa predicacion cellui qui la convoitoit follement et aussi converti
le nigromancien, qui avoit nom Ciprian et estoit[3] homme
de moult mauvaise vie, mais il fu par elle muez en bonne.
Et autres plusieurs furent convertis par les signes que

---

[1] B, D: venez omis dans B et D.
[2] I orné sur 2 lignes.
[3] est; corr. d'après B, D, R.

je suis au milieu d'eux[1]"". Alors on entendit une voix qui disait : "Venez, âmes bienheureuses, venez, le Père vous appelle !" Ayant entendu ces mots, ils rendirent l'âme avec joie[2]. »

8. Où l'on parle de sainte Justine et d'autres vierges

« Justine, une vierge sainte née à Antioche, alors qu'elle était toute jeune et extrêmement belle, triompha du diable qui, invoqué par un magicien, s'était vanté de parvenir à la pousser à céder au désir d'un homme très épris d'elle qui ne cessait de la solliciter. Comme il ne pouvait rien obtenir d'elle par ses promesses ni par ses prières, il crut que le démon pourrait l'aider, mais cela ne servit à rien. Car la glorieuse Justine chassa à plusieurs reprises le démon qui prenait diverses formes pour la tenter, mais il fut vaincu par elle, et confondu, il dut se retirer. Elle convertit par sa prédication l'homme qui la convoitait follement, ainsi que le magicien, qui avait pour nom Cyprien. C'était un homme de très mauvaises mœurs, mais grâce à elle il fut transformé et ramené sur la bonne voie. Plusieurs autres furent convertis par les signes[3]

---

[1] Mt. 18, 20. Sur l'image des disciples du Christ comme des sarments de vigne qui portent du fruit, voir Jn 15, 1-6.

[2] *Miroir historial* vol. II, XIII, 155, fol. 260ᵛ-261ʳ. Christine reprend notamment les paroles prononcées par Fauste lors de sa mort. *Lég. dor.*, 138, p. 786-790.

[3] Nous conservons ici le mot *signe*, qui a un sens précis dans le vocabulaire théologique, celui de manifestation sensible de la puissance divine ; voir l'article *signe* dans le *Dictionnaire de Théologie Catholique* (dir. A. Vacant et E. Mangenot, Paris, Letouzey et Ané, 1909-1972, t. XIV, col. 2053-2061). Il est à distinguer du mot *miracle*, même si le miracle est lui-même un signe (*DTC*, t. X, col. 1798-1859). Les exégètes ont remarqué l'emploi privilégié du mot *signe* par l'un des évangélistes, saint Jean, qui le préfère à *miracle*, utilisé par les autres (merci au père P. Bouqueau pour cette information). Sur cette notion théologique, qu'elle applique ensuite à la littérature du Graal, voir la très bonne mise au point faite par M. Séguy dans *Les Romans du Graal ou le signe imaginé*, Paris, Champion, 2001, p. 137-138 (sur la définition du signe par saint Augustin : *Signum est et quod se ipsum sensui, et praeter se aliquid animo ostendit*, *De dialectica* V - « Un signe est ce qui est en soi-même perceptible par les sens, et qui au-delà de soi montre quelque chose à l'esprit ») ; et surtout p. 141 *sq.* (« Les fondements théologiques de la représentation du divin »). Christine de Pizan choisit d'utiliser ici le mot *signe* plutôt que celui de *miracle* (qu'elle emploie ailleurs, voir par exemple le ch. 3, sainte Catherine ; *signe* se trouve aussi deux fois dans la suite de ce même chapitre 8, à propos de sainte Foy et de sainte Justine ; et deux fois dans le chapitre 10, sur sainte Christine).

15   Notre Seigneur demonstra en elle, et en la fin, elle se
departi du siecle par martire.

¶Item la benoite vierge Eulalie, nee d'Espaigne, de
l'eage de douze ans, s'embla de ses parens, qui la tenoient
enclose pour ce que elle ne finoit a parler de Jhesu Crist. Si
20   s'en fouy par nuit et ala gitter les ydoles des temples a terre
et crier aux juges qui persecutoient les martirs que ilz
estoient deceus et que en celle foy vouloit mourir. Si fu
mise ou nombre des chevaliers de Jhesu Crist et ot
plusieurs tourmens. Et maintes gens furent convertis par
25   les seignes que Nostre Seigneur demonstroit en elle.

¶Item une autre sainte vierge que on nommoit Martre
fu durement tourmentee pour la foy de Dieu, et entre ses
tourmens ot les mamelles esrachees. Et aprés, si comme
elle estoit en la chartre, Dieux lui envoya son ange, qui lui
30   restabli sa santé, dont le prevost fu lendemain durement
esbahi, mais ne laissa pourtant que griefment ne la feist
tourmenter de divers tourme[n]s, et au derrain rendi
l'esperit a Dieu. Et gist son corps pres de la cité de Rains.

¶Item la glorieuse vierge sainte Foy souffri martire en
35   son enfance et ot moult de tourmens. Et Nostre Seigneur la
[143ᵛ] couronna a la fin a la veue du monde par son angre,
qui couronne de pierres precieuses li apporta, et moult de
signes monstra Dieux en elle, par quoy plusieurs furent
convertis.

40   ¶Item la benoite vierge Marcienne vit que on faisoit
honneur a un faulx ymage d'une ydole, elle prist celle ydole

que Notre-Seigneur manifesta en elle. À la fin, elle quitta ce monde par le martyre[1].

Quant à la bienheureuse vierge Eulalie, née en Espagne, à l'âge de douze ans elle s'enfuit de chez ses parents qui la tenaient enfermée parce qu'elle ne cessait de parler de Jésus-Christ. Elle s'échappa donc une nuit et alla jeter à terre les idoles des temples, tout en criant aux juges qui persécutaient les martyrs qu'ils étaient dans l'erreur et qu'elle voulait mourir dans la foi chrétienne. C'est ainsi qu'elle fut mise au nombre des soldats de Jésus-Christ et qu'on lui fit subir de nombreuses tortures. Beaucoup de gens se convertirent en voyant les signes que Notre-Seigneur manifestait en elle[2].

Une autre vierge sainte, appelée Macre, subit de cruelles tortures à cause de sa foi en Dieu. Parmi d'autres supplices, elle eut les seins arrachés. Ensuite, alors qu'elle était dans sa prison, Dieu lui envoya son ange, qui la rétablit dans son intégrité physique. Le lendemain, le juge en fut stupéfait, mais il ne cessa pas pour autant de lui faire subir divers pénibles supplices, et elle finit par rendre son âme à Dieu. Son corps repose près de la ville de Reims[3].

De même la glorieuse vierge sainte Foy subit le martyre alors qu'elle n'était encore qu'une enfant, et elle endura de nombreux supplices. Et à la fin, Notre-Seigneur la couronna à la vue de tous, car un ange lui apporta une couronne ornée de pierres précieuses ; et Dieu manifesta beaucoup de signes de sa présence en elle, ce qui fit que beaucoup se convertirent[4].

Une autre encore, la bienheureuse vierge Marcienne, voyant que l'on vénérait la statue d'un faux dieu, prit cette idole, la jeta à

---

[1] *Miroir historial* vol. II, XIII, 121-22, fol. 248ʳ-249ʳ ; trad. J. de Vignay, p. 907-912. Le texte du *Miroir* met davantage l'accent sur la conversion de Cyprien que sur les exploits de Justine, contrairement à celui de la *Légende dorée*

[2] *Miroir historial* vol. II, XIII, 123, fol. 249ʳ-249ᵛ. L'histoire est ici réduite à l'essentiel.

[3] *Miroir historial* vol. II, XIII, 142, fol. 256ʳ-256ᵛ. La sainte que Christine nomme Martre y est appelée sainte Macre, et c'est sous ce nom qu'elle est encore connue aujourd'hui. Comme pour les personnages précédents, notre auteure ne garde que quelques éléments de sa source.

[4] *Miroir historial* vol. II, XIII, 133, fol. 276ʳ.

et la getta a terre et la rompy. Pour laquel cause, elle fu tant
batue que laissié fu comme morte, et fu enchartree en une
place, en laquelle[1] un faulx menistre la cuida par nuit aler
45   esforcier. Mais par grace divine, vint entre cellui et ell[e]
une si haulte paroit que il n'y pot aler, laquelle[2] fu lendemain veue de tout le puepple, par quoy maintes gens furent
convertis. Ceste ot plusieurs grans tourmens, mais
tousjours prechoit le nom de Jhesu Crist et au derrain pria
50   Dieu que ainsi[3] la voulsist prendre, si fina ou tourment.

¶Sainte Enfante autresi moult souffri pour le nom de
Jhesu. Elle fu moult noble de lignee et tres belle de corps.
Le prevost Pricus l'amonnestoit que elle aourast les
ydoles, renonçast a Jhesu Crist, et elle, par tres grans
55   arguemens, lui respondoit tant que souldre n'y savoit, dont
si grant yre ot de estre vaincu d'une femme que il la fist
tourmenter de plusieurs et divers tourmens[4]. Mais tout
feust son corps froissié par moult de paines, le scens d'elle
tousjours[5] croissoit et rendoit parolles plaines du Saint
60   Esperit. Et si comme elle estoit ou tourment, l'ange de
Dieu descendi, qui despeça le tourment et tourmenta les
tourmenteurs, et celle a visaige joieux s'en issy toute
saine. Le faulx prevost fist embraser une fournase dont la
flame s'estendoit par XL cousdees de hault et dedens

---

[1]   *B, D, R* : ouquel lieu
[2]   *B, D, R* : laquelle paroit
[3]   *D, B* : a soy
[4]   *B, D, R* : de tres griefs et divers tourmens
[5]   *B, D, R* : adés

terre et la brisa. À cause de cela elle fut battue si violemment qu'elle fut laissée pour morte. Elle fut mise en une prison où un prêtre de leur faux culte[1] pensa pouvoir aller la violer pendant la nuit. Mais par la grâce de Dieu, une paroi s'éleva entre eux, si haute qu'il ne put s'approcher d'elle. Le lendemain, tout le peuple put voir cette paroi, ce qui fit que beaucoup se convertirent. Cette sainte subit bien des cruels supplices, mais elle ne cessait de prêcher au nom de Jésus-Christ. À la fin, elle pria Dieu de bien vouloir la rappeler à lui, et elle mourut en martyre[2].

Sainte Euphémie[3] endura elle aussi de nombreuses souffrances au nom de Jésus-Christ. Elle était issue d'un très noble lignage et était d'une très grande beauté. Le juge Priscus l'exhortait à adorer les idoles et à renoncer à Jésus-Christ, et elle lui opposait des arguments si forts qu'il ne savait pas y trouver de réponse ; furieux d'être vaincu par une femme, il la fit torturer de maintes manières diverses. Mais tout brisé que fût son corps par tant de supplices, son intelligence ne cessait de croître, et elle proférait des paroles remplies de l'Esprit Saint. Et tandis qu'on la torturait, l'ange de Dieu descendit des cieux, mit en pièces l'instrument du supplice et tortura les tortionnaires, et elle, le visage joyeux, sortit indemne du supplice. Le perfide juge fit allumer une fournaise dont les flammes s'élevaient à une hauteur de quarante coudées[4], et il la fit jeter dedans. Du milieu de la fournaise, elle chantait les louanges

---

[1] Un «faux prêtre» (*menistre*) peut être compris comme un prêtre païen, prêtre de la fausse religion des païens, serviteur de la «fausse idole» dont il est question juste avant ; ou comme un prêtre perfide, pernicieux.

[2] *Miroir historial* vol. II, XIV, 36-37, fol. 275ᵛ-276ʳ. Deux chapitres sont consacrés à la sainte. Christine centre son récit sur le rejet des dieux païens et le miracle du viol évité.

[3] Nous adoptons ici la forme la plus habituelle de son nom en français, telle qu'on la trouve dans la version moderne de la *Lég. dor.* (134, p. 770-773) ou dans des lieux de culte qui lui sont consacrés (*Eufante* dans la *Cité*, *Eufanie* dans le *Miroir*). Christine se concentre sur la passion de la sainte, notamment sur les miracles qui lui évitent de terribles souffrances. Les deux chapitres du livre XIII du *Miroir historial* (vol. II, 77-78, fol. 233ᵛ-234ʳ) développent la confrontation avec Priscus. La version de la *Légende dorée* (trad. J. de Vignay, p. 890-893) détaille les différentes tortures imposées à Euphémie et la destruction des instruments utilisés.

[4] La coudée, très ancienne unité de longueur qui peut varier quelque peu selon les régions et les époques, désigne la longueur allant du coude à l'extrémité des doigts, donc environ 45cm. Il s'agit ici d'une hauteur d'approximativement 18 mètres.

65   [144ʳ] la fist getter. Elle chantoit dedens louenges a Dieu
moult melodieusement, si hault que tous l'ouoient. Et
quant le feu fu tout consumé, elle s'en issi saine et sauve.
Le juge, plus aïré, fist apporter tenailles ardans pour lui
esracher les membres, mais ceulx qui devoient ce faire
70   furent si espouentez que nul ne l'osa touchier, et furent les
tourmens derompus. Si fist le faulx tirant amener IV lyons
et deux autres fieres bestes sauvaiges, mes ceulx la
venoient aourer. Et adont la benoite vierge, desireuse
d'aler a son Dieu, pria que il la voulsist prendre, et adont
75   elle fina, sans ce que nulle beste la touchast.»

Cy dit de la vierge Theodosine, de sainte Barbe et de sainte Dorothee .IX.

1   «La[1] constance du martire de la benoite Theodosine fait
a nostre propos bon a ramentevoir. Tres noble estoit ceste
vierge et de grant beauté, de l'eage de XVIII ans. Celle, par
mervilleux scens, disputoit au juge qui la menaçoit de
5   martire se elle ne renonçoit a Jhesu Crist. Et comme elle
respondist paroles divines, il la fist pendre par les cheveulx
et batre durement. Et celle lui disoit: "Certes, cellui est
chetif qui veult seigneurir autrui et ne se scet seignourir lui
meismes. Las a cellui qui a grant cure d'estre rempli de
10   viandes, et n'a nul soing des famileux! Mal pour celui qui
veult estre eschauffé, et ne eschauffe ne revest les morans de
froit! Las a cellui qui veult reposer, et traveille les autres!
Mal pour cellui qui dit toutes choses estre siennes, et il les a
receues de Dieu! Las a cellui qui veult que on lui face bien,
15   et il fait tous maux!" Parolles dignes disoit tousjours la
vierge en son [144ᵛ] tourment, mais pour ce que elle avoit
passion en son cuer de honte que ses membres apparoient
tous nuds au puepple, Dieux envoia une blanche nue qui la
couvri toute. Et Urban de plus en plus la menaçoit, auquel
20   elle dist: "Tu ne m'osteras nul des mes du disner qui m'est
appareillié." Et le tirant la menaça de corrompre sa virginité,
auquel elle respondi: "Tu menaces en vain corrupcion en
moy. Car Dieu abite es cuers honnestes." Le prevost plus

---

[1] L orné sur 2 lignes.

de Dieu d'une voix très mélodieuse, et si forte que tous pouvaient l'entendre. Et quand le feu eut achevé de se consumer, elle en sortit saine et sauve. Le juge, toujours plus en colère, fit apporter des tenailles brûlantes pour lui arracher les membres, mais ceux qui devaient le faire étaient si épouvantés qu'aucun d'entre eux n'osa la toucher, et les instruments de torture se brisèrent. Le perfide tyran fit ensuite amener quatre lions et deux autres féroces bêtes sauvages, mais ces animaux s'inclinèrent devant elle pour l'adorer. Alors la bienheureuse vierge, désireuse de rejoindre son Dieu, le pria de bien vouloir la prendre avec lui; c'est alors qu'elle mourut, sans qu'aucune bête ne l'ait touchée.»

9. Où l'on parle de la vierge Théodosie, de sainte Barbe et de sainte Dorothée

«Il convient bien à notre propos de rappeler la constance de la bienheureuse Théodosie dans son martyre. Cette jeune vierge, âgée de dix-huit ans, était très noble et d'une grande beauté. Douée d'une intelligence extraordinaire, elle avait entrepris un débat avec le juge qui la menaçait du martyre si elle ne renonçait pas à Jésus-Christ. Et comme elle lui répondait par des paroles inspirées par Dieu, il la fit pendre par les cheveux et fouetter cruellement. Mais elle lui dit: "En vérité, il est bien malheureux, celui qui veut dominer autrui et qui ne sait pas se dominer lui-même! Malheur à celui qui prend grand soin de se remplir le ventre, et qui ne se soucie pas des affamés! Maudit celui qui veut avoir chaud et qui ne réchauffe pas ceux qui meurent de froid et ne leur donne pas de vêtements! Malheur à celui qui veut se reposer et qui épuise les autres! Maudit soit celui qui dit que toutes choses lui appartiennent, alors qu'il les a reçues de Dieu! Malheur à celui qui veut qu'on lui fasse du bien alors qu'il commet le mal sous toutes ses formes!". La vierge ne cessait de prononcer des paroles pleines de dignité tandis qu'on la torturait, mais comme elle souffrait en son cœur de la honte qu'elle éprouvait de voir apparaître son corps tout nu aux yeux du peuple, Dieu envoya une blanche nuée qui la recouvrit tout entière. Urbain se faisait de plus en plus menaçant, et elle lui dit: "Tu ne pourras m'enlever aucun des mets du dîner qui est préparé pour moi." Le tyran menaça alors de souiller sa virginité, et elle lui répondit: "C'est en vain que tu menaces de me corrompre. Car Dieu habite dans les cœurs honnêtes." Le juge,

enragié la fist gitter en la mer, une pesant pierre au col. Et
25   elle fu soustenue des anges et ramenee chantant a terre, et
portoit la vierge entre ses bras la pierre qui plus pesoit que
elle. Le tirant fist laissier aler sur elle deux lieppars, mais
yceulx sailloient entour elle, lui faisant feste. Au derrain,
le tirant, qui n'en savoit comment faire, la fist decoller. Et
30   de son corps departi l'ame visiblement en guise d'une
blanche coulombe resplandisant. Et celle mesmes nuit
apparut a ses parens plus clere que le souleil, atout
couronne precieuse, acompaignie de vierges, tenant une
croix d'or, et leur dist: "Veés quelle est la gloire que vous
35   me vouliés oster!", et ceulx se convertirent.

    ¶Item, ou temps Maximian l'empereur, flouri en vertu
la benoite Barbre, vierge de noble lignee et souverainement belle. Son pere, pour cause de sa beauté, l'avoit
enclose en une tour. Celle ot inspiracion de la foy de Dieu,
40   et pour ce que par autre ne pouoit estre baptisiee, elle
mesmes prist de l'eaue et se batisa en nom du Pere et du
Filz et du Saint Esperit. Son pere la voult marier tres
haultement et elle refusa tous mariages par lonc temps. Et
[145ʳ] a la parfin, elle regehi que cristianne estoit et avoit
45   vouee a Dieu sa virginité. Le pere, pour celle cause, le
voult occirre, et elle s'enfouy et eschappa. Et comme le
pere la poursuivist pour mettre a mort, au desrain, la
trouva par l'enseignement d'un pastour, qui tantost secha,
lui et ses bestes. Le pere la mena au prevost, lequel, pour
50   ce que elle desobei a tous ses commandemens, la fist
martirier de plusieurs et grans tourmens et pendre par les
piés contre mont. Et elle lui disoit: "Chetif, ne vois tu
point que tourmens ne me font point de mal?" Et lui,
forcené, lui fist erracher les mamelles et en cet estat la fist

encore plus furieux, la fit jeter à la mer avec une lourde pierre autour du cou. Mais elle fut soutenue par les anges et ramenée à la terre en chantant, et cette vierge portait entre ses bras la pierre qui pesait plus lourd qu'elle. Le tyran fit lâcher contre elle deux léopards, mais ceux-ci se mirent à sauter autour d'elle en lui faisant fête. À la fin, le tyran, qui ne savait plus que faire d'elle, lui fit trancher la tête. On put alors voir distinctement son âme quitter son corps sous la forme d'une blanche colombe resplendissante. Cette même nuit, elle apparut à ses parents, plus brillante que le soleil, portant une couronne précieuse, accompagnée de vierges et tenant une croix d'or. Elle leur dit: "Voyez la gloire dont vous vouliez me priver", et ceux-ci se convertirent[1].

De même, au temps de l'empereur Maximien, s'épanouit en la fleur de sa vertu la bienheureuse Barbe, une vierge d'une beauté souveraine, issue d'une noble lignée. À cause de sa beauté, son père l'avait enfermée dans une tour. Elle y eut la révélation de la foi en Dieu, et comme elle ne pouvait pas se faire baptiser par quelqu'un d'autre, elle prit elle-même de l'eau et se baptisa au nom du Père, du Fils et du Saint-Esprit. Son père voulait lui faire faire un très grand mariage, mais pendant longtemps elle refusa toutes les propositions. Elle finit par avouer qu'elle était chrétienne et qu'elle avait voué à Dieu sa virginité. Pour cette raison, son père voulut la tuer, mais elle s'échappa et s'enfuit. Son père se mit à sa poursuite pour la mettre à mort; il finit par la retrouver grâce aux renseignements d'un berger, mais celui-ci dépérit aussitôt, ainsi que ses bêtes[2]. Son père l'amena devant le juge, et comme elle avait désobéi à tous ses ordres, celui-ci la fit torturer en lui faisant subir divers supplices horribles et en la faisant suspendre par les pieds, la tête en bas. Et elle lui disait: "Malheureux, ne vois-tu pas que les tortures ne me font aucun mal?" Fou furieux, il lui fit arracher les seins et la fit conduire à

---

[1] La version de Christine est très proche de celle du *Miroir historial* (vol.II, XIII, 48, 223ʳ-223ᵛ) et contrairement aux récits précédents, peu raccourcie par rapport à sa source. La conversion finale des parents a été ajoutée par notre auteure.

[2] Christine n'évoque que de façon vague le sort réservé au berger et à ses bêtes (*secher* peut signifier se dessécher, ou dépérir). Selon les légendes, il est parfois changé en pierre. Dans le *Miroir historial*, le berger ou les moutons (suivant les textes) sont changés en statues de marbre.

55   mener par la cité, et elle tousjours glorifioit Dieu. Mais pour
      ce qu'elle avoit honte que son corps vierge estoit veü nu,
      Nostre Seigneur envoya son ange, qui la sana de toutes ses
      plaies et lui couvri le corps d'un vestement blanc. Et quant
      elle ot esté assez pourmenee, on la ramena devant le
60   prevost, qui se forcena quant il la vit toute saine et sa face
      clere comme estoille, si la fist de rechief tourmenter tant que
      les tourmenteurs estoient lassez sur elle. Et au derrain dist
      par grant yre que on l'ostast de devant lui et que on lui
      trenchast la teste. Et celle fist son oroison et pria Dieu que il
65   feust en aide de tous ceulx qui le requeroient en remem-
      brance d'elle et qui recorderoient sa[1] passion. Et quant elle
      ot finee, une voix fu ouye disant: "Viens, tres amee fille, te
      reposer ou regne de ton pere et reçoy ta couronne, et ce que
      tu as requis te sera ottroié." Et si comme elle fu montee en la
70   montaigne ou elle fu decollee, son felon pere lui coppa lui
      mesmes le chief. Et si comme il dessendoit de la montaigne,
      le feu du ciel le fouldroia [145ᵛ] et mist en cendre.
           ¶Item la benoite vierge Dorothee pareillement souffri
      plusieurs martires en Capadoce. Et pour ce que elle ne
75   vouloit prendre nul homme a mari et tant parloit de son
      espoux Jhesus Crist, le maistre des escolles, qui estoit
      nommez Theofilus, lui dist par moquerie, quant on la menoit
      decoller, que au moins, quant elle seroit devers son espoux,
      qu'elle lui envoiast des roses et des pommes du vergier de
80   son mari. Et elle dist que si feroit elle. Dont il advint que si
      tost qu'elle ot parfait son martire, un tres bel petit enfant
      comme de l'eage de quatre ans vint a Theophilus et apportoit
      un petit panerel plain de souverainement belles roses et
      pommes a mervueilles bien flairans et belles, et dist que la
85   vierge Dorothee les lui envoyoit. Adont fu cellui esmervaul-
      liez car il estoit yver ou mois de fevrier. Si se converti et puis
      fu martiriés pour le nom de Jhesus Crist.
           ¶Se de[2] toutes les saintes vierges qui sont ou ciel par
      constance de martire te vouloie raconter, longue histoire y
90   convendroit, si comme sainte Cecile, sainte Agnes, sainte

---

[1] sans; *corr. d'après B, D, R.*
[2] de *omis; corr. d'après B, D, R.*

travers toute la ville dans cet état, tandis qu'elle ne cessait de glorifier Dieu. Mais parce qu'elle avait honte que l'on pût voir la nudité de son corps de vierge, Notre-Seigneur envoya son ange qui guérit toutes ses plaies et lui couvrit le corps d'un vêtement blanc. Après l'avoir assez longtemps menée de côté et d'autre, on la ramena devant le juge, qui enragea de la voir toute guérie et le visage lumineux comme une étoile. Il la fit à nouveau torturer tant et si bien que les tortionnaires se fatiguaient de s'acharner sur elle. Pour finir, plein de colère, il ordonna qu'on l'ôte de sa vue et qu'on lui tranche la tête. Elle fit ses prières et demanda à Dieu de venir en aide à tous ceux qui l'invoqueraient en se souvenant d'elle et en rappelant sa passion. Quand elle eut fini, on entendit une voix qui disait : "Viens, fille bien-aimée, viens te reposer dans le royaume de ton Père, et reçois ta couronne. Ce que tu as demandé te sera octroyé." Ensuite elle fut transportée au sommet d'une montagne pour y être décapitée, et ce fut son cruel père qui lui coupa lui-même la tête. Mais tandis qu'il descendait de la montagne, le feu du ciel le foudroya et le réduisit en cendres[1].

D'une manière semblable, la bienheureuse vierge Dorothée subit de nombreuses tortures en Cappadoce. Comme elle ne voulait prendre aucun homme pour mari et qu'elle parlait tant de son époux Jésus-Christ, tandis qu'on l'emmenait pour se faire décapiter, le maître des Écoles, qui s'appelait Théophile, lui dit pour se moquer de bien vouloir, lorsqu'elle serait auprès de son époux, lui envoyer des roses et des pommes du jardin de son mari. Elle lui répondit qu'elle le ferait. Or aussitôt qu'elle eût accompli son martyre, un très beau petit enfant qui semblait avoir quatre ans vint à Théophile et lui apporta un petit panier plein de roses magnifiques et de pommes merveilleusement odorantes et belles, en lui disant que c'était la vierge Dorothée qui les lui envoyait. Celui-ci fut stupéfait, car on était en hiver, au mois de février. Alors il se convertit, et par la suite il subit le martyre au nom de Jésus-Christ[2].

Si je voulais te parler de toutes les saintes vierges qui se trouvent au ciel pour avoir enduré courageusement le martyre, ce serait une longue histoire. Je pourrais ainsi te parler de sainte

---

[1] Christine suit de près le *Miroir historial* (vol. II, XIII, 67, fol. 229ᵛ-230ʳ).

[2] *Miroir historial* vol. II, XIII, 47, fol. 223ʳ. Christine résume, en supprimant certains détails et les prises de parole des personnages.

Agate et infinies autres. Et se plus en veulx avoir, ne
t'esteut que regarder ou *Mirouer historial*, la assez en
trouveras. Si te dirai encore de sainte Cristine, et pour ce
que elle est ta marreine et moult est vierge de grant dignité,
95 plus a plain t'en dirai la vie qui moult est belle et devote.»

Cy dit de sainte Cristine, vierge .X.

1   «La[1] benoite sainte Cristine, vierge, fu de la cité de Tir,
fille de Urban, maistre de la chevalerie. Celle, pour sa grant
beauté, estoit tenue enclose de son pere en une tour. Et
avoit avec elle XII pucelles, et avoit fait faire son pere un
5   moult bel oratoire de ydoles pres de la chambre de Cristine
[146ʳ] affin que ell[e] les aourast. Mais elle, qui encore
estoit si enfant comme de l'eage de douze ans, estoit ja
inspiree de la foy de Jhesus Crist, ne des ydoles ne faisoit
compte, dont ses pucelles s'esmerveilloient et souvent
10 l'admonnestoient de faire oblacions. Et celle, quant elle
avoit pris l'encens si comme pour sacrifier aux ydoles, elle
se agenoulloit devers Orient a une fenestre et regardoit vers
le ciel, et encensoit a Dieu immortel. Et la plus grant partie
de la nuit estoit a celle fenest[r]e et regardoit les estoilles, et
15 gemissoit et reclamoit[2] Dieu devotement, et lui prioit que
en aide lui feust contre ses adversaires. Les pucelles, qui
bien appercevoient que son cueur estoit[3] en Jhesus Crist,
souventes fois s'agenoulloient mains jointes devant elle, lui

---

[1] L *orné sur 2 lignes.*
[2] *B, D, R* : reclamant
[3] *B, D, R* : avoit

Cécile, de sainte Agnès, de sainte Agathe et d'une infinité d'autres saintes. Si tu en veux davantage d'exemples, il te suffit de regarder dans le *Miroir historial*, et tu en trouveras beaucoup. Mais je vais te parler encore de sainte Christine; parce qu'elle est ta sainte patronne et parce qu'elle est une vierge très vénérable, je te raconterai plus longuement sa vie, qui est très belle et très édifiante.»

10. Où l'on parle de sainte Christine, vierge[1]

«La bienheureuse vierge sainte Christine, née dans la cité de Tyr, était la fille d'Urbain, gouverneur militaire de la ville. Comme elle était très belle, son père la tenait enfermée dans une tour. Elle avait auprès d'elle douze demoiselles, et son père avait fait faire à côté de la chambre de Christine un très bel oratoire avec des idoles, afin qu'elle puisse les adorer. Mais alors qu'elle n'était encore qu'une enfant de douze ans, elle avait déjà eu la révélation de la foi en Jésus-Christ et elle ne tenait aucun compte des idoles, ce qui étonnait fort ses demoiselles de compagnie, qui l'exhortaient souvent à faire des offrandes aux dieux. Alors, ayant pris de l'encens comme pour sacrifier aux idoles, elle se tournait vers l'Orient et s'agenouillait près d'une fenêtre; elle regardait le ciel et faisait brûler l'encens pour Dieu immortel. Et elle passait la plus grande partie de la nuit à cette fenêtre à regarder les étoiles, gémissant et invoquant pieusement Dieu, L'implorant de lui venir en aide contre ses ennemis. Les jeunes filles, qui se rendaient bien compte qu'elle avait donné son cœur à Jésus-Christ, venaient souvent s'agenouiller devant elle, les mains jointes, pour la supplier de ne

---

[1] *Miroir historial* vol. II, XIII, 86-89, fol. 236ᵛ-238ʳ; trad. J. de Vignay, p. 630-632; *Lég. dor.*, 94, p. 524-527. Voir K. Brownlee, «Martyrdom and the Female Voice», *op. cit.*, qui souligne les importantes modifications que Christine apporte à son modèle; voir aussi M. Quilligan, *The Allegory of Female Authority*, *op. cit.* p. 213-222. En particulier, Christine supprime toute référence à la mère de sainte Christine, dont le rôle est important dans le *Miroir*, et ne garde que son père, Urbain; lors de la scène du baptême, elle ajoute la présence de Jésus-Christ, qui descend du ciel en personne pour baptiser lui-même la martyre et la nommer de son propre nom (de même, l'auteure souligne parfois que son nom est dérivé de celui du Christ, comme elle le dit en forme d'énigme à la fin du *Livre des trois jugemens*, v. 1526-1531, *Œuvres poétiques*, *op. cit.*, t. II, p. 157). Elle donne aussi plus d'importance à la voix de la sainte martyre; ses paroles après qu'elle a eu la langue coupée sont soigneusement réécrites dans un style moins brutal et plus spirituel. Pour la fin du chapitre, voir ci-dessous (note 1, p. 771).

priant que mettre s'entente ne vousist en dieu estrange, ains
20　　voulsist celebrer aux dieux de ses parens, et que s'il estoit
sceu, elle et toutes en seroient destruites. Cristine respondoit que elles estoient deceues par le deable qui leur
admonnestoit de aourer tant de dieux, et que il n'en estoit
que un.

25　　　　　Au derrain, comme son pere seust que sa fille ne
vouloit[1] aourer les ydoles, trop en fu doulent et moult l'en
reprist. Et elle dist que elle offeroit voulentiers a Dieu du
ciel, et cellui quida que elle vousist dire a Jupiter et fu
joyeux et la voult baisier. Mais elle s'escria : "Ne touchiés
30　　a ma bouche, car je vueil offrir offrande nette a Dieu
celestre !" De ce fu encore content le pere, et elle s'en entra
en sa chambre et la cloÿ, puis a genoux se mist et offri
sainte oroison a Dieu en plourant. Et l'ange de Nostre
Seigneur descendi, qui la reconforta et li apporta pain
35　　blanc et viande, de quoy elle mengia car de trois jours
n'avoit gousté de viande.

　　　　　Aprés ce, comme Cristine veist par sa fe[146ᵛ]nestre
plusieurs povres crestiens mendians au pié de sa tour et elle
n'eust que eulx donner, elle ala querre les ydolles de son
40　　pere, qui estoient d'or et d'argent, et les froissa toutes, et
donna les pieces aux pouvres. Et quant son pere sçot ceste
chose, il la bati tres cruellement, et elle disoit plainement
que il estoit deceu d'aourer ces faulx ymaiges et que il
n'estoit que un seul Dieu en Trenité, et que cellui aourer on
45　　devoit, lequel elle confessoit ne pour mourir autre ne aoure-
roit, dont lui, enragié sur elle, la fist lyer de chayennes et
mener batant par les places et puis mettre en chartre. Et lui
mesmes vault estre juge de celle cause. Si la fist lendemain
amener devant lui et la menaça de tous tourmens se elle ne
50　　aouroit les ydoles. Et aprés ce qu'il vit que par prieres ne par
menaces ja ne la tourneroit, il la fist toute nue estendre par
bras et par jambes et tant batre que XII hommes se recreu-
rent dessus, et tousjours li demandoit le pere se elle s'avise-
roit, et lui dist : "Fille, pitié naturelle destraint durement

---

[1]　*B, D* : voulsist

pas s'attacher à un dieu étranger, mais de bien vouloir rendre un culte aux dieux de ses parents, car si cela se savait, cela causerait leur perte à toutes. Christine leur répondait qu'elles étaient trompées par le diable, qui les poussait à adorer tant de dieux alors qu'il n'en existait qu'un seul.

Finalement son père, ayant appris que sa fille ne voulait pas adorer les idoles, en fut très malheureux et lui en fit de grands reproches. Elle lui dit alors qu'elle ferait volontiers une offrande au Dieu du ciel. Son père pensa qu'elle voulait parler de Jupiter, il en fut tout joyeux et voulut l'embrasser. Mais elle s'écria : "Ne touche pas ma bouche, car je veux présenter une offrande pure au Dieu céleste !" Le père fut encore satisfait de cette réponse. Elle entra dans sa chambre et s'y enferma, puis elle se mit à genoux et adressa sa sainte prière à Dieu, tout en pleurant. L'ange de Notre-Seigneur descendit du ciel, il la réconforta et lui apporta du pain blanc et de la nourriture, qu'elle mangea, car elle n'avait pris aucune nourriture depuis trois jours.

Après cela, Christine vit un jour par sa fenêtre des pauvres chrétiens qui mendiaient au pied de sa tour. Comme elle n'avait rien à leur donner, elle alla chercher les idoles de son père, qui étaient en or et en argent, elle les mit en pièces et donna les morceaux aux pauvres. Quand son père apprit la chose, il la frappa très violemment. Elle lui dit bien franchement qu'il était dans l'erreur en adorant ces fausses idoles, qu'il n'existait qu'un seul Dieu en une Trinité, et que c'était celui-là seul qu'on devait adorer ; c'était lui qu'elle reconnaissait, et dût-elle en mourir, elle n'en adorerait jamais d'autre. Et lui, fou de rage, la fit attacher par des chaînes et conduire par les places de la ville en la faisant fouetter, puis il la fit mettre en prison. Il voulut être lui-même le juge dans cette affaire. Aussi, le lendemain, il la fit amener devant lui et la menaça de tous les châtiments si elle n'adorait pas les idoles. Après avoir vu qu'il ne pourrait la faire changer d'avis ni par des prières ni par des menaces, il la fit allonger toute nue, les bras et les jambes étirés, et la fit frapper très longuement, jusqu'à épuiser douze hommes à la tâche ; et le père ne cessait de lui demander si elle se ravisait. Il lui dit : "Ma fille, l'affection naturelle que j'ai pour toi

55   mon courage de ainsi tourmenter toy qui est ma char, mais
        la reverence que j'ay a mes dieux me contraint a ce faire
        pour ce que tu les despites." Et la sainte vierge lui respondi :
        "Tirant que je ne doi appeller pere, ains ennemi de ma
        beneureté, tourmentes hardiement la char que tu as engen-
60   dree, car ce pués tu bien faire, mais a l'esperit creé de mon
        pere qui est ou ciel n'as tu povoir d'atouchier par nulle
        temptacion, car Jhesus Crist mon sauveur le garde." Le
        cruel pere plus forcené fist apporter une roe que il avoit fait
        faire et fist celle doulce enfancelle estre liee dedens et
65   mettre feu desoubz, et [147ʳ] puis fist gietter oele boulant a
        grant planté sur son corps. Et celle roe tournoit sur elle, qui
        son corps¹ toute lui frossoit. Mais Dieu, le Pere de miseri-
        corde, ot pitié de sa servante, si envoya son ange, qui
        desrompi tous les tourmens et estaigni le feu et la vierge
70   delivra saine et entiere et occist plus de mile tirans felons
        qui la regardoient sans pitié, blasphemant le nom de Dieu.
        Et son pere lui demanda : "Di moy, qui t'a enseigné ces
        malefices ?" Et elle respondi : "Tirant sans pitié, ne t'ay je
        pas bien dit que mon pere Jhesus Crist m'a appris ceste
75   pacience et toute droiture en la foy de Dieu le vif ? Et pour
        ce despite je tous tes tourmens, et vaincrai en la vertu de
        Dieu tous les assaulx du deable." Et cellui, vaincu et confus,
        la fist gitter en une tres orible et obscure chartre. Et si
        comme elle estoit la, pen[s]ant aux tres grans misteres de
80   Dieu, trois anges vindrent a elle atout grant lumiere et lui
        apporterent a mengier et la reconforterent. Urban ne savoit
        que faire et ne finoit de pourpenser quieux manieres de
        tourmens faire lui porroit. A la parfin, comme tout ennuyez,
        pour en estre delivré, lui fist mettre une grosse pierre au col
85   et la getter en la mer. Mais si comme on la² trebuchoit, les
        anges la prirent, et elle s'en aloit sur l'eau avecques eulx.
        Adont pria Cristine a Jhesu Crist, levant les yeulx au ciel,
        que il lui pleust que en celle eaue receust le saint sacrement
        de baptesme, que elle desiroit moult a avoir. Adont descendi
90   Jhesu Crist en propre personne a grant compaignie d'anges

---

¹ son corps *omis dans B et D.*
² lui ; *corr. d'après B et R.*

oppresse terriblement mon cœur lorsque je te torture ainsi, toi qui es ma propre chair, mais le respect que j'ai pour mes dieux m'y oblige, puisque tu les renies." Cette sainte vierge lui répondit: "Tyran que je ne dois pas appeler mon père, mais plutôt l'ennemi de ma félicité, torture hardiment la chair que tu as engendrée, car cela, tu peux le faire. Mais pour ce qui est de mon âme, qui a été créée par mon Père qui est au ciel, tu n'as le pouvoir de l'atteindre par aucune tentation, car elle est protégée par Jésus-Christ mon sauveur." Encore plus enragé, ce père cruel fit apporter une roue qu'il avait fait fabriquer, il y fit attacher cette douce enfant et fit allumer un feu en-dessous. Ensuite il fit jeter de l'huile bouillante en grande quantité sur son corps. Et cette roue tournait sur elle, lui brisant entièrement le corps. Mais Dieu, le Père de miséricorde, eut pitié de sa servante, et il envoya son ange, qui brisa tous les instruments de torture, éteignit le feu et délivra la vierge, qui en sortit saine et indemne. Et il tua plus de mille cruels félons qui la regardaient sans pitié, blasphémant le nom de Dieu. Et son père lui demanda: "Dis-moi, qui t'a enseigné ces maléfices?" Elle lui répondit: "Tyran sans pitié, ne t'ai-je pas bien dit que c'est mon père Jésus-Christ qui m'a appris cette vertu de patience et de totale confiance en la foi du Dieu vivant? C'est pourquoi je méprise toutes tes tortures et je vaincrai tous les assauts du diable par la force de Dieu." Le père, vaincu et confondu, la fit jeter dans une très horrible prison obscure. Et comme elle restait là, songeant aux très grands mystères de Dieu, trois anges vinrent à elle, entourés d'une grande lumière, pour lui apporter à manger et la réconforter. Urbain ne savait plus que faire, et il se demandait sans cesse quelles nouvelles sortes de tortures il pourrait lui faire subir. Finalement, en désespoir de cause, pour s'en débarrasser, il lui fit attacher une grosse pierre autour du cou et la fit jeter à la mer. Mais au moment où on la faisait basculer dans l'eau, les anges se saisirent d'elle et elle s'en alla avec eux sur les eaux. Alors Christine, levant les yeux au ciel, pria Jésus-Christ de bien vouloir lui accorder de recevoir dans cette eau le saint sacrement du baptême qu'elle désirait tant avoir. Alors Jésus-Christ descendit du ciel en personne, accompagné d'une grande foule d'anges, et il la baptisa,

et la baptisa et nomma de son nom Cristine, et la couronna
et lui mist une estoille resplendisant sur son chief, et la
mist a terre. Et celle nuit Urban fu tourmenté du deable et
mourut[1].

95   La benoite Cristine, que Dieu vouloit recevoir par martire
[147ᵛ], laquelle chose elle desiroit, fu ramenee par les felons
en la chartre. Et le nouveau juge nommé Dyon, qui savoit ce
qui estoit fait d'elle, la fist venir devant lui et la convoita
pour sa beauté. Mais quant il vit que belles paroles riens ne
100   luy valoient, il la fist de rechief tourmenter et fist emplir une
grande chaudiere de huille et poix a grant feu desoubz et la
fist gitter dedens le chief dessoubz. Et quatre hommes la
tournoient dedens a grans croqs de fer, et la sainte vierge
chantoit a Dieu melodieusement et moquoit les tourmen-
105   teurs et menaçoit des paines d'enfer. Et quant le felon juge
aÿré vit que ce riens ne lui valoit, la fist pendre par les
cheveux, que elle avoit longs et blons comme or, en la place
devant tous. Accourent[2] les femmes qui, plorant par grant
pitié de veoir une telle tendre enfancellette ainsi tourmenter,
110   si crioient au juge en disant: "Cruel felon, plus que beste
sauvaige! Comment puet avoir conceu en cuer d'omme tant
de cruaulté contre pucelle tant belle et si tendre?" Et toutes
lui vouloient courir sus. Adont ot le juge paour et lui dist:
"Cristine, amie, ne te seuffre plus tourmenter mais vieng
115   avecques moy, si alons aourer le souverain dieu qui tant t'a
soustenue." Cellui entendoit de Jupiter, que ilz tenoient pour
souverain dieu, mais elle entendoit tout autrement. Si lui
dist: "Tu as moult bien dit, si l'ottroi." Il la fist despendre et
la mena au temple et grant puepple les suivi. Quant il l'ot
120   menee devant les ydoles, cuidant que elle les deust aourer,
elle s'agenoulla regardant ou ciel, faisant[3] a Dieu son
oroison, puis se leva et se tourna vers l'idole et dist: "Je te
commande, maling esperit qui es en celle ydolle, au nom
de Jhesu Crist, que tu ysses hors." Et tantost le deable vint
125   dehors et fist grant [148ʳ] et espouentable tumulte, par

---

[1] mouroit; corr. d'après B, D, R.

[2] B, D, R: Environ elle accourent

[3] B, D, R: et fist

en la nommant Christine d'après son propre nom ; il la couronna et lui mit sur la tête une étoile resplendissante, puis la déposa à terre. Cette nuit-là Urbain fut tourmenté par le diable et mourut.

La bienheureuse Christine, que Dieu voulait recevoir comme martyre, et c'était ce qu'elle désirait, fut ramenée par les félons dans sa prison. Le nouveau juge, nommé Dion, qui savait ce qu'on lui avait déjà fait, la fit comparaître devant lui, et il la convoita pour sa beauté. Mais quand il vit que ses belles paroles ne lui servaient à rien, il la fit à nouveau torturer. Il fit emplir d'huile et de poix une grande marmite avec un grand feu en-dessous et il ordonna qu'on la jette dedans, la tête en bas. Et quatre hommes la faisaient tourner dans la marmite avec de grands crochets de fer. Mais cette vierge sainte chantait mélodieusement à la louange de Dieu et se moquait de ses tortionnaires, tout en les menaçant des peines de l'enfer. Quand le juge félon, furieux, vit que tout cela ne servait à rien, il la fit pendre par les cheveux, qu'elle avait longs et blonds comme l'or, sur la place, devant tous. Les femmes accoururent et pleurèrent de pitié de voir torturer ainsi une si tendre petite enfant. Elles poussaient des cris et apostrophaient le juge : "Félon plus cruel qu'une bête sauvage ! Comment un cœur d'homme a-t-il pu concevoir tant de cruauté contre une jeune fille si belle et si tendre ?" Et toutes voulaient se jeter sur lui. Alors le juge prit peur, et il lui dit : "Ma chère Christine, ne te laisse plus torturer, mais viens avec moi et allons adorer le dieu souverain qui t'a si bien soutenue." Il voulait parler de Jupiter, qu'ils considéraient comme le souverain des dieux, mais Christine le comprit tout autrement. Elle lui répondit : "Tu as très bien parlé, et je te l'accorde." Il la fit décrocher et la conduisit au temple, et ils furent suivis par une grande foule. Quand il l'eut conduite devant les idoles en pensant qu'elle allait les adorer, elle s'agenouilla en regardant vers le ciel, adressant sa prière à Dieu, puis elle se leva, se tourna vers l'idole et dit : "Esprit malin qui es caché dans cette idole, je t'ordonne d'en sortir, au nom de Jésus-Christ." Et aussitôt le diable en sortit avec un fracas épouvantable.

quoy tous furent si espouentez que tout cheirent a terre, et
le juge, quant il fu relevez, dist : "Cristine, tu as esmeu
nostre dieu tout puissant, mais pour ce que il a pitié de toy,
il est issu hors a ce que il veist sa creature." Et celle fu
130   courouciee en la parolle et le reprist durement de ce que il
estoit tant avuglez que il ne congnoissoit la vertu divine. Si
pria Dieu que l'idole cheist et devenist pouldre, laquelle
chose fu faite, et par les parolles et signes de la vierge, plus
de trois mille hommes et femmes furent convertis. Et le
135   juge espouenté dist : "Se le roy savoit ce qui est fait contre
nostre dieu par les demoustrances de ceste Cristine, il me
destruiroit mauvaisement." Et maintenant, cellui, plain
d'angoisse, forcena et mouru.

      ¶Le tiers juge vint aprés, nommé Julian, et fist prendre
140   Cristine et se vanta que il lui feroit aourer les ydolles. Mais
pour toute la force que il peust mettre, il ne la pot faire
remouvoir du lieu ou elle estoit. Si fist faire un grant feu
autour d'elle, en ce feu demoura par trois jours et la dedens
estoient ouyes doulces melodies et furent les tourmenteurs
145   espouentez par merveilleux signes que ilz virent, lesquelles
choses rapportees a Julian, cuida forcener. Et quant le feu
fu consumé, elle s'en sailli toute saine. Le juge fist amener
les serpens et fist gitter sur elle deux aspis, qui sont serpens
qui mordent et enveniment mervilleusement, et deux
150   grosses couleuvres. Mais ces serpens se laissierent cheoir a
ses piés, les testes enclines, sans lui mal faire. Et deux
autres orribles serpens nommez guievres furent laissiez

Tous les assistants en furent terrifiés et tombèrent à terre. Le juge, une fois relevé, lui dit: "Christine, tu as troublé notre dieu tout-puissant, mais parce qu'il a eu pitié de toi, il est sorti pour voir sa créature." Celle-ci, courroucée de l'entendre parler ainsi, lui reprocha durement d'être aveuglé au point de ne pas reconnaître le pouvoir divin. Elle pria donc Dieu de faire tomber l'idole et de la réduire en poussière, ce qui fut fait. Et à cause des paroles de la vierge et des signes qu'elle avait accomplis, plus de trois mille hommes et femmes se convertirent. Le juge, épouvanté, se dit: "Si le roi apprenait ce qui a été fait contre notre dieu par les prodiges réalisés par cette Christine, il me ferait périr de la pire manière." Tout aussitôt, saisi d'angoisse, il devint fou et mourut.

Il vint ensuite un troisième juge, nommé Julien, qui fit saisir Christine et se vanta de parvenir à lui faire adorer les idoles. Mais avec toute la force qu'il put employer, il ne parvint pas à la faire bouger de l'endroit où elle se trouvait. Il fit faire un grand bûcher tout autour d'elle; le feu brûla pendant trois jours, et on pouvait entendre de douces mélodies venant de l'intérieur de la fournaise. Les bourreaux furent épouvantés par les prodiges dont ils furent témoins, et lorsque ce fut rapporté à Julien, celui-ci pensa devenir fou. Quand le feu eut fini de se consumer, Christine en sortit indemne. Le juge fit apporter des serpents et fit jeter sur elle deux aspics, des serpents qui mordent et qui sont extrêmement venimeux, et deux grosses couleuvres. Mais ces serpents se laissèrent tomber à ses pieds en inclinant la tête, sans lui faire aucun mal. Deux autres horribles serpents, appelés des guivres[1],

---

[1] Sortes de serpents, réels ou fabuleux (parfois mentionnés comme des serpents réels, parfois assimilés à des sortes de dragons). Le mot vient de *vipera*, la vipère. Le mot «vouivre» en est dérivé; il désigne dans le folklore un animal fantastique, un serpent ailé portant au front en guise d'œil une escarboucle, prenant à l'occasion une forme féminine (comme dans le roman de Marcel Aymé qui porte ce titre). Il semble avoir été couramment employé pour désigner une sorte de serpents. Christine l'emploie dans un passage bien connu du *Débat sur le Roman de la Rose*, dans sa réponse à Pierre Col, où elle prend la défense des femmes que les disciples d'Ovide ne cherchent qu'à *decevoir*, à tromper: «Est ce dont tout gaignié que [de] bien decevoir ces femmes? Qui sont femmes? Qui sont elles? Sont ce serpens, loups, lyons, dragons, guyevres ou bestes ravissables, devourans et ennemies a nature humaine qu'il couviengne fere art a les decevoir et prendre?» (*Le Livre des epistres du debat sus le Rommant de la Rose*, [VI], p. 197).

aller et ilz se pendrent a se mamelles et la lechoient. Et Cristine regar[148ᵛ]doit ou ciel et disoit: "Je te rens
155 graces, sire Dieux et¹ Jhesu Crist, qui m'as tant daignié exaussier par tes saintes vertus, que les serpens orribles congnoissent en moy ta dignité." Et Julian, obstiné, voiant ces merveilles, escria a cellui qui estoit garde des serpens: "N'es tu pas aussi enchanté de Cristine, par quoy tu n'as
160 pouoir d'esmouvoir les contre elle?" Adont cellui, qui doubtoit² le juge, les cuida harer sur elle, et ilz lui coururent sus et l'occirrent. Et si comme chascun doubtoit ces serpens et que nul n'osoit approcher, elle leur commanda de par Dieu que ilz ralaissent en leur lieu sans meffaire a
165 creature, et ilz si firent. Elle ressucita le mort qui tantost se gita a ses piez et fu convertis. Le juge, avuglé du deable si que n'appercevoit le mistere divin, dist a Cristine: "Tu as assez demoustré tes ars magiques." Et elle respondi: "Hors du scens! Se tes yeulx veissent les vertus de Dieu,
170 tu les creusses." Et adont cellui, forcenant, lui fist errachier les mamelles, et tantost en issi lait en lieu de sanc. Et pour ce que elle sans cesser nommoit le nom de Jhesu, il lui fist copper la langue. Mais mieux que devant et plus cler parloit adés des choses divines et beneissoit
175 Dieu, le regraciant des benefices que il lui donnoit. Et commença a faire son oroison que il lui pleust a la recevoir vers lui et que la couronne de son martire feust achevee. Adont une voix du ciel fu ouye disant: "Cristine, pure et nette, les cieulx te sont ouvers et le regne sans fin t'est
180 appareillié, et toute la compaignie des sains beneist Dieu pour toy, car tu as dés ton enfance soustenu le nom de ton Crist." Et elle glorifioit Dieu, les yeulx vers le ciel. La voix fu ouye de rechief qui disoit: "Vieng Cristine, ma tres [149ʳ] amee et tres eslitte fille, et reçoy la palme et
185 couronne pardurable et le guerredon de ta passionnable vie en la confession de mon nom." Et le faulx Julian³ blasma

---

¹ et *omis dans* B, D, R.

² B, D, R: doubta

³ B, D, R: Et le faulx Julian qui ceste voix ot ouye

furent lâchés contre elle, mais ils se suspendirent à ses seins et la léchèrent. Christine regardait le ciel et disait : "Je te rends grâce, Seigneur Dieu Jésus-Christ, toi qui as daigné m'élever par tes saintes vertus au point que d'horribles serpents reconnaissent en moi ta puissance !" Voyant ces prodiges, Julien, obstiné, cria à celui qui gardait les serpents : "N'es-tu pas toi aussi ensorcelé par Christine, au point de ne pas pouvoir les lancer contre elle ?". Alors celui-ci, redoutant le juge, pensa les exciter contre elle, mais ceux-ci se jetèrent sur lui et le tuèrent. Comme tous en avaient peur et que nul n'osait s'en approcher, elle ordonna aux serpents, au nom de Dieu de regagner leur place sans faire de mal à quiconque, et c'est ce qu'ils firent. Elle ressuscita le mort, qui tomba aussitôt à ses pieds et se convertit. Le juge, qui était aveuglé par le diable au point de ne pas voir le mystère divin, dit à Christine : "Tu as assez fait la preuve de ta connaissance de la magie. " Et elle lui répondit : "Insensé ! Si tes yeux pouvaient voir les pouvoirs de Dieu, tu les croirais." Enragé de fureur, celui-ci lui fit arracher les seins, et aussitôt il en sortit du lait en lieu de sang. Et comme elle ne cessait de prononcer le nom de Jésus, il lui fit couper la langue. Mais elle continua à parler mieux qu'avant et toujours plus clairement de choses divines, et à bénir Dieu, en lui rendant grâce pour tous ses bienfaits. Elle commença à le prier de bien vouloir la recevoir auprès de lui et de faire en sorte que la couronne de son martyre fût achevée. Alors on entendit une voix venue du ciel, qui disait : "Christine, pure et sans tache, les cieux te sont ouverts, le royaume éternel est préparé pour te recevoir et toute la communauté des saints bénit Dieu de t'avoir fait naître, car dès ton enfance tu as défendu le nom de ton Christ. " Et les yeux levés au ciel, elle rendait gloire à Dieu. On entendit à nouveau la voix qui disait : "Viens, Christine, ma fille bien-aimée, et très excellente ! Reçois la palme du martyre et la couronne éternelle, en récompense de toutes les souffrances que tu as subies durant ta vie[1] pour avoir proclamé mon nom !" Et le perfide Julien

---

[1] L'adjectif *passionnable* (de *passion* au sens de souffrance, notamment la passion du Christ) n'est pas attesté dans les dictionnaires. Le *Glossaire* de Du Cange signale simplement une occurrence dans un ouvrage de Gerson de l'adverbe *passionabiliter* (mais avec un sens tout différent, *inordinate, pertur-bate* - de façon désordonnée, troublée, agitée).

les boureaux et leur dist que ilz n'avoient pas assez pres
coppé la langue de Cristine, si lui coppassent si pres que
tant ne peust parler a son Crist. Si lui esracherent hors la
190   langue et lui copperent jusques au gavion et celle cracha le
coppon de sa lengue jusques[1] au visaige du tirant et lui en
creva l'ueil, et lui dist aussi sainement que oncques mais :
"Tirant, que te vault avoir coppé ma langue affin que elle
ne beneyst Dieu, quant mon esperit a tous jours le
195   beneistra et le tien demoura perpetuel en maleisson ? Et
pour ce que tu ne congnois ma parolle, c'est bien raison
que ma langue t'ait avuglé." Adont celles, qui ja veoit
Jhesu Crist seant a la dextre de son pere, fina son martire
par II flesches qui lui furent lanciees l'une au costé, l'autre
200   vers le cuer. Et un sien parent que elle avoit converti
enseveli le saint corps et escript la glorieuse legende. »

O benoite Cristine, vierge digne et beneuree de Dieu,
tres eslite martire glorieuse, vueilles, par la sainteté dont
Dieu t'a faicte digne, prier pour moy, pecheresse nommee
205   par ton nom, et me soies propice et piteuse marreine. Si
voir que je m'esjoÿs de avoir cause d'ennexer et mettre ta
sainte legende en mes escriptures, laquelle pour ta
reverence ay recordee assez au lonc, ce te soit agreable.
Prie pour toutes femmes, auxquelles ta sainte vie soit
210   cause par bon exemple de bien finer leur vie. Amen.

¶« Que t'en diroie, belle amie, pour emplir notre cité de
tel mesgniee ? Plus a grant flote, viengne sainte Ourse, a
tout ses XI mille vierges benoites martires [149ᵛ] pour le

---

[1] jusques *omis dans B et D.*

reprocha aux bourreaux de n'avoir pas coupé d'assez près la langue de Christine, et il leur ordonna de la trancher si court qu'elle ne puisse plus parler à son Christ. Ils lui arrachèrent donc la langue de la bouche et la tranchèrent jusqu'à la racine, mais Christine cracha le moignon de sa langue au visage du tyran et lui en creva l'œil; puis elle lui dit, en parlant plus distinctement que jamais: "Tyran, à quoi te sert de m'avoir coupé la langue pour l'empêcher de bénir Dieu, puisque que mon âme le bénira pour toujours alors que la tienne sera maudite à tout jamais? Et puisque tu n'as pas compris ma parole, il est bien juste que ma langue t'ait aveuglé." Alors celle qui voyait déjà Jésus-Christ siégeant à la droite de son Père connut la fin de son martyre, car deux flèches lui furent lancées et l'atteignirent, l'une dans le flanc et l'autre au cœur. Et un parent qu'elle avait converti ensevelit son saint corps et écrivit sa glorieuse légende[1]. »

Ô bienheureuse Christine, vierge admirable et bénie de Dieu, très excellente et glorieuse martyre, puisque Dieu t'a jugée digne de t'élever à la sainteté, veuille prier pour moi, pauvre pécheresse qui porte ton nom, et sois pour moi une marraine[2] bienveillante et compatissante! J'ai eu de bonnes raisons pour inclure ta sainte légende dans mon œuvre et l'y attacher, et je m'en réjouis fort, et par respect pour toi je l'ai rapportée assez longuement. Que cela puisse t'être agréable! Prie pour toutes les femmes, et que ta sainte vie leur soit un bon exemple pour les encourager à mener leur vie à une bonne fin. Amen.

« Que pourrais-je te dire encore, ma chère amie, pour remplir notre cité avec une telle compagnie? En troupe nombreuse, que viennent sainte Ursule et ses onze mille vierges, toutes de

---

[1] Ce détail est un ajout de Christine. La *Légende dorée* ne parle pas de cette transmission; le *Miroir* dit seulement qu'un homme de son lignage a célébré son martyre et l'a enterrée. L'idée d'un passage à l'écrit est originale. Voir K. Brownlee, *op. cit.*, p. 132.

[2] Intervention de Christine auteur. Sainte Christine est plutôt à proprement parler sa sainte patronne, mais nous préférons garder ici le terme qu'emploie l'auteure, qui indique une parenté spirituelle (un lien de mère à fille, bien en accord avec le contexte général de la *Cité des dames* et plus particulièrement de cette troisième partie).

215   nom de Jhesu Crist toutes decolees, que, comme elles
          feussent envoiés pour estre mariees et elles s'embatissent
          en terre de mescreans, et on les voulsist contraindre de
          renoncier a la foy de Dieu, plus tost esleurent la mort que
          renoncier a Jhesu Crist leur sauveur. »

          **Cy dit[1] de plusieurs saintes qui virent martirer leurs
          enfans devant elles .XI.**

1   « **O**[2] quelle est au monde plus tendre chose que mere a
          son enfant, ne plus grant douleur que son cuer sueffre
          quant mal lui voit endurer ? Mais par ce que je voy,
          encores est foy plus grant chose, comme il y parut a
5   maintes vaillans femmes qui pour l'amour de Jhesu Crist
          offroient leurs propres enfans au tourment, si comme la
          benoite Felix, qui vit ses VII filz, qui estoient tres beaux
          jouvenceaux, martirer devant elle. Et la tres bonne mere
          les reconfortoit et admonnestoit de pacience et de estre
10   fermes en la foy. Si avoit ceste noble dame oublié courage
          maternel, quant au corps, pour l'amour de Dieu. Et puis
          aprés, quant au sacrefice les ot tous offers, elle voult estre
          sacrefiee et vint au martire.
              ¶Item pareillement la benoite Julite, qui avoit un filz
15   nommé Thir. Celle dame, tout aussi comme elle lui bailloit
          nouriture corporelle, aussi bailloit espirituelle, car sans
          cesser l'introduisoit en la foy, tellement que lui, petit[3]
          enfant, ne pot oncques estre vaincu des martires[4] ne par
          tourmens que il reniast le nom de Jhesus. Ains quant on le
20   tourmentoit, il crioit tant comme il pouoit de sa petite clere
          voix : "Je sui crestyen, je suis crestien, je te rens graces,
          Nostre Seigneur Dieux !" Et parloit si appertement comme
          homme de XL ans pourroit[5] faire [150ʳ]. Sa bonne mere le[6]
          reconfortoit, laquelle fu aussi durement tourmentee. Et

---

1   Cy dit *omis dans B, D, R.*
2   O *orné sur 2 ligne*s.
3   *B, D :* tres petit
4   *B :* martireurs
5   *B, D, R :* peust
6   la ; *corr. d'après B, D, R.*

bienheureuses martyres dont on coupa la tête pour avoir proclamé le nom de Jésus-Christ. Elles avaient été envoyées au loin pour être mariées et elles abordèrent dans des terres païennes où on voulut les contraindre à renoncer à la foi en le vrai Dieu, et elles préférèrent la mort plutôt que de renoncer à Jésus-Christ leur sauveur. »

11. Où l'on parle de plusieurs saintes qui virent de leurs yeux leurs enfants subir le martyre

« Oh ! Y a-t-il au monde plus grande tendresse que celle qu'une mère éprouve pour son enfant, et plus grande douleur que celle qu'elle ressent en son cœur quand elle le voit subir des tourments ? Et pourtant, je vois que la foi est une chose encore plus grande, comme le montre l'exemple de nombreuses femmes courageuses qui, pour l'amour de Jésus-Christ, offrirent leurs propres enfants à la torture, comme le fit la bienheureuse Félicité, qui vit ses sept fils, de très beaux jeunes gens, martyrisés devant ses yeux. Et cette très bonne mère les réconfortait et les exhortait à supporter la souffrance et à rester fermes dans leur foi. Cette noble dame avait oublié son cœur de mère en ce qui concernait leur corps, pour l'amour de Dieu. Une fois qu'elle les eut tous offerts au sacrifice, elle voulut s'y livrer elle-même et s'avança vers le martyre[1].

Il en fut de même pour la bienheureuse Julitte, qui avait un fils appelé Cyr. Tout comme elle nourrissait son corps, cette dame nourrissait aussi son esprit, car elle ne cessait de l'instruire dans la foi chrétienne. Et tout petit enfant qu'il était, sans être brisé par les tortures et le martyre, il ne renia jamais le nom de Jésus. Au contraire, tandis qu'on le torturait, il criait aussi fort qu'il le pouvait, de sa petite voix claire : "Je suis chrétien, je suis chrétien ! Je te rends grâce, Notre Seigneur Dieu !" Et il parlait aussi distinctement qu'aurait pu le faire un homme de quarante ans. Sa bonne mère le réconfortait, et elle fut elle aussi cruellement torturée.

---

[1] *Miroir historial* vol. II, XI, 103, « La passion sainte Felice avec ses II filz es gestes des VII freres », fol. 148ᵛ-149ʳ ; trad. J. de Vignay, p. 600-601 (« Légende de sept frères ») ; *Lég. dor.*, 86, p. 483-484.

25 celle, sans cesser, louoit Dieu et reconfortoit les autres
martires et parloit de la joye celestielle que ilz atendoient,
et que ilz n'eussent point de paour.

¶Item que pourrons nous dire de la merveilleuse
constance et force que ot la benoite Blandine ? Elle vit
30 tourmenter et martirier devant elle la fille que elle tant
amoit, de l'aage de XV ans, que elle reconfortoit joyeusement. Et aprés elle, aussi liement que femme va a espoux,
se ala mettre au tourment et fu tant tourmentee par multitude de martires que les martirieurs se lasserent sur elle.
35 Elle fu mise sur un greil et rostie, detrenchee de pignes de
fer, et tousjours elle glorifioit Dieu et ainsi persevera
jusques a la fin. »

Cy dit de sainte Marine[1], vierge .XII.

1 « Des[2] martires vierges se pourroit racompter a grant
nombre, et pareillement d'autres qui vesquirent en religion
et en mainte guises moult saintement. Et de deux par
especial te dirai, dont les legendes sont moult belles, en
5 aprouvant toujours le prepos de constance de femme. Un
homme seculier avoit une seulle fille petite, nommee
Marine, si la mist en garde a un sien parent et entra en
religion. Et moult menoit sainte vie, et non pourtant
Nature l'atiroit a sa fille, dont la paine lui faisoit grant
10 moleste. Si estoit moult pensif, par quoy[3] l'abbé lui
demanda la cause de son marement, tant que il li dist que
sa pensee estoit durement occuppee pour un petit filz que
il avoit laissié au siecle, que il ne pouoit oublier. L'abbé lui
dist que il l'alast querre et l'amenast avecques lui en la
15 religion. [150ᵛ] Si fu celle vierge avecques son pere vestue

---

[1] Marguerite ; *corr. d'après B, D, R.*
[2] D *orné sur 2 lignes.*
[3] quoy *ajouté d'après B, D, R.*

Mais elle ne cessait de louer Dieu et de réconforter les autres martyrs, parlant de la joie céleste qui les attendait et les exhortant à ne pas avoir peur[1].

De même, que pourrons-nous dire de la constance extraordinaire et de la force de caractère dont fit preuve la bienheureuse Blandine? Elle vit de ses yeux sa fille de quinze ans qu'elle aimait tant se faire torturer et martyriser, et elle la réconfortait joyeusement. Après cela, aussi gaiement qu'une femme va à la rencontre de son époux, elle alla se soumettre au martyre. Elle subit tant de tortures que ses tortionnaires se fatiguèrent à la tâche. Elle fut mise sur un gril et rôtie, déchiquetée avec des peignes de fer, et elle ne cessait de glorifier Dieu. Elle persévéra ainsi jusqu'à la mort[2].»

12. Où l'on parle de sainte Marine, vierge

«On pourrait raconter les histoires d'un grand nombre de vierges martyres, ainsi que celles de bien d'autres femmes qui menèrent une vie très sainte, en entrant en religion ou de bien des manières différentes. Mais je te parlerai plus particulièrement de deux d'entre elles, parce que leurs légendes[3] sont très belles et qu'elles confirment encore l'idée de la constance des femmes. Un laïc avait une fille unique, une fillette appelée Marine. Il la confia à l'un de ses parents et entra en religion. Il menait une vie très sainte, et pourtant Nature l'attirait vers sa fille, et la douleur causée par son absence le tourmentait beaucoup. Il était si absorbé dans ses pensées que l'abbé lui demanda quelle était la cause de son affliction; il lui dit alors qu'il était fortement préoccupé par son jeune fils, qu'il avait laissé dans le monde et qu'il ne pouvait oublier. L'abbé lui dit d'aller le chercher et de le ramener avec lui au monastère. Cette vierge arriva donc avec son père, vêtue

---

[1] *Miroir historial* vol. II, XII, 26, fol. 166ᵛ-167ᵛ; trad. J. de Vignay, p. 543-544; *Lég. dor.*, 78, p. 425-427.

[2] *Miroir historial* vol. II, XI, 101, fol. 148ʳ.

[3] Le mot *legende* (du latin *legenda*, «ce qui doit être lu»), en ancien et en moyen français (attesté vers 1220), désigne d'abord une vie de saint, ou un livre contenant la vie d'un saint. Il a été employé ensuite, par extension, pour désigner un «récit merveilleux et populaire» (Godefroy, à partir du XVIᵉ siècle). D'où le sens courant en français moderne: «récit à caractère merveilleux, ayant parfois pour thème des faits et des événements plus ou moins historiques mais dont la réalité a été déformée et amplifiée par l'imagination populaire ou littéraire.» (*TLFi*).

comme un petit moisne, et bien se savoit celer et moult fu
de bonne discipline. Et quant elle vint en l'age de XVIII
ans, tousjours perseveroit de mieux en mieux ; le pere qui
moult saintement l'avoit introduite trespassa. Et elle
20   demoura seulle en la selle de son pere en sainte vie, si que
l'abbé et tous louoient sa sainte conversacion et tenoient
que homme feust.

     Ceste abbaye estoit a trois milles pres d'une ville ou
avoit marchié, si convenoit aucune fois que les moines
25   alaissent ou dit marchié pour acheter leurs neccessaires,
dont il avenoit aucune fois en yver quant il les anuitoit,
selon les affaires que ilz avoient, qu'ilz demourassent au
giste en la ville. Et Marine, qui estoit nomme frere Marin,
aucune fois a son tour demouroit en la ville en certaine
30   ostellerie ou communement se logioient. Avint en ce temps
que la fille de l'oste fu ençainte. Et comme elle feust par ses
parens[1] contrainte de dire de qui c'estoit, elle le mist sus a
frere Marin, de quoy les parens se vindrent plaindre a
l'abbé, qui le fist appeller, et moult fu dolent de ceste
35   chose. Et la sainte vierge ot plus chier a prendre la coulpe
sur elle que magnifester que elle feust femme pour soy
excuser. Si s'agenoullia en plourant, disant : "Pere, j'ay
pechié, priés pour moy, je feray petinance." Adont l'abbé
couroucié la[2] fist batre durement et le mist hors du moustier
40   et deffendi l'entree. Et il se mist a terre devant la porte et la
gisoit en penitence, et demandoit aux freres un seul morsel
de pain. Et la fille du tavernier enfanta un filz, que l[a][3]
mere d'elle apporta a Marin devant le mous[151^r]tier, et le
laissa ylec. Et la vierge le[4] receut, et de ce morsel de pain
45   que les entrans lui donnoient nourrissoit cel enfant comme
se il feust sien propre. Et un temps aprés les freres, meus de

---

[1] feust parens ; *corr. d'après B, D, R.*

[2] *B, D, R* : le. *Nous conservons ici les deux pronoms différents (*la
fist batre*, mais* le mist*), qui soulignent l'ambiguïté sur l'identité
sexuelle du personnage. Nous les avons cependant uniformisés dans la
traduction.*

[3] le

[4] la ; *corr. d'après B, D, R.*

comme un petit moine. Elle sut bien dissimuler son identité et se conduire avec la plus grande discipline. Quand elle atteignit l'âge de dix-huit ans, alors qu'elle persévérait de mieux en mieux, son père, qui l'avait instruite si saintement, vint à mourir. Elle demeura seule dans la cellule de son père, menant une si sainte vie que l'abbé et tous les frères louaient sa conduite admirable et pensaient qu'elle était un homme.

Cette abbaye était à trois milles d'une ville où il y avait un marché ; les moines devaient quelquefois s'y rendre pour acheter leurs provisions, et il leur arrivait parfois en hiver, lorsque la nuit tombait et qu'ils avaient encore des affaires à régler, de se loger en ville. Marine, que l'on appelait frère Marin, demeurait parfois en ville dans une certaine auberge où ils logeaient habituellement. Or il arriva à cette époque que la fille de l'aubergiste se trouva enceinte. Forcée par ses parents d'avouer qui en était responsable, elle accusa frère Marin. Ses parents vinrent se plaindre auprès de l'abbé, qui le convoqua, fort contrarié par cette affaire. Cette sainte vierge préféra prendre sur elle la faute plutôt que de faire reconnaître qu'elle était une femme pour pouvoir s'en disculper. Elle s'agenouilla donc en pleurant, et dit : "Mon père, j'ai péché ; priez pour moi, je ferai pénitence." L'abbé, très en colère, le fit fouetter cruellement et le chassa hors du monastère, dont il lui interdit l'entrée. Marin se coucha à terre devant la porte et resta là en signe de pénitence, ne demandant aux frères qu'un seul morceau de pain. La fille du tavernier mit au monde un fils, que sa mère apporta à Marin devant le monastère, et elle le laissa là. La vierge l'accueillit, et elle nourrit cet enfant comme s'il avait été le sien, grâce au morceau de pain que lui donnaient ceux qui entraient. Quelque temps après, les frères, pris de pitié, prièrent

pitié, prierent l'abbé que il receust frere Marin a misericorde, et a paines lui condescendirent. Et ja avoit esté V ans
en celle penitence. Et quant il fu entrez ou moustier, l'abbé
50 lui commanda a faire tous les ors et vilz offices de leens, et
qu'il apportast l'eaue a nettoyer tous leurs neccessaires et
que il servist a tous. Et la sainte vierge le faisoit humblement et voulentiers.

Et pou de temps aprés, elle s'endormi a Nostre
55 Seigneur. Et quant les freres l'orent denoncié a l'abbé, il
leur dist[1] : "Veés que son pechié fu tel que il n'en a pas
deservi pardon. Lavez-le toutefois et l'ensevelissiés loings
du moustier." Et si comme ilz l'orent despoullié et ilz
virent que c'estoit une femme, ilz se commencierent a
60 batre et a crier comme doulens et confus du mal que on
avoit fait a tant sainte creature sans cause, de laquelle
conversacion trop avoient grant merveille. Ceste chose
noncie a l'abbé, il acouru[2] celle part et se laissa cheoir aux
piés du saint corps en moult grant pleur, batant sa coulpe,
65 criant mercis et requerant pardon. Et ordonna sa sepulture
en une chappelle dedens le moustier. La vindrent tous les
moines, dont un, qui n'avoit que un œil, s'enclina sur le
corps, le baisant par grant devocion, et tantost sa veue lui
fu restituee. Ce mesmes jour, celle qui avoit eu l'enfant
70 devint hors du scens et crioit son pechié. Et elle fu menee
au saint corps et recouvra santé. Et plusieurs miracles fist
et encores fait au dit lieu.»

[151ᵛ] Cy dit de la benoite Eufroisine, vierge .XIII.

1 «Pareillement[3] en Alexandrie ot une vierge nommee
Eufrosine, laquelle Dieu avoit donnee a Paffoncien son
pere, homme de grant richece, par les prieres du saint abbé
et d'un couvent de moines qui pres de lui estoient. Et quant
5 celle fille fu grande, le pere marier le volt, mais elle qui
toute estoit donnee a Dieu, en propos de garder sa virginité,

---

[1] il leur dist *omis* ; *corr. d'après B, D, R.*

[2] *D, R* : affuy

[3] P *orné sur 2 lignes.*

l'abbé d'accorder son pardon à frère Marin, et ils eurent de la peine à l'y faire consentir. Il avait déjà passé cinq ans à faire pénitence. Et quand il fut revenu dans le monastère, l'abbé lui ordonna de se charger de toutes les sales et viles besognes de la maison, ainsi que d'apporter l'eau pour nettoyer toutes leurs affaires, et de les servir tous. Cette sainte vierge faisait tout cela avec humilité et bonne volonté.

Peu de temps après, elle s'endormit dans le Seigneur[1]. Les frères allèrent l'annoncer à l'abbé, qui leur dit: "Vous voyez que son péché était tel qu'il n'a pas mérité le pardon. Toutefois, lavez-le et enterrez-le loin du monastère." Dès qu'ils l'eurent déshabillé, ils virent que c'était une femme; ils commencèrent à se frapper eux-mêmes et à se lamenter à grands cris, pleins de douleur et de trouble à cause du mal qu'on avait fait sans raison à une si sainte créature et stupéfaits de la façon dont elle s'était conduite. Lorsqu'on porta la nouvelle à l'abbé, il accourut et se laissa tomber aux pieds du saint corps, en larmes, battant sa coulpe, implorant la pitié et demandant pardon. Il ordonna que l'on fît sa sépulture dans une chapelle à l'intérieur du monastère. Tous les moines s'y rendirent; l'un d'eux, qui ne voyait plus que d'un œil, s'inclina sur le corps pour l'embrasser avec une grande dévotion, et aussitôt il recouvra la vue. Ce même jour, la mère de l'enfant devint comme folle et se mit à proclamer son péché. On la mena auprès du saint corps et elle retrouva la raison. La sainte accomplit de nombreux miracles à cet endroit, et elle en accomplit encore[2]. »

13. Où l'on parle de la bienheureuse vierge Euphrosine

« De même, il y eut à Alexandrie une vierge nommée Euphrosine, que Dieu avait accordée à son père Paphnuce, un homme très riche, grâce aux prières du saint abbé et des moines d'un monastère qui se trouvait près de chez lui. Quand sa fille eut grandi, son père voulut la marier, mais elle s'était vouée à Dieu et avait bien l'intention de garder sa virginité; elle s'enfuit donc de chez elle,

---

[1] Expression utilisée dans le vocabulaire religieux avec le sens de «mourir chrétiennement» (*TLFi, op. cit.*, «endormir», II, A, remarque).

[2] *Miroir historial* vol. II, XVI, 74-75, fol. 383r-383v. Le texte de Christine est ici très proche de celui du *Miroir*, parfois repris mot à mot. Trad. J. de Vignay, p. 543-544, *Lég. dor.*, 79, p. 427.

s'enfuy vestue en guise d'omme et requist que elle feust
receue en la dite abbaie, et faisoit acroire que c'estoit un
jouvencel de la court de l'empereur, qui devocion avoit de
10   estre rendu leens. L'abbé, qui vit sa grant affection, la receut
voulentiers. Quant le pere ne pot trouver sa fille que il tant
amoit, il ot douleur a merveilles. Si vint a l'abbé dire sa
grant douleur pour y trouver reconfort, et lui prier que lui et
le couvent priassent Dieu. L'abbé le reconforta et dit que il
15   ne pourroit croire que fille donnee de Dieu par oroison[1]
feust perie. Longuement l'abbé et le couvent pria Dieu pour
ceste chose. Et comme il n'en peust ouyr aucune nouvelle
et le bon homme toujours revenist a reffuge a lui en sa grant
tribulacion, un jour lui dist li abbés : "Vraiement je ne cuide
20   point que ta fille soit mal allee car se ainsi estoit, je tiens que
Dieux le nous eust revelé. Mais nous avons ceans un filz
d'oroison, qui ça vint de la court de l'empereur, a qui Dieux
a donné tant de grace que toute personne qui a lui parle se
treuve reconfortez. Se peux parler a lui, s'il te plaist."
25   Paffoncien requist que pour Dieu, il y parlast, et adont
l'abbé fist mener le pere a sa fille, que il ne congneut, mais
la fille bien recongneut le pere. Si fu tantost toute raemplie
de larmes et se tourna[2] d'autre part, si comme se il finast
quel[152ʳ]que oroison, et ja estoit la beauté et frescheur de
30   son vis moult flestrie pour l'asprece de l'abstinence. Aprés,
elle parla a son pere et le reconforta moult, et lui acertena
que sa fille estoit en bon lieu au service de Dieu, et que ains
que il mourust, que il la verroit et que encore aroit grant
joie d'elle. Le pere quida que il le sceust par vertu divine,
35   s'en parti moult consolez, et dit a l'abbé que oncques puis
que il avoit perdu sa fille, n'avoit trouvé en son cuer autant
de repos. "Et sui", dit il, "aussi liez en la grace de Dieu que
se je eusse trouvee ma fille." Et en se recommandant a
l'abbé et a l'oroison des freres, se parti. Mais ne se tenoit
40   mie de souvent venir visiter le saint frere, ne bien n'avoit
fors tant que il devisoit avecques lui. Et ainsi dura par si

---

[1] par oroison *omis dans D.*
[2] se *omis ; corr. d'après B, D, R.*

habillée en homme, et demanda à être admise dans cette abbaye, se faisant passer pour un jeune homme de la cour de l'empereur qui désirait y devenir moine. L'abbé, voyant l'ardeur de son désir, la reçut volontiers. Quand le père ne trouva plus la fille qu'il aimait tant, il en éprouva une douleur extraordinaire. Il vint confier à l'abbé toute sa peine, espérant y trouver quelque réconfort et lui demandant, à lui et à tous ses moines, de prier Dieu pour lui. L'abbé le réconforta, lui disant qu'il ne pouvait pas croire qu'une fille qui avait été accordée par Dieu à la suite d'une prière ait pu trouver la mort. L'abbé et tous les moines prièrent Dieu pendant longtemps à ce propos. Comme il n'en avait toujours aucune nouvelle, et que le brave homme, dans cette grande épreuve, ne cessait de venir chercher secours auprès de lui, l'abbé lui dit un jour : "Vraiment, je ne pense pas qu'il soit arrivé malheur à ta fille, car s'il en était ainsi, je pense que Dieu nous l'aurait révélé. Mais nous avons chez nous un de nos fils, un homme de prière, qui est venu jusqu'ici depuis la cour de l'empereur, et à qui Dieu a donné tant de grâce que toute personne qui lui parle se trouve réconfortée. Tu peux parler avec lui, si tu le veux bien."

Paphnuce le sollicita, au nom de Dieu, de pouvoir lui parler. L'abbé fit donc conduire le père auprès de sa fille, qu'il ne reconnut pas ; mais la fille, elle, reconnut bien son père. Ses yeux se remplirent aussitôt de larmes, et elle se détourna, comme pour finir quelque oraison. La beauté et la fraîcheur de son visage étaient déjà bien altérées par les rigueurs de l'abstinence. Ensuite elle parla à son père et lui apporta un grand réconfort en lui certifiant que sa fille se trouvait en un lieu sûr au service de Dieu, qu'il la reverrait avant de mourir et qu'elle lui apporterait encore une grande joie. Le père crut qu'elle savait cela par une inspiration divine ; il repartit pleinement consolé, et dit à l'abbé qu'il n'avait jamais éprouvé en son cœur autant de paix depuis le jour où il avait perdu sa fille. Il lui dit même : "Je suis aussi joyeux, par la grâce de Dieu, que si j'avais retrouvé ma fille." Puis il repartit, en se recommandant à l'abbé et aux prières des frères. Mais il ne pouvait s'empêcher de venir souvent rendre visite au saint frère, et ne se sentait bien que lorsqu'il s'entretenait avec lui. Les choses

lonc temps que ja avoit acompli ceste fille, qui se faisoit
appeller frere Sinaroch, XXXVIII ans dedens sa selle.
Adont la voult Dieux appeler a soy, si la prist maladie. Le
45   bon homme, de ce moult doulent, vint la, et quant il vit que
Sinaroch se mouroit, il commença a crier : "Las ! Ou sont
tes doulces parolles et les promesses que tu m'avoies faites
que je verroie ma fille ?" Ainsi trespassa en Dieu Sinaroch,
et n'y estoit point le pere quant il trespassa. Un escript
50   tenoit en sa main que nul ne lui pouoit oster. L'abbé et tout
le couvent s'i vint essaier, mais riens n'y faisoient. Sur ce
vint le pere a grans pleurs et a grans cris pour son bon ami
que il trouva mort, auquel estoit tout son reconfort. Et aussi
tost que il s'approcha du corps pour le baisier, devant tous,
55   il ouvry la main et lui bailla l'escript. Et cil le prist et list
dedens comment elle estoit sa fille, et que nul ne touchast
son corps pour l'ensevelir fors lui. Ceste chose fu
merveillable a li, a l'abé et a tout le couvent, qui moult
louerent [152^v] sa sainte constance et vertu. Et au pere
60   redoubla le pleur en pitié et consolacion de sa sainte vie. Si
vendi quanque il avoit, leans se rendi et la fina sa vie.
     Or t'ai dit de plusieurs vierges, si te dirai d'autres
dames martires[1]. »

Cy dit[2] de la benoite dame Anastaise[3] .XIV.

1   « Lorsque[4] la grant persecucion estoit a Romme ou
temps de Deodocien l'empereur, avoit en la cité une moult
noble dame de grant richece et des plus auctorisees qui y
feussent, qui avoit nom Anastaise. Celle dame avoit a
5   merveilles grant compassion du tourment qu'elle veoit
faire tous les jours aux crestiens benois martirs. Et pour les
reconforter et visiter, chascun jour, se mettoit en abit d'une
pouvre femme et aloit atout une pucelle es chartres ou ilz
estoient, et les reconfortoit de vins precieux, de viandes et
10   de ce que elle pouoit. Elle lavoit et torchoit leurs plaies et

---

[1] B, D : tres glorieuses et de sainte vie
[2] Cy dit omis dans B, D, R.
[3] B et table des rubriques : et de ses compaignes (suscrit dans B).
[4] L orné sur 2 lignes.

allèrent ainsi pendant longtemps; la fille, qui se faisait appeler frère Smaragde, avait déjà passé trente-huit ans dans sa cellule quand Dieu voulut la rappeler à lui, et elle tomba malade. Son brave homme de père, accablé par la douleur, se rendit à son chevet, et quand il vit que Smaragde était mourant, il commença à se lamenter: "Hélas! Qu'en est-il de tes douces paroles et de la promesse que tu m'avais faite que je reverrais ma fille?". Smaragde trépassa dans le Seigneur, et son père n'était pas là quand il rendit l'âme. Il tenait en sa main un écrit que personne ne pouvait lui enlever. L'abbé et tous les moines vinrent s'y essayer, mais rien n'y fit. Sur ce, le père arriva, pleurant et se lamentant à grands cris en voyant mort son grand ami, en lequel il avait trouvé tout son réconfort. Et sitôt qu'il s'approcha du corps pour l'embrasser, devant tous, celui-ci ouvrit la main et le laissa prendre l'écrit. Le père le prit et il y lut qu'elle était sa fille, et que nul autre que lui ne devait toucher son corps pour l'ensevelir. Tous en furent émerveillés, lui, l'abbé et tout le couvent, et ils louèrent sa sainte constance et sa force d'âme. Le père redoubla de pleurs, plein d'émotion et réconforté par la sainteté de sa vie. Il vendit tous ses biens, entra au couvent et y acheva sa vie[1].

Je t'ai parlé de nombreuses vierges. Je vais maintenant évoquer d'autres dames, qui furent elles aussi des martyres.»

14. Où l'on parle de la sainte dame Anastasie

«Au temps des grandes persécutions à Rome sous l'empereur Dioclétien, il y avait dans la ville de Rome une très noble dame de grande richesse, l'une des personnes les plus respectées de la ville, nommée Anastasie. Cette dame éprouvait une compassion extrêmement forte pour les saints martyrs chrétiens qu'elle voyait se faire torturer tous les jours. Et pour leur rendre visite, chaque jour elle s'habillait comme une pauvre femme et se rendait dans la prison où ils se trouvaient, accompagnée d'une jeune servante; et pour les réconforter, elle leur apportait des vins de grand prix et de la nourriture, et tout ce qu'elle pouvait. Elle lavait et essuyait leurs

---

[1] *Miroir historial* vol. II, XVI, 76-78, fol. 383ᵛ-384ᵛ. Sainte Euphrosine d'Alexandrie (Vᵉ siècle), qui se faisait appeler frère Smaragde ou Émeraude (d'après les *Acta Sanctorum* des Bollandistes, *Acta Sanctorum februarii*, Bruxelles, 1658, BnF, Gallica, 2011 [en ligne], t. 2, p. 541-544).

oignoit de precieux oignemens. Et tant le continua ainsi
que elle fu accusee a Publien, qui estoit un noble homme
de Romme, qui le vouloit avoir a femme, qui moult s'en
couroussa, et y mist tieulx gardes que plus n'osoit issir
15   hors de la maison. Adont avoit en la chartre, entre les
autres martirs, saint Grisogone, homme de grant excellence qui moult avoit souffert de griefs martires, et il estoit
soustenus des biens de la visitacion de ceste sainte dame
Anastaise, a laquelle cellui saint envoya par une bonne
20   dame cristiene celeement plusieurs epistres la admonnestant de pacience, et pareillement lui envoya elle par icelle
bonne dame. A la parfin, si que Dieux volt, cellui qui si
courte la tenoit mourut et elle [153ʳ] vendi tout quanque
elle avoit et tout emploioit en la visitacion et soustenance
25   des martirs.

      Ceste noble dame avoit moult grant suite de dames et
de pucelles crestiennes et entre les autres y avoit trois
vierges, suers de noble lignee, qui moult estoient ses
familieres. L'une de ses seurs avoit nom Agape, l'autre
30   Thione et la tierce Hirene. Si vint a congnoissance a
l'empereur que ces trois nobles suers estoient cristienes. Il
les manda et leur promist grans dons et que haultement les
marieroit mais que elles renonçassent a Jhesu Crist. Et
comme elles ne feissent de tout ce nul compte, il les fist
35   battre et puis mettre en dure chartre, en laquelle les visitoit
leur sainte amie Anastaise, qui ne s'en partoit ne nuit ne
jour et prioit a Dieu qu'il la laissast tant vivre comme ses
biens dureroient affin que elle les peust tous emploier en
ceste sainte oeuvre. L'empereur commanda a Dulcicien
40   son prevost que tous les crestiens qui estoient es chartres
feussent contrains par tourmens a aourer les ydoles. Si les
fist le dit prevost tous amener devant lui, entre lesquieulx
estoient les trois benoites seurs. Quant le mauvais prevost
les vit, il les convoita pour leur beauté et les admonnesta
45   en secret par belles paroles et par promesse que elles
s'accordassent a lui et il les deliveroit. Mais comme elles
feussent de tout ce refusantes, il les bailla a garder a un
sien familier et mener a sa maison, et se pensa que bon gré
ou mal gré, il les aroit. Et quant vint la nuit, il ala seul et

blessures et les enduisait de précieux onguents[1]. Elle continua ainsi jusqu'à ce qu'on la dénonce à Publius, un noble Romain qui la voulait pour femme ; il en fut très courroucé, et mit des gardes devant sa maison de sorte qu'elle n'osait plus en sortir. Or il y avait dans cette prison, parmi d'autres martyrs, saint Chrysogone, un homme de très grande valeur qui avait subi de nombreuses tortures très dures, et qui était soutenu par les visites et les bienfaits de cette sainte dame Anastasie ; il lui fit parvenir en secret, par l'intermédiaire d'une bonne dame chrétienne, plusieurs lettres où il l'exhortait à la patience, et elle lui envoya des réponses par cette même bonne dame. À la fin, selon la volonté de Dieu, celui qui la tenait si étroitement enfermée mourut ; elle vendit tout ce qu'elle avait et utilisa tout l'argent pour continuer ses visites et apporter son soutien aux martyrs.

Cette noble dame était accompagnée d'une importante suite de dames et de jeunes filles chrétiennes, parmi lesquelles il y avait trois vierges, trois sœurs issues d'une noble lignée, dont elle était très proche. L'une d'elles s'appelait Agapé, l'autre Chionia et la troisième Irène. L'empereur apprit que ces trois nobles sœurs étaient chrétiennes. Il les fit venir et leur promit de riches dons et de beaux mariages, à condition qu'elles renoncent à Jésus-Christ. Et comme elles ne tinrent aucun compte de ces propositions, il les fit fouetter puis enfermer dans une rude prison, dans laquelle leur sainte amie Anastasie leur rendait visite ; elle restait auprès d'elles jour et nuit, et elle priait Dieu de la laisser vivre aussi longtemps que dureraient ses richesses, afin de pouvoir toutes les utiliser pour cette sainte tâche. L'empereur ordonna à son gouverneur Dulcitius de contraindre par la torture tous les chrétiens qui étaient dans ses prisons à adorer les idoles. Ce magistrat les fit tous amener devant lui, et parmi eux se trouvaient les trois saintes sœurs. Quand le mauvais gouverneur les vit, il les convoita pour leur beauté ; il s'efforça secrètement de les convaincre par de belles paroles de se donner à lui, en leur promettant de les délivrer. Mais comme elles lui opposaient un refus total, il les confia à la garde d'un de ses domestiques et les fit conduire chez lui, pensant qu'il les aurait, de gré ou de force. Quand vint la nuit,

---

[1] Christine emprunte quelques-uns de ces détails au *Miroir* ; elle y ajoute ce qui concerne les vins de grand prix et la nourriture.

50   sans lumiere en l'ostel ou avoit fait mener icelles, et si
        comme il vouloit aler ou lieu ou il ouoit les vois des
        vierges, qui toute nuit disoient louenges a Dieu, il passa
        par le lieu ou tous les vaisseaux de la cuisine [153^v]
        estoient. Et adonc lui, plain du deable, de l'esperit de
55   luxure avuglé, si que Dieux volt, prist a acoler et baisier
        estroitement puis l'un puis l'autre de ses vasseaux, et
        cuidoit estre avec les pucelles. Et tant ala ainsi faisant que
        il fu forment lassez. Et quant il fu jours, il s'en issi a ses
        gens qui dehors l'atendoient, lesquelz, quant ainsi le
60   virent, ce leur sembla la figure d'un deable, tant estoit
        soullié, gras et charbonné, et sa robe desroute, traisnant
        par paleteaux, si s'en fuirent tous effraez. Et quant il les vit
        ainsi fouir et que ilz le despitoient, il s'esbahi a merveilles
        pourquoy c'estoit. Et si comme il aloit par la rue, chascun
65   qui l'encontroit l'escharnissoit. Si se pensa que il s'en iroit
        tout droit plaindre a l'empereur de ce que chascun par ou il
        passoit l'escharnissoit. Et quant il fu entrez ou palais ou
        plusieurs atendoient au matin, adont commença sur lui
        grande la huee ou l'un le batoit de verges, l'autre le
70   poussoit arriere, disant : "Va de la, maleureux abominable,
        tu pus tout !" L'autre lui crachoit ou visaige et les autres
        s'en rioient. Si estoit tous esbahis que ce pouoit estre que a
        pou forcenoit, et le deable lui avoit si cloz les yeulx que il
        ne se pouoit appercevoir, si s'en tourna ainsi moult
75   afelonni.
            ¶Un autre juge fu mis en son lieu, qui fist venir devant
        lui les trois beneurees vierges et leur voult faire aourer les
        ydolles. Et pour ce que riens n'en vouldrent faire, il les
        commanda estre despoullees toutes nues et batues. Mais
80   oncques pour toute leur puissance ne les porent despouller,
        et furent leurs robes si aherses a elles que on ne leur pot
        oster. Si les fist bouter en un feu tres ardant, mais riens ne
        leur grevoit. Mais elles requirent a Dieu [154^r] que finas-
        sent leur vie s'il lui plaisoit. Si trespasserent glorieuse-
85   ment, mais pour demonstrer que de leur voulenté estoit,
        oncques le feu ne brusla chevel ne vestement qu'elles
        eussent. Et quant le feu fu degasté, les corps d'elles furent
        trouvez les mains jointes et aussi entiers et les visaiges

il se rendit seul et sans lumières à la maison où il les avait fait amener, et en voulant se diriger vers le lieu où il entendait les voix des vierges, qui toute la nuit chantaient les louanges de Dieu, il passa par l'endroit où l'on rangeait tous les ustensiles de cuisine. Alors, possédé par le diable, aveuglé par ses penchants luxurieux, comme Dieu le voulait, il se mit à serrer dans ses bras et à couvrir de baisers les chaudrons les uns après les autres, tout en pensant être avec les jeunes filles. Il continua à le faire jusqu'à en être épuisé. Quand le jour se leva, il sortit et alla retrouver ses gens qui l'attendaient dehors. Mais quand ceux-ci le virent ainsi, ils crurent voir un diable, tant il était souillé, couvert de gras et de noir de charbon, ses vêtements déchirés et partant en lambeaux, et ils s'enfuirent, tout effrayés. Quand il les vit s'enfuir et se détourner de lui, il en fut stupéfait et se demanda pourquoi. Tous ceux qu'il rencontrait sur son chemin en allant par les rues se moquaient de lui. Il eut alors l'idée d'aller tout droit voir l'empereur pour se plaindre à lui de ce que tous ceux qui le voyaient passer se moquaient de lui. Mais lorsqu'il entra dans le palais, où un bon nombre de gens attendaient l'audience du matin, ce fut une grande clameur : les uns le frappaient de verges, d'autres le repoussaient, en lui disant : "Va-t'en donc, misérable, répugnant personnage, tu pues horriblement !" Un autre lui crachait au visage, et tous les autres riaient. Il en était violemment surpris et se sentait presque devenir fou, car le diable l'avait aveuglé au point qu'il ne pouvait pas voir dans quel état il était, et il repartit de là absolument furieux.

Il fut remplacé par un autre juge, qui fit venir devant lui les trois bienheureuses vierges et voulut les contraindre à adorer les idoles. Comme elles refusèrent de le faire, il donna l'ordre de les mettre toutes nues et de les battre. Mais malgré tous leurs efforts, ils ne parvinrent pas à les déshabiller, car leurs vêtements adhéraient si bien à leurs corps qu'on ne pouvait pas les leur enlever. Alors il les fit jeter dans une fournaise ardente, mais rien ne pouvait leur faire de mal. Mais elles demandèrent à Dieu de mettre un terme à leur vie, s'il le voulait bien. Alors elles connurent un glorieux trépas, mais pour bien montrer que c'était leur volonté, le feu ne brûla pas un seul de leurs cheveux ni un seul de leurs vêtements. Et quand on dispersa les restes du feu, on trouva leurs corps les mains jointes, aussi intacts et avec le visage aussi

aussi fres que se elles dormissent. Et la benoit[e] Anastaise,
90 qui d'elles se prenoit garde, les enseveli.»

De la benoite Theodorie .XV.

1 «Une[1] autre noble compaigne avoit Anastaise, qui
estoit nommee Theodorie, laquelle avoit trois petis filz.
Celle dame, pour ce que elle refusa a mariage le conte
Leocadien et que elle ne volt sacrifier aux ydoles,
5 plusieurs tourmens lui furent fais. Et pour mieux la
contraindre par pitié de mere, on fist tourmenter l'un de
ses filz. Mais par la vertu de foy qui passoit nature, elle le
reconfortoit, disant: "Filz, ne doubtes point ces tourmens,
car par eulx tu yras en gloire." Celle dame, comme elle
10 feust emprisonnee, un filz du deable vint a elle pour violer
sa chasteté, mais incontinent prist tres fort a seigner du
nez, si s'escria que un jouvencel, qui estoit avec elle, lui
avoit donné un cop sur le nez de son poing. Si fu de rechief
tourmentee, et a la parfin occise, et ses trois filz aussi, qui
15 rendirent a Dieu leurs benois esperis, glorifiant Dieu. Et la
glorieuse Anastaise les enseveli.

¶Ja avoit celle benoite Anastaise tant frequenté la
visitacion des martirs que elle fu detenue en la chartre, si ne
pot plus visiter les sains de Dieu. Et elle n'avoit que boire
20 ne que mengier, mais Dieux, qui ne volt pas que celle qui
tant dilligemment avoit conforté et repeus ses benois
menbres [154ᵛ] eust souffraite, envoya vers elle l'esperit de
sa benoite compaigne Theodorie, avec grant lumiere, qui
lui mist la table et apporta diverses precieuses refeccions.
25 Et l'acompaigna ainsi par XXX jours que on ne lui avoit
livré quelconques chose a mengier, et cuidoit on que elle
feust morte de fain, si fu trouvee toute vive et menee devant
le prevost, qui grant dueil en ot. Et pour ce que plusieurs
pour ce miracle se convertissoient, il la fist mettre en une

---

[1] U orné sur 2 lignes.

frais que si elles étaient endormies. La bienheureuse Anastasie, qui avait pris soin d'elles, se chargea de les ensevelir[1]. »

15. De la bienheureuse Théodote

« Anastasie avait une autre noble compagne nommée Théodote[2], qui avait trois jeunes fils. Comme cette dame refusait d'épouser un dignitaire nommé Leucadius et qu'elle ne voulait pas sacrifier aux idoles, on lui fit subir de nombreux supplices. Et pour mieux la contraindre en faisant appel à ses sentiments maternels, on fit torturer l'un de ses fils. Mais mue par la force de la foi, qui transcende la nature, elle le réconfortait en lui disant : "Mon fils, ne crains pas ces tortures, car grâce à elles tu iras dans la gloire de Dieu." Tandis que cette dame était en prison, un fils du diable voulut la violer et souiller sa chasteté, mais il se mit aussitôt à saigner du nez très fort, et s'écria qu'un jeune homme qui se trouvait avec elle lui avait donné un coup de poing sur le nez. Elle fut alors à nouveau torturée, et finit par être tuée, ainsi que ses trois fils, qui rendirent leurs saintes âmes à Dieu en rendant gloire au Seigneur. Et la glorieuse Anastasie les ensevelit.

Cette bienheureuse Anastasie avait tant rendu visite aux martyrs en prison qu'elle y fut elle-même enfermée, et ne put plus rendre visite aux saints de Dieu. On ne lui donnait rien à boire ni à manger, mais Dieu ne voulut pas voir souffrir de privations celle qui avait avec tant de zèle réconforté et nourri ses bienheureux fidèles. Il envoya vers elle l'âme de sa bienheureuse compagne Théodote, tout entourée de lumière ; elle dressa devant elle une table et lui apporta des nourritures variées et raffinées. Elle lui tint compagnie de cette façon pendant trente jours, durant lesquels on ne lui avait rien donné à manger. On la croyait donc morte de faim, mais on la retrouva bien vivante, et on la conduisit devant le gouverneur, qui en éprouva une grande colère. Comme beaucoup de gens se convertissaient à cause de ce miracle, il la fit placer dans

---

[1] *Miroir historial* vol. II, XIII, 57, 226^v-227^r ; trad. J. de Vignay, p. 152-155 ; *Lég. dor.*, 7, p. 59-61.

[2] Théodote ou Théodata, compagne d'Anastasie. Il s'agit de sainte Théodote de Nicée, martyre, brûlée vive sous Dioclétien avec ses trois fils. *Miroir historial* vol. II, XIII, 65-66, fol. 229^r-229^v ; elle est mentionnée dans la traduction de Jean de Vignay, à la fin du chapitre sur Anastasie (p. 154).

30 nef avec plusieurs malfaiteurs qui estoient condampnez a
mourir. Et quant ilz furent en haulte mer, les mariniers,
pour obeir a ce que leur estoit commandé[1], rompirent la nef
et entrerent en un autre vaissel. Dont la benoite Theodorie
s'aparut a eulx et les convoya par la mer une nuit et un jour
35 aussi seurement que[2] sur plaine terre feust, tant que elle les
mist en l'isle de Palme, en laquelle moult de evesques et de
sains hommes avoient esté envoyés en exil. Si furent la
receus a louenges a Dieu et a grant joye. Et ceulx qui
estoient eschappez avecques Anastaise furent baptisiez et
40 crurent en Dieu. Ceste chose aprés venue a la congnoissance de l'empereur, les envoya tous querre, qui estoient
que hommes que femmes qu'enfans, plus de trois cens, que
il fist tous mourir par tourmens. Et la benoite Anastaise,
aprés plusieurs grans argus que elle fist a l'empereur et
45 divers tourmens que elle receut, fu couronnee par martire.»

De la noble et sainte Nathalie .XVI.

1 «Nathalie[3], la noble femme d'Adrian, prince de la
chevalerie l'empereur Maximian, comme elle feust
cristiane secretement ou temps que plusieurs crestiens
estoient martiriés, elle [155ʳ] ouy dire que Adrian son
5 mari, pour lequel elle prioit Dieu sans cesser, estoit
soubdainement convertis en regardant les martirs
tourmenter et avoit confessé le nom de Jhesucrist, par
quoy l'empereur, de ce tres aÿré, l'avoit fait mettre en tres
dure prison. La benoite dame, tres resjouye de la conver-
10 sion de son mari, s'en ala tantost en la chartre conforter
ycellui, priant que il voulsist perseverer en ce que il avoit
encommencié, et baisoit les lyens dont il estoit liez en
plourant de pitié et de joye. Et moult l'admonnestoit que il
n'eust mie regart[4] aux terriennes joyes qui pou durent, ains
15 eust devant les yeulx la grant gloire que lui estoit
apareillié. La fu longuement ceste sainte dame, confortant

---

[1] *B, D, R*: ordonné
[2] *R*: que si
[3] N *orné sur deux lignes*.
[4] *B, D, R*: regrait

un bateau avec plusieurs criminels qui avaient été condamnés à mort. Arrivés en haute mer, les marins, selon les ordres qui leur avaient été donnés, sabordèrent le navire et montèrent sur un autre bateau. Alors la bienheureuse Théodote apparut aux prisonniers et les conduisit sur la mer pendant une nuit et un jour, aussi sûrement que s'ils avaient été sur la terre ferme ; elle les amena jusqu'à l'île de Palmaria, où de nombreux évêques et saints hommes avaient été envoyés en exil. Ils y furent reçus avec une grande joie et on célébra les louanges de Dieu. Ceux qui avaient été sauvés avec Anastasie crurent en Dieu et furent baptisés. Par la suite, l'empereur en eut connaissance et il les envoya tous chercher ; ils étaient plus de trois cents, hommes, femmes et enfants, et il les fit tous périr dans les supplices. Quant à la bienheureuse Anastasie, après avoir à plusieurs reprises longuement argumenté avec l'empereur et avoir subi diverses tortures, elle finit par recevoir la couronne du martyre[1]. »

16. De la noble et sainte Nathalie

« Nathalie, la noble épouse d'Adrien, commandant en chef de l'armée de l'empereur Maximien, s'était secrètement convertie au christianisme à une époque où beaucoup de chrétiens étaient martyrisés. Elle entendit dire que son mari Adrien, pour lequel elle ne cessait de prier Dieu, s'était soudainement converti en voyant les martyrs se faire torturer, et qu'il avait proclamé sa foi en Jésus-Christ, à la suite de quoi l'empereur, très courroucé, l'avait fait jeter dans une prison très rude. Cette bienheureuse dame, toute réjouie de la conversion de son mari, s'en alla tout aussitôt le réconforter dans sa prison, le priant de bien vouloir persévérer dans la voie qu'il avait choisie et baisant les liens qui le ligotaient en pleurant de pitié et de joie. Elle l'exhortait vivement à ne pas considérer les joies terrestres qui durent peu, mais bien plutôt à avoir devant les yeux la grande gloire qui était préparée pour lui. Cette sainte dame y resta longtemps, le réconfortant, lui

---

[1] Pour cette fin du chapitre 15 et le récit du martyre d'Anastasie, voir le *Miroir historial* vol. II, XIII, 66, « La passion saincte Anastaise ».

lui et tous les autres martirs, priant Dieu que elle feust bien
brief de leur compaignie. Et moult leur pria que ilz recon-
fortaissent son mari, duquel elle se doubtoit que par la
20 force des tourmens, il ne chancelast en la fermeté de la foy.
Elle le visitoit par chascun jour et tousjours le sermonnoit
de fermeté et moult de belles parolles lui disoit. Mais pour
ce que elle et plusieurs dames visitoient les sains martirs,
l'empereur fist deffendre que femme n'y entrast. Et pour
25 ce, elle se vesti en guise d'omme. Et quant vint au jour de
son derrenier[1] martire, elle fu presente et ses plaies lui
torchoit et baisoit son sanc, plourant par devocion, et lui
prioit que il priast Dieu pour elle. Et ainsi le benoit Adrian
trespassa, et elle l'enseveli moult devotement. Et l'une de
30 ses mains qui lui avoit esté coppee, elle retint et envolepa
chierement comme sainte relique.

Celle sainte dame, aprés la mort de son mari, on volt
contraindre de ma[155ᵛ]rier pour ce que elle estoit de
haulte lignee et belle et riche. Si estoit adés en oroison,
35 priant Dieu que la voulsist tirer des mains de ceulx qui
contraindre la vouloient. Et son mari lui apparu en
dormant et la reconforta, et lui dist que elle alast en
Constantinoble ensevelir les corps de moult de martirs qui
la estoient. Et elle le fist voulentiers. Et quant elle ot esté
40 une piece ou service divin en visitant les sains martirs en
chartres, son mari de rechief s'apparu a elle et lui dist:
"Seur et amie chamberiere de Jhesucrist, vien t'en en
gloire pardurable, car Nostre Seigneur t'appelle." Et adont
celle trespassa[2]. »

De sainte Affre, qui fu fole femme convertie .XVII.

1 « **Affre**[3] fu femme folieuse, convertie a la foy de
Jhesucrist, et fu accusee au juge, qui lui dist: "Il ne te
souffist mie la deshonnesteté de ton corps se tu ne peches

---

[1] B, D, R : derrain

[2] B, D, R : Et adont celle s'esveilla et tantost trepassa.

[3] A orné sur 2 lignes.

et tous les autres martyrs, et priant Dieu de pouvoir bien vite se trouver en leur compagnie. Elle les pria avec insistance de soutenir son mari, car elle craignait que sa foi ne devînt chancelante à cause de la violence des tortures. Elle lui rendait visite chaque jour et l'exhortait toujours à la fermeté, et elle lui disait beaucoup de belles paroles. Mais parce qu'elle-même et de nombreuses femmes rendaient visite aux saints martyrs, l'empereur fit interdire aux femmes l'entrée de la prison. Pour cette raison, elle se déguisa en homme. Et quand arriva le jour de son dernier supplice, elle était présente, pansant ses plaies et baisant son sang, pleurant avec ferveur et lui demandant de prier Dieu pour elle. C'est ainsi que mourut le bienheureux Adrien, et elle l'ensevelit elle-même avec beaucoup de dévotion. Elle conserva l'une de ses mains qui avait été coupée et l'enveloppa précieusement, comme une sainte relique.

Après la mort de son mari, comme elle était d'une noble lignée, belle et riche, on voulut contraindre cette sainte dame à se remarier. Elle était donc continuellement en oraison, priant Dieu de bien vouloir la tirer des mains de ceux qui voulaient ainsi la forcer. Son mari lui apparut dans son sommeil et il la réconforta ; il lui dit d'aller à Constantinople pour ensevelir les corps de nombreux martyrs qui s'y trouvaient, et elle le fit volontiers. Quand elle eut passé un certain temps au service de Dieu en rendant visite aux saints martyrs dans leurs prisons, son mari lui apparut à nouveau et il lui dit : "Ma sœur, mon amie, toi la servante de Jésus-Christ, viens donc dans la gloire éternelle, car Notre-Seigneur t'appelle." C'est alors qu'elle trépassa[1]. »

17. De sainte Affre, une prostituée qui se convertit

« Affre était une prostituée convertie à la foi de Jésus-Christ. Elle fut accusée et présentée devant un juge, qui lui dit : "Il ne te suffit donc pas de déshonorer ton corps, il te faut aussi

---

[1] *Miroir historial* vol. II, XIII, 81-84, fol. 235ʳ-236ʳ, sur la légende de saint Adrien et de Nathalie sa femme ; trad. J. de Vignay, p. 858-864, dans le chapitre consacré à Adrien. Christine s'appuie sans doute davantage sur le *Miroir historial* dont le chapitre est consacré à Nathalie et non pas à Adrien comme dans la *Légende dorée*. Comme à l'accoutumée, Christine réécrit sa source, qu'elle résume tout en ajoutant des passages au discours direct. *Lég. dor.*, 128, p. 744.

en erreur de aourer dieu estrange ! Sacrefie a noz dieux, si
5   que ilz te pardonnent." Et Affre respondi : "Je sacrefierai a
mon Dieu[1] qui dessendi pour les pecheurs, car son Euvangille dit que une[2] pecheresse lui lava les piez de ses larmes
et receu pardon. Et il ne despita oncques les folles
femmes ne les pecheurs publicans, ains les laissoit
10 mengier avecques lui." Le juge lui dist : "Se tu ne sacrifies, tu ne seras mie amee de tes ribaux ne de eulx ne
recevras dons." Et elle respondi : "Jamais ne recevray don
excommenié et ceulx que j'ay injustement receux, j'ay
prié aux pouvres que ilz les vuellent prendre et prier pour
15 moy." Le juge donna sa sentence que Affre, puisque sacrifier ne vouloit, que elle feust arse. Et quant elle fut livree
au tourment, elle, aourant, disoit : "Sire Dieu, tout
puissant [156ʳ] Jhesucrist qui appelles les pecheurs a
penitence, reçoy en bon gre mon martire en ceste heure de
20 ma passion, et me delivre du feu pardurable pour ce feu
materiel[3] qui est appareillié a mon corps." Et celle toute
avironnee du feu disoit : "Sire Jhesuscrist, daignez
recevoir moy pouvre pecharesse, sacrifiee pour ton sain
nom, tu qui es offert seul a sacrefice pour tout le monde et
25 fus mis justes en la croix pour les non justes et bon pour
les mauvais, benoit pour les maudis, doulx pour les
amers, net et innocent du pechié pour les pecheurs. A toy
offre le sacrifice de mon corps, qui vis et regnes avec le
Pere et le Saint Esperit par tout le siecle des siecles." Et
30 ainsi fina la benoite Affre, pour quy Notre Seigneur
demonstra puis moult de miracles. »

---

[1] *B, D* : Dieu Jhesu Crist
[2] *B, D, R* : femme pecheresse
[3] *B, D* : corporel

commettre la faute et l'erreur d'adorer un dieu étranger! Sacrifie à nos dieux, afin qu'ils te pardonnent." Affre lui répondit: "Je sacrifierai à mon Dieu, qui descendit du ciel pour sauver les pécheurs, car il est dit dans son Évangile qu'une pécheresse lui lava les pieds de ses larmes et reçut son pardon[1]. Et jamais il ne méprisa les prostituées ni les publicains pécheurs, mais il les laissait manger avec lui[2]." Le juge lui dit: "Si tu ne sacrifies pas aux dieux, tes amants ne t'aimeront plus et ne te feront plus de cadeaux." Elle lui répondit: "Je n'accepterai plus jamais de cadeaux provenant du péché, et ceux que j'ai injustement reçus, j'ai demandé aux pauvres de bien vouloir les prendre et de prier pour moi." Le juge prononça sa sentence et décréta que puisque Affre ne voulait pas sacrifier aux dieux, elle devait être brûlée. Quand elle fut livrée au supplice, elle pria ainsi: "Seigneur Dieu, Jésus-Christ tout-puissant, toi qui appelles les pécheurs à faire pénitence, veuille accueillir avec faveur mon martyre en cette heure de ma passion, et délivre-moi du feu éternel en contrepartie de ce feu matériel que l'on prépare pour mon corps." Une fois au milieu des flammes, elle disait encore: "Seigneur Jésus-Christ, daigne me recevoir, moi, pauvre pécheresse, sacrifiée à cause de ton saint nom, toi qui t'es offert seul en sacrifice pour tous les hommes, toi le juste qui fus mis en croix pour les injustes; le bon, pour les mauvais; le béni de Dieu, pour les maudits; le doux, pour les amers; le pur, innocent de tout péché, pour les pécheurs. Je t'offre le sacrifice de mon corps, à toi qui vis et règnes avec le Père et le Saint-Esprit pour les siècles des siècles." C'est ainsi que mourut la bienheureuse Affre, en faveur de qui Dieu fit voir ensuite de nombreux miracles[3]. »

---

[1] La femme pécheresse: Lc 7, 36-50.

[2] Repas du Christ avec les publicains et les pécheurs: Mt 9, 10-12; Mc 2, 15-17; Lc 5, 29-32.

[3] *Miroir historial* vol. II, XIII, 151, fol. 259r-259v. Cette version de la légende est sensiblement différente de celle du *Miroir*, qui met l'accent sur la conversion d'Affre grâce à saint Narcisse.

Dit Justice de plusieurs nobles dames qui servirent et ostelerent les apostres et autres sains .XVIII.

1 « Que[1] veulx tu que plus je t'en die, belle amie Cristine? Sans cesser te pourroie ramentevoir tieulx exemples. Mais pour ce que tu es esmerveillee, si comme tu as dit cy devant, que aucques tous aucteurs tant
5 blasment les femmes, je te di que quoy que tu aies trouvé es escrips des aucteurs payens, je croy que a propos de blasme de femme, po trouveras es saintes legendes et es histoires de Jhesucrist et de ses apostres et mesmement de tous les sains, si que tu peux veoir, ains mervilleuses
10 constances et vertus a grant nombre y trouveras par grace de Dieu en femmes. O les beaux services, les grans charitez que elles par grant cure et solicitude faisoient sans recreandise aux serfs de Dieu! Les hospi[ta]litez et les autres biens, font ycestes choses point a peser? Et se
15 aucuns folz hommes les vou[156ᵛ]loient tenir a frivoles, nulz ne peut nyer que ces oeuvres selon notre foy ne soient les eschelles qui mainent ou ciel. Ainsi qu'il est[2] escript de Drusienne, qui estoit une bonne dame vesve qui recevoit a hostel saint Jehan l'Euvangeliste et le servoit et adminis-
20 troit son vivre. Dont il advint, quant le dit saint Jehan s'en revenoit de son excil et ceulx de la cité lui faisoient grant feste, l'en portoit Drusienne en terre, qui morte estoit de dueil de ce que tant il demouroit, et les voisins lui dirent: "Jehan, voycy Drusienne, ta bonne ostece, qui est morte
25 pour l'ennuy de ta demeure. Elle ne te servira plus." Adont saint Jehan lui dist: "Drusienne, lieve sus et va a ta maison, et m'aprestes ma reffeccion!" Et celle ressucita.

¶Item, une vaillant et noble dame de la cité de Limoges nommee Susanne fu la premiere qui ostella saint Marcial,

---

[1] Q *orné sur 2 lignes.*
[2] est *ajouté d'après B, D, R.*

18. Justice parle de plusieurs nobles dames qui servirent et hébergèrent les apôtres et d'autres saints

« Que veux-tu que je te dise de plus, Christine, bien chère amie ? Je pourrais te rappeler sans fin de tels exemples. Mais puisque tu es ébahie, comme tu l'as dit auparavant, que presque tous les auteurs disent tant de mal des femmes, je peux te dire que malgré tout ce que tu as trouvé dans les écrits des auteurs païens, je pense qu'en fait d'attaques contre les femmes, tu trouveras peu de choses dans les saintes légendes ou dans les histoires de la vie de Jésus-Christ et de ses apôtres, de même que dans les vies de tous les saints, comme tu peux le voir par toi-même ; tu y trouveras au contraire un grand nombre d'exemples de constance extraordinaire ou de vertus accordées aux femmes par la grâce de Dieu. Oh ! Les admirables services, les grands dons qu'elles prodiguaient sans relâche aux serviteurs de Dieu, avec grand soin et sollicitude ! Leur hospitalité et tous leurs autres bienfaits, toutes ces choses n'ont-elles pas leur poids ? Si certains insensés voulaient les considérer comme choses sans valeur, nul ne peut nier que selon notre foi, ces œuvres sont les échelles qui mènent au ciel. Il est ainsi écrit, à propos de Drusiane[1], une bonne dame veuve qui hébergeait dans sa maison saint Jean l'Évangéliste, qui le servait et lui fournissait tout le nécessaire, qu'un jour où saint Jean revenait de son exil et où les gens de la ville faisaient de grandes réjouissances en son honneur, il se trouva que l'on portait en terre Drusiane, morte de chagrin de ce qu'il avait tardé aussi longtemps. Les voisins lui dirent : "Jean, voici Drusiane, ta bonne hôtesse, qui est morte de douleur à cause de ta longue absence. Elle ne te servira plus." Alors saint Jean lui dit : "Drusiane, lève-toi ! Va en ta maison et prépare mon repas !" Et celle-ci ressuscita.

De même, une bonne et noble dame de la ville de Limoges, appelée Suzanne[2], fut la première à héberger saint Martial, qui y

---

[1] *Miroir historial* vol. II, XI, 39, fol. 123ᵛ (« Du rappel Jehan de son essil et du resuscitement Drusienne »). Elle est citée aussi très rapidement dans la *Légende dorée*, dans la vie de saint Jean l'Évangéliste (trad. J. de Vignay, p. 161 ; *Lég. dor.*, 9, p. 70).

[2] *Miroir historial* vol. II, X, 39, fol. 74ʳ (« De saint Marcial de Lymoges et de ses gestes »).

30   qui la estoit envoiés par saint Pierre pour convertir le païs,
et moult de biens lui fist celle dame.

¶Item, la bonne dame Maximile enseveli saint Andry
et le osta de la croix, et en ce faisant, se mist en peril de
mort.

35   ¶Item, la sainte vierge Epigene suivoit par devocion
saint Mathieu l'Euvangeliste et le servoit. Et aprés sa mort
lui fist ediffier une eglise.

¶Item, une autre bonne dame estoit tant esprise de la
sainte amour de saint Paul que elle le suivoit partout et le
40   servoit par grant dilligence.

¶Item, en cellui temps des apostres, une noble royne
appellee Helaine – et ne fu pas celle qui fu mere de
Constantin, mais une autre, royne des Albigois – qui ala en
Jerusalem, ouquel lieu avoit tres grant cherté de vivres
45   pour la famine qui y estoit. Et quant elle sceut [157ʳ] que
le[s] sains de Nostre Seigneur, qui estoient en cité pour
prescher et convertir le puepple, mouroient de fain, elle
fist acheter tant de vivres que ilz en furent pourveus tant
que la famine dura.

avait été envoyé par saint Pierre pour convertir le pays. Et cette dame se montra très généreuse envers lui.

De même, Maximile[1], une vertueuse dame, ôta saint André de sa croix pour l'ensevelir; et ce faisant, elle se mit en danger de mort.

De même, la sainte vierge Éphigénie[2] suivait saint Mathieu l'Évangéliste et le servait avec un grand dévouement. Et après sa mort, elle fit construire une église qui lui fut dédiée.

De même, une autre vertueuse dame était si éprise d'une sainte amitié pour saint Paul qu'elle le suivait partout et le servait avec beaucoup de zèle[3].

Ainsi encore, à cette même époque des apôtres, une noble reine appelée Hélène - ce n'était pas la mère de Constantin, mais une autre Hélène, reine d'Adiabène[4] - se rendit à Jérusalem, où les vivres étaient extrêmement chers à cause de la famine qui y sévissait. Quand elle apprit que les saints de Notre-Seigneur, qui étaient venus dans la ville pour prêcher et convertir le peuple, mouraient de faim, elle fit acheter tant de vivres qu'ils eurent de quoi se nourrir tant que dura la famine.

---

[1] *Miroir historial* vol. II, X, 73, fol. 86ᵛ; trad. J. de Vignay, p. 112; *Lég. dor.*, 2 («Saint André»), p. 24.

[2] *Miroir historial* vol. II, X, 76-77, fol. 86ᵛ-88ʳ (saint Mathieu; «De la forsenerie du roy Hycarcus contre l'apostre pour Epygénie»); trad. J. de Vignay, p. 894 (dans le chapitre sur saint Mathieu).

[3] Le *Miroir* mentionne plusieurs femmes qui ont servi et suivi saint Paul. Christine pense peut-être à sainte Thècle d'Iconium, disciple de saint Paul, à laquelle le *Miroir* consacre un chapitre (vol. II, X, 47, fol. 77ʳ; Curnow, *Cité*, p. 1126). Elle était bien connue au Moyen Âge, notamment par un récit apocryphe, les *Actes de Paul et de Thècle*, et son culte était assez répandu en Orient et dans différents pays d'Europe. Christine ne mentionne cependant pas son nom.

[4] *Miroir historial* vol. II, IX, 96, fol. 42ᵛ-43ʳ. Pour la présentation de cette reine, Christine suit de très près sa source: «Et ceste Helaine ne fu pas mere de Constantin mais royne de Albigois». Hélène d'Adiabène est connue pour sa générosité et pour le soutien qu'elle apporta au peuple juif lors d'une famine en 46-48 en faisant apporter de la nourriture à Jérusalem, comme le rapporte Flavius Josèphe dans ses *Antiquités Judaïques* (XX, II, 5). Dans la traduction médiévale des *Antiquités judaïques*, Hélène figure au livre XIX, chapitre 5 (fol. 287ʳ). Il est dit qu'elle a sauvé Jérusalem en faisant apporter des vivres en payant sur sa fortune personnelle, mais elle ne le fait pas par pitié pour les chrétiens qui étaient dans la ville, comme dans le *Miroir*, mais par compassion envers les Juifs suite à sa conversion toute récente à cette religion.

50   ¶Item, quant on menoit saint Paul pour decoler par le
      commandement Noiron, une bonne dame qui avoit nom
      Paucille, qui avoit acoustumé de lui administrer, lui vint au
      devant, moult fort plourant. Et saint Paul lui demanda le
      cuevrechié qu'elle avoit sur son chief, et elle lui bailla,
55   dont les mauvais qui la estoient s'en moquoyent, disant,
      pour ce que moult estoit bel, que tant perdoit elle. Saint
      Paul lui mesmes en banda ses yeulx. Et puis quant il fu
      mort, les anges le rendirent a la femme tout plain de sanc,
      dont elle le tint moult cherement. Et saint Paul s'apparut a
60   elle et lui dist que pour ce qu'elle lui avoit fait service en
      terre, que il lui feroit ou ciel en priant pour elle.
          De assez d'autres, en cas pareulx, te pourroie dire.
      Noble dame fu Baselice en la vertu de charité. Elle fu
      mariee a saint Julian et dés la nuit de leurs nopces, eulx
65   deux vouerent d'un accort virginité. Et nul ne pourroit
      penser la sainte conversacion de celle vierge, ne la multi-
      tude de femmes et de vierges qui par sa sainte monicion
      furent sauvees et tirees a sainte vie. Et a brief dire, tant
      deservi de graces par la tres grande charité qui estoit en
70   elle que Nostre Seigneur parla a elle a son trespassement.
          ¶Je ne sçay que plus t'en diroie, Cristine[1]. Sans
      nombre pourroie compter de dames de divers estas, tant
      vierges comme vesves ou mariees, en qui Dieux a
      demoustré ses vertus par merveilleuse force [157^v] et
75   constance. Si te souffise atant, car bien et bel, si qu'il
      m'est vis, me suis acquittee de mon office en parfaisant
      les haux combles de ta Cité et la te peupler de excellens
      dames, si que je te promis, et cestes derrenieres serviront
      de portes et de clostures en notre Cité. Et non obstant que
80   je ne nomme, ne nommer pourroie, fors a paines, les
      saintes dames qui ont esté, qui sont et qui seront, elles
      pevent toutes estre comprises en ceste Cité des dames, de
      laquelle se peut dire : ¶*"Gloriosa dicta sunt de te civitas*

---

[1] *D, B* : Cristine amie

De même, alors qu'on amenait saint Paul se faire décapiter, sur l'ordre de Néron, une vertueuse dame nommée Plautille[1], qui s'occupait habituellement de sa subsistance, s'avança à sa rencontre, pleurant à chaudes larmes. Saint Paul lui demanda le voile qu'elle portait sur la tête, et elle le lui donna. Alors les méchants qui se trouvaient là se moquèrent d'elle, disant que c'était autant de perdu, car il était très beau. Saint Paul lui-même s'en servit pour se bander les yeux. Quand il fut mort, les anges rendirent à la femme le voile tout taché de sang, et elle le conserva précieusement. Saint Paul lui apparut et lui dit que puisqu'elle lui avait rendu service sur la terre, il en ferait de même pour elle au ciel, en priant pour elle.

Je pourrais encore te citer de nombreux cas semblables. Ainsi, Basilice[2] était une noble dame, remarquable par sa charité. Elle fut mariée à saint Julien, et dès leur nuit de noces, d'un commun accord, ils firent le vœu de conserver leur virginité. On ne pourrait même pas imaginer la sainteté de la conduite de cette vierge, ni la multitude de femmes et de vierges qui furent sauvées et incitées par son saint exemple à mener une vie sainte. En bref, par la très grande charité qui était en elle, elle s'attira tant de mérites que Dieu lui fit la très grande grâce de lui parler tandis qu'elle rendait l'âme.

Je ne sais ce que je pourrais te dire de plus, chère Christine. Je pourrais te parler d'innombrables dames de diverses conditions, vierges, veuves ou femmes mariées, en qui Dieu a montré sa puissance par leur force et leur constance extraordinaires. Que cela te suffise à présent, car à ce qu'il me semble, je me suis bien acquittée de ma tâche en parachevant les hauts faîtes de ta Cité et en la peuplant d'excellentes dames, comme je te l'avais promis ; et ces dernières serviront de portes et de clôtures à notre Cité. Et même si je ne nomme pas - et je ne pourrais pas le faire, sinon à grand-peine - toutes les saintes dames qui ont existé, qui existent et qui existeront, elles peuvent toutes trouver leur place dans cette Cité des dames, dont on peut bien dire : *"Gloriosa dicta sunt de te,*

---

[1] *Miroir historial* vol. II, X, 19, fol. 65^r-65^v ; trad. J. de Vignay, p.581 ; *Lég. dor.*, 85 (« Saint Paul Apôtre »), p. 467-468.

[2] *Miroir historial* vol. II, XIII, 106-108, fol. 243^r-244^r (« Du mariage saint Julien et de saincte Basilice, sa femme »).

Dei[1] !". Si la te rens close, parfaite et bien fermee, si que
85   je te promis. Adieu te di, la paix du Souverain soit perma-
nent avecques toy ! »

La fin du livre : parle Cristine aux dames .XIX.

1   **M**es[2] tres redoubtees dames, Dieux soit louez ! Or est
du tout achevee et parfaite nostre Cité, en laquelle a grant
honneur vous toutes, celles qui aimez gloire, vertu et loz,
povez estre hebergees, tant les passees dames comme les
5   presentes et celles a avenir, car pour toute[3] dame honnorable est faite et fondee. ¶ Et mes tres chieres dames, chose
naturelle est a cuer humain de soy esjoyr quant il se treuve
avoir victoire d'aucune emprise, et que ses ennemis soient
confondus. Si avez cause orendroit, mes dames, de vous
10   esjoïr vertueusement en Dieu et bonnes meurs par ceste
nouvelle Cité veoir parfaite, qui peut estre non mie seulement le refuge de vous toutes, c'est a entendre des
vertueuses, mais aussi la deffence et garde contre voz
ennemis et assaillans, se bien la gardez. Car vous povez
15   veoir que la matiere dont elle est faite est toute de vertu,
voire si reluisant que toutes [158ʳ] vous y povez mirer, et
par especial es combles de ceste derreniere partie, et
semblablement en ce qui vous peut toucher des autres. Et
mes cheres dames, si ne vueilliés mie user de ce nouvel
20   heritaige si comme font les arogans qui deviennent
orgueilleux quant leur prosperité croist et leur richece

---

[1] *Souligné en rouge dans B, R et P.*
[2] M *orné sur 2 lignes.*
[3] poute, pour *combiné avec* toute ; *corr. d'après B, D, R.*

civitas dei[1] *!"* Je te la remets donc, close, achevée et bien fortifiée, comme je te l'avais promis. Et je te dis adieu, que la paix du Souverain Dieu soit toujours avec toi ! ».

19. La fin du livre : Christine s'adresse aux dames

Mes très vénérées dames, loué soit Dieu ! Voici notre Cité tout à fait achevée et accomplie ! Vous toutes qui aimez la gloire, la vertu et la bonne renommée, vous pouvez y être hébergées avec de grands honneurs, dames du passé, du présent ou de l'avenir, car elle a été fondée et construite pour toutes les dames honorables. Mes très chères dames, il est naturel que le cœur humain se réjouisse lorsqu'il a remporté la victoire dans quelque entreprise, et qu'il voit ses ennemis confondus. Vous avez cause désormais, mes chères dames, de vous réjouir vertueusement, en Dieu et selon la morale, de voir achevée cette nouvelle Cité, qui pourra être, si vous en prenez bien soin, non seulement un refuge pour vous toutes, les dames vertueuses, mais aussi une défense et une protection contre vos ennemis et vos assaillants. Car vous pouvez voir que la matière dont elle est faite est toute de vertu, une matière si brillante que vous pouvez toutes vous y mirer, en particulier dans les étages supérieurs de cette dernière partie, mais aussi, de la même manière, dans tout ce qui peut vous concerner dans les autres parties. Mes chères dames, ne faites pas un mauvais usage de ce nouvel héritage, comme le font les arrogants, qui deviennent orgueilleux lorsque leur prospérité s'accroît et que

---

[1] « On a dit de toi de glorieuses choses, Cité de Dieu ! » Citation du psaume 87, 3 (Ps 86 dans la Vulgate). On peut y voir une référence à la *Cité de Dieu* de saint Augustin. L'expression *Gloriosissimam civitatem Dei* (« la très glorieuse Cité de Dieu ») ouvre le préambule de la *Cité de Dieu* (*La Cité de Dieu, Praefatio*, vol. I, p. 190 ; référence signalée par M. Curnow, *Cité*, p. 1127, note 306). On trouve la citation précise du psaume 86, 3 au livre II, chap. XXI (vol. I, p. 376 : « *in ea civitate* [...] *de qua scriptura sancta dicit : Gloriosa dicta sunt de te, civitas dei* » ; traduction p. 377 : « cette Cité dont l'Écriture Sainte dit : "Des choses glorieuses ont été dites de toi, Cité de Dieu" ») ; et surtout à l'ouverture de la deuxième grande partie de la *Cité de Dieu* et du livre XI, consacré aux Anges (vol. III, XI, 1, p. 30-32). La Cité de Dieu, dans la Bible, est Sion (ou Jérusalem), mais c'est aussi, métaphoriquement, la Jérusalem Céleste telle que saint Jean la voit dans l'Apocalypse, la demeure promise aux Élus. Pour saint Augustin, la Cité de Dieu, par opposition à la Cité terrestre, représente la société spirituelle formée par les justes, les fidèles de Dieu voir notre introduction, p. 28-29.

multiplie, ains par l'exemple de vostre royne, la Vierge
souveraine, qui aprés si grant honneur que on lui adnon-
çoit comme d'estre mere du filz de Dieu, elle tant plus
25   s'umilia, en[1] se appellant chamberiere de Dieu. Ainsi, mes
dames, comme il soit voir que les vertus plus sont grandes
en creature, plus le rendent humble et benigne, vous soit
cause ceste Cité d'avoir bonnes meurs et estre vertueuses
et humbles.

30   ¶Et encores, vous[2], dames qui estes mariés, n'aiés
point en despit de estre tant subgettes a vos maris, car n'est
mie aucunefois le meilleur a creature d'estre franche. Et ce
tesmoigne ce que l'ange[3] de Dieu dit a Esdras : « Ceulx, dit
il, qui userent de leur franche voulenté cheirent en pechié
35   et despiterent Nostre Seigneur et defoulerent les justes, et
pour ce, furent peris. » Et celles qui ont maris paysibles,
bons et descrez, et a elles de grant amour, loent Dieu de ce
benefice qui n'est pas petit, car plus grant bien ou monde
ne leur pourroit estre donné. Et soient diligentes de les
40   servir, aimer et cherir en la loyauté de leur cuer, si que
elles doivent, gardant leur paix et priant Dieu qu'il[4] leur
maintiengne et sauve. Et celles qui les ont moyens, entre
bons et mauvais, ancores doivent Dieux louer que elles
n'ont des pires, et mettre paine de les amoderer en leur
45   perversité [158ᵛ] et les tenir en paix, selon leurs condicions. Et celles qui les ont divers, felons et reveches,
mettent peine telle en endurant que elles puissent
convaincre leur felonnie et les ramener, se elle peuvent, a
vie raisonnable et debonnaire. Et se iceulx sont tant
50   obstinez que elles ne puissent, au moins y acquerront elles
grant merite a leurs ames[5] pour la vertu de patience, et tout

---

[1]   et ; *corr. d'après B, D, R.*
[2]   *B, D, R* : entre vous
[3]   le langue ; *corr. d'après B, D, R.*
[4]   qui ; *corr. d'après* B, R.
[5]   *D* : armes

leurs richesses se multiplient. Mais suivez plutôt l'exemple de votre Reine, la Vierge souveraine, qui après qu'on lui eut annoncé le si grand honneur qui l'attendait, d'être la mère du Fils de Dieu, s'humilia d'autant plus en se présentant comme la servante de Dieu. Ainsi, mes chères dames, puisqu'il est vrai que plus les vertus d'une personne sont grandes, plus elle en devient humble et bienveillante, que cette Cité vous incite à avoir de bonnes meurs et à être humbles et vertueuses.

Et vous, dames qui êtes mariées, n'éprouvez pas de ressentiment d'être ainsi soumises à vos maris, car ce n'est pas toujours le mieux pour une créature humaine que d'être libre. En témoigne ce que l'ange de Dieu dit à Esdras : « Ceux qui agirent librement selon leur volonté tombèrent dans le péché, rejetèrent Notre-Seigneur avec mépris et foulèrent aux pieds les justes, ce pour quoi ils furent détruits[1]. » Celles qui ont des maris bons et paisibles, pleins de discernement et qui leur portent un grand amour, qu'elles louent Dieu pour cette faveur qui n'est pas minime, car c'est le plus grand bien qui puisse leur être accordé en ce monde. Et qu'elles mettent tout leur soin à les servir, les aimer et les chérir d'un cœur loyal, comme elles doivent le faire, en préservant leur tranquillité et en priant Dieu de les conserver et de les sauver. Celles qui ont des maris qui ne sont ni complètement bons ni complètement mauvais, elles doivent aussi louer Dieu de n'en pas avoir de pires, et s'efforcer de les modérer dans leurs vices et de les maintenir en paix, selon leurs dispositions naturelles. Et celles qui ont de mauvais maris, violents et rudes, qu'elles s'efforcent autant que possible de les supporter, pour pouvoir vaincre leur perversité et les ramener, si elles le peuvent, à une vie raisonnable et douce. Si ceux-ci sont si obstinés dans le mal qu'elles ne peuvent y parvenir, elles auront au moins acquis un grand mérite à leurs âmes pour cette vertu de patience, et tout

---

[1] Christine s'inspire du *Miroir historial* qui consacre plusieurs chapitres du livre IV à Esdras. Le chapitre 50 fait mention d'un ange qui apparaît au prophète et s'adresse à lui en des termes proches de ceux que l'on trouve ici (vol. IV, fol. 144ᵛ). Dans le texte biblique il n'est nulle part question d'un ange s'adressant à Esdras (voir Esd. II, 9 ; et surtout le livre de Néhémie, où figure encore Esdras, chapitres 8 à 10, en particulier 9, 26-27, contre les indociles qui se sont révoltés contre Dieu, ont tué les prophètes et « commis de grands blasphèmes », alors Dieu les a livrés à leurs oppresseurs).

le monde les beneistra et sera pour elles. Ainsi, mes
dames, soiés humbles et pacientes, et la grace de Dieu
croistra en vous et louenge vous sera donnee et le regne
55   des cieux, car dit saint Gregoire que pacience est entree de
paradis et la voie de Jhesucrist. Et ne soit nulle de vous
ahurtee ne endurcie a oppinions frivoles, sans fondement
de raison, ne en jalousies ne en perversitez de testes, ne en
haultainetez de paroles n'en oeuvres oultrageuses, car ce
60   sont choses qui bestournent le scens et rendent la personne
comme forcenee, lesquelles manieres sont a femmes tres
desconvenables et mal seantes.

¶Et entre vous, vierges en l'estat de pucelage, soiés[1]
simples et quoyes sans vagueté, car les las des mauvais
65   sont mis contre vous. Voz regars soient bas, pou de
parolles en voz bouches, cremeur soit en tous voz fais. Et
soiés armees de vertueuse force contre les cautelles des
deceveurs, et eschevez leur frequentacion.

¶Et aux vesves femmes soit honnesteté en habit,
70   maintien et parole, devocion en fait et en conversacion,
prudence[2] en gouvernement, pacience qui bien besoing y
a, force et resistence en tribulacions et grans affaires,
humilité en cuer, contenance et parolles et charité en [159r]
oeuvres.

75   ¶Et briefment, toutes femmes, soient grandes,
moiennes ou petites, vueilliés estre sur toute riens avisees
et caultes en deffence contre les ennemis de voz honneurs
et de votre chasteté. Voiés, mes dames, comment ces
hommes vous accusent de tant de vices et de toutes pars!
80   Faites les tous[3] menteurs par monstrer votre vertu et
prouvez mençongeurs ceulx qui vous blasment par bien
faire, en telle maniere que vous puissiez dire avec le
Psalmiste: «La felonnie des mauvais cherra sur leur
teste[4].» Si deboutez arriere les losangeurs decevables, qui
85   par divers atrais tachent par mains tours a soubtraire ce

---

[1] *B, D, R* : soiés pures, simples et quoyes
[2] prudente ; *corr. d'après B* et *D.*
[3] tours ; *corr. d'après B, D, R.*
[4] *La citation est soulignée en rouge dans B.*

le monde les bénira et prendra leur défense. Ainsi, mes dames, soyez humbles et patientes, et la grâce de Dieu ne cessera de croître en vous ; cela vous vaudra des louanges et vous obtiendrez le royaume des cieux, car comme le dit saint Grégoire, la patience est la porte d'entrée du paradis et le chemin qui conduit à Jésus-Christ. Et qu'aucune d'entre vous ne s'attache avec opiniâtreté et obstination à défendre des opinions frivoles et sans aucun fondement raisonnable, ou ne se livre à des jalousies, des pensées perverses, des paroles hautaines ou des actions outrageantes, toutes choses qui bouleversent l'esprit et rendent la personne comme folle, et ce sont des façons très peu convenables et malséantes pour une femme.

Vous, jeunes filles qui êtes vierges, soyez simples, tranquilles et pleines de retenue, car les méchants ont tendu leurs filets pour vous prendre. Gardez les yeux baissés, que peu de paroles sortent de votre bouche, conduisez-vous toujours avec un respect mêlé de crainte. Et armez-vous d'une vertueuse force contre les ruses des trompeurs, et évitez leur fréquentation.

Pour les veuves, que leurs vêtements, leur maintien et leurs paroles soient honnêtes, leurs actions et leur conduite pleines de dévotion, leur comportement plein de sagesse ; qu'elles aient de la patience, elles en ont bien besoin ; de la force et de la résistance dans les épreuves et dans les affaires difficiles ; de l'humilité dans leur cœur, leur attitude et leurs paroles ; et de la charité dans leurs actes.

Bref, vous toutes, femmes de toutes conditions, grande, moyenne ou humble, veuillez par-dessus tout vous montrer avisées et prudentes pour vous défendre contre les ennemis de votre honneur et de votre chasteté. Voyez, mes dames, comment de toutes parts ces hommes vous accusent de tant de vices ! Faites de tous des menteurs en manifestant votre vertu ; par vos bonnes actions, convainquez de mensonge tous ceux qui vous critiquent, de sorte que vous puissiez dire avec le Psalmiste : « L'iniquité des méchants retombera sur leur tête[1]. » Rejetez loin de vous les flatteurs pleins de tromperie qui par divers moyens de séduction

---

[1] Ps. 7, 17 (« sa peine reviendra sur sa tête, sa violence lui retombera sur le crâne »).

que tant souverainement devez garder, c'est assavoir voz honneurs et la beauté de votre loz. O mes dames, fuyés, fuyés la folle amour dont ilz vous admonnestent! Fuyez la! Pour Dieu, fuyez! Car nul bien ne vous en peut venir.

90 Ains soiez certaines que quoy que les aluchemens en soient decevables, que tousjours en est la fin a voz prejudices, et ne croiés le contraire, car aultrement ne peut estre. Souviengne vous, cheres dames, comment ces hommes vous appellent fraisles, legieres et tost tournees, et

95 comment toutevoies ilz quierent tous engins estranges et decevables a grans paines et travaulx pour vous prendre si que on fait les bestes aux las. Fuyez, fuyés mes dames, et eschevez telz acointances soubz lesquieulx ris sont envelepez venins tres angoisseux et qui livrent a mort! Et

100 ainsi vous plaise, mes tres redoubtees, pour les vertus atraire et fuyr les vices, acroistre et multiplier [159ᵛ] notre Cité, vous resjouyr et bien faire. Et moy, vostre servante, vous soit recommandee, en priant Dieu qui, par sa grace, en cestui monde me doint vivre et perseverer en son saint

105 service, et a la fin soit piteable a mes grans deffaulx et m'ottroit la joye qui a tousjours dure, laquelle ainsi par sa grace vous face. Amen[1].

Explicit la troisiesme et derreniere partie du *Livre de la Cité des dames*.

---

[1] Amen *est à la ligne, centré dans la colonne.*

s'efforcent par leurs ruses de vous enlever ce que vous devez garder à tous prix, à savoir votre honneur et votre belle réputation. O mes dames, fuyez, fuyez le fol amour auquel ils vous exhortent! Fuyez-le! Au nom de Dieu, fuyez! Car vous ne pouvez en retirer rien de bon. Soyez bien certaines, au contraire, que même si vous pouvez vous laisser tromper par son aspect séduisant, cela finit toujours à votre préjudice; et ne croyez pas le contraire, car il ne peut en être autrement. Souvenez-vous, mes chères dames, comment ces hommes vous accusent d'être fragiles, légères et inconstantes, et comment malgré cela ils se donnent beaucoup de mal et font beaucoup d'efforts, avec toutes sortes de ruses compliquées, pour vous prendre dans leurs filets comme si vous étiez des animaux. Fuyez, fuyez, mes dames, et évitez ces liaisons, car sous la gaieté se cachent des poisons très cruels, qui peuvent entraîner la mort[1]! Dames très respectées, qu'il vous plaise de cultiver la vertu et de fuir les vices pour faire croître et augmenter[2] notre Cité, et de vous réjouir en faisant le bien. Quant à moi, votre servante, je me recommande à vos prières; que Dieu, par sa grâce, m'accorde de vivre et de persévérer en ce monde dans son saint service, et qu'à ma mort il me pardonne mes grandes fautes et m'octroie la joie éternelle. Que dans sa grâce, il en fasse de même pour vous. Amen.

Ici s'achève la troisième et dernière partie du *Livre de la Cité des dames*.

---

[1] Reprise parodique d'un passage bien connu du *Roman de la Rose* où Genius exhorte les hommes à fuir le serpent venimeux caché dans l'herbe qui représente la malignité féminine (*op. cit.*, v. 16586-16620, p. 868-870).

[2] Christine reprend ici la formule biblique («croissez et multipliez», *Gen.* 1, 1).

ANNEXE

Table des rubriques des parties II et III selon les manuscrits *B* et *D* (transcription à partir de *B*)

Ci commencent les rebriches de la IIe partie de ce livre, laquelle parle comment et par qui la cité des dames fu au pardedens maisonnee, ediffiee et peuplee

Item de la noble dame Tierce Emuliene .XX.

Item de Xancispe, femme du philosophe Socrates .XXI.

Item de Pompeye Pauline femme de Seneque .XXII.

Item de la noble dame Sulpice .XXIII.

Item de plusieurs dames ensemble qui respiterent leurs maris de mort .XXIV.

Item dit Cristine a Dame Droiture contre ceulx qui dient que femmes ne scevent riens celer et sa responce qu'elle lui fait est de Porcia fille de Cato .XXV.

Item a ce meisme propos dit de la noble dame Curia .XXVI.

Item encore a ce propos .XXVII.

Item preuves contre ce que aucuns dient que homme est vil qui croit au conseil de sa femme ne y adjouste foy demande Cristine et Droiture lui respont .XXVIII.

Item des hommes a qui bien est ensuivy de croire leurs femmes donne exemple d'aucuns .XXIX.

Item du grant bien qui est venu au monde et vient tous les jours pour cause de femmes dit Cristine .XXX.

Item de Judith la noble dame vesve qui sauva le peuple .XXXI.

Item de la royne Hester qui sauva le peuple .XXXII.

Item des dames de Sabine qui mirent paix entre leurs amis .XXXIII.

Item de la noble dame Veturie qui appaisa son filz qui vouloit destruire Romme .XXXIV.

Item de la sainte royne de France Crotille par laquelle son mary le roy Clodovee fu convertis a la foy .XXXV.

Item contre ceulx qui dient qu'il n'est pas bon que femmes aprengnent lettre .XXXVI.

Item dit Cristine a Droiture contre ceulx qui dient qu'il soit pou de femmes chastes et parle de Susanne .XXXVII.

Item dit de Sara .XXXVIII.

Item de Rebecha .XXXIX.

Item de Ruth .XL.

Item de Penolope femme d'Ulixes .XLI.

Item contre ceulx qui dient que a paines soit belle femme chaaste, dit de Mariamire .XLII.

Item encore de ce meismes dit de Anthonie femme de Druse Thibere .XLIII.

Item contre ceux qui dient que femmes veulent estre efforcieez donnes exemples plusieurs et premierement de Lucrece .XLIV.

Item de ce meisme propos dit de la royne des Gausgrés .XLV.

Item encore de ce meismes dit des Sicambres et d'aucunes vierges .XLVI.

Item preuves contre ce que on dit de l'inconstance des femmes parle Cristine et puis Droiture lui respont de l'inconstance et fragilité d'aucuns empereurs .XLVII.

Item parle de Noiron .XLVIII.

Item de l'empereur Galba et d'autres .XLIX.

Item de constantes femmes en vertu parle de Glisilidis, marquise de Saluces, forte femme en vertu .L.

Item de Fleurence de Romme .LI.

Item de la femme Barnabo le Jenevois .LII.

Item aprés ce que Droiture a conté de dames constantes, Cristine lui demande se c'est voir ce que plusieurs hommes dient que si pou en soit deloyales en la vie amoureuse et puis respont Droiture .LIII.

Item de Dido royne de Carthaige ou pourpos d'amour ferme en femme .LIV.

Item de Medee amante .LV.

Item de Thisbé .LVI.

Item de Hairo .LVII.

Item de Sismonde fille du prince de Salerne .LVIII.

Item d'Elisabet et d'autres dames amantes .LIX.

Item dit Cristine et Droiture lui respont contre ceulx qui dient que femmes attraient les hommes pour leurs jolivetés .LX.

Item de Claudine femme romaine .LXI[1].

Item dit de Juno et de plusieurs dames renommeez .LXII[2].

Item que plusieurs femmes sont ameez pour leurs vertus et que on ne doit mal jugier contre elles pour tant se aucunes en beaulx habis se delictent .LXIII[3].

Item dit de la royne Blanche mère de Saint Loys et d'autres dames ameez pour leurs vertus .LXIV[4].

Item dit Cristine et Droiture lui respont contre ceulx qui dient que femmes par nature sont escharces .LXV[5].

Item de la riche dame liberale nommee Buse .LXVI[6].

Item des princepsses et dames de France .LXVII[7].

Item parle Cristine aux princepsces et a toutes dames.LXVIII[8].

Explicit la table de la seconde partie du Livre de la Cité des dames[9].

---

[1] *D* : LXIII

[2] *D* : LXI

[3] *D* : LXIV

[4] *D* :LXV

[5] *D* : LXVI

[6] *D* : LXVII

[7] *D* : LXVIII

[8] *D* : LXIX

[9] Absent dans *D*

Explicit la seconde partie du Livre de la Cité des dames, et s'ensuit[1] la table des rebriches de la IIIe partie de ce livre, laquelle parle comment et par qui les hauls combles des tours de la Cité des dames furent parcrus et quelles nobles dames furent eslutes pour demourer es grans palais et hauls dojons.

Le premier chapitre parle comment Justice amena la Royne du ciel pour habiter et seignourir en la Cité des dames
Item des seurs Nostre Dame et de Marie Magdelaine
Item de sainte Katherine
Item de sainte Marguerite
Item de sainte Luce
Item de la benoite Martine vierge
Item d'une autre sainte Luce et d'aultres vierges martires
Item de sainte Justine et d'aultres vierges
Item de la vierge Theodosine et de sainte Barbe et de sainte Dorothee
Item de sainte Cristine vierge
Item de plusieurs saintes qui virent martirer leurs enfans devant elles
Item de sainte Marine vierge
Item de la benoite Euffrosine
Item de la glorieuse Anastaise et de ses compaignes
Item de la benoite Theodorie
Item de la noble Athalie
Item de sainte Affre qui fu folle femme convertie
Item dit Justice de plusieurs nobles dames qui servirent et hostelerent les apostres et autres sains
Item la fin du livre

---

[1] *D* : Cy commence

GLOSSAIRE

Nous n'avons retenu que les mots qui risquaient de poser problème à une lectrice ou un lecteur modernes et dont le sens n'allait pas de soi, à l'exclusion des termes courants en ancien et en moyen français. Pour certains mots courants en ancien et moyen français ou en français moderne, nous n'avons retenu que les sens inhabituels ou qui n'existent plus de nos jours. Dans certains cas, nous avons noté des emplois dans des locutions particulières. Pour les termes et les sens retenus, nous avons relevé la totalité des occurrences, sauf dans quelques cas où nous n'indiquons que les premières, suivies de «*et* passim».

Selon l'usage habituel, nous indiquons uniquement les sens des mots correspondant à leurs emplois dans le texte. Pour les verbes conjugués, les entrées correspondent à la forme de l'infinitif, à l'exception des participes passés ou présents en emploi adjectival ou nominal. Nous avons suivi les indications données dans les *Conseils pour l'édition des textes médiévaux* (*op. cit.*, fascicule III, p. 197-198).

Nous avons fait le choix de ne noter que la graphie la plus courante dans notre manuscrit de base.

Liste des abréviations utilisées : *s.* substantif, *m.* masculin, *f.* féminin, *adj.* adjectif, *adj. s.* adjectif substantivé, *adv.* adverbe, *v.* verbe, *v. pron.* verbe pronominal, *part. p.* participe passé, *part. p. adj.* participe passé en emploi adjectival, *part. prés. s.* ou *adj.* ou *adv.* participe présent substantivé ou en emploi adjectival ou adverbial, *prép.* préposition, *adv.* adverbe, *loc. adv.* locution adverbiale, *inf. s.*, infinitif substantivé.

Les chiffres indiquent la page et la ligne.

Les mots qui font l'objet d'une note sont précédés d'un *.

Abandonné, *part. p. adj.* : où abondent (ici : *tous les biens, toutes les richesses*), 268/18

Abegiauner, *v.* : de becjaune *ou* bejaune *(sot, ignorant, niais, comme l'oiseau qui sort du nid avec le bec encore jaune)*, tromper, se jouer de qqn *(comme d'un bec jaune)*, 246/72

Abitacle, *s. m.*: *domaine*, 414/107; *habitation, demeure*, 720/42

Abondamment, *adv.*: *d'une manière abondante, en grande quantité*, 234/60

Acertener, *v.*: *certifier, assurer quelque chose à quelqu'un*, 780/31

*Accointe, *adj. et s. f.*: *amie, intime, ou maîtresse*, 634/5

Achoison, occasion, *s. f.*: *motif, cause*, 476/titre; 578/35; 664/147; 684/54; 690/3; *prétexte*, 594/9; par achoison de: *à cause de*, 250/125

Administrer, *v.*: *(qqn ou à qqn), procurer à une personne ce qui lui est nécessaire, les moyens dont elle a besoin*, 800/52

Admonicion, *s. f.*: *avertissement, exhortation*, 730/21

Advis, *s. m.*: *qualité de celui qui est avisé, conscience que l'on a d'une chose, sagesse (dans le titre)*, 406/2 et titre

Afelonni, *adj.*: *irrité*, 786/75

Aferans, *adj. et s. m.*: *partisans (du v. aferir, être utile, être convenable)*, 242/25

Affeccion, affection, *s. f.*: *attachement*, 498/46; *émotion, désir ardent*, 556/19; 780/10

Agait, *s. m.*: *piège*, 336/19; 642/60; en agait: *traîtreusement*, 308/29

Agaitier, *v.*: *prendre au piège*, 500/10; *épier*, 624/39; 662/93; agaitant, *part. prés. adj.*: *vigilant*, 368/75; *aux aguets*, 496/26

Ahurtee, *part. p. adj.*: *opiniâtre*, 806/57

Altercacion, *s. f.*: *discussion*, 252/titre; *débat, échange d'arguments contraires*, 278/titre

Aluchemens, *s. m.*: *séductions*, 808/90

Amiableté, *s. f.*: *disposition affectueuse, amicale (envers qqn)*, 254/67

Amuser, *v. pron.*: *perdre son temps en portant son attention, son action sur quelque chose de peu d'intérêt*, 628/11

Anuitier, *s.*, *inf. s.*: *moment où il commence à faire nuit*, 496/38

Appertement, *adv.*: *rapidement, promptement*, 230/10; *distinctement*, 772/22

Aprehensive, *s. f.*: *faculté de saisir les choses par l'esprit, capacité intellectuelle*, 340/10; 396/3

Argu, *s. m.*: *argumentation, raisonnement*, 790/44

Assesmez, *part. p.*: *paré, habillé avec élégance*, 576/16

Assoter, *v. pron.*: *s'enticher de*, 232/38; estre asoltez: *être follement amoureux, entiché*, 232/37

Atrempement, *s. m.*: *modération, mesure*, 638/7

Auctorisié, *adj.*: *doté d'autorité, vénéré, respecté*, 616/204; 782/3

Aucunefois, *adv.*: *quelquefois*, 320/72; 804/32

Avo, a vo, *loc. adv.*: avo le monde: *de par le monde*, 698/42

Avoeri, *part. pass.*: *de* averir, *avéré, reconnu comme vrai*, 452/76

Avoir, *v. pron.*: *se tenir, se conduire*, 606/40

Babuise, *s. f.*: *sottise, bêtise, baliverne*, 480/60

Bahut, *s. m.*: *coffre*, 410/67; 412/84

Barat, *s. m.*: *ruse*, 332/8

Baron, *s. m.*: *grand seigneur d'un royaume*, 270/10 *et* passim

Baronnesse, *s. f.*: *équivalent d'un baron chez les Amazones*, 304/111, 115; *épouse d'un baron*, 710/65

Batant, *part. prés. adv.*: *vite, à toute vitesse*, 508/15

Baude, *adj.*: *galant, séduisant*, 690/2

Baudement, *adv.*: *avec impudence, effrontément*, 266/39; 654/4

Beer, *v.*: *aspirer ardemment, tendre à*, 532/34

Benignité, *s. f.*: *bienveillance, bonté*, 254/70; 265/74; 706/14; 718/25

Bersoier, *v.*: *chasser*, 316/11

Besongneux, *adj.*: *qui est dans le besoin*, 698/41; besongneux de: *qui a besoin de*, 644/7

Blandir, *v.*: *flatter*, 726/56

Bort, *s. m.*: *pour un navire, contour extérieur de la coque du navire*, 688/19

Bout, *s. m.*: *avoir les deux bous de la courroie*: tenir les deux bouts de la chaîne, 592/45

Braie, *s. f.*: *élément des fortifications d'un édifice*, 220/41

Brigue, *s. f.*: *lutte, querelle*, 462/42

Broçonneux, *adj.*: *qui a une forme irrégulière, biscornu, difforme*, 234/79

Buchete, *s. f.*: *paille, voir la paille dans l'œil de son voisin*, 590/14

Burette, *s. f.*: *petit vase à goulot, petite fiole*, 668/206

Cartuler, *v.*: *littéralement, inscrire dans un cartulaire, un recueil où sont transcrits des documents; semble ici employé dans un sens plus technique, calculer en établissant des chartes chronologiques*, 314/140

Cause, *s. f.*: avoir cause de: *avoir de bonnes raisons pour*, 382/70; 564/79; 592/49; 664/132, 146; 738/43; 802/9

Cautelle, *s. f.*: *ruse*, 294/8, 19 *et* passim

Cenelle, *s. f.*: *baie rouge de l'aubépine ou du houx*, 312/18; 386/29, 46

Cerchier, *v.*: *explorer, fouiller*, 508/4

Certificacion, *s. f.*: *garantie, assurance, preuve*, 338/5

Charpir, *v.*: *effiler, étirer (de la laine ou de la filasse)*, 366/23

Chartre, *s. f.*: *prison*, 500/15; 726/59 *et* passim

Chaudiere, *s. f.*: *grand récipient de métal (dans lequel on fait chauffer ou bouillir un liquide)*, marmite, 744/50, 52, 55; 764/101

Chevalereux, *adj.*: *qui a des qualités dignes d'un chevalier, vaillant, courageux, valeureux*, 282/66; 318/26; *employé aussi au féminin*: 300/51; 316/6; 328/78; 336/1

Chevalerie, *s. f.*: *qualités guerrières*, 302/66; 306/14; 312/82; *ensemble des chevaliers*, 308/30; 330/15; *vie militaire*, 318/34; *ensemble de chevaliers, de guerriers, armée*, 310/58; 318/40; 530/10; 790/2; *groupe, ensemble de chevaliers*, 536/3; 702/30; *art du combat, qualités guerrières, qualités de chevalier*, 324/10; 330/15; discipline de chevalerie: *connaissance de l'art militaire* (disciplina militaris), *maîtrise de l'art militaire, sens de l'organisation militaire*, 284/20-21; 300/53; 320/57; art de chevalerie: *art militaire*, 320/75; estat de chevalerie: *ordre de la chevalerie*, 368/63; office de la chevalerie, *statut, rang militaire*, 532/60-61; faits de chevalerie: *prouesses militaires*, 338/34; faire chevaleries: *exploits guerriers*, 546/31; maistre de la chevalerie *(d'une ville)*: *gouverneur militaire*, 758/2

Chevetain, *s. m.*: *capitaine, chef militaire*, 328/84

*Chevetaine, *s. m. ou f.*: *capitaine, chef militaire*, 294/20; 552/15; 644/4

Chief, *s. m.*: *bout, extrémité*; a chief de temps, *au bout d'un certain temps, au fil du temps*, 220/31; venir a chief: *venir à bout de qqch., accomplir, réaliser, mener à bien*, 530/18; 532/34; 548/71

Chose, *s. f.*: chose publique: *calque du latin* res publica, *intérêts généraux du pays, bien public*, 342/42

Circuite, *s. f.*: *circonférence, contour*, 222/28

Coye, *adj.*: *voir* Quoye.

Coiement, *adv.*: *voir* Quoiement.

Cointe, *adj.*: *élégant, beau, plaisant, joli*, 254/50; 684/9; cointerie, *s. f.*: *élégance*, 684/11

Combleté, *s. f.*: *abondance*, 270/24

Compaignier, *v.*: *accompagner, tenir compagnie*, 264/22; 610/116

Compasser, *v.*: *construire harmonieusement, comme au compas*, 222/25

Competer, *v.*: *convenir, être approprié*, 266/25

Complot, *s. m.*: *accord, engagement entre plusieurs personnes de faire quelque chose*, 652/43

Componcion, *s. f.*: *douleur provoquée par le sentiment du péché ou par l'aveu du mal et entraînant la contrition*, 252/8

Condicion, *s. f.*: *condition, disposition naturelle*, 200/39; 202/58; 230/17; 234/73, 85; 252/22; 254/66; 256/74, 90, 91; 590/25; 686/17-18; 804/45-46

Condicionné, *part. p. adj.*: bien conditionné: *qui a de bonnes qualités, de bonnes mœurs*, 658/20

Confesser, *v.*: *avouer, reconnaître*, 236/105; 620/56, 71; 632/192; 694/29; 760/45; *proclamer sa foi*, 726/45; 790/7

Confire, *v.*: *préparer, façonner*, 356/11; 372/15

Confort, *s. m.*: *renforcement*, 680/16; *aide, réconfort*, 728/66

Congié, *s. m.*: *permission, autorisation*, 358/29; 420/10, 12; 644/15; congié prendre, *prendre congé*, 646/32

Connin, *s. m.*: *lapin*, 386/21

Conreés, *part. p. adj.*: *préparé, arrangé*, 308/42

Consideracion, *s. f.*: *discernement*, 276/90; 346/45; 636/28; *fait d'examiner par la pensée*, 662/88

Consonner, *v.*: *être en harmonie, s'accorder avec*, 278/1

Contraire, *adj. et s. m.*: *incompatible*, 502/15; *s. m.*: *ce qui est au détriment de quelqu'un ou quelque chose, ce qui fait du tort à quelqu'un*, 206/19

Convaincre, *v.*: *vaincre totalement*, 224/9; 534/81; 636/35; 662/98; 726/41; 738/64; 804/48

Convenable, *adj.*: *capable de, apte à*, 268/58; *propice, avantageux, profitable, utile*, 354/2; 360/8; 378/22; 384/3; 386/2; *adapté*, 378/12; *juste, légitime*, 582/58

Convenance, *s. f.*: *accord, convention*, 338/4; 414/11; 494/7

Conversacion, *s. f.*: *genre de vie, conduite*, 776/21; 778/62; 800/66; 806/70

Converser, *v.*: *fréquenter*, 250/133; 254/55, 64; *vivre, demeurer*, 352/44

Cornet, *s. m.*: *encrier de forme conique*, 434/7; *coin, angle*, 450/35; 730/15

Coste, *prép.*: coste + *pron. ou s.*, *à côté de*, 246/89 *et* passim

Couple, *s. f.*: *affrontement*, 302/95

Couraige, *s. m.*: *dispositions, intentions, sentiments que l'on a dans le cœur, pensées*, 200/34 *et* passim.

Courtillaige, *s. m.* : *culture du jardin, jardinage*, 372/titre ; 374/15 ; 380/27

Courtiveure, *s. f.* : *culture*, 378/16

Couroux, *s. m.* : *chagrin, affliction, contrariété*, 462/40 ; 548/62 ; 630/142

Courtine, *s. f.* : *rideau, tenture*, 562/55 ; 660/74, 85

Creanter, *v.* : *assurer, garantir, promettre*, 304/128 ; 338/4

Cremeteux, *adj.* : *craintif* ; estre cremeteuse de, *craindre de*, 280/53

Cremeur, *s. f.* : *crainte respectueuse*, 252/9 ; 806/66

Coustange, *s. f.* : *frais, dépenses*, 462/34

Coustement, *s.m.* : *coût, dépense*, 462/22

Cueure, *s. f.* : *char, chariot*, 320/70

Curial, *adj.* : *de la cour, courtisan*, 576/3

Curieux, *adj.* : *soigné, désireux d'élégance*, 400/76 ; *d'une élégance excessive*, 598/15 ; 684/9 ; 686/28 ; *élégant, raffiné*, 508/5 ; 686/3 ; 690/3

Curieusement, *adv.* : *avec un soin particulier, avec beaucoup d'attention*, 276/81 ; 322/113 ; 512/13

Debonnaireté, *s. f.* : *bonté, bienveillance, modération, gentillesse*, 404/29

Debrisié, *part. p. adj.* : *brisé, détruit, diminué*, 502/29

Deducion, *s. f.* : *façon de conduire (un exposé, un raisonnement)*, 238/139

Defouler, *v.* : *fouler aux pieds*, 804/35

Degaster, *v.* : *disperser*, 786/87

Delicatif, *adj.* : *fin, raffiné, qui aime les plaisirs délicats*, 598/15 ; 686/4 ; delicativement, *adv.*, *de façon raffinée*, 384/30 ; 486/46

Delié, *adj.* : *fin, délicat*, 342/21 ; 404/26 ; 486/42

Delivre, *adj.* : *libéré*, 332/37 ; a delivre : *libre*, 342/23

Demener, *v.* : *sens fig. organiser, mettre en œuvre*, 562/38

Demonstrer, *v.*, *montrer, faire voir, manifester*, 212/43 *et* passim.

Demoustrance, *s. f.* : *démonstration, exposé*, 400/47 ; *manifestation divine, prodige*, 766/136

Demoustrer, *v.* : *voir* Demonstrer.

Denoncier, *v.* : *faire savoir, annoncer*, 778/55

Desconvenable, *adj.* : *inconvenant, honteux, déshonorant*, 658/48 ; 806/62

Descrez, *adj.* : *plein de discernement, avisé*, 804/37

Desdaing, *s. m.* : *ressentiment, dépit*, 236/129

Despecer, *v.* : *mettre en pièces, briser*, 728/73

Despiter, v. : *renier, rejeter avec mépris*, 592/68 ; 762/57, 76 ; 786/63 ; 794/8 ; 804/35

Desputoison, s. f. : *discussion, débat d'idées intellectuel ou théologique*, 726/39

Destraindre, v. : *saisir, tourmenter*, 662/117 ; 760/54

Detraire, v. : *malmener, torturer*, 648/33

Devocion, s. f. : *vif désir, ferme intention*, 504/33, 36 ; 780/9

Discipline, s. f. : *éducation*, 322/114 ; *discipline (dans les mœurs, la conduite)*, 462/32 ; 776/17 ; discipline de chevalerie : *voir* chevalerie.

Diseteux, adj. : *qui est dans le besoin, pauvre*, 698/41 ; diseteux de : *qui manque de, privé de*, 644/6

Disette, s. f. : *privation, manque*, 696/28 ; 698/41

Divers, adj. : *mauvais, méchant, terrible*, 482/79, 80 ; 504/32 ; 546/16 ; 666/176 ; 804/46 ; *bizarre, étrange*, 596/15

Diversité, s. f. : *ce qui va à l'encontre de ce qui est souhaité, d'où caractère accidenté*, 296/35 ; *ou cruauté*, 456/62

Domistique, adj. : *cultivable*, 378/17

Dongeroux, adj. : *périlleux, difficile, qui comporte des risques*, 552/10

Dueil, s. m. : *colère, courroux*, 788/28

Ebrieu, adj. : *hébreu, juif* ; dame ebrieue, *dame juive*, 448/14 ; femme ebrieue, *Juive*, 536/37 ; 538/40 ; 542/9 ; 572/1

Ediffice, s.m. : *épanouissement* ; ediffice de meurs, *édification morale*, 200/28 ; *bâtiment, ensemble de bâtiments, ville*, 474/2, 9 ; *édifice, construction*, 492/22, 35, 38, 46

Embesongnier, v. : *occuper qqn à une besogne, donner une tâche, occuper*, 402/5 ; enbesongné, *part. p., occupé*, 300/60

Empettrer, v. : *faire obtenir, valoir*, 568/13 ; 570/12

Endormir, v. pron. : s'endormir a Nostre Seigneur, *s'endormir dans le Seigneur, mourir chrétiennement*, 778/54

Engin, s. m. : *intelligence, capacités intellectuelles*, 278/25 ; 340/8 *et passim* ; *habileté, ingéniosité, talent*, 360/6 ; 386/4 ; 390/31 ; 392/50 ; *procédé ingénieux*, 370/13 ; *stratagème, ruse*, 808/95

Engriger, v. : *aggraver*, 662/104

Enlasser, v. : *prendre au piège*, 234/68

Enseigne, s. f. : *trace, signe distinctif, signe caractéristique, preuve*, 458/34 ; 662/18 ; 624/49, 56 ; 632/174 ; 652/59 ; *signal*, 546/34 ; 652/40

Ensoine, *s. f.*: *occupation, empêchement*, 562/51; *difficulté*, 482/88

Ensurquetout, *adv.*: *surtout, particulièrement*, 624/52

Envis, *adv.*: *contre son gré, malgré soi, à contrecœur*, 412/83 *et* passim

Erre, *s. f.*: *voyage*, 412/70, 88; *expédition militaire*, 532/54

Esbatement, *s. m.*: *divertissement*, 546/20

Escalourgeant, *part. prés. adj.*: *changeant, labile*, 224/8-9

Escharceté, *voir* eschars.

Escharnir, *v.*: *se moquer de qqn, railler qqn*, 786/65, 67

Eschars, *adj.*: *avare, chiche, parcimonieux*, 694/titre; 696/19, 21, 25; 698/51, 54; escharceté, *s. m.*: *avarice, mesquinerie*, 670/4; 696/32

Esleu, *part. p. adj.*: *de choix, de très bonne qualité, excellent*, 600/33; 769/184

Escrin, *s. m.*: *coffret, coffre*, 468/5; *corbeille (une corbeille fermée et enduite d'une substance imperméable où est placé le bébé qui deviendra Moïse)*, 536/28

Escrinet, *s. m.*: *petite corbeille*, 536/31; *petit coffret*, 628/103, 104

Eslitte, *voir* esleu.

Esmouvoir, *v.*: *émouvoir (le cœur), encourager*, 396/17, 18, 20; 678/90; *mettre en mouvement, lancer*, 768/160

Esperit, *s. m.*: *âme*, 248/101; 770/194; 788/22

Esperituauté, *s. f.*: *spiritualité, ce qui relève du domaine spirituel*, 556/34

Esploitier, *v.*: *exécuter (une affaire, une besogne), agir avec succès*, 304/102; 312/11; 336/30; 338/12; 410/63; 416/149; resploiter, *même sens mais avec l'idée d'une action renouvelée*, 328/89

Espluchier, *v.*: *examiner attentivement*, 202/56

Essoine, *voir* Ensoine.

Estrange, *adj.*: *qui appartient à une autre personne*, 200/12; 208/25; *étranger*, 260/170 *et* passim; *nouveau, inconnu, surprenant, inhabituel*, 228/31; 352/37

Estrif, *s. m.*: *dispute, querelle*, 622/15; par estrif l'un de l'autre: *en rivalisant*, 492/37

Estre, *s. m.*: *demeure, bâtiment*, 492/32

Estriver, *v.*: *lutter, combattre, d'où rivaliser avec*, 384/12; 654/32

Excommenié, *part. p. adj.*: *maudit, damné*, 310/63-64 (*sens religieux*: *excommunié, exclu de la communauté des fidèles, de la communion de l'Église*)

Excercite, *s. f.* : *pratique*, 282/2 ; 292/50 ; 318/34 ; 342/36 ; 384/17 ; *occupation*, 198/2

Excerciter, *v.* : *mettre en pratique, donner libre cours à*, 594/6

Excercitacion, *s. f.* : *activité*, 378/22

Expert, *adj.* : expertes par l'exemple : *instruites par l'expérience*, 398/23

Extorcion, *s. f.* : *tort, préjudice, exaction*, 280/44-45 ; 410/54 ; 642/48 ; 704/12

Exurpacion, *s. f.* : *usurpation*, 222/9

Facteur, *s. m.* : *agent, commissionnaire, celui qui agit pour le compte d'un autre*, 624/60 ; 670/5

Failli, *adj.* : *lâche*, 230/38

Faillible, *adj.* : *incertain, illusoire*, 400/63

Famileux, *adj.* : *affamé*, 752/10

Fantasme, *s. m.* : *fantôme, apparition fantastique*, 206/14

Felon, *adj.* : *méchant, mauvais, cruel, violent*, 410/44 ; 740/73 ; 756/70 ; 762/70 ; 764/96, 105, 110 ; 804/46

Felonnesse, *voir* Felon.

Felonnie, *s. f.* : *dureté, méchanceté, perversité*, 550/91 ; 840/48

Fengias, *s. f.* : *mot rare, bourbier, terrain fangeux*, 450/61

Ferement, *s. m.* : *outil de fer, soc muni d'une lame métallique*, 370/8

Fervesti, *part. p. adj.* : *vêtu de son armure*, 320/69

Feur, *s. m.* : au feur que, au feur de, *au fur et à mesure que, proportionnellement à*, 296/35 ; 650/15, 26

Fillasse, *s. f.* : *action de filer, filage*, 564/70 ; 604/18

Finer, *v.* : *finir, terminer*, 226/1 ; 530/3 ; 534/75 ; 720/210 ; *payer, acheter, se procurer*, 394/76 ; 546/7 ; 632/198

Florir, *v.* : *être au sommet de son activité intellectuelle, prospérer, être en pleine gloire*, 354/12 ; 438/67

Flote, *s. f.* : *troupe, foule*, 770/212

Folieuse, *adj.* : femme folieuse, fole femme : *une femme qui fait folie de son corps, débauchée, prostituée*, 792/1

Fondemment, *adv.* : *abondamment, profondément*, 666/192

Forclos, *part. p. adj.* : *fermé, exclu, rejeté*, 216/19 ; 282/61 ; *voir* fourclosre

Fort, *adv.* : au fort : *en fin de compte, après tout*, 412/77 ; 664/149

Fouldriere, *s. f.* : *fondrière, trou plein d'eau ou de boue*, 450/63

Folour, *s. f.*: *folie*, 204/11

Fourclosre, *v.*: *exclure, chasser, rejeter*, 214/72

Fourtraire, *v.*: *enlever, éloigner*, 226/3

Franc, *adj.*: *(pour une terre) fertile*, 378/17

Franchement, *adv.*: *gratuitement, sans rien exiger en retour*, 700/63

Frivole, *s. f.*: *(au pluriel) choses futiles, sans valeur, fariboles*, 258/123 ; 264/8 ; 796/15 ; *adj.*: *frivole, sans valeur*, 806/57

Froisser, *v.*: *briser, casser, fracasser*, 736/10 ; 750/58 ; 760/40

Gaangnage, *s. m.*: *champ, terre cultivable*, 382/70

Gaber, *v.*: *tromper*, 414/132

Gaieté, *s. f.*: gaieté de courage : *ardeur amoureuse*, 658/23

Gaitier, *v.*: se gaitier de qqn : *être sur ses gardes à propos de qqn, se méfier de qqn*, 540/63

Gengleur, *s. m.*: *menteur, calomniateur*, 502/8 ; 722/69

Gavion, *s. m.*: *gorge, racine (de la langue)*, 770/190

Glouton, *s. m.*: *débauché*, 594/7

Gloutonnie, *s. f.*: *excès, débauche, orgie*, 594/7

Gouverner, *v.*: *mener, conduire, avoir la charge de*, 276/75 ; 400/73 ; 404/22 ; 600/44

Gouvernement, *s. m.*: *action de conduire, de diriger*, 398/24 ; *comportement, mode de vie*, 268/55 ; 400/71 ; 404/5 ; 708/27, 49 ; 806/71 ; avoir en gouvernement : *avoir en tutelle*, 612/139

Grief, *s. m.*: *dommage, tort, préjudice*, 232/49 ; 462/43 ; 592/42 ; 642/48 ; 678/93 ; *adj.*: *pénible, douloureux, éprouvant*, 280/44 ; 568/15 ; 608/80 ; 784/17

Guerredon, *s. m.*: *récompense, compensation, contrepartie*, 204/107 ; 242/19 ; 458/19 ; 464/77 ; 768/185

Guerredonner, *v.*: *récompenser*, 272/18, 21 ; 312/107 ; 464/71

Hantise, *s. f.*: *fréquentation*, 650/20

Harer, *v.*: *exciter (un animal)*, 768/161

Harnois, *s. m.*: *équipement militaire, armure*, 318/33 ; 366/33 ; 380/39 ; faire grand hernois : *sens figuré, considérer comme un argument de poids, faire grand cas de*, 256/83

Hart, *s. f.*: *lien fait de matière végétale*, 336/15

Hautain, *adj.* : *élevé, noble (sans valeur dépréciative)*, 66/167

Herberge, *s. m.* : *abri, asile*, 204/82 ; 644/7 ; *demeure*, 224/31 ; 414/110 ; 666/173 ; 710/76 ; 712/9 ; *campement des troupes*, 334/27, 50

Herege, *adj.* : *hérétique*, 602/77

Heure, *s. f.* : de telle heure fu : *moment favorable*, 556/26

*Histoires, *s. f.* : *récits historiques, compilations historiques, récits antiques*, 220/22 *et* passim.

Hobergon, s. m. : *haubergeon, tunique de mailles plus courte que le haubert, avec petites manches ou sans manches*, 486/36

Honnesteté, *s. f.* : *dignité, bienséance, convenance*, 462/29 ; 540/42 ; 806/69 ; *vertu*, 320/77 ; 604/19 ; 690/9, 16, 19, 21 ; 692/37 ; l'onnesteté ou elles sont enclines : *leur modestie naturelle*, 266/37

Hucher, *v.* : *crier, appeler, héler*, 540/58

Impartinent, *adj.* : *qui ne convient pas, inapproprié*, 592/63

Inclinacion, *s. f.* : *penchant, tendance naturelle, disposition, inclination*, 204/91, 101 ; 240/163-164 ; 252/24 ; 266/24 ; 280/52 ; 316/6 ; 318/24 ; 564/75 ; inclinacion charnelle, *attirance charnelle* 640/13

Inconvenable, *adj.* : *inconvenant*, 610/98

Inquisicion, s. f. : *interrogation, enquête, questionnement (sans nécessairement de sens juridique)*, 214/63 ; 230/13

Institucion, *s. f.* : *action d'établir*, 434/26

Introduire, *v.* : introduire qqn en : *instruire, enseigner*, 322/110, 114 ; 398/14 ; 462/28 ; 730/3 ; 772/17 ; 776/19

Intellectuel, *adj.* : *qui est doué d'intellect, d'intelligence*, 248/101

Item, *adv.* : *de même, et aussi (dans des énumérations, des enchaînements, le plus souvent en tête de phrase)*, tables des rubriques et passim.

Joli, *adj.* : *gracieux, élégant, coquet*, 254/50, 53 ; 684/15 ; 686/3 ; 688/26 ; 690/2 ; *galant, porté au plaisir*, 576/16 ; 658/23 ; 684/5

Joliveté, *s. f.* : *goût du plaisir, sensualité*, 664/139 ; *belle apparence, coquetterie*, 684/titre ; 688/14 ; 690/titre

Judicative, *s. f.* : *faculté de juger, jugement*, 276/90-91

Laisser, *v.* : laisser a + *inf.* : *omettre, négliger de faire qqch.*, 506/16, 24 ; 508/6 ; 514/33 ; 524/11

*Ladre, *s. m.*: *lépreux, vient du nom biblique de Lazare (le pauvre de la parabole du riche et de Lazare, Luc, 16, 19-31, ou le frère de Marie-Madeleine et Marthe, Jean 11, 1-44)*, 256/98

Large, *adj. s.*: sur le large: *d'une manière générale*, 234/61

Lecheresse, *adj.*: *qui aime les plaisirs, gourmande*, 252/12

Lecherie, *s. f.*: *gourmandise, friandise*, 252/18; *luxure*, 596/16

Ligne, *s. f.*: *trait, règle (de maçon)*, 222/14, 20; 230/7; *ligne tracée*, 434/21; *lignée*, 262/181; 474/18

Lignee, *s. f.*: lignees de Isdrael, *tribus d'Israël (descendantes des fils de Jacob)*, 570/16

Lubre, *adj.*: *luxurieux, impudique, lubrique*, 232/38; 576/22

Lubrement, *adv.*: *de façon lubrique*, 236/103

*Mai, *s. m.*: *par métonymie, verts branchages ou feuillages*, 334/24

Main, *s. f.*: de longue main: *depuis longtemps*, 590/32

Maistre, *s. m.*: grant maistre, grant maistresse: *personnage important*, 246/82; 268/52; 626/87

Mal, *adj.*: estre mal de qqn: *être mal vu de, être en mauvais termes avec*, 608/74

Maladerie, *s. f.*: *maladrerie, léproserie*, 512/19

Maleisson, *s. f.*: *malédiction*, 770/195

Marement, *s. m.*: *douleur, affliction*, 314/122; 774/11

Marine, *s. f.*: *bord de mer, rivage de la mer*, 300/46; 414/109, 116; 644/17; 656/38

Maronnier, *s. m.*: *marin*, 410/63; 586/5

Mautalent, *s. m.*: *mauvaise disposition (à l'égard de quelqu'un), colère, animosité*, 300/58; 302/73

Mauvaistié, *s. f.*: *malveillance, méchanceté*, 242/43; 262/212; 386/39; 598/39, 2; 620/56, 73; 720/49

Meismement, *adv.*: *en particulier, notamment*, 232/33; 292/42; 386/26; 560/5-6; 588/4; et meismement: *et qui plus est*, 572/11; 574/17

*Menistre, *s. m.*: *celui qui assure le culte, prêtre*, 750/44

Meseau, *adj.*: *lépreux*, 512/18

Meselerie, *s. f.*: *lèpre*, 236/110; 620/65

Mesprendre, *v.*: *commettre une faute, mal agir*, 212/11; 238/157; 252/17; 288/77; 644/9

Mesprison, *s. f.* : *faute*, 250/131

Mesure, *s. f.* : *sorte de récipient cylindrique servant à mesurer les volumes, par exemple le grain*, 224/22

Merveillable, *adj.* : *qui tient du prodige, prodigieux, étonnant*, 366/8 ; 440/14 ; 782/58

Mettre, *v.* : Mettre sus : *reprocher qqch. à qqn, l'accuser de qqch.*, 566/19 ; *mettre sur pieds*, 698/58

Mignot, *adj.* : *coquet, d'une coquetterie excessive, aguicheur*, 598/15 ; 690/3

Mignotement, *adv.* : *avec délicatesse* ; nourrir mignotement : *choyer*, 464/70

Monicion, *s. f.* : *incitation*, 800/67

Mordant, s. m. : archéol., mordant de ceinture, pièce de métal opposée à la boucle et servant à la mettre en place, 652/37, 38

Moriginé, *part. p. adj.* : bien moriginé : *bien élevé, bien éduqué, de bonnes mœurs*, 322/93 ; 500/6 ; 656/4 ; 700/25 ; 708/38

Moustier, *s. m.* : *monastère*, 776/39 ; 778/49, 58, 66

Mucher, *v.* : *cacher*, 468/5

Multiplier, *v.* : *se développer, s'accroître*, 376/24 ; 650/15 ; 804/22 ; 808/101

Naturel, *adj.* : *à propos de personnes, en conformité avec les exigences de la nature*, 202/58 ; 244/49 ; **humain, plein d'humanité*, 466/89, 96 ; 468/12 ; femme naturelle : *femme par nature, femme de naissance*, 202/49 ; sens naturel : *dispositions naturelles, intelligence naturelle, bon sens*, 268/50 ; 396/titre ; 398/35 ; 400/40, 41, 48, 49 ; 404/6

Navire, *s. m. et f.* : *ensemble de navires, flotte*, 298/titre, 21 ; 324/23, 34 ; 326/49 ; 328/82 ; 360/31 ; 410/61 ; 412/100 ; 532/44

Netteté, *s. f.* : *pureté*, 566/11 ; *soin (dans la tenue, les vêtements)*, 686/19

Nonchalent, *adj.* : *négligent, qui ne se soucie pas de*, 462/16

Nourreture, *s. f.* : *enfant qu'on a élevé*, 464/68

Nourrir, *v.* : *élever*, 272/25 ; 536/37 ; 606/54 ; 664/144 ; *prendre soin de*, 463/45 ; 474/43 ; mignotement nourris : *choyés*, 464/70-71 ; souef nourri, souevement nourrie : *élevé dans la douceur, vivant dans les plaisirs*, 614/178 ; 656/13

Octentique, *adj.* : *qui fait autorité*, 278/24

Office, *n. f.* : *fonction, tâche, mission*, 212/35 *et* passim ; *charge*, 278/99 ; *personne occupant une fonction dans une maison, domestique*,

612/150; offices du monde: *personnes qui occupent des fonctions dans la société*, 262/211; office divin: *service de Dieu, office divin*, 388/19; nom d'office: *nom d'une fonction*, 436/46; derenier office: *derniers devoirs*, 498/62; 666/179; 668/203; office de la chevalerie: *rang militaire*, 532/61

Orains, *adv.*: *tout à l'heure, il n'y a pas longtemps*, 376/22

Ordenneement, *adv.*: de façon ordonnée, en bon ordre, 348/24, 33

Ordonnance, *n. f.*: *ordre, indication*, 218/20; 220/49; 476/1-2; *disposition, arrangement, organisation*, 274/43; 294/23-24; 302/64-65; 318/41; 362/54; 314/18; 382/66; 434/22; *façon d'être, comportement*, 622/23; *règle, règlement*, 214/78; 416/150; faire ses ordonnances: *prendre ses dispositions testamentaires*, 534/78, 82

Ordoner, *v.*: *organiser, prévoir*, 240/1; 348/27; 532/54; 366/36; 546/26; 612/151; 614/164; 722/61; *préparer, traiter*, 384/15; *établir, mettre en place, instituer*, 374/16, 24; 390/15; 406/20-21

Ordonné, *part. p. adj.*: *destiné à, prévu pour*, 252/19; *sage, prudent, de bonne conduite*, 254/69; *organisé*, 264/18; policie ordonnee: *organisation politique*, 268/10; bataille ordonnee: *bataille rangée*, 330/16

Ospital, *n. f.*: *établissement charitable (qui pratique l'hospitalité plus que les soins)*, 254/58

Paleteau, *n. m.*: *lambeau*, 786/62

Panerel, *s. f.*: *petit panier*, 756/83

Parcreu, *part. p. adj.*: *arrivé au terme de sa croissance, devenu adulte*, 336/23; 370/11; 420/28; 572/19

Parfaire, *v.*: *achever, terminer, mener jusqu'au bout*, 226/38 *et* passim; aage parfait: *âge mûr*, 274/65

Parfaitement, *adv.*: *intensément, fortement*, 650/9

Parfond, *adj.*: *qui a une connaissance approfondie*, 270/26; 350/7

Parfurnir, *v.*: *parachever, mener à bien, accomplir*, 290/17; 520/30; 538/35

*Passionnable, *adv.*: *pleine de souffrances*, 768/185

Patoier, *v.*: *tenir dans la main, manier, manipuler*, 496/41

Patrenostre, *s. f.*: *prière du Notre-Père*, 564/81; paternostres: *chapelet*, 254/47

Peine, *s. f.*: a toute paine, *avec grand-peine*, 530/26; a peines, *avec difficulté, au prix d'un grand effort*, 630/157

Pesance, *s. f.*: *accablement*, 532/40; *tristesse, douleur*, 662/117

Pié, *s. m.* : ne [*verbe*] pié : *aucun ne, personne ne*, 286/55 ; 312/89

Pieça, *adv.* : *il y a un certain temps, il y a longtemps*, 620/69 ; de pieça, *depuis longtemps*, 334/40 ; 592/59 ; ja pieça, *depuis longtemps déjà, depuis un certain temps déjà*, 534/5

Piece, *s. f.* : a piece, *loc. adv.*, voir pieça, *depuis longtemps*, 628/108

Piner, *v.* : *peigner*, 366/23

Piteusement, *adv.* : *d'une façon pitoyable, pitoyablement*, 410/42 ; 646/38 ; 666/172 ; 674/63, 72

Piteux, *adj.* : *qui éprouve de la pitié, compatissant*, 206/21 ; 770/205 ; *inspiré par la piété*, 498/61 ; *qui suscite la pitié, émouvant, pitoyable*, 550/78 ; 650/21 ; 652/42, 62 ; 666/191 ; 678/89

Plain, *adj.* : *riche, comblé de biens*, 230/3 ; 467/52 ; a plain, *loc. adv.* : *nettement, clairement, ouvertement*, 342/13, 28 ; *longuement*, 758/95 ; plaine terre : *terre ferme*, 790/35

Plainement, *adv.* : *clairement, ouvertement, franchement*, 440/15 ; 760/42

Plestren, *s. m.* : *plectre, pièce de métal, d'os ou de corne servant à pincer les cordes d'un instrument*, 352/24

Policie, *s. f.* : *organisation politique et sociale, gouvernement, politique*, 268/51, 2, 9

Pontifical, *adj.* : *au sens figuré, digne d'un pontife, prestigieux* ; choses pontificales : *choses fastueuses, faste*, 686/20

Porel, *s. m.* : *verrue*, 624/54

Port, *s. m.* : *soutien*, 464/69

Pourchas, *s. m.* : *effort que l'on déploie pour obtenir quelque chose, en particulier dans le domaine amoureux*, 464/50 ; 590/32

Pourmener, *v.* : *distraire, duper (par des paroles)*, 538/36 ; *harceler (par des arguments)*, 726/40

Pourprise, *s. f.* : *enclos*, 414/121

Pourtraire, *v.* : *façonner, représenter*, 282/76 ; 368/73

Pourtraiture, *s. f.* : *trait, tracé* ; selon la pourtraiture de mon signe : *en suivant le trait que j'ai tracé*, 240/2

Pour tant, *loc. adv.* : *cependant*, 402/16 ; *pour autant*, 506/24 ; 508/6 ; *pour cette raison*, 484/27 ; 574/13 ; pour tant se, *même si*, 232/55 ; 272/16 ; 282/58 ; 650/25 ; 690/13 ; non pourtant, *néanmoins, cependant*, 220/31 ; 302/93

Preparler, *v.* : *discuter préalablement, prévoir*, 722/60

Pourveance, *s. f.* : *prévoyance*, 398/25 ; 404/21, 8

*Prevost, *s. m.* : *officier*, 544/43 ; *préteur (à Rome)*, 596/30 ; *gouverneur*, 728/69 ; 784/40, 42, 43 ; 788/28 ; *officier de justice, juge, magistrat*, 736/26 ; 744/48, 51 ; 748/30 ; 750/53, 63 ; 752/23 ; 754/49 ; 756/60

Procés, *s. m.* : *exposé discursif, propos, récit*, 238/139 ; 530/3 ; 600/25 ; 680/3 ; 704/3

Propos, *s. m.* : estre au propos de qqn : *être de son avis*, 694/26-27

Provision, *v.* : *action de pourvoir à qqch.*, 404/30

*Prudence, *s. f.* : *sagesse, discernement*, 268/20 ; 272/27 *et* passim

Prudent, *adj.* : *qui fait preuve de sagesse, de discernement, réfléchi, sage, avisé*, 260/174 *et* passim

Pueur, *s. f.* : *puanteur*, 496/39 ; 588/42

Pulentise, *s. f.* : *puanteur*, 588/44

Quarrure, *s. f.* : *forme carrée, surface carrée*, 492/38

Querre, *s. f.* : *face d'un carré*, 492/36

Querré, *adj.* : *carré*, 492/34

Quoye, *adj.* : *d'une femme, réservée, discrète*, 234/74 ; 466/86 ; 692/38 ; 806/64

Quoiement, *adv.* : *silencieusement, discrètement, en cachette, en secret*, 212/38 ; 296/26 ; 540/49 ; 624/42

Raigne, *s. m.* : tenir raigne de : *tenir des propos, entretenir qqn de qqch.*, 262/189

Raim, *s. m.* : *rameau ; en phrase négative, avec une valeur minimale, brin, soupçon de*, 704/12

Raison, *s. f.* : *argument*, 242/32 ; 264/2 ; 278/2 ; 354/55 ; 420/34 ; *plaidoyer, raisonnement*, 460/52 ; 726/27 ; *propos, discours*, 632/170

Ramenter, *v.* : *remettre en mémoire, rappeler*, 282/67

Ramentevoir, *v.* : *remettre en mémoire, rappeler*, 202/76 ; 752/2 ; 796/2

Rassis, *adj.* : *calme, posé, tranquille*, 252/9

Reclamer, *v.* : reclamer Dieu : *appeler à l'aide par des prières, invoquer, implorer*, 758/15

Recommendacion, *s. f.* : *considération, estime*, 348/36

Recompensacion, *s. f.* : *compensation, dédommagement*, 278/25 ; 610/301

Recompenser, *v.* : *compenser, dédommager*, 254/35 ; 278/22 ; 280/52

Recreant, *adj.* : *défaillant, sans force*, 280/38

Recreandise, *s. f.* : *lâcheté*, 654/25 ; *fait de renoncer*, 796/13

Recreu, *adj.* : *épuisé, à bout de forces*, 738/50

Recroire, *v.* : se recroire : *se lasser, se décourager, s'épuiser*, 760/52

Redarguer, *v.* : *démontrer par des arguments contraires le caractère erroné d'une idée, contrer, réfuter*, 208/41 ; 354/56 ; 636/37

Refeccion, *s. f.* : *repas, nourriture*, 650/11 ; 788/24

Regehir, *v.* : *avouer, confesser*, 582/42 ; 620/73 ; 730/9 ; 754/44

Relenquir, *v.* : *abandonner, délaisser, renier*, 486/62 ; 724/4

Remontee, *s. f.* : *heures qui suivent le repas du milieu de la journée, après-midi*, 660/76

Rendre, *v.* : estre rendu : *entrer en religion*, 780/10

Repairier, *v.* : *séjourner, demeurer*, 524/9-10 ; 624/29 ; 732/10

Reprimer, *v.* : *diminuer, amoindrir*, 278/9 ; 506/14

Reputer, *v.* : *considérer comme, tenir pour*, 212/21 ; 218/10 *et* passim

Ressongnier, *v.* : *craindre, redouter*, 300/31 ; 546/15

Retentive, *s. f.* : *terme philosophique, faculté de capter et de retenir par l'esprit*, 278/23

Retraire, *v.* : se retraire à : *ressembler à*, 456/61

Reverchier, *v.* : *retourner en tous sens, fouiller, examiner*, 508/4

Ribaud, *s. m.* : *homme de mauvaise vie, débauché, amant d'une prostituée*, 794/11

Riens, sur toutes riens, *loc. adv.* : *par-dessus tout*, 302/66 ; 308/20-21 ; 598/10-11 ; 622/9

Riote, *s. f.* : *querelle, dispute, conflit*, 462/42

Route, *s. f.* : *troupe armée*, 312/88, 99 ; 490/15 ; *groupe de gens, compagnie*, 606/26 ; 710/78 ; 718/13

Ruille, *s. f.* : *règle* ; ruilles d'armonie : *règles d'harmonie*, 352/26

Saint, *adj.* : *à propos d'une chose, éminemment respectable*, 582/58

Sauveté, *s. f.* : *fait d'être sain et sauf*, 460/11

Savoir, *s. m.* : *aptitude à bien se conduire, bon comportement*, 538/31

Scens, *s. m.* : naturel sens : *intelligence naturelle, bon sens (considéré comme inné)*, 400/40, 41, 48, 49 ; 404/6

Sciyble, *s. f.* : *qu'il est possible de connaître, accessible*, 354/1

Seing, *s. m.* : *marque sur le corps ou le visage, grain de beauté*, 624/54

Sentement, *s. m.* : *capacité à ressentir, émotion, sentiment, inspiration,* 240/161 ; 352/37 ; *capacité de compréhension, de jugement, intuition,* 278/23 ; 360/5 ; 398/6

Sentence, *s. f.* : *pensée, sens, substance de ce qui est formulé,* 198/6 ; 352/29

Serouge, *s. m. et f.* : *beau-frère,* 338/11 ; *belle-sœur,* 616/10

Soier, *v.* : *couper, moissonner,* 370/11

Solacieux, *adj.* : *agréable, qui réconforte, plaisant,* 488/68 ; 654/15

Sollempnel, *adj.* : *honoré, célèbre, illustre,* 202/60 ; 282/65 ; 562/46 ; *somptueux,* 492/25 ; 494/50

Sollempnité, *s. f.* : *chose noble, importante,* 365/90 ; 392/63 ; *fête solennelle,* 374/25 ; 390/11, 28 ; 724/18 ; sollempnitez : *rites solennels,* 490/8

Sommer, *v.* : *estimer, faire le compte, faire la somme,* 310/52 ; 380/28 ; 534/6

Soubtil, *adj.* : *subtil, plein de finesse, ingénieux, avisé,* 198/9 ; 266/48 ; 350/titre ; 366/10 ; 386/4 ; 394/80, 6 ; 398/6, 18 ; 552/3 ; *habile, adroit,* 240/13 ; 242/32 ; 394/80

Soubtillece, *s. f.* : *subtilité,* 342/18 ; 560/28

Soubtilleté, *s.f.* : *subtilité,* 370/2 ; 394/5 ; 460/50

Soubtiver, *v.* : se soubtiver : *s'ingénier, s'appliquer subtilement,* 384/7

Soubtiveté, *s. f.* : *subtilité,* 348/24 ; 360/15 ; 362/60 ; 366/12 ; *ingéniosité, habilité,* 384/6 ; 388/7 ; 390/20 ; 492/41 ; soubtiveté d'engin : *subtilité d'esprit,* 360/5-6 ; 390/20

Souef, *adj.* : *délicat, agréable,* 486/36 ; 508/5

Souef, *adv.* : *dans la douceur,* 486/42, 46 ; 614/178 ; souef flairant : *au doux parfum,* 672/47

Soueftume, *s. f.* : *suavité,* 350/19

Souevement, *adv.* : *avec douceur, dans la douceur,* 656/13

Souffraite, *s. f.* : *manque, privation,* 788/22

Souffraiteux, souffraicteux, *adj.* : *qui est dans le besoin,* 404/20 ; 644/6

Soulas, *s. m.* : *distraction, plaisir,* 200/18 ; 340/24 ; 628/128 ; 660/67 ; *réconfort, consolation,* 396/18 ; 486/66

Soulacier, *v.* : se soulacier : *se distraire, se faire plaisir,* 456/6

Souldre, *v.* : *répondre (à une question),* 264/10 ; 636/21 ; 726/41 ; 750/55

Suppleer, *v.* : *au sens de* souploier, *assouplir, atténuer,* 664/154

Tablel, *s. m.*: *tableau*, 390/24; 574/6

Tané, *adj.*: *fatigué, lassé*, 464/54

Tart, *adv.*: a tart, *difficilement, rarement*, 464/48

Targe, *s. f.*: *bouclier*, 368/68

Timonner, *v.*: *pousser, presser, harceler, exhorter*, 402/78; 454/25; 514/26; 554/9

Tine, *s. f.*: *cuve, baquet*, 296/49

Tiran, *s. m.*: *(au pluriel) bourreaux*, 738/49; *hommes cruels*, 762/70

Toullie, *part. p.*: *souillée*, 504/36, 42

Trace, *s. f.*: *sens figuré, modèle, exemple*, 254/60

Travail, *s. m.*: *activité pénible*, 318/32

Travaillant, *part. prés. s. m.*: *celui qui se donne de la peine*, 222/12

Travaillé, *part. p. adj.*: *fatigué*, 198/5

Traveiller, *v.*: *fatiguer, épuiser*, 726/37; 752/12; se traveiller, *se donner de la peine, se donner du mal*, 238/134; 678/96

Tref, *s. f.*: *poutre*, 590/16

Tribulacion, *s. f.*: *épreuve, tourment*, 488/71; 728/89; 730/28; 780/19; 806/72

Trufferie, *s. f.*: *plaisanterie*, 200/41; 344/2; 458/30

Vagueté, *s. f.*: *frivolité*, 806/64

Varieté, *s. f.*: *inconstance, versatilité*, 594/79; 600/42, 45, 48

Vertu, *s. f.*: *force morale, force de caractère, force d'âme*, 200/29; 320/55; 324/8 et passim; *force, courage*, 302/94; 312/116; 318/45 et passim; *pouvoir, force, puissance, propriétés*, 208/32; 228/20; 230/10 et passim; la vertu divine: *la puissance de Dieu*, 434/9; 732/5 et passim; la vertu de Jhesu Crist, 740/95

Vertueux, *adj.*: *qui a de la valeur*, 280/31, 32; 282/2; *qui a des qualités morales*, 322/92; *vaillant, courageux*, 410/50; *pour des propos, édifiants, sages*, 692/35

Vessel, *s. m.*: *récipient, vase, urne*, 224/20; 490/12; 498/63; 786/53; *emploi métaphorique, le corps humain (réceptacle de l'âme)*, 204/81; 248/96

*Violier, *s. m.*: *violettes, touffe de violettes, ou giroflées*, 672/46

Viseter, *v.*: *pour des livres, examiner*, 348/21

Vituperacion, *s. f.*: *ensemble de reproches, diatribe*, 210/61

Vitupere, s. *m. et f.*: *blâme, reproche*, 200/38

Volaige, *adj.*: *instable, inconstant*, 546/15

Ce glossaire doit beaucoup au *Dictionnaire du Moyen Français*, ainsi qu'aux autres dictionnaires et lexiques suivants:

- *Dictionnaire du Moyen Français (1330-1500)*, *version 2020 (DMF 2020)*, Nancy, ATILF-CNRS et Université de Lorraine, 2021 [en ligne] http://www.atilf.fr/dmf.

- Godefroy, Frédéric, *Dictionnaire de l'ancienne langue française et de tous ses dialectes du IXᵉ au XVᵉ siècle*, Paris, F. Vieweg, puis E. Bouillon, 1881-1902, 10 vol.

- Greimas, Algirdas J., *Dictionnaire du moyen français, la Renaissance*, Paris, Larousse, 1992.

- Greimas, Algirdas J., *Dictionnaire de l'ancien français jusqu'au milieu du XIVᵉ siècle*, Paris, Larousse, 2ᵉ éd. revue et corrigée, 1976.

- *Dictionnaire historique de la langue française*, nouvelle éd., 3 vol., dir. Alain Rey, Paris, Le Robert, 1998.

- Blanchard, Joël et Quereuil, Michel *Lexique de Christine de Pizan*, Paris, Klincksieck, 1999 (repris dans le *DMF*).

- *Trésor de la langue française informatisé (TLFi)*, Nancy, ATILF-CNRS et Université de Lorraine, 1994 [en ligne] http://atilf.atilf.fr/tlf.htm.

- *Centre national de ressources textuelles et lexicales (CNRTL)*, Nancy, ATILF-CNRS et Université de Lorraine, 2012 [en ligne] https://www.cnrtl.fr.

INDEX DES NOMS PROPRES

Les noms figurent ici sous la forme qu'ils ont dans le texte en moyen français. Ceux qui sont précédés d'un astérisque font l'objet d'une note dans la traduction. Les chiffres indiquent la partie (en chiffres romains), le chapitre et la page.

Epistre du dieu d'Amours Epître du dieu d'Amour *ou* Epistre au dieu d'Amours, *œuvre de Christine de Pizan* II, 47, 592 ; II, 54, 642

Epistre de Othea Epistre Othea, *œuvre de Christine de Pizan* I, 17, 296 ; I, 36, 374

Epistre Salemon Épître de Salomon, *passage du* Livre des Proverbes *dans l'Ancien Testament, parfois attribué à Salomon (Proverbes 31, 10-31)* table des rubriques I ; I, 43, 402 ; I, 44, 402 ; I, 45, 404

Epistres contre le Rommant de la Rose Epîtres contre le Roman de la Rose, *œuvre de Christine de Pizan* II, 54, 642

Equba *Hécube, reine de Troie, épouse de Priam, mère d'Hector* I, 19, 308

Erithee *Érythrée, ville d'Ionie, région d'Asie Mineure, située sur une péninsule ; nom d'une des sibylles* table des rubriques II ; II, 1, 438 ; II, 2, 440

Erophile *Hérophilé, autre nom de la sibylle d'Érythrée* II, 1, 438

Esau *Esaü, personnage de l'Ancien Testament (Genèse 24 et 25), fils d'Isaac et de Rébecca, frère de Jacob* II, 39, 570

Escripture/Sainte Escripture *Écriture/Sainte Écriture, désigne la Bible* I, 10, 258 ; I, 12, 270 ; I, 29, 346, 348 ; II, 4, 448 ; II, 31, 540 ; II, 32, 544 ; II, 37, 566 ; II, 38, 568 ; II, 39, 570 ; II, 40, 570

Esdras *Esdras, prêtre juif à qui sont attribués plusieurs livres de l'Ancien Testament (Livres d'Esdras et de Néhémie)* III, 19, 804

Esmenien *Éménien, personnage de la légende de sainte Martine, cousin du mauvais empereur* III, 6, 738, 740

Espaigne *Espagne* III, 8, 438

Ethipien/Ethiopiens *Éthiopien, habitant d'Éthiopie* I, 12, 268 ; III, 4, 730

Ethioppe/Ethiope/Etioppe *Éthiopie, pays d'Afrique de l'est* I, 12, 268 ; I, 15, 284 ; II, 4, 450

*Ethiocles *Étéocle, dans la légende de Thèbes, fils d'Œdipe, frère de Polynice et d'Antigone* II, 17, 494

Eufroisine/Eufrosine *Euphrosine, sainte* table des rubriques III ; III, 13, 778

Eulalie *Eulalie, sainte* III, 8, 748

Europa/Europe *Europe, le continent* I, 16, 290, 292 ; I, 37, 376

Europa *Europe, personnage mythologique, séduite et enlevée par Jupiter qui avait pris la forme d'un taureau* II, 61, 680

Euvangille *Évangile* I, 10, 256, 262 ; III, 17, 794

Evander *Évandre, fils de Nicostrate/Carmenta* II, 5, 452

Eve *Ève* I, 9, 250

TABLE DES ILLUSTRATIONS

Christine de Pizan, *Le Livre de la Cité des dames*,
Paris, BnF, français 1178
(source : Bibliothèque nationale de France)

TABLE DES MATIÈRES

Achevé d'imprimer en juillet 2023 par Corlet Imprimeur — 14110 Condé-en-Normandie
Dépôt légal : juillet 2023 — N° d'imprimeur : 23070096 — *Imprimé en France*
pour le compte des Éditions Slatkine à Genève – Suisse